Von derselben Autorin erschienen
in den Heyne-Büchern die Romane

stud. chem. Helene Willfüer · Band 35
Es begann an Bord · Band 204
Flut und Flamme · Band 536
Hotel Shanghai · Band 591/592/593
Kristall im Lehm · Band 779/780/781

VICKI BAUM

MARION

Roman

WILHELM HEYNE VERLAG

MÜNCHEN

HEYNE-BUCH Nr. 643/644/645
im Wilhelm Heyne Verlag, München

833.9
B347mG

Deutsche Übersetzung von
Fritz und Li Zielesch

2. Auflage

Lizenzausgabe mit Genehmigung des Verlages
Kiepenheuer & Witsch, Köln und Berlin
Copyright by Vicki Baum
Alle Rechte vorbehalten
Printed in Germany 1970
Umschlag: Atelier Heinrichs & Bachmann, München
Gesamtherstellung: Ebner, Ulm

ERSTES KAPITEL

An jenem Tag kam Christopher frühmorgens in Marions Zimmer geschlendert. Sein Haar war vom Frühnebel feucht, und wie gewöhnlich kaute er an einem Grashalm. Auch seine schweren Stiefel waren feucht, und an seinem rauhen Homespunmantel hingen winzige Tauperlen.

»Wo ist denn Michael?« fragte er.

»Drüben beim Arzt«, antwortete Marion.

»Etwas Besondres?« fragte Christopher.

»Nein«, sagte sie frohen Herzens. »Es ist nur noch eine Art Nachuntersuchung. Wir haben die Schlacht gewonnen.«

»Ja, Marion, das haben Sie«, sagte er, »und das können gerade in diesen Tagen nur die wenigsten von sich sagen.«

Er ließ das eine seiner langen knochigen Beine über das Geländer baumeln und holte seine Pfeife hervor. Marion sah ihm an, daß ihn etwas intensiv beschäftigte.

»Machen Sie mir meine Geranien nicht kaputt!« sagte sie. Marion liebte die schweren roten Blütengehänge, die — wie an den meisten Schweizer Häusern — in Kaskaden von der Veranda niederstürzten. Aber Christopher sah Farben nur, wenn er nicht in Gedanken vertieft war. Wie fast alle Männer war er taub, stumm und farbenblind, sobald er nachdachte. Und jetzt dachte er nach. Marion erkannte es daran, daß seine Augen hinter der Brille einen blicklosen Ausdruck hatten. Während der letzten zwei Jahre, in denen sie immer in der Angst gelebt hatte, ihr Sohn Michael werde das Augenlicht verlieren, hatte sie sich so sehr daran gewöhnt, Augen zu beobachten, daß es ihr zur zweiten Natur geworden war.

»Wieder eine Geschichtszahl, die sich die armen Schuljungens von morgen merken müssen«, sagte er. »14. Juni 1940. Zusammenbruch Frankreichs. Paris hat kapituliert! — Na, macht auch keinen großen Unterschied mehr.«

»Das war ja wohl zu erwarten, ja?« sagte sie, nur um etwas zu sagen.

»Ganz entschieden«, sagte er, zog das Bein über die Brüstung zurück und ging mit langen Schritten auf der Veranda auf und ab.

Das Radio hatte Marion schon vor Wochen abgeschafft. Es hatte Michael zu sehr aufgeregt, und man erfuhr ja von allem doch immer nur die Hälfte. Seitdem berichtete ihr Christopher gewöhnlich immer kurz über die letzten Nachrichten und gab manchmal einen nüchternen Kommentar dazu.

Sie lehnte sich über die Brüstung und sah ins Tal hinunter. Der Nebel hatte sich zu festen runden Wölkchen geballt, die nun von den Sonnenstrahlen allmählich durchlöchert und in weiße Wattefetzen zerrissen wurden. Dahinter sah man das Glitzern des Sees und das sanfte Schwanken von Baumwipfeln. Die Luft war frisch und durchzogen vom guten Duft der

5

Kiefern, des frisch geschlagenen Brennholzes und des schäumenden grünen Gießbachs, der drüben hinter dem kleinen Garten vorbeifloß. Aber als sich Marion noch tiefer über das Geländer beugte, sah sie die rings um das Erdgeschoß aufgeschichteten Sandsäcke, und dieser Anblick verdarb ihr den schönen Morgen.

Die Kinder aus der Mühle, die weiter unten am Bach lag, kamen im Marschschritt den Pfad herauf. Jedes hatte eine kleine Gasmaske vor dem Gesicht. Es war eine seltsame Prozession. Das älteste Mädchen trug das Kleinste auf dem Arm, und auch das Kleinste hatte eine winzige Gasmaske vor. Es sah damit aus wie eine Larve. Die Kinder sangen ein Lied, das in den monströsen Filtern erstickte, und marschierten wacker drauflos. Aber ab und zu blieben sie stehen; sie mußten sich erst einmal auf die Knie klatschen, so komisch kam ihnen alles vor. Die Gasmasken machten den Kindern im Dorf einen Heidenspaß; man konnte mit ihnen allerlei neue Spiele spielen. Besonders das Kleinste aus der Mühle liebte sein winziges Gerät über alles und weinte jedesmal, wenn man es ihm abnahm.

»Glauben Sie, daß die Schweiz bald hineingezogen wird?« fragte Marion.

»Wer kann's wissen. Wahrscheinlich«, antwortete er, noch immer in Gedanken verloren.

»Hören Sie, Marion, warum packen Sie nicht Ihre Sachen, warum nehmen Sie nicht Michael und gehen nach Amerika zurück, solange es möglich ist?« fuhr er nach einer Weile fort.

»Es kann ja jetzt nicht mehr lange dauern«, sagte Marion. »Dr. Konrad glaubt, daß er Michael in etwa zwei Monaten ruhig gehen lassen kann. Es wäre doch sinnlos, jetzt die Behandlung abzubrechen. Es steht zu viel auf dem Spiel.«

Christopher gab keine Antwort. Er war mit ihnen seit jenem Tag im Frühling 1939 zusammengewesen, als sie nach Staufen gekommen waren, seit dem Tag, an dem Marion Sprague ihren Sohn hierhergebracht hatte, um ihn von Dr. Konrad behandeln zu lassen. Der Arzt war ein deutscher Emigrant, der von den Nazis übel zugerichtet worden war und sich nun in diesen abgelegenen Schweizer Flecken zurückgezogen hatte, um hier ganz seiner Arbeit zu leben.

Als sie Christopher kennengelernt hatten, war Michaels Augentuberkulose fast hoffnungslos gewesen. Christopher hatte sich rasch mit ihnen angefreundet. Er hatte ihren tapferen Kampf miterlebt und sie bald liebgewonnen, beide, die Mutter und den Sohn, dieses vergnügte Duo, das so tat, als sei Blindwerden gar kein Grund zum Unglücklichsein. Marion brauchte Christopher gar nicht zu erklären, warum sie nicht alles in Bewegung setzten, ein Schiff nach den Vereinigten Staaten zu bekommen, jetzt, wo Michael doch schon fast geheilt war.

Er holte seine Pfeife hervor und warf ihr einen amüsierten Blick zu. »Mal wieder eine Ihrer Vorahnungen, wie?« sagte er. »Überschrift: Der Instinkt der Feldmaus, oder wie komme ich wider besseres Wissen in Ungelegenheiten. Liebe Marion, werden Sie denn niemals etwas dazulernen?«

Sie hatte ihm einmal von der Feldmaus erzählt, die den Hof ihres Großvaters stets vor einer Überschwemmung oder sonst einer Katastrophe verlassen hatte. Wenn die Feldmaus blieb, so wußte der Großvater, daß keine Gefahr bestand. Es war eine von Großvaters schönsten Geschichten, die dem Kind offenbar tiefen Eindruck gemacht hatte.

»Ich werde doch nicht Michaels Genesung aufs Spiel setzen«, sagte sie.

»Ja, ich verstehe schon«, sagte Christopher sarkastisch. »Nur nicht davonlaufen, vor Tod und Teufel nicht. Darauf läuft's doch hinaus.«

»Glauben Sie denn wirklich, daß uns das Davonlaufen nützen würde?« fragte Marion erregt. »Wie war's denn mit all den Menschen, die in Holland und Belgien und Paris und Gott weiß wo davongelaufen sind und dann auf den Landstraßen von Bomben erwischt wurden? Und wenn wir wirklich das nächste Schiff nehmen — wissen Sie so genau, daß es nicht versenkt wird? Und wenn wir Amerika erreichen, wer sagt Ihnen, daß wir nicht bei einem Flugzeugabsturz oder bei einem Autounfall umkommen? Es kommt doch auch vor, daß Menschen an einer Lungenentzündung oder an einer Zahninfektion sterben. Im vorigen Krieg hat kein Mensch daran gedacht, davonzulaufen; warum sollte ich es jetzt tun? Hinter den ›Sieben Brüdern‹ fühle ich mich ebenso sicher wie sonst irgendwo und bin viel ruhiger. Geradeso wie Sie.«

Er blickte nach der Bergkette jenseits des Sees: das Grauhorn, die Brüder, der Arlistock — das waren seine besten Freunde. Er kannte dort jeden Schrund, jede Schlucht und jeden Hang, jeden Gletscher und jeden Kamm. Die Gipfel trugen noch ihre Wolkenmützen auf den weißen Häuptern, altmodische flanellene Nachtmützen, aber ihre Flanken waren scharf in die flimmernde Morgenluft gezeichnet. Marion folgte Christophers Blick, der um den See herumwanderte und den schmalen Zickzackpfad zum Kees und zum Grauhorngletscher emporstieg. Auf diese Entfernung konnte man die Kehren nur erkennen, wenn man oft hinaufgeklettert war und jede Wendung und Windung kannte. Marion war, als könnte sie nicht nur Christophers Blick, sondern auch seinen Gedanken folgen, aber darin irrte sie sich wie schon so oft. Er sprach so wenig über sich selbst, daß eine Mitteilung persönlicher Natur seine Freunde gewöhnlich wie ein Schlag traf.

»Ich reise heute ab«, sagte er. »Ich fahre nach England zurück.«

Marion hoffte, daß sie nicht einen Schreckenslaut von sich gegeben hatte. Sie fühlte, wie sich ihre Kopfhaut zusammenzog und vom Halswirbel aufwärts kalt wurde. Es war eine merkwürdige Empfindung. Allmächtiger, meine Haare stehen zu Berge, dachte sie.

»Sie? Abreisen? Warum denn?« fragte sie, wie vor den Kopf geschlagen. Es war ihr nie in den Sinn gekommen, daß Christopher eines Tages fortgehen und sie allein lassen könnte. Manchmal hatte sie sich ausgemalt, wie sie weggehen und ihn zurücklassen würde und wie er dann in diesem Tal begraben wäre und sich mit seinem ewigen, niemals fertig werdenden ›Aufstieg und Verfall des byzantinischen Reiches‹ abquälte. Manchmal hatte sie nachts nicht schlafen können, wenn sie den Versuch gemacht hatte, sich diesen Abschied mit allen Einzelheiten und Konsequenzen vorzustellen. Und nun sollte sie also zurückbleiben, und er sollte fortgehen. Sie fuhr sich mit der Zungenspitze über die Lippen, um sie wieder warm zu kriegen, aber auch ihre Zungenspitze war vor Angst kalt geworden. Die ›Sieben Brüder‹ tanzten vor ihren Augen, als wären sie in diesem Augenblick von einer Bombe in die Luft gesprengt worden.

»Wann reisen Sie denn ab?« fragte sie.

»Gegen ein Uhr«, antwortete Christopher.

»Der Bus fährt nicht mehr«, sagte sie, von dem Schock wie vernichtet. Die nächste Bahnstation war mehr als zwei Stunden entfernt. Alle Autos und sogar die Autobusse waren bei der Mobilisierung der Schweiz für militärische Zwecke beschlagnahmt worden, und die Leute machten ihre Wege mit dem Fahrrad.

»Wenn ich um ein Uhr losziehe, bin ich bei Sonnenuntergang auf der Arlihütte«, sagte er. »Dort übernachte ich, und morgen früh würde ich gern noch einmal auf den Grauhorngipfel klettern, bevor ich über den Paß nach Arlingen gehe. Ich habe mir schon alles ausgerechnet. Wenn ich heute gegen ein Uhr aufbreche, kann ich übermorgen bequem in Genf sein, noch früh genug, das Flugzeug zu erreichen.«

»Was für ein Flugzeug?« fragte Marion schwach.

»Flugzeug nach Lissabon. Ist ein kleiner Umweg, aber so komme ich am besten nach Hause«, sagte er.

Sie sah ihn an. Er saß wieder rittlings auf dem Geländer, die Beine zwischen den Geranien, und sie sagte etwas albern: »Sie haben sich das Haar schneiden lassen, was?«

Er strich sich über das kurzgeschnittene rötliche Haar und lachte. »Ja, ich habe endlich nachgegeben und meine Locken den Händen des alten Hammelin anvertraut«, sagte er. »Er hat es recht ordentlich gemacht, finden Sie nicht auch? Er ging ziemlich zaghaft an die Sache heran. Er sagt, es ist schwer, zugleich Dorfbarbier und Hufschmied zu sein und sich das feine Gefühl in den Fingern zu erhalten, wenn man zwischendurch Hufeisen macht.«

»Warum wollen Sie nach Hause gehen, Chris?« fragte Marion.

»Ich muß«, sagte er; er hatte ein Lächeln um den Mund, aber seine Augen waren ernst. »Ich muß einfach. Ich weiß, es klingt idiotisch, aber daheim scheint es so schlecht zu stehen, daß ich einfach dort sein muß — beim endgültigen Kladderadatsch.«

»Ich denke, Sie halten nichts vom Krieg und vom Britischen Empire und so?« sagte Marion hilflos. Das ganze schöne Luftschloß, das sie an langen Abenden voller Gespräche mit ihm gebaut hatte, wankte und stürzte mit einem Krach zusammen.

»Natürlich nicht«, sagte er. »Wie könnte man auch? Ich war schon ein großer Junge, als mein Vater nach Hause kam, kurz vor dem Ende des vorigen Krieges. Was für ein Wrack war er für den Rest seines Lebens! Kein Wunder, daß ich im reinsten, unverfälschten Pazifismus erzogen wurde. Und so war's doch mit uns allen, ja? Wenn man sich in die Weltgeschichte versenkt, wird man ja auch nicht gerade zum Kriegsfreund. Aber sie lehrt uns doch, daß jedes große Reich seine Zeit hat, und unsre Zeit ist nun mal um. Man kann eben keinen Krieg gewinnen, wenn man so nüchtern und wenig begeistert ist wie wir, und ich glaube kaum, daß die tapferen kleinen Fanfarenstöße, die Mister Churchill auf seiner Spielzeugtrompete bläst, viel daran ändern werden. Aber ich hatte mich getäuscht, wenn ich glaubte, ich könnte hierbleiben und mein furchtbar wichtiges Buch fertigschreiben, während England untergeht. Ich kann es nicht. So steht die Sache: ich kann es einfach nicht. Ich weiß, wie idiotisch es ist, mir graut, wenn ich daran denke, mit wieviel Dreck und Schweinerei und Gestank ich mich einlasse — aber ich kann nicht abseits stehen. Sagen Sie — rede ich zuviel?«

»Michael wird ganz verzweifelt sein, daß Sie fortgehen«, sagte Marion.

»O nein, er versteht mich. Wir haben darüber gesprochen, und er ist ganz meiner Meinung. Er würde genau dasselbe tun, wenn er in meiner Haut steckte«, sagte er. »Wir sind natürlich alle ein bißchen durcheinander, wir haben uns immer für eine Nachkriegsgeneration gehalten. Plötzlich kommen wir darauf, daß wir die ganze Zeit eine Vorkriegsgeneration gewesen sind. Es ist ein aufgelegter Schwindel, der einen ganz konfus macht. Aber Michael kennt seinen Weg so ziemlich.«

»Bevor wir nach Staufen kamen, war Michael dicht daran, ein Nazi zu werden«, sagte Marion. »Ich weiß nicht, ob Sie eine Vorstellung davon haben, wie sehr er sich unter Ihrem Einfluß verändert hat. Wenn Sie nicht sein Freund geworden wären —«

»Ach, das hätte sich schon von selbst gegeben«, sagte Christopher leichthin. »Hitlers Angeberei hat etwas Faszinierendes, und Michael ist ja noch sehr jung. Aber er ist ein prächtiger Junge, und ich glaube nicht, daß er mit einem erfolgreichen Eroberer sympathisieren würde. Ein saturierter Heros hört auf, ein Heros zu sein, und der Erfolg hat noch jeden ruiniert — von Dschingis-Khan bis Napoleon. Wenn der Mond am vollsten ist, beginnt er abzunehmen, sagen die Chinesen, und die wissen Bescheid.«

»Ach was, Chinesen!« sagte Marion. »Immer müssen Sie so abstrakt und objektiv sein! Sie strafen Ihre ganze Vergangenheit Lügen, und dann soll ich noch dazu applaudieren. Ich will aber nicht. Ich werde keinem Soldaten Blumen an das Bajonett binden.«

Christopher kam von der Veranda ins Zimmer herein. Plötzlich stand er so dicht bei Marion, daß sie die Wärme seines Körpers und den Tabaksgeruch seines Mantels spürte.

»Hören Sie, Marion«, sagte er. »Wollen Sie mich bis Genf begleiten?«

»Genf?« sagte sie mit angehaltenem Atem.

»Es sind bloß zwei Nächte und zwei Tage. Sie fahren dann mit der Bahn zurück und sind übermorgen wieder hier.«

»Ich weiß nicht, ob Dr. Konrad es wohl gern sehen würde, wenn Michael gerade jetzt wegführe —«, begann Marion, aber Christopher legte die Hand auf ihren Arm und unterbrach sie. Er drehte sie so zu sich herum, daß sie ihm ins Gesicht sehen mußte. In seinen Brillengläsern sah sie ihr Spiegelbild, winzig klein, mit einem krampfhaften Lächeln um den Mund.

»Denken Sie doch mal einen Augenblick lang nicht an Michael!« sagte er.

»Es handelt sich um Sie und mich. Ich möchte nicht, daß er mitkommt. Ich möchte dies einemal mit Ihnen allein sein.«

Vorsicht jetzt, dachte Marion aufgeschreckt. »Ich weiß nicht, ob ich für eine anstrengende Bergtour genug in Form bin. Ich bin wie ein altes Auto — wenn's steil bergauf geht, fange ich an zu kochen«, wandte sie ein.

»Sie sind in ausgezeichneter Form und waren schon zweimal auf der Arli-hütte, ohne ein einzigesmal zu japsen«, sagte er, nunmehr sehr entschieden. »Sie müssen natürlich nicht auf den Gipfel mitgehen, wenn Sie nicht wollen. Sie können ja in der Hütte auf mich warten. Ich werde hin und zurück nicht mehr als fünf Stunden brauchen. Morgen nachmittag gehen wir dann über den Paß oder fahren eventuell mit der Seilbahn und bleiben über Nacht in Arlingen. Dort gibt es einen ganz entzückenden alten Gasthof — er wird Ihnen gefallen. Der Zug nach Genf geht morgen sechs Uhr zwanzig, aber da Sie ja sowieso gern früh aufstehen . . .«

»Die ganze Sache kommt mir ziemlich verrückt vor«, erwiderte sie matt. Ruhig, Marion, ruhig jetzt, sagte sie zu sich selbst. Bis jetzt hast du dich ganz gut benommen, rutsch jetzt nicht aus, laß dich nicht im letzten Augenblick von einer blödsinnigen Gemütsbewegung hinreißen! Aber warum eigentlich nicht? Warum soll man sich aus dem Zusammenbruch nicht zwei selige Nächte stehlen? Das geschieht doch in der ganzen Welt, wenn die Männer ins Feld gehen und die Frauen daheimbleiben . . .

»Ich hatte es mir so nett gedacht, daß Sie mich begleiten«, hörte sie ihn mit seiner ruhigen, kühlen Stimme sagen. »Ich hatte mir vorgestellt, wie Sie auf dem Flugplatz stehen und mir adieu winken, und ich würde hin-unterschauen und sehen, wie Sie immer kleiner und kleiner werden. Vielleicht ist es kindisch und lächerlich oder wie Sie es nennen wollen — aber irgendwie würde es meiner Abreise einen Sinn geben.«

»Eine komische Idee, Chris. Warum soll ausgerechnet ich —«, hub sie an, aber er schnitt ihr das Wort ab.

»Du lieber Gott, Marion, machen wir uns doch jetzt nichts vor!« sagte er. »Sie wissen, daß ich Sie liebe. Es ist seltsam, aber Liebe scheint das einzige zu sein, was stark genug ist, die ganze übrige Konfusion auszulöschen.«

Marions Mund wurde trocken. Sie wußte, daß er recht hatte, aber sie durfte es nicht zugeben. Mehr als fünfzehn Jahre Altersunterschied — dieser Abgrund fiel zwar nicht sehr in die Augen, aber er war sehr tief, und es führte keine Brücke darüber.

»Im vorigen Krieg habe ich drei Männer zur Bahn begleitet«, sagte sie, und es kam weicher heraus, als sie gewollt hatte. »Keiner von ihnen ist zurückgekommen. Ich liebe keine Wiederholungen.«

Seit dem Ausbruch des neuen Krieges war Marion von Gespenstern umgeben. Alles war ihr früher schon einmal passiert. Gespenster von Reden, von Worten, von Dingen, die schon früher einmal gesagt, gefühlt und gelitten worden waren. Alle so wohlbekannt, so abgetragen; sie konnte hindurchsehen, wie man in den Witzblättern durch die Geister hindurchsehen kann. Chris war jung, er erlebte das alles zum erstenmal. Ich bin alt, dachte

Marion. Ich habe es schon einmal durchgemacht, ich kenne den Anfang, den Höhepunkt und das Ende.

»Jetzt sind Sie ganz einfach albern«, sagte sie. »Albern und konventionell. Wie jeder Soldat wollen Sie mit einer Frau ins Bett, bevor Sie ins Feld gehen, das ist alles. Und da ich so ziemlich die einzige Frau in Staufen bin, die Sie wirklich kennen ... Aber um Himmels willen, Chris, ich habe drei erwachsene Söhne, ich könnte Ihre Mutter sein, also seien Sie doch nicht so abgeschmackt! Noch vor kommendem Herbst werde ich sogar Großmutter —«

Christopher lächelte zu ihr hinunter. »Unsinn, Marion, Liebste«, sagte er zärtlich. »Du brauchst nicht so dick aufzutragen. Hol lieber deine Nagelschuhe und mach dich fertig zum Abmarsch! Es wird herrlich sein dort oben heute nacht. So still, und der Himmel so nah, und die Sterne so reif und groß, daß du dir so viele pflücken kannst, wie du willst.«

Marion riß sich zusammen. Es gibt etwas wie Würde und Selbstachtung, und sie klammerte sich daran mit allen Kräften. Sie machte sich im Innern steif wie ein Stock und sagte: »Wie kommen Sie bloß auf die Idee, daß ich mit dem besten Freund meines Sohnes eine Liebelei anfangen könnte? Das wäre ja ein schönes Schauspiel. Michael würde ganz begeistert sein, nicht wahr? Wissen Sie, wieviel älter ich bin als Sie?« (Sie hatte es oft und oft ausgerechnet, daran gekaut und so viel Bitterkeit daraus gesogen, daß es ihr jedes Vergnügen verdorben hatte.) »Ist Ihnen nicht klar, daß ich schon ein erwachsenes Mädchen war, als Sie zur Welt kamen? Sind Sie nicht ein bißchen verdreht, mit Ihren Sternen? Ich hätte Ihnen die Windeln wechseln und den kleinen Popo einpudern können, als Sie noch ein Säugling waren, ich hätte Sie auf das Töpfchen setzen und Ihnen einen Klaps geben können, als Sie die ersten Höschen naß machten. Liebe — so ein Unsinn!«

Er zog seine Hände aus den Taschen, wo er sie verankert hatte; er legte die Pfeife weg, und schließlich nahm er die Brille ab. Sie hatte ihn nie ohne Brille gesehen, und sein Gesicht erschien ihr plötzlich unbekleidet, ein nacktes, neues Gesicht, viel zu intim, beinahe unanständig. Es war komisch und ging ihr ans Herz, wie er alle diese umständlichen Vorbereitungen traf, bevor er sie in seine Arme nahm und küßte. Sein knochiger, harter Bergsteigerkörper zitterte an ihrem Leib, als wäre er über sein eigenes Vorgehen erschrocken. Sie nahm all ihre Willenskraft zusammen und verwandelte sich in Stein. Sie wehrte sich nicht, sie erwiderte die Umarmung nicht. Sie verhielt sich passiv. Es war die Krönung monatelanger Selbstverleugnung und Selbstbeherrschung, monatelangen Trainings, den Kopf nicht zu verlieren, sich nicht gehenzulassen, nicht zu vergessen, daß sie vierundvierzig Jahre alt war, fünfzehn Jahre älter als Christopher. Als er von ihr abließ, tat ihr alles weh von der Anstrengung, die Liebkosung nicht zu erwidern. Er schob sie fort und starrte sie an. Seine Augen hatten sich verdunkelt, und Marion sah ihm an, daß er verletzt und wütend war.

»Pardon«, sagte er. Er gab sich einen Ruck und wurde wieder sein kühles englisches Ich. Pfeife im Mund, Brille, Hände in den Taschen.

»Es ist also wahr. Sie haben wirklich nichts für mich übrig«, sagte er.

»Ein dummes Mißverständnis meinerseits. Sie müssen verzeihen! Vielleicht haben Sie recht, und ich lebe schon zu lange in diesem Tal. Bitte vergessen Sie, was ich gesagt habe! Ich hätte es nicht getan, wenn nicht meine Abreise gekommen wäre.«

Später setzten sie sich hin und sprachen miteinander wie zwei Marionetten. Marion spürte geradezu den Faden, der sie in dumme, flüchtige Gesten und Bewegungen versetzte, die nicht ihre eigenen waren. Irgend jemand sprach den Text für sie, hölzerne Worte ohne Sinn und Inhalt. Als Christopher höflich geworden war und sie als Dame behandelt hatte, war ihr aufgegangen, wie tief verwundet er war. Sie saßen da und sprachen vom Wetter, und jeder schmorte in seiner eigenen Hölle. Die Wetterecke jenseits des Arlistocks war klar, für ein paar Tage war kein Gewitter zu befürchten, die Aussicht vom Gipfel würde gut sein, und der alte Hammelin — der nicht nur Barbier und Hufschmied, sondern auch Wetterprophet war — hatte vier wolkenlose Tage vorausgesagt. Plötzlich merkte Marion, daß durch ein Meer von Kummer ein Rettungsgürtel auf sie zugeschwommen kam. Sie ergriff ihn und sagte: »Möglicherweise ist das Flugzeug nach Lissabon auf Wochen hinaus ausverkauft.«

Christopher schüttelte den Kopf. »Ich habe einen Platz belegt«, sagte er. »Ich mußte ein paarmal anrufen. Glücklicherweise hat jemand seine Karte zurückgegeben, und ich habe sie bekommen.«

Glücklicherweise, ja.

Na, ich glaube, jetzt muß ich gehen, Marion. Ich will Sie nicht aufhalten, Christopher. Adieu und seien Sie vorsichtig! Bon voyage, oder was sagt man, wenn ein Mann zu einem Zeitpunkt in die Heimat zurückkehrt, wo die Chancen eins zu hundert stehen . . ?

»Wenn Sie möchten, daß Ihnen zum Abschied jemand zuwinkt, weil Sie sich sonst so verlassen vorkommen, will ich die kleine Tour natürlich gern mit Ihnen machen — wirklich —«, sagte Marion im letzten Moment.

Er blieb an der Tür stehen und sah sie an.

»Aber die Sterne wollen Sie heute nacht nicht mit mir vom Himmel pflücken«, sagte er mit einem gequälten Lächeln.

»Ich will nicht, daß Sie unsinnige Schlüsse daraus ziehen, wenn ich Sie zum Abschied begleite«, sagte sie.

»Ich will kein Mitleid«, sagte er. »Ich liebe Sie. Ich begehre Sie. Wenn Sie darin unsinnige Schlüsse sehen, will ich nicht, daß Sie mitkommen. Das wäre doch eine Quälerei, nicht wahr? Es würde mir das Gefühl geben, etwas von Ihnen erpreßt zu haben. Nein, danke, Marion. Denken Sie nicht mehr an die dumme Geschichte.«

»Chris«, sagte sie verzweifelt, »verstehen Sie denn nicht? Ich bin keine Kindesräuberin. Darum!«

»Das haben Sie hübsch gesagt«, sagte er. »Na — ich muß mich jetzt beeilen. Adieu. Vorläufig bleibt die Postverbindung mit England ja wohl noch bestehen. Ich bleibe mit Michael in Kontakt.«

»Ich könnte Sie wenigstens über den See rudern«, sagte Marion. Sie hatte ein Gefühl in der Kehle, als hätte sie ein Dutzend Messer verschluckt.

»Nein, bitte nicht«, sagte er. »Es wäre mir lieber, Sie bei meinem Exodus nicht um mich zu haben. Aber es wäre nett, wenn Sie mir Michael ins Hotel hinüberschicken wollten.«

»Ja, gewiß, sobald er vom Arzt zurückkommt.«

»Schön — also adieu, Marion.«

»Adieu, Christopher. Es wird noch alles gut werden — mit England, meine ich.«

»Sicherlich. Das Dumme ist, daß die alte Dame in ihrer Jugend nicht die Masern gehabt hat. Man sagt, es ist viel gefährlicher, wenn man sie erst auf seine alten Tage bekommt.«

Warum habe ich mich nur in dich verliebt? dachte Marion verzweifelt. Wegen dummer Kleinigkeiten: wie du deine Pfeife rauchst, wie du mit geschlossenen Lippen lächelst, wie du die Beine über die Stuhllehne hängst, wie du die Stirn runzelst; der Klang deiner Stimme, die Form deiner Ohren, das feine, köstliche Etwas, das deine Mundwinkel geformt hat — nenn's Erziehung, Resignation, Haltung, den Mut, alles ungeschminkt und nüchtern zu betrachten. Geh nicht fort, Christopher, kämpfe nicht für Dinge, an die du nicht glaubst, laß dich nicht töten, stirb nicht, bitte! Ruhig, Marion, ruhig jetzt. Die Hauptsache ist: Nie das Gleichgewicht verlieren! So sagte Großvater immer.

Die Hand, die Christopher ihr gab, war genauso kalt wie ihre eigene Hand. Sie wußte, daß auch seine Lippen kalt wären, wenn sie ihn jetzt küssen würde.

»Wiedersehen, Chris. Und seien Sie nicht gar zu heldenhaft!«

»Nein, nein. Und Sie, seien Sie vernünftig und gehen Sie nach Amerika zurück! Es wäre ja sinnlos, wenn Michael von irgendeiner infernalischen Bombe getroffen würde, kaum daß er wieder gesund ist.«

»Ich will's mir noch einmal überlegen, Christopher.«

»Tun Sie das bitte! Und Dank für alles.«

Noch einen Augenblick lag seine Hand in ihrer Hand, schwer und kalt. Im nächsten Moment war alles leer. Marion wußte nicht, wo er die ganze Zeit den Grashalm gehabt hatte, aber als er ging, hatte er ihn wieder zwischen den Lippen und kaute wie besessen daran. So wird sie ihn immer in Erinnerung behalten: feucht vom Tau, an einem Grashalm kauend, den er auf seinem Morgenspaziergang abgerissen hatte.

Weißt du noch, wie es im vorigen Krieg war — all das Geschrei und Getue und Drumrum und Fahnengeschwenke? dachte sie. Seither sind wir furchtbar still geworden. Wir scheuen die großen Worte und die Zurschaustellung unserer Gefühle. Anscheinend haben heute nur noch die Ministerpräsidenten die Fähigkeit, solche hohlen, tönenden Tiraden von sich zu geben, wie sie Anno 1914 jedermann plärrte ›Lieber tot als Sklav! Rettet Freiheit und Zivilisation! Unsere tapferen Krieger — dein Land braucht dich — glorreiche Schlachtfelder — Gott ist mit uns.‹ Arme Ministerpräsidenten, immer in den Wind reden! Sie sind wie alte Operntenöre, singen immer noch die alten Arien, die niemand von ihnen hören will.

Ich glaube, die Bibel nennt das die Letzten Dinge: Liebe, Glaube, Opfer, Tod. Sie sind noch da, aber man spricht nicht mehr davon.

Als ich jung war, fielen uns die großen Worte aus dem Mund, saftig und schwellend wie die weichen, überreifen Birnen von dem Baum in Großvaters Garten, bum, bum, bum. Heute würden wir uns krümmen, wenn wir all das geschwollene Zeug hören würden, mit dem wir damals um uns warfen.

Also adieu, Christopher. Viel Glück.

Ich bin immer in irgend jemand verliebt gewesen, schon als vierjähriges Mädchen. Und nun in dich, zum letztenmal. Aus mit der Liebe. Aus mit dem Leben.

Als Marion hinunterging, kam sie an einem kleinen dunkel gerahmten Spiegel vorüber, und was sie im Vorbeigehen sah, war so, daß sie stehenblieb, sich umwandte und ihr Bild in der dämmrigen Tiefe des grünlichen Glases erbarmungslos prüfte. Eine blasse, feuchte, leidende Maske mit tiefen Augenhöhlen starrte ihr unerbittlich entgegen.

Mach dich nicht lächerlich! sagte Marion zu sich selber. Kein Grund, wie Medusa auszusehen, nur weil ein Junge, der dir gefällt, nach England fährt. Sie lächelte ihrem Spiegelbild aufmunternd zu. Nimm's nicht übel — du hast es doch schon mal erlebt. Wieder ein Weltkrieg mit dem gleichen Herzeleid.

Wer bist du, mit diesem albernen Grinsen und den erschreckten Augen? fragte sie ihr Spiegelbild. Woher kommst du — und wie, um Himmels willen, bist du hierhergekommen und das geworden, was du bist, Marion, Mädel?

Am lebhaftesten erinnere ich mich jetzt gerade an die Waschtage meiner Kindheit. An den Aufstand, wenn das Dienstmädchen am Montagabend mit der schmutzigen Wäsche kam und die Mutter die Stücke auf den Küchenfliesen abzählte, bevor alles zum Einweichen in den Holzzuber kam. So und so viele Herrenhemden, so und so viele Damenhemden, so und so viele Unterjäckchen; Nachthemden mit Rüschen, Unterröcke über Unterröcke, Vaters komische Unterhosen und dann meine eigne niedliche Unterwäsche. Zwei Häkelmuster gingen in unsrer Familie um: eine breite Spitze, die die Leibwäsche der Erwachsenen verzierte, und eine schmale, dürftige Spitzenkante für die Kinder. Aber die Unterröcke, die ich in der Schule trug, hatten überhaupt keine Spitzen, denn selbst dieses grobe Stückchen Häkelei wurde als frivol angesehen, als unpassend für ein wohlerzogenes kleines Mädchen.

Meine Mutter hatte sieben Schwestern, von denen sechs wiederum Töchter hatten, und jedes weibliche Mitglied dieser weitverzweigten Familie zog jederzeit mit einer Rolle dieser elenden Spitzen herum. Ich habe wenige Dinge in meinem Leben mehr gehaßt als diese Spitzen. Meine eigene Häkelei war immer ganz schmutzig, beinahe schwarz, und wenn ich sie aufrollte, um zu sehen, wieviel von dem Zeug ich schon gehäkelt hatte, waren es immer nur ein paar Handbreit — sehr enttäuschend. Das kam daher, daß ich beim Häkeln meistens träumte, mich im Muster irrte und auf Geheiß meiner Mutter das ganze Ding wieder auftrennen und neu machen mußte. In dieser Hinsicht war sie unerbittlich, während sie sonst fast zu gut und nachsichtig war. Aber sie hatte einige feste Grundsätze, und dazu gehörte es, daß das herkömmliche Häkelmuster keine Fehler haben durfte. Es war damit so ähnlich wie mit dem buntgewürfelten Wollstoff eines schottischen Clans. Wenn ich heute im tiefsten Afrika einem pechschwarzen Zulu begegnen würde, der ein Stück dieser Häkelspitze um die Lenden trüge, wäre ich überzeugt, daß er irgendwie mit mir verwandt wäre.

Jeder zweite Dienstag war Waschtag, und bis dahin wurde die Wäsche in der riesigen Schublade eines alten Möbelstückes — eines sogenannten Tafelbettes — aufbewahrt. Dieses Tafelbett war eine Art großer, sehr solide gebauter Truhe. Die Platte wurde immer mit Sand blitzblank gescheuert und diente tagsüber als Küchentisch, auf dem die verschiedenen Teigarten der österreichischen Kochkunst geknetet, geklatscht, geschlagen, ausgezogen und gerollt wurden. Daher hatte diese Platte stets den schwachen Geruch von feinem Mehl, von dem auch immer eine hauchdünne Schicht auf der abgenutzten Oberfläche klebte wie Puder auf dem Gesicht einer Frau, die sich für ihr Make-up keine Zeit läßt. Wenn die Nacht kam, wurde die Platte abgenommen und enthüllte Kissen und Federbett des Dienstmädchens, dem die Truhe als Bett diente. Ich beneidete unser Dienstmädchen von ganzem Herzen um dieses Bett — es war so tief und gemütlich, und darin zu schlafen mußte so sein, als hätte man ein kleines Häuschen ganz für sich allein.

Ein einziges Mal hatte ich das Glück, in diesem Bett zu schlafen. Es war in der Nacht, als ein Komet wild geworden war und das Ende der Welt als wahrscheinlich, wenn auch nicht als ganz sicher vorausgesagt wurde. Meine Eltern waren irgendwo eingeladen, und Vefi, das Dienstmädchen, nahm mich zu sich ins Bett, weil ich mich fürchtete und sie sich auch. Ich weiß noch, wie warm und sicher ich mich unter dem großen Daunenbett fühlte. Ich schlief ein, und als ich am andern Morgen erwachte, war die Erde noch da und unversehrt. Seitdem ist das Gefühl, das Ende der Welt sei gekommen, zu einer solchen Alltäglichkeit geworden, daß es uns kaum noch klar zum Bewußtsein kommt. Wir ziehen eine ideologische Daunendecke über den Kopf und versuchen die Nacht durchzuschlafen — vielleicht wird die Welt noch da sein, wenn wir die Augen wieder öffnen.

Vefi muß wohl überhaupt Angst vor dem Alleinschlafen gehabt haben, denn ich weiß noch genau, wie es eines Morgens einen furchtbaren Krach gab, weil man August bei ihr im Tafelbett gefunden hatte. August war meine erste Liebe. Ein hochgewachsener hübscher Kerl in der feschen Uniform der Kaiserlichen Garde — hohe, glänzende Stiefel, ein weites flatterndes Cape und besonders ein imposanter Pferdeschweif, der von seinem Helm wehte. August hatte einen höchst eindrucksvollen Schnurrbart, mit dem er mich immer kitzelte, wenn ich auf seinem Schoß saß und schnurrte. Man hatte ihm erlaubt, Vefi nach dem Abendessen in der Küche zu besuchen, denn das war sicherer, als Vefi mit ihm in den Park gehen zu lassen. Ich fand es wundervoll, daß wir einen großen, starken Gardisten hatten, der uns alle bewachte und sich sogar der Unannehmlichkeit unterzog, in der Küche zu übernachten. Aber meine Eltern waren empört, und August bekam strengstes Hausverbot. Vefi weinte, und meine Mutter weinte, und August stand da in seinen Unterhosen — einem Helden höchst unähnlich — und sah aus, als ob er auch weinen wollte. Es war für mich interessant zu sehen, daß er die gleichen langen Unterhosen trug wie mein Vater, nur sahen sie an ihm anders aus.

Jeden Dienstag wachte ich um sechs auf und schlich mich, wenn Kathi, die Waschfrau, kam, in die Küche. Ich liebte Kathi, ich liebte den Waschtag, und deshalb wurden die Dienstage für mich zu Feiertagen. Freilich mußte ich um acht in die Schule gehen, aber erst wurde ich auf einen hohen Küchenstuhl gesetzt und frühstückte mit Kathi und Vefi. Wir aßen von dem Brett des Tafelbetts, das wieder ordentlich geschlossen war. Wir aßen Mohnbrötchen — sie waren noch warm, denn der Bäcker hatte sie eben erst draußen vor die Tür gelegt. Wir tranken Kaffee aus dicken, becherartigen Tassen, die ein hochrotes Rosenmuster hatten; ich hielt meine Tasse mit beiden Händen, stützte wie Kathi und Vefi die Ellbogen auf das Tafelbett und bemühte mich, beim Trinken ebenso laut zu schlürfen wie sie. Es roch nach dem brennenden Holz, das im Herd prasselte; es war ein feiner flüchtiger Duft, ein bißchen bitter und ein bißchen süß, wie die meisten guten Sachen im Leben. War das Frühstück beendet, stand Kathi auf und ging zu dem großen Behälter in der Ecke, wo das Trinkwasser aufbewahrt wurde — später wurden wir dann feine Leute, die in der Küche eine Wasserleitung hatten. Sie nahm das Maß vom Nagel, schöpfte Wasser und trank in vollen Zügen. »Ah«, sagte sie dann jedesmal und wischte sich mit dem sommersprossigen Handrücken über den Mund, »wenn es etwas Besseres gibt als Wasser, kenn ich's noch nicht.« Ich sah zu, wie ihr das Wasser durch die Kehle lief und konnte richtig fühlen, wie gut und frisch es schmeckte, und bekam selber Durst. Ich sprang von meinem Stuhl herunter und tanzte ungeduldig herum, bis Kathi so viel getrunken hatte, wie in sie hineinging, und dann bekam ich das Maß. Ich glaube, Kathi war die glücklichste Frau, die ich in meinem Leben gesehen habe. Ich habe sehr viel von ihr gelernt, und dann und wann habe ich versucht, ihr das Kunststück, glücklich zu sein, nachzumachen. Während es mir aber immer nur für Stunden gelang, war es bei ihr ein Dauerzustand. Es gab kaum etwas, woraus Kathi nicht ein paar Tropfen Freude pressen konnte. Ich weiß nicht, wie alt sie gewesen sein mag, da einem Kind die meisten Leute sowieso sehr alt vorkommen. Sie war breithüftig, hatte rotes Haar und war ziemlich häßlich; ihr Gesicht war von Sommersprossen übersät. Wenn sie dienstags morgens kam, roch sie nach gestärkter Wäsche — ein guter, frischer Duft, der in den Falten ihrer weißen Schürze stand. »So, und nun an die Arbeit«, sagte sie immer, legte die weiße Schürze ab und band sich eine alte verblichene blaue Schürze um ihre mächtige Taille. Im Lauf des Tages wechselte sie ihren Geruch mehrmals, in ihrem Repertoire gab es Schweiß, Wäschedampf, Seife und der Geruch harter Arbeit, unterbrochen von den Düften von Kaffee, Bier, Brot und Gulasch. »Brot«, pflegte sie zu sagen und dabei vor Entzücken die Augen zu verdrehen. »Beiß nie in ein Stück Brot, ohne unserm Herrgott dafür zu danken, daß er es gemacht hat!« Es klang fröhlich und heiter und nicht im geringsten wie die saure Art Religion, die uns ein gestrenger Herr Katechet in der Schule einbleute. »Bier«, sagte sie. »Gibt es im Himmel so etwas Gutes wie Bier? Wenn nicht, danke bestens, dann geh' ich lieber in die Hölle.« Sobald sie mit der Arbeit anfing, öffnete sie weit den Mund und sang — nicht laut, aber weich und schön. »Kde domov muj«, sang sie, denn Kathi war Böhmin. Sie lachte und zwinkerte mir aufmunternd zu, bis ich mir ein Herz faßte und mich mit meiner eigenen kleinen Stimme hervorwagte, und dann sangen wir zweistimmig, wie es die Österreicher so gern tun.

Kathi war in ihren Beruf ganz vernarrt. »Sagt selbst, gibt es etwas Schöneres, als Waschfrau zu sein?« sagte sie, als spräche sie zu der ganzen Welt, und beäugte dabei ein besonders schmutziges Stück Wäsche. »Wenn ich komm', ist alles schmutzig. Wenn ich geh', ist alles sauber. Was würdet ihr ohne mich machen?« Ja, wirklich, was würden wir ohne sie gemacht haben? Wie schmutzig die Wäsche auch sein mochte, sie war immer geradezu entzückt. »Ist ja gar nicht schlimm, heute«, sagte sie. »Jessesmaria, das ist ja überhaupt keine Arbeit, das ist ja ein Vergnügen.«

Und an einem andern Dienstag: »Schön schmutzig, heute. Da ist es ein wahres Vergnügen zu waschen. Da weiß man wenigstens, was man gearbeitet hat.«

Eines Dienstags blieb Kathi aus. Statt dessen bekam meine Mutter eine Postkarte, auf der geschrieben stand: »Habe sehr großes Glück gehabt, bin überfahren worden vom Wagen von Graf Hoyot. Bin im Allgemeinen Krankenhaus, gefällt mir sehr gut hier. Doktor hat linkes Bein abgeschnitten, aber Graf will mir Geld geben. Bin sehr glücklich. Entschuldigen, daß ich heute nicht kommen kann. Nächsten Monat bin ich wieder da.«

Am ersten Dienstag des folgenden Monats humpelte sie in die Küche hinein, hob ihren Rock hoch und zeigte stolz ihr neues Holzbein: »Das feinste Bein in ganz Wien, der Graf hat es mir gekauft.« Es war keine luxuriöse Prothese, wie man sie im Weltkrieg herstellte — nur eben eine solide Holzstelze. Aber Kathi war unendlich stolz darauf.

»Bestes, was eine Waschfrau haben kann, ist Holzbein«, rief sie selig aus. »Waschfrau muß in Nässe stehen ganzes Leben lang, nicht? Jetzt werd' ich nie mehr nasse Füße kriegen. Komm, Milutschka, singen wir!«

Wenn ich an Wien denke, sehe ich immer Pleureusen von Persischem Flieder vor mir, Flieder in allen Schattierungen von Weiß bis Tiefviolett. Und Kastanienbäume. Überall gab es Kastanienbäume, ganze Alleen von Kastanienbäumen, ganze Gruppen in den Anlagen und in den verträumten alten Gärten der Barockhäuser des Adels und ein Meer von Kastanienbäumen im Prater. Alles war sehr groß und hoch und wunderbar in Wien, als ich ein Kind war. Später schrumpfte es zusammen und erstickte mich. Ich mußte aus der sterbenden Stadt fort. Und als ich sie nach vielen Jahren wieder besuchte, war ich nur eine amerikanische Touristin, Mrs. John W. Sprague, die dem Hotelportier einen Schreck einjagte, weil sie ihn verstand, als er auf deutsch fluchte; die Straßen kamen mir dunkel und eng vor, alles war gedrückt und zusammengedrängt, und das elegante große Haus, in dem wir gewohnt hatten, erschien mir jetzt klein und unansehnlich.

Aber damals, in meiner Kindheit, machte es weder für unsere Standesehre noch in sozialer Hinsicht etwas aus, daß unser Dienstmädchen in der Küche schlafen müßte, wo auch die Wäsche gewaschen und auf der Platte eines Tafelbetts das Essen zubereitet wurde. Denn alle Menschen, die ich kannte, lebten so. Das Wort ›sozial‹ existierte damals wohl überhaupt noch nicht, und wenn, dann führte es nur eine verborgene Druckerschwärze-Existenz, irgendwo in Karl Marx' ›Das Kapital‹, und war weiteren Kreisen unbekannt.

Aber unser Haus war wirklich ein sehr elegantes Haus, insofern als es alt war und im Herzen von Wien stand, wo die besseren Leute wohnten. Es hatte breite Treppen, die nicht gerade aus Marmor waren, aber doch beinah. Bis zu meinem sechsten Jahr hatten wir Petroleumlampen, aber dann wurde das Haus modern, überall wurde gehämmert und geklopft, überall lärmende Handwerker und leere Bierflaschen; wir bekamen Wasserleitung in die Küche, Gasbeleuchtung in die Zimmer und schließlich sogar einen Fahrstuhl, der in das noble, beinah marmorne Treppenhaus eingebaut wurde. Aber wir benutzten ihn nicht, denn es hieß, er sei sehr gefährlich, und bis zum heutigen Tag habe ich mein tiefes Mißtrauen gegen Fahrstühle nicht ganz überwunden.

Das Haus stand in dem vornehmen stillen Viertel in der Nähe der Hofoper, unweit der Akademie der bildenden Künste. Von den Fenstern, die nach vorn hinaus lagen, blickten wir auf einen baumumstandenen Platz, den Schillerplatz, wo auf den Bänken die italienischen Modelle saßen und Salami und Käse aßen, und wo die Studenten der Akademie mit wehenden Pelerinen und breiten Schlapphüten herumgingen. Einer dieser unrasierten jungen Männer, die brennende Augen hatten und große Skizzenmappen unter dem Arm trugen, war ein junges Genie, dem die Akademie wegen mangelnder Begabung die Aufnahme verweigerte, ein junger Mann namens Adolf Hitler. Was wäre wohl geschehen, wenn die Professoren, die seine römischen Landschaften zu beurteilen hatten, etwas nachsichtiger gewesen wären? Vielleicht hätten dann keine vereitelten und unterdrückten Ambitionen und Visionen in ihm genagt und gebrannt und sich zum Unglück der Welt entfaltet, sondern hätten sich in Ölfarbe ausgetobt. Vielleicht hätten wir heute einen mittelmäßigen, aber erfolgreichen Maler mehr statt eines Genies der Zerstörung ...

In der Mitte des Platzes stand Schiller auf einem hohen Sockel, umgeben von einer Unmenge symbolischer Figuren. Furchtbar viel schwarzer Marmor war in das Denkmal und seine Gestalten hineingegangen. Einige dieser Gestalten waren bekleidet, andre nackt, aber auch die nackten waren anständig, denn ihre privateren Partien waren hinter Draperien oder Girlanden aus schwarzem Marmor freundlich versteckt.

Auch die Fassade des Akademiegebäudes war mit Figuren bedeckt — Reproduktionen berühmter griechischer Skulpturen, wie ich später erfuhr —, und alle männlichen Plastiken hatten vorn Feigenblätter, die ich für Körperteile hielt. Selbst als ich schon erwachsen war, dauerte es noch eine Weile, bis ich die Vorstellung loswurde, daß gewisse Teile des männlichen Körpers die Form eines Feigenblattes hätten. Was ich aber an dem grünen Platz am meisten liebte, war ein Holzapfelbaum. Jeden Frühling fürchtete ich, er könnte vergessen zu blühen, und jeden Frühling ereignete sich aufs neue das Wunder, und es ergriff mich mit einem seltsam aufgewühlten Glücksgefühl. Ja — und mit einem Gefühl der Beruhigung. Es war schön vom lieben Gott, daß er meinen kleinen Holzapfelbaum nicht vergaß.

Wir gehörten zum gutbürgerlichen Mittelstand, und die Art, wie wir lebten, wohnten, aßen, wie wir uns kleideten und uns benahmen, war typisch und unveränderlich wie Nest und Gefieder bei irgendeiner Vogelart. Bis in meine Zeit hinein wurde man innerhalb eines bestimmten Standes geboren und erzogen und gehörte ihm für den Rest seines Lebens an. Unsre Eltern hatten uns auch auf dieses Gleis geschoben, aber nun seht nur, was aus uns geworden ist. Ich muß lachen, wenn ich bedenke, wie es meiner Generation ergangen ist, wie Sicherheit und Gleichmaß aus unserm Leben verschwanden, wie wir herumgestoßen und in alle Windrichtungen verschlagen wurden. Unser Leben ist wie ein Gang durch das Spukhaus auf dem Rummelplatz. Was wir tun, wohin wir gehen — es hängt nicht von uns ab. Wir werden vorwärtsgerüttelt und -gestoßen, wir purzeln durch Falltüren, wir werden gepufft und geknufft, gerollt und gewalkt, wir werden auf den Kopf geschlagen, in schwindelerregenden Kreisen gedreht, der Boden gibt unter unsern Füßen nach oder dreht sich, die Decke fällt auf uns herab, und manchmal wissen wir kaum noch, wo in dieser verrückten Welt oben und unten ist. Das beste, was wir tun können, ist, zu allem herzlich zu lachen und alles von der heiteren Seite zu nehmen, da wir ja wissen, daß wir schließlich doch die Tür erreichen werden mit der Aufschrift: Ausgang.

›Meine Generation‹ — ich kann diese Phrase nicht leiden. Sie klingt so steif und pompös. Aber wie soll man denn all diese Menschen zwischen Vierzig und Fünfzig nennen, dieses hartgesottene, dickköpfige entwurzelte Volk, das über die ganze Erdoberfläche zerstreut ist? Der beste Teil unsres Lebens war zwischen zwei Kriegen eingeklemmt, und was wir gestern glaubten, ist heute nicht mehr wahr. Wir haben Beruf, Wohnung und Anschauungen so oft gewechselt, daß wir jede Verbindung mit unsrer Vergangenheit verloren haben, von der Zukunft gar nicht zu reden. Christopher sagte gestern, daß dies nur für Mitteleuropa zutreffe; er behauptet, daß die Menschen in England und Frankreich noch immer fest an den Voraussetzungen hängen, in die sie hineingeboren wurden. Die Frage ist nur, wie lange noch? Ich glaube eher, daß wir, die wir schon seit längerer Zeit auf der Wanderschaft sind, nur die Vorhut der größten Völkerwanderung bilden, die es seit der vorigen großen Verschiebung des Menschengeschlechts gegeben hat — ich muß Christopher fragen, vor wie vielen Jahrhunderten.

Das heißt, wenn ich ihn jemals wiedersehen sollte.

Vor zwei Jahren fragte ich Martin, meinen Ältesten, was ihm lieber sei: Freiheit oder Sicherheit. »Sicherheit selbstverständlich«, sagte er. Es gab mir geradezu einen Stoß. Wir, als wir jung waren, hatten jede erdenkliche

Sicherheit, aber wir schlugen sie in den Wind und scherten uns nicht einen Pfifferling darum. Was wir wollten, war Freiheit, und wir erlangten sie — nach manchen Kriegen und Revolutionen, die einer besseren Sache würdig gewesen wären.

Mein Elternhaus ist mir in Erinnerung als endlose Folge von Kartenspiel, kleinen Familienzusammenkünften und Klatsch am Tisch im Wohnzimmer, bei dem starken, duftenden Wiener Kaffee, bei Kuchen, Torten und Petits fours, die hoch aufgetürmt auf den Porzellanschüsseln mit dem alten Rosenmuster lagen. Ich mochte unsere Gäste nicht, denn die Herren rissen mich an den Zöpfen, machten blöde Witze über mich und rochen nach Tabak, und am Tag nach der Kartenspielerei mußte ich ihre zerkauten Zigarrenstummel aus der Erde der Topfpalme herausklauben, wo sie sie hineingedrückt hatten. Mutters Gesellschaften waren noch schlimmer, denn ihre Freundinnen sprachen über mich und meine Gesundheit und meine Schürze und wie ich mein Haar tragen sollte, und — das Allerschlimmste — sie küßten mich. Ihre Küsse waren, als ob Schnecken über mein Gesicht kröchen, und ich ging sofort in mein Zimmer und wusch mich, ohne daß man es mir befohlen hatte. Wenn Mamas Freundinnen oder Schwestern etwas Wichtiges zu besprechen hatten, hieß es: »Geh und schau dir das Album an!« Ich gehorchte, wobei ich meine Ohren spitzte, um etwas von dem, was geflüstert und gekichert wurde, zu erhaschen. Meistens erschien mir das, was da geredet wurde, langweilig und dumm, und nach kurzer Zeit machte mir das Album dann gewöhnlich Spaß, und ich vergaß die dummen Erwachsenen. In einem Teil des Albums war sinnreich eine kleine Spieluhr eingebaut. Darin war eine kleine Walze mit Zähnen, die sich langsam drehte und immer dasselbe kurze Stückchen spielte, eine lieblich zirpende Melodie. Der andere Teil des Albums war mit meinen Verwandten bevölkert. Von den Urgroßeltern bis zu meinem jüngsten Onkel, der ein hübscher Offizier war und meine zweite Liebe wurde, nachdem August für mich erledigt war.

Ich verliebte mich in Onkel Theodor, als er von einer Abkommandierung nach Bosnien heimkam. Er war sonngebräunt und sehr schlank in seinem blauen Waffenrock, und er brachte einen Adler mit, den er auf dem Küchenbalkon meiner Großmutter anzusiedeln versuchte. Es war ein traurig und böse dreinschauendes Tier — ich meine der Adler —, und es verwirrte mich maßlos, daß Adler bloß einen Kopf hatten und nicht zwei wie die, welche ich auf allen Briefmarken, Fahnen und öffentlichen Emblemen Österreichs gesehen hatte. Der Adler lehnte alle meine Annäherungsversuche ab und starb bald danach, worüber Onkel Theodor sehr traurig war. Der Onkel sah einem romantischen und unglücklichen jungen Mann namens Ratcliff sehr ähnlich, den ich in der illustrierten Ausgabe von Heines Gedichten gefunden hatte — vier wunderschönen Goldschnittbändchen in rotem Maroquin, die man mir immer gab, wenn ich krank war. Es war mir verboten, die Gedichte zu lesen, außer einem ganz dummen von einer Maus, und ich durfte mir nur die Bilder ansehen. Sobald ich lesen konnte, las ich sie alle, und nichts machte mich so brav und still wie das Lesen von Heines Gedichten. Ich fand sie häßlich und albern, und das tu ich auch heute noch. Aber das strenge

Tabu ließ mich glauben, daß hinter den Worten etwas äußerst Verruchtes verborgen sein müsse, und sie nährten immer von neuem meine Phantasie.

Nach seiner Rückkehr aus Bosnien wohnte Onkel Theodor kurze Zeit bei meinen Großeltern, und das machte für mich jedes Wochenende bei ihnen zehnmal so aufregend. Manchmal erzählte er Geschichten aus der kleinen Garnison, wo er drei Jahre gelegen hatte, und manchmal zeigte er mir Ansichtskarten mit Moscheen und Minaretts und verschleierten Frauen. Der Name ›Bosnien‹ klang nach einem fernen, unwirklichen wilden Land und erweckte in mir die Vorstellung, daß Österreich sich über den ganzen Erdball erstrecke.

Wie armselig und provinziell ist doch dieser Patriotismus! Alles, was wir in der Schule in Geographie und Geschichte lernten, war, daß Österreich das schönste, wichtigste, vollkommenste und mächtigste Land der Erde wäre. Wir wären das prächtigste Volk und hätten die beste Regierung und den besten Kaiser; die übrige Welt wurde uns als unbedeutender Anhang unseres glorreichen Landes und Volkes hingestellt. Wenn man in allen Ländern der Erde so weitermacht und die Kinder so etwas lehrt und die Erwachsenen daran glauben läßt, was sie in der Schule gelernt haben, werden wir Kriege haben bis ans Ende aller Zeiten. Was das wacklige Österreich meiner Kindheit anlangt, das von einem ebenso wackligen Monarchen regiert wurde, so ist es keinem einzigen von den Menschen, die ich kennengelernt habe, jemals in den Sinn gekommen, es könne doch vielleicht nicht alles so wunderbar sein, wie wir gedacht hatten.

Ich hatte wie jedes andre Kind zwei Großelternpaare; sie waren so verschieden, wie man nur denken kann, konnten sich nicht ausstehen und sprachen kaum einmal miteinander. Manchmal fühle ich, wie sich meine Großeltern in mir zanken und raufen, und das endet gewöhnlich damit, daß ich mir eine Suppe einbrocke, wie mein Großvater es nannte. »Kind«, pflegte er zu sagen, »jetzt hast du dir deine Suppe eingebrockt, nun mußt du sie auch auslöffeln.« Es ist ein gesundes Prinzip, und es ist das einzige, was ich zu meinen Gunsten sagen kann: Ich habe fast alle Suppen selber ausgelöffelt, die ich mir eingebrockt habe, und sie haben nicht immer gut geschmeckt.

Ich nannte die Eltern meiner Mutter immer die ›feinen‹ und die Eltern meines Vaters die ›gewöhnlichen‹ Großeltern. Meine ›feinen‹ Großeltern wohnten in einer großen Wohnung. Sie hatten einen Salon und eine Bibliothek. In beiden standen schwere, große, überladene Möbel, plüschbezogen und solide. An den Wänden hingen Bilder, und in den Regalen standen Bücher, zu jeder Mahlzeit aßen sie Mehlspeis, was in Wien als Zeichen eines vornehmen Lebens galt. Zu Hause hatten wir nur jeden zweiten Tag Mehlspeis, und meine ›gewöhnlichen‹ Großeltern, die in einer kleinen Wohnung in einem schlechten Stadtviertel wohnten, aßen sogar nur an Sonntagen Mehlspeis. Die Familie meiner ›feinen‹ Großeltern hatte adlige Verwandte. Meine Großmutter war eine geborene Baronin. Meine ›gewöhnlichen‹ Großeltern dagegen waren kleine Leute; sie hatten ein kleines Papiergeschäft, und meine Großmutter stand hinterm Ladentisch und verkaufte Schreibhefte. Aber im Salon meiner ›feinen‹ Großeltern stand der wunderbare, prachtvolle, luxuriöse, große Flügel, der in meiner Erziehung eine entscheidende Rolle spielen sollte. Wäre mein Großvater nicht der Sproß einer reichen alten Familie gewesen, so wäre er Musiker geworden und wahrscheinlich sogar ein großer Musiker. Aber seine Familie war dagegen gewesen, es gehörte sich nicht. Er hatte wohl nicht genug Rückgrat, sich gegen ihren Willen durchzusetzen. Er war der zweite von den sechs Söhnen der Dobsbergs und wurde in die Firma gesteckt wie alle andern.

Die Firma Dobsberg & Söhne war eine gewaltige, geheimnisvolle Macht auf einem hohen, unsichtbaren Thron, die unser aller Leben beherrschte. Der Name Dobsberg bedeutete in Österreich Holz; er bedeutete den Besitz riesiger Waldungen, und Holz von Dobsberg wurde im ganzen Land beim Bau von Häusern, Schiffen, Eisenbahnen und Möbeln verwendet. Mein Großvater scheint sich in der Firma nicht besonders bewährt zu haben; wahrscheinlich rumorte all die unterdrückte Musik in seinen Adern, machte ihn nervös und beeinträchtigte seine Geschäftstüchtigkeit. Nachdem er einige sehr nachteilige Abschlüsse getätigt und die Firma schwer geschädigt hatte, deuteten ihm seine Brüder an, daß es richtiger wäre, wenn er sich nicht so überarbeite und lieber in sein Privatleben zurückziehe. Er war ein hübscher, großgewachsener Mann, der karierte Hosen und einen hohen, glänzenden Zylinder trug, und da er nichts zu tun hatte, verbrachte er seine Zeit damit, teils Klavier zu spielen, teils seine acht Töchter zu besuchen. Bei den Besuchen schien er sich jedoch immer ziemlich zu langweilen und wußte nie genau, wie seine diversen Enkel hießen, wie alt sie waren und wieviel auf die jeweilige Tochter entfielen.

Meinen Namen aber vergaß er nie, und ich glaube, er hatte mich lieber als die andern, weil ich das einzige Kind meiner Eltern war, und weil wir miteinander ein kleines Geheimnis hatten, das mit der Musik zusammenhing.

Jeden Samstagabend lieferte mich Vefi an der Wohnungstür meiner Großeltern ab. »Und jetzt sei ein braves Mäderl und überiß dich nicht!« sagte sie, das Schlimmste voraussehend, denn es gab bei meinen Großeltern viel und gut zu essen; das Wort ›Diät‹ war noch unbekannt, und am Sonntagabend kam ich jedesmal mit einem verdorbenen Magen nach Hause. Schon in der Diele roch man den Duft von brauner Butter, Braten und Mehlspeis, und ich hörte den Großvater im Salon Klavier spielen. Meine Großmutter, die eine sehr vornehme Dame war, befand sich im Schlafzimmer und zog sich für das Abendessen ein schwarzes Seidenkleid an, und ich wußte, daß sie mich während dieses wichtigen Vorgangs nicht zu sehen wünschte. Ich ging auf den Zehenspitzen durch die grüne Plüschbibliothek in den blauen Plüschsalon, wo der Großvater mit dem großen Flügel kämpfte. So kam es mir jedenfalls immer vor, wenn er spielte: als wäre er ein Löwe und der Flügel ein anderer Löwe, und als kämpften die beiden einen Kampf auf Leben und Tod. Der Großvater schnaufte und grunzte und stöhnte, wenn er auf den Tasten umhersprang und seine wilden Passagen und Triller aus ihnen heraushämmerte. Sein ganzer Körper wippte auf und nieder, und gefesselt beobachtete ich, wie sich sein Hinterteil von dem Kla-

vierstuhl erhob und dann in leidenschaftlichem Rhythmus wieder nieder-
bumste. Der Drehstuhl antwortete mit einem rhythmischen Quietschen, und
es hätte mich nicht gewundert, wenn Großvaters Nasenlöcher Feuer gespien
hätten. Aber wenn alles mit einem Donnern in den Bässen und einer
himmlischen Melodie der rechten Hand geendet hatte, lehnte sich Großvater zurück, trocknete sich die Stirn und — entdeckte mich.

»Ah, du bist es, Zwergerl«, sagte er. »Hast du zugehört? Hat's dir g'fallen? Das ist recht. Das war Beethoven, der Größte von allen — die Appassio-
nata — merk dir's!«

Großvater wünschte, daß mir Beethoven gefalle, und es freute ihn sehr,
wenn ich die Sonaten unterscheiden konnte. Weniger Erfolg hatte er, wenn
er mir beibringen wollte, daß man eine Sache hassen müsse, die Wagner
hieß. Diese Sache gefiel mir am meisten, denn sie schlug in meinem Innern
eine Saite an, sie berührte einen Nerv, sie verursachte mir eine Art Krampf,
den ich bei mir selbst das ›schöne Bauchweh‹ nannte.

»Das ist Wagner!« rief Großvater immer aufgebracht, wenn er etwas aus
›Tannhäuser‹ oder ›Lohengrin‹ spielte. »Du sollst es wissen: Es ist grauenvoll, es ist entsetzlich, es ist ohne Ethik, es ist Teufelsmusik! Du kannst das
noch nicht verstehen, aber du sollst es dir merken. Horch! Zersetzend!
Schamlos! Scheußlich! Pfui! So ein Schwein, dieser Wagner!«

Trotzdem gefiel mir diese Musik mehr als jede andre. Mit Wagner verglichen, war alles fad und langweilig. Wenn das Teufelswerk war, würde ich
auch den Teufel lieben, aber das wagte ich nicht auszusprechen. Ich hielt
mich für äußerst verdorben. Ich legte Wagner in das Geheimfach zu Heines
Gedichten und meiner stummen Leidenschaft für Onkel Theodor, und ich
kam mir sehr interessant vor, daß ich meine eigenen dunklen Geheimnisse
hatte.

Wenn Großvater sich müdegespielt hatte, pflegte er mich auf den Schoß
zu nehmen und mich etwas nach dem Gehör spielen zu lassen. Es wurde mir
nicht schwer, ein paar Melodien, die ich gehört hatte, mit zwei Fingern zu-
sammenzusuchen, und darüber freute er sich über alle Maßen. Manchmal
schraubte er den quietschenden, abgenutzten Klavierschemel hoch und setzte
mich hinauf, so daß ich die Tasten erreichen konnte. Dann zog er sich einen
Stuhl heran, und wir spielten vierhändig. Es war immer ein Heidenspaß,
denn ich hatte nichts zu tun, als meine kleine Zeigefingermelodie zu spielen,
während er dazu die kompliziertesten Variationen und Paraphrasen mit
einem solchen Lärm durchführte, daß die Fensterscheiben klirrten. Wenn wir
fertig waren und uns umsahen, stand Großmutter in der Tür und rief: »Seid
ihr zwei denn noch nicht hungrig?« Dabei lachte sie und warf den Kopf
nach hinten. Sie war klein und lebhaft und sehr heiter. Ihr Gang war
jugendlich, ihre Sprache war jugendlich, und sie war immer zu einem Spaß
aufgelegt. Aber sie war eine ganz, ganz alte Dame von wenigstens Fünfundvierzig, als ich sieben war, und trug sogar schon die Andeutung eines
Häubchens als ein Zugeständnis an Alter und Würde. Allerdings war es das
Koketteste an Häubchen, das sich denken ließ, und mir schien die ›feine‹

Großmutter immer ein Kind zu sein wie ich selber, das aber sein Gesicht zum Spaß hinter der Maske einer alten Dame versteckte.

Das Essen bei den ›feinen‹ Großeltern hatte immer etwas Festliches. Wir hatten Teller mit handgemalten Blumen; wenn man sie umdrehte, sah man den Bindenschild auf der Rückseite, die Marke des echten feinen Altwiener Porzellans. Ich hatte mein eigenes robinrotes Weinglas, auf dem ein Jäger mit einem Hirsch eingraviert war. Gabel und Messer waren von so schwerem Silber, daß es mir Mühe machte, damit zu hantieren. Ich mußte mich bei Tisch sehr gut benehmen. Mehr als einmal klemmte mir die Großmutter unter jeden Arm ein Buch, das ich während des Essens festhalten mußte, wobei mir die hochgezogenen Schultern ein arrogantes Aussehen gaben. Großvater schnitt für Großmutter und mich das Fleisch auf, aber Großmutter teilte die Suppe aus, die in einer großen dampfenden Terrine hereinkam. Die Stühle im Speisezimmer waren schwer, natürlich mit Plüsch bezogen und viel zu niedrig für mich. Großvater brachte immer einen Stoß Noten mit und setzte mich auf Mendelssohns ›Lieder ohne Worte‹, kombiniert mit Bachs ›Wohltemperiertem Klavier‹. Das Lustige war, daß auch meine Großmutter für diese Stühle etwas zu klein war. Verstohlen schob sie sich ein kleines Kissen unter, und dann saß sie da, groß und stolz, und führte den Vorsitz bei der Tafel.

Sobald der Kaffee serviert wurde — dicker, schwarzer, duftender Kaffee in einer dickbäuchigen Silberkanne —, fing Großvater an, mich zu prüfen. Immer in Musik. »Wie viele Kreuze hat E-Dur? Wie viele e-Moll? Was ist der Unterschied zwischen Dur und Moll? Nenn mir ein Stück in d-Moll, das ich heute abend gespielt habe. Sag mal, Zwergerl, möchtest du gern so gut Klavier spielen können wie ich? Wär das nicht fein? Natürlich müßtest du täglich ein paar Stunden üben . . .«

Damals verstand ich nicht, wovon Großvater träumte, wenn er mich immer drängte und fragte und über Musik sprach. Ich drehte meinen Finger auf dem Bauch der Kaffeekanne und tat mir leid. In dem runden Silberspiegel konnte ich mich sehen; ich sah komisch verzerrt aus, mit einer enormen Nase und einer winzigen Stirn. So vollgegessen wie ich war, hatte ich Atemnot und keinen Ehrgeiz. »Ich warte lieber noch, bis meine Hände etwas größer geworden sind«, wagte ich schüchtern einzuwenden. Der Großvater nahm meine Hände und hielt sie fest zwischen seinen Fingern. »Sobald du übst, werden sie wachsen und sich strecken«, sagte er. »Du willst doch nicht, daß das Kind große Hände bekommt wie Ida«, sagte meine Großmutter. Ida war eine Kusine meiner Mutter; sie wohnte in Berlin und kam einmal jährlich zu Besuch. Sie war eine Preußin, und wir fanden, daß sie häßlich war und eine schnarrende Stimme hatte. Die Österreicher liebten die Preußen nicht, auch später nicht, mochte Hitler noch soviel reden. Großmutter sah auf ihre eigenen Hände hinab, die wirklich sehr klein waren, und Großvater hob diese kleinen Hände vom Tisch und küßte sie, erst die eine, dann die andere. Dann legte er sie behutsam wieder auf den Tisch, als könnten sie jeden Augenblick zerbrechen. Sie spielte ein bißchen mit seinem grauen Haar und sagte: »Nun, Herr Dobsberg, wie wär's mit etwas Medizin?« Die

Medizin kam in einer Likörflasche, und mein Großvater nahm sie nach jeder Mahlzeit.

Ich war dabei, als mein Großvater starb, und das Merkwürdige daran ist, daß er nicht an einer Krankheit starb, sondern an einer Mehlspeis, kein übler Tod für einen alten Österreicher. Es waren Marillenknödel, eins der österreichischen Nationalgerichte, süß, reich und schwer. Sie wurden aus Brandteig gemacht, mit Aprikosen gefüllt, in Semmelbrösel gerollt und mit zerlassener Butter serviert, in der sie wie in einem heißen, goldenen Teich schwammen. Ich möchte wohl wissen, ob sich die Jahreszeiten in Wien noch heute mit diesen Knödeln ankündigen, die im Juni mit Kirschen, im Juli und August mit Aprikosen, im Herbst mit Pflaumen und im Winter mit Kompott gefüllt werden. Jede Familie veranstaltete große, festliche Wettbewerbe und Turniere im Marillenknödelessen. Einmal hatte mein Großvater fünfundvierzig Stück gegessen — stolze, erstaunliche Leistung eines Marillenknödelesserchampions.

Es war Samstagabend, und Onkel Theodor befand sich zu einem kurzen Besuch bei den Großeltern. Er hatte den Dienst quittiert und sah nicht mehr aus wie Ratcliff. Wie alle Söhne der Dobsbergs war er in die Firma eingetreten und war eben aus Amerika zurückgekehrt, wohin er in irgendeiner geschäftlichen Mission geschickt worden war.

»Wollen doch einmal sehen, wer mehr Marillenknödel essen kann«, sagte Großvater, und wir gingen an die Sache heran wie an einen großen sportlichen Wettkampf. Eine Zeitlang lag Onkel Theodor in Führung, während Großvater dicht hinter ihm lag. Großmutter hielt sich als dritte, während ich überhaupt keine Chancen hatte, obwohl ich so viel und so schnell aß, daß ich zu platzen glaubte. In der letzten Runde überholte mein Großvater den Onkel und gewann das Rennen mit dreieinhalb Knödeln Vorsprung. Er hatte achtundzwanzig und einen halben gegessen, aber für nichts in der Welt wäre er imstande gewesen, noch die zweite Hälfte des letzten Knödels herunterzubringen. Wir saßen alle schweratmend da, und ich merkte, daß sich Großvater hinter seiner Serviette ein paar Westenknöpfe aufmachte. Das sah meinem vornehmen Großvater nicht ähnlich, und Großmutter mußte es auch gesehen haben, denn sie sagte rasch: »Wie wär's jetzt mit etwas Medizin, Herr Dobsberg?« Großvater trank zwei Gläschen, aber nach einer Weile legte er die kaum angebrannte Zigarre hin und sagte: »Ich glaub', ich möcht' ein bißchen spazierengehen. Möchtest du mitkommen, Zwergerl?«

Wir gingen langsam die Straße hinunter, wobei Großvater mehrmals stehenblieb und tief Atem holte. »Sehr heiß heute, nicht wahr?« sagte er. Es war heiß. Der Abend leuchtete in einem seltsamen Licht, malvenfarbig, zwischen Grau und Violett, und ein Widerspiel davon lag auf den Gesichtern aller Menschen — ich habe es nie vergessen. Im Schatten jedes Haustors standen Dienstmädchen mit ihren Schätzen. In der Luft hing der Duft von Lindenblüten und Jasmin so schwer, daß man ihm mit Händen greifen konnte. Die Hausbesorger hatten sich Stühle herausgeholt und saßen vor den Haustüren, die großen Hände in dem breiten Schoß. Hunde wurden zu einem späten Spaziergang ausgeführt; sie beschnüffelten selig jeden Laternenpfahl, die Laternenanzünder gingen in ihren weißen Kitteln herum und zündeten die Gaslampen an. Wir wanderten bis zur nächsten Ecke, wo sich Großvater ein Abendblatt und ein paar Zigarren kaufte, und dann gingen wir langsam wieder zurück.

»Wart' einen Moment!« sagte Großvater, und dann ging er zu meiner Überraschung in die kleine Kutscherkneipe, weiter unten an der Straße. Ich wartete draußen, denn es war bestimmt kein Lokal für kleine Mädchen. Es war auch kein Lokal für meinen eleganten Großvater. Der Geruch von abgestandenem Bier und gebratenen Zwiebeln strömte dick durch die Tür auf die Straße, und ich hörte, wie die Kutscher beim Trinken und Kartenspielen lachten und schrien und sich stritten. Ihre Droschken standen in langer Reihe am Bürgersteig, und jedes der müden Pferde hatte einen Futtersack vors Maul gebunden. Sie ließen die Köpfe hängen, kauten und mahlten und waren sichtlich sehr zufrieden. Nach einer Weile kam Großvater mit einer Flasche Sodawasser heraus, und wir gingen weiter. Wir gingen nicht die Treppen hinauf, sondern Großvater läutete dem Hausbesorger, daß er uns in dem neumodischen Aufzug hinauffahre. Wie gewöhnlich fürchtete ich mich schrecklich. Wenn etwas passiert und wir in den Schacht hinunterstürzen? dachte ich. Großvater schüttelte den Kopf, als ich mich an seine Hand klammerte. »Das verflixte Ding macht mich krank«, sagte er. »Mich auch«, sagte ich mit einem Gefühl der Erleichterung. »Hauptsache, nie das Gleichgewicht verlieren!« sagte Großvater, und das großartige, ungewohnte Wort machte gewaltigen Eindruck auf mich — ich habe es nie vergessen. Ruhig, Marion, ruhig! habe ich später so oft zu mir gesagt. Ruhig, mein Kind! Hauptsache: Nie das Gleichgewicht verlieren! Ich sage es auch jetzt zu mir, in dieser Minute.

Als wir im dritten Stock den Aufzug verließen, war Großvaters Gleichgewicht nicht besonders gut. In diesem Augenblick kam Onkel Theodor aus der Wohnung heraus, pfeifend und sehr fesch mit Strohhut und Stehkragen. »Du gehst aus?« fragte ihn Großvater. »Ein kleines Rendezvous«, antwortete Onkel Theodor leichthin, und ich fühlte meine Liebe mit einem Stich im Herzen wieder erwachen. Großvater ließ ein leises amüsiertes Schnaufen hören. »Paß auf, daß dich nicht der Ehemann erwischt« sagte er, und wieder, wie so oft, sah ich in lange Straßen unbegreiflicher Geheimnisse hinein, die Erwachsene miteinander hatten, und die Kinder nicht verstehen konnten. Pfeifend stieg Onkel Theodor in den Aufzug, Großvater ließ meine Hand los und ging direkt in die Küche. Als er dort mit dem Siphon erschien und ein Glas haben wollte, gab es ein aufgeregtes Hin und Her, denn er kam nur ganz selten einmal in diese Regionen der Wohnung. Er klopfte der alten Köchin auf den Rücken. »Sie haben nicht genug Marillenknödel gemacht«, sagte er. »Ich wollte dreißig essen, aber es waren für mich bloß achtundzwanzig übrig.« Die Köchin grinste und gackerte, und Großmutter kam in die Küche und scheuchte uns hinaus. »Was macht ihr denn um Himmels willen hier in der Küche?« fragte sie, und Großvater antwortete: »Ich hab' mir einen Siphon geholt — mir ist so komisch.«

Er ging in die Bibliothek und setzte sich in seinen großen Fauteuil, um das Abendblatt zu lesen. Neben seinem Kopf stand eine altmodische Petroleumlampe mit einem kugelförmigen Glasschirm. Ich liebte diese Lampe wegen der Pyramiden und der beiden Kamele, die auf ihrem Fuß abgebildet waren. Ich hockte mich neben Großvater nieder und betrachtete mir das Bild genau. Nachdem Großvater eine Weile gelesen hatte, ließ er die Zeitung fallen und lehnte den Kopf zurück. Auf seinem Gesicht, das von einer dünnen feuchten Schicht überzogen war, glänzte das Lampenlicht. »Heiß«, sagte er. »Komm her, Zwergerl, erzähl mir etwas — eine Geschichte zum Einschlafen!«

Das war ein feiner Witz, denn sonst war er es doch, der mir Geschichten zum Einschlafen erzählte, wenn ich am Samstag über Nacht blieb, und alle handelten sie von Paganini und Liszt und einem merkwürdigen Freund von ihm, namens Dinckelmann. Aber ich wollte ihm gern eine Freude machen, und schließlich hatte ich ja auch etwas Wichtiges zu erzählen.

»Ich bin in der Oper gewesen«, sagte ich stolz. »Papa und Mama haben mich mitgenommen — nicht zu einer Matinee, sondern zu einer richtigen Abendvorstellung. Es war schon zehn vorbei, als wir nach Hause kamen.«

»Was du nicht sagst! Welche Oper war es denn?«

»Es war keine Oper, es waren drei Ballette«, berichtete ich. Eins davon, die ›Puppenfee‹, hatte mich zu einem Taumel des Entzückens hingerissen, und ich war noch ganz voll davon. Während ich in meiner Beschreibung fortfuhr, schloß Großvater die Augen. »Hast du dir etwas von der Musik gemerkt?« fragte er mich, und ich sagte: »Selbstverständlich.«

Er sagte, ich solle ihm etwas daraus vorspielen; ich ging ins Nebenzimmer, ließ die Tür offen, so daß ein schwacher Lichtschimmer auf den Flügel fiel, kletterte auf den Klavierstuhl und setzte meine zwei Finger in Tätigkeit. »Gefällt es dir, Großvater?« fragte ich eifrig und hörte ihn schläfrig antworten: »Ja. Es ist hübsch. Weiter!« Ich spielte weiter und weiter, denn jetzt fiel mir eine Stelle nach der andern ein. Ab und zu konnte ich die richtige Tonart nicht finden, aber sonst war ich sehr zufrieden damit, wie ich die Melodien mit meinen zwei Fingern herausbekam. »Gefällt es dir, Großpapa, gefällt es dir?« fragte ich immer wieder. »Ja, sehr hübsch. Es gefällt mir sehr«, antwortete er jedesmal. Aber nach einiger Zeit antwortete er nicht mehr, und die Sache wurde mir langweilig. Ich sprang von dem Klavierstuhl hinunter und ging ins Bibliothekszimmer. Er lächelte mir noch immer zu, den Kopf gegen den Rücken des Fauteuils gelehnt, von der Petroleumlampe beschienen. Er sagte nichts und rührte sich nicht, und ich ging auf Zehenspitzen aus dem Zimmer, um ihn nicht zu stören.

Meine Großmutter war in ihrem Schlafzimmer; sie saß vor dem Spiegel und badete ihre Hände in einer kleinen Schüssel mit warmer Milch — eine Hautpflege, die Wunder wirken sollte. Hinter ihr stand das Stubenmädchen und bürstete Großmutters dicken falschen Zopf, der neben dem Spiegel hing. Großmutter nahm den Zopf jeden Abend herunter, und das Stubenmädchen hielt ihn in ihren großen Händen und bürstete ihn mit einem hingegebenen Ausdruck auf dem sommersprossigen Gesicht. Neben dem Schüsselchen mit der Milch lag das Haushaltungsbuch, und Großmutter addierte die Zahlen, wobei sie murmelnd den Kopf schüttelte, denn Addieren und Subtrahieren war nicht ihre Stärke — ebensowenig wie der Umgang mit Geld.

»Ja, mein Kind?« sagte sie.

»Großpapa schläft mit offenen Augen wie ein Kaninchen«, meldete ich.

Großmutter fuhr fort zu rechnen und zu murmeln. »Du solltest selber schon schlafengehen, es ist viel zu spät für so ein kleines Mädel«, sagte sie. Als wir in die Bibliothek zurückkamen, um Großvater gute Nacht zu sagen, lächelte er noch immer. Er war tot.

Putzi war der Kosename meines ›gewöhnlichen‹ Großvaters, meines ›kleinen‹ Großvaters. Zu ihm ging ich mit all meinen Sorgen, ihm brauchte ich nichts vorzulügen wie den andern Erwachsenen. Freitag war mein Tag bei den ›gewöhnlichen‹ Großeltern, die ich in mancher Beziehung lieber hatte als die ›feinen‹. Sie wohnten in einem schlechten Stadtviertel, und ihre Wohnung war nur ganz klein. In jedem der drei windschiefen Zimmerchen hatte ein Bett versteckt werden müssen. Nach dem Abendessen wuchsen diese Betten aus den überraschendsten Winkeln hervor, aus Möbelstücken, die wie Schränke, bequeme Fauteuils oder gar wie prächtige venezianische Spiegel aussahen.

Rindfleisch mit Meerrettichsoße und als Dessert Zwetschgenkompott von angeschlagenen Steinguttellern. Ein schlampiges Dienstmädchen, dessen Fersen wie runde schmutzige Gesichter durch die Riesenlöcher in den Strümpfen guckten. Der Birnbaum im Hof und der ausgediente Schubkarren, der nacheinander zu meinem Thron, meinem Segelschiff, zur Bühne meiner Theatervorstellungen wurde — und wo mir ein gräßlicher Junge mit vorstehenden Eckzähnen den ersten Kuß zu rauben versuchte. Eine alte grüne Bank im Hof, die ihre eigene Geschichte hatte. Diese Bank und ein Schafpelz waren, wie es hieß, das einzige, was nach einem Brand von dem Bauernhof meiner Großeltern übriggeblieben war. Und dann ein Wunder von einem Federhalter — er hatte ein winziges Guckloch, und wenn man es ans Auge hielt, sah man den Eiffelturm, und dann bekam man Sehnsucht, in die Ferne zu ziehen und die Wunder der Welt kennenzulernen. Von den Fenstern aus konnte man die schwerfälligen Schleppkähne verfolgen, die den Donaukanal herunterkamen; halbnackte Kinder liefen darauf herum, eine dicke Frau winkte jemandem und rief ihm etwas zu, und ein Hund lief aufgeregt vom einen Ende des Kahns zum andern und bellte die andern Boote an. Und dann die Tür, die auf den Hof hinausging, eine Tür mit farbigen Glasscheiben — grün, rot, blau —, und wenn man hindurchschaute, so verwandelte sich die Welt in ein Märchenland.

Jeden Abend brachte meine Großmutter, eine hochgewachsene, strenge Frau, aus dem Laden eine kleine Blechkassette mit. Ich höre noch, wie das Geld klapperte, wenn sie die Tageseinnahme zählte. Der Laden selbst war ein dunkles, muffiges Paradies, bis zur Decke vollgepfropft mit Konzeptpapier und Schreibheften und Radiergummis und Federhaltern und Buntstiften — mit allem, was Kinder lieben. Es verlieh mir bei meinen Mitschülerinnen ein besonderes Ansehen, daß ich zu den erträumten Dingen so leicht Zutritt hatte. Aufgrund eines sorgfältig ausgearbeiteten Plans bekamen die Kinder bei einem Einkauf von mindestens zwanzig Hellern eine kleine Zugabe. Damit versuchte man die Konkurrenz zu schlagen. Weiner, auf der andern Straßenseite. Weiner — das war der große, mächtige Feind meines ›kleinen‹ Großvaters. Weiner hatte zwei Schaufenster und mehr Kapital, er war schlauer und verschleuderte seine Ware, bloß um uns zu ärgern. Manchmal holte Großmutter ihren alten Operngucker hervor und schaute über die Straße hinüber, um zu sehen, welchen Köder Weiner diesmal ausgelegt hatte. Mein ›kleiner‹ Großvater war zu stolz, über die Straße zu gehen und sich Weiners Schaufenster anzusehen, also schickte er mich als Spion hinüber. Ich mengte mich unter die andern Kinder und spazierte vor den beiden Auslagen unbefangen auf und ab, bis ich genau wußte, was los war.

»Mutzi, heute müssen wir arbeiten wie die Türken«, sagte Putzi oft zu mir, wenn er den Rolladen vor unserm kleinen Schaufenster herunterließ, und dann arbeiteten wir wie die Wilden an einer neuen Schaufensterdekoration, einmal mit Papierschlangen und Konfetti, dann mit einem Dorf und einem Zoo aus Karton, mit Osterhasen im Frühling und Krippen zur Weihnachtszeit — und das ganze Jahr hindurch mit einem Schild, das laut verkündete: Zahle die allerhöchsten Preise für gebrauchte Schulbücher. Mein Großvater war gewiß keine eindrucksvolle Erscheinung und überhaupt in keiner Hinsicht vollkommen. Er war komisch, häßlich, rothaarig und schielte, ja, er hinkte auch ein bißchen. Er behauptete, daß er sich das Schielen zugezogen habe, als er in jungen Jahren in einer zugigen Werkstatt gearbeitet hatte, und für sein Hinken wußte er auch irgendeine beschönigende Ursache. Es hing irgendwie mit dem Brand des Bauernhofs zusammen, bei dem nur der Schafpelz und die grüne Bank übriggeblieben waren und aus dem der Großvater seine drei Kinder unter Lebensgefahr gerettet haben wollte. Ich glaube aber, daß er schon mit diesen Mängeln zur Welt gekommen war — schielend und hinkend. Niemanden und nichts hatte er gerettet, und obendrein hatte er wohl vergessen, die Versicherungsprämie zu bezahlen. Aber gerade wegen dieser Fehler und Mängel liebte ich ihn wohl — denn so ist die Liebe nun einmal. Er war weise, gütig und freundlich, sprach nie von oben herab mit mir und schien mir nie auch nur einen Tag älter zu sein als ich selbst.

Putzi war es, der mich in die Kirche mitnahm und mich beten lehrte, und doch war er es auch, der hinterher den Pfarrer und sein katholisches Latein so komisch imitierte, daß ich mich vor Lachen wälzen mußte. Wir gingen jedesmal in eine andre Kirche, und alle waren sie schön, voll von lustigen, dicken Barockengeln, die wie Amoretten und heidnische Gottheiten aussahen. Da gab es Weihrauch und herrlichen Gesang und schräge Sonnenstrahlen, die durch die Fenster hereinfielen und den marmornen Fußboden bunt bemalten; Blumen vor jedem Altar und das silberne Klingeln des Mesnerglöckchens, wenn wir alle niederknieten und die Augen zu Boden schlugen. Ich aber blinzelte und konnte einen Augenblick die heilige Monstranz sehen, und alles war prächtig und aufregend und phantastisch wie eine Theatervorstellung. Denn in Wien war der Gottesdienst so, daß er sich recht gut mit der Bühne und der Kaiserlichen Hofoper messen konnte, und das war es auch, womit die Kirche später ihre Macht über die lebhaften, schaulustigen Österreicher aufrechterhalten konnte.

An andern Tagen ging Putzi mit mir zum Markt am Donaukanal hinunter, wo die breiten, flachen Kähne aus Ungarn anlegten, beladen mit Melonen und Äpfeln, mit sonnengoldnen Pfirsichen, Mais in seinen grünen Blatthüllen, auf Bindfaden gereihten roten Paprikaschoten, mit Verschlägen voll gackernder Hühner und fetter watschelnder Gänse, mit Fischen und Wild und all dem Überfluß eines reichen Landes. Putzi verstand es, ungarische Witze zu erzählen — seine Eltern stammten aus Ungarn —, und diese Witze, die immer ein dankbares Publikum fanden, halfen ihm beim Herunterhandeln der Preise. Er lehrte mich, wie man einkauft, auswählt und feilscht. Wie man die Füße der Hühner und das Brustbein der Gänse bricht, um zu sehen, ob sie jung sind, und wie man bei einem Karpfen auf den Bauch drückt, um festzustellen, ob es ein Milchner oder ein Rogner ist. Einmal, als wir unsre Einkäufe für die Weihnachtsfeiertage machten, ließ Großvater mich die Gans und den Karpfen aussuchen. Und als wir heimkamen, stellte sich heraus, daß die Gans zwei große Lebern hatte und der Karpfen ein Zwitter war, mit Rogen und Milch in seinen Eingeweiden. Putzi lachte sich krank über den Streich, den er mir gespielt hatte, und über mein verdutztes Gesicht.

Er nahm mich auch in die Menagerie von Schönbrunn mit, wo er mit einem Aufseher befreundet war, und ich durfte den Käfig von Peter betreten, dem Orang-Utan, und mit ihm spielen. Und die Robben kamen jedesmal angeschwommen, wenn Putzi ihnen pfiff. Irgendwie sahen sie einander ähnlich, Putzi und die Robben, nur daß die Bärte der Robben nicht rot waren. Dann zeigte mir Putzi die Giraffen und das Känguruh und lehrte mich die Tiernamen; er zeigte mir riesige, komische Vögel, Pelikane und Flamingos und Pfefferfresser. Später, als es mir einmal recht schlecht ging, erinnerte ich mich an diese Vögel und schnitzte sie in Holz, und sie halfen mir durchkommen und trugen mir sogar eine gewisse Berühmtheit ein.

Auch auf lange Wanderungen durch den Wienerwald nahm Putzi mich mit. In jedem Frühjahr gingen wir hinaus, um die ersten Veilchen zu suchen, kurz bevor die Wiesen ganz zu einem duftenden violetten Veilchenteppich wurden, im Herbst pflückten wir die letzten Brombeeren und brachen uns Zweige mit roten und gelben Blättern, die wir nach Hause mitbrachten, und im Winter, wenn es keine Blumen mehr gab, hauchten wir die gefrorenen Fensterscheiben an und ließen Eisblumen wachsen. Zu jeder Parade und zu jeder Prozession — und es gab viele in Wien — nahm Putzi mich mit. Er zeigte mir den Kaiser in seinem Hofwagen mit den vergoldeten Rädern, er zeigte mir Johann Strauß, der damals schon ein alter Mann war, mit schwarz gefärbtem Haar und einer Geige. Und er führte mich in den Prater, ließ mich auf dem Karussell fahren und hielt mir den Kopf, wenn mir davon schlecht wurde. Er führte mich in den Zirkus, in die Oper und ins Marionettentheater, ja, ins Panoptikum, wo man in einer Sonderabteilung — zum erstenmal — etwas hören konnte, was man Phonograph nannte, und etwas sehen, was ›lebende Bilder‹ hieß. Der Phonograph reproduzierte unter Kratzen und Quietschen und Grunzen eine Folterszene beim Zahnarzt, während die ›lebenden Bilder‹ eine zuckende und zappelnde Menschenmenge zeigten, die hinter einem Mann herjagte, der dabei über einen Apfelkarren fiel. Nachher wurde Putzi nachdenklich. Er schüttelte den Kopf und sagte: »Hoffentlich sieht Weiner das Zeug nicht, sonst stellt er es in seine Auslage.«

Putzi zeigte mir Wien, er zeigte mir Österreich, er zeigte mir ein gutes, reiches Stück Welt. Er hatte kein Geld, dafür aber große Schulden; er konnte mir nichts kaufen, aber er hatte überall Freunde, hatte jedermann kleine Gefälligkeiten erwiesen und wußte eine Menge Vergnügungen, die nichts kosteten. Wenn wir bummeln gingen, unterhielten wir uns königlich, und die ganze Stadt war unser Theater. Meine Eltern stehen in meiner Erinnerung nur schattenhaft und undeutlich als dünnblütige Gestalten neben meinen Großvätern. Wieviel Kraft und Leben steckte in den beiden alten Männern, die mein Wesen geformt haben!

Wieder eins von den neuen Worten, die wir lernen mußten: das Unterbewußtsein. Ich entdeckte es in der Zeitung, als ich acht Jahre alt war, und der Klang gefiel mir. Ich erschreckte meinen Onkel Theodor, indem ich ihn ernstlich fragte: »Was denkst du über das Unterbewußtsein, Onkel?« Armer Junge, er hatte nie etwas davon gehört, und gerade damals war er schwer in eine Liebesaffäre mit Großmutters Wirtschafterin verwickelt, die er später heiratete.

»Du bist ein frühreifer Balg, was?« sagte er, kniff mich in die Backe und vergaß im nächsten Augenblick, daß ich existierte. Es machte mich ganz stolz, daß ich ein Unterbewußtsein hatte; ich stellte es mir als einen violetten Samtbeutel vor, der in meiner Brust hing, in der Nähe des Herzens; manchmal pochte es darin, manchmal schwoll er an, und manchmal war er schwer von Leere. Von dort konnte ich Träume, Tränen und die seltsamen — bei Zehnjährigen so häufigen — plötzlichen Blitze des Verständnisses für Dinge hervorzaubern, die eigentlich weit über meinen Horizont gingen.

Zum Beweis der Freudschen Theorien wäre ich kein dankbares Objekt gewesen, denn ich hatte keinerlei Elternkomplexe. Ich liebte meine Mutter in einer toleranten und etwas herablassenden Art, denn sie erschien mir hilflos und zuweilen sehr kindisch. Ich traute ihr nicht die Fähigkeit zu, selber irgend etwas zustande zu bringen, denn mein Vater kommandierte sie zu Hause herum und behandelte sie wie ein Kind. Und was sollte ich um Himmels willen von einer Frau halten, die bei den unbedeutendsten Anlässen zu heulen anfing, während ich überhaupt nicht weinen durfte? Wir konnten nicht über die Straße gehen, nicht in der Straßenbahn fahren, ohne daß sie den Kopf verlor und alles verkehrt machte. Und meinem Vater gegenüber war ich vollständig gleichgültig. Ich liebte ihn nicht besonders, aber ich kann nicht sagen, daß ich ihn nicht leiden mochte.

Mein Vater hatte ein Programm strenger, wenn auch vollkommen willkürlicher Regeln, Ansichten und unzusammenhängender Prinzipien, nach denen wir leben mußten. Zum Beispiel: Rotwein ist gut und notwendig für die Gesundheit, und nur Landstreicher trinken Weißwein. Frisches Obst ist sehr gefährlich, besonders für Kinder, und Gurkensalat ist die Hauptursache von Choleraepidemien. (In meiner Kindheit gab es noch Choleraepidemien.) Menschen, die kaltes Wasser trinken, können sich dadurch eine Lungenentzündung zuziehen. Menschen, die beim Pferderennen spielen, sind Schurken und werden in der Gosse enden. (Daß auch ich in der Gosse enden würde, war immer das abschließende Urteil meines Vaters, wenn er sich über mich ärgerte.) Aber Leute, die in der Staatslotterie spielen und jedes Los kaufen, dessen sie habhaft werden können, das sind treusorgende Familienväter und gute Charaktere. Menschen, die Bücher lesen, werden verrückt und enden in der Irrenanstalt. Mädchen mit Locken sind launisch. Frauen haben überhaupt keinen Verstand, die lieben armen Frauen, mit der einzigen Ausnahme der eigenen Mutter – das heißt: Vaters Mutter.

Ich weiß nicht, ob er mich liebte oder nicht. Manchmal schien es ihn zu verwirren, daß er ein von ihm selbst so verschiedenes Wesen in die Welt gesetzt hatte. Er küßte mich zweimal im Jahr: am Weihnachtsabend und an seinem Geburtstag, nachdem ich irgendein dummes Gedicht aufgesagt hatte. Er machte sich ernste Sorgen über meine Figur, besonders über meine Beine, die mager waren zu einer Zeit, als schöne, runde Waden Mode waren. Es schien ihn zu beunruhigen, daß ich mager, langbeinig und knabenhaft war – Mädels mußten damals üppig sein. Wenn er sich über mich ärgerte, schrie er mich an, ich sei verrückt wie alle Dobsbergs, als hätte er mit meinem Stammbaum überhaupt nichts zu tun. Manchmal zog ich mit Behagen aus meinem violetten Samtbeutel die unbestimmte Vorstellung hervor, daß dieser unduldsame fremde Mensch gar nicht mein Vater sei. Vielmehr sei ich am Ende ein Findling. Ich kenne kein Kind, das diesen Gedanken nicht auch schon einmal gehabt hätte.

Als ich acht Jahre alt war – es war einige Zeit nach dem Tod meines >feinen< Großvaters –, nahm mich meine Mutter in ein Sarasate-Konzert mit; noch nie hatte ich so etwas Wunderbares erlebt, und ich beschloß daher, Geige spielen zu lernen, in der ganzen Welt Konzerte zu geben, sehr reich und berühmt zu werden und meinem Großvater im Himmel Freude zu machen. Später führte mich Putzi in den Zirkus, und ich sah die Löwenbändigerin. Sie trug eine rote Husarenuniform, hatte eine Peitsche in der einen und einen Revolver in der andern Hand und legte ihren Kopf in den Rachen des Löwen. Es traf mich im Innersten meines Herzens: Das war es, genau das, was ich schon immer hatte tun wollen – meinen Kopf in einen Löwenrachen legen.

Ich erzählte es Putzi an dem Tag, an dem wir den Wein aus dem Faß in Flaschen abgezogen hatten. Das taten wir immer einmal im Jahr, und dieser Tag war noch eine Idee schöner als ein richtiger Feiertag. Ein paar Wochen vorher hatte ich Putzi begleitet, als er die Runde bei den Weinhändlern machte und sich die Weinsorten aussuchte, die er haben wollte. Dann kam das Faß, und zwei Männer mit Lederschürzen rollten es in den Keller hinunter, wo wir gerade die Flaschen vom letzten Jahr reinigten. Der Keller war eine Welt für sich, düster und schmutzig und voll von Weindunst, der mir ein bißchen zu Kopf stieg. Die Spinnen hatten fleißig von einer Flasche zur andern dünne Vorhänge gewoben; sie waren so fein und zierlich, daß es mir leid tat, sie zerreißen zu müssen. Wiederholt versuchte ich so ein Gewebe zusammenzufalten und es für meine Puppen mit nach Hause zu nehmen; aber in dem Augenblick, wo ich es berührte, war es nur noch ein bißchen grauer Schmutz. Ich las immer alles auf, was mir gefiel, und war dann oft sehr enttäuscht, wenn ich mit so vergänglichen Dingen wie Eiszapfen, Tautropfen auf Blättern oder schönem, in allen Regenbogenfarben schimmerndem Pfützenwasser zu Hause ankam. Der Mensch gehört mit Eichhörnchen und Hamster zu den sammelnden ›Tieren‹. Wir sammeln Möbel, Geld, schmutzige Fetzen und Reste von allem möglichen und zerbrechen uns den Kopf, wie wir alles erhalten und verteidigen können. Wir leben wie die Mistkäfer, rollen allen Dreck, den wir auftreiben können, zu einer sauberen Kugel zusammen, vergraben sie in der Erde, setzen uns darauf und verteidigen sie mit unserem Leben — und so wird es Kampf geben bis ans Ende der Welt.

Putzi summte und pfiff, und ich kam mir sehr wichtig vor, die Ärmel aufgekrempelt wie ein richtiger Arbeiter und die Füße in Galoschen, denn der Boden im Keller war feucht. Putzi goß Wasser in die alten Flaschen, ich tat Schrot hinein, und dann schüttelten wir die Flaschen so lange, bis der grünliche Belag an der Innenseite verschwunden war. Dann kam der große Augenblick, wo der Zapfen in das Spundloch geschlagen und ein Schlauch vom Faß nacheinander in alle Flaschen geführt wurde. Es begann nach Wein zu riechen. Wir knieten vor dem Faß, und ich durfte die Flaschen halten. Jedesmal, wenn Putzi den Schlauch in den Hals der nächsten Flasche steckte und in die nächste und wieder in die nächste, nahm er das Schlauchende in den Mund, um den Wein anzusaugen, denn das war die richtige Art, den Wein abzuziehen. Es war ein ungeschriebenes Gesetz, daß man beim Abziehen nicht trinken durfte, aber die kleinen Züge am Schlauch machten Putzi ganz fidel. Der Wein troff an seinem Kinn hinunter, er wischte ihn ab und lachte mich an. Von dem Geruch und dem gurgelnden Geräusch des in die Flaschen strömenden Weins war ich leicht beschwipst; der Wein quoll über meine Finger, von Zeit zu Zeit leckte ich sie ab, und mein Mund füllte sich mit dem herben, spritzigen Geschmack. Auf dem Fußboden standen kleine Weinpfützen, meine Knie waren naß, und an Händen und Armen troff ich von Wein. Im allgemeinen machte ich mir nichts aus Wein, denn er gehörte zu den Dingen, die ›gut für dich‹ waren, und ich haßte alles, was mir wie eine Medizin vorgeschrieben wurde. Aber an dem Tag, wo wir den Wein in Flaschen abfüllten, liebte ich ihn, weil er mir so viel Spaß verschaffte. Großvater liebte den Wein auch, aber nicht wahllos, sondern mit dem Wohlgefallen des Kenners. Nach jedem Zug am Schlauchende schnalzte er mit der Zunge und wischte sich den Bart, in dem goldene Tröpfchen hängengeblieben waren. »Nicht schlecht«, sagte er dann immer, »gar nicht schlecht. Beinahe so gut wie der Achtundneunziger, nur ein bißl leichter.« Er hatte wunderschöne Worte, den Geschmack des Weines zu beschreiben. Manches Jahr hatte der Wein ›Samt‹, dann wieder war er blumig, feurig oder spritzig. Wenn alle Flaschen gefüllt waren, trieb Putzi mit Hilfe eines kleinen Apparats und mit einem festen Schlag die Korke hinein, und ich legte die Flaschen in sauberen Reihen auf die Gestelle, wobei ich mir vorstellte, es seien Kinder, die ich zu Bett brachte. Meine Beine waren steif vom Knien, und im Kopf hatte ich ein merkwürdiges Gefühl.

»Mutzi«, sagte der Großvater, »was wir zwei jetzt brauchen, ist frische Luft und ein bißl Brot und Salz.«

Und dann verließen wir den Keller. Wenn wir ans Tageslicht kamen, blinzelten wir und schöpften in tiefen Zügen Luft; Putzi trommelte sich auf die Brust. Es war spät am Nachmittag, denn wir hatten den ganzen Tag gearbeitet; von einer nahen Kapelle läutete die Vesperglocke, und die glänzenden Blätter des Birnbaums im Hof sahen müde aus. Wir setzten uns auf die grüne Bank, fühlten uns sehr wohl und lauschten schläfrig dem angenehmen dumpfen Geräusch, mit dem die reifen Birnen auf den kleinen Rasenfleck herunterfielen. Putzi holte Brot aus der Tasche, rieb es mit Salz ein, und wir kauten zufrieden. Mir war noch etwas schwindlig, und plötzlich überkam mich ein Anfall von Mut und edlen Gefühlen.

»Putzi«, sagte ich, »ich möchte Löwenbändigerin werden.«

Er sah mich von der Seite an, kaute ruhig weiter und grinste.

»Na, das ist keine schlechte Idee«, sagte er friedlich. »Ich hab' einmal eine Löwenbändigerin gekannt, als ich Soldat war, in Preßburg. Sie hatte prachtvolles blondes Haar, das an den Hut angenäht war. Wenn sie den Hut herunternahm, ging das Haar mit, und darunter war nur der nackte Schädel mit häßlichen Narben. Ein Löwe hatte sie skalpiert, so zum Spaß, verstehst du. Er hatte es nicht bös gemeint, er wollte nur ein bißchen spielen, nehme ich an. Das Haar, das an den Hut angenäht war, war ihr richtiges eigenes Haar. So wie deine Puppe mit dem echten Haar, wie heißt sie doch?«

Das war ja nun nicht gerade das, was ich gern hören wollte. Ich dachte eine Weile darüber nach und leckte mir das Weinaroma vom Arm.

»Vergangene Woche wolltest du Geigerin werden«, erinnerte mich Putzi. »Es ist Zeit, daß du dich entschließt und dabei bleibst. Du hast versprochen, viel Geld zu verdienen und mir einen Schaukelstuhl zu kaufen. Ich hab' mich schon so darauf gefreut. Du darfst mich nicht im Stich lassen.«

Das war richtig. »Vielleicht kann ich mit dem Löwenbändigen viel Geld verdienen«, spekulierte ich, aber Putzi schüttelte den Kopf.

»Schau«, sagte er, »du bist ja kein kleines Kind mehr, nicht?« (Ich war noch nicht neun.) »Jetzt will ich einmal vernünftig mit dir reden. Deine Mutter will, daß du Musik studierst, das weißt du. Herr Dobsberg wollte es auch, und er schaut vom Himmel herunter und möchte gern wissen, ob du es tust, Gott hab' ihn selig. Nichts könnte deine Mutter glücklicher machen, und du willst sie doch glücklich machen — oder nicht?« Natürlich wollte ich meine Mutter glücklich machen. Aber an irgendeiner empfindlichen Stelle meines Herzens fühlte ich, daß ich — ob ich wollte oder nicht — zum Musikstudium gedrängt werden sollte, daß man mich beschwatzen wollte. So war es immer schon gewesen. Herr Dobsberg, wie Putzi meinen toten Großvater beharrlich nannte, hatte es gewünscht und seinen Wunsch meiner Mutter hinterlassen. Meine Mutter hatte selber gern Musikerin werden wollen, aber sie war zu weich und zu schwach gewesen, ihren Willen durchzusetzen. Eltern sind so. Sie wollen, daß ihre Kinder das erreichen, wozu sie selbst nicht fähig gewesen waren; es ist eine zarte Blüte des Egoismus, aber Egoismus ist es.

»Natürlich wird dir niemand befehlen, was du werden sollst«, sagte Putzi hinterlistig. »Das steht vollkommen bei dir. Wenn du eine Löwenbändigerin werden willst, so wird dir niemand etwas in den Weg legen. Wenn du es wünschst, so werde ich dich dieser Tage in den Zirkus Renz mitnehmen; ich kenne dort einen Stallmeister, und es ist eine Kleinigkeit, dich ihm vorzustellen. Das ist ganz einfach.«

Damit nahm er mir viel Wind aus den Segeln. Wenn Putzi es abgelehnt hätte, mich Löwenbändigerin werden zu lassen, so wäre ich Löwenbändigerin geworden, denn alles, was mir verweigert wurde, mußte ich haben. Ich glaube, ich mache es noch heute so, und ich habe mir schon manchmal bös den Kopf gestoßen, wenn ich Dingen nachlief, auf denen stand ›Berühren verboten!‹

»Löwenbändigerin ist viel gefährlicher als Geigespielen«, sagte ich. Große rosige Mutblasen stiegen in mir auf. Putzi sah mich an und sagte nichts. Er aß sein letztes Stück Brot mit Salz auf, dann streckte er mit einem Seufzer die Arme aus und stand auf. Er hinkte zu dem kleinen Rasenfleck unter dem Birnbaum und suchte sorgfältig eine der abgefallenen, überreifen Birnen aus. Dann kam er zurück und warf sie mir lächelnd in den Schoß.

»Ja, Mutzi«, sagte er, »Löwenbändigen ist vielleicht ein bißchen gefährlicher. Aber Geigespielen ist viel schwerer. Och, es ist viel, viel schwerer. Im Vergleich zum Geigespielen ist Löwenbändigen immer Kinderspiel!«

Und das gab den Ausschlag.

»Nun«, sagte ich großartig, »wenn das so ist, dann glaub' ich, werde ich lieber Geige spielen.«

Wann immer in meinem Leben sich etwas Entscheidendes ereignete, hatte ich Kopfschmerzen, Halsweh oder eine riesige Fieberblase auf der Oberlippe. An dem Tag, als meine Mutter mich zu den Onkeln mitnahm, um die Sache mit ihnen auszufechten, hatte ich alle drei der aufgezählten Übel. Die Onkel — Großvaters fünf Brüder — saßen hoch auf dem Familienthron, ein autokratischer Altmännerbund, der unser aller Leben regierte. Sie verbrachten ihre Zeit in einem hocheleganten Büro mit luxuriösen Klubsesseln, einem Ölgemälde des Gründers, Leopold Dobsberg, und ihren eigenen Lichtbildern, auf denen jeder steif neben einem jämmerlich kleinen runden Laubsägetischchen stand.

Die Onkel lenkten die Geschicke des gesamten Geschlechts; sie entschieden, was die Söhne studieren sollten, welche Mitgift für Töchter, Nichten und Großnichten angemessen war: weniger für die hübschen und mehr, wenn sie häßlich waren oder andere Mängel aufwiesen; welche Pension den Witwen in der Familie zu gewähren war; wieviel Schwiegersöhne man noch der Firma aufhalsen konnte; welche schwarzen Schafe in geschäftlicher Mission nach Südamerika geschickt und dort ihrem Schicksal überlassen und wessen Schulden noch ein letztesmal bezahlt werden sollten.

Was für eine nette kleine Frau meine Mutter war, als ich an ihrer Seite den Ring hinunter zum Büro der Onkel marschierte! Sie hatte so winzige Hände und Füße, daß ich stolz darauf war, während meine eigenen Gliedmaßen derart wuchsen und sich streckten, daß sie einen peinlich großen Raum in Anspruch nahmen. Meine Mutter trug immer enge, vielgereinigte Glacéhandschuhe, die einen schwachen Benzingeruch ausströmten. Mit der Linken raffte sie auf höchst damenhafte Art den Rock — was mir nie gelingen würde —, und in der Rechten hielt sie ein Handtäschchen mit Petitpointstickerei. Sie trug einen schwarzen Hut mit kleinen dicht gekräuselten Straußenfedern und einen Schleier, in den sie ab und zu hineinblies, um ihn etwas zu dehnen, denn er war allzu dicht um das Gesicht gebunden und unter dem Kinn zu einem Knoten zusammengeknüpft. Sie machte sehr kleine Schritte, während ich in großen Schuhen mit flachen Absätzen ausschritt und mich meiner schwarzen gerippten Baumwollstrümpfe schämte, die das Bestreben hatten, sich in Falten um meine langen dünnen Beine zu legen, die stakig aus einem plissierten Kleinmädchenrock hervorkamen.

»Du hättest ein Bub werden sollen«, seufzte die Mutter wieder einmal, als sie meine Gesamterscheinung prüfte, die jeglicher Grazie, jeglichen Raffinements so völlig entbehrte. Dieser Meinung war ich selbst. Tief in meinem Innern verborgen, lebte tatsächlich die unbestimmte lächerliche Hoffnung, ich könnte mich eines Tages noch in einen Buben verwandeln. Es war damals viel besser, ein Bub zu sein als ein Mädel.

»Hab' keine Angst, Marion!« sagte die Mutter mit leiser, hilfloser Stimme, als wir vor dem Haus ankamen, in dem die Onkel residierten. »Warum sollte ich?« erwiderte ich arrogant, aber in den Knien hatte ich ein komisches Gefühl.

»Ich habe mich mein Leben lang geduckt, aber diesmal werde ich es ausfechten«, sagte meine Mutter nervös. Sie tat mir furchtbar leid. Sie schien so absolut ungeeignet, für irgend etwas oder irgend jemanden zu kämpfen.

»Du verstehst es noch nicht, aber ich möchte gern, daß du einmal unabhängig bist — deshalb will ich, daß du Musik studierst«, sagte meine Mutter. Ich antwortete nicht, aber ich verstand es recht gut. Das Wort ›unabhängig‹ hatte einen Klang, bei dem es mich heiß und kalt überlief. Und würde man mich heute fragen, was im Leben ich am höchsten schätzte, so würde ich antworten, es sei dieses unwägbare Etwas, das köstlicher ist als Liebe, Glück und Reichtum: die Unabhängigkeit.

»Vergiß ja nicht den Onkeln einen hübschen Knicks zu machen, und scharr nicht mit den Füßen und spiel nicht mit den Handschuhen und sprich nur, wenn du gefragt wirst!« sagte meine Mutter, bevor sie auf den Knopf drückte, der sich neben dem diskreten Messingschild mit dem Firmennamen *Dobsberg & Söhne* befand. Der Bürodiener Anton öffnete die Tür und verbeugte sich höflich. Auch er war ein alter Mann und trug einen würdevollen weißen Backenbart wie der Kaiser. »Die Herren erwarten Sie«, sagte er zu meiner Mutter, und dann wandte er sich mir zu und sah mich forschend an. »Mein Gott, wie du gewachsen bist!« rief er aus. »Bald muß ich wohl Fräulein zu dir sagen, was? Wie alt sind Sie, Fräulein?«

»Ich werde bald elf«, sagte ich errötend. Anton führte uns durch den langen dunklen Korridor, wo den ganzen Tag das Gaslicht brannte, öffnete eine Doppeltür und geleitete uns durch mehrere Zimmer, in denen Buchhalter, Kassenbeamte und Angestellte arbeiteten, einige saßen an Schreibtischen, andre standen vor hohen Pulten und schrieben etwas in die großen Geschäftsbücher. Da waren auch — Morgendämmerung kommender Zeiten — zwei ungefüge Schreibmaschinen. Auf ihnen schrieben zwei tüchtig aussehende, geschlechtslose, bebrillte Wesen ohne Busen mit hohen weißen Stehkragen. Mein Vater mochte sie nicht leiden und konnte sich nie mit der Schande aussöhnen, daß Frauen im Kontor arbeiteten.

Es war komisch, Vater im Büro zu sehen. Er sah von seinem Schreibtisch auf und nickte wie die andern, im übrigen aber behandelte er Mutter und mich, als kenne er uns nicht. Es vertrug sich wohl nicht mit seiner Würde, allzuviel Vertraulichkeit zu zeigen. Nebenbei bemerkt, hatte es wegen meines Musikstudiums zu Hause schon manchen Streit gegeben, denn mein Vater war entschieden dagegen. Noch an diesem Morgen war er ärgerlich vom Frühstück aufgestanden, hatte die Eier stehenlassen, die Serviette auf den Fußboden geschleudert, und hinter seinem beleidigten Rücken war die Tür mit einem endgültigen Schlußpunkt ins Schloß gefallen. Da saß er nun, ein richtiger Brummbär, ganz wildfremd mit der Brille, die er zu Hause niemals trug, über dem rechten Arm einen Schutzärmel. Seine Manschetten mit den großen goldenen Knöpfen standen neben dem Tintenfaß auf dem Schreibtisch.

»Guten Tag«, sagte ich schüchtern. »Guten Tag«, murmelte er und beugte sich wieder über seine Geschäftsbücher, als erinnere er sich kaum unserer Bekanntschaft.

Mein Vater war einer der Schwiegersöhne, die den Vorteil genossen, in der Firma angestellt zu sein. Er arbeitete als Buchhalter in der Zentrale, und unsern bescheidenen Haushalt beschien nur ein schwacher Abglanz von der Pracht und Herrlichkeit der Onkel. Ich glaube, die Onkel hatten so viele Nichten und Großnichten, daß sie, um alle unter die Haube bringen zu können, oft eine gute Stellung zur Mitgift legen mußten. Es muß damals verzweifelt schwer gewesen sein, alle weiblichen Mitglieder einer Familie zu verheiraten. Immer wenn man mir sagte, ich solle mir das Album anschauen, ergingen sich die Schwestern meiner Mutter, die Kusinen und Freundinnen unfehlbar in einer hitzigen Debatte über irgendeine Verlobung, eine Heirat oder über Mittel und Wege, die Heiratschancen eines Mädchens zu verbessern, und bei dieser schwierigen Kuppelei wurde immer mit Zahlen herumgeworfen.

Noch ehe ich sechs Jahre alt war, hatte ich beschlossen, niemals zu heiraten. Ich wollte keinen Mann, der dafür bezahlt wurde, daß er mich nahm, der mich im Haus herumkommandierte und von mir erwarten konnte, daß ich ihn hinten und vorn bediente. Ich dachte mir jeden Ehemann wie meinen Vater, und mit einem Mann wie meinem Vater wollte ich nicht verheiratet sein, o nein, danke bestens. Soweit war es meine eigene, private Revolution. Aber es muß um die Jahrhundertwende Millionen kleiner Mädchen gegeben haben, die genauso dachten. Wenn mir jemand gesagt hätte, daß ich ein Teilchen der Frauenbewegung sei, hätte ich nicht gewußt, was er meinte. Wo wir stehen und was wir sind, wissen wir immer erst viele Jahre später. Christopher sagte gestern, daß wir alle nur winzige Teilchen des großen Verfalls bilden, der jetzt im Gange ist, daß die Barbaren im Begriff sind, unsre alte Kultur zu zerstören und daß sie dann eine neue Kultur begründen werden. Nach einigen Jahrhunderten werde diese Kultur wieder eine alte Kultur sein, eine neue Barbarenhorde werde sie zerstören, und so fort ad infinitum. Wenn Christopher das als Trost gedacht hat, so hat er seinen Zweck nicht erreicht, denn ich komme mir gar nicht verfallend vor, und die Beispiele von den Römern, Persern und Khmer sagen mir nicht das geringste. Was mir etwas sagt, ist einzig und allein die Tatsache, daß alles, woran ich geglaubt und wonach ich gestrebt hatte, heute höchst lächerlich und falsch zu sein scheint. Vielleicht ist der Mensch zum Töten geschaffen — wie der Löwe oder die Riesenschlange. Vielleicht ist es Menschenart, zu kämpfen, zu erobern, zu töten und kein Erbarmen zu zeigen. Wenn es so ist, dann liegen wir mit allen unsern Tugenden falsch; und gütig, duldsam, friedlich und freiheitsliebend zu sein wäre lediglich ein Degenerationsmerkmal. Vielleicht bin ich wirklich das, was mein Stiefsohn Johnnie in seinen hitzigen Reden eine elende Liberale nennt. Armes Ich, armes winziges Teilchen von dem und jenem, hin- und hergerissen von jeder Strömung, hierhin und dorthin geblasen von jedem Wind, der meine Zeit aufwühlt ... Hätten wir — ich und ein paar Millionen andrer kleiner Mädchen — damals, 1906, nicht gegen Familie und Ehe rebelliert und nicht den unbestimmten Trieb nach Unabhängigkeit gefühlt, wären wir vielmehr entschlossen gewesen, folgsame Ehefrauen zu werden, viele Kinder zu gebären und unsre Söhne zu guten Soldaten zu erziehen — vielleicht säßen wir dann heute nicht im Dickicht des großen Verfalls. Aber was nützt uns jetzt das Philosophieren? Wir sind, wie wir sind, und wir mußten nach den Dingen streben, die wir haben wollten.

Anton öffnete eine höchst eindrucksvolle Doppeltür, meine Mutter zupfte mir die Zöpfe zurecht, und wir betraten das Allerheiligste. Alle fünf Onkel waren versammelt, was anzeigte, daß eine wichtige Konferenz stattfinden sollte. Bis zu dieser Stunde hatte ich sie nur bei besonderen Anlässen gesehen, zum Beispiel beim Leichenbegängnis meines Großvaters, bei Tante Karolines Hochzeit und als ich ihnen zum fünfzigjährigen Bestehen der Firma Blumen überreichte.

»Guten Tag, Onkel«, sagte die Mutter zu jedem und gab ihm die weißbehandschuhte Hand, als wäre sie selbst noch ein kleines Mädchen.

»Guten Tag, Onkel«, piepste ich und machte meinen Knicks.

»Guten Tag, guten Tag, Betty. Servus, kleine Marion. Das ist ein seltenes Vergnügen, die beiden jungen Damen hier zu sehen«, sagte Onkel Leopold, der älteste. Alle waren charmante, joviale Kavaliere, einer nach dem andern tätschelte mich, kniff mich in die Backen und sagte, was für ein großes Mädel ich sei, und wie es mir in der Schule gefalle. Sie hatten sogar eine Schachtel Pralinen für mich bereit, und Onkel Julius, ein behender kleiner Mann mit eisgrauem Bart, forderte mich auf, ihm die Freude zu machen und die Pralinen zu kosten. Alles ging sehr höflich und freundlich zu, und alles war total falsch, denn schließlich war ich kein Baby mehr, und meine Mutter und ich wußten, was wir wollten — und das waren keine Pralinen. Meine Augen blieben an einem großen Gemälde hängen, auf dem die Onkel zu sehen waren, wie sie um den grünbespannten Tisch herumsaßen, an dem wir auch jetzt saßen, und mit ihren kleinen Orden am Rockaufschlag sehr wichtig dreinschauten. Aber auf diesem Bild war auch mein Großvater, und das gab mir eine gewisse Zuversicht.

»Na, was führt euch schon so in aller Herrgottsfrühe her?« sagte Onkel Heinrich und schaute auf die Uhr, um anzudeuten, daß sie Geschäftsleute wären und für Unsinn nicht viel Zeit hätten. Meine Mutter rutschte auf ihrem Stuhl nach vorn; sie war so klein, daß ihre Füße nicht bis zum Fußboden reichten, wenn sie nicht ganz auf der Kante saß.

»Es ist wegen Marion, Onkel«, sagte sie. »Ich höre, ihr wollt nicht, daß sie Musik studiert.«

»Aber nein, das ist ein Mißverständnis, mein Kind«, sagte Onkel Leopold gutmütig. »Laß sie nur ruhig Geige spielen! Warum sollen denn alle kleinen Mädels Klavier spielen? Laß sie nur zur Abwechslung Geige lernen. Sie wird von selbst aufhören zu spielen, sobald sie verheiratet ist und Kinder hat, genauso wie du, nicht wahr?«

»Das ist es eben, Onkel«, sagte meine Mutter. »Das Kind hat zu viel Talent und zu viel Ehrgeiz, um nur so ein bißchen herumzuspielen. Ihre Lehrerin, Fräulein Gans, hat ihr wohl eine gewisse Grundlage geben können, aber jetzt ist es höchste Zeit, daß Marion ernstlich studiert, bei einem richtigen Lehrer.«

»Es fällt uns nicht ein, dir dabei dreinzureden«, sagte Onkel Leopold. »Wenn die kleine Marion nichts dagegen hat, täglich eine Stunde zu üben, dann laß sie nur weitermachen! Fräulein Gans soll eine sehr gute Geigenlehrerin sein. Sie gibt einigen jungen Damen im Salesianerkloster Stunden, und jeder hat Worte der höchsten Anerkennung für sie. Aber wenn du für deine Kleine einen andern Lehrer vorziehst, so wird dir niemand etwas in den Weg legen.«

Meine Mutter schluckte ein paarmal. »Wenn es so einfach wäre, hätte ich euch nicht behelligt«, sagte sie und schloß die Augen, als wolle sie durch lodernde Flammen laufen. »Aber wenn Marion studieren soll, brauchen wir Geld. Vom Gehalt meines Mannes können wir es nicht bezahlen. Ich habe mit Professor Szimanski gesprochen — er ist der beste Meister in Wien, vielleicht der beste in der Welt. Er glaubt, er kann sie in vier Jahren ausbilden, aber er ist sehr teuer. Und bald wird sie auch eine gute Geige brauchen – bis jetzt spielt sie auf einer Dreiviertelgeige, aber Szimanski nimmt sie nicht, wenn sie nicht ein wirklich gutes Instrument hat.«

Hier trat eine Pause ein. Onkel Leopold sog an seiner Zigarre. Onkel Johann malte Schnörkel auf das Löschpapier. Onkel Heinrich betrachtete seine Fingernägel. Onkel Julius schob uns die Pralinen hin. »Nimm eine Praline, Betty! Nimm eine Praline, Marion!« sagte er verlegen. Onkel Robert, der bisher geschwiegen hatte, unternahm einen schwachen Versuch, die Spannung zu lockern. »Ich kenne Szimanski«, sagte er freundlich. »Er spielt die Zweite Geige im Philharmonischen Quartett. Du weißt, wir machen bei uns zu Hause jeden Mittwoch Kammermusik.«

»Hm – die Zweite Geige!« sagte Onkel Leopold verächtlich. Er warf seinen Zigarrenstummel in den Aschenbecher. »Sei mir nicht böse, Betty, aber das scheint mir doch ein rechter Unsinn zu sein«, sagte er gereizt. »Wozu eine solche Affäre daraus machen? Wozu gutes Geld ausgeben für eine Liebhaberei wie das Geigespielen? Was soll denn deiner Meinung nach dabei herauskommen?«

»Ich will eine Virtuosin werden, ich will werden wie Sarasate und Konzerte geben und überall herumreisen und eine Menge Geld verdienen, und später will ich meiner Mutter eine Villa auf dem Land kaufen«, sagte ich. Ich hatte vergessen, daß ich nur reden sollte, wenn ich gefragt würde. Onkel Heinrich lachte und tätschelte mir den Kopf. Aber Onkel Johann setzte einen dicken Punkt hinter seine Schnörkel und schob das Löschblatt ärgerlich weg.

»Wir wollen in der Familie kein Mädel, das öffentlich auftritt«, sagte er. »Es wäre ein Skandal. Schließlich sind wir doch jemand in Wien, das darf man wohl sagen. Was für ein Licht würde es auf uns werfen, wenn eine unsrer Nichten mit der Fiedel herauskommt und vor Krethi und Plethi spielt. Für Geld spielt – ein junges Mädchen! Stellt euch das vor!«

Meine Mutter sah aus, als wolle sie weinen, aber diesmal tat sie es nicht. Ich selber war nicht ganz sicher, ob ich nicht gleich heulen würde, denn in meiner Kehle saß ein Klumpen.

»Das Kind hat den Entschluß gefaßt, etwas zu lernen und einen Beruf zu ergreifen, um später einmal unabhängig zu sein«, sagte meine Mutter. »Und ich stimme mit ihr vollkommen überein.«

Onkel Leopold vergaß seine guten Manieren und schrie: »Was versteht denn so ein kleines Ding davon? Wer hat ihr diesen Floh ins Ohr gesetzt?«

»Mein Vater. Dein Bruder«, sagte meine Mutter und wies mit dem Kinn auf das Gemälde an der Wand. Dann trat wieder eine Pause ein.

Onkel Heinrich brach schließlich das Schweigen.

»Es tut mir leid, wenn es roh klingt, Betty«, sagte er. »Aber wir alle wissen, daß dein lieber Vater kein sehr praktischer Mensch war; ein braver, gutherziger, charmanter Mann und ein echter Kavalier, jawohl, aber nicht besonders befähigt, sein eigenes Leben in Ordnung zu halten – ganz zu schweigen von dem seiner Kinder und Enkel. Du solltest seine kleine Marotte nicht so ernst nehmen.«

»Es war keine Marotte«, sagte meine Mutter, und jetzt fing sie doch noch an zu weinen. »Er wünschte ernstlich, daß Marion ein Instrument lernen solle, und zwar nicht nur als Liebhaberei, und das weißt du genausogut wie ich.«

»Verrückte Idee«, murmelte Onkel Johann, und die andern nickten zustimmend. Mutters Augen waren wieder trocken, als hätte sie die Tränen in sich zurückgezogen; sie richtete sich auf und wurde etwas größer. »Schau«, sagte sie und versuchte den Eindruck zu machen, daß sie etwas sehr Vernünftiges, durchaus nichts Verrücktes sage, »wenn Marion zufällig ein Bub wäre, würdet ihr sie — ihn — sicher etwas studieren lassen und würdet ihr — ihm — bestimmt nicht die Mittel für eine gute Ausbildung vorenthalten, nicht wahr?«

Onkel Leopold schlug mit der flachen Hand auf den grünbezogenen Tisch. »Aber Marion ist ein Mädel!« sagte er.

»Onkel Leopold, Onkel Johann, hört mal zu!« drängte meine Mutter. »Es ist doch noch meine Mitgift da, wir haben sie nicht angerührt, warum darf ich sie jetzt nicht für meine Tochter verwenden?«

»Die Mitgift gehört deinem Mann«, sagte Onkel Heinrich scharf. »Er ist ein sparsamer, besonnener Mensch, und ich bin überzeugt, er wird nicht zulassen, daß sein gutes Geld für so ein verrücktes Abenteuer ausgegeben wird. Du solltest dankbar sein, daß du einen Mann hast, der für seine und deine alten Tage spart und nicht eure Sicherheit aufs Spiel setzt.«

Meine Mutter ließ den Kopf hängen, denn sie wußte, daß der Onkel die Wahrheit sprach. Auch ich wußte es, da ab und zu Bruchstücke der nächtlichen Diskussionen meiner Eltern aus ihrem Schlafzimmer in mein Zimmer gedrungen waren.

»Wenn ich mich nicht irre«, sagte Mutter eigensinnig, »wart ihr so gütig, für Marion ein kleines Kapital sicherzustellen. Könntet ihr uns nicht eventuell auf dieses Geld einen Vorschuß geben und Marion Musik studieren lassen?«

Die Onkel sahen sich gegenseitig an, dann sahen sie mich an und dann meine Mutter. Onkel Leopold nahm die Wasserkaraffe, die mitten auf dem grünen Tisch stand, goß sich ein Glas Wein ein und stürzte es, um sich zu beruhigen, in hastigen Zügen hinunter. »Betty«, sagte er dann, »du weißt, daß wir unser Bestes tun, die Zukunft aller Mädchen unsrer Familie sicherzustellen. Das Kapital, das du erwähnt hast, ist in fünfprozentigen Papieren fest angelegt und dient dem Zweck, Marion bei Erreichung ihres zwanzigsten Lebensjahres eine angemessene Mitgift zu sichern. Allem Anschein nach entwickelt sie sich zu einer hübschen jungen Dame, und da wird es nicht schwer sein, für sie einen braven Mann zu finden, aber nichtsdestoweniger wird dir das kleine Kapital sehr zustatten kommen, wenn du dich einmal nach einem anständigen Schwiegersohn umsehen mußt. Es wäre absolut unverantwortlich — un-ver-ant-wort-lich! —, Marions Heiratsaussichten zu verderben, indem man das Geld unter einem so nichtigen Vorwand angreift, wie es die Fiedelei ist. Das ist mein letztes Wort. Und damit Schluß.«

»Wieso weißt du, was für sie gut ist? Was weißt du von ihren Aussichten? Papiere und fünf Prozent und ein braver Mann, den du für sie aussuchst — so denkst du dir ihr Glück. Nun, ich denke es mir anders, ganz anders. Hättet ihr mich etwas lernen lassen, so wäre ich glücklicher, als ich heute bin — viel glücklicher vielleicht. Schön, es gehörte sich nicht — damals wenigstens nicht, als ich ein Mädchen war. Aber heute schreiben wir nicht mehr achtzehnhundertachtzig, wir leben im zwanzigsten Jahrhundert, und dies ist mein Kind, und ich will, daß es bessere Aussichten im Leben hat, als verschachert zu werden wie ein Kalb auf dem Markt, und ich gehe nicht eher von hier weg, bevor ich nicht eure Zustimmung habe, sie bei Professor Szimanski studieren zu lassen.«

Die Wasserkaraffe klirrte. Die Onkel machten Gesichter, als wäre ein Erdbeben daran schuld. Aber es war nur Mutters kleine weißbehandschuhte Hand, die aufgeregt auf dem grünbezogenen Tisch herumhämmerte. Die Dobsbergsche Verrücktheit war plötzlich bei ihr ausgebrochen, und mir fiel dabei der Großvater ein, wie er mit dem Klavier kämpfte.

». . . und warum wollt ihr nicht, daß ein Mädel etwas lernt und in die Lage kommt, zu arbeiten und sich selbst zu erhalten? Warum nicht?« rief meine Mutter und zitterte vor Aufregung. »Warum ist es ein Skandal, öffentlich zu spielen, und warum ist nicht ein Skandal, was vertuscht und verdeckt wird? Als meine Schwester Karoline in der Hochzeitsnacht ihrem Mann davonlief, habt ihr sie ihm zurückgeschickt, nicht wahr? Er war ein kranker Mensch, ein schmutziger, verkommener, kranker Mensch — sie hat es euch gesagt, nicht wahr? Aber sie mußte es aushalten, sie mußte mit ihm leben und Theater spielen, nur damit es in unsrer gottgesegneten Familie keinen Skandal gab. Schaut euch an, was ihr aus ihr gemacht habt, schaut euch das arme zerbrochene Ding heute an! Und Maria — sie hat einen Selbstmordversuch gemacht, und ihr wißt weshalb! Und Corinna, die das Glück hatte, ihre Scheidung durchzusetzen! Ihr behandelt sie wie Auswurf, ihr haltet sie wie eine Gefangene, ihr schämt euch ihrer, statt ihre Partei zu nehmen. Und Jenny, die trotz der wundervollen Mitgift zu fünf mündelsicheren Prozent keinen Mann gekriegt hat — sie sitzt in ihrem Zimmer und vertrocknet und wird verrückt, weil sie nichts zu tun hat und niemanden hat, mit dem sie sprechen könnte. Und Fanny — und Georgine — und Ida . . .«

Als ich ein paar Jahre später die Ibsen-Stücke kennenlernte, waren sie für mich ein erschütterndes Erlebnis — aber Neues sagten sie mir nicht. Ich hatte es längst gewußt, daß die Grundlagen der Gesellschaft verfault waren, und daß wir in einem Sumpf von Lüge und Täuschung lebten. Deshalb griffen wir jungen Menschen so gierig nach Ibsen und verschlangen jedes seiner Worte. Da war ein Mensch, der auszudrücken verstand, was wir, stumm und ohne uns recht darüber klarzuwerden, mit uns herumgetragen hatten. Komisch, vor zwei Jahren habe ich wieder einmal ein Ibsen-Stück gesehen: ›Gespenster‹, und ich hätte weinen können: es war so alt, so verstaubt, so mit Spinnweben überzogen. Aber als ich fünfzehn war, da war es funkelnagelneu, es blendete einen beinahe wie ein Blitz in der Nacht, der jedes verschwommene, dunkle Detail in scharfes, erbarmungsloses Licht taucht. Ich weiß noch heute nicht, ob diese Vernichtung des Respekts vor der Familie etwas Gutes oder etwas Schlechtes war. Damals schien es das einzig Richtige zu sein. Ja, aber die Chinesen haben mit ihrer Verehrung des Familiengesetzes mehr als vier Jahrtausende überlebt und leben weiter, sagt Christopher, während Europäer und Amerikaner mit dem Leben nicht so gut fertig werden — oder sind sie gerade jetzt auf dem Wege dazu? Ich weiß es nicht, Chris, mein lieber Chris. Ich glaube, ich muß noch viel älter werden, um zu wissen, was gut und böse ist. Älterwerden ist wie das langsame Aufsteigen in einem Flugzeug. Der Horizont wird weiter und weiter; je höher wir steigen, desto mehr Boden überblicken wir, aber gleichzeitig wird alles in unserm Panorama kleiner und unbedeutender. Die Ströme werden schmale Rinnsale, die Wüsten zu einem bißchen Sand und die verzauberten Wälder der Jugend zu winzigen dunklen Flecken auf dem Bild der Vergangenheit.

Wir verließen das Büro der Onkel mit fliegenden Fahnen. Die Backen meiner Mutter glühten wie ein überheizter Ofen, und sie drückte mir beruhigend die Hand. Wir marschierten an meinem Vater vorbei, der sich tief über seine Geschäftsbücher beugte und so tat, als bemerke er unser Weggehen nicht. Durch die geheimnisvollen Kanäle des Büroklatsches war es ihm schon zugetragen worden, daß wir die Schlacht gewonnen hatten. »Adieu, und komm nicht zu spät zum Essen!« rief ihm meine Mutter zu, und in ihrer Stimme schwang etwas Herausforderndes.

»Paßt auf, daß ihr nicht von einem Automobil überfahren werdet!« erwiderte er säuerlich. Anton öffnete uns die Tür und geleitete uns durch den dunklen Korridor, in dem das Gaslicht sang. »Gratuliere, Fräulein Marion«, sagte er. »Hoffentlich bekomm' ich eine Freikarte zu Ihrem ersten Konzert.«

Ich weiß nicht mehr genau, wann es war, aber eines Tages wollte ich nicht mehr gut sein, ich wollte schlecht sein. Ich glaube, es war nach dem Abend, an dem mir Tante Karoline sagte, es gebe keinen Herrgott im Himmel.

Tante Karoline war die jüngere Schwester meiner Mutter, ein hilfloses Geschöpf, dessen Haar schon ergraut war, als Mutters Haar noch in reichem Kastanienbraun schimmerte. Jeder wußte, daß sie einen kranken Mann hatte, denn er war jahrelang im Rollstuhl herumgefahren worden, ehe er, wie die Familie sich ausdrückte, in einem ›Institut‹ verschwand. Um seine Krankheit hing eine Atmosphäre von Geheimnis und Geflüster. Ich habe ihn kaum gekannt, denn vor seinem Verschwinden wurde er in einem Hinterzimmer der kleinen Wohnung versteckgehalten. Seit Tante Karoline auf diese Weise gewissermaßen wieder ledig geworden war, wohnte sie immer reihum bei ihren sieben Schwestern, bei jeder einen Monat. »Sie ist kein Besuch, sondern eine Heimsuchung«, sagte mein Vater immer. Sie kam mit ihrem schlürfenden Gang mit zwei Reisetaschen und viel Lamento, ließ sich in dem ihr zugewiesenen Winkel nieder, zog das Korsett aus und war damit für einen mehrwöchigen Aufenthalt eingerichtet.

»Karoline, du mußt das Korsett anziehen. Du darfst dich nicht so gehen-lassen. Es ist schlecht für deine Figur«, redete meine Mutter ihrer Schwester zu, aber Tante Karoline schüttelte ihren Zottelkopf. »Ich habe heute meine Rückenschmerzen«, sagte sie. »Ich habe das Gefühl, daß mir in dem Augen-blick, wo ich das Korsett anziehe, jeder Wirbelknochen bricht.« »Geh nicht den lieben langen Tag in Hausschuhen umher, meine Liebe!« redete ihr meine Mutter zu. »Davon kriegst du große Füße.« Tante Karoline zog die Schultern hoch und ließ sie mit einer Geste äußerster Resignation wieder fallen, als wollte sie sagen: Wer kümmert sich schon darum, wie groß meine Füße sind? Sie hatte Kopfwehtage und Rückenschmerzentage und Gallenblasentage und Tage, an denen sie sich überhaupt schlecht fühlte. Tante Karoline in der Nähe zu haben genügte, einen für den Rest des Lebens gesund zu machen. Aus dem Schlafzimmer meiner Eltern war eine Chaiselongue in mein Zimmerchen gebracht worden, und darauf schlief sie. Sie hatte mich sehr gern, aber ich mochte sie gar nicht leiden. Damals war ich noch ein braves kleines Mädchen und sprach jeden Abend vor dem Schlafengehen mein Gebet — das heißt, ich kniete nicht nieder und plärrte es wie ein kleines Kind, sondern ich flüsterte, nachdem das Licht abgedreht und ich unter meine dünne Bettdecke gekrochen war und die Knie bis zum Kinn hinaufgezogen hatte, das Vaterunser und ließ das Ave Maria folgen, denn es war ein so schönes, anheimelndes Gefühl, mit der Madonna zu sprechen, deren Bild über meinem Bett hing. Sie trug ein blaues Gewand und hatte über mir gewacht, solange ich denken konnte.

Und dann — es war in einer kalten, klaren, weißen Nacht, Schnee saß in den Ecken der Fensterrahmen — sagte Tante Karoline zu mir, es gebe keinen Gott im Himmel und keine Muttergottes und keine Unbefleckte Empfäng-nis. Sie machte sich über mein Beten lustig und lachte mich aus, und als ich aus meinem Bett kletterte, um nachzuschauen, ob sie nicht vielleicht Fieber habe und phantasiere, entdeckte ich, daß sie zusammengekrümmt auf ihrer Chaiselongue lag und weinte.

»Ich weine nicht«, schluchzte sie, »ich lache. Seit Jahren lache ich. Es ist alles so blödsinnig komisch, der ganze Schwindel. Ich mußte lachen, als ich dich beten hörte wie ein braves kleines Mädchen. Hör zu, Marion: Das Beten hat gar keinen Sinn. Es führt zu nichts. Es gibt niemanden, der dich hört. Du mußt den Menschen nicht alles glauben, was sie dir erzählen. Sie sagen dir ja doch nicht die Wahrheit. Es hat gar keinen Sinn, brav zu sein. Es bringt einen nur ins Unglück. Du hast ja keine Ahnung, in was für ein Unglück sich ein kleines Mädel wie du stürzen kann. Glaub doch nicht, was deine Eltern dir sagen! Alles, was sie dir erzählen, sind dumme Lügen.«

Als ich diese erstaunlichen und höchst unglaubwürdigen Worte hörte, fühlte ich, wie meine ganze Welt ins Wanken kam. Aber irgendwie klan-gen sie wie das Echo von etwas, was schon geraume Zeit in den Tiefen meiner Seele rumort hatte. Ich bekam Angst. Ich machte den schwachen

44

Versuch, zu widersprechen. »So etwas darfst du nicht sagen, Tante Karoline«, flüsterte ich. »Es ist eine Sünde.«

»Eine Sünde! Du weißt ja nicht, wie sündhaft die Menschen sein können — aber ich weiß es. Es gibt keinen Gott, es gibt keinen Himmel. Niemanden gibt es, zu dem man beten kann, niemanden, der über einem wacht, niemanden, der einem hilft. Es ist alles ein ungeheurer, lächerlicher Betrug, und nur Narren glauben daran.«

Das war furchtbar. Meine Knie zitterten, und ich war darauf gefaßt, daß ein Blitzstrahl auf uns niederfahren oder daß sich der Boden auftun und uns verschlingen würde — gleich hier in meinem Zimmerchen. Aber es geschah nichts. Es war sehr still; ich hörte, wie Tante Karoline weinte; ich hörte das Ticken des Weckers und das Bumbum meines Herzens.

»Wenn es einen Gott gäbe, so hätte er bestimmt eine bessere Welt erschaffen als unsre. Glaub nicht an die Lügen, die man dir erzählt, Marion, es ist alles falsch«, sagte Tante Karoline. »Die Kinder werden nicht vom Storch gebracht, es gibt keinen Schutzengel, der jeden deiner Schritte bewacht, unsre Toten fliegen nicht in den Himmel hinauf, und dort oben sitzt kein alter Mann mit einem weißen Bart, der dich straft, wenn du unrecht tust, und dich belohnt, bloß weil du jeden Abend dein kleines Gebet aufsagst. So einfach ist das nicht — o nein! Schau mich an, schau mich einmal an! Ich habe auch gebetet, ich habe kein Unrecht getan — und trotzdem bin ich gestraft worden — mein Gott, wie bin ich gestraft worden!«

Ja, ich glaube, es war in dieser Nacht, daß ich beschloß, schlecht zu werden. Äußerlich sah man keinen großen Unterschied, aber innerhalb weniger Monate veränderte sich unmerklich meine ganze Haltung gegen Menschen und Dinge und Erlebnisse. Zunächst war es freilich zu gewagt, nicht an Gott zu glauben, und ich wandte mich an Putzi um Rat. Es war an einem Februartag — Großvater lag mit Influenza zu Bett, hatte einen Umschlag um die Brust und war recht hilflos.

»Putzi«, begann ich, nachdem ich eine Zeitlang um den heißen Brei gegangen war, »Putzi, weißt du, daß manche Menschen sagen, es gibt keinen Gott im Himmel?«

Putzi sah mich eine Weile forschend an. »So?« antwortete er trocken.

»Also, gibt es ihn, oder gibt es ihn nicht?« drängte ich. »Und erzähl mir keine Lüge! Ich bin kein kleines Kind. Ich weiß, daß es keinen Weihnachtsmann gibt. Ich will wissen, ob das ganze Gerede vom lieben Gott auch so ein Schwindel ist.«

»Jetzt ist es Zeit, daß du mir meine Medizin gibst«, sagte er statt einer Antwort. Ich zählte zwanzig Tropfen Chinin in einen Löffel und flößte sie dem Großvater ein. Er schauderte, denn die Medizin war bitter, dann lehnte er sich in sein Kissen zurück und schloß seine schielenden Äuglein.

»Schau her, Mutzi«, sagte er, nachdem er sich die Sache überlegt hatte. »Ich werde dir antworten, so gut ich es weiß. Ich werde dir die Wahrheit sagen, wie ich sie verstehe. Aber merk dir, alles, was ich dir sagen kann, ist meine eigene Wahrheit. Die wirkliche Wahrheit ist zu groß oder zu kostbar oder zu hoch, als daß wir sie begreifen könnten. Vielleicht hat

Jesus Christus sie gekannt. Vielleicht wird eines Tages wieder einer kommen, der sie kennt. Alles, was ich über den lieben Gott weiß, ist das: Man glaubt vielleicht nicht, daß er dort oben ist, wenn alles seinen alltäglichen Schlendrian geht. Aber wenn du wirklich glücklich bist, dann wirst du ihn fühlen, und du wirst sagen: ›Dafür danke ich dir, lieber Gott.‹ Und wenn du wirklich unglücklich bist, dann wirst du ausrufen: ›Lieber Gott, hilf mir, bitte hilf mir!‹ Erinnerst du dich an die Bibel? Wie Jesus sprach, als die Leiden selbst für ihn zu schwer wurden: ›Eli, Eli, lama asabthani‹ — ›Gott, mein Gott, warum hast du mich verlassen!‹ Nun, das ist es, Mutzi, das ist es.«

Diese Antwort enttäuschte mich, denn ich hatte ein gerades Ja oder Nein erhofft. Und ich begann schlecht zu werden, indem ich mein Vertrauen zu Putzi verlor. Eine Zeitlang fühlte ich mich ein bißchen einsam und niedergeschlagen — ohne Himmel, ohne Gott und den toten Großvater da oben, die mich hätten schützen können. Aber bald entschädigten mich Hochmut und Selbstsicherheit des Atheisten. Allerdings hatte ich noch ein paar Auseinandersetzungen mit dem lieben Gott. Ich forderte ihn dazu heraus, mich mit einem Blitzstrahl zu erschlagen, wenn er existiere. Es war Februar, und kein Blitzstrahl kam.

Nachdem ich die Frage der Religion gelöst hatte, wandte ich mich weniger bedeutenden Dingen zu. Daß die Kinder nicht vom Storch gebracht werden, hatte ich schon vor dem nächtlichen Gespräch mit Tante Karoline geahnt. Die Wäscherin Kathi erklärte mir die Lebensvorgänge so taktvoll, wie es eine fortschrittliche Schule den aufgeklärten Kindern von heute gegenüber nicht besser machen könnte.

»Sie werden wieder dick, Kathi«, stellte ich eines Tages fest. »Sie haben zuviel gegessen. Sie werden noch einmal platzen.« All die Jahre hindurch hatte ich immer wieder das Phänomen beobachtet, daß Kathi anschwoll und dann wieder auf ihren normalen Umfang zusammenschrumpfte, und das kam mir so natürlich vor wie die Mondphasen. Kathi bearbeitete eben ein schmutziges Hemd auf dem Waschbrett. Sie blickte vom Waschtrog auf und lächelte mich halb belustigt, halb nachdenklich an.

»Weißt du nicht, was das bedeutet, Milutschka?« fragte sie.

»Was was bedeutet?« fragte ich.

»Wie alt bist du?«

»Beinah elf«, antwortete ich ungeduldig. Mir schien, als wäre ich schon seit einer Ewigkeit beinah elf. »Warum?«

»Es ist wieder ein Kleines unterwegs«, sagte sie, und nun ließ sie die Arbeit stehen; sie spülte den Seifenschaum von ihren gerunzelten Händen und trocknete sie an ihrer Schürze.

»Was für ein Kleines? Wo?« sagte ich verdutzt.

»Ich dachte, du weißt es«, sagte Kathi. »Jedenfalls ist es Zeit, daß du es erfährst. Es wächst in mir ein neues Wesen. Willst du mal fühlen? Springt den ganzen lieben langen Tag herum, der kleine Bursche.« Mit ihren durchweichten Fingern nahm sie meine Hand und drückte sie gegen ihren

Bauch. »Horch!« sagte sie mit einem Lächeln, als hörte sie etwas in der Ferne.

Ich spürte es, und es war wunderbar. Es war lebendig wie ein Kätzchen in einem Sack.

»Wann nehmen Sie es denn heraus?« fragte ich.

»Es kommt ganz von selbst heraus, sobald es richtig fertig ist.«

»Tut das nicht weh?« fragte ich mit der ersten leisen Regung ererbten weiblichen Wissens.

»Freilich tut es das, Milutschka, es tut riesig weh. Aber das sind gute Schmerzen, gute starke, gesegnete Schmerzen. Man braucht sich vor ihnen nicht zu fürchten. Jetzt lauf, und sag der Mama nichts davon — es ist ihr vielleicht nicht recht.«

Damals hatte ich es längst aufgegeben, meiner Mutter etwas von den Dingen, die mich beschäftigten, zu erzählen. Ich kam gar nicht auf die Idee, daß sie mich womöglich verstehen könnte. Ich baute mir ein kleines Schneckenhaus, in das ich mich mit meinen neuen selbständigen Anschauungen, mit meinem neuen, schlechten, sündhaften Leben zurückziehen konnte. Ich war eine kleine Frau, und was Kathi mir enthüllt hatte, schreckte mich nicht und überraschte mich auch nicht besonders. Ich zerschlug das Tonschweinchen, meine Sparkasse, ging in eine Buchhandlung und kaufte mir nach und nach eine Serie populärwissenschaftlicher Broschüren mit dem Titel ›Du und die Welt‹. Ich hockte mich auf die Kellertreppe und verschlang sie gierig. Es war dunkel dort, aber ich hatte eine kleine Laterne, und in ihrem trüben Licht füllte ich mich bis zum Rand mit Darwin und der Entwicklungstheorie, mit einem Kuddelmuddel von Wissen — Planetensystem, Geschlechtsleben der Vögel, Gesellschaftsordnung im Bienenstock. Noch heute habe ich den hohlen, muffigen, nassen Geruch des Kellers in der Nase, sobald ich mit einer ernsten wissenschaftlichen Frage zu tun bekomme. Ich glaube, es war das einzigemal in meinem Leben, daß ich wirklich den Wunsch hatte, mir Wissen zu erwerben.

Es ist drollig zu sehen, wie Frauen zu ihrem bißchen abstrakten Wissen kommen. Die meisten wissen nicht mehr, als sie von ihren Männern lernen — andres bleibt nicht hängen, es rinnt von ihnen herunter wie Wasser von einem Entenschwanz. Wenn ein Mädchen etwas von Astronomie versteht, kann man wetten, daß sie sich für den jungen Assistenten des Planetariums interessiert, mit dem sie ein paarmal getanzt hat. Ich für meinen Teil habe mehr von meinen Söhnen gelernt als von meinem Vater; einiges habe ich von meinen Ehemännern gelernt, etwas auch von meinen Liebhabern und ein paar der wichtigsten Dinge von Fremden und flüchtigen Bekanntschaften.

Was für eine erregende vielseitige kleine Welt war doch dieses alte Wiener Konservatorium! Seine Mauern trieften von Tradition: von hundert und mehr Jahren Musik, weitergegeben von Haydn an Mozart und Beethoven, dann an Schubert, an Brahms, Bruckner, Mahler und endlich an die alten Herren, die unsere Lehrer waren, ein munterer, eigenbrötlerischer Hohepriesterbund, streng in so ernsten Dingen wie Kontrapunkt, Aufbau der Sonate, Phrasierung einer Kantilene — aber sehr weitherzig in allem, was die Konvention betraf und was man in andern Kreisen ›Moral‹ nannte. Lehrer und Schülerinnen waren ewig in Beziehungen, in Flirts und Liebesgeschichten verwickelt. An den Wänden der Toiletten konnte man die jüngsten Liebesaffären verfolgen wie in den Klatschrubriken amerikanischer Zeitungen. Ich sehe noch die hellgelb gemalten Wände vor mir, mit all dem Gekritzel, den pfeildurchbohrten Herzen mit den liebesseligen Initialen, die primitiven Liebesseufzer und Liebesschreie, die in die Türen geschnitten waren und in die Bänke, die in den dunklen Korridoren des alten Gebäudes standen. Ich habe sie noch in den Ohren, die Geständnisse und die Klatschereien, die zu allen Stunden zwischen den beiden Damentoiletten hin und her gingen. Ich weiß nicht, was an einem WC so verführerisch ist, daß die Mädels, sobald sie sich auf dem Sitz bequem niedergelassen haben, sofort ihre Herzensgeheimnisse ausplaudern müssen; aber es ist ein Brauch, und er hat sich seit meiner Kindheit nicht geändert.

Das alte Gebäude war so mit Musik vollgepfropft, daß man manchmal das Gefühl hatte, das Dach müsse in die Luft fliegen. Musik war hinter jeder der grünbezogenen Türen; sie drang durch die Mauern, sie troff durch die Decke, sie stieg aus dem Erdgeschoß empor, wo die zweite Chorklasse übte. Das ganze Haus vibrierte von dem tiefen Meeresrauschen der Fünfmeter-Orgelpfeifen. In allen fünf Stockwerken wurde gefiedelt und geblasen und gesungen, zwanzig Klaviere klimperten, und vierzig Blasinstrumente quiekten. Basse rumpelten, und Pikkoloflöten durchstachen die Luft mit schrillen Nadelstichen. Im kleinen Saal probte ein berühmtes Streichquartett, und im großen Saal exekutierte das Schulorchester donnernd und schwitzend Beethovens ›Eroica‹. Die Chorklassen — die erste, zweite und dritte — sangen mit voller Lungenstärke, und irgendwo hielt eine Primadonna in spe ein schneidendes hohes C über diesem ganzen Tohuwabohu. Die Luft zitterte von Ehrgeiz, Eifersucht, Enttäuschung und Fünfminutentriumphen. In einem Winkel des Korridors kopierte ein altes Faktotum Noten und verkaufte Butterbrote an die hungrigen Schüler. Weiche, warme Butter, die er zwischen seinen Partituren aufbewahrte und die er sehr, sehr dünn auf sehr dünne Brotschnitten strich. Auch sein Messer war — nach jahrelangem Gebrauch — ganz dünn, und jedesmal, wenn er ein Butterbrot gestrichen hatte, leckte es mit der berufsmäßigen Geschicklichkeit eines Rummelplatz-Schwertschluckers das letzte bißchen Butter von dem langen dünnen Messer ab. In einer andern Ecke bemühten sich fünf Mädchen, ein sechstes daran zu hindern, in die Donau zu springen. Man hatte ihr soeben mitgeteilt, daß sie im nächsten Schulkonzert, wofür sie Mendelssohns d-Moll-Variationen geübt hatte, nicht auftreten dürfe. Irgendwo stand ein Jüngling vor einem geschlossenen Fenster und starrte mit dem Ausdruck äußerster Verzweiflung in das dunkle Nichts des Luftschachts. Eine unglückliche Liebe vielleicht, vielleicht auch verletzter Ehrgeiz, vielleicht solche Armut, daß er sein Musikstudium nicht fortsetzen konnte. Gleichzeitig schrie am andern Ende des Korridors einer wie verrückt vor Freude: ein Cellist, der eine Stelle in einem Orchester gefunden, oder ein junger Komponist, der einen Preis gewonnen hatte. Junge, schmale, behende Körper, junge, lebhafte Gesichter, alle in Hochspannung, heute dem Selbstmord nahe, morgen im siebenten Himmel. Ich glaube, im alten Wiener Konservatorium lag die Temperatur immer ein paar Grad über Normal. Ich weiß nicht, überheizten sie den alten Kasten oder waren wir Schüler so voller Schwingungen und unsichtbarer Strahlen, daß wir Hitze abgaben wie lebende Öfen.

In jedem Korridor thronte eine Aufsichtsdame, die darüber zu wachen hatte, daß die Mädels nicht mit den Jungens sprachen — eine alte Frau, die alte Wollhandschuhe trug und neue strickte, ein Geschöpf, das von den Jahren so ausgetrocknet und gebleicht war wie ein Stück Treibholz. »Meine Damen! Meine Damen! Keine Konversation mit den Herren bitte!« rief sie in regelmäßigen Zwischenräumen und klopfte mit den steifen Knöcheln auf ihr Tischchen. Niemand schenkte ihr die geringste Beachtung. Die ›Damen‹ waren freche Gören, die mit ihren Gesichtern den tollsten Unfug trieben. Manche gingen soweit, sich die Wangen rot zu schminken, andere malten sich die Augenbrauen nach, denn starke Brauen galten als schön. Die Kosmetik befand sich noch in einem jungfräulichen Stadium. Ihr wichtigstes Mittel war kalkweißer Reispuder. Lippenstift und Wimperntusche gab es nur auf der Bühne. Die Konservatoriumsschülerinnen erzielten das frech-fesche Aussehen dadurch, daß sie sich mit einem gewissen Avec frisierten und sich trotz Fischbeinkorsett in den Hüften zu wiegen wußten. Die Herren trugen das Haar lang und hatten einen heißen, gierigen Don-Juan-Blick. Sie hatten lange, feingliedrige, nervöse und sehr ungepflegte Hände und waren überaus liebesdurstig. Die ständige Beschäftigung mit Musik machte uns für jede Art von Erregung überempfänglich und empfindlich wie einen Seismographen. Damals behandelte man junge Mädchen wie Dynamit, als könnten sie mit einem heftigen Knall explodieren, wenn ein junger Mann in ihre Nähe kam. Im Korridor des Konservatoriums durften die Mädchen nicht mit den Jungens zusammen auf einer Bank sitzen; darüber wachten die Aufsichtsdamen. Aber die Luft zwischen den Bänken knisterte geradezu von den Funken unterdrückter Sexualität.

Was mich anlangt, so besiegelte ich meine Schlechtigkeit damit, daß ich mich mit Pepi Jerabek ›verlobte‹, der einige Jahre älter war und eine Menge verbotener Wörter kannte; er war der Sohn unsres Hausmeisters und Anführer einer Bande von Raufbolden. Jedes Haus in Wien hatte einen Hausmeister, der mit eisernem Zepter über die Mietparteien herrschte, das Haus allabendlich um zehn Uhr abschloß, über den Anstand wachte, von Herrschaften und Dienstmädchen gleichermaßen seinen Tribut erhob und dem nichts entging, was im Haus geklatscht wurde. In der Schule hatte ich mich mit einem ordinären Mädel angefreundet, das sich einen Sport daraus machte, andre Mädel in einen Winkel zu ziehen und ihnen kleine schmutzige Geheimnisse in die errötenden Ohren zu flüstern. »Schön, du weißt also, wo die Kinder herkommen«, wisperte sie mir zu. »Aber weißt du auch, wie sie dort hineinkommen?«

Als sie es mir sagte, weigerte ich mich schlankweg, ihr zu glauben. »So etwas können meine Eltern nicht tun«, sagte ich wie Millionen Kinder vor mir.

»Denkst du!« sagte sie mit einer Verachtung, die ich nicht ertragen konnte. Am liebsten hätte ich ihr ins Gesicht geschlagen, ließ es dann aber lieber bleiben.

»Also gut — aber der Kaiser kann das doch nicht getan haben«, sagte ich, und das war endgültig.

»Arbeiten oder sterben!« schrie mich Professor Szimanski in jeder Stunde an. Arbeiten oder sterben: das war sein Wahlspruch. Er war ein Genie, zumindest hielten wir ihn dafür. Er war Pole, und obwohl er seit über vierzig Jahren in Wien lebte, war es ihm nicht gelungen, Deutsch zu lernen. Er erfand komische Wörter und gebrauchte sie wie eine Peitsche. »Soll sie nicht wudeln!« schrie er immer, wenn ich schlampig spielte. »Das ist nicht Musik, das ist Schweinestall! Soll sie nicht ihre linke Hand schlucken, Teufel noch einmal, verflixter Wudelpusch!«

Er war von einer wilden und erbarmungslosen Ungeduld besessen. Während ich spielte, lief er wie ein Tiger im Käfig auf und ab, raufte sich das dünne weiße Haar, rang die Hände, schnitt Gesichter und sah aus wie ein irrsinnig gewordener alter Pavian. Er schlug mit den Fäusten den Takt auf meinen Schultern und drohte mir, er werde mich umbringen, eigenhändig umbringen, wenn ich noch einmal unrein spielte. Aber sobald ich die Saiten mit dem Bogen berührte, sprangen die unreinen Töne aus der Geige wie die Kröten aus dem Mund der Pechmarie in Grimms Märchen. »Sie ist a Verbrecherin«, grölte Szimanski. »Vergewaltigt eine grandiose Kantilene. Armer Kreutzer, sich umdreht im Grab.« Er sprach immer in der dritten Person Einzahl zu mir, womit er Ekel und Verachtung ausdrückte. Die Kreutzer-Etüden waren mein Mount Everest. Erschöpft und gebrochen gab ich nach jeder Stunde auf, um bald darauf von neuem eine Besteigung der steilen Wände zu versuchen. Bei seltenen Gelegenheiten wurde Szimanski zärtlich und sentimental. »Potschato«, hauchte er dann, »potschato, süß — weich — mach sie die Geige singen — singen — singen, zum Teufel hinein, singen! Spiewny! Oder brech' ich ihr Genick!« Und in seinen klugen, schwermütigen Affenaugen standen Tränen.

Und dann kam die Sache mit dem Mozart-Konzert in A-Dur. In meinem dritten Konservatoriumsjahr hatte ich angefangen, das Konzert zu studieren, und bald wurde es zum Brennpunkt meines damaligen Lebens. Es ist eine herrliche Musik, jene Art Musik, die einfach und leicht klingt; aber diese Einfachheit und Schönheit zu erreichen ist für den Geiger eine der schwersten Aufgaben. Besonders wenn dieser Geiger ein dreizehnjähriges Mädchen ist, eine verwirrte, exaltierte kleine Kreatur in den Fiebern beginnender Pubertät, seelisch und körperlich mehr und mehr gequält und zu mager, ohne Vertrauen zu irgend jemandem — nicht zu den Erwachsenen, nicht zu Gott, nicht zu sich selbst.

Jeden Morgen schüttelte ich mich wach, warf mich aus dem Bett und stand schwindlig in dem kalten, dunklen Zimmerchen. Der Boden unter meinen Füßen war eisig. Ich tastete nach einem Streichholz und zündete die Gaslampe an, die mit einem leisen Plumps aufleuchtete und einen guten freundlichen Lichtkreis spendete. Da war also das vertraute Durcheinander meines Zimmers wieder! Am Morgen sah es immer so aus, als wäre es nachts auf einer langen geheimnisvollen Reise gewesen und wäre gerade noch zur Zeit zurückgekommen, um zur Stelle zu sein, wenn ich die Augen öffnete. Mein Kleid und meine armselige Wäsche lagen auf dem Stuhl, wie ich sie am Abend hingeworfen hatte. Das Mozart-Konzert, auf Seite sieben aufgeschlagen, stand auf dem Notenpult und schnitt mir Gesichter. Die Geige schlief in ihrem weichen Nachthemdchen aus grüner Seide in ihrem offenen Kasten — ich war zu müde gewesen, den Deckel zuzuklappen. Ich warf mein Nachthemd ab und stand zögernd vor dem Waschtisch, den Schwamm mit dem eiskalten Wasser unschlüssig in der Hand. Ich schloß die Augen und versuchte eine der Passagen zu memorieren, die mir endlose Schwierigkeiten machte, aber der Kopf war mir noch schwer von verschwommenen Träumen. Ich öffnete die Augen wieder und sah an meinem Körper hinunter, der mager, weiß und kindlich war. Jeden Morgen hoffte ich, daß in der Nacht ein Wunder geschehen wäre und ich mit vollen Brüsten wie ein erwachsenes Mädchen erwachen würde. Ich ging zu dem kleinen Spiegel hinüber und musterte mich langsam von oben bis unten, erst Gesicht und Hals, dann den enttäuschend flachen Vorderteil, dann den Rücken mit den hervorstehenden Knochen, dann wanderte der Blick zu den Beinen hinunter, die auch zu dünn waren, dann erschauerte ich und lief vom Spiegel weg, ging zum Waschtisch und schämte mich irgendwie.

Während ich mir das Haar bürstete, memorierte ich noch einmal die acht Takte auf Seite sieben, die mir absolut nicht im Gedächtnis haften wollten. Während ich den viel zu heißen Kaffee hinuntergoß, zerbrach ich mir den Kopf über den doppelten Fingersatz im letzten Satz. Vielleicht präge ich mir diese acht Takte ein, wenn ich sie auswendig niederschreibe, dachte ich. Ich versuchte es, aber meine Finger zitterten, ich war nervös, weil es höchste Zeit war, mich für die Klavierstunde vorzubereiten. Meine Noten standen nach links übergebeugt wie kleine Männchen, die gegen einen Sturm angehen. Heilige Muttergottes, es war gleich sieben, und ich hatte meine Hausarbeit für die Musikgeschichtsstunde noch nicht gemacht. Rasch mal einen Blick auf Haydns Werke: 125 Symphonien, 77 Streichquartette, 35 Klavierkonzerte. Messen. Divertimenti. Cassatas. Zum Teufel mit Papa Haydns Produktivität! Wie viele Solo-Arien? Wie viele Opern — alles vergessen! Wozu müssen wir diesen ganzen Quark lernen?

Wenn ich an jene Tage zurückdenke, sehe ich mich immer in Eile, immer in Angst, zu spät zu kommen, immer in Zeitmangel. Mein Stundenplan war überlastet und kaum einzuhalten. Er begann mit der Klavierstunde von acht bis neun. Ich spielte meine Etude aus Czernys ›Schule der Geläufigkeit‹, und das alte Fräulein Steger nickte mild-zufrieden. Vom Konservatorium galoppierte ich zur nahe gelegenen Schule, wo ich atemlos und erschöpft ankam, gerade wenn die Schulglocke durch das langweilige graue Gebäude schrillte. Es roch nach Tinte und Kreide und vielen Kindern. Das

Trappeln von Schuhen auf den Treppen und das Geschrei in den Klassenzimmern waren wie abgeschnitten, sobald die Lehrerin die Klasse betrat. Während sie eintönig redete und redete, wurde das schöne schwebende Thema des zweiten Satzes allmählich von einer ganz anderen Musik überholt und überwältigt: Wagner, ›Tristan‹, das Duett des zweiten Aktes. ›O sink hernieder, Nacht der Liebe...‹ Ich wußte es auswendig; es lag tief in mir eingeschlossen; ich war ein Heiligtum der Musik; ich schloß die Augen und fuhr in einer großen blauen Barke mit roten Segeln davon, über einen Ozean sehnsüchtiger, lockender Harmonien...

»Marion Sommer! Würden Sie so gut sein, an unserer bescheidenen Unterhaltung teilzunehmen? Dürfte ich Sie ersuchen, uns die römischen Kaiser zu nennen? Die Nebenflüsse der Donau? Das genaue Datum der Schlacht bei Aspern? Es tut mir leid, Sie stören zu müssen, Marion Sommer, aber es ist meine unangenehme Pflicht, einen, wenn auch spärlichen Vorrat an Wissen in Ihren dicken, unaufmerksamen Schädel hineinzupumpen. Die Schlacht bei Aspern...«

Zwölf Uhr — und ich galoppierte zum Konservatorium zurück. In aller Eile schlang ich zwei Butterbrote hinunter, die ich von dem alten Schuldiener in der Korridorecke gekauft hatte. Keine Zeit zum Mittagessen. Eine Stunde Musiktheorie. Eine Stunde Musikgeschichte. Eine Stunde Chor und Gehörübung. Drei Uhr — wieder in die Schule. Fünf Uhr — im Trab zurück zum Konservatorium. Nun kam der wichtigste, der einzig wichtige Teil des Tages: die Geigenstunde. Jetzt kamen mir alle Gesichter blaß vor, wahrscheinlich weil ich selber blaß war vor Erregung, Angst und Müdigkeit.

»Was ist mit dir los, Schätzchen?« flüsterte mir Schani Kern in einem Winkel zu. »Wovor hast du denn Angst? Es bringt dich doch keiner um. Kalte Hände? Komm her, ich reib' sie warm.«

Schani war mein einziger Freund im Konservatorium. Er begleitete uns immer auf dem Klavier, und für mich schien er mehr übrig zu haben als für die andern Schülerinnen. Sein Gesicht erinnerte an einen schottischen Terrier von zweifelhaftem Stammbaum, und irgendwo in diesem schwarzen Wust von Haaren lagen zwei sehr blaue Augen, versteckt unter buschigen Brauen, überraschend wie blaue Kiebitzeier in einem zerzausten Netz. Er hatte den wunderbarsten Anschlag, singende Finger und ein Geheimnis, das ich allein kannte. Er schrieb an einer Kantate, die er ›Paumanok‹ nannte — ein Titel, der sehr exotisch klang. Einmal brachte er mir ein zerschlissenes Buch mit den Gedichten von Walt Whitman zum Lesen.

> »Aus der ewig schaukelnden Wiege,
> Aus des Spottvogels Kehle,
>   aus dem musikalischen Hin und Her,
> Aus der Mitternacht des neunten Mondes
> Über den unfruchtbaren Sand und die Felder da draußen,
> wo das Kind, sein Bettchen verlassend, wanderte, einsam,
>   barhaupt, barfuß...«

Diese Worte waren neu und ganz anders als alles, was ich kannte, und sie klangen in meinem Innern lange nach. Das war — glaube ich — meine erste flüchtige Begegnung mit etwas Amerikanischem, und es verwirrte mich einigermaßen. Bald verstand ich, daß ›Paumanok‹ für Schani dasselbe war wie Mozarts A-Dur-Konzert für mich: Nabel und Mittelpunkt der Welt, seine leuchtende Hoffnung, die Mauer, an der er sich jeden Tag und jede Stunde den Kopf wundstieß.

Ich glaubte an Schani und an seine werdende Kantate ›Paumanok‹. Und Schani glaubte an mich, wenn auch in abgeschwächter Form. »Du hast es in dir. Wenn du auch gestern die Kadenz gespielt hast wie ein Schwein — gib's nicht auf! Du hast dieses Etwas in dir, das man nicht lernen kann. Du bist ein stinkfaules kleines Mistvieh, aber du hast mächtig viel Talent. Jetzt geh hin und zeig ihnen, wie man den zweiten Satz spielt! Keine Ausreden! Geh!«

Ich ging ins Klassenzimmer; ich spielte, und ich spielte miserabel. Ich schluderte den ersten Satz und blieb im zweiten stecken. Mein Gedächtnis versagte bei denselben acht Takten, die ich bisher schon jedesmal verpfuscht hatte. Durch einen Nebel sah ich, wie Schani sich hinter dem Flügel verkroch und verschwand. Ich sah meinen Feind und Konkurrenten Silber herablassend grinsen, als wolle er sagen: Habe ich euch nicht gesagt, daß sie es nie lernt? Das Schlimmste aber war, daß Szimanski aufhörte, mich anzuschreien. Er wurde plötzlich ganz ruhig und höflich und sagte, ohne auch nur eines seiner selbsterfundenen Wörter zu gebrauchen: »Ich danke Ihnen, Fräulein Sommer. Ich habe kein Bedürfnis, das übrige heute zu hören. Jedenfalls rate ich Ihnen: Lernen Sie kochen — vielleicht werden Sie in der Küche Besseres leisten als auf dem Podium. Herr Silber, wollen Sie sie ablösen und uns den zweiten Satz so vorspielen, wie er gespielt werden muß?«

Zerschlagen, zerbrochen, in Scherben, schleppte ich aus dem Klassenzimmer, was von mir noch übrig war. Ich schlich in die Toilette, um mich einsam auszuweinen. Aber wie gewöhnlich waren beide Toiletten besetzt, und im Vorraum wartete eine Schar schwatzender Mädels. Ich kehrte um und ging wieder auf den Korridor, geblendet und erstickt von Tränen der Wut. Ich ließ mich auf die letzte Bank fallen, die im dunkelsten Winkel stand, und hoffte, daß mich dort niemand weinen sehen könnte. Ich hörte — oder ich bildete es mir ein —, wie Silber im Klassenzimmer das Konzert spielte. Glatt und fließend kam er durch den zweiten Satz, ohne Zögern nahm er die Hürde jener kritischen acht Takte, ging zu den Variationen des letzten Teils über, durchraste blendend die Kadenz und den doppelten Fingersatz und schloß mit großem Schwung.

Nach ein paar Minuten hörte ich die bekannten Geräusche, die den Schluß der Violinstunden anzeigten. Die Tür des Klassenzimmers öffnete sich, und einige Schüler kamen herausgeschlendert. Drinnen wurden Stühle geschoben und Geigenkästen geschlossen. Szimanskis Füße schlurften in Galoschen über den Boden. »Guten Abend, Herr Professor.« »Bon soir, mes enfants!« Ich verbarg mein Gesicht in den Armen, damit mich niemand sehe. Ich war eine ganze geschlagene Armee; ich war Napoleon bei Waterloo und Wagner nach dem Durchfall des ›Tannhäuser‹ in Paris. Jemand setzte sich neben mich auf die Bank. Es war Silber. Das hätte ich mir denken können. Ich erkannte den Geruch des väterlichen Delikatessengeschäfts, der ewig an seinen Kleidern hing. Rauchfleisch, Dillgurken und frischer Meerrettich. Statt mich abzustoßen, machten mich diese Düfte plötzlich so hungrig, daß sich mein Magen zusammenzog und überholte wie ein schlingerndes Schiff. »Geh weg!« sagte ich schwach.

»Heulen, was?« sagte Silber mit großer Genugtuung. »Bist wohl verrückt, dazusitzen und zu heulen? Was liegt schon groß daran, wie du spielst? Du bist doch bloß ein Mädel, nicht?« Er zog an seinen langen Fingern, bis sie knackten — eine scheußliche Gewohnheit von ihm. »Kommt ein netter Mann und heiratet dich, dann ist es sowieso adieu Geige, also was liegt schon daran? Deine Leute haben einen Haufen Geld, nicht? Also, was quälst du dich mit Mozart ab? Er ist ja sowieso zu schwer für dich. Du hast es doch auch gar nicht nötig, mit Geigenspiel Geld zu verdienen, stimmt's? Bei mir ist das natürlich etwas ganz andres.«

Ich hörte sofort auf zu weinen und wurde, während Silber Salz in meine Wunden streute, vor Wut, Haß und Ekel eiskalt. Ich richtete mich auf und blickte ihm fest in die Augen.

»Wir werden ja sehen, wer schließlich das Konzert spielen wird«, sagte ich, an meinen eigenen Worten würgend.

»Und ob«, sagte Silber, und in diesem Augenblick schwor ich mir, daß ich das Konzert spielen würde, und wenn ich Essen und Schlafen aufgeben müßte. Ich hatte solches Mitleid mit mir, daß ich am liebsten wieder angefangen hätte zu weinen, wäre mir nicht Schani zu Hilfe gekommen.

»Laß das Mädel in Ruh!« sagte er scharf, und seine Augen krochen aus ihrem schwarzen Haarnest heraus. »Sie ist müde, siehst du das nicht? Und wenn du meine Meinung wissen willst, so kannst du sie hören. Du wirst nichts als ein guter Zweiter Geiger in einem netten Orchester zweiten Ranges sein, wenn dieses Mädel seinen Weg durch die Welt macht. Und jetzt laß sie in Ruh, sonst sollst du einmal sehen!«

»War nicht bös gemeint«, murmelte Silber, nahm seinen Kasten und verließ uns, ohne noch etwas zu sagen.

»Danke«, sagte ich und schnupfte all meinen unermeßlichen Kummer in meine Seele zurück. »Ich bin froh, daß er so gemein zu mir war. Jetzt bin ich fest entschlossen, in dem Konzert aufzutreten.«

Schani musterte mich halb mitleidig, halb belustigt. »Fest entschlossen bist du also?« sagte er endlich. »Schön. Wenn du fest entschlossen bist, dann gehst du gleich einmal mit mir zurück in die Klasse, und wir üben zusammen. Du mußt den zweiten Satz studieren. Die Kadenz macht mir nicht die geringsten Sorgen — die kommt ganz von selber. Komm, jetzt arbeiten wir.«

Lieber Schani — du warst wie eine schöne lange Straße, die einen schließlich ans Ziel bringt. »Fest entschlossen sein ist eine gute Sache«, sagte er, als wir das leere Klassenzimmer betraten.

»Hab' ich dir schon einmal erzählt, wie es mir einmal genützt hat, daß ich fest entschlossen war? Drei Jahre habe ich in einem Bordell Klavier gespielt, um meinen Lebensunterhalt zu verdienen, aber dann war ich fest entschlossen, herauszukommen, und ich kam heraus.« Er schlug den Klavierdeckel auf und fischte ein paar Akkorde aus der Klaviatur. »Aber du weißt vielleicht gar nicht, was ein Bordell ist«, setzte er mit einem ärgerlichen Auflachen hinzu, das ihm selber galt.

»Natürlich weiß ich es«, sagte ich mit Würde. Ich glaubte, es sei ein Ort, wo man uneheliche Kinder, Findlinge und dergleichen unterbrachte, und ich fragte mich, warum Schani ihnen Klavier vorspielen mußte. Ich packte mein Instrument aus, und ohne weitere Vorrede gingen wir an die Arbeit.

Im April stand bereits fest, daß ich es sein würde, die in der Schüleraufführung das Mozart-Konzert in A-Dur spielte, vorausgesetzt, daß ich so weiterarbeitete. Anfang Mai ging ich mit meinem Freund Pepi Jerabek — dem, der die unanständigsten Ausdrücke kannte — heimlich aus. Wir gingen in den Prater, um die beiden jungen Renner zu sehen, die behaupteten, einen lenkbaren Luftballon konstruiert zu haben und damit hundert Meter hoch und in jeder gewünschten Richtung fliegen zu können. Wir gingen heimlich gegen das ausdrückliche Verbot unserer Eltern, denn Hausmeister und Mietpartei stimmten darin überein, daß Kinder bei solchen gewagten Veranstaltungen nichts zu suchen hätten.

Der Ballon war ein ungestaltes Ding, an dem eine Gondel befestigt war. Er neigte sich ein wenig vornüber wie eine asthmatische Handharmonika. Die beiden Renner hielten die Seile, gaben Befehle und schwitzten reichlich. Der Ballon flatterte ein-, zweimal, dann ging ihm die Luft aus, er klappte zusammen und war nur noch ein Bündel alter, zusammengeflickter Leinwand. Pepi stieß eine Flut seiner unanständigen Wörter hervor, denn er hatte für die Praterfahrt unser ganzes Geld ausgegeben — für Omnibus, Zuckerl und Brauselimonade. Später gerieten wir in einen Wolkenbruch, und als ich nach Hause kam, war ich durch und durch naß. Erst kriegte ich einen Schnupfen und dann eine Erkältung, dann Husten und Fieber und dann, was der Doktor erst eine Bronchitis, dann eine Kongestion und schließlich eine Lungenentzündung nannte. Ich kam sehr nahe an das finstre Tor, durch das wir früher oder später alle einmal gehen müssen, aber ich ging nicht hindurch, weil mich etwas zurückrief. Ich wollte leben, ich wollte das A-Dur-Konzert spielen, das sich durch meine Fieberträume zog und von dem ich oft phantasierte.

Das Schülerkonzert fand am 18. Juni statt — das Datum werde ich nie vergessen —, und Silber spielte den Mozart. Er spielte ganz hübsch und hatte einen bescheidenen Erfolg. Ich saß unter den Zuhörern, noch ein bißchen wacklig, und applaudierte, wie man es von mir erwartete.

»Ich sag dir etwas, Schatz«, sagte Schani hinterher zu mir. »Dieser Silber ist nicht mehr wert als ein ausgeblasenes Ei.«

Das ist die Geschichte von Mozarts A-Dur-Konzert. Nie wieder habe ich eine so schmerzliche, brennende und tiefe Enttäuschung erlebt. Vielleicht war es auch gerade dieses frühe Leid, das mir alles, was später kam, unbedeutender und erträglicher erscheinen ließ.

Michael sagte einmal zu mir, daß Gewebe durch Narben nur noch kräftiger und unempfindlicher gegen Schmerzen werde. Mag sein, daß unser Herz durch jede Wunde, die es empfängt, kräftiger und gegen Lebensleid widerstandsfähiger wird. Das ist es, was die Menschen ›heranwachsen‹ nennen.

Als ich heranwuchs, war die Welt voller Tabus und Aberglauben, besonders für ein Gänschen wie mich, ein tastendes, irrendes, frühreifes Mädel von dreizehn Jahren. Wir alle hatten zuviel Seele, das war unser Fluch. Dadurch stießen wir dauernd auf Hindernisse. Wir hatten keine Sexualität, keine Drüsen, keine Hormone, keine Komplexe und keine Neurosen. Aber wir hatten Seele, allzuviel Seele. Die Männer — so gab man uns zu verstehen — hatten keine Seele; sie standen auf einer tieferen Stufe und waren animalisch. Ich fand, daß sie dadurch erst recht anziehend wurden. Ich hatte so etwas läuten hören, daß Männer den Verstand verloren und sich in wilde Tiere, in schnaubende, grunzende Bestien verwandelten, sobald sie ein Mädchen in ihrer Gewalt hatten. Ich wußte auch, daß es Mädels gab, die ›es‹ getan hatten. Wir hatten sogar eins in unsrer Klasse; sie hieß Jarmila Swoboda und war eine Böhmin mit breiten Hüften und breitem Lächeln. Sie hatte mehr Zähne als ein Haifisch und spielte Geige mit Schwung und Begeisterung, aber sehr schlampig. Und sie war keine Jungfrau mehr. Ich weiß noch, daß ich mich nie auf einen Stuhl zu setzen wagte, auf dem Jarmila gesessen hatte, als wäre das Nicht-Jungfrau-Sein eine ansteckende Krankheit wie die Masern — nur noch viel schlimmer und noch leichter übertragbar. Und doch schlich ich, seltsam angezogen, die ganze Zeit um sie herum, in der Hoffnung, sie würde etwas von dem verbotenen Wissen ausschwitzen oder ausstrahlen. Dadurch, daß ich sie anstarrte, ab und zu ein schüchternes Wort in die Unterhaltung warf und ihren Geruch einsog, eine Mischung von Schweiß und Milles Fleurs, hoffte ich etwas über die großen Mysterien des Lebens zu erfahren. Auch erwartete ich, daß sie schwanger würde, ein Kind bekäme, es umbrächte und wie Gretchen im ›Faust‹ enden würde — denn das war das Schicksal von Mädchen, die keine Jungfrauen mehr waren. Aber bald darauf verließ Jarmila das Konservatorium und schloß sich einer Damenkapelle an, die in einem Praterwirtshaus aufspielte. Dort konnte jedermann sie hören und sehen, fiedelnd, lächelnd, reizvoll in einem gestärkten weißen Kleid mit einem breiten blauen Band über der Brust — und sichtlich völlig unbeschädigt.

Damals hatte ich schon begriffen, daß die Menschen nur zu dem Zweck heirateten, um genau dieselbe absurde Sache zu machen, die so entsetzlich war, wenn Unverheiratete sie machten. Ich versuchte dies zu ergründen und stellte meiner Mutter sorgfältig verschleierte Fragen. Sie wand und krümmte sich, und vor Verlegenheit wurde die Spitze ihrer kleinen Nase sehr rot. Frauen — sagte sie — sind geboren, um zu leiden und sich zu opfern. Eine brave verheiratete Frau muß sich fügen und sich den schrecklichen Dingen unterwerfen, die die niedrige und animalische Natur der Männer von ihnen fordert. Darin lag nicht die leiseste Andeutung, daß eine anständige Frau aus diesen gräßlichen Vereinigungen, die zur Erhaltung der menschlichen Rasse notwendig zu sein schienen, auch nur den Schimmer eines Vergnügens oder einer Befriedigung ziehen könnte. Es klang recht trostlos und schien als Auskunft unbefriedigend. So wandte ich mich wieder an mein zuverlässiges Orakel, Kathi, die Waschfrau.

Kathi lachte zuerst und wurde dann ernst. »Dafür bist du zu jung, Milutschka«, rief sie. »Wart noch ein paar Jahre, und wenn der richtige Mann kommt, so wirst du schon herauskriegen, ob du die Sache gern hast oder nicht. Das ist eins von den Dingen, von denen man nicht sprechen soll, verstehst?«

»Sie sind eine verheiratete Frau«, sagte ich und blieb unbeirrbar auf meinem Gleis. »Sagen Sie mir bloß eins: Ist es schrecklich, wenn der Mann so etwas mit einem macht, oder geschieht es, während man schläft?« Ich hatte gehört, wie Pepi Jerabek von Leuten sprach, die miteinander schliefen, wobei er andeutete, daß es sich um ›es‹ handelte.

»Jessesmaria, hört euch das Kind an!« sagte Kathi, beugte sich tiefer über den Waschtrog und begann wild zu reiben. »Wie es bei den reichen Leuten ist, weiß ich nicht. Vielleicht schlafen sie dabei. Für uns arme Menschen ist es das Schönste, was wir im Leben haben. Jetzt lauf weiter und stell nicht so dumme Fragen! Wenn dich Mama erwischt...«

Ich weiß nicht, wie das bei den Männern ist, aber Mädels wissen eine Menge von der Liebe, bevor sie die Sache wirklich kennenlernen. Sie träumen davon, sie zerbrechen sich darüber den Kopf, fürchten sich davor und sind zugleich fiebernd dazu bereit, ob sie sich dessen nun bewußt sind oder nicht, ob sie in eine gewöhnliche oder eine Versuchsschule gehen, ob sie in Koedukationen oder hinter Klostermauern erzogen werden. Meine Wissensquelle für alles, was mit Liebe und allem Drum und Dran zu tun hatte, war Wagners ›Tristan‹. Ich versäumte, wenn es sich irgend machen ließ, keine einzige Aufführung. Ich gehörte zu den begeisterten jungen Leuten, die sich auf der Galerie der Hofoper drängten, wenn Gustav Mahler ›Tristan‹ dirigierte. Ich zerbiß mir die Lippen, ich ballte die Fäuste, ich preßte vor Aufregung die Fingernägel in die Handflächen, ich verging in einer Ekstase von Musik und Erotik und Sinnlichkeit und Sehnsucht. Wenn die Hingabe an einen Mann so etwas war wie der zweite Akt von ›Tristan‹ — nun, dann mochte es geschehen. Ich war willig und bereit, es zu tun und all die unheilvollen Folgen zu ertragen.

Aber gerade damals, als alles in das seltsame Zwielicht der Pubertät getaucht war, trat etwas Neues in mein Leben und half mir dabei, mir über die Dinge klarzuwerden und ohne Schaden hindurchzukommen: meine Freundschaft mit Clara.

Weißt du noch, wie prosaisch es anfing? Wie säuerlich es in der kleinen Milchtrinkhalle roch, wo wir uns kennenlernten? Man hatte mir Buttermilch verordnet, denn Buttermilch war eins von den Dingen, die ›gut für dich‹ waren — das heißt, wenn man sie mit allen möglichen Vorsichtsmaßregeln und nach mannigfaltigen Vorbereitungen trank. Man mußte darauf achten, weder vorher noch nachher Wasser zu trinken. Man durfte an demselben Tag kein Obst essen, nicht einmal Zwetschgenkompott, das doch an andern Tagen wieder ›gut für dich‹ war. Kein Wunder, daß ich Buttermilch haßte.

Mehrere Tage hatte ich ein Mädchen beobachtet, etwas älter und größer als ich, das hier saß und das Beste aß, was es auf Erden gibt: Schlagsahne. Sie aß gleichgültig, fast widerstrebend, sie griff nicht mit dem Löffel tief hinein, sondern nahm immer nur ein bißchen Schlagsahne und leckte mit ihrer kapriziösen Zungenspitze kleine Ornamente hinein. Dieses Mädchen hatte etwas so Wunderbares an sich, daß ich die Augen nicht abwenden konnte. Sie trug das Haar kurz, nur bis zu den Schultern. Es war weich und von einem silbrigen Blond, und sie sah damit aus wie der Page in meiner alten abgegriffenen illustrierten Ausgabe von ›Ivanhoe‹. Sie trug etwas, von dem ich oft geträumt, aber das ich nie besessen hatte, einen Florentiner Strohhut mit einem Strauß Moosröschen auf der einen Seite; er saß aber nicht auf ihrem Kopf, sondern hing ihr an einem schwarzen Samtband auf dem Rücken, als bedeute es gar nichts für sie, einen solchen Hut zu besitzen. Sie hatte ein weißes Sonntagskleid an mit einer rosa Schärpe, obwohl es erst Mittwoch war; dazu kurze rosa Söckchen und Lackschuhe mit Schleifchen vorn und nur einer Andeutung von Absätzen. Ich war noch im Schwarzen-Baumwollstrümpfe-und-Schnürstiefel-Stadium. Sie aber sah herrlich aus, fast unirdisch. Es schien ihr gleichgültig, daß ich sie anstarrte.

An diesem Mittwoch waren alle drei Tische des Lokals besetzt, und so nahm ich mir ein Herz und setzte mich an ihren Tisch. Während ich krampfhaft an ihr vorbeiguckte, sah sie mich ruhig an; ich fühlte ihren Blick, es war, als liefen mir Ameisen über den Körper — ein prickelndes, durchaus nicht unangenehmes Gefühl.

»Ißt du Schlagobers gern?« fragte sie plötzlich, und als ich nickte, schob sie mir ihr Schälchen hin. »Ich nicht«, sagte sie. »Schmeckt, als wenn man Seifenblasen macht.«

»Warum ißt du es denn dann jeden Tag?« fragte ich maßlos erstaunt.

»Es soll gut für mich sein«, sagte sie. Sie blickte auf ihre festen, sonngebräunten Beine hinab und bewegte sie wenig im Kniegelenk. Ich war so verwirrt, daß ich nicht sprechen konnte. In meiner Welt war Schlagsahne etwas fast Sündhaftes und sehr, sehr ›schlecht für dich‹.

»Iß, iß!« sagte sie. »Das ist gut für deine Figur.«

Damals wußten Mädchen nicht, daß sie einen Körper hatten; sie hatten eine Figur, die aus runden Hüften, Busen und Waden bestand. Ich selbst konnte mit meinem schlaksigen, mageren Körperbau keineswegs Staat machen und sah mit einem heißen Stich von Neid und Eifersucht, daß das Mädchen schon richtige runde Brüste hatte.

»Machst du gern Seifenblasen?« fragte ich in der Absicht, Konversation zu machen. Mein Mund war voll Schlagsahne, voll weicher, zergehender Süße, die so herrlich schmeckte, daß es mir fast leid tat, sie hinunterzuschlucken.

»Als ich noch ein kleines Mädchen war — ja«, sagte sie. Ohne Umstände griff sie nach meinem Glas Buttermilch und schnupperte daran.

»Was hast du denn da? Buttermilch. So ein Scheißdreck!«

Es gab mir einen kurzen Riß, aber eine Sekunde später grinste ich vor Vergnügen. Da konnte sogar Pepi Jerabek nicht mit, der so viele gemeine Wörter wußte.

»Wahrhaftig«, sagte das Mädchen, »es erinnert mich an das, was die Säuglinge in die Windeln machen. Nimm's nicht übel!«

»Ich liebe kleine Kinder«, sagte ich schüchtern. In unsrer Familie gab es immer wieder Babys, weil Mamas sieben Schwestern eifrig für die Erhaltung unsres Geschlechts sorgten. Ich selbst hatte mir lange ein kleines Schwesterchen gewünscht, aber damit war Schluß, seitdem ich herausgekriegt hatte, was meine Mutter tun mußte, um eins zu bekommen.

»Ich auch«, sagte das Mädchen. »Ich habe einen kleinen Neffen — erst sieben Monate alt. Das Süßeste, was ich je gesehen habe.«

Das war auch neu und erregend: einen Neffen zu haben, statt eine Nichte zu sein. »Wie heißt er?« fragte ich.

»Salvator Benvenuto Amadeus«, sagte das Mädchen. Es klang wie ein Witz.

»Große Namen für ein kleines Baby«, sagte ich. »Klingt direkt nach einem Erzherzog.«

»Nein, er hat sie von seinem Vater«, sagte sie. »Er ist das Kind des Grafen Hoyot.«

»Oh!« sagte ich respektvoll. »Bist du eine Gräfin?«

»Gräfin — Quatsch! Meine Schwester hat mit ihm seit fünf Jahren ein Verhältnis«, sagte das erstaunliche Mädchen ruhig.

Die Decke fiel nicht auf uns herunter, und es traf mich auch kein Blitzschlag. Ich errötete heftig und glaubte, die Backen müßten mir vor glühender Hitze platzen.

»Ist das derselbe, dessen Wagen unsere Wäscherin überfahren hat?« fragte ich und suchte mühsam meine Haltung zu bewahren.

»Kann schon sein«, sagte das Mädchen. »Er ist ein toller Bursche, aber ich hab' ihn gern. Er schenkt mir immer was. Schau, das ist auch von ihm.«

Sie streckte den Arm aus und zeigte mir ein kleines Armband, an dem Amulette baumelten. »Wie heißt du?« fragte sie, nachdem ich das zierliche Schmuckstück bewundernd betrachtet hatte.

»Marion, Marion Sommer«, antwortete ich.

Sie wies mit dem Kinn auf meinen Geigenkasten, den ich auf den Stuhl gestellt hatte. »Viel Arbeit?« fragte sie. So etwas hatte mich noch kein andres Kind gefragt.

»Ziemlich viel«, sagte ich stolz. »Fünf, sechs Stunden Geige üben, zwei Stunden Klavier und dann Theorie und Musikgeschichte und Harmonielehre und so weiter —«

Das Mädchen zog die Nase kraus. »Ich arbeite auch viel«, sagte sie. »Weißt du, ich bin beim Ballett — was man Elevin nennt. Sie zerbrechen einem geradezu die Knochen, so scharf nehmen sie einen heran. Acht Stunden üben, und fast jeden Abend Dienst. Warst du schon einmal in der Oper?«

»Ach, hunderttausendmal«, sagte ich. »Schon als kleines Kind. Ich bin ganz wild nach der Oper.«

»Na, dann mußt du mich ja schon gesehen haben«, sagte sie, wie eine Königin, die im Begriff ist, ihr Inkognito zu lüften. »Ich bin Clara Balbi.«

Ich hatte Clara Balbi tatsächlich gesehen, aber man mußte ein Opernnarr sein wie ich, um sich daran zu erinnern. Sie war ein sogenanntes Bühnenkind. Sie gab den Herzog von Brabant in ›Lohengrin‹ und Wilhelm Tells Söhnchen in Rossinis Oper. Ihr Name stand ganz unten auf dem Programm, aber es war ihr Name, man konnte ihn gedruckt lesen, und sie gehörte zu der Welt, die für mich zum Inbegriff höchster Verzauberung geworden war.

»In diesem Jahr werde ich mit dem Konservatorium fertig. Vielleicht spiele ich sogar im Abschlußkonzert mit, und nächsten Herbst will ich mit meiner Geige auf Tournee gehen«, sagte ich, um mich nicht überbieten zu lassen, obwohl mir die Erinnerung an das A-Dur-Konzert von Mozart so weh tat, als wäre ich operiert worden, und man hätte vergessen, einige Fäden herauszuziehen.

»Vor meinem fünfzehnten Jahr darf ich nicht die einfachste Quadrille mittanzen«, sagte Clara nachdenklich. »Weißt du, es gibt zu viele alte Schlachtrösser im Ballett — die würden uns Junge lieber vergiften, ehe sie ihren Platz räumen. Aber Nicki hat Einfluß, und er hat mir versprochen, daß ich bald avancieren werde – Graf Hoyot, mein' ich. Meine Schwester ist Solotänzerin, und dabei ist sie erst einundzwanzig. Meine Mutter war auch Balletttänzerin, weißt du, und sie hat uns von früh an trainiert. Sag einmal, liebst du das Ballett?«

Ich kämpfte mit mir, ob ich höflich oder aufrichtig sein sollte. Ich wollte Claras Gefühle nicht verletzen und auch die neue, wunderbare Bekanntschaft nicht aufs Spiel setzen. Andrerseits — was für eine Freundschaft sollte daraus werden, wenn ich sie anlügen müßte wie eine Erwachsene?

»Als ich noch klein war — ja«, sagte ich schließlich. »Jetzt nicht mehr: Es ist so steif und altmodisch. Es langweilt mich. Es ist immer dasselbe. Es ist wie die kleine Spieldose im Album, die jedesmal, wenn man den Deckel öffnet, das gleiche Stückchen spielt.«

»Was für ein Album?« fragte Clara, und ich erzählte es ihr. Bis zu diesem Augenblick hatte sie mich zwar nicht unfreundlich, aber mit einer gewissen Herablassung behandelt. Aber nun wurde sie plötzlich warm und änderte ihre Haltung mir gegenüber.

»Merkwürdig, daß du das sagst«, sagte sie nachdenklich und sehr ernst. »Das ärgert mich auch schon seit langem. Ich würde gern etwas ganz anderes tanzen. Aber du hättest das Geschrei hören sollen, als ich unsrer Ballettmeisterin einmal einen Tanz zeigte, den ich mir allein ausgedacht hatte.«

»Was für ein Tanz?« fragte ich.

»Du würdest ihn nicht verstehen«, sagte Clara. »Hast du schon etwas von Isadora Duncan gehört?«

»Die mit den bloßen Füßen? Ich habe in der Zeitung von ihr gelesen«, sagte ich. »Sie muß verrückt sein. Sie trägt nicht einmal ein Korsett.«

Clara kniff die Lippen zusammen. Wie oft habe ich seither diese harte

Linie in ihrem glatten, weichen Gesicht gesehen! »Ich werde es ihnen schon zeigen«, sagte sie, »verrückt oder nicht. Du weißt ja nicht, was du sprichst. Warst du schon einmal verliebt?«

Das war vertrautes Gelände. »Oft«, sagte ich. »Ich will dir ein Geheimnis verraten. Gerade jetzt bin ich mit einem Jungen verlobt, der beinahe drei Jahre älter ist als ich. Er ist fesch. Er ist Anführer einer Bande. Sein Vater will ihn in eine Erziehungsanstalt stecken — aber er geht nicht. Lieber schneidet er sich mit dem Rasiermesser die Gurgel durch, sagt er. Er ist kein Schlappschwanz.«

Clara war wieder amüsiert. »Du bist noch ein richtiges Kind«, sagte sie. »Du hast ja noch von nichts eine Ahnung. Aber du gefällst mir irgendwie. Willst du mitkommen und dir meinen kleinen Neffen anschauen?«

Ich wußte, es wäre mir nie erlaubt worden, mir ein Baby anzusehen, das ein Kind der Liebe, die Frucht der Sünde, war — und gerade deshalb ging ich mit. Es reizte mich, alles zu tun, was ich nicht durfte, und ich hatte einen Heißhunger auf verbotene Erlebnisse. Das Baby, Salvator Benvenuto Amadeus, war — nebenbei bemerkt — das süßeste kleine Geschöpf, das man sich vorstellen konnte, und seine Mutter, Corinna Balbi, hatte ganz das Aussehen, die Art zu sprechen und sich zu kleiden wie jene Kusine meiner Mutter, die einen kleinen Adligen geheiratet hatte. Mama Balbi, die auch Ballettänzerin gewesen war, war eine geschwätzige Frau mit einem karottenfarbigen Haarschopf, und ihre stürmischen Liebkosungen und Ausrufe erschreckten mich anfangs. Später lernte ich sie als eines der gütigsten, nachsichtigsten und hilfsbereitesten Wesen kennen, und die Balbische Wohnung wurde meine geheime Zuflucht, wenn ich in der achtbaren und selbstzufriedenen Korrektheit meiner Familie zu verschimmeln und zu verfaulen fürchtete.

Die Bekanntschaft mit den Balbis bewahrte ich als persönliches Geheimnis, und ich mußte schrecklich viel lügen, um meine Besuche bei ihnen zu verheimlichen. Und doch war es wunderbar, dieses Doppelleben zu führen und so viel über die Sünde zu erfahren — ich war noch nicht fünfzehn. Von Mama Balbi lernte ich viel Weltklugheit und Skepsis, und ich lernte bald, die Späße zu parieren, die Nicki und seine Freunde mit mir machten. Es waren ausgelassene Windhunde ohne besondere Qualitäten, aber von großem Charme. Und von Clara lernte ich viele nützliche und wichtige Dinge: Zigaretten rauchen, ohne daß mir übel wurde. Champagner trinken, ohne daß ich einen Schwips bekam. Himbeerbonbons anfeuchten und mir die Backen damit einreiben, damit sie rot wurden. Mir zusammengerollte Strümpfe dorthin stopfen, wo meine nicht vorhandenen Brüste hingehört hätten. Sie nahm auch meiner Mutter die Aufgabe ab, mich über die sonderbaren Dinge aufzuklären, die gerade damals mit meinem Körper vorgingen. Mama hatte einige schwache Versuche gemacht, mit mir über den Fluch des Weibtums zu sprechen, war aber an ihren eigenen Worten erstickt und hatte es jedesmal wieder aufgegeben, womit sie mich zwar verwirrte und ängstigte, aber nicht im geringsten aufklärte. Clara nahm sich in diesem und manchem andern vernachlässigten Punkt meiner Erziehung an.

Und in einer mondhellen Nacht ging Clara mit mir auf den Schillerplatz, zog auf dem Rasen unter den Kastanienbäumen die Schuhe aus und tanzte mir den Tanz vor, den sie sich ganz allein ausgedacht hatte. Es war eine große Offenbarung für mich und fügte sich gut in all die andern neuen Dinge ein, die rings um uns entstanden: Musik von Richard Strauss. Skulpturen von Rodin. Verrückte Malereien in den Kunstausstellungen am Ring. Ein seltsamer Stil für Gebäude, Möbel, ja Kleiderstoffe. Eigentümliche Ideen in den Büchern, die ich nach Hause brachte, und ein merkwürdiges Fieber in uns, das mich und Clara und alle jungen Menschen erfaßte. Ibsen, Nietzsche. Oscar Wilde. Tolstoi. Es war ein ungewohntes Ragout geistiger Nahrung, und wir litten schwer an geistigen Verdauungsstörungen. Wir revoltierten gegen alles, was uns in Kunst, Leben und Moral überliefert worden war. In unsern kurzen Backfischröckchen waren wir Isolde, Salome und die Prostituierte Natascha. Aber als mich mein Feind Silber in der Aufregung des Abschlußkonzerts packen und küssen wollte, schlug ich ihm ins Gesicht, dann wusch ich mir die Hände und weinte mit einem Gefühl, als wäre ich vergewaltigt worden.

Und eine Woche lang wurde ich die Furcht nicht los, es sei meiner kostbaren Jungfräulichkeit etwas zugestoßen.

Als ich zum erstenmal in einem wirklichen Konzert spielte, hatte ich Halsschmerzen, Kopfweh, zwei Fieberblasen am Mund und zu alledem noch ›meine Tage‹. Ich hatte endlich das Konservatorium hinter mir, ich stand am Anfang einer Laufbahn, und ich spielte — zum erstenmal ohne Gängelband — im Saal des alten Gebäudes, wo ich mich während der vier Studienjahre so ganz zu Hause gefühlt hatte. Ich spielte das Mendelssohn-Konzert mit Orchesterbegleitung; ich hatte kalte Hände, meine Knie waren gefühllos und weich wie Watte, und während meines ganzen Spiels fürchtete ich, mein Gedächtnis werde mich im Stich lassen und mein rechter Arm werde wie gewöhnlich im letzten Satz steif werden und ermüden. Ich hoffte inbrünstig auf das Wunder, das sich mitunter ereignete, wenn ich zu Hause Geige spielte und niemand zuhörte. Dann würde sich etwas wie eine glühende Leere, wie eine gelbe Nebelwolke um mich schließen, und ich würde alles vergessen, Technik, Fingersatz und Bogenführung; es würde mich etwas emporheben und davontragen, und ich würde so leicht, so verloren und hingerissen spielen, wie Clara in jener Mondnacht auf dem Rasen vor mir getanzt hatte. Aber als ich das Podium betrat, geschah nichts dergleichen. Ich stand munter und hellwach da; ich beobachtete mein eigenes Spiel, kühl und uninteressiert. Nein, ich machte keine Fehler, ich führte meine kleinen Kunststücke so durch, wie man sie mich gelehrt hatte; und die ganze Zeit fühlte ich mich wie das dressierte Äffchen auf der Drehorgel. Diese Empfindung wurde noch dadurch verstärkt, daß man mich in ein sehr kurzes rosa Kleidchen gesteckt hatte, womit ich unzweideutig zum Wunderkind gestempelt war. Mein Haar, das ich seit meinem dreizehnten Geburtstag aufgesteckt trug, hatte man wieder heruntergelassen, ich hatte eine endlose Prozedur unter dem Brenneisen durchmachen müssen. Meine Brüste, Stolz und Freude meiner

Jugend —, die endlich zu sprossen begonnen hatten, wurden in einem engen Leibchen flachgedrückt. Und zum Überfluß wurde ich als das zwölfjährige Wunderkind Marion Sommer angekündigt, obgleich ich schon vor geraumer Zeit meinen vierzehnten Geburtstag gefeiert hatte.

Ich kam mir alt vor wie ein Felsen, so alt, wie nur Kinder sich vorkommen können. Ich war zum Ersticken voll von Weltschmerz, von ›Also sprach Zarathustra‹ und Dorian Gray, und Clara hatte mir vor zwei Tagen gesagt, was eine Demi-vierge sei und daß man ›es‹ machen könne und doch kein Kind zu bekommen brauche, wenn man nicht wolle — und da stand ich nun vor einem Auditorium, das aus lauter Onkeln, Tanten und Großonkeln zu bestehen schien; wohin ich blickte, sah ich auf jedem Gesicht den gleichen Ausdruck, ein mildes, zuckersüßes Lächeln, das entzückt auszurufen schien: Wie herzig!

Die einzige Ausnahme war Szimanski in der zweiten Loge. Er war sichtlich höchst unzufrieden und schnitt mir die ganze Zeit Gesichter. Er hatte eine entnervende Gewohnheit, zu grimassieren und den Mund wie zum Pfeifen zusammenzuziehen, wenn er mit einem seiner Schüler unzufrieden war. Und die ganze Zeit grimassierte er und verzog den Mund wie ein Fisch auf dem Trockenen.

Die Kadenz, der Schluß, der Applaus. Er prasselte wie ein Platzregen, und die Köpfe der Zuhörer sahen aus wie ein Blumenbeet unter einem Windstoß. Ich machte meine Verbeugungen, wie ich's gelernt hatte — erst gegen das Auditorium, dann gegen das Orchester. Ich schüttelte dem Konzertmeister die Hand. Ich sah, wie der Dirigent Kant applaudierte, höflich und ein wenig gelangweilt. Auch das Orchester applaudierte. Ich stieg vom Podium herunter, und noch immer prasselte der Applaus wie ein Platzregen oder wie das Rascheln von dürrem Laub. Ich wurde wieder hinausgeschoben, ich verbeugte mich wieder und ging wieder ab, die Zuhörer schrien Bravo, und plötzlich war Schani Kern neben mir und flüsterte: »Die Zugabe!« Das plötzliche Schweigen des Auditoriums, als ich meine Geige ans Kinn hob, erschreckte mich fast. Meine Hände waren nicht mehr kalt, sie waren feuchtwarm von Schweiß, Angst und Aufregung. Die Saiten hatten ein bißchen nachgegeben, und jetzt war es zu spät, sie zu stimmen. Das ›Perpetuum mobile‹, das ich als Zugabe spielte, hätte mit einer leichten, kecken Virtuosität herauskommen sollen, aber nun mußte ich vorsichtig sein und spielte es um den Bruchteil eines Bruchteils zu langsam. Ich hörte, wie Schani mich auf dem Klavier zu einem rascheren Tempo zu drängen versuchte, aber ich ließ mich nicht drängen. Ich fürchtete, meine Finger könnten auf den feuchten Saiten rutschen, und war froh, als das Stück zu Ende war. Wieder wurde applaudiert, ich verbeugte mich und verließ mit Schani das Podium. Sobald wir die Tür hinter uns geschlossen hatten, starb der Applaus draußen ab.

»Wie war's?« fragte ich Schani, der meinem Blick auswich.

»Saumäßig«, sagte er und ließ mich stehen. Na ja, ich hatte es ja die ganze Zeit gewußt. Ich hätte mich am liebsten in ein Mauseloch verkrochen oder mich in die Donau gestürzt. Ich schlich mich ins Künstlerzimmer und legte meine Geige in den Kasten.

So schlecht ich gespielt hatte, schien es doch ein Erfolg gewesen zu sein. Die Menschen strömten ins Zimmer, um es mir zu sagen. Meine Mutter war da, mit Tränen in den Augen und viel zuviel kalkweißem Reispuder auf der Nase, eingezwängt in ihr acht Jahre altes schwarzes Abendkleid, das vollkommen unmodern war und steif wie ein Brett. Sie hätte mich gern geküßt, wagte es aber nicht. Sie lachte laut und hell, ihre Unterlippe zitterte — sie war ganz aus dem Häuschen. Und mein Vater, steif und unbehaglich mit weißen Glacéhandschuhen, schwarze Perlenknöpfe in der gestärkten Hemdbrust, sein Schnurrbart roch wie etwas aus dem ›Hohen Lied‹ Salomonis. Putzi, leicht beschwipst und wenig repräsentabel, gab mir einen tüchtigen Klaps auf den Popo. Meine beiden Großmütter schossen Blitze aufeinander, waren aber süß wie Lakritze. Und hinter ihnen die ganze gottverlassene Sippe, die Dobsbergs und die Sommers, Onkel und Tanten, Vettern und Kusinen und andre Verwandte mit ihrem gesamten Nachwuchs. Die ganze gesegnete Familie, alle mit dem gleichen Ausdruck gequälten Stolzes und peinlicher Verlegenheit. Ein ganzes Entenvolk, das ein mageres Schwänchen ausgebrütet hatte und nun nicht wußte, was es damit machen sollte.

Schließlich warf sie ein alter Saaldiener alle hinaus, und ich holte tief Atem. In der plötzlichen Stille, die nach ihrem Auszug entstand, hörte ich die Klänge des Orchesters schwach herüberklingen, das den ›Don Juan‹ von Richard Strauss zu spielen begann. Ich liebte diese Musik, die man verrückt und schamlos nannte, genauso wie mein Großvater die Wagnersche Musik genannt hatte. Plötzlich hatte ich das überwältigende, wenn auch nicht fest umrissene Gefühl: Ich bin ich! Ich bin fertig mit ihnen, dachte ich, fertig mit ihnen allen. Ich meinte damit meine ganze Familie, auch Putzi, auch meine Mutter. In plötzlichem Aufruhr packte ich meinen Geigenkasten, um fortzukommen, bevor sie noch wiederkommen könnten. Aber es gab kein Entrinnen. Wieder öffnete sich die Tür, und herein trat, unter Schanis Führung und unter Vorantritt eines kahlköpfigen, freundlichen Herrn — des Impresarios Krappl —, Professor Szimanski.

Ich erwartete einen Vulkanausbruch, einen Orkan, eine Naturkatastrophe. Aber nein — diesmal hatte sich Szimanski in der Gewalt. Er war ganz Liebenswürdigkeit, schlecht gespielte, übertriebene Liebenswürdigkeit, und sprach französisch, was er sonst nur tat, wenn er sehr böse war.

»Charmante, ma petite«, schrie er mich an. »Excellente, ma petite gosse... Elle est charmante, cette petite là, n'est-ce pas? Elle sera une grande vedette, ne croyez-vous pas, mon cher?«

Der gute alte Vulkan — er unterdrückte alle seine Verwünschungen, aber ich hörte das unterirdische Grollen. Er spielte für Herrn Krappl Theater, küßte meine feuchte Stirn, zupfte mich an den Zöpfen und behandelte mich alles in allem, als wäre ich schwachsinnig. Schani beobachtete das seltsame Schauspiel mit stummer Ironie; seine blauen Augen krochen unter den buschigen Brauen hervor wie zwei neugierige Tierchen, und sein riesiger Schnurrbart vibrierte von unterdrücktem Lachen. Herr Krappl verbeugte sich und küßte mir die Hand. Er küßte mir wahrhaftig die Hand, als wäre ich eine erwachsene Dame. Die Medaillen auf dem Frackaufschlag klirrten leise.

»Jawohl, ich glaube, wir werden etwas aus ihr machen«, sagte er, wobei er meine Hand festhielt und sie geistesabwesend knetete, als wäre sie Teig. »Wir werden etwas aus ihr machen. Sie hat das Publikum hingerissen. Wir werden ihr aber viel Schnaps geben müssen, damit sie klein bleibt und nicht mehr wächst«, sagte er. Er war ein lebhaftes, gutmütiges Männchen, und das war natürlich nur ein Witz von ihm. Obwohl ich das wußte, verletzte es mich doch; ich zog meine Hand weg und wischte sie an meinen Rockfalten ab.

Schließlich blieb ich allein im Zimmer, ganz rot im Gesicht und plötzlich sehr müde und traurig; ich wußte, wenn ich mich jetzt nicht zusammennahm, mußte ich weinen. In die Wand war ein großes Wagner-Relief eingelassen. Er blickte vorwurfsvoll über seine übermenschlich große Nase auf mich herab. Ich hatte eine Menge Blumen bekommen, gewaltige Arrangements, jede Blume ein winziger Leichnam, das Herz von einem steifen Draht durchbohrt. Das Künstlerzimmer roch wie Großvaters Leichenbegängnis. Ich trat zu dem hohen Spiegel in der Ecke und betrachtete mich. Ich hatte mich noch nie in voller Lebensgröße im Spiegel gesehen und musterte das Mädchen im Glas genau von oben bis unten. Ob ich wohl jemals so hübsch sein würde wie Clara? Ich bezweifelte es, obwohl ich mit meiner Erscheinung nicht unzufrieden war. Ich zog mir das kurze Röckchen hinunter, um größer und erwachsener auszusehen, und schob mir das Haar vom Nacken hoch auf den Kopf. So vertieft in das Experimentieren mit meinem Äußeren, hatte ich gar nicht gemerkt, daß der ›Don Juan‹ draußen zu Ende war und daß auch der nachfolgende Applaus sich gelegt hatte. Als sich die Tür öffnete und der Dirigent Kant hereinkam, fuhr ich zusammen.

»Aha!« sagte er, als er mich entdeckte. Kant war ein sehr berühmter und für meine Begriffe sehr alter Mann, mindestens schon dreißig. Er hatte ein seidiges schwarzes Bärtchen, war blaß und sah ein bißchen gespenstisch aus, sehr ähnlich wie der Fliegende Holländer. Man sagte von ihm, er sei so dämonisch, daß in seinen Konzerten oft Damen ohnmächtig würden. Kein Wunder, daß ich vor ihm Angst hatte.

»Aha!« sagte er und scheuchte mich vom Spiegel fort. »Da haben wir die kleine Marion! Sie haben sehr hübsch gespielt und auch großen Erfolg gehabt. Gratuliere.«

»Ich habe gräßlich gespielt, das weiß ich genau«, sagte ich. Ich hatte genug von der Begönnerung. Er sah mich mit einem bedächtigen Lächeln an, das sich irgendwo in seinem schwarzen Bärtchen festsetzte, und sagte: »Schön, um so besser. Wissen Sie, woran es bei Ihnen fehlt?«

»Nein«, sagte ich, und ich fühlte, daß ich dicht vorm Losheulen war, als wenn ich wirklich erst zwölf gewesen wäre. »Vielleicht hätte ich doch lieber Löwenbändigerin werden sollen«, sagte ich, wütend über mich selbst.

»O nein! O nein, Marion. Sie sind viel zu hübsch, um den Löwen vorgeworfen zu werden«, sagte er. »Sie sind hübsch genug, um Erfolg zu haben, auch wenn Sie noch schlechter spielen als heute abend. Soll ich Ihnen sagen, was mit Ihnen los ist? Sie spielen so nett und sauber wie eine nette kleine Spieluhr. Haben Sie schon einmal eine Spieluhr gehört?«

»Ja. Ich weiß. Es ist gräßlich. Es tut mir leid«, sagte ich. Ich dachte an das Album zu Hause. Ich fürchtete mich vor Kant. Jetzt stand er vor dem Spiegel. Er war blaß wie ein Geist, sein Gesicht glänzte von Schweiß, und ich konnte im Spiegel sehen, wie sich seine steife weiße Hemdbrust bewegte, denn er war noch außer Atem vom Dirigieren des ›Don Juan‹. Dann drehte er sich um und kam auf mich zu.

»Bei Ihnen sitzt alles hier!« sagte er und klopfte an meine Schläfe, »und gar nichts hier.« Ich zuckte ein bißchen zurück, als er die Stelle berührte, wo mein Herz sitzen mußte. Es pochte ängstlich unter meinem flachen Leibchen.

»Sagen Sie einmal, Marion, Sie sind nicht so jung, wie Krappl das Publikum glauben machen will? Sie können mir ruhig die Wahrheit sagen.«

»Natürlich nicht«, sagte ich, gleichzeitig erleichtert und verärgert. »Ich finde es lächerlich, daß man mich in ein solches Kleid steckt und solche Geschichten von mir hermacht, als wäre ich ein Wunderkind.«

»Wie alt sind Sie denn wirklich? Warten Sie — lassen Sie mich raten. Sechzehn?«

Geschmeichelt und selig nickte ich.

»Wissen Sie, was die Bibel sagt? ›Wenn ich mit Menschen- und mit Engelzungen redete und hätte der Liebe nicht, so wäre ich ein tönend Erz oder eine klingende Schelle.‹ Da fehlt's bei Ihnen! Sie haben keine Liebe. Noch nicht. Jemand sollte sie erwecken.«

Das kam mir bekannt vor. Im Konservatorium glaubte man allgemein daran, daß Mädchen erst erweckt werden müssen, bevor sie imstande sind, etwas Gutes zu leisten. Manche Lehrer waren dauernd damit beschäftigt, die knospenden Talente zu erwecken. Kant kam näher, nahm meinen Kopf zwischen die Hände und bog ihn zurück. Dann beugte er sich über mich und drückte sehr vorsichtig, sehr überlegt seine erfahrenen Lippen auf die meinen. Er roch nach Zigaretten, nach Parmaveilchen-Brillantine, nach Bart und nach Mann. Es war fürchterlich. Es war ein Gefühl, als würde ich von einer unterirdischen Strömung eingesaugt, als wollte mich ein Menschenfresser mit Haut und Haaren verschlingen. Es ekelte mich, ich war außer mir vor Entsetzen. Und doch war ich gleichzeitig stolz, daß mir so etwas widerfahren konnte. Clara wird sich wundern, wenn ich es ihr erzähle, dachte ich dabei. Das war etwas andres, als von einer solchen Null wie Silber angefaßt zu werden, und einen Kant konnte ich bestimmt nicht ins Gesicht schlagen.

Ich riß mich los, und er trat mit einem leisen Lachen zur Seite.

»Stört es Sie, wenn ich rauche?« sagte er und nahm eine Zigarette aus seinem Etui, als ob nichts geschehen wäre. »Wollen Sie auch, Marion?«

»Danke«, sagte ich heiser. Ich raffte meine Blumen, den Geigenkasten, Mantel und Schal zusammen und stürzte zur Tür. Dabei ließ ich ein paar Blumen fallen, und Kant hob sie auf. Er griff nach dem Geigenkasten und wollte ihn mir abnehmen.

»Danke«, sagte ich heiser. »Ich trage meine Geige selber.«

Danke, ich trage meine Geige selber. Es klang wie ein Symbol, wie ein Leitmotiv oder so etwas Ähnliches . . .

66

»Gute Nacht, kleine Marion«, sagte Kant. »Hoffentlich spielen wir wieder einmal zusammen.«

Am Fuß der Treppe fand ich Vefi vor, die wie gewöhnlich auf mich wartete, während sich August hinter ihr im Schatten herumdrückte.

»Was willst du?« fragte ich. »Warum wartest du auf mich? Ich brauch dich nicht, ich kann schon allein nach Hause gehen. Laß mich in Ruh! Ich muß nachdenken.«

»Aber Marion, das ist unmöglich! Es ist elf vorbei, du kannst nicht allein gehen! Und deine Mama — sie hat Kopfweh gehabt und ist nach Hause gegangen, und sie hat mir gesagt, ich soll hier auf dich warten und soll aufpassen, daß du dich nicht erkältest. Heilige Maria, Marion, was ist denn los mit dir. Jetzt sei ein gutes Mäderl und —«

»Ich nehm' mir einen Wagen«, sagte ich. »Geh zum Teufel!«

Ich glaube, das war das Ende meiner Kindheit. Bald nachher bekam ich mein erstes langes Kleid und verdiente etwas Geld. Eines Tages zog ich den ganzen Plüsch von den Möbeln in meinem Zimmer ab, die ich von meinem Großvater geerbt hatte. Ich nahm die schweren dunklen Vorhänge herunter und ließ alles, sehr zur Verzweiflung meiner Eltern, mit Kretonne überziehen — nilgrün und mit einem Dessin, das aussah wie verrückt gewordene Wasserlilien, die auf Regenwürmern wuchsen statt auf Stengeln — und bezahlte alles von meinem eigenen Geld.

Und mit dieser revolutionären Tat begann die zweite Epoche meines Lebens.

ZWEITES KAPITEL

Marion hatte ihr ganzes Leben lang in einem tüchtigen Marsch ein vortreffliches Heilmittel gesehen. Sie trat vom Spiegel zurück, um ihr blasses Gesicht nicht mehr zu sehen, und schrieb rasch ein paar Worte für ihren Sohn auf: *»Bin spazierengegangen.«* Dann verließ sie mit kräftigen Schritten das kleine Haus. Sie schlug den Pfad ein, der sich hinter der Mühle hinschlängelte, ging bergan und tauchte in die spärlichen Schatten der Tannen ein. Sorgfältig vermied sie das Dorf und das Hotel, in dem Christopher wohnte, und bald wirkte das einfache alte Heilmittel Wunder.

Was Christopher an ihr liebte — wenn Marion es nur gewußt hätte! —, war ihre unbegrenzte Fähigkeit, das Leben zu genießen und es von der heiteren Seite zu nehmen; ihre Neugierde, die stets nach neuen Erlebnissen verlangte — guten wie bösen —, ihre Begabung, jeder Enttäuschung, jedem Kummer, jedem Mißgeschick die besten Seiten abzugewinnen. »Meine Mutter hat die erstaunliche Natur des Regenwurms, den man neuerdings dazu verwendet, harten Boden fruchtbar zu machen«, hatte Michael einmal von ihr gesagt. »Man kann ihr ein paar Hektar trockenen Schmutz zu essen geben, und wenn sie damit fertig ist, ist es ein blühendes Feld.«

Und so hatte Marion auch diesmal, obwohl sie eigentlich traurig und unglücklich war, tiefe Freude an der Bergwanderung, die sie über den plötzlichen Abschied von Christopher Lankersham hinwegbringen sollte.

Das Gefühl, einen Weg unter den Füßen zu haben. Rhythmus und Geschwindigkeit ihrer Schritte. Das Gurgeln und Schwatzen des jungen Bächleins längs des Pfades. Das plötzliche Wunder, wie das gelbe Sonnenlicht auf grauen Granit spritzte und zwei Millionen Funken aus dem uralten Stein schlug. Ein Vogel, der vor ihr herflog und sie immer mit denselben drei Tönen neckte, dem Scherzmotiv aus Beethovens Neunter. Der Geruch von Minze, von nassem Farn, von Kräutern und Moos. Harz, das von den Stämmen heruntertropfte, und die Sternchen der Alpennelken, die quer über den Weg tanzten und sich im Gras versteckten. Im Gehen begann sie eine selbsterfundene Melodie zu summen: »Geh, geh, geh, Christopher, der ist fortgegangen. Christopher s'en va-t-en guerre, s'en va-t-en guerre.« Schau. Zwei Libellen, die sich paaren, ein flirrendes Ornament der Ekstase. Dann ein Schubertlied, geboren aus dem Takt ihrer Schritte und dem Plaudern des Wässerchens zu ihrer Seite: ›Ich hört' ein Bächlein rauschen‹. Bald fühlte sie sich wieder warm, die Dinge lächelten ihr zu und zwinkerten verschmitzt.

Wenn Marion aufgeregt, unglücklich oder geängstigt war, weinte sie nicht, gebärdete sich nicht verzweifelt, warf nicht mit Tellern um sich. Sondern es wurde ihr kalt bis ins Knochenmark. Als sie das Haus verlassen hatte, war ihr sehr kalt gewesen. Aber als sie nach einer Stunde zurückkam, war sie warm und durchblutet, und kleine Schweißperlen hingen ihr auf der

Stirn und auf den feingeschwungenen Nasenflügeln, die eines der reizvollsten Details in ihrem Gesicht bildeten; wenn sie es auch nicht wußte.

Als sie die letzte Wegbiegung vor dem Haus erreichte, sah sie Michael auf der Bank vor dem Gartenzaun sitzen und mit gespannter Aufmerksamkeit etwas betrachten, was er in der Hand hielt. Noch immer konnte er sich in irgendeine dumme Kleinigkeit so vertiefen wie als kleines Kind, wenn er mit dem Baukasten gespielt hatte. Sein Augenleiden hatte es mit sich gebracht, daß ihm dieser aufmerksame, kindliche Ausdruck geblieben war.

»Hallo, schöne Frau! Hallo, gorgeous!« sagte er, als er aufblickte und Marion sah. Er liebte es, sich über die burschikosen Modewörter der verschiedenen amerikanischen Mundarten lustig zu machen. Manchmal sprach er tagelang wie ein Gymnasiast aus dem Mittelwesten, dann wieder wie der Tankstellenwart in Great Neck oder wie der Mann aus Puerto Rico, der in unserm Garten in Elmridge gearbeitet hatte, wie Ethel, unsre schwarze Köchin in New York, oder auch in dem gespreizten Intellektuellendeutsch seines Biologieprofessors in Heidelberg. Er zog Spracheigentümlichkeiten und Dialekte wie Kostüme an, ging darin umher und spielte mit ihnen — sein Vater war ja Schauspieler gewesen. »Hallo, Vollidiot!« sagte Marion, zur Mitwirkung bereit. In dem kurzen Wortwechsel spiegelte sich Marions ganzes Leben. Schuld und Sühne. Kurze Freude und ewiges Herzeleid. Angst und Mut, Schwäche und Stärke. Niederlage und Sieg — von allem ein wenig.

»Schau, ich habe etwas für dich«, sagte er und erhob sich. Nun sah sie, was er mit so gespannter Aufmerksamkeit betrachtet hatte: ein Sträußchen Walderdbeeren, wie sie längs der Bergwege wuchsen. Einige Beeren waren schon rot, die meisten aber waren noch grün, und es waren auch ein paar blaßrosa dabei. Der Sommer kam erst spät in die hohen Regionen von Staufen. »Erdbeeren«, sagte Marion erfreut, sie kannte kaum ein größeres Vergnügen, als das Pflücken von Walderdbeeren. Es sind kleine Verkörperungen des Allerseltensten: der Vollkommenheit. Ihre Farbe, ihre Form, ihre Glut, ihr Duft, ihr Geschmack. In jeder kleinen roten Beere ist der Schatten der Wälder und die Hitze der sonnigen Hänge, das Summen der Bienen, das Gaukeln der Schmetterlinge, das Edelsteinglitzern der Eidechsen, das Rascheln der Hecken, das lebendige Gefühl von Gras und sonnenwarmen Steinen — der ganze heiße Sommersegen.

»Die ersten. Ich habe sie unten bei der Mühle gefunden«, sagte Michael stolz. Mutter und Sohn waren so stolz auf das wiedergewonnene Augenlicht, daß sie gern ein bißchen damit renommierten. Es bestand keine Veranlassung, eine so erstaunliche Leistung wie das Auffinden roter, in Gras und Farn versteckter Erdbeeren bescheiden zu übergehen.

»Du bist ein Vieh, Michael, daß du sie alle abgepflückt hast«, sagte Marion. »Ich hätte selbst gern ein paar gepflückt.«

»Selber Vieh«, sagte er. »Ich hab' dir welche übriggelassen. Wir gehen hinunter, und ich zeig' sie dir.«

Er sah der Mutter zu, wie sie die Erdbeeren aß. Sie waren hart, sauer und unreif, aber Michael zuliebe tat Marion, als wären sie ganz köstlich. Wie er so gegen den Zaun gelehnt dastand, durchzuckte es sie, was für ein gutaussehender Junge er war. Wie alle Mütter wunderte sie sich manchmal, daß es ihr gelungen war, so viel Männlichkeit hervorzubringen, diesen ganzen männlichen Bau von starken Knochen, elastischen Muskeln, festen Beinen und einem harten Schädel.

Man sagt, er habe meine Augen, die Dobsbergschen Augen, dachte sie, und er ist so hoch gewachsen wie mein Großvater. Die Hände hat er von seinem Vater wie auch das rasch wechselnde Mienenspiel, die hohe Stirn und die langen Wimpern.

Und daneben ist noch so viel, das nur Michael ist, weder ich noch sein Vater. Ich weiß nicht mehr, wie sein Vater eigentlich ausgesehen hat, aber ich weiß, daß er keineswegs hübsch war. Das heißt, mein Gehirn weiß wohl, wie er ausgesehen hat, aber ich kann sein Bild nicht aus dem Nichts heraufbeschwören und es mir bei geschlossenen Augen vorstellen — was mir jederzeit mit Christophers Bild gelingt.

Marion hatte ein kleines Geheimnis ganz für sich allein. Seit ihrer frühen Kindheit hatte sie Erlebnisse in sich bewahrt, an die sie sich in der Todesstunde erinnern wollte. Immer wenn ihr etwas sehr, sehr schön oder sehr, sehr komisch vorkam, so daß sie dabei lachen oder weinen oder staunen mußte, beschloß sie bei sich: Daran will ich in meiner Todesstunde denken. Dazu gehörte auch Christophers Gesicht.

»Milchi«, sagte sie, als sie neben ihm auf der Bank saß, »ich habe eine unangenehme Nachricht für dich.«

»Ich weiß«, sagte er ruhig. »Man mußte Nero erschießen.«

»Ach«, erwiderte sie betroffen. »Tatsächlich?«

»Er hat doch nicht mehr viel vom Leben gehabt«, sagte Michael tapfer. »Jedenfalls nicht mehr, seit im Dorf so viel Lärm und Rummel ist — die marschierenden Soldaten Tag und Nacht, zu allen Stunden, die Hornsignale und die Schießübungen und all das. Ich sag' dir was, Mony, ich hab's vom alten Hammelin, und der versteht sich auf Hunde: Nero war seit vielen Wochen geisteskrank. Er hat einen Knacks bekommen, als man mobilisierte, verstehst du? Er konnte nicht begreifen, was um ihn vorging, und da wurde er verrückt, heulte Tag und Nacht und biß jeden, der ihm in die Nähe kam. Es ist ein Jammer, denn er war ein guter Hund. Ich hab' ihn riesig gern gehabt. Du doch auch, nicht? Da kannst du sehen, wie es den Antimilitaristen ergeht«, setzte er hinzu, und das war nicht ganz scherzhaft gemeint. »Im letzten Krieg mußten wir auch Hunde töten, aber das geschah, weil wir kein Futter für sie hatten«, sagte Marion. Sie dachte darüber nach, wie sie einen Übergang von der Tötung Neros zur Abreise Christophers finden könnte.

»Wie kommt es nur, daß du immer auf der falschen Seite stehst, bei denen, die verlieren, Mony?« fragte Michael, sarkastisch wie immer, wenn sie von den hungernden Deutschen im Ersten Weltkrieg sprach. »Das letztemal warst du ganz für Deutschland. Diesmal bist du ganz für die Alliierten. Das ist doch höchst unvorteilhaft.«

»Das gehört zu mir«, sagte sie. »Deshalb habe ich auch nie in der

Lotterie oder beim Rennen gewonnen. Es wäre unnatürlich und würde mich wundern, wenn es anders wäre.«

Auch jetzt konnte man den Lärm hören, der Nero, dem alten Bernhardiner, das Leben unerträglich gemacht hatte: das Knattern von Schüssen auf dem Exerzierplatz, die an den Berghängen jenseits des Sees ein schwaches, träges Echo gaben. Ein anhaltendes, immer wiederholtes, fernes Trompetensignal, das alle Hähne des Dorfes aufregte und sie zu kriegerischem Krähen veranlaßte. »Sie haben mich gefragt, ob ich auch ein Gewehr haben will«, sagte Michael nachdenklich. »Jeder Mann, jedes Kind, jeder Großpapa hat ein Gewehr gekriegt. Hast du so ein Ding gesehen? Es ist ein uraltes, langes, doppelläufiges Schweizer Modell.«

»Möchtest du gern ein Gewehr haben?« fragte ihn Marion. Michael zuckte mit den Schultern. »Was wollen sie denn nur damit? Was meinst du?«

»Auf Fallschirmspringer schießen. Die Schwelle ihres Hauses verteidigen. Es ist rührend, was? Ein einziger Sturzkampfflieger würde ganz Staufen in wenigen Minuten wegputzen«, sagte Michael. Er sprach wie ein resignierter, weiser alter Mann.

»Vorläufig hat die Schweiz noch Frieden. Und dann sind immer noch die Berge da«, sagte Marion und blickte über den See.

»Du mit deinen Bergen!« sagte Michael mit nachsichtigem Lächeln.

»Aber Chris sagt, die Schweiz ist ein glückliches Land, da sie weder Öl-quellen noch Goldgruben und Eisenerze besitzt — nur Hotels und Touristen und Lungenkranke. Das lockt niemanden.« Er legte die hohle Hand über die Augen. Diese Geste war ihm in den letzten zwei Jahren zur Gewohnheit geworden. Es war, als wolle er sich ein paar Minuten in die Finsternis zurückziehen, in der er um ein Haar für immer hätte wohnen müssen. Als er aus seinem Versteck wieder herauskam, sah er heiter und froh aus.

»Gib mir mal einen Katzenkopf!« sagte er. »Ich hatte total vergessen — ich habe ja Post für dich. Von Martin.«

Marion nahm den Brief mit den Luftpostmarken der Vereinigten Staaten und betrachtete ihn lächelnd. Sie hatte schon lange auf Nachricht von ihrem Ältesten gewartet. Briefe haben ein Gesicht wie Menschen, dachte sie, während sie die Adresse las. Man braucht sie nicht zu öffnen, man weiß mit einem Blick auf den Umschlag, wer den Brief geschrieben hat und was drinsteht. Martins Briefe kamen immer in Geschäftsumschlägen, aber es waren immer sehr schicke Umschläge, die die Namen von Luxuszügen oder eleganten Hotels trugen: ›Statler Hotel‹, Cleveland; ›Washington Hotel‹, Terre Haute; ›The Challenger‹, ›Fred Harvey's‹, Bowling Green, Iowa. Sie konnte seine Tour durch den Mittelwesten verfolgen, wo er sich um Kontrakte für die Spragueschen Bohrmaschinen bemühte und Preßluftgeräte zu verkaufen suchte.

»Was schreibt er?« fragte Michael ohne besonderes Interesse.

»Es scheint ihm ganz gut zu gehen. Judy ist nach Chicago gefahren, um den Sommer bei ihren Eltern zu verbringen. Ihre Mutter will, daß sie dableibt, bis sie das Baby hat — das wird gegen Ende September sein«, referierte Marion. »Ich finde das sehr vernünftig. Er schreibt, er trage sich mit dem Gedanken, ein kleines Haus zu bauen — im Rahmen des staatlichen Darlehensplans. Er glaubt, er kann es mit zweiundfünfzig fünfzig im Monat machen — das ist nicht mehr, als sie jetzt für Miete bezahlen — und es wäre dann ihr Eigentum. Das soll wohl ein Köder sein, den er mir vor der Nase baumeln läßt. Vielleicht denkt er, ich komme nun Hals über Kopf nach Chicago, um beim Bauplan zu helfen. Ein kleines Enkelkind und die Aussicht auf den Bau eines Hauses — das ist verlockend, nicht? Es scheint ihn zu beunruhigen, daß wir in Europa sind, wenn er es auch nicht ausspricht. Der gute alte Junge! Siehst du ihn auch vor dir, wie er schwitzend im Wartezimmer des Entbindungsheims sitzt, während Judy ihr Kleines kriegt? Wenn ich eine bessere Mutter wäre, würde ich wirklich hinfahren, um ihm das Händchen zu halten«, sagte sie in dem Bestreben, einen heiteren Ton zu finden. Sie hatte schon lange Sehnsucht nach ihrem Ältesten. Martin war wie ein gutes, solides, schweres Bügeleisen. Alles wurde gerade, glatt und faltenlos, sobald es unter seine zuverlässigen, praktischen Hände kam. Manchmal versuchte Marion, wenn auch mit geringem Erfolg, das Leben mit seinen Augen zu sehen. Was würde von den ganzen Aufregungen des vergangenen Jahres übrigbleiben, wenn man sie mit Martins nüchternen, vernünftigen Augen sähe? dachte sie und seufzte über sich selber.

»Sagt er etwas darüber, ob Amerika in den Krieg eintreten wird?« fragte Michael ungeduldig.

»Nein, über den Krieg schreibt er nichts. Sie scheinen sich drüben nicht ganz klar darüber zu sein, was hier passiert und was wirklich auf dem Spiel steht. Er schreibt, das Geschäft geht ganz gut, wenn auch die Börse ziemlich flau ist«, berichtete Marion. Sie drehte den Brief hin und her, ob noch irgendwo etwas stehe. Martin hatte die drollige Angewohnheit, immer noch ein, zwei Zeilen mit Bleistift irgendwo an den Rand zu kritzeln, und gerade diese paar Zeilen enthielten gewöhnlich die kleinen Nettigkeiten. Er genierte sich, sie auf seiner geschäftlich-korrekten Schreibmaschine zu tippen.

»Hier schreibt er noch, es sei höchste Zeit, daß wir nach Hause kommen; und daß ich dir auf die Pfoten klopfen soll, weil du ihm so selten schreibst. Und eine Schiffsladung von Grüßen«, schloß sie mit einem Seufzer.

»Also die Börse ist flau?« sagte Michael. »Guter kleiner Babbitt! Guter kleiner Musterknabe! Ist es nicht schön, daß du wenigstens einen Sohn hast, der kein Sorgenkind ist?«

»Jedenfalls beruhigend«, antwortete sie. »Unter drei Kindern zwei Sorgenkinder — das ist gerade genug. Aber Martin findet wahrscheinlich, daß ich eine Sorgenmutter bin. Bei der Ortsgruppe der ›Töchter der amerikanischen Revolution‹ könnte er keinen Staat mit mir machen, nicht einmal beim Elternbund.«

Michael hörte nicht mehr zu. Er dachte an etwas anderes. Marion sah es an seinem Gesicht. Das Schießen im Dorf hatte aufgehört, die Leute waren zum Mittagessen gegangen, die Zeit verging — und noch immer hatte sie ihm nichts von Christopher gesagt.

»Die Kinder von der Mühle wollen Nero heute nachmittag feierlich begraben«, sagte er schließlich. »Ich habe ihnen versprochen, ihnen beim Grabschaufeln zu helfen und die Grabrede zu halten.« Er lehnte den Kopf zurück und schaute mit offenen Augen in die Sonne, ohne zu blinzeln. Während der letzten zwei Monate hatte Dr. Konrad ihn nun trainiert, dies von Zeit zu Zeit dreißig Sekunden lang zu machen, und Michael erprobte die Stärke seiner Augen immer wieder gern.

»Würdest du gern nach Amerika zurückfahren, bevor es hier schlimmer wird?« fragte er. Es war ein unvermuteter Angriff, der die Mutter erschreckte.

»Und du?« fragte sie zurück.

»Ich möchte nicht, daß du meinetwegen hierbleibst — wenn du das meinst«, sagte er. »Es wäre für mich eine große Erleichterung, wenn du mit dem nächsten Schiff hinüberfahren und dich in Sicherheit bringen würdest. Aber ich könnte nicht mitfahren, das weißt du ja.«

Ja, Marion wußte es. »Wirklich nicht?« fragte sie trotzdem. Noch immer in die Sonne starrend, schüttelte er den Kopf. Sein Gesicht war dunkler als sein Haar, gebräunt von Bergluft, Schnee und ultravioletten Strahlen.

»Nein, es würde mich wahnsinnig machen, drüben zu sitzen und in den Zeitungen zu lesen, was in Europa los ist. Ich sehe schon die Schlagzeilen vor mir. Hochkonjunktur in Extrablättern«, sagte er in dem Bemühen, nicht allzu ernst zu scheinen. »Weißt du noch, was unser Pauker in der Schule immer von meinen Aufsätzen sagte? Zu kontinental. So bin ich. Soviel Mühe du dir auch gegeben hast — du hast keinen Amerikaner aus mir machen können. In Europa bin ich geboren, zu Europa gehöre ich. Ich weiß nicht, ob du verstehst, wie das ist. Ein Apfel zum Beispiel. Er schmeckt anders, er sieht anders aus, er ist überhaupt etwas anderes, wenn er hier gewachsen ist; er ist vielleicht keine solche Edelfrucht, nicht so groß und prächtig wie Luther Burbanks berühmte Züchtungsprodukte drüben. Er ist klein, hart und vielleicht ein bißchen sauer und vielleicht auch wurmstichig. Aber er schmeckt besser — mir wenigstens. Oder das hier!« sagte er, beugte sich zu Boden und nahm eine Handvoll Erde in die Hand. Sie war dunkel und feucht, und ein kleiner rosiger, schlüpfriger Regenwurm ringelte sich darin. Es war nicht viel daran zu sehen, aber Michael schaute das Häufchen Erde mit einer seltsamen Verzückung an.

»Siehst du's? Riechst du's?« sagte er. »Es ist eine andere Erde, alte Erde — oder woran es liegen mag. Es ist europäische Erde.«

»Und Renate?«

»Ja — was ist mit ihr?«

»Möchtest du sie nicht bald wiedersehen?«

Michael lächelte die Mutter an. »Na, was für Absichten hast du jetzt? Bißchen kuppeln?« sagte er »Natürlich würde ich Renate gern wiedersehen. Und weißt du, warum? Weißt du, weshalb sie mir so gefällt? Weil auch sie Europa ist, selbst wenn sie jetzt in Amerika lebt. Darum.«

Er schaute wieder in die Sonne. »In gewissem Sinn ist es besser für mich, Renate nicht zu bald wiederzusehen«, sagte er. »Vergiß nicht — sie ist erst siebzehn. Legen wir sie auf Eis, bis der Krieg vorbei ist, ich meinen Doktor gemacht habe und wieder Frieden ist und so weiter. Die Welt von heute eignet sich nicht für eine junge Liebe, hab' ich nicht recht?«

Renate war Claras Stieftochter. Marion war ihnen nach dem Anschluß Österreichs behilflich gewesen, über die Grenze zu kommen. Im stillen fragte sie sich, ob Renate nach zwei Jahren Gymnasium in New York noch die Europäerin sein mochte, wie Michael sie in Erinnerung hatte.

»Dr. Konrad glaubt jetzt, ich kann im Herbst nach Lausanne gehen und meine Studien wiederaufnehmen, vorausgesetzt, daß die Schweiz nicht in den Krieg hineingezogen wird«, sagte er. »Jedenfalls könnte ich jetzt nicht fort. Ich hätte das Gefühl, als liefe ich vom Krankenbett meiner Mutter weg. — Sozusagen«, fügte er hinzu, denn es machte ihn verlegen, so große Worte zu gebrauchen, und er wußte auch, daß Marion sich immer darüber ärgerte, wenn er es tat.

»Mach bloß keinen tragischen Helden aus dir, du kleiner Frosch«, reagierte Marion prompt. »Wenn wir hier noch länger herumsitzen, kommen vielleicht auch Martin und Johnnie herüber, in sauberen, neuen Khakiuniformen, und besuchen uns und bringen ein paar gutausgerüstete amerikanische Divisionen mit.«

Sie konnte sich nicht verhehlen, daß dies ein dummer Witz war, der auf Michael keinen Eindruck machen konnte.

»Ich würde gern mitkämpfen«, sagte er nachdenklich. »Das Malheur ist nur, daß ich nicht wüßte, für wen und wofür ich kämpfen sollte. Ich würde nicht wissen, wer im Recht ist. Mir scheint, alle Beteiligten haben unrecht. Ich wollte, ich wäre nie nach Amerika gegangen, dann wäre ich heute ein Nazi und brauchte mir über nichts den Kopf zu zerbrechen. Es muß wunderbar sein, jemanden zu haben, der für einen denkt, und so überzeugt davon zu sein, daß man im Recht ist. Hättest du mich bloß nicht nach Deutschland geschickt. Das war eine Überdosierung meiner eigenen Medizin — ich habe von der Hitlerei einfach zuviel gekriegt. Ach, gerade deshalb hast du's wohl getan, was? Was für ein heimtückisches Ding du bist, Mony! Ich wünschte auch, ich hätte Christopher gar nicht kennengelernt. Vorher mochte ich die Engländer nicht leiden — das vereinfachte die Sache wesentlich. Je mehr man weiß und erfährt, desto unsicherer wird man in seinen Anschauungen. Wenn England viele solcher Menschen hat wie Christopher, wird es durchhalten, glaubst du nicht auch? Vielleicht könnte ich irgendwo Fahrer im Sanitätsdienst werden oder irgend so etwas. Ich komme mir vor wie ein Krüppel, wenn ich hier herumlungere und bloß abwarte, was geschieht. Ich bin sowieso schon lange genug ein Krüppel gewesen. Wäre es dir recht, wenn ich mich zum Sanitätsdienst meldete? Ich glaube, du hättest dann sogar Anspruch auf eine kleine Unterstützung, wenn du darum einkämst —«

»Darüber sprechen wir später«, sagte Marion, nunmehr entschlossen, ihre Mitteilung an den Mann zu bringen. »Übrigens, ich habe eine Nachricht von Christopher für dich. Er verläßt uns, Milchi«, sagte sie. Sie wollte behutsam vorgehen. »Er macht eine Bergtour — ich weiß nicht, wie lange er wegbleiben will. Er will heute um ein Uhr losziehen, und er hätte es gern, wenn du vorher zu ihm ins Hotel kämst.«

Da war's heraus. Sie hatte das Gefühl, durch Flammen zu laufen, aber sie beglückwünschte sich dazu, daß sie so gescheit gewesen war, erst nur halbe Wahrheiten in ihre Worte zu schmuggeln und damit den Schlag für Michael zu mildern.

Er zerrieb die feuchte Erde zwischen den Handflächen und ließ sie auf den Boden rieseln. »Ja, ich weiß«, sagte er ruhig. »Ich bin auf dem Heimweg am Hotel vorbeigekommen. Er hat's mir schon gesagt. Ich bin froh, daß er nach England zurückgeht. Man hat's nicht gern, wenn der beste Freund ein Drückeberger ist.«

Marion blieb die Luft weg. Da stand sie mit ihrem Latein, eben nur eine Frau, ausgeschlossen aus der Welt der Männer. Sie haben ihre eigene Art, die Dinge zu behandeln, dachte sie.

»Ich weiß nicht, wann man einen Mann einen Drückeberger nennen darf«, sagte sie ärgerlich. »Ein überzeugter Pazifist, der auf eine alte Stadt Bomben wirft, ist genauso ein Drückeberger wie der Soldat, der von seiner Truppe desertiert. Es ist ein uraltes Problem, und bisher hat noch keiner die richtige Antwort gefunden: Wer hat mehr Mut — der kämpft oder der sich weigert, zu kämpfen? Komm her, Milchi, können wir denn nicht von etwas anderm reden als vom Krieg? Wozu habe ich denn das Radio hinausgeworfen, wenn wir so weitermachen? Ich werde dir eine Kleinigkeit zu essen machen, und dann kannst du zu Christopher hinübergehen und ihm packen helfen. Vielleicht möchte er, daß du ihn über den See ruderst; er wird vermutlich vom Seewinkel aus hinaufgehen wollen.«

»Ich hab' keinen Hunger«, sagte Michael, und das war das einzige Anzeichen, daß Christophers Abreise ihn hart traf. »Ich geh' lieber gleich hinüber. Seine Bücher und seine Sachen sind zwar schon gepackt — das hat er schon vor mehr als einer Woche gemacht. Er wollte dich nicht beunruhigen.«

Wieder eine Männerverschwörung. »Na schön, Milchi — also geh!« sagte Marion. Ihr war, als wären ihr alle Knochen gebrochen, als wäre ein D-Zug über sie hinweggefahren und hätte sie auf dem Gleis liegen gelassen — lebend zwar, aber unfähig, sich zu bewegen. »Sag Chris meine besten Grüße und Wünsche und so weiter! Paß auf, daß er nicht seinen Kopf vergißt oder seine Brille oder sonst was!«

»Kommst du nicht mit?«

»Nein, nein. Ich glaube nicht. Du weißt, ich kann nicht Abschied nehmen. Ich kriege weiche Knie davon. Ich gerinne, ich werde zu Gelee. Das ist ein scheußliches Gefühl. Nein, ich komm' nicht mit.«

Michael sah seine Mutter forschend an, mit dem vertieften Ausdruck, den er sonst nur für Blumen, Schmetterlinge oder die merkwürdigen Gewohnheiten der Käfer hatte. »Wie du willst, Mony«, sagte er, rieb sich die Hände am Hosenboden und schob davon. Aber an der Gartenzaunecke kehrte er um und kam noch einmal zurück.

»Du sollst dich nicht so damit quälen, Kind«, sagte er.

»Womit quälen?«

»Ich weiß nicht. Vielleicht damit, daß du dich überwinden, daß du standhaft bleiben willst oder wie du's nennen willst.«

Marion fühlte sich dumm, hilflos, verwirrt. »Ich weiß nicht, was du
meinst«, sagte sie unsicher.

Er schaute mit dem väterlichen Ausdruck auf sie herab, den ein Meter
achtzig große Söhne für ihre Mütter haben. »Du bist doch sonst nicht so
geizig«, sagte er. »Ist es nicht altmodisch, wegen einer so einfachen und
natürlichen Sache so viel Geschichten zu machen? Wenn du mich fragst —
ich finde, die Zeit ist gar nicht danach, einem jungen Menschen ein bißchen Glück zu versagen. Aber es ist ja noch nicht zu spät. Du kannst es dir
noch überlegen. Ich habe Christopher nämlich schon adieu gesagt und ihm
versprochen, daß ich dich hinüberschicke — komplett mit Nagelschuhen, Eispickel und Zahnbürste.«

Es betäubte sie einen Augenblick lang. Redet man so mit seiner Mutter? wollte sie sagen. Aber so, wie sie miteinander standen ... Marion
mußte lächeln.

Es ist komisch, wie Kinder immer glauben, neue Erdteile zu entdecken,
von denen ihre Eltern keine Ahnung haben. Wenn ich geizig wäre, wie du
es nennst, so wärst du nicht zur Welt gekommen, mein kleiner Michael,
dachte sie. Sie mußte lachen, so wund auch ihr Inneres war.

»Was ist denn so Komisches daran?« fragte er.

»Ach, nichts. Ich erzähle es dir später einmal«, antwortete sie noch immer
von einem Lachen geschüttelt, das jeden Moment in Schluchzen umzuschla-
gen drohte. »Aber ich bin nicht geizig, und ich mache keine Geschichten.
Ich kann nur das Abschiednehmen nicht leiden. Und nun geh!«

Er zögerte noch einen Augenblick, noch immer mit dem halb ärgerlichen,
halb argwöhnischen Ausdruck auf dem hübschen, sonngebräunten Gesicht,
dann drehte er sich wortlos um und ging. Es war zehn Minuten nach elf,
und während Marion noch dastand und scheinbar in den Anblick des Dills
im Gemüsegarten vertieft war, schlug es vom Kirchturm ein Viertel zwölf.
Dann ging sie ins Haus.

Als ich herausfand, daß das amerikanische ›Mauve Decade‹ — das ›malven-
farbige Jahrzehnt‹ — unserm ›Fin de siècle‹ entspricht, war ich sehr überrascht. Denn ich glaube, unsre ›Mauve Decade‹ in Europa kam erst etwa
zehn Jahre später, damals, als ich in den Übergangsjahren war. Furchtbar
viel Lila und Melancholie und Exaltiertheit wie bei einem allzu prächtigen,
allzu farbigen Sonnenuntergang. Erwachsenwerden hat sowieso schon
etwas Malvenfarbiges, Melancholisches und Überspanntes an sich. Es war
einem schwindlig, als hinge man an einem Faden irgendwo hoch oben,
immer darauf gefaßt, jeden Augenblick in etwas Unbekanntes, Unausweich-
liches, höchst Gefahrvolles und Wunderbares hinabzustürzen.

Bei mir begann es mit einem wollüstigen Traum, den ich in all den
Jahren nicht vergessen habe, obwohl sein Inhalt ganz unbestimmt und zer-
fließend war und im Nichts schwebte. Mir war, ich ginge auf moosigem
Boden durch eine Landschaft, die ich nach einer Weile als die Landschaft

aus Botticellis ›Frühling‹ erkannte. Unter diesen Traumbäumen fühlte ich mich so beschwingt und selig wie noch nie. Aus dem dunklen Hintergrund trat ein Mann und kam auf mich zu. Er war so schön, daß ich erschrak. Und ich hatte auch allen Grund zu erschrecken, denn der Fremde hob mich wortlos auf, als wolle er mich forttragen, aber er legte mich sanft auf den weichen grünen Moosteppich und nahm mich. Der Wecker riß mich roh aus diesem Traum, und zwar gerade in dem Augenblick, als der Mann mit mir eins wurde. Ich sah das fremde Tapetenmuster eines kleinen Provinz-hotels vor mir; denn ich war auf meiner ersten Konzerttournee, und wir hatten am Abend vorher in einer mährischen Kleinstadt gespielt. Ich war schockiert und gleichzeitig ungeheuer stolz darauf, daß ich imstande war, so etwas Außerordentliches zu träumen.

So nach und nach war ich nun doch noch sechzehn geworden. Ich ging mit meiner Generation durch eine Epoche, die den Stempel der russischen Literatur trug: Dostojewskij, Tolstoi, Tschechow. Ich hatte Anna Kare-ninas Ehebruch und die heilige Prostituierte Sonja schon hinter mir und warf mich jetzt der französischen Décadence in die Arme. Baudelaire, Verlaine, Rimbaud, Huysmans, Maeterlinck. Und nun war ich sogar im Traum von einem schönen Fremden vergewaltigt worden ...

Ich lernte Charles Dupont im März beim Frühlingsfest der ›Jungen Kunst‹ kennen, und es wäre unrichtig, zu sagen, daß es Liebe auf den ersten Blick war. Ich war schon in ihn verliebt, noch bevor ich ihn kannte, ja bevor ich noch irgendeines seiner Bilder gesehen hatte. Als er mir die Hand küßte – nicht auf den Handrücken, wie es die Wiener Kavaliere tun, sondern in die innere Handfläche –, dachte ich: Schicksal. Oder irgendein ähnliches großes, aufgeblasenes, sinnloses Wort ...

Die Leute von der ›Jungen Kunst‹ hatten sich lose zusammengefunden, um alles Neue und Revolutionäre in der Kunst zu verkünden. Ihr Klub war wie eine Blumenzwiebel, in der schon fast alles schlummerte, was sich bis zur Gegenwart entwickelt hat, bis zu diesem unheilschwangeren Jahr 1940. Es war eine neue Lebensrichtung, eine neue Schönheit – karg, hart, zäh und wahr –, die die satte, überladene, prahlerische ›Schönheit‹ einer gottver-lassenen Bourgeois-Epoche verdrängen sollte. Es war eine Rohskizze unsres zwanzigsten Jahrhunderts, und es war schon alles darin angedeutet, viel-leicht auch schon dieser Krieg.

Ich war von Clara und Schani und dem Dirigenten Kant – der mir den ersten, menschenfresserischen Kuß gegeben hatte – zu den Vorbereitungen für ein Fest der ›Jungen Kunst‹ zugezogen worden. Clara hatte Schani lange gequält, eine Tanzmusik für sie zu schreiben. Keinen süßen Walzer, keine kokette Polka, auch keinen Onestep, jenes barbarische Zeug, das aus Amerika herübergekommen war. Nach vielen Zusammenkünften brüteten sie etwas aus, was sie ›Pierrot Mélancolique‹ nannten. Melancholische Pierrots waren unter uns große Mode. Wir Mädels gingen in geradlinigen schwarzen Reformkleidern umher, mit großen weißen Rüschenkragen, auf denen unsere Gesichter wie auf Porzellantellern mit geschwungenen Rän-dern serviert waren, und mit Rüschen um die Handgelenke, die unsre

Hände exquisit, kostbar und ein wenig müde erscheinen ließen — denn so wollten uns die Männer haben.

Weißt du noch, die Aufregung, das Getue und der Jammer, bevor wir den ›Pierrot Mélancolique‹ aufführten? Die ›Junge Kunst‹ war noch eine ummauerte Zitadelle, eine geheime Verschwörung, etwas Ungreifbares und Esoterisches. Wie viele Beziehungen wir spielen, wie viele Briefe wir schreiben, wie oft wir vorspielen mußten und wie viele Absagen wir bekamen! Wir waren ja nur drei kleine Niemande. Clara tanzte in der letzten Quadrille des verkalkten Opernballetts. Schani war ein unbekannter, unansehnlicher, unmanierlicher Bursche, der in drittklassigen Konzerten begleitete. Und ich, sozusagen die Hebamme unseres melancholischen Pierrots, konnte nur mit einem dünnen Heftchen voll wohlwollender Zeitungskritiken aus der Provinz aufwarten — das war alles. Nachdem aber Schani seine Musik Kant vorgespielt hatte; nachdem Clara den ›Pierrot‹ vor einer kleinen Jury der ›Jungen Kunst‹ getanzt hatte; nachdem wir versprochen hatten, das erforderliche Kammerorchester kostenlos zusammenzubringen; nachdem Graf Nicki Hoyot, das fidele Haus, zur Anschaffung der Kostüme etwas Geld vorgeschossen hatte; nachdem Mama Balbi kilometerweise Organdy in der Farbe von Herbstzeitlosen zerschnitten und zusammengenäht hatte; nachdem wir geschuftet und geschwitzt, geprobt und studiert hatten; nachdem wir uns gezankt, gehaßt und wieder versöhnt, die ganze Sache verzweifelt aufgegeben und uns einer an der Brust des andern ausgeweint hatten; nachdem wir einander fast zum Wahnsinn gebracht hatten — stand er endlich, unser ›Pierrot Mélancolique‹. Das erste revolutionäre, das erste moderne Tanzstück.

Wahrscheinlich war das Ganze sehr komisch, wie es alle Anfänge sind, aber wir nahmen uns selber sehr ernst. Wir waren Fackelträger und Bannerschwinger und Vorkämpfer einer großen Sache. Jugend will an etwas glauben und für etwas kämpfen, sonst verfault sie in den Wurzeln. Wir kämpften für einen neuen Lebensstil und einen neuen Kunststil. Von der andern Hälfte der Welt, die für eine neue Gesellschaftsordnung kämpfte, hatten wir in unserm Wolkenkuckucksheim noch nichts gehört. Das kam erst später — als ich Walter kennenlernte.

Das große Ereignis fand in der ›Secession‹ statt. An den Wänden waren moderne Malereien, und moderne Skulpturen flankierten den Eingang. Man hatte eine kleine Bühne improvisiert — zwei graue Pylonen und einen grauen Hintergrund, alles vollkommene ›Junge Kunst‹. Clara tanzte, wie man noch nie jemanden hatte tanzen sehen, und Schanis Musik war dünn und linear, ganz Knochen ohne Fleisch, eine Backpfeife für Wagner und Richard Strauss. Schani saß am Flügel, und ich spielte die Erste Geige in dem sechsköpfigen Orchester, während Kant, sehr blaß und erregt, ohne Taktstock dirigierte. Ich trug mein schwarzes Kleid mit den weißen Rüschen, hatte das Gefühl, etwas Zauberhaftes zu sein, etwa eine schwarze Lotosblume oder ein singender Mondstrahl, der sich in einem dunklen Teich spiegelt. Meine Stimmung war so wunderbar, wie sie nur sein kann, wenn man noch unter Siebzehn ist.

Als alles vorüber war und das Publikum applaudierte, waren wir alle wie in einem Taumel; ich hatte das Gefühl, daß mir Fieberschauer über den Rücken jagten, und das Blut dröhnte mir dumpf in den Schläfen. Kant war es, der mir Charles Dupont vorstellte. Ich sah, wie sie gegen den Strom der hinausdrängenden Menge auf mich zuschwammen, und riß mich zusammen, um gewappnet zu sein für das, was kommen sollte. »Marion, das ist Charles Dupont«, sagte Kant. »Er möchte Sie in Öl malen. Gehen Sie nicht darauf ein! Seine Porträts sind skandalös.«

Charles nahm meine Hand, drehte sie um und küßte die Handfläche. Dabei beugte er sich nicht nieder, sondern sah mir gerade ins Gesicht. »Ihr rechtes Profil ist sehr jung und kindlich«, sagte er, »aber das linke ist sehr alt, sehr, sehr alt und sehr, sehr weise. Als ob Sie schon alles wüßten.«

»Hören Sie nicht auf seine Oden!« sagte Kant. »Und wenn Sie es tun, dann machen Sie mich nicht dafür verantwortlich, daß ich ihn Ihnen vorgestellt habe! Sagen Sie nachher nicht, ich hätte Sie nicht gewarnt. Charles ist ein Jungfrauenverführer und ein Wüstling schlimmster Sorte.«

»Verzieh dich«, sagte Charles zu Kant. »Verdufte! Verfrachte deine anstößige Existenz irgendwoanders hin! Mit andern Worten: Verschwinde!« Kant verschwand, wobei er anzüglich ein Motiv aus dem ›Don Juan‹ pfiff.

»Ist das wahr?« fragte ich.

»Was?«

»Was er über Sie gesagt hat.«

»Unsinn«, sagte Charles. »Ich bin der typische Familienvater. Ich bin glücklich verheiratet und habe drei Kinder — Zwillinge und ein Mädel. Glauben Sie mir vielleicht nicht?«

»Nein«, sagte ich hilflos. »Warum machen Sie sich über mich lustig?«

»Verzeihung, ich glaube, ich weiß nicht, was ich rede«, sagte er, ohne den Blick von mir zu wenden. Er sah mich so unverhüllt an, daß ich das Gefühl hatte, er berühre und küsse mich. Ich versuchte den Bann zu brechen.

»Sie sehen Ihrem Bild nicht ähnlich«, sagte ich.

»Welchem Bild?«

»Ihrem Selbstporträt.«

»Ach, das kennen Sie? Nein, kein einziges meiner Selbstporträts ist gut. Dabei wird eigentlich alles, was ich male, zum Selbstporträt. Eine Landschaft. Blumen. Ein Baum. Eine Frau. Alles sieht aus wie ich. Natürlich nicht in der äußeren Form. Es ist eher so, als wenn — als wenn man eine Kerze in eine Muschel stellt. Das Licht scheint durch, das innere Licht. Oder — wenn Sie so wollen — die innere Dunkelheit. Sie verstehen, was ich sagen will, ja? Ich wußte, Sie würden mich verstehen. Wir brauchen keine Konversation zu machen, wir beide nicht, Sie und ich. Worte sind so schlechte — wie nannten wir es in der Schule? — schlechte Wärmeleiter.«

Ich stand verdutzt da, während dieses Feuerwerk um meinen Kopf prasselte. Er sieht aus wie ein Schauspieler, dachte ich. Er sah so aus, weil er mit der Mode, die eine ›Bürste‹ vorschrieb, gebrochen hatte: sein Gesicht war glatt rasiert. Zum erstenmal sah ich die Lippen eines Mannes unbedeckt. Sie waren rot, kräftig und ausdrucksvoll, und der ungewohnte Anblick regte mich auf. »Sie sehen aus wie ein Schauspieler«, sagte ich, als sich wieder Schweigen über uns gesenkt hatte. Wir waren allein auf der grauen Samtbühne. Aus dem Nebenraum, wo eine Sektbowle serviert wurde, drangen Stimmen und Gelächter wie das Rauschen eines fernen Wasserfalls zu uns herüber.

»Sie erinnern sich doch, daß wir einander schon einmal begegnet sind?« sagte er.

»Nein — wo?« fragte ich, genau das, was er gewollt hatte.

»In Ägypten. Vor zweitausend Jahren. Sie waren eine junge Sklavin der Fürstin Hatschepsut, und ich war einer von den Palastwächtern. Damals wurden wir beide hingerichtet, denn die Fürstin war ein liebestolles Weib und kolossal eifersüchtig! Und später — in Venedig —, erinnern Sie sich? Sie waren die jüngste Tochter des Dogen, und ich war ein armer Taugenichts, ein Maler — genau wie heute. Dennoch brannten Sie mit mir durch. In jedem Jahrhundert sind Sie mindestens einmal mit mir durchgebrannt. Jetzt sind wir wieder an der Reihe. Ich wußte, ich würde Sie eines Tages wiederfinden — ich habe auf Sie gewartet. Das letztemal war es in der Französischen Revolution.«

Ja, es klingt heute komisch, aber als ich es zum erstenmal hörte, war es wundervoll, und ich verschlang jedes einzelne Wort. Charles hatte viele solcher Walzen auf Lager, und auf jede fiel ich hinein. Eigentlich finden wir ja alles komisch, was weit genug zurückliegt, und nur was uns gerade in diesem Augenblick passiert, nehmen wir furchtbar ernst. Das beste Mittel dagegen, uns nicht allzu wichtig zu nehmen, besteht darin, uns in einen Zeitpunkt zehn Jahre später zu versetzen und dann zurückzublicken. Wie komisch wird mir dieser Tag in zehn Jahren vorkommen, nicht wahr? Das war doch der Tag, als Frankreich zusammenbrach und ich als alternde Frau von einem jungen Engländer hingerissen war, wie hieß er doch? Einem langen, knochigen, sehr kurzsichtigen jungen Engländer. Was ist aus ihm geworden? Ach, nichts Besonderes. Man hat ihn in London in irgendein Amt gesteckt, und nachdem die Alliierten mit dem Hitler-Wahnsinn Schluß gemacht und die Engländer ihre geräuschlose und höchst achtbare Revolution erledigt hatten, wurde er Dozent an einer Volksuniversität, heiratete und bekam zwei Kinder. Ja, ich habe ihn ein paar Jahre später in London getroffen — aber er erkannte mich nicht. Er war sehr kurzsichtig. Ich habe seinen Namen vergessen — mein Gedächtnis läßt mich neuerdings im Stich —, das Alter, wissen Sie... Ja, Marion, so ähnlich — hofft du — wird es sein. Aber höchstwahrscheinlich wird alles ganz anders, und du wirst verdammt wenig Ursache haben, über den heutigen Tag Witze zu machen — auch in zehn Jahren nicht.

Mitten in der Unterhaltung mit Charles tauchte plötzlich Schani auf, in jeder Hand ein Glas. Er schien auch erhöhte Temperatur zu haben oder vielleicht sogar ein bißchen betrunken zu sein. »Trink, Herzensschatz, trink!« rief er mir zu. »Das ist ein großer Tag — es ist der Tag aller Pierrots, die an die vertikale Musik glauben. Trinken wir uns einen an, denn: nous sommes arrivés!« Der Erfolg war ihm offenbar zu Kopf gestiegen. Er drückte mir ein

Glas in die Hand. Der feine, scharfe, grüne Duft des Waldmeisters stieg daraus empor. »Auf unsre Zukunft!« sagte er begeistert. »Auf deine und meine Zukunft, Schätzchen!«

Dann erst bemerkte er Charles Dupont. »Sagen Sie mal, wer sind Sie denn?« fragte er grob; ich sah, daß er sich betrunkener stellte, als er war, um seine schlechten Manieren zu verbergen. »Aha — ich verstehe«, sagte er. »Einer von den Jungkünstlern! Die verdammte ›Junge Kunst‹ steht Ihnen ja im Gesicht geschrieben. Haben Sie etwas dagegen, wenn ich Ihnen sage, daß mir Ihr Gesicht unsympathisch ist?«

»Mein Name ist Charles Dupont — ich bin ein alter Freund von Marion«, sagte Charles sanft. »Und ich unterschreibe unbedingt, was Sie da von meinem Gesicht gesagt haben. Haben Sie etwas dagegen, wenn ich Ihnen sage, daß mir Ihr Gesicht außerordentlich gefällt? Ihre Musik übrigens auch.«

Mehr brauchte es nicht, um in Schanis Augen einen veritablen Sonnenaufgang hervorzurufen; er ergriff Charles' Hand und schüttelte sie kräftig. »Verzeihung«, sagte er. »Ich glaube, ich bin betrunken. Ich weiß nicht, ob Sie sich noch erinnern, welches Gefühl Sie hatten, als Sie Ihr erstes Bild verkauften. Wie gefällt Ihnen Walt Whitman? Haben Sie schon einmal versucht, nach seinen Gedichten eine Landschaft zu malen? Nein? Ich ja. Ich habe sie komponiert. Die neue Welt. Ich bin der neue Columbus, ich habe für die Musik einen neuen Erdteil entdeckt. Schätzchen«, sagte er und vergaß Dupont genauso unvermittelt, wie er ihm nahegekommen war. »Schätzchen, ich fürchte, ich kann dich heute nicht nach Hause begleiten. Ich geh mit ein paar Kollegen aus — feiern, verstehst du? Es ist eine reine Herrengesellschaft. Kant hat mich eingeladen, es ist sehr wichtig. Ich soll ihm nämlich ›Paumanok‹ vorspielen. Glaubst du, daß du das einemal ohne meine Begleitung nach Haus findest?«

»Sei nicht albern«, sagte ich. »Wann hörst du endlich auf, mich zu bemuttern?« »Ich werde dafür sorgen, daß Marion sicher nach Hause kommt«, sagte Charles höflich. Schani warf ihm unter dem Gestrüpp seiner Augenbrauen einen raschen Blick zu — wachsam, nüchtern, abschätzend. »Gut«, sagte er. »Also gut.« Er marschierte etwas unsicher hinaus. »Schätzchen«, rief er zurück, bevor er noch den Ausgang erreicht hatte, »wenn du vielleicht zufällig auf einem Regenbogen in den siebenten Himmel klettern solltest, gib acht, daß du nicht ausrutschst — Regenbogen sind so verdammt glitschig.«

»Armer Kerl — so begabt und so eifersüchtig!« sagte Charles, nachdem Schani verschwunden war. »Ich möchte ihn gern malen — als Clown, als traurigen, grotesken Clown, mit viel Orange im Hintergrund und ganz ohne Augen im Gesicht — nur Zirkusschminke und Maske und vollkommene Resignation. Kommen Sie, gehen wir! Ich bringe Sie nach Hause — und ich hoffe zu Gott, daß Sie am andern Ende der Stadt wohnen.«

Mein Gehirn arbeitete blitzschnell. Wenn ich Charles sagte, daß ich um die Ecke wohnte, war dieser Abend zu Ende. Der bloße Gedanke gab mir das

Gefühl, als sei eine Saite in mir zu straff gespannt — sie riß und schlug mit einem scharfen Schmerz gegen die Wände meines Herzens.

»Das tu' ich wirklich«, sagte ich. »Weit draußen im neunzehnten Bezirk. Braganzagasse 14, ja, Braganzagasse.« Diese Adresse war plötzlich aus dem violetten Samtbeutel meines Unterbewußtseins geschlüpft, wo ich sie durch viele Jahre aufbewahrt hatte. Es war die Adresse meines Großonkels Heinrich, den ich damals als kleines Kind besucht hatte. Die Omnibusfahrt war mir damals wie eine endlose Reise vorgekommen.

»Neunzehnter Bezirk. Gut«, sagte Charles. »Wir werden uns nach einem Fiaker umsehen, mit sehr alten, sehr müden Pferden und einem schläfrigen Kutscher, und wir werden ihm sagen, er soll ein paar Umwege machen. Ach, Marion, nun, wo ich dich gefunden habe, werde ich dich nie, nie wieder lassen!«

Mit dem Fortschritt ist es eine merkwürdige Sache. Wir leben mittendrin, er umgibt uns von allen Seiten, wir werden von ihm vorwärtsgetragen, und wenn wir zurückschauen, können wir feststellen, was für eine Strecke wir schon hinter uns gebracht, was für große Schritte wir gemacht haben. Aber während der Fortschritt fortschreitet, spüren wir, merken wir und wissen wir nichts von ihm. Weißt du etwa noch, wann du das erste Automobil gesehen hast? Nein. Wann du zum erstenmal in einem Auto gefahren bist? Auch nicht. Wann du zum erstenmal ein Flugzeug, ein Motorboot, ein Radio gesehen hast? Nein, keine Ahnung. Als ich ein kleines Kind war, gab es das alles nicht, und dann war auf einmal alles da. Ich schließe die Augen und versuche mir die Zeit vor dem Krieg zu vergegenwärtigen — die Zeit meiner späteren Kindheit. Ja, da hat es auf der Straße schon Automobile gegeben, und wir sind ins Kino gegangen, das uns aufregend und ganz wunderbar vorkam, und unsere kühnen jungen Offiziere kutschierten mit Luftschiffen und Aeroplanen umher und sagten ihnen eine große Zukunft voraus. Das alles scheint sich hinter unserm Rücken in unser Leben eingeschlichen zu haben und war auf einmal da. Aber der einzige große Fortschritt, an dessen Kommen ich mich wirklich erinnern kann, war, daß wir in der Küche eine Wasserleitung bekamen.

Die Fiakerfahrt in jener Nacht ist mir deutlich im Gedächtnis geblieben — das schläfrige Hufeklappern der Pferde auf dem Kopfpflaster der stillen, menschenleeren Straßen, das träumerische Schnalzen der Peitsche, der müde Rücken des Kutschers vor uns. Obwohl die Nacht frisch und kühl war, hatte Charles das Wagendach zurückgeschlagen, beinahe demonstrativ, als wolle er mich darüber beruhigen, daß er keine schlechten Absichten habe. Mit einem Mann im geschlossenen Wagen fahren, nannte man eine ›Porzellanfuhre‹, und es stempelte einen zum gefallenen Mädchen; ich war daher dankbar und erleichtert, als sich das Dach hinter unsern Köpfen zusammenlegte und ich den weiten, offenen Himmel über uns sehen konnte. Trapptrapp, trapptrapp, liefen die beiden Pferde. Charles legte den Arm um meine Schulter, wir lehnten die Köpfe zurück und schauten zu den Sternen empor — die viel heller leuchteten als heutzutage, denn die Straßen waren damals viel dunkler.

John hat einmal gesagt: Das Glück ist wie Radium; es ist etwas, was man nur in unendlich kleinen Dosen vertragen kann, dessen Kraft und Licht und Ausstrahlung sich aber immer wieder aus sich selbst heraus erneuern. Ich meine nicht dieses laute, langweilige Glück, das nur darin besteht, daß man nicht unglücklich ist; ich meine nicht Zufriedenheit, nicht, daß es einem gutgeht und man viel mitmacht und sich amüsiert. Ich meine das wirkliche Glücklichsein, dieses reiche, leuchtende, hinreißende Glück, das manchmal ein paar Minuten dauert, höchstens aber eine halbe Stunde. Wenn wir am Ende unsres Lebens alles zusammenrechnen wollen, was wir an solch wahrem Glück genossen haben — es würde kaum einen Tag füllen. Und dann glaube ich auch, daß jedem menschlichen Wesen ein nahezu gleiches Maß an solchem Glück zugeteilt ist; ob man es nun in der Kirche oder im Rinnstein, im Eros oder im Denken, in der Aufopferung oder im Verbrechen findet — das macht keinen Unterschied.

Die Fahrt durch die kühle Nacht war eine unvergeßliche, lange Spanne des Glücks.

Wir fuhren und fuhren. Es dauerte eine kleine Ewigkeit, bis wir ans Ziel kamen, aber schließlich erreichten wir das noble Viertel, ich ließ den Fiaker an der Ecke der Braganzagasse halten und bat Charles, mich allein nach Hause gehen zu lassen. Onkel Heinrichs elegante Villa stand weiß und deutlich mit scharfen schwarzen Schatten in der mondhellen Nacht. Alle Fenster waren dunkel, und ich dankte Gott, daß sich niemand sehen ließ. Ein Laternenanzünder kam in seinem weißen Kittel die Straße herunter und löschte jede zweite Laterne aus. Mitternacht. Die Luft schmeckte süß und grün. Da stand ich nun und überlegte, wie ich von der Peripherie der Stadt nach dem Zentrum, in dem wir wohnten, zurückkommen sollte. Ich war noch nie so spät allein ausgewesen. Ich wußte überhaupt nicht, wie ich nach dieser Nacht, in der ich mich in Charles verliebt hatte, wieder mein früheres Leben aufnehmen sollte. Da vereinigte sich mein Schatten auf dem Gehsteig mit einem andern Schatten, und als ich mich umwandte, sah ich Charles an meiner Seite. »Ich wollte dir bloß noch einmal gute Nacht sagen«, sagte er.

»Danke«, erwiderte ich. »Gute Nacht.«

»Gute Nacht«, sagte er. »Gute Nacht. Es war bezaubernd.«

»Charles«, sagte ich. »Ich hab' dich beschwindelt. Ich wohne gar nicht hier. Ich wollte nur etwas länger mit dir zusammensein. Kannst du mich wieder in die Stadt zurückbringen?«

»Gut!« sagte er mit einem leisen Lachen. »Ich hätte dich sowieso nicht fortgelassen. Weißt du, daß ich dich noch nicht einmal geküßt habe? Es ist viel zu früh zum Auseinandergehen.«

Wir stiegen wieder in den Wagen und fuhren weiter. Die Nacht wurde fahl und heller und traumhaft. Ich war sehr müde, aber ich wollte nicht schlafen, aus Angst, etwas von diesen kostbaren Minuten zu versäumen. Alles hatte seine Wirklichkeit verloren. Der Kutscher schlief, die Pferde schliefen, und der Fiaker rollte im Schlaf weiter. Trapptrapp. Trapptrapp. Wir hielten vor einem niedrigen, weitläufigen Gebäude mit grünen Fensterläden. »Komm doch einen Augenblick mit in mein Atelier«, sagte Charles.

»Das Gefühl, daß du hier gewesen bist, wird mir den ganzen Raum verschönen. Wenn ich morgen an die Arbeit gehe, werde ich in der ganzen Atmosphäre deine Gegenwart fühlen. Jetzt, wo ich dich gefunden habe, werde ich ein großer Maler werden – das verspreche ich dir!«

Von solchen Worten nährt sich die Liebe. Ich fürchtete mich und zögerte. »Warten Sie hier, wir sind in ein paar Minuten wieder zurück«, sagte Charles zum Kutscher, während er mir aus dem Wagen half und den Schlüssel hervorholte. Der Kutscher grinste verständnisvoll in seinem Schlaf. »Du brauchst dich nicht zu fürchten«, sagte Charles, während er mich einließ. »Lieber würde ich sterben, als dir etwas zuleide tun.«

Ich sog den Geruch von Ölfarbe und Terpentin ein, der mir in den folgenden Wochen so vertraut werden sollte. Auf dem Glasdach lag ein großer Fleck Mondlicht. »Wir drehen das elektrische Licht nicht an – es macht alles so kalt«, sagte Charles und hielt ein Streichholz an die Kerze. Ungerahmte Bilder sprangen aus den Wänden. Auf der Staffelei stand eine Skizze, in einem Winkel lehnten Leinwandrollen. Eine niedrige breite Couch war da, ein rundes Eisenöfchen und schwarze Rohre, die sich wie gereizte Schlangen zur Decke hinaufwanden, und ein gewaltiger antiker Schrank, dessen Türen mit Rosen bemalt waren.

»Schau dich nicht um, es ist so eine Unordnung«, sagte Charles. »Es ist eigentlich ein alter Stall, der zu einem Atelier umgebaut worden ist. Ich wollte nur, daß du in dieser Luft, die ich atme, dein Bild zurückläßt.«

»Willst du mich noch immer malen?« fragte ich schüchtern. Ich hatte die abenteuerliche Vorstellung, ein großes Opfer zu bringen, wenn ich ihm erlaubte, mich auszuziehen, mich anzusehen und zu malen und ihm hierdurch eine ungeahnte Inspiration zu geben und ihn zum größten aller lebenden Künstler zu machen. Mein Leib erschauerte unter dem schwarzen Kleid, ich mußte daran denken, wie klein meine Brüste waren, und ich hoffte, sie würden ihm gefallen, wenn sie auch noch jung und zart waren.

»Nein, Marion. Ich werde dich nie malen«, sagte er, ohne sich mir zu nähern.

»Nicht?« sagte ich enttäuscht. »Ich weiß, daß ich nicht sehr hübsch bin, aber ich dachte –«

»Ich kann eine Frau, die ich liebe, nicht malen. Ich liebe dich, Mignonne. Hast du jemals gehört, daß ein Chirurg seine eigene Frau oder seine Geliebte operiert? Nun – mit dem Malen ist es ebenso.«

»Ja, aber eine Operation ist gefährlich«, wandte ich ein.

»Das Malen auch – wenn man verliebt ist. Du weißt nicht, wie gefährlich!« erwiderte er kurz. Ich glaube, ich habe im flackernden Kerzenlicht sehr niedergeschlagen ausgesehen. »Wie jung bist du, meine Schwester, meine Braut«, sagte er leise. Erst später fiel mir ein, daß diese Worte aus dem ›Hohen Lied‹ waren. »Soll ich dich küssen?« sagte er. »Wenn du nicht willst, tu ich es nicht.« Er rührte sich nicht, er wartete darauf, daß ich zu ihm käme. Ich schritt über die Schattenstreifen, die die Staffelei auf den Fußboden warf, direkt in seine Arme hinein. Von allen Küssen, die ich in meinem Leben gegeben und bekommen habe, haftete dieser erste am deutlichsten und am unvergeßlichsten in meinem Gedächtnis.

»Gehen wir!« sagte er heiser, als er mich losließ. Er schob mich geradezu fort und ging vor mir zur Tür. Der Fußboden knarrte unter seinen Schritten, im Dunkeln hörte man, wie der Kalk von den Wänden rieselte, und dann berührte die Kühle im Freien mein Gesicht wie eine Hand. Wir weckten den Kutscher und fuhren weiter. Der Mond war nicht ganz voll, aber sehr hell. Er war aus dem Dunst hervorgetreten und zeichnete feine japanische Silhouetten von knospenden Zweigen auf die weißgetünchte Mauer des alten Parks, an dem wir vorbeikamen. Später hielten wir vor einem kleinen Kaffeehaus, das sich an eine Kirche anlehnte, und traten ein. Eine verschlafene Blondine thronte zwischen zwei Topfpalmen und zählte Zuckerwürfel in winzige Nickelschälchen. In einer Ecke spielten vier Leute Karten, und ein fünfter kiebitzte. Ein ungewaschener Kellner machte eine Geste, als wische er für uns die Marmorplatte eines kleinen Tisches ab, und brachte uns Kaffee und Brioches. Blaue Bartstoppeln sproßten auf seinen Backen, denn es war sehr spät nachts. Charles erzählte mir von seiner Kindheit, von einem Hund, den er als Junge geliebt hatte, und von einem Feigenbaum im elterlichen Garten. Die Uhr des Kirchleins nebenan schlug vier. Die Nacht verblich. Wir verließen das Lokal und fuhren weiter. Der Mond wurde blasser, die ersten Straßenbahnwagen rasselten durch die stille Stadt. Der Kutscher erwachte und sagte uns, seine Pferde müßten sich mal eine Weile ausruhen. Wir stiegen aus und gingen spazieren. Die Ohren sangen mir vor Müdigkeit, ich weiß noch, wie ich redete und redete, wie ich ihm meine ganze Seele hingab und seine Seele suchte. Es wurde heller, ein feiner Nebel hing an den Bäumen, das Straßenpflaster glänzte feucht. Die ersten Arbeiter kamen durch die Dämmerung, und irgendwo in einer Kaserne blies ein Horn die Reveille. Wir gingen zum Wagen zurück und fuhren weiter. Wir saßen auf einer nassen Gartenbank. Wir wanderten über eine Brücke. Wir blieben stehen und schauten auf die flachen Kähne hinunter, die dort vertäut lagen und wie im Schlaf leise ächzten. Wir fuhren wieder. Wir gingen in eine alte kleine Kapelle, in der kalter Weihrauchduft stand. Ein Priester stand gebeugt vor dem Altar und murmelte die Morgenmesse. Als wir wieder auf die Straße hinauskamen, fraßen die Pferde Heu aus den Futtersäcken, die ihnen ums Maul gebunden waren. Wir verhandelten wieder mit dem Kutscher, und er fuhr uns nach einem Dörfchen am Donauufer. Wir frühstückten in einem kleinen Gasthaus, in dem viele Fischer und dicke, laute Marktweiber saßen. Noch brannten die Petroleumlampen — noch war es nicht Tag. Charles sagte, wir müßten uns vom Kahlenberg den Sonnenaufgang ansehen. Es war alles so herrlich verrückt. Wir fuhren bergauf, vorüber an fröstelnden, kahlen, schlafenden Weinbergen. Die Luft war schwer von dem Geruch von Millionen Veilchen, die auf den Wienerwaldwiesen wuchsen. Ich erzählte Charles von Putzi und von unsern Frühlingsausflügen. Er nahm mein Gesicht zwischen beide Hände und küßte mich diesmal sehr sanft, sehr behutsam. »Deine Lippen schmecken wie Erdbeereis«, sagte er. Als die Straße stärker anstieg, wollten die Pferde nicht weiter, und der Kutscher wurde widerborstig. Wir sagten ihm, er solle warten, und gingen zu Fuß weiter.

Bei Sonnenaufgang erreichten wir den Gipfel des Kahlenbergs. Wir sahen, wie sich die Baumwipfel röteten und wie auf dem benachbarten Leopoldsberg die Kuppel des Klosters, grün von Patina, aus dem Nebel stieg und die goldnen Funken der aufgehenden Sonne auffing. Wir sahen die Donau, die sich wie eine große, dicke, glitzernde Schlange an der Stadt entlang und durch die nebelgraue Ebene wand. Wir hörten, wie in den hundert Kirchen die Glocken erwachten und den Morgen einläuteten. Charles sagte etwas von ›Augen-Schließen‹, ›Sich-selbst-Aufgeben‹ und ›Sich-eins-Fühlen-mit-dem-All‹. So etwas war damals große Mode und machte tiefen Eindruck auf mich.

Schließlich fuhren wir in die Stadt zurück und nahmen endlos Abschied auf dem kleinen grünen Schillerplatz, wobei uns Schiller von seinem hohen schwarzen Marmorsockel verdrossen zuschaute. Im letzten Augenblick sagte Charles zu mir, daß wir uns eine Woche lang nicht sehen könnten, da er nach Paris reisen müsse. Er sagte es so nebenher, als wäre Paris gleich um die Ecke. Ich schwebte nach Hause mit dem Gefühl, Segel oder Flügel oder sonst ein neues Organ zu haben, das mich von aller Erdenschwere befreite.

Es war schon kurz vor neun, als ich mich an Herrn Jerabeks Verschlag vorbeischlich. Irgendwie hatte ich während dieser endlosen, hinreißenden Nacht die unbestimmte Hoffnung gehegt, es würde mir gelingen, mich in mein Zimmer hineinzuschmuggeln, bevor meine Eltern beim Frühstück wären, und ich könnte mit Vefis Hilfe und ein paar geschickten Lügen mein sündiges Tun verschleiern. Aber in dem Moment, wo ich mit meinem Schlüssel die Wohnungstür öffnete und in mein Zimmer schleichen wollte, wurde mir schon klar, daß alles schiefgegangen war. Vor allem spürte ich sofort den Geruch, der stets die nervösen Anfälle meiner Mutter begleitete. Kamillentee. Leicht süßlicher Äther. Ein schauerliches Gebräu, genannt Hoffmannstropfen. Alkoholeinreibungen. Und dann noch Karbolsäure. All die deprimierenden Krankenhausgerüche waren beisammen. Durch die geschlossene Tür hörte ich meine Mutter schluchzen — oder bildete es mir wenigstens ein.

Vefi hatte verschwollene Augen und einen Weinkrampf. Meine Freundin Kathi drehte die Augen zum Himmel und murmelte einen kräftigen böhmischen Fluch, als ich an ihr vorbei durch die Küche ging — denn zu allem Überfluß war heute Waschtag. Tante Karoline hatte einen Nervenzusammenbruch erlitten und sich mit hysterischen Ausbrüchen auf das Sofa in meinem Zimmer geworfen. Meine Mutter lag im Bett und sah noch kleiner aus als sonst. Dr. Popper, unser lederner Hausarzt, beugte sich mit einem Löffel in der Hand über sie. Sie sah mich an, als mache es ihr Mühe, mich zu erkennen, sagte aber kein Wort.

Im Vorderzimmer saß mein Vater am Tisch, den Kopf in die Hände gestützt, in einer Pose tiefster Verzweiflung. Putzi, mein ›kleiner‹ Großvater, offenbar nachts herbeigerufen, stand hinter meinem Vater und legte die

Hände tröstend auf seine Schultern. Es war eine Gruppe, die dem Aktschluß eines Sudermann-Stücks zur Ehre gereicht hätte. Meinem Vater gegenüber saß vor einem Schnapsgläschen das Gesetz: ein Polizist in Uniform mit einem Büchlein in der Hand; er leckte einen Bleistift an und machte sich vermutlich Notizen für die Vermißtenanzeige. Es war die Heimkehr der verlorenen Tochter — mit allem, was dazugehört, gut inszeniert und gut gespielt.

Meine erste wirkliche Liebe begann mit einem Skandal, endete — fünf Monate später — mit einem Skandal und war in der ganzen Zwischenzeit ein Skandal, ein ewiger Verdruß und eine unerträgliche Hölle.

Ich weiß nicht, wie Wien zu dem Ruf einer heiteren, sorglosen Stadt gekommen ist — vielleicht durch seine betriebsame saccharinsüße Operettenindustrie mit ihren schmalzigen Walzern und ihrer verlogenen Lebensfreude. In Wirklichkeit war Wien, solange ich denken kann, eine traurige, deprimierende Stadt. Eine schöne Stadt, gewiß, mit einer vibrierenden, sinnlichen Atmosphäre, aber eine Stadt, die zu alt geworden war und keine Illusionen mehr hatte. Erschöpft und ermüdet, unzufrieden mit den Dingen, wie sie wirklich waren, aber nicht fähig, dagegen anzukämpfen. Wien hatte sich selbst überlebt, es hatte nichts mehr zu hoffen und kaum noch eine Zukunft. Die Wiener waren überempfindsam, melancholisch selbst dann noch, wenn sie tanzten und liebten, und hatten immer großes Mitleid mit sich selbst. Wir alle trugen unsern Selbstmord in der Tasche und fuchtelten damit beim geringsten Anlaß jedem vor der Nase herum. Wer in dieser Stadt geboren war, dem schien der Schritt vom Leben zum Tod ganz klein und leicht, und der Selbstmord galt als natürlicher und eleganter Abgang. Die flimmernde Luft Wiens war schwer von dieser resignierten Müdigkeit, von diesem ironischen, anmutigen und doch übersteigerten Selbstbedauern. Es war der Weltschmerz von Menschen, die durch allzu große Lebenssicherheit und Bequemlichkeit verwöhnt, verweichlicht und verdorben waren. Sie mußten erst einmal tüchtig Hiebe bekommen, damit sie aus ihrer Untätigkeit erwachten und zäh und tapfer wurden. Es ist erstaunlich, wie gut sich viele dieser Menschen unter den endlosen Martern der Konzentrationslager, des Exils, der Flucht und des Krieges bewährt haben. Damals, zwischen 1914 und 1920, haben wir alle ein nützliches Training für die Hölle durchgemacht, die später kam ...

Was mich selbst anlangt, so ging ich hin und kaufte mir einen Revolver, noch ehe meine Bekanntschaft mit Charles Dupont vierzehn Tage alt war. Ich hatte gegen meine Eltern und gegen alles, was sie vertraten, offen rebelliert. Ich ging meinen Weg, ich liebte Charles, und das war das einzige, was des Lebens oder Sterbens wert war. Das Elternhaus war mir zu einer unerträglichen Folterkammer geworden. Wann immer ich von meinen hohen, beschwingten Flügen in die Gefilde der Schönheit, in denen ich mit dem Geliebten weilte, nach Hause kam, stieß ich mit dem Kopf hart gegen die häßlichen Mauern der Wirklichkeit. Meine Eltern beschimpften mich und behandelten mich wie eine Dirne. »Ihr versteht mich nicht«, schrie ich verzweifelt. »Ihr zerrt alles in den Schmutz, ihr habt ein schmutziges Denken.

Ich liebe ihn, und er liebt mich.« »Ja«, schrien meine Eltern zurück, »aber wird er dich heiraten?« Heiraten, du lieber Gott! Auf dem verzauberten Planeten, den ich mit Charles bewohnte, gab es keine Ehe. »Das ist alles, was ihr wißt — heiraten«, schluchzte ich. »Eine schmutzige, abscheuliche Gewohnheit aus etwas machen, was frei und geheimnisvoll bleiben muß. Heiraten — großartig! Streit um Wirtschaftsgeld; Gasrechnungen; Windeln auf der Wäscheleine; der saure Geruch von achtbarem Dreck. Nie, nie, nie werde ich heiraten!«

Man sperrte mich ein wie einen Verbrecher, aber ich brach aus. Mein Vater schlug mich, ich sprach nicht mehr mit ihm. Meine Mutter beobachtete mich mit tränenvoller Sorge, ob sich nicht Anzeichen von Schwangerschaft zeigten. Darauf mußte man gefaßt sein bei einer Tochter, die sich mit einem Mann eingelassen hatte. Aber ich wurde nicht schwanger, weil Charles, allen Erwartungen zum Trotz, mich nicht verführte. Er wollte mich begehren, mich ersehnen, aber niemals besitzen. Er wollte leiden, und auch ich sollte leiden. Es war ein köstliches, raffiniertes Auf-die-Folter-Spannen. Mich stundenlang küssen, mich dann einpacken und nach Hause schicken — immer noch als Jungfrau —, das war seine erprobte Methode, uns in höchster Spannung zu halten. Es war keine gesunde Art Liebe, aber eine sehr intensive. Liebe mit großem L, Liebe gesperrt gedruckt.

Zu diesem Zeitpunkt führte mir die Familie Vetter Hermann vor, in der Hoffnung, die gefallene Tochter wieder auf den rechten Weg zurückzubringen. Hermann war der dickliche, rosige Sohn einer der Schwestern meiner Mutter. Als Kind war er ein braver Junge gewesen, einer von denen, die Prämien aus der Schule nach Hause brachten; er hatte seiner Mutter nie eine einzige trübe Stunde bereitet. Ich war nur gelegentlich einmal mit ihm zusammengekommen, bei einem Geburtstagskaffee oder bei einer der häufigen Hochzeiten in der Familie, und hatte ihn nie leiden können. Seit Jahren hatte ich ihn aus den Augen verloren, und nun fand ich ihn plötzlich beim Abendessen an unserm Tisch; er rieb sich über dem Suppenteller die Hände und gab mit der Pose eines großen Erzählers faule Witze zum besten. Ich witterte sofort Unrat, denn meine Mutter hatte ihr rotes Näschen gepudert, und der Tisch war mit einem schönen Damasttischtuch und dem guten Porzellan gedeckt, das für Ehrengäste reserviert war. Vetter Hermann war ein Jahr in Paris gewesen, und man rühmte sein wunderbares Pariser Französisch. »Ma petite cousine, me voilà, embrasse-moi!« sagte er, als ich das Vorzimmer betrat.

»Hermann, du bist ein Esel«, erwiderte ich.

Meine und seine Eltern lächelten uns wohlwollend zu. Nach dem Abendessen machte sich Hermann erbötig, mich auf dem Klavier zu begleiten, wenn ich ihm die Ehre erweisen wolle, ihm etwas vorzuspielen. »Der liebe Hermann — er ist so musikalisch«, verkündete seine Mutter. Als ich mich weigerte, gab mir meine Mutter einen sanften Tritt ans Schienbein. Nun, Spielen war jedenfalls besser als Konversation machen. Ich wählte die leichtesten Stücke, die ich kannte und die ich am wenigsten leiden mochte: die ›Serenade‹ von Tosti, ›Lied ohne Worte‹ von Tschaikowskij, für Violine und

Klavier. Vetter Hermann legte seine dicken Hände auf die Tasten. Seine Finger sahen aus wie die mit rosa Satin überzogenen Polstermöbel in meiner alten Puppenstube. Auf jedem Finger wuchs ein kleines blondes Haarbüschel. Ehe wir mit dem Spiel zu Ende waren, stahlen sich beide Elternpaare leise aus dem Zimmer und ließen uns allein, auf einmal fühlte ich, wie sich die fetten Hände und Finger um meine Taille legten. Es war einfach ekelhaft, und ich griff auf die Methoden unserer Kindheit zurück. »Loslassen, oder ich spucke!« flüsterte ich. Vetter Hermann ließ los. »Ich habe Geduld«, sagte er sanftmütig, »du wirst dich schon an mich gewöhnen. Wir haben einander doch immer gern gehabt, nicht wahr, Marion? Du hast keinen Grund, auf dem hohen Roß zu sitzen, was? Du solltest lieber froh sein, daß ich verrückt genug bin, über gewisse Vorkommnisse hinwegzusehen, findest du das nicht selbst?«

Hinter dem ekelhaften Bürschchen fühlte ich den mächtigen Druck der ganzen Maschinerie, genannt Familie. In Vetter Hermann fand ich alles konzentriert, was ich aus tiefstem Herzensgrund haßte: die Spießigkeit, die fette, saturierte Selbstzufriedenheit der Bourgeoisie, den Mangel an Phantasie und Großherzigkeit und das völlige Fehlen des ganzen unbestimmten Komplexes, den wir Schönheit nannten. Vetter Hermann heiraten? Lieber sterben.

Ich wünschte mir sehnlich, mich in Charles' Atelier auszuruhen. In die Ecke der Couch gepackt zu werden, mit dem alten, weichen, mottenzerfressenen, verblichenen roten Kaschmirschal zugedeckt zu werden, mir auf dem eisernen Öfchen Tee machen zu lassen, mir eine Zigarette anrauchen und — liebe, intime kleine Geste! — in den Mund stecken zu lassen, zu weinen, zu schlafen und zu vergessen. Aber Charles war in Paris. Er hatte dort Freunde und auch Geschäfte, eine Ausstellung sollte arrangiert werden, ein Kunsthändler mußte zum Ankauf bewogen werden, er hatte das Porträt eines Ministers zu malen, der wie eine Kreuzung zwischen einem Affenpopo und einer überreifen Wassermelone aussah. Charles schrieb mir viele Briefe, wenn er in Paris war, manchmal zwei oder drei am Tag. Sie kamen postlagernd, und wenn ich sie abholte, konnte ich vor Verlegenheit kaum sprechen. Dann trug ich sie mit mir herum, im Strumpf versteckt. Ungefähr jede Stunde schloß ich mich in der Toilette ein, zog die Briefe heraus und las sie. Sie waren süß und zärtlich und leidenschaftlich und lustig, und sie hielten mich inmitten eines Ozeans von Einsamkeit einigermaßen über Wasser, ein Floß der Hoffnung.

Nach einer Ewigkeit kam er zurück und begann mein Porträt zu malen, sozusagen als Mittel zur Wiederherstellung seiner schöpferischen Kräfte. »Es muß heraus aus meinem Blut«, sagte er (oder etwas in diesem Sinn). »Ich kann es nicht aushalten, daß mich dein kleines Gesicht Tag und Nacht verfolgt, ich muß über diesen Wahnsinn hinwegkommen, sonst werde ich in meinem Leben überhaupt nichts Anständiges mehr malen. Vielleicht wenn ich dich analysiere – kühl und uninteressiert – und dich in Farbe umsetze, vielleicht wird es den Bann brechen.« Es klang, als wenn ein Vergifteter nach einem Gegengift sucht, und ich fand mich wunderbar dämonisch.

Ich saß ihm den ganzen Juni hindurch und auch noch in den heißen Julitagen. Die Sonne brannte auf das Dach des alten Stalles herunter, und die Terpentinluft war zum Schneiden dick. Ich saß auf dem kleinen Podium, in den heißen roten Kaschmirschal gehüllt, rauchte zuviel und nahm zusehends ab. Hinter seiner Staffelei ächzte und stöhnte Charles; das Porträt oder die Studie, was immer es nun war, gelang ihm nicht nach Wunsch; er verfluchte den Pinsel, die Leinwand, die Farben, die Hitze; er verfluchte mich und sich. »Du hast mich impotent gemacht«, jammerte er. »Da steh' ich — ein idiotischer Kastrat mit einem entmannten Pinsel und mit Augen, die alles verzerrt sehen. Heilige Matisse!«

Eines Abends, als ich nach einer besonders heißen und anstrengenden Sitzung nach Hause kam, wurde ich mitten im Vorderzimmer ohnmächtig. Es war Mittwoch, man spielte bei uns Karten, ich hatte schon auf dem Korridor den Zigarrenrauch gerochen und die exaltierten Stimmen der Damen gehört, die irgend jemanden durchhechelten. »Du kommst wieder zu spät«, flüsterte mir Vefi zu, als ich auf dem Weg in mein Zimmer durch die Küche ging. »Heilige Muttergottes, wo steckst du denn die ganze Zeit? Deine Mama hat schon wenigstens zehnmal nach dir gefragt. Komm, frisier dich. Jesus, und wie du nach Zigaretten riechst! Putz dir erst die Zähne, ehe du hineingehst! Hier, nimm den Kuchen mit!«

Widerstrebend nahm ich das Silbertablett mit dem Kuchen und ging ins Vorderzimmer. Alle schauten auf, als ich eintrat. Plötzliches Schweigen. Der grüne Filz auf den beiden Spieltischen wurde grüner und grüner, so grell, daß es meinen Augen weh tat. »Guten Abend«, sagte ich. »Furchtbar heiß heute, nicht?«

Dann verwandelte sich das Grün in Schwarz, alles um mich wurde weich und neblig und angenehm, und ich dachte: Was ist das? Und ich dachte auch: Warum soll ich nicht nachgeben, es ist so weich? Und dann hörte ich noch meine Mutter aufschreien. Das nächste, was ich wußte, war, daß ich auf dem Teppich lag und daß jemand mir einen Löffel zwischen die Zähne schob und mir Cognac einflößte. Er brannte mir in der Kehle, und ich mußte husten. »Es geht mir schon wieder besser«, sagte ich und rappelte mich aus den Kuchenkrümeln auf. »Es muß die Hitze sein.« — »Jawohl, die Hitze, das muß es sein«, sagte Tante Karoline — viel zu betont. Meine Mutter starrte mich an, ihre Lippen zitterten. Die Gäste schauten dumm vor Schreck drein. Es machte mich elend. Ohnmächtigwerden ist angenehm, aber ins Bewußtsein zurückkehren ist abscheulich. »Ich bitte um Entschuldigung«, sagte ich und watete durch einen Sumpf von Schweigen zur Tür. Noch am selben Abend nahmen mich meine Eltern, nach dem eiligen und peinlichen Aufbruch der Gäste, ins Verhör. Ich, die Angeklagte, war ohnmächtig geworden. Daraus folgte, daß ich guter Hoffnung war. Sie saßen die ganze Nacht an meinem Bett und unterwarfen mich allen Foltern der Inquisition. Ich war jung und ganz in mich eingekapselt. Ich verstand nicht, daß sie mindestens ebenso unglücklich und bestürzt waren wie ich. Am nächsten Morgen zog mein Vater seinen Gehrock an, setzte den Zylinder auf und verließ das Haus zu einem schweren Gang. Meine Mutter, die schlaflosen Augen verschwollen, schleppte mich zu Dr. Popper, um mich untersuchen zu lassen. Dr. Popper forderte mich mit öliger Freundlichkeit auf, mich ganz zwanglos auf das Ledersofa zu legen und keine Angst zu haben — er werde mir nicht weh tun. Ich fühle noch heute die Kälte des Leders, wie es die Haut meiner Schenkel berührte, als der Arzt mir die Röcke hochzog, um die Wahrheit über mich und meine verdammte Jungfräulichkeit herauszufinden. Wenn das vorbei ist, bring' ich mich um. Wenn das vorbei ist, bring' ich mich um. »Wenn das vorbei ist, bring' ich mich um«, sagte ich laut. Meine Mutter saß in der Ecke auf einem Stuhl, mit gesenkten Augen und gefalteten Händen, wie in einem stillen Gebet.

»Es ist mein Fehler«, flüsterte sie. »Ich hätte dich nie Geige spielen lassen sollen.«

Mit einemmal überkam mich die Empfindung, daß alles furchtbar komisch war, unerträglich komisch, und ich mußte zu Dr. Poppers tiefer Bestürzung laut lachen. Nichts in der Welt ist so tragisch, so erschütternd, so entsetzlich, daß es nicht gleichzeitig komisch sein könnte. Diese Erkenntnis, die ich dem Debakel meiner törichten, verstiegenen, sinnlosen ersten Liebe verdanke, ist eine der wertvollsten Gaben, die mir das Leben geschenkt hat. Wenn nicht hinter allem ein Lachen stände, würde die Menschheit nicht mehr existieren.

Und ich auch nicht.

Nachdem ich als unbeschädigt und unberührt erklärt worden war, stand ich auf und verließ das Zimmer, ohne mit meiner Mutter ein Wort zu sprechen. Das letzte, was ich noch hörte, war das Gurgeln des Wassers in dem altmodischen Waschtisch, wo Dr. Popper sich nach dem unappetitlichen Geschäft die Hände wusch.

Ich ging nach Hause und packte in Eile meine Handkoffer. Durch die eintägigen Aufenthalte auf meinen Konzerttourneen hatte ich darin eine gewisse Übung. »Was ist los? Du gehst weg?« fragte Vefi.

»Jawohl, ich gehe«, sagte ich. »Es ist Zeit, daß ich mein eigenes Leben lebe.«

»Jesus, Kind, Marion!« rief Vefi aus. »Du wirst doch nicht diesem Mann nachlaufen? Kein Mann ist es wert, daß man ihm nachläuft — glaub mir!«

»Und das sagst du? Du mit einem Liebhaber an jedem Finger«, sagte ich und ließ meine Köfferchen zuschnappen.

»Ach, bei mir ist das etwas ganz anderes. Ich bin ein uneheliches Kind — ohne Vater, verstehst du? Und wenn August seine zwölf Jahre abgedient hat, heiraten wir sowieso. Sag einmal, glaubst du, der Mann, dem du nachläufst, heiratet dich? Nein. Wenn du mit den Koffern bei ihm anrückst, schon gar nicht. Verlaß dich auf mich — ich kenn' die Männer!«

»Pepi Jerabek soll mir das Gepäck hinunterbringen«, sagte ich großartig. »Und sag meiner Mutter, sie soll sich keine Sorgen machen, ich werde ihr bald meine neue Adresse mitteilen. Und gib August einen schönen Kuß von mir!«

Ich legte die Arme um Vefis Hals und küßte sie. Sie schluchzte ein paarmal trocken und verlegen, und ich ließ sie los, denn ich fürchtete, in dem warmen Küchengeruch, der an ihr haftete, weich zu werden. Ich sah mich nicht einmal um. Ich machte mich steif und hart wie ein Brett und zog ab. Ich schloß hinter mir die Tür und kehrte dieser sicheren, dieser kleinlichen, gemeinen Welt den Rücken, in der sich alles um eine einzige Frage drehte: Ist ein Mädel Jungfrau oder nicht?

Sobald ich mich und mein Gepäck in einem Einspänner verstaut hatte, schrumpfte ich zusammen, bis ich ganz klein und verloren war, während die Welt um mich wie in einem Angsttraum zu ungeheurer Größe anwuchs. Ich war nicht dazu erzogen worden, selbständig meinen Weg zu machen. Ich wußte nicht einmal, wie man einen Wagen nimmt, wie man in ein Restaurant geht und sich etwas zu essen bestellt, wie man ein Zimmer mietet; und das größte Problem der ersten Stunde meiner neuen Freiheit war, wieviel Trinkgeld ich dem Kutscher geben sollte. Bis zu diesem Moment hatte man mich wie ein Postpaket behandelt, ich war verpackt, frankiert, adressiert, abgeliefert und wieder abgeholt worden — je nachdem, wohin man mich haben wollte. Jetzt war ich unabhängig, mußte mich aus eigener Kraft bewegen und meine eigenen Entschlüsse fassen. Es war so beängstigend, daß es mir den Atem benahm.

Da war vor allem die Geldfrage. Ich hatte etwas Taschengeld in der Handtasche — elf Kronen und ein paar Heller, um es genau zu sagen. Außerdem hatte ich zweihundertzwanzig Kronen auf meinem Sparkonto auf der Bank. Soviel wußte ich. Auf welcher Bank und wie man es behebt, davon hatte ich keine Ahnung, denn meine finanziellen Angelegenheiten wurden alle nur von meinem Vater erledigt. Doch ich war überzeugt, Charles jederzeit um Geld bitten zu können. Ich hielt Charles für einen sehr reichen Mann. Er trug Gehrock und Zylinder, auch an gewöhnlichen Tagen, und das war damals in Wien das Kennzeichen eines wirklich eleganten Kavaliers. Wenn wir ausfuhren, geschah es stets in großem Stil, nicht in einem Einspänner, wie er mich jetzt rumpelnd aus der Straße wegbrachte, in der ich geboren war, sondern in einem noblen zweispännigen Fiaker mit Gummirädern. Charles hatte mir oft etwas geschenkt — Bücher, Blumen, allerlei Kleinigkeiten. Wenn er nach Paris reiste, machte er weniger davon her als andere, wenn sie sonntags nach Grinzing oder Hütteldorf fuhren. Und niemals sprach er von Geld, während meine Eltern unaufhörlich darüber redeten.

Trotz Vefis Warnungen fuhr ich direkt zu Charles' Atelier. Ich hatte keine genaue Vorstellung davon, was sein würde. Irgend etwas Dramatisches, etwa wie: Hier bin ich. Ich gehöre dir, ich bin frei — nimm mich und behalte mich, für immer! Ich war noch nicht siebzehn — ein Alter, in dem man pathetisch ist. Als ich vor den grünen Fensterläden ankam, sagte ich dem Kutscher, er solle meine Koffer und Pakete ins Haus bringen, den Geigenkasten trug ich wie immer selbst. Die Tür des Ateliers stand offen, und Susanne, das Modell, kam heraus, als sie uns mit dem Gepäck rumoren hörte.

»Ah, Sie sind's, Fräulein Sommer«, sagte sie. »Monsieur ist nicht zu

Hause.« Sie hatte die alberne Angewohnheit, von Charles als ›Monsieur‹ zu sprechen, ich weiß nicht, warum. Ich hatte sie bisher nur nackt gesehen, wenn Charles sie malte, aber jetzt trug sie eine Schürze und ein Kopftuch und sah aus wie ein graues, farbloses Stubenmädchen.

»Ich werde auf ihn warten«, sagte ich und trat mit dem Kutscher ein. Der Fuhrlohn betrug fast drei Kronen, aber er hielt die Hand auf und erwartete mehr. »Wieviel Trinkgeld bekommt er?« fragte ich Susanne flüsternd; sie schätzte mit einem Blick mein Gepäck ab und empfahl mir dreißig Heller. Der Betrag kam mir zu schäbig vor, und ich gab ihm fünfzig. Der Kutscher dankte säuerlich, sagte nicht einmal ›Euer Gnaden‹ zu mir, wie es die Kutscher gewöhnlich taten, und ging. Ich blieb mit dem Mädchen allein. Sie sah mich mit ihren kurzsichtigen, etwas hervorstehenden Augen forschend an.

»Gehen Sie auf Reisen?« fragte sie.

»Nein — das heißt ja — sozusagen«, stotterte ich. »Wann wird Herr Dupont wohl zurück sein?«

»Keine Ahnung. Sie wissen ja, wie er ist. Vielleicht kommt er spät abends nach Hause, vielleicht bleibt er auch die ganze Nacht weg. Er hat mir gesagt, ich soll ein bißl saubermachen, er würde später kommen. Wollen Sie ein paar Zeilen für ihn dalassen?«

»Nein, danke, ich glaub', es ist besser, ich warte«, sagte ich, beträchtlich ernüchtert. Ich setzte mich auf einen wackligen antiken Stuhl, Susanne ging wieder an ihre Arbeit; sie wirtschaftete im Zimmer herum, schüttelte die Vorleger aus, wischte den Staub von Schränken und Tischen und raschelte mit den Leinwandrollen in der Ecke.

»Zigaretten sind auf dem Taburett«, sagte sie nach einer Weile. »Wenn Sie eine Tasse Tee wollen — ich kann welchen machen.«

»Danke, nein«, sagte ich. »Ich glaubte, Herr Dupont würde hier sein. Er sagte, er wolle heute noch an einem Detail des Schals arbeiten.«

»Ja«, kam Susannes Stimme hinter der Staffelei hervor, wo sie irgend etwas abstaubte. »Das hat er Ihnen gesagt.« Es klang gemein, und ich beschloß, es zu überhören. Da kam sie hinter der Staffelei hervor und verschränkte die Arme. »Ich hab' schon oft gedacht, ich muß mal mit Ihnen sprechen«, sagte sie. »Unter vier Augen.«

»So — ?« sagte ich. Ich fühlte, daß etwas Unangenehmes kam, und hatte nicht die Kraft, es abzuwehren.

»Glauben Sie nicht, daß ich auf Sie eifersüchtig bin. Das bin ich nicht«, sagte Susanne. Es war mir nie in den Sinn gekommen, daß Susanne überhaupt Gefühle haben könnte. Sie schien zu den Requisiten des Ateliers zu gehören, wie die Holzpuppen im Winkel. Mit einemmal erfaßte ich die ganze Bedeutung ihrer Worte, und das Blut schoß mir ins Gesicht.

»Weshalb sollten Sie eifersüchtig sein?« fragte ich.

»Ja, weshalb sollte ich? Ich bin ja verheiratet, nicht? Ich hab' einen Mann und ein Kind und verdiene hier meinen Lebensunterhalt, nicht? Also ich sage Ihnen, ich bin nicht eifersüchtig. Aber ich hab' mich oft gefragt, warum ein feines Mädchen wie Sie sich in so etwas einläßt. Für solche

Sachen sind Sie zu jung, wissen Sie. Hören Sie auf mich: Wenn Sie so weitermachen und immer hierherkommen, werden Sie es eines Tages noch bereuen!«

»Ich danke für Ihre Ratschläge«, sagte ich großspurig. »Ich brauche keine.«

Susanne lächelte mich mit schiefem Mund an. »Heute noch auf stolzen Rossen, was?« sagte sie. »Na, Fräulein, ich war genauso toll in ihn verliebt, genauso toll.«

Sie ging zum Kleiderschrank, kniete sich hin und zog die Schublade auf. Ein Haufen schmutziger Wäsche quoll heraus. Ich wandte die Augen ab. Nie hatte ich daran gedacht, daß Charles schmutzige Unterwäsche haben könnte wie andere Leute, oder überhaupt Unterwäsche. Ich riß mich zusammen und antwortete, wie die Heldinnen in meinen Büchern geantwortet hätten.

»Hören Sie, Susanne«, sagte ich, »wenn Sie damit andeuten wollen, daß Sie — daß er — daß ihr — daß Herr Dupont ein — ein Verhältnis mit Ihnen hatte, bevor er mich kennenlernte, so macht mir das nicht den geringsten Eindruck. Er hat mir's ja schon selbst erzählt.«

»Ach wirklich?« sagte sie, über einen Haufen verdrückter Socken gebeugt. »Na, und bei Ihnen, da ist die ›große Liebe‹. Sie werden keinen Tritt in den Hintern kriegen, wenn alles vorüber ist — und nicht gnadenhalber zwei Kronen pro Sitzung. Bei Ihnen ist's für die Ewigkeit, was?«

»Bei mir ist es etwas ganz anderes«, sagte ich.

Susanne kicherte; es klang nicht gemein, eher gutmütig. »Das glaubt jede von uns, jedes Mädel, das auf einen Mann hereinfällt. Etwas ganz anderes — Mist! Ich hab' noch keine gesehen, die nicht geglaubt hat, bei ihr ist es ›etwas ganz anderes‹. Na, Fräulein, lassen Sie sich eins gesagt sein: Die Spieluhr spielt nur ein einziges Stück: immer dasselbe, und es ist nur ganz kurz und viel zu schnell aus.«

Ich mußte an die Spieluhr im Album zu Hause denken, und mit dem Zirpen der halbvergessenen Melodie stürmten all die Gesichter aus diesem Album auf mich ein mit dem steifen, ehrbaren Lächeln meiner Vorfahren, diese ganze enge Welt, die ich hinter mir gelassen hatte. Mir wurde davon ganz schwindlig, und ich fürchtete, wieder ohnmächtig zu werden, aber ich saß aufrecht und steif da, und es ging vorüber. Susanne war an meine Seite getreten und sah mich neugierig an. »Ich wollte Ihnen nicht weh tun«, sagte sie. »Ich mein's wirklich gut mit Ihnen, Fräulein. Es wäre schade, wenn so ein nettes junges Ding ins Unglück käme.« Sie machte eine resignierte kleine Handbewegung. Ihre Rechte war von einer von Charles' Socken bedeckt, die sie übergezogen hatte, um sie auf Löcher zu untersuchen. Bei einem Loch guckte ihr Zeigefinger heraus, sie führte die Socke nahe an die kurzsichtigen Augen und prüfte den Schaden mit einem Lächeln, das mit einemmal ganz mild geworden war.

»Er macht immer Löcher mit seiner rechten großen Zehe«, sagte sie, schüttelte den Kopf und drehte das schadhafte Stück hin und her. Ich mußte mich abwenden und mich auf die Lippen beißen, um nicht auf der Stelle losheulen zu müssen. Die kleine Szene hatte mir blitzartig tiefe Einblicke in ein Gebiet der intimen Beziehungen zwischen Mann und Frau gegeben, das mir ganz fremd war. Wir hatten unsere Zeit in einem Wolkenschloß, auf schönem, aber unsicherem Grund verbracht. Hier aber war die andre Seite der Liebe, fester Boden, der Alltag: das Strümpfestopfen, das Kochen, das Knöpfeannähen, das Pflegen und Sorgen — die ganze prosaische Hausfrauenliebe.

»Würden Sie sich einmal drüben hinsetzen?« sagte Susanne. »Ich möchte ihm noch das Bett machen, bevor ich nach Hause gehe.«

Ich sah ihr zu, wie sie aus einem Nebenraum das Bettzeug holte und auf der Chaiselongue ausbreitete. Die Bezüge waren verdrückt und nicht ganz sauber. Noch einmal ging sie in den Nebenraum und kam mit einem Pyjama zurück — blaue Seide mit roten Streifen. Es war der erste Pyjama, den ich in meinem Leben gesehen hatte, und er machte großen Eindruck auf mich. Susanne legte ihn zum Anziehen bereit aufs Bett. »Das ist das Allerneueste«, sagte sie stolz. »Er hat ihn aus Paris mitgebracht.« Sie streichelte den Pyjama mit einer unbewußten Handbewegung, dann wandte sie sich zu mir. »Wenn es Ihnen recht ist, Fräulein, gehen wir jetzt. Ich muß das Atelier abschließen«, sagte sie.

Ich schaute ratlos auf mein Gepäck. »Gehen Sie nur, kümmern Sie sich nicht um mich, Susanne!« sagte ich. »Ich werde warten.«

»O nein«, antwortete sie. »O nein, ich kann Sie nicht hier warten lassen. Ich muß das Atelier abschließen, verstehen Sie? Ich bin dafür verantwortlich, wissen Sie?«

Ich suchte nach einem überzeugenden Argument, fand aber keins. »Ich weiß nicht, wohin ich gehen soll«, platzte ich heraus. »Und ich habe nicht viel Geld.«

Susanne wurde nachdenklich; ihre Nasenflügel vibrierten wie die Nüstern eines witternden Jagdhundes. »Schauen Sie, Fräulein Sommer«, sagte sie, »es ist ja nicht meine Sache, aber wenn Sie gescheit sind, so bleiben Sie nicht hier. Vielleicht kommt er nicht allein nach Hause, verstehen Sie? Und wie wäre Ihnen das dann? Besser, Sie gehen in ein kleines Hotel — es gibt eine Menge in der Währingerstraße. Für eine Krone kriegen Sie schon ein nettes Zimmer. Passen Sie bloß auf, daß keine Wanzen drin sind!«

»Was soll ich denn mit meinem Gepäck machen?« fragte ich völlig ratlos. »Ich kann es doch nicht mit mir herumschleppen. Und noch einmal einen Einspänner — das kann ich mir nicht leisten. Was mach' ich bloß?«

»Lassen Sie's da, und holen Sie sich's morgen ab«, sagte Susanne. »Morgen um zehn erwartet er Sie zur Sitzung, und dann ist alles in Ordnung. Aber glauben Sie mir: Überraschen Sie einen Mann nie — das tut nicht gut! Nicht bei einem Mann wie Monsieur.«

In dieser Nacht hatte ich Wanzen und bezahlte drei Kronen für das Zimmer. Es war ein Hotel, das von Liebespaaren für ein Schäferstündchen aufgesucht wurde — aber das begriff ich natürlich erst hinterher. Ich fand dieses Hotel nach langem Suchen und nachdem ich schon von vielen mißtrauischen Hotelbesitzern abgewiesen worden war. Das Haus war engbrüstig

und hochschultrig — hatte fünf Stockwerke und war dabei nur drei Front-
fenster breit. Auf einem riesigen Schild stand ›Hôtel garni‹. Sogar hier gab
es erst eine Auseinandersetzung, bevor ich ein Zimmer bekam. Es war kein
Portier da, nur eine hochbusige Dame, und so viele Zähne in einem Mund
und so viele und so blonde Locken auf einem Kopf hatte ich noch nie gesehen. Sie musterte mich abschätzend und sagte ausweichend, es könnte —
vielleicht — ein Zimmer frei sein.

»Wieviel kostet es?« fragte ich schüchtern. Ich war entmutigt und sehr
müde und hatte keinen sehnlicheren Wunsch, als mir die Schuhe auszuziehen und die Füße in kaltes Wasser zu stecken. Ich hatte die Hoffnung, ein
Zimmer zu finden, fast aufgegeben und war bereit, die ganzen acht Kronen,
die ich noch besaß, für einen Stuhl, vier Wände, ein Bett und einen Waschtisch zu opfern. »Für wie lange?« fragte mich die Dame. »Nur für heute
nacht. Das heißt, wenn es mir gefällt, bleibe ich eventuell länger«, setzte
ich rasch hinzu, um die Gunst der Dame zu erwerben. Wieder sah sie mich
an, als wollte sie mir Maß nehmen für eine komplette Garnitur von Unter-
röcken, Leibchen, Mieder und Strumpfbändern. »Drei Kronen«, sagte sie.
»Im voraus.«

Als ich meine Geldbörse hervorzog, schien sie überrascht zu sein. »Bezahlen
Sie selbst?« fragte sie. »Ja natürlich!« antwortete ich, ebenso überrascht. Sie
zuckte mit den Schultern, als wollte sie sagen: Na ja, es kommen ja die sonderbarsten Leute zu uns. »Plus zehn Prozent für Bedienung«, sagte sie und
strich mein Geld ein. Das Wechselgeld kam über das Pult auf mich zuge-
rollt. »Warten Sie hier auf Ihren Herrn, oder wollen Sie gleich hinaufgehen?« fragte sie mich. »Ich möchte so rasch wie möglich in mein Zimmer gehen. Ich bin allein«, sagte ich und fürchtete, daß dieses Geständnis
alles verderben könnte. »Allein?« fragte die Dame. »Sie meinen, Sie brauchen das Zimmer für sich allein? Sagen Sie — Sie sind wohl zum erstenmal
in Wien?«

»Ich bin in Wien geboren«, sagte ich, und gleich darauf hatte ich Angst,
sie könnte irgendwelche Ausweise verlangen. Aber sie sagte nichts anderes
als: »Na schön — schreiben Sie Ihren Namen hier ein«, und schob mir
schulterzuckend das Fremdenbuch hin. »Polizeiliche Vorschrift, wissen Sie.«
Es fiel mir auf, daß das Hotel nur von Menschen mit ganz gewöhnlichen
Namen besucht wurde. Meier und Frau. Huber und Frau. Müller und Frau.
Mein Name sah ganz einsam und verloren aus zwischen all diesen Paaren,
obgleich ich betont mit extra großen und kräftigen Buchstaben geschrieben
hatte. »Franz, führen Sie sie auf Nummer sieben! Wenn doch noch jemand
nach Ihnen fragen sollte, schick ich ihn hinauf«, sagte die Frau mit einem
Zwinkern und Grinsen, das so unerwartet aus ihrem verdrossenen Gesicht
heraussprang, daß es mir kalt über den Rücken lief.

Die steinerne Wendeltreppe war ganz blank vom Alter, und die Wand
entlang kroch ein abscheuliches Muster. Der Korridor war schmal und roch
nach billiger parfümierter Seife, ebenso wie das Zimmer, das ich betrat. Den
größten Teil des Raumes nahm ein breites Bett ein. In der Ecke stand ein
Waschständer mit Schüssel und Eimer und ein überlebensgroßer Nachttopf,

neben der Tür ein Kleiderständer und an der Wand, gleich neben dem Bett, ein riesiger Spiegel. In das Spiegelglas waren ein paar Namen eingeritzt, ein Zeichen, daß einige von den Mädels, die das Zimmer bewohnt hatten, im stolzen Besitz von Diamantringen gewesen waren. Das alles sah ich im Licht einer Nachttischlampe, deren Seidenschirm mit roten Perlen garniert war. Die schweren Vorhänge waren dicht zugezogen und die Luft zum Ersticken.

»Wünscht das Fräulein sonst noch etwas?« fragte Franz.

»Wenn Sie die Fenster aufmachen und die Vorhänge zurückziehen könnten«, sagte ich. Franz stieß einen leisen Pfiff aus.

»Aber Sie müssen's wieder zumachen, wenn Sie sich ausziehen«, sagte er. »Die Leut' vis-à-vis schauen mit Opernguckern herüber, und dann haben wir Scherereien mit der Polizei.«

Er zog die Vorhänge zurück, und die Sonne malte einen breiten gelben Streifen aus tanzenden Stäubchen quer durchs Zimmer. »Wie spät ist es?« fragte ich, denn die Armbanduhr war noch nicht erfunden, und das kleine Ding, das ich mir vorn angenadelt hatte, war nur Dekoration und ging überhaupt nicht. »Zirka vier Uhr«, sagte Franz. »Wir sind noch nicht einmal halb voll. Aber wenn die Büros geschlossen sind, sieht es anders aus.« Er warf mir einen raschen Blick zu. »Sie waren noch nie hier, nicht wahr?« sagte er. »Nein, das hab' ich mir gedacht. Ich vergeß nie ein Gesicht.« Er machte sich noch immer im Zimmer zu schaffen, bis ich blitzartig verstand, meine Geldbörse hervorzog und ihm ein Trinkgeld gab — wieder fünfzig Heller. Noch heute kann ich kein Trinkgeld geben, ohne verlegen zu werden; das muß ein Überbleibsel sein von jenem ersten Tag meiner Unabhängigkeit. Als ich endlich allein war, holte ich tief Atem und schaute auf die schmale Gasse hinunter. Kinder spielten ›Himmel und Hölle‹, und am Tor gegenüber lungerten zwei wüste Gestalten mit Mützen herum. Ein Schutzmann stand breit aufgepflanzt an der Ecke der Währingerstraße, einer stark belebten Ausfallstraße, von der das Rattern der Straßenbahnen und Pferdefuhrwerke, wütendes Autohupen, Klingeln von Fahrradglocken, das ganze Brummen und Dröhnen der Stadt in kurzen Stößen herüberwehte. Eine gebeugte alte Frau mit einem Korb Blumen kauerte in der Nähe des Hoteleingangs auf dem Pflaster.

Ich ging ins Zimmer zurück und zog mich aus. Mitten drin fiel mir die Warnung des Kellners ein; ich schlängelte mich unter allen möglichen Verrenkungen an die Vorhänge heran und zog sie zu. In dem erstickenden Dunkel tastete ich mich zum Lichtschalter, stieß mich an den Zehen und wäre fast über den Geigenkasten gefallen. Als ich endlich Licht hatte, wusch ich mich. Ich hatte einen Seifenrest entdeckt, an dem ein paar dunkle Haare klebten. Nachdem ich mir Gesicht und Hände damit gewaschen hatte, strömte ich denselben billigen Parfümgeruch aus, der das ganze Haus durchdrang. Als ich mich auf das Bett warf, um endlich auszuruhen und meine Lage zu überdenken, hüllte mich die Welle eines andern Geruches ein: Essigsäure — dieser penetrante Geruch, der in ganz Österreich und auf dem Balkan immer dann spürbar wird, wenn Jagd auf Wanzen gemacht wird. Ich kümmerte mich nicht darum. Wanzen sollten mich am allerwenigsten stören. Während ich ausgezogen und nur wenig erfrischt dalag, klopfte es an der Tür, ein Schlüssel drehte sich im Schloß, und ehe ich noch wußte, wie mir geschah, huschte ein flinkes Stubenmädchen ins Zimmer. Ich zog rasch die Bettdecke über mich, aber sie würdigte mich keines Blicks. »Handtücher«, sagte sie und legte zwei Stück auf den Waschständer. »Wenn Sie mehr haben wollen, kostet es zwanzig Heller pro Stück.« Sie leerte die Waschschüssel in den Eimer, guckte in den leeren Wasserkrug, schüttelte den Kopf, verschwand und kehrte bald darauf mit dem frisch gefüllten Krug zurück. »Wenn Sie heißes Wasser wünschen, läuten Sie«, sagte sie. Auch sie wartete auf etwas. »Ich habe Ihnen Handtücher gebracht«, sagte sie ungeduldig. Ich wickelte mich in die Bettdecke, holte meine Geldbörse und entrichtete meinen Tribut von fünfzig Hellern. Das Stubenmädchen ging. »Ich werde dem Herrn sagen, daß Sie auf Nummer sieben sind«, sagte sie, bevor sie die Tür schloß. Es war mir ein Rätsel.

Es war beinahe fünf Uhr, und ich hatte die ganze Nacht nicht geschlafen; wie ein Alptraum lag die ärztliche Untersuchung hinter mir, und ich hatte nichts genossen seit der Tasse Tee, die ich tags zuvor bei Charles getrunken hatte. Ich war nicht gerade hungrig, aber ich hatte Kopfweh, war völlig verstört und durcheinander und hatte nagende Magenschmerzen. Mit leerem Magen kann man nicht denken, sagte Putzi immer. Ich wußte, ich hätte darüber glücklich sein sollen, daß ich nun frei und selbständig war, statt dessen aber war ich deprimiert und ängstlich, und ich schloß daraus, daß ich etwas essen mußte. Das war ein Problem, das mir viel Kopfzerbrechen machte, aber schließlich fand ich die Lösung. Ich stand auf und wusch mich noch einmal, denn ich hatte das eigentümliche Gefühl, ich wäre in diesem Bett schmutzig geworden. Dann zog ich mich an, läutete und setzte mich auf den einzigen Stuhl, der vorhanden war.

»Ich bin hungrig«, sagte ich zu dem Stubenmädchen, das mit einem verwunderten Gesicht hereingeflitzt kam. »Können Sie mir sagen, wo ich etwas zu essen bekomme?«

»Ich werde den Kellner schicken«, sagte sie und verschwand. Der Kellner war ein alter Mann, der wie ein Beichtvater aussah.

»Bitte schön, was wünschen die junge Dame?« fragte er, zog einen Bleistift hinter dem Ohr hervor, leckte ihn beflissen ab und hielt ihn über seinen Block. »Wir haben ausgezeichneten Champagner, Veuve Cliquot oder Mumm, wenn die Dame wünscht, daß ich eine Flasche kaltstelle ... nichts bringt einen mehr in Stimmung, das hab' ich immer schon gesagt. Oder lieber Tokajer? Wir haben auch –«

»Ich bin hungrig«, sagte ich. »Kann ich etwas zu essen bekommen?«

»Natürlich, natürlich, wir können ein Diner kommen lassen. Gragers Restaurant ist gleich um die Ecke — es gibt kein besseres Essen in ganz Wien. Unter uns — Herr Grager war viele Jahre Küchenchef beim Sacher, und seit er fort ist, ist Sacher längst nicht mehr dasselbe wie früher — also sagen wir: ein hübsches Diner für zwei Personen — und sollen wir Herrn Grager die Zusammenstellung des Menüs überlassen —?«

»Fürs Diner ist es noch zu früh«, sagte ich, wütend und verzweifelt. »Ich möchte nur eine Tasse Tee — ein paar belegte Brötchen — oder Schinken — oder Wurst und Brot – oder –«

»Aha!« sagte der Kellner. »Aha! Sehr wohl! Ich verstehe! Selbstverständlich! Selbstverständlich, kann gemacht werden. Aber wir servieren keine Speisen ohne Getränke. Vielleicht etwas Portwein zum Imbiß? Oder etwas Sherry? Und den Champagner lassen wir für später . . .«

Das Ende vom Lied war, daß ich ihm ein Trinkgeld gab, um endlich das vertrauliche Grinsen seiner falschen Zähne loszuwerden. Sein Gesicht fiel zusammen, so wie eine Harmonika, der die Luft ausgegangen ist, und er ging beleidigt hinaus. Ich huschte an der Dame am Pult vorbei, murmelte nur, daß ich bald zurückkäme, und ging in die Währingerstraße, um mich nach einem Lokal umzusehen, wo ich in Ruhe essen könnte, etwas nicht zu Teures. Ein Kaffeehaus oder ein Restaurant wagte ich ohne männliche Begleitung nicht zu betreten, aber schließlich fand ich eine Milchtrinkhalle. Da drinnen war es gemütlich, kühl und sauber, ich trank Buttermilch und aß dazu Schwarzbrot mit Butter — das ›gut für dich‹ war — und dachte die ganze Zeit, daß ich nicht von zu Hause hätte fortzulaufen brauchen, nur um an einem dieser wohlvertrauten sittsamen Marmortischen zu landen.

Als ich die Trinkhalle verließ, wurde es langsam Abend. Auf dem Rückweg zum Hotel zerbrach ich mir den Kopf, wie ich meine Eltern benachrichtigen könnte, daß ich am Leben und wohlauf sei. Ich suchte nach einem der Dienstmänner, die gewöhnlich rotbemützt an jeder Straßenecke saßen und auf Kunden warteten, konnte aber keinen finden. Übrigens hatte ich die dunkle Empfindung, daß ein Botengang vom neunten Bezirk in den ersten, wo wir wohnten, für meine zusammengeschrumpften Mittel zu viel kosten würde. Blieb nur übrig zu telefonieren — aber ich hatte in meinem ganzen Leben noch nie telefoniert. Und mit wem sollte ich telefonieren? Und wie telefonieren? Familien und überhaupt Privatleute hatten kein Telefon, jedenfalls nicht in Wien und nicht im Jahre 1912. Mein Vater hatte ein Telefon im Büro, aber die Bürostunden waren vorbei, und ich hätte es sowieso nicht gewagt, ihn persönlich anzurufen. Herr Krappl hatte ein Telefon, aber Herr Krappl war zur Kur in Karlsbad. Szimanski hatte ein Telefon, aber ein Gespräch mit ihm wäre in einem hoffnungslosen polnisch-französischen Szimanski-Kuddelmuddel versandet. Schani hatte kein Telefon. Putzi hatte kein Telefon. Die Balbis hatten kein Telefon. Und damit war die Liste der Bekannten erschöpft. Ich konnte es vielleicht bei der Hofoper versuchen. Es schien ein verzweifeltes und aussichtsloses Beginnen zu sein, aber vielleicht könnte es doch gelingen, ein Mitglied der Familie Balbi an den Apparat zu bekommen, vorausgesetzt, daß jemand von ihnen Dienst hatte.

»Noch immer allein?« fragte mich die Dame am Pult, als ich ins Hotel zurückkehrte. Mit mir zusammen war ein stumm-lüsternes Pärchen gekommen, während sich ein andres geräuschvoll und kichernd bereits in das Fremdenbuch eintrug, als ›Meier und Frau‹. Beide Paare sahen mich an. Allein zu sein war offenbar nicht das Richtige in einem Hôtel garni. Die roten Glühlampen des Schildes brannten schon und tauchten die schmale Gasse in eine bengalische Beleuchtung. Der Himmel war bewölkt, und obgleich es noch nicht dunkel war, war der Tag doch schon vorüber, und alles hatte das welke Aussehen eines schwülen Juliabends. Mit einemmal dämmerte es mir, in was für ein Hotel ich geraten war. Und fast gleichzeitig rechnete ich mir aus, daß es jetzt zu spät war, in ein andres Hotel zu übersiedeln, und daß ich dazu gar nicht das Geld hatte. »Darf ich einmal telefonieren?« fragte ich die Dame. An der Wand hing ein mächtiger Apparat, den ich mit Furcht und Mißtrauen betrachtete. »Zwanzig Heller«, sagte die Dame, wieder mit einem Zwinkern. Sie dachte wahrscheinlich, daß ich mir telefonisch Gesellschaft einladen wollte.

Die Nummer im Telefonbuch finden. Die Kurbel in Bewegung setzen. Verbindung kriegen — erst eine falsche, dann wieder eine falsche und endlich die richtige: die Hofoper. Durch Mauern von Abteilungen, Sekretariaten und Büros dringen, über schreiende, gestörte Würdenträger — bis endlich jemand verstand, was ich wollte und mir versprach, Clara Balbi zu suchen. Warten, durch endloses Schweigen warten, während die Telefonistin von Zeit zu Zeit fragte: »Sprechen Sie noch?« und die Dame am Pult, Franz und der Kellner mich beobachteten und sichtlich gern zuhören wollten. Es war das reinste Fegefeuer, und ich fühlte kalten Schweiß auf meiner Oberlippe und im Nacken, von wo er mir über den Rücken rann. Und dann, als ich gerade schon anhängen wollte, war Claras Stimme da. »Hallo? Ach, du bist's! Ich hatte den Namen nicht richtig verstanden«, sagte sie so obenhin, als wäre Telefonieren das Einfachste der Welt.

»Hör zu, Clara«, schrie ich ins Telefon, auf den Zehen stehend und bemüht, die Entfernung mit meiner dünnen Stimme zu überwinden, »ich bin von zu Hause fortgelaufen!«

»Was bist du?« sagte das Telefon. Ich warf einen verstohlenen Blick nach der Dame am Pult; sie saß mit offenem Mund da, und der Kellner hielt die hohle Hand ans Ohr, um besser hören zu können. »Ich bin von zu Hause weg«, brüllte ich in den Apparat. »Ich werde dir alles erzählen, aber nicht jetzt. Hör zu, Clara, schick meiner Mutter eine Nachricht... ja, meiner Mutter, jetzt gleich. Sag ihr, daß du mit mir gesprochen hast und daß es mir gut geht... daß es mir gut geht, hab' ich gesagt, ja, gewiß... es geht mir gut, und sie soll sich keine Sorgen machen, ich werde ihr noch schreiben. Und hör einmal gut zu, das ist wichtig«, setzte ich hinzu und pfiff auf das ganze Hôtel garni, »sag ihnen, wenn sie mir die Polizei auf den Hals schicken, bringe ich mich um!«

»Du bist verrückt, Kind«, sagte das Telefon. »Total verrückt. Wo bist du jetzt? Bei Dupont im Atelier?«

»Nein«, schrie ich, »ich bin in einem Hotel. Schickst du meiner Mutter die Nachricht? Das ist alles, was ich von dir will.«

»Gut, Zwergerl. Ich schicke meine Mutter zu deiner Mutter; sie wird es allerdings nicht gern tun«, sagte das Telefon. »Aber mir wär's lieber, du liefest deinem Rattenfänger nicht nach. Was wirst du denn jetzt machen?«

Das wußte ich selber nicht, wollte es aber nicht wahrhaben. »Ich komm' morgen zu dir und erkläre dir alles«, rief ich. Das Telefon murmelte gute Nacht, nannte mich eine Närrin und eine Irrsinnige und machte Schluß.

Ich hängte den Hörer an den Haken und wischte mir den Schweiß vom Gesicht. Meine Knie zitterten.

»Das macht noch vierzig Heller«, sagte die Dame hinter dem Pult. »Sie haben neun Minuten gesprochen.«

Erschöpft und ausgepumpt kehrte ich in mein Zimmer zurück. Ich zog mich aus, wusch mich mit dem bißchen Wasser, das noch im Krug war, und ging zu Bett. Ich drehte das Licht ab, schloß die Augen und versuchte zu schlafen. Aber ich war zu müde, und die Luft war so stickig, daß ich nicht atmen konnte. Ich langte mit der Hand aus dem Bett und zog den Vorhang zurück. Das Licht des Hotelschilds malte einen zinnoberroten Fleck auf mein Deckbett. Einige der Leuchtbuchstaben spiegelten sich in dem großen Wandspiegel, und ich starrte sie verstört an. Ich hob den Arm und ließ ihn wieder fallen. Der Spiegel machte die Bewegung mit. Ich richtete mich auf und betrachtete mich im Spiegel. Wie blödsinnig, einen Spiegel so aufzuhängen, daß man sich selbst beobachten kann, während man schläft, dachte ich in meiner Unschuld. Ja, Marion, dachte ich mit geschlossenen Augen, das war alles in allem kein glorreicher Tag. Aber wir werden es noch lernen, wir werden es schon noch lernen, selbständig, frei und unabhängig zu sein. Ich lachte erleichtert. Das war ein Tag! dachte ich. Vormittags bohrt Dr. Popper seine schmutzigen Gummifinger in mich hinein und stellt fest, daß ich noch Jungfrau bin. Abends geh ich zum Schlafen in eine Lasterhöhle, in ein lasterhaftes Bett, das schon alle Laster der Welt gesehen hat. Und schlafe — allein. Gute Nacht, Marion. Was für eine verdrehte Person du bist!

Die Wände begannen zu seufzen und zu kichern, über mir hörte ich einen dumpfen Fall und im Nebenzimmer Wasserplätschern. Raschelnde Röcke flüsterten den Korridor entlang. Und dann pfiff jemand auf der Straße ein Signal. Ich schloß die Augen, und als ich sie wieder öffnete, war es draußen fast dunkel geworden. Nach einiger Zeit fing es an zu regnen, mit einem gleichmäßigen, einschläfernden Rauschen, und die roten Buchstaben leuchteten heller, je mehr der Abend in die Nacht überging.

Ich dachte, wie es wohl wäre, wenn jetzt die Tür aufginge, Charles hereinkäme und sich neben mich legte. Meine Haut fühlte sich einsam und verlangte nach ihm. »Eines Nachts werde ich dich über eine marmorne Schwelle tragen«, hatte er zu mir gesagt, »und in der Vorhalle eines alten italienischen Palastes werden uns Kerzenlicht und ein Meer von Rosen erwarten. Du bist so jung, Marion«, hatte er gesagt. »Wir haben Zeit — alles wird im rechten Augenblick geschehen, am rechten Ort, in Schönheit . . .«

In diesem Augenblick eröffneten die Wanzen ihr nächtliches Fest. Ich kratzte mich und juckte mich und machte Jagd auf sie. Ich wurde wütend und trat schließlich den Rückzug an. Ich stieg aus dem Bett und überließ das blutbefleckte Schlachtfeld meinen Bettgenossen. Ich war sehr müde. Ich wollte schlafen. Die Augen fielen mir zu. Ich wickelte mich in meinen Mantel und setzte mich auf den Stuhl, streckte die Beine aus, stützte den Kopf auf den Geigenkasten, der auf dem Tischchen stand, und schlief bald ein — ein unschuldiger Fremdling im fröhlichen Sündenbabel des Hôtel garni.

Als ich am folgenden Morgen zu Charles kam, erwartete er mich auf der Straße; er sah blaß und aufgeregt aus und sagte, er habe sich meinetwegen zu Tode geängstigt. Er küßte mich und versicherte mir, wie sehr er mich liebe. Er hatte ein herrliches Frühstück vorbereitet, denn er gehörte zu jenen vollkommenen Liebhabern, die immer wissen, wann man hungrig oder durstig, wann man müde und wann man heiter ist, wann man geküßt werden, wann man schweigen und wann man über ›höhere Dinge‹ reden möchte. Nachdem er mich gefüttert und mir eine Zigarette zwischen die Lippen gesteckt hatte, fühlte ich mich sehr wohl, bis er mir erzählte, daß mein Vater dagewesen sei und verlangt habe, er solle mich heiraten. »Das hat er gesagt?« fragte ich kraftlos. »Das ist schrecklich, Charles. Was hast du geantwortet?«

»Ich habe ihm die Wahrheit gesagt. Ich habe ihm mein Ehrenwort gegeben, daß zwischen uns keine andere Beziehung besteht als die der schönsten Freundschaft. Aber er hat mir offenbar nicht geglaubt. Er blieb dabei, ich hätte dich verführt. Leider konnte ich ihm nicht versprechen, dich zu heiraten. Aber ich habe ihm versprochen, dich postwendend nach Hause zu schicken.«

»Du weißt, daß ich nie, nie wieder zurückgehe. Ich bin fertig mit allem. Ich bin endlich frei«, sagte ich.

Charles begann nervös auf und ab zu gehen, eine Haarsträhne fiel ihm über die Stirn und bedeckte sein rechtes Auge. Er sah aus wie ein dekadenter Sohn von Wagners Wotan. »Hör mal zu, Marion«, sagte er, »ich bin kein edler Ritter. Ich habe schon immer eine Abneigung gegen unglückliche Edelfräuleins gehabt, besonders wenn ich an ihrem Unglück schuld war. Ich glaube, du hast Vorstellungen von mir, denen ich nicht entsprechen kann. Ich lehne es ab, mich mit deinen Problemen zu belasten oder mir irgendwelche Verpflichtungen anhängen zu lassen. Ich will ja gar nicht, daß du meinetwegen von zu Hause fortläufst, und ich will für eine solche kindische Dummheit nicht verantwortlich gemacht werden. Ich war vorsichtig genug, dich nicht zu berühren, stimmt's? Ich habe dir bis heute nichts zuleide getan –«

»Warte«, sagte ich, »sprich nicht weiter! Es klingt, als wärst du ein schäbiger Buchhalter oder ein Rechtsanwalt oder so etwas. Du warst vorsichtig — herrje, wie vorsichtig du warst! Schön. Ich habe dich nicht darum gebeten, für etwas, was ich tue, die Verantwortung zu übernehmen. Ich bin ich, und es handelt sich um mein Leben. Ich bin frei, ich liebe dich und will bei dir bleiben. Du kannst alles mit mir tun, was du willst — bloß mich nicht nach Hause schicken.«

»Was willst du von mir?« brauste Charles auf. »Was hast du dir dabei gedacht, als du davonliefst und mit deinen Koffern zu mir kamst? Was soll ich denn mit dir anfangen? Dich bei mir behalten, es zur alltäglichen Gewohnheit machen, alles grau und schmutzig werden lassen? Den Schmetterling töten und ihn in meiner Sammlung neben den andern auf eine Nadel spießen? Die Farben eines Paradiesvogels auslöschen, seine Flügel stutzen? Eine zweite Susanne aus dir machen? Freie Liebe — davon hab' ich soviel gehabt, daß ich mir für immer den Appetit verdorben habe — freie Liebe, pah, ekelhaft!«

»Also schön, dann heiraten wir. Es ist eine reine Formsache. Im Grunde ist's auch nichts andres«, sagte ich tapfer. Man darf nicht vergessen, wir waren ›Fin de siècle‹, flammende Jugend; und Freie Liebe, groß geschrieben, war eins unsrer Leitmotive. Wenn aber die Ehe der einzige Weg war, mit dem geliebten Mann verbunden zu bleiben, nun, dann war ich zu einem Kompromiß bereit.

»O ja, es wäre etwas andres«, sagte Charles. »Für dich wäre es sogar etwas bedeutend andres, einen Mann zu haben und eine Hausfrau zu sein. Kochen, Windeln waschen und Säuglinge füttern — du? Marion? Und ich darf dann reiche, fette häßliche Weiber malen, damit ich die Wirtschaftsrechnungen bezahlen kann, nicht wahr? Deine Künstlerlaufbahn aufgeben und meine Socken stopfen? Niemals!« Er setzte sich an den Tisch und stocherte geistesabwesend mit dem Löffel in einer leeren Eierschale herum.

»Übrigens«, sagte er nach einigem Zögern, »übrigens bin ich verheiratet.«

Man sagt, daß Menschen, die gehängt werden, mit einem Grinsen sterben — auch Menschen, die einen Hochspannungsdraht berühren oder vom Blitz getroffen werden. Ich glaube, ich habe gegrinst.

»Nein«, sagte ich betäubt.

»O doch«, sagte Charles; auch er grinste. »Ich habe es dir doch gesagt, als wir uns das erstemal sahen. Weißt du's nicht mehr? Es ist das erste, was ich einem Mädel sage, wenn ich merke, daß ich mich verliebe. Ich finde es richtig, daß ein Mädchen gleich erfährt, was es von mir zu erwarten hat und was nicht.«

Ein paar Sekunden lang ging ich unter, aber dann kam ich wieder an die Oberfläche und schnappte nach Luft. Ohne jeden Zusammenhang fiel mir plötzlich die Socke mit dem Loch ein, die Susanne über ihre Hand gezogen hatte.

»Ist es — Susanne?« fragte ich.

»Susanne? Keine Spur! Du scheinst keine hohe Meinung von meinem Geschmack zu haben. Nein, meine Frau ist eine sehr mondäne, sehr gut angezogene Dame, très chic, wie man in Paris sagt. Willst du eine Fotografie von ihr sehen? Mit den Kindern?«

»Danke«, sagte ich grimmig. »Ich bin nicht neugierig.«

Die ganze Szene bekam einen leicht komischen Anstrich, weil Charles ein Stückchen Eierschale auf der Lippe kleben hatte. Ich mußte immer wieder hinsehen, geradezu fasziniert. Wenn er sich's doch nur abwischte, dachte ich. Aber man kann nicht mitten im Weltuntergang sagen: »Bitte wisch dir den Mund ab, du hast ein Stückchen Eierschale daran.« Charles setzte sich neben mich und legte den Arm um mich. Ich zuckte zurück, und doch fühlte ich mich besser, körperlich besser, in dem Augenblick, wo er mich berührte. Unser Körper hat eine merkwürdige Art von Beständigkeit, von Treue. Er sehnt sich und ist verliebt, noch lange nachdem unsere Liebhaber uns verlassen haben oder gestorben sind, lange nachdem unser Bewußtsein sich von ihnen abgewendet, sie aufgegeben und sogar begonnen hat, sie zu hassen statt zu lieben.

»Hör mal zu, Marion, Liebling, Geliebte, du kannst nicht sagen, daß ich dich angelogen habe. Das habe ich nie getan. Schweigen ist etwas anderes als lügen, nicht wahr?« sagte er. (Da war sie wieder, seine wunderliche Pedanterie, seine schiefe Logik.)

»Warum hätten wir uns unsre wenigen Stunden mit dem Thema meiner Ehe verderben sollen? Sie leben in Paris — Antoinette mit den Kindern.« (Also sie hieß Antoinette, und sie ist *très chic*, eine mondäne Französin.) »Ich sehe sie vielleicht einmal im Monat, alles geht sehr glatt und höflich zu, und es bedeutet nichts in meinem Leben. Ein erloschener Vulkan. Ein Aschenkegel — das ist alles, was übriggeblieben ist. Kann ich etwas dafür, daß ich sie eher kennengelernt habe als dich? Weißt du, sie ist es gewesen, die mich in den Sattel gesetzt hat; sie hatte sich von mir malen lassen, als ich noch bei Legandre studierte, sie war verheiratet und hat meinetwegen ihren Mann verlassen, sie hat mir in meiner Karriere kolossal geholfen, sie stammt aus einer alten französischen Familie und hat viele Beziehungen. Wir sind Freunde, das ist alles — Freunde, Kameraden, du kannst auf eine alte Freundschaft nicht eifersüchtig sein, das würde dir gar nicht ähnlich sehen.« (Mit einem Kameraden hat man keine Kinder, dachte ich bitter.) »Das alles spielt in einer andern Welt, in einer andern Dimension, es hat nichts mit mir zu tun, Marion, bitte, bitte, du mußt mich verstehen, du mußt weitherzig sein, schau mich nicht so versteinert an — komm, gib mir deine Hände! — sie sind kalt, die armen kleinen Pfoten, und du siehst aus wie eine unmoderne Meerjungfrau von Böcklin — mit all diesen kalten Farben in deinem Gesicht — nur grün und blau —, du willst doch nicht, daß ich andre Farben auf meine Palette quetschen muß, nicht wahr, Marion? Ich liebe dich doch so . . .«

Männer verlangen von Frauen immer, daß sie weitherzig sein sollen. Das ist eine der schwierigsten Aufgaben des Lebens und kann nicht früh genug geübt werden. Ich glaube, ich hätte mich umdrehen und Charles auf der Stelle verlassen sollen. Aber die Liebe ist nicht so. Liebe ist, immer das Verkehrte zu tun und dabei zu wissen, daß es verkehrt ist, und es trotzdem immer wieder zu tun. Außerdem war es mir angeboren, mich den Wünschen eines Mannes zu fügen, so wie dem Jagdhund die Witterung, dem Vollblut die Schnelligkeit. Es wird Jahrhunderte dauern, bis die Frauen davon frei geworden sind, und ich weiß nicht einmal, ob sie dann glücklicher sein werden. Wir sind merkwürdige Pflanzen, wir Frauen; wir brauchen ein paar Frostschauer, damit wir blühen.

Also weinte ich ein bißchen, dann kniff ich mich in die Backen, um etwas Farbe zu kriegen, kletterte gehorsam auf mein kleines Podium, hüllte mich in den roten Kaschmirschal, nahm meine Pose ein und saß ihm zwei Stunden. Ich war recht stolz darauf, daß ich fähig war, auf so kurzfristige Bestellung ein so riesiges Quantum an Weitherzigkeit zu liefern. Ich versprach auch, zu meinen Eltern zurückzukehren, obwohl ich fest entschlossen war, es nicht zu tun. Ich hatte meinen Revolver und würde meinem Leben, das sich als eine höchst enttäuschende und widerwärtige Angelegenheit erwiesen hatte, ein Ende machen. Bevor ich ging, gab es noch einen peinlichen Augenblick: ich mußte Charles bitten, mir etwas Geld zu borgen. Auch ihm war es peinlich; er suchte in seinen Taschen, in den Schubladen und in dem Blumentopf, wo er ein paar Goldstücke zu verwahren pflegte. Schließlich grub er zwanzig Kronen aus und setzte mich in einen Fiaker — mit Handkoffern, Geigenkasten und allem. Es war das erstemal, daß ich ihn bat, mich nicht nach Haus zu begleiten.

Als sich der Fiaker in Bewegung setzte, trat Charles zurück und rief mir nach: »Also morgen? Zur selben Zeit?« »Morgen!« rief ich zurück. Ich war von Hohn und Ironie aufgeblasen wie ein Luftballon. Morgen um diese Zeit werde ich tot sein, dachte ich. Es war ein scharfer, schneidender Gedanke, und er machte mich einsam wie noch nie. Ich war im Begriff, Selbstmord zu begehen, und mein Geliebter hatte nicht die blasseste Ahnung davon. Da stand er, lächelnd und winkend, und vollkommen unbeschwert. Wie wenig doch ein Mensch vom andern weiß! Ich schaute mich nach ihm um, bis der Fiaker um die Ecke bog — dann löschte ein plötzlicher Tränenstrom ihn aus.

Aber ich habe mich an jenem Tag nicht umgebracht. Allerdings, die nötigen Vorbereitungen hatte ich getroffen. Ich ging in das beste Hotel am Ring, schrieb meine Abschiedsbriefe, setzte die Mündung des Revolvers an die Schläfe und drückte ab. Aber der Revolver ging nicht los. Klick. Ich war noch da.

Der freundliche alte Herr, der mir die Waffe verkauft hatte, muß wohl ein guter Psychologe gewesen sein. Wahrscheinlich hat er auf meinem viel zu jungen Gesicht die Selbstmordgedanken gelesen und mir Patronen gegeben, die nicht paßten oder etwas Ähnliches. Seither habe ich keinen Revolver mehr angerührt, und noch heute kenne ich mich mit Feuerwaffen nicht aus. Ich weiß nicht, warum das Ungetüm damals nicht funktioniert hat — aber der alte Herr sei gelobt, denn es ist eine Lust zu leben.

Ich stand auf, sobald mich die Füße wieder tragen wollten, zog mich an, warf die Abschiedsbriefe in die Toilette und spülte sie hinunter. Dieses Kapitel war abgeschlossen. Ich konnte tief Atem holen und mit dem Leben noch einmal von vorn anfangen.

Die Liebe ist zu Ende, wenn wir unsern Partner so sehen, wie ihn die ganze Welt sieht: nicht mehr das verzauberte Trugbild, das wir von ihm im Herzen getragen hatten, sondern den gewöhnlichen Durchschnittsmenschen, der er wirklich ist. Solange ich in Charles verliebt war, erschien er mir als der Mann, der aus der Traumlandschaft herausgetreten war, als der ewige Fremdling, geheimnisvoll und gefährlich. Er war ein Genie, und ich war seine Muse. Er war einer der großen Liebenden aller Zeiten, und ich war es, die er liebte. Unsere Liebe war größer und höher, tiefer und unzerstörbarer als die Liebe der andern. Aber nun war ich nicht mehr verliebt und wußte Bescheid.

Er trug Socken mit Löchern. Sein Bettzeug war zerknüllt und etwas schmuddlig, und er rieb sich die Kopfhaut mit Nesselöl ein, weil sein Haar begonnen hatte, schütter zu werden. Er war ein mittelmäßiger Maler, der sich in Positur zu setzen verstand. Er hatte Frau und Kinder wie jeder andere, und es war nichts Geheimnisvolles an ihm. Er war im Grunde ein berechnender, vorsichtiger Opportunist. Er hatte Charme — jawohl — und war in mich eine Zeitlang verliebt, wie er in viele andere verliebt gewesen war. Nun war es vorbei, und ich war mit ihm fertig.

Eine erste Liebe zu amputieren ist eine schmerzhafte Operation, die Zeit braucht. Eine Weile vermißte ich ihn, aber dann war es nur noch meine Haut, die hungrig blieb, mein Blut, mein Körper, und schließlich träumte ich nur noch von ihm. Aber auch das ging vorüber. Ich erwachte des Morgens mit nassen Ohren, weil ich im Schlaf geweint hatte und die Tränen über mein Gesicht geflossen waren. Aber ich konnte mich an den Traum nicht erinnern und wußte nicht mehr, weshalb ich geweint hatte. Und ich gelobte mir, daß die Liebe nie wieder weh tun sollte, nie wieder. Und nach ein paar Monaten ging ich mit dem Dirigenten Kant ins Bett — *par dépit*, wie es die Franzosen nennen —, nur um meine verdammte Jungfräulichkeit loszuwerden. Kant war, glaube ich, ziemlich unangenehm überrascht, mich so unschuldig zu finden, wie es sich zeigte. Aber er meisterte die Situation mit Takt und Erfahrung. Als alles vorüber war, lag ich im Bett, schaute zur Decke hinauf und dachte wie Millionen Mädchen vor mir: Das ist alles? Und davon wird so viel hergemacht?

Es wäre besser gewesen, jemand hätte mir geweissagt, daß 1913 ein schweres Jahr für mich sein werde. Wenn ich daran zurückdenke, so scheint es mir das letzte Jahr gewesen zu sein, in dem man noch individuell Unglück haben konnte. Seither sind Unglück und Elend aller Art wohl zu einem Kollektiverlebnis geworden. Wenn ein Organismus erkrankt, nimmt jede einzelne Zelle an der Krankheit teil. Nach dem Jahr 1913 verfiel die Welt in ihr langes, schweres Siechtum, wir hörten auf, einzeln zu leiden, und litten nun millionenweise — alle an derselben Krankheit und zur selben Zeit, und was uns persönlich zustieß, wurde bedeutungslos und ohne Gewicht.

Das Jahr begann für mich als erfolglose Saison mit unfreundlichen Kritiken und halbleeren Sälen. Das war schlimm, denn Herr Krappl hatte mich in ein Netz von Kontrakten verstrickt, die mit hohen Risiken für mich verbunden waren. Als ich sie unterschrieb, hatte ich nur eine unbestimmte Vorstellung von ihrem Inhalt, und in meinem ganzen Leben habe ich es nicht gelernt, einen Kontrakt bis zu seinem bitteren Ende zu lesen, und aus ihm klug zu werden. Man ließ mich hart arbeiten ohne Bezahlung, ja ich brauchte meine kleinen Ersparnisse auf — für Hotelrechnungen, Taxis, Trinkgelder, Abendkleider und Friseure. Es war in Amsterdam, gerade als ich aufs Podium hinausgehen wollte, um Mozarts A-Dur-Konzert zu spielen, als man mir ein Telegramm überreichte: »*Mama nach Operation schwer krank, will dich sehen, sofort zurückkommen, dringend, Vater.*«

Ich fuhr so schnell wie möglich nach Hause — was früher nicht besonders schnell war. Als ich ankam, war meine Mutter tot.

»Warum habt ihr mich nichts von der Operation geschrieben?« flüsterte ich.

»Sie wollte nicht, daß du auf der Tournee gestört wirst«, sagte mein Vater. Ich empfand scharfe, stechende Trauer und hoffte ein paar Sekunden lang, weinen zu können. Aber sosehr ich mich auch bemühte — ich blieb stumpf und leer.

Das Leichenbegängnis fand an einem kalten, klaren, sonnigen Morgen statt; in der Nacht hatte es gefroren. Das Gras auf den Grabhügeln, das Immergrüne der Zypressen waren von einem feinen silbrigen Hauch überzogen, und die Trauergäste bliesen kleine Dampfwölkchen in die Luft. In dem unbändigen Sonnenschein, in dem blauen Himmel und in den glitzernden Zweigen über dem Friedhof lag etwas Leichtes, ja, Fröhliches. Die Beerdigung war abgeschmackt wie die meisten Beerdigungen, die Grabreden enthielten viel Unsinn über meine Mutter, und als die Herren alle gleichzeitig die Zylinder abnahmen, mußte ich unwillkürlich an einen Operettenchor denken. Die Familien Dobsberg und Sommer waren in voller Stärke versammelt und wußten nicht, wie sie mich behandeln sollten: als das schwarze Schaf der Familie oder als den Außenseiter im Rennen, der gesiegt hatte.

»Was für Pläne hast du nun?« fragte mich mein Vater, als wir wieder zu Hause waren und der letzte kondolierende Händeschüttler fort war.

»Wenn du willst, daß ich noch eine Zeitlang bei dir bleibe — ich könnte es einrichten«, antwortete ich höflich.

»Nein — äh — darauf habe ich nicht gerechnet. Du hast mir ja keinen Anlaß gegeben, in irgendeiner Lage auf dich zu rechnen«, sagte er klagend. »Ich habe nun schon gewisse Dispositionen getroffen und werde dein Zimmer für die Dame brauchen, die meine Wirtschafterin werden soll. Es ist eine Dame — ich kann sie nicht im Tafelbett schlafen lassen.«

»Um so besser«, sagte ich. »Ich werde meine Sachen packen.«

Und dabei blieb es.

Im Dezember starb Putzi an einer Krankheit, die er als kleine Erkältung behandelte, die aber eine Lungenentzündung war. Allmählich gewöhne ich mich daran, auf den Friedhof hinauszufahren, ohne weinen zu können, dachte ich bitter. Ich sah mich um und war sehr einsam.

Einen Monat später war ich dabei, als das große Eisenbahnunglück von Wolzynje passierte, bei dem achtunddreißig Menschen ums Leben kamen und mehr als zweihundert verletzt wurden. Ich wurde auch verletzt, aber merkwürdigerweise habe ich keine Ahnung, was eigentlich mit mir geschehen war.

Ich hatte am Abend in Warschau gespielt, war nach dem Konzert rasch zum Bahnhof gefahren und hatte den Zug gerade noch erwischt. Hundemüde, wie ich war, hatte ich mich ausgezogen, mir einen Kimono übergeworfen, um mit Kissen und Bettdecke nicht in zu enge Berührung zu kommen, und war fast sofort eingeschlafen. Das letzte, woran ich mich noch erinnere, sind die schmalen Lichtstreifen, die in rascher Folge durch einen Spalt des Vorhangs hereinfielen, als wir bei der Ausfahrt an den Laternen vorbeifuhren. Wie immer nach einem Konzert, rumorte noch das fieberhafte Durcheinander von Tönen in meinem Kopf. Fetzen aus dem

Mozart-Konzert tauchten auf und verschwanden im Dunkel; Phrasen, die ich gespielt hatte, wiederholten sich immer wieder in meinem ausgepumpten Schädel, und ein ganzes Sinfonieorchester hatte sich in meinen Schläfen etabliert und spielte ein wildes Fortissimo. Das nächste war, daß ich mit der Empfindung erwachte, jemand habe mir auf den Kopf geschlagen. Ich spürte einen weißen Blitz von Schmerz oder Hitze oder Licht und wußte, daß mich jemand getötet hatte. Dann war ich lange Zeit tot.

Als ich mich in einem trüben Zustand des Halbbewußtseins wiederfand, war mir sehr kalt, so kalt, daß ich minutenlang glaubte, ich brenne. Durch die Nacht bewegten sich Fackeln, man hörte das Prasseln von Flammen, das Zischen von Dampf und das Stöhnen vieler Menschen. Das Weiße rings um mich war Schnee, der mir mit eisiger Kälte ins Fleisch biß. Das Schwarze war ein undeutlich aufragender Bahndamm, auf dem die verrenkten Formen zertrümmerter Eisenbahnwagen lagen. Ich versuchte tief zu atmen, konnte es aber nicht. Ich wollte aufstehen und fortgehen. Wo ich war, gefiel es mir nicht. Eine Riesenhand, groß und schwarz, tauchte vor meinen Augen auf und drückte mich sanft auf den kalten, schneebedeckten Boden zurück. Eine Stimme — von jemand, den ich nicht sehen konnte — sagte etwas zu mir, das ich nicht verstehen konnte.

»Ich will fortgehen, mir fehlt nichts«, sagte ich. Ich hatte keine Schmerzen. Ich verstand nicht, was los war. Ich versuchte mich zu erheben, aber da erloschen die Fackeln, und alles wurde schwarz. Ich starb zum zweitenmal. Es war sehr angenehm. Ich weiß noch, wie wunderbar leicht ich mich fühlte, als ich mich in das Schwarze hinabfallen ließ. Es ist herrlich, tot zu sein, dachte ich. Von irgendwo kam ein Echo. Das also nimmt man so unerhört wichtig? Dann fiel mir eine Zeile aus dem Gedicht ein, das ich irgendwo einmal gelesen hatte: Ich öffnete die Tore — Und schritt hindurch — Und schloß sie hinter mir. Dann das Gesicht einer alten Frau, die in der dritten Parkettreihe gesessen hatte. Ein paar verwehende Klänge. Und dann nichts, lange Zeit nichts. Als ich wieder zu mir kam, war mir noch immer kalt, noch immer fühlte ich keinen Schmerz, und noch immer konnte ich nicht tief atmen. Ich hörte Schellengeläut, und es schien mir, als glitte ich durch eine weiche, samtene Leere, den klaren, dunklen Nachthimmel über mir. Die Sterne waren groß und nah. Ich fahre die Milchstraße entlang, dachte ich. Die rauhen Haare eines Pelzes kitzelten mich am Kinn, ein säuerlicher Geruch stieg mir auf und stach mir in die Nase. Ich wollte nach dem Pelz greifen, aber ich konnte meine Hände, die darunterlagen, nicht bewegen. Meine Finger waren von irgend etwas Klebrigem wie zusammengeleimt. Bei dem mißglückten Versuch fuhren mir stechende Blitze durch den ganzen Körper. Nun lag ich ganz still und hütete mich vor jeder Bewegung. Unter meinem Kopf lag nasses Stroh. Ich spürte den bitteren Geruch von Verbranntem und Verkohltem und den metallisch-süßlichen Geruch von Blut. Neben mir auf dem Stroh lagen vier andere Menschen, zugedeckt mit Bauern-Schafpelzen. Ein alter Russe stöhnte in regelmäßigen Abständen: »O mein Gott! O mein Gott! O bože moj!« Später kam eine französische Stimme dazu: »Regine, wo bist du? Régine, où es-tu?« Es kam keine Antwort, und die erste Stimme fuhr fort: »O bože moj, bože moj!« Die Wolken, die um mein Bewußtsein hingen, lichteten sich, und ich erkannte, daß wir auf einem Schlitten durch die Nacht fuhren. Dann begann es lautlos zu schneien, ganz still, die Schneeflocken setzten sich auf mein Gesicht, zergingen und gefroren wieder. Baumwipfel glitten vorbei, weiß gegen den dunklen Himmel. Ich lag ganz still, um den Schmerz nicht zu wecken, der hinter der dünnen Wand meines halb betäubten Bewußtseins lauerte. Wieder rief die Stimme nach Regine. Die Frau, die gerufen hatte, lag dicht neben mir unter demselben Schafpelz, kalt wie ich. Plötzlich packten ihre Hände mich an der Schulter, und abermals durchzuckte mich ein stechender Schmerz. Dann lockerte sich der Griff — die Hände wurden schlaff. Nach einer Weile drehte ich den Kopf nach der Frau. Ich sah, daß sie nicht mehr lebte — ihre Augen waren gebrochen und weit offen. Und dann stieg jäh aus der Tiefe dieses ganzen wüsten Alpdrucks das grelle, durchbohrende Gefühl der Wirklichkeit, mit einer Wucht, daß dahinter alles Gewesene an Wirklichkeit verlor, ja fast unwirklich erschien. Nur dies hier und nichts andres war wirklich, diese Qual, diese Angst, die mich packte, dieses maßlose Elend, so hilflos dazuliegen, in Stücke gerissen und fortgeschleppt zu werden.

Ich weiß nicht, wie lange es dauerte, bis uns der Schlitten nach der kleinen Stadt Wolzynje brachte, aber während dieser Fahrt habe ich eine der wichtigsten Lehren meines Lebens gelernt: sich ganz leer zu machen, sich auszulöschen wie ein Licht, aus sich selbst hinauszutreten, wenn Schmerzen und Leiden so groß werden, daß man glaubt, sie nicht ertragen zu können. In dem Augenblick, wo man sich ganz von sich löst, wird alles leicht und erträglich. Es ist wohl so etwas wie ein seelisches Betäubungsmittel. Oder es ist der Trick, den alle kleinen, wehrlosen Tiere instinktmäßig anwenden: sich zusammenzurollen und sich totzustellen, bis die Gefahr vorüber ist.

Wolzynje war ein Städtchen, das eigentlich nur durch seine militärische Garnison existierte. Das kleine Militärlazarett, in das man uns brachte, war keineswegs für Erste Hilfe eingerichtet. Es war schmutzig und feucht, die Wände schwitzten, es roch nach Urin und Männern und Lederstiefeln. Es hatte nicht einmal elektrisches Licht, und der sogenannte Operationssaal war fünfzig Jahre hinter unserer Zeit zurück. Wir wurden auf Matratzen und Tragbahren auf dem Fußboden eines Korridors nebeneinandergelegt und immer zu dritt in den Saal gebracht, um untersucht und behandelt zu werden. Wir waren alle erstaunlich still — abgesehen von dem alten Russen, der unaufhörlich zu Gott stöhnte. Trotz der nächtlichen Stunde hatten die Militärärzte ein paar katholische Schwestern herbeigezaubert, die zwischen uns auf und ab gingen, sich zu uns niederbeugten und auf polnisch kleine Trostworte murmelten. Eine hatte eine Spritze in der Hand und machte bei denen, die nun doch unruhig wurden, eine Injektion. Aber es ist schon erstaunlich, was für eine gute Haltung die Menschen bei einer Katastrophe bewahren. Ich glaube, ich war ein verhältnismäßig leichter Fall, denn ich befand mich bei der letzten Gruppe, die man in den Operationssaal trug, und während der Arzt meine Verletzungen untersuchte, hob sich über dem schneebedeckten Boden draußen vor den Fenstern schon die weiße Dämmerung.

Inzwischen waren die Betäubungsmittel alle geworden, und der Arzt schiente mein gebrochenes Handgelenk ohne jede Schmerzlinderung. Es war ziemlich abscheulich, aber in meinem Dämmerzustand merkte ich es nicht so. Ich hatte eine Schnittwunde quer über den Kopf, und der Arzt meinte, ich hätte vielleicht auch einen Schädelbruch. Aber da kein Röntgenapparat zur Stelle war, konnte er es nicht mit Sicherheit feststellen. Jedenfalls hatte ich eine Gehirnerschütterung, und ein paar Rippen waren gebrochen. Man rasierte mir das Haar ab, goß Jod in die Wunde und vernähte sie; man bandagierte mich und legte mir den rechten Arm in Gips.

Dr. Blumenthal war sehr stolz auf seine Arbeit. Er war ein dunkelhäutiges Knochengestell, das in einer schlechtsitzenden Uniform schlenkerte. Hinter den Brillengläsern ein Paar brennende jüdische Augen. Er sprach eine merkwürdige Mischung von Deutsch und Jiddisch und erzählte mir, daß er eine Zeitlang in Wien studiert habe. Wenn man bedenkt, daß von den fünfzig Verletzten, die ihm der Zusammenstoß in den Schoß geworfen hatte, nur vier starben, durfte er wohl mit Recht stolz sein. Aber ich habe oft gedacht, was wohl geworden wäre, wenn ein besserer Chirurg mein gebrochenes Handgelenk behandelt hätte. Oder wenn ich jenen Zug versäumt hätte. Oder wenn ich überhaupt nicht auf diese Tournee gegangen wäre.

Anfang März kam ich nach Wien zurück. Meine Geige war unter den Trümmern nicht gefunden worden, und ich hatte versäumt, die Versicherung zu erneuern. Das Geld wäre mir jetzt sehr zustatten gekommen, und auf dem Instrument hätte ich sowieso nicht mehr spielen können. Mein rechtes Handgelenk war steif. Meine Laufbahn als Violinvirtuosin war zu Ende. Ich war arm, und ich stand allein.

Na, Marion, dachte ich bei mir, bis heute haben wir uns ganz gut gehalten, was machen wir jetzt?

Ich war jung. Ich war stark. Ich lebte. Ich hatte eine Katastrophe überlebt, und sie hatte mich nicht gebeugt und nicht gebrochen. Ich war ich. Das war schon etwas, ja? Ich fühlte es in jeder Faser, daß ich ich war, ich, Marion Sommer, die einen Schlag aufrecht hinnehmen konnte. Ich habe es dann noch oft an mir selber erfahren: jede Katastrophe, die uns trifft, kann uns eine tiefe Genugtuung geben. Wir messen uns mit höheren Mächten, und bei jeder Herausforderung entdecken wir, wieviel Standhaftigkeit und Mut in uns verborgen liegen. Ich sah in den Spiegel und mußte lachen. Mit dem auf meiner Schädelnarbe neu sprießenden Haar sah ich aus wie eine Kreuzung zwischen Nonne und Stachelschwein. Mein Gesicht war härter geworden — es war weniger hübsch, zeigte aber mehr Charakter. Ich war mit ihm zufrieden; es war mein eigenes Gesicht und stand mir gut. Es war ein gutes Gefühl, das Leben von vorn beginnen zu müssen; es lag Zug darin, wie in dem starken, raschen Strömen eines Flusses.

Ich sah mich nach einer Beschäftigung um, denn eins war mir ganz klar:

Jemanden um Hilfe bitten, kam nicht in Frage. Ich mußte mich mit eigner Kraft durchsetzen, sonst hätte ich alles Selbstvertrauen verloren.

Gewiß gab es die traditionellen ehrbaren Berufe für junge Damen aus guter Familie: Lehrerin, Gouvernante, Gesellschafterin für alte Damen. Ich sah mich als Ebenbild meiner Tante Karoline in den Häusern fremder Leute, und es lief mir kalt über den Rücken. Schließlich tat ich das, was alle andern Mädchen tun, wenn sie gezwungen sind, sich möglichst bald selbst zu erhalten. Ich trat in eine Handelsschule ein, um einfache Buchhaltung, Stenographie und Schreibmaschine zu lernen. Der Kursus dauerte sechs Monate und kostete sechzig Kronen. Nach Bezahlung des Schulgelds blieb mir für diese Zeit nur eine Krone täglich zum Leben übrig. In meinem Kopf war es nun ruhig und klar, und hinter meinen Schläfen wurden keine Sinfonien mehr gespielt. Allein um dieses ewige Mozart-Konzert in A-Dur loszuwerden, hätte es sich schon gelohnt, eine Eisenbahnkatastrophe mitzumachen, sechs Monate zu darben und sich darauf vorzubereiten, eine von Millionen Stenotypistinnen zu werden. Ich holte tief Atem, streckte mich, krempelte mir die Ärmel auf und entdeckte zu meiner Überraschung, daß ich mich glücklich und zufrieden fühlte und von einem inneren Frieden erfüllt war, wie ich ihn vorher nie gekannt hatte.

Es kam der Frühling, der Frühsommer, die Kastanienbäume zündeten ihre rosa- und cremefarbenen Kerzen an, und die Fliedersträucher hängten ihre violetten Federbüsche aus.

Ich wohnte in einem Hinterhaus, in Untermiete beim Flickschuster Matauscheck. Ich teilte das Zimmer mit zwei andern Mädchen, da aber eins in einem Kabarett arbeitete und erst morgens schlafenging, hatten wir es nicht allzu eng. Wir frühstückten gemeinsam, und dann gingen zwei von uns an die Arbeit und überließen Minna das Zimmer zum Schlafen. Soviel ich erfahren konnte, war sie in dem Kabarett als Toilettenfrau angestellt. Sie unterhielt uns mit allerlei gut beobachteten Schilderungen ihrer Kundinnen. Das andre Mädchen, das den Phantasienamen Maja führte, war Mannequin und hatte — nach Vorkriegsbegriffen — eine wundervolle Figur. Heute allerdings wäre sie wohl eine üppige Nummer Vierundvierzig.

Das Haus, in dem ich wohnte, war anständig und ehrbar und beherbergte lauter kleine Leute und geschäftige Werkstätten: den Schlächter, den Bäcker, den Kerzengießer. Es war eine kleine Gemeinde für mich, und jeder wußte alles von jedem. Zwischen den Küchenbalkonen ging eine Menge Klatsch hin und her, und einer neidete dem andern die Butter auf dem Brot. Trotzdem hielten wir alle fest zusammen, fanden aneinander Stütze und halfen uns gegenseitig — und das war etwas völlig Neues für mich. Ein ständiger Strom von ausgeborgtem Mehl, Zucker und Fett ging von Küche zu Küche; die Kinder, die im Hof und auf der Straße spielten, wurden von uns allen beaufsichtigt, sie waren sozusagen Gemeingut. War man krank, so pflegte einen die Nachbarin. Hatte man Sorgen, so halfen die Nachbarn nach ihren bescheidenen Kräften mit Rat und Tat. Starb jemand in deiner Familie, so blieben die Nachbarn bei dir, weinten mit dir und kamen in ihrem besten schwarzen Festtagsgewand zum Leichenbegängnis. Bekamst du ein Kind, so waren alle Frauen da, um zu helfen, dich zu halten, Wasser heißzumachen, das Neugeborene zu baden, für die Hebamme Kaffee zu kochen und den verzweifelten Ehemann zu trösten. Heiratete man, so nahm das ganze Haus stärksten Anteil daran und tat alles, die Hochzeit festlich zu gestalten. Ließ dich dein Geliebter sitzen, so waren alle auf deiner Seite und beschworen den Zorn des Himmels auf ihn herab.

Ich fühlte mich stark, war stolz auf mich und beinah glücklich. Die malvenfarbene Tönung, all das fieberheiße Schöne und Hochgespannte waren aus meinem Leben verschwunden, aber ich spürte festen Grund unter den Füßen. Ich teilte das Dasein all dieser kleinen Leute in meiner kleinen Gasse, und das gab mir ein neues, warmes Gefühl im Herzen. In Reih und Glied zu stehen, befreit einen von dem Gefühl der Einsamkeit.

In der Handelsschule erwies ich mich als großes Licht. Nach der strengen Zucht des Musikstudiums war für mich hier alles fast zu einfach und zu leicht. Wenn man einmal irgend etwas wirklich von Grund auf gelernt hat, ist man für immer aufs Lernen trainiert. Zum erstenmal blieb mir Zeit übrig, mich meines Lebens zu freuen. Wichtig war vor allem das Essen. Ich war bei gutem Appetit, ich mußte mir den Küchenzettel überlegen, und das Essen war immer ein Fest. Sobald ich erwachte, dachte ich an meine Mahlzeiten. Mittags während der Schulpause ging ich auf den Markt, wanderte die Reihen der Marktstände entlang und suchte mir das Beste und Billigste aus, was zu haben war. Die Marktweiber priesen ihre Waren an, sie scherzten mit den Kunden und machten ihnen allerlei Komplimente, um sie von den anderen Ständen wegzulocken. Schon beim bloßen Anblick all dieser Berge von Kirschen, neuen Kartoffeln, grüner Petersilie und zartem Salat wurde man hungrig und vergnügt.

Papa Matauschek war Witwer. Es war ein frauenloser Haushalt, und wir Untermieter hatten Erlaubnis, uns das Essen selbst zu kochen. Das war für mich sehr wertvoll, denn mit meiner Krone pro Tag konnte man es sich natürlich nicht leisten, im Restaurant zu essen. »Was machen Sie sich heut abend?« fragte Herr Matauschek immer, sobald ich mit der Kocherei anfing. »Jöh, was für ein schöner Karfiol! Ich röst' mir die Erdäpfel, die gestern übriggeblieben sind.« Wenn er sich seine Kartoffeln briet, füllte sich die Küche mit dem Duft von Fett und Zwiebeln, und ich wurde von Minute zu Minute hungriger.

»Brauchen wir Licht?« fragte Matauschek jeden Abend. »Nein, wir können den Tisch ans Fenster schieben«, war meine gewohnte Antwort. Ich liebte es, am Fenster zu essen. Es war noch nicht ganz dunkel, und vor dem Fenster hatten wir einen Kasten mit Geranien. Im Hof spielte jemand Ziehharmonika, und die Kinder spielten Verstecken. Sie huschten mit hellem Zwitschern vorüber, wie Schwalben, die fliegen lernen. Minna rumorte in der Küche, kam herein, um sich eine Tüte Kirschen zu holen, die sie hier deponiert hatte, rief »Guten Abend« und hastete wieder hinaus — fort, an ihre Arbeit. Maja kam selten vor zehn Uhr abends nach Hause, denn sie hatte einen Freund. Ich deckte den Tisch, Matauschek kam mit seinen Bratkartoffeln, ich nahm meinen Blumenkohl aus dem Topf und setzte mich dem alten Flickschuster gegenüber an den Tisch. Die Flickschusterei mit all dem Leim, Leder und abgetragenen alten Schuhen ist eins von den weniger angenehm duftenden Gewerben, aber ich gewöhnte mich so an den Geruch, daß ich ihn schließlich beinahe liebte. Papa Matauschek erzählte mir allerlei Interessantes von den Füßen der verschiedenen Menschen, und ich berichtete ihm über meine Fortschritte in der Handelsschule. Aber sobald wir aßen, redeten wir nichts mehr, und es wurde still wie bei einer Kindergesellschaft, wenn sich alle Kinder mit Kuchen vollstopfen. Es schmeckte mir gut. Mein Gott, wie gut es mir schmeckte! Manchmal gaben wir uns gegenseitig etwas ab und machten so aus der einfachen Mahlzeit ein Diner von zwei Gängen. Wenn wir aufgegessen hatten, wischte ich noch den letzten Butterrest vom Teller und pickte die letzten Brotkrumen auf, Papa Matauschek ließ einen tiefen Seufzer hören, ging zum Ausguß und wusch das Geschirr ab. Die Ziehharmonika machte eine Pause und begann dann von neuem. Mütter riefen nach ihren Kindern, und der Abend sank rasch von dem kleinen Himmelsrechteck hernieder, das wie der Deckel einer Schachtel auf unserm Hof lag. Ich nahm meine Lehrbücher und ging in mein Zimmer, um meine Aufgaben zu machen. Welch tiefer Friede lag über diesen Abenden! Wie wunderbar war es, satt zu sein und traumlos zu schlafen! Wie ruhevoll war es, allein zu sein, nicht verliebt zu sein und von niemandem etwas zu wollen!

Hast du schon im Zirkus die chinesischen Akrobaten gesehen, wenn sie ihre kunstvolle große Pyramide machen — die Musik schweigt und nur das Grollen eines lang anhaltenden Trommelwirbels ist zu hören. Da steht der Untermann, ganz Muskel und Kraft; er trägt drei andere, zwei auf den Schultern und einen auf dem Nacken. Diese wieder balancieren zwei Mädchen in chinesischen Kostümen auf den Hüften und zwei jüngere Burschen auf den Köpfen. Diese Burschen halten ein Mädchen an seinen steifen, geraden Beinen, und dieses Mädchen balanciert mit einer Hand einen Stuhl. Und auf diesem Stuhl sitzt ein Mann, der mit drei goldenen Bällen jongliert. Ja, eine solche Nummer war ein Budget — kunstvoll, gefährlich und bei dem geringsten Fehler vom Zusammensturz bedroht. Die goldenen Bälle, mit denen ich auf der Spitze meiner großen Finanzpyramide jonglierte, das waren die Extraausgaben. Es waren all die unvorhergesehenen Dinge, die ein knappes Budget so gewaltig belasten. Neue Schuhsohlen. Ein Paar Strümpfe. Ein Buch, das ich für einen Kursus brauchte. Etwas aus der Apotheke gegen meine dauernden Halsschmerzen. Benzin zum Reinigen meiner Handschuhe und Kleider. Ein kleines Geburtstagsgeschenk für Maja. Neue Teller — ich hatte zwei in der Küche hinfallen lassen. Dies und jenes. Bei all meiner Armut — *noblesse oblige*. Aber ich möchte doch behaupten, daß wir es leichter hatten als die Mädchen von heute. Es gab keine Kosmetika und keine Dauerwellen. Wir wuschen uns gegenseitig das Haar und trockneten es am offenen Fenster. Wir hatten zu dritt eine Schachtel Reispuder, den wir aber kaum benutzten. Was für arme Mädchen, die auf sich halten, heute eins der Hauptprobleme ist, die Masche im Strumpf — das gab's damals noch gar nicht. Wir trugen schwarze Baumwollstrümpfe mit Durchbruchmuster, das man *à jour* nannte, und kamen uns darin höchst verführerisch vor. Sie waren so haltbar wie Eisen. Und so brachte ich es mit vielem Rechnen und Jonglieren zustande, mein Budget im Gleichgewicht zu halten — wenigstens meistens.

Ein kranker Weisheitszahn genügte, das ganze Gebäude zum Einsturz zu bringen und mich vollständig zu ruinieren. Es begann in der ersten Augustwoche mit einem unangenehmen Gefühl im Kiefer. Es störte mich bei der Arbeit, verdarb mir das Vergnügen am Essen und ließ mich nicht schlafen. Ich spielte an der angeschwollenen, klopfenden Stelle mit der Zunge herum. Ich schluckte Tabletten. Ich bemühte mich, nicht daran zu denken.

»Was ist mit dir los, Kinderl?« fragte mich Maja eines Morgens. »Hast du Zug bekommen, oder hast du dich mit jemand gerauft?«

»Wieso?« fragte ich und kaute mein Brot links. »Schau dich an im Spiegel!« sagte Maja. Ich schaute und sah, daß mein Gesicht aussah wie der abnehmende Mond. Mein rechtes Auge tränte und war, von der geschwollenen Backe eingeklemmt, ganz klein. Die Backe brannte, und im Mund sammelte sich dauernd Speichel. Ich zapfte das für Extraausgaben reservierte Kapital an und kaufte mir ein Mittel, das mir der Apotheker gegen Zahnschmerzen empfahl. Es kostete fünfzig Heller und half nichts. Nach vier Tagen war ich reif für den Zahnarzt. Minna kannte einen, der, wie sie sagte, nicht teuer und sehr tüchtig war. Sie opferte sogar ihren Morgenschlaf, um mit mir hinzugehen und mit ihm wegen der Kosten zu sprechen. Der Zahnarzt war ein müde aussehender Mensch mit einem Schnurrbart wie ein italienischer Drehorgelmann. Er sagte, es sei der Weisheitszahn, und wir müßten warten. Er behandelte mich eine Woche lang, dann schnitt er das Zahnfleisch auf. In der zweiten Woche fand er, daß der Zahn heraus müßte, und zog ihn aus. Der Zahn brach ab, und am Kiefer passierte auch etwas. Jetzt war alles eine einzige hämmernde, schmerzende Schweinerei, und ich mußte im Bett bleiben. Als sich heftiger Schüttelfrost einstellte, wurde der Zahnarzt blaß, setzte mich in einen Einspänner und lieferte mich im Krankenhaus ab. Das Urteil lautete auf Blutvergiftung.

So endete dieser Lebensabschnitt, wie er angefangen hatte: im Krankenhaus. Aus dem Ganzen lernte ich, daß es leichter ist, eine Eisenbahnkatastrophe durchzumachen als eine ernsthafte Zahngeschichte. Die großen Schmerzen sind immer leichter zu ertragen als die kleinen, und Menschen, die über einen Bienenstich jammern, werden, wenn sie erschossen werden, zu Helden.

Papa Matauschek kochte ausgezeichnet für mich. Minna und Maja pflegten mich abwechselnd. Die ganze Gasse saß an meinem Bett, erzählte mir den jüngsten Klatsch, machte Späße, tröstete mich und sorgte sich um mich. Mit einemmal war die Welt voller Freundschaft und Güte. Verlassensein? Keine Spur. Die Welt war gut. Es ließ sich herrlich in ihr leben, auch krank sein und wieder gesund werden. Und dann kam das Schönste: eines Nachmittags ging die Tür auf und Clara kam herein. Sie hatte mir sehr gefehlt. Sie war in München gewesen und hatte das biertrinkende Publikum eines Kabaretts mit ihren ›Neuen Tänzen‹ in Erstaunen versetzt. Sie sah noch immer aus wie der Engel mit dem Schwert, und bei ihrem bloßen Anblick wurde mir so eigen ums Herz, so leicht und froh wie damals — vor Menschenaltern —, als wir uns in der Milchtrinkhalle kennengelernt hatten.

»Man braucht nur den Rücken zu kehren, und gleich passiert etwas«, sagte sie. »So ein Scheißdreck!«

»Clara, Liebste!« rief ich aus. »Wie kommt es, daß du in Wien bist?«

»Große Dinge haben sich ereignet, große Dinge«, sagte sie mit gespielter Würde. »Ich bin nach Hause gekommen, um mein Ränzel zu schnüren für immer. Ich hab' einen dreijährigen Kontrakt — drei Jahre, Kinderl, drei Jahre Arbeit und Bezahlung und alles. Endlich lächelt mir Fortuna, wie der Dichter sagt.«

Es klang, als wäre sie ein bißchen betrunken, und sie war so lebhaft, daß mir ganz schwindlig wurde; ich konnte so viel Temperament noch nicht vertragen. »Erzähl mir doch!« sagte ich matt. Clara nahm meine Hände und drehte meine Gelenke vorsichtig hin und her, als wären sie aus Glas. »Zeig mal deine Pfötchen!« sagte sie. »Tun sie weh?«

»Nicht besonders. Und nicht dauernd«, sagte ich. »Ich habe sie zum Beispiel schon ganz schön ans Maschinenschreiben gewöhnt. Allerdings bin ich ein lebendes Barometer. Du könntest mich als Wetterfigürchen benutzen: wenn Regen droht, komm ich mit einem roten Schirm aus meinem Häuschen und sage: ›Kuckuck, da bin ich.‹ Ich spür's zwölf Stunden vorher. Darin bin ich sehr zuverlässig.«

Clara drehte meine Gelenke sehr behutsam. Es schmerzte, und ich biß mir auf die Lippen. »Du hätt'st die Geige nicht aufgeben sollen, du Patzerin«, sagte sie. »Hier, so etwas täglich ein paar Stunden — und dein Handgelenk wird wieder wie neu. Wenn ich's wieder in Ordnung bringe — wirst du dann energisch sein und wieder mit der Geige anfangen?«

»Nein«, antwortete ich.

»Das hatte ich nicht gedacht, daß du's so leichten Herzens aufgeben würdest«, sagte Clara ernst.

»Nein, so ist es nicht. Ich hatte die Fiedelei sowieso schon lange satt. Ich bin ganz froh, daß mir das passiert ist.«

»Ach so — ja, das ist etwas anderes«, sagte Clara, nachdem sie es verdaut hatte. »Du glaubst also, daß du dazu geschaffen bist, für irgend jemanden zu tippen?«

Ich antwortete nicht, und Clara fuhr fort, mein Handgelenk hin und her zu bewegen. Sie hatte gute Hände. »Erzähl mir etwas von deinem Kontrakt!« sagte ich.

»Also, Kinderl, du siehst in mir die wohlbestallte Ballettmeisterin des berühmten Hoftheaters von Bergheim«, sagte sie würdevoll.

»Nanu, wo ist denn das — Bergheim?«

»Es liegt in Süddeutschland, du Analphabetin, und ist eine entzückende kleine Stadt, so eine, wie wir sie als Kinder aus Karton ausgeschnitten und zusammengeklebt haben. Es gibt ein altes Schloß dort und ein neues Schloß, drollige Straßen mit hochgiebligen Häusern und einen Park mit einem Teich und schwarzen Schwänen. Und das Ganze gehört dem Großherzog, von dem man sagt, daß er verrückt ist. Er muß wohl verrückt sein, denn er hat mich in München tanzen sehen und mir sofort einen seiner Hofschranzen mit dem Kontrakt geschickt; ich habe unterdessen an seinem Theater debütiert, und er scheint zu glauben, daß ich das Traumbild eines verrückten Großherzogs verkörpere — jedenfalls was den Tanz anbetrifft. Und sein Volk ißt am liebsten die Suppe, die seit Napoleons Zeiten auf ihren Öfchen kocht; sie heißt ›Französische Suppe‹, und das Ballettkorps besteht aus acht alten Damen mit Gicht und Hühneraugen und aus acht rachitischen Kindern unter Sechzehn. Ich wollte sagen: Man tut täglich etwas Wasser, Fleisch und Grünzeug hinein, aber man nimmt die Suppe nie vom Feuer fort. Sie schmeckt himmlisch.«

Ich tastete mich durch diesen Irrgarten von Neuigkeiten, während Clara fortfuhr, mein Gelenk zu drehen. »Das heißt also, daß du Wien verläßt und drei Jahre wegbleibst!« sagte ich traurig, als ich begriffen hatte.

»Genau dies! Gratulierst du mir nicht?« sagte Clara. Es war mir nie in den Sinn gekommen, daß man anderswo leben konnte als in Wien. Man kann auf eine Tournee gehen, ja man kann ein paar Wochen in einem Münchener Kabarett arbeiten. Aber anderswo leben als unter den Kastanienbäumen und Barockdächern Wiens, eine andere Luft atmen als die flimmernde Luft Wiens, die nach Veilchen duftete, schwer war von Musik und voll von dem harten Staub, der aus unserm Granitpflaster herrührte — das schien mir phantastisch.

»So«, sagte Clara und legte meine Hand auf die Bettdecke. »Ist es jetzt nicht besser?«

»Es tut verflucht weh«, sagte ich. Es hatte mich meine ganze Selbstbeherrschung gekostet, während der Behandlung nicht aufzuschreien. »Gut!« sagte sie befriedigt. »Wann kannst du wieder aufstehen? Was meinst du?«

»Spätestens nächste Woche. Ich habe versucht, das Versäumte in meinem Kursus nachzuholen, so daß ich mit Schluß des Sommersemesters die Prüfung machen und meinen Schein bekommen kann — also heute in vierzehn Tagen. Dann muß ich mich nach einer Stellung umsehen. Man kriegt ganz leicht einen Posten — in den kleinen Anzeigen gibt es massenhaft Stellenangebote für tüchtige Stenotypistinnen.« Es klang überzeugter, als ich war. Ich stenographierte ganz gut, aber ich konnte nie entziffern, was ich geschrieben hatte.

»Nein, das wirst du nicht«, sagte Clara.

»Was werde ich nicht?« fragte ich.

»Dich nach einem Posten umschauen«, sagte sie. »Ich habe einen Posten für dich. Du gehst mit mir nach Bergheim und hilfst mir, mich dort einrichten.«

»Du bist verrückt«, sagte ich.

»Ich habe zwei Fahrkarten, die mein Großherzog bezahlt hat. Ich muß doch eine Anstandsdame haben, nicht wahr?«

»Ich brauche keine Mildtätigkeit«, sagte ich. Clara lächelte mich amüsiert und sehr lieb an.

»Aber vielleicht ich!« sagte sie. »Ich will nicht ganz allein nach Bergheim fahren. Zum Unglück hat der kleine Salvator die Masern, und meine Mutter muß bei ihm bleiben. Es ist eine Gemeinheit von ihm, gerade in dem Augenblick die Masern zu kriegen, wo seine Eltern heiraten wollen. Das verpatzt die ganze Hochzeit.«

»Die beiden heiraten?« fragte ich überrascht.

»Ja, Nicki ist von seinen Eltern enterbt worden, weil er die junge Dame nicht heiraten wollte, die sie für ihn ausgesucht hatten. Da muß sich jetzt doch meine Schwester seiner annehmen, gelt?«

Ich dachte einen Augenblick darüber nach, ließ die Sache dann aber fallen; sie war mir nicht wichtig genug.

»Ich will keine Mildtätigkeit«, wiederholte ich eigensinnig. »Ich will mein eigner Herr sein. Ich habe etwas gelernt und will auf eignen Füßen stehen. Punktum. Aber ich dank' dir sehr, Clara, es ist so lieb von dir, mir helfen zu wollen.«

Sie erhob sich und tätschelte meine Hand. »Ich könnte mir vorstellen, daß man auch in Bergheim Stenotypistinnen braucht«, sagte sie. »Aber tu, was du nicht lassen kannst! Ich will mich nicht aufdrängen. Natürlich würde ich dich gern bei mir haben. Es wäre mir dann leichter, von Wien wegzugehen.«

Hätte mir Schani nicht einen Heiratsantrag gemacht, und hätte es an dem Tag, an dem ich auf Stellungssuche ging, nicht gegossen, so wäre ich wohl kaum nach Bergheim gegangen. Aber Schani machte mir tatsächlich einen Antrag. Das war einer der Gründe, warum ich Wien verließ. Als ich ihn zuletzt gesehen hatte, war er im siebenten Himmel gewesen. Seine Oper ›Touggourt‹ war fast fertig, und es hieß, die Hofoper interessiere sich dafür. Er hatte sich das Haar schneiden lassen. Er trug einen neuen Anzug; der genau so verrückt war und so schlecht saß wie sein alter. Und er war verliebt. Er mußte dauernd ganz dringend telefonieren und bedeckte die Marmorplatte des Kaffeehaustischs mit Skizzen eines Mädchenkopfs, aus Noten zusammengesetzt. Er summte eine sentimentale Melodie. Plötzlich knallte er mir wie aus der Pistole geschossen den Namen Susi ins Gesicht.

»Du mußt sie kennenlernen«, sagte er. »Sie wird dir gefallen. Sie ist so süß und klein, du hast ein so kleines Mädchen in deinem Leben noch nicht gesehen. Sie ist nicht schwerer als das, was dir ein kleiner Vogel auf den Kopf fallen läßt. So klein ist sie — und dabei so stark. Sie hat die süßeste Koloraturstimme von der Welt. Das hohe D ist gar nichts für sie. Das hohe E — gar nichts! Du müßtest sie einmal hören, wie sie die erste Arie der Königin der Nacht in der ›Zauberflöte‹ singt! Jetzt studiere ich mit ihr die ›Butterfly‹ ein. So eine Butterfly wie sie wird es in der Welt nicht wieder geben — da kannst du sagen, was du willst. Ich schenk dir die Lehmann. Ich schenk dir die Bellincioni. Ich schenk dir die Selma Kurz. Laß du mir die Susi! Mehr will ich nicht. Susi. Du mußt sie bald kennenlernen, du wirst lachen, wie klein sie ist.«

»Fein, Schani«, sagte ich. Ich freute mich über seine Freude. »Diesmal hat's dich ja ordentlich gepackt, alter Junge.«

»Ich bin glücklich, Marion«, sagte er, und vor Verlegenheit traten ihm große Schweißtropfen auf die Stirn. »Ist dir doch recht?«

Ich lernte Susi kennen, und sie gefiel mir sehr; sie hatte etwas von der zwitschernden Art eines Vogels, etwas sehr Blondes und sehr Leichtes — die vollkommene Ergänzung zu Schanis schwerem linkischem Wesen. Er war — wie Adam — aus Lehm gemacht, und das sah man ihm an. Aber es war der allerfeinste Lehm, prima Qualität. Es freute mich, daß Susi in Schani genauso verliebt war wie er in sie. Sie hatten geheime Kosenamen füreinander und konnten es nicht aushalten, an gegenüberliegenden Seiten eines Tisches zu sitzen; sie mußten immer eng beieinander sein, und sie lebten — wie es Liebende tun — in einem schönen runden Kokon, der aus gemeinsamen Erinnerungen, Erlebnissen und tausend belanglosen Dingen gesponnen war, die für sie eine Welt bedeuteten. Ich — die störende, überflüssige Dritte — war ausgesperrt, und so zog ich mich nach und nach unauffällig von ihm zurück. Da geht eine gute, nette Freundschaft dahin, dachte ich bei mir; ich freute mich um seinetwillen, wenn auch nicht ohne einen kleinen Schuß Eifersucht, wie sie jeder hat, wenn sich der beste Freund verliebt, verlobt, verheiratet. Aber ich hatte mich geirrt. Zwei Tage nach Clara besuchte mich Schani und sah so niedergeschlagen aus, als wäre die Partitur des ›Touggourt‹ verbrannt.

»Wie geht's dir?« sagte ich. »Nett von dir, daß du einmal vorbeikommst, Schani.«

»Vor allem — wie geht's dir selber?« antwortete er. »Wie der Felsen vor Gibraltar siehst du mir noch nicht aus.«

»Es geht mir gut«, sagte ich. »Es geht mir ausgezeichnet.«

»Schön«, sagte er, »schön — das freut mich.«

Er betrachtete seine neuen Schuhe und seine Finger, dann warf er mir einen raschen Blick zu, dann schaute er wieder weg, und dann fing er an, sich Haare aus den buschigen Brauen zu zupfen.

»Wie geht's Susi?« fragte ich.

»Ach Susi — ganz gut, glaube ich«, antwortete er, als interessiere es ihn nicht sonderlich.

»Was ist mit dir los, Schani?« fragte ich. »Hat Susi dich sitzenlassen?«

»Schau, Marion«, sagte er — er nannte mich bei meinem richtigen Vornamen, nicht wie sonst ›Herzensschatz‹ oder ›Schätzchen‹ —, »schau, wir sind doch schon seit langem gute Freunde, nicht wahr? Ja, wir sind immer gute Freunde gewesen. Weißt du noch, wie ich dich nach dem Schlußkonzert im Konservatorium küssen wollte? Ich tat es, weil ich in dich verliebt war. Weißt du das?«

»Ja und?« sagte ich — ich wußte nicht, was ich damit anfangen sollte.

»Ich bin immer noch in dich verliebt«, fuhr Schani fort. »Ich war all die Jahre in dich verliebt. Ich habe ein regelmäßiges Einkommen, ich kann eine Frau erhalten und eine Familie. Ich möchte, daß du mich heiratest.«

Es klang, als hätte er es auswendig gelernt. Er sagte es so mechanisch. Vor Überraschung blieb mir der Mund offen.

»Was ist mit Susi?« sagte ich.

Er fingerte in der Luft herum. »Ach, Susi«, sagte er. »Das hab' ich schon geregelt. Das war bloß eine — bloß eine Episode.«

Armer Schani. Keiner log so ungeschickt wie er. Er zog sein Taschentuch heraus und trocknete sich den Schweiß von der Stirn.

»Sie weiß, daß ich dir einen Heiratsantrag mache«, fügte er hinzu. »Es ist alles geregelt mit ihr.«

Gott segne die kleine Susi, er segne ihr großes kleines Kanarienvogel-herz!

Blitzartig verstand ich die ganze verrückte Großmut. Sie war darauf ein-gegangen, auf Schani zu verzichten. Er sollte mir das Leben retten — ich hatte ja ein gebrochenes Handgelenk und konnte nicht mehr Geige spielen, während sie ja eine der schönsten aller Koloraturstimmen besaß . . .

»Du bist verrückt, Schani«, rief ich aus. »Tut mir leid, aber du bist total verrückt! Ich hab' dich sehr gern, und ich glaube sehr stark an dein Genie — aber heiraten kann ich dich nicht.«

»Du kannst nicht?« sagte er mit einem Hoffnungsschimmer in der Stimme. »Warum kannst du nicht, Schätzchen?«

Ich hoffe, ich habe besser gelogen als Schani, weiß aber nicht mehr genau, was für Geschichten ich ihm erzählt habe. Es war irgend etwas Großartiges, vielleicht, daß ich in einen wunderbaren Mann verliebt sei, einen reichen Mann, einen vornehmen Mann, daß wir so gut wie verlobt seien und daß ich von Wien fortgehe — diese Eingebung kam mir ganz plötzlich —, um diesen Mann, der in Deutschland lebe, zu heiraten. Ich sah, wie wieder Leben in Schani kam — es war, als wenn man einem Delinquenten am Abend vor der Hinrichtung die Begnadigung bringt. Er gab sich die größte Mühe, enttäuscht zu erscheinen, aber es kam nicht richtig heraus. »Na schön, Mädel, wenn du mich nicht magst, muß ich doch wohl noch Susi nehmen«, sagte er, vergaß seinen Hut, lief davon, kam wegen des Huts zurück, küßte mich, stolperte über einen Stuhl, erreichte die Tür und war fort.

An dem Tag, als ich auf Stellensuche ging, regnete es, wie gesagt. Die Straßen waren so schmutzig, wie es nur die Straßen in Wien sein können, wo das Abendland aufhört und der Orient anfängt. Es blies ein kalter Wind, der mir nasse, schmutzige Papierfetzen ins Gesicht trieb, und meine Schuhe, die ich wegen Geldmangels nicht besohlen lassen konnte, ließen das Wasser durch und machten bei jedem Schritt ein saugendes Geräusch. Ich stand immer wieder in wartenden Schlangen, stellte mich bei vielen unangenehmen Leuten vor — ein solcher Tag läßt einem alle Menschen unangenehm erscheinen — und wurde überall abgewiesen, weil ich noch keine Büropraxis hatte. Ich war todmüde, schwach und erschöpft, und zu allem Überfluß lief ich im Regen auch noch Vetter Hermann in die Arme. Ich stand unter meinem Regenschirm, von dem mein Privatbächlein auf mich niederrauschte, und wartete auf den Omnibus, denn ich hatte die ganze Sache aufgegeben und mich entschlossen, zehn kostbare Heller für die Heimfahrt zu verschwenden. Da sah mich Vetter Hermann und hielt mit seinem Auto am Trottoir.

»Was — das ist doch Marion!« sagte er. »Komm, ich bring' dich nach Hause, wenn's nicht ein zu großer Umweg ist.«

Er war großspurig wie immer, und ich tat ihm leid. Das sagte er auch, und zwar immer wieder. »Du hast mir wirklich leid getan, wie ich dich da im Regen stehen sah«, sagte er. »Du hast mir sehr leid getan. Du sahst so verloren und unglücklich aus. Es war mir einfach unmöglich, mit meinem Wagen weiterzufahren und dich da stehenzulassen. Weißt du, daß ich fast an dir vorbeigefahren wäre, ohne dich zu erkennen? Das kann nicht Marion sein, sagte ich mir, dieses arme durchnäßte Geschöpf. Tja, du wolltest es ja so haben. Du hast deine Wahl getroffen, und wenn es nicht so ausgegangen ist, wie du gehofft hast, kannst du niemandem einen Vorwurf machen als dir selbst. Trotzdem tust du mir leid, ich trage dir nichts nach. Nebenbei bemerkt — hast du gehört, daß ich mich verlobt habe? Ja, ja, so ist das Leben. Aber ich konnte dich nicht im Regen stehenlassen und einfach vorbeifahren —«

»Hier ist meine Ecke«, sagte ich. »Laß mich aussteigen — und vielen Dank, daß du mich mitgenommen hast.« Ich trat aus dem Auto direkt in einen tiefen Schlammstrom. Das Wasser ging mir bis über die Knöchel. Ich blieb stehen, um den Schirm zu öffnen. Der Wind fuhr hinein und stülpte ihn um, und ich segelte hinterher. So etwas passiert mir immer im ungeeignetsten Moment. Vetter Hermann fuhr an mir vorbei, winkte mir mit der gepolsterten Hand zu und bespritzte mich mit Dreck. Ich war nahe daran loszuheulen, aber — wie stets in solchen Situationen — schnappte etwas in mir, ich sah mich selbst wie eine komische Figur auf der Leinwand und platzte los.

Als ich nach Hause kam, wartete Clara auf mich.

»Ich reise nächsten Montag nach Bergheim«, sagte sie. »Kommst du mit oder nicht?«

»Gibt es da wirklich einen Park mit schwarzen Schwänen?« fragte ich matt.

»Jawohl, schwarze Schwäne und kleine hochgieblige Häuser, und die Straßen sind so sauber, daß man von ihnen essen kann, und das Wappen des Großherzogs ist in die Gehsteige rund ums Schloß eingelegt — wie ein Mosaik —, sehr nobel. Und man kocht Französische Suppe —«

»Wie ist's denn da mit dem Wetter?« fragte ich. Clara musterte mein ganzes durchnäßtes Ich und lächelte. »Wunderbar«, sagte sie. »So ein herrliches Klima kennst du überhaupt noch nicht — alle Tage Sonnenschein, das ganze Jahr hindurch, wahrhaftigen Gotts!«

So kam es, daß ich meine Stadt, mein Land und das bißchen Vergangenheit hinter mir ließ, das ich zwischen meinem vierzehnten und siebzehnten Lebensjahr zusammengetragen hatte, und mein Leben noch einmal ganz von vorn anfing.

DRITTES KAPITEL

Als Michael fortgegangen war, um Christopher zum Boot zu bringen, blieb Marion eine Zeitlang mit schlaffen Händen sitzen, verwirrt und unglücklich. Die Sonne hatte die letzte Nebelpfütze aufgeleckt, und die Berge jenseits des Sees standen klar gegen den tiefblauen Mittagshimmel. Sie versuchte aus diesem vertrauten Anblick Frieden, Trost und Beruhigung zu schöpfen, etwas von dem, was der Großvater das Gleichgewicht genannt hatte. Aber das alles paßte eigentlich nicht ganz in die Gegenwart. Denn jetzt waren wohl alle so verwirrt und unglücklich wie Marion. Sogar der weise alte Hammelin, der an seinen kalten Blasebälgen herumarbeitete und seine ehrwürdige alte Flinte putzte, schien neuerdings auf schwankendem Grund zu stehen. Marion spielte mit dem Gedanken, ins Dorf zu gehen und den Alten in seiner Schmiede zu besuchen, sich an den Torflügel zu lehnen und gemütlich ein bißchen zu plaudern. Aber sie gab den Gedanken wieder auf. Sie wollte vermeiden, dort womöglich Christopher zu begegnen, und dann fürchtete sie, Hammelin würde auch nicht viel dazu tun können, ihre Stimmung zu verbessern.

Sie erhob sich mit einem tiefen Seufzer und streckte sich ein paarmal, wie sie es von ihren Katzen gelernt hatte. Um Gottes willen, bloß irgend etwas tun! redete sie sich zu. Bloß nicht so herumsitzen und Trübsal blasen!

Ruhelos wanderte sie auf die Veranda hinaus und wieder zurück in ihr Zimmer, bis ihr plötzlich eine gute Idee kam. Ich werde ein kleines Ebenbild von Nero schnitzen, dachte sie; Michael wird sich darüber freuen. Sie ging in den kleinen Schuppen hinunter, der ihr als Werkstatt diente, und kramte ihre Werkzeugkiste aus, die sie seit geraumer Zeit nicht mehr benutzt hatte. Schließlich fand sie auch das Stück Birnholz, das sie sich gerade für eine solche Gelegenheit aufgehoben hatte. In den gebogenen Fingern wog sie ein Messer nach dem andern, bis sie dasjenige fand, das dem Wesen des Holzes und auch ihrer augenblicklichen Stimmung entsprach. Und dann fing sie an zu schnitzen.

Marion kannte nichts Beruhigenderes als das Gefühl, ein vertrautes Werkzeug in der Hand zu halten. Ihre Finger tasteten das Holz ab und prüften seine Maserung, seine Struktur, seine Härte und seine Willfährigkeit, sich ohne zu brechen dem Messer zu fügen und eine neue Form aus sich herausholen zu lassen. Es ist, dachte sie, die reinste Hebammenkunst, aus dem formlosen Schoß des Materials das darin lebende kleine Geschöpf zutage zu fördern, die schönen, die komischen, die seltsamen und die phantastischen Gestalten ans Licht zu bringen, die in jedem Fels und Stein, in jedem Stück Holz, in jedem Klumpen Ton, in jeder leeren grauen Leinwand verborgen sind. Es ist wohltuend und erregend wie das verträumte Spiel von Kindern, die den Wolken zuschauen. Menschen und Tiere, Segelschiffe und hohe Burgen mit vielen Türmen stecken in jeder Wolke, und die Risse einer Mauer bilden Gesichter und Vögel und Blumen. Marion drehte und prüfte ihr Stück Holz, begierig, es zum Leben zu erwecken.

Zwischen ihr und ihren Kindern bestand ein alter Brauch: jedesmal, wenn ihnen etwas weh tat, schnitzte sie ihnen etwas Lustiges. Jetzt war Nero tot. Und Christopher ging fort. Das war der richtige Augenblick, für Michael einen kleinen Bernhardiner zu machen. Sie malte sich aus, wie er nach dem Abschied von seinem besten Freund und nach Neros Begräbnis nach Hause kommt und sich nicht anmerken lassen will, wie schwer es ihm ums Herz ist. Er wird krampfhaft ein bißchen herumalbern und dann irgend etwas murmeln und in seiner Dachkammer verschwinden. Da wird er dann ihr kleines Geschenk finden, und gleich wird ihm ein bißchen besser zumut sein.

Marion gab sich Mühe, aus Nero alles herauszuholen, was an ihm lustig und drollig war.

Eine liebevolle Karikatur aller Bernhardiner-Eigenschaften: breite, schwere Pfoten, großer Kopf, Hängebacken, die von fern an die Königin Victoria erinnerten, ein rauhes, zottiges Fell und ein Fäßchen Cognac unter das Doppelkinn gebunden. Ein Stück Birnholz, das zum Inbegriff der unbeholfenen, verlegenen Hundegüte wird: ein Bernhardiner. Sie hätte auch eine Karikatur von Christopher schnitzen können — aber das wäre zu durchsichtig, dachte sie.

An einem Wendepunkt ihres Lebens war Marion einmal ganz zufällig dazu gekommen, aus dem Holzschnitzen einen Beruf zu machen, ja, sie hatte sich damals als Holzschnitzerin einen Ruf erworben. Für sie hatte jedes Stückchen Holz ein eignes Leben, eine besondere Maserung, ein besonderes Geheimnis, einen besonderen Duft. Birnholz war hell wie das sonngebleichte Haar der Landkinder, es war schön glatt und hatte einen fruchtartigen sommerlichen Duft. Er mischte sich mit dem herberen Geruch der einfachen Möbel, die ihr der Dorftischler aus Espenholz gezimmert hatte. Liebe und Verständnis für Holz war so ziemlich das einzige, was sie von der Familie Dobsberg geerbt hatte.

Die Späne flogen unter ihren fleißigen Fingern, und sie lächelte bei dem Gedanken, daß hier das letzte Rinnsal des breiten Stroms versickerte, der ihrer Familie Liebe und Leben gewesen war: Holz. Abgelenkt von allem, was sie bedrückte, schweifte ihr Sinn wieder in die Vergangenheit zurück. Merkwürdig, an wie viele kleine Einzelheiten ich mich noch erinnern kann, dachte sie, während Nero unter ihren Händen mählich Gestalt annahm. Ich wußte gar nicht, daß ich sie in einem Winkel meines Gedächtnisses aufbewahrt hatte, jede an ihrem Platz, jede in Cellophan gehüllt; und wenn ich sie auspacke, kommen sie ans Licht, eine nach der andern, und sehen aus wie neu. Viele Jahre habe ich nicht mehr an diese Dinge gedacht — wahrscheinlich hatte ich nie Zeit, so weit in die Vergangenheit zurückzuwandern. Irgendwie muß dies alles doch einen Sinn haben; es kann nicht alles planloser, blinder Zufall gewesen sein. Und doch kommt es mir manchmal vor wie Michaels Schachtel mit der Katze. Als er in Heidelberg Biologie studierte, gab ihm der Professor eine Schachtel voll zahlloser Knochen und Knöchelchen. »Dies hier, mein junger Freund, ist eine Katze«, sagte er zu ihm. »Ich gebe Ihnen die Bestandteile, und Sie setzen sie zusammen.« Und schließlich wurde wirklich eine Katze daraus. Und das habe ich sagen wollen: Zum Schluß muß alles ein Ganzes ergeben, auch wenn es jetzt nur aussieht wie ein Puzzlespiel.

Bergheim war eine Stadt wie aus einem Bilderbuch und lag genau im Mittelpunkt eines Bilderbuchländchens. Als ich ankam, war die Luft herbstblau. Das Ackerland rings um die Stadt war ein karierter Flicken in dem buntscheckigen großen Flickenteppich, den Deutschland mit seinen vielen Kleinstaaten damals bildete. In drei Stunden konnte ein Eilzug den ganzen Staat durchqueren. Und jenseits der Grenze lag genauso ein kleines Ländchen, das genauso einem väterlichen Großherzog gehörte, der in genauso einem hochgiebligen Städtchen residierte. Die Hügel waren von lichten Wäldern bedeckt, von Buchen und Eichen, die in den warmen Farben von Sherry und Portwein leuchteten. Am Stadtrand wand sich der Rhein vorüber, und die alte Brücke sprang hinüber, wobei sie sich mit starken grauen Beinen mitten in den Fluß stemmte. Auf der Brücke stand die Figur des heiligen Franziskus; davor lag immer ein Feldblumenstrauß, ein frommer Gruß von den Bauersfrauen, die vom Lande in die Stadt kamen. Ein alter Dom spiegelte sich im Strom, und es war lustig, von der Brücke ins Wasser hinunterzuschauen und zuzusehen, wie die kleinen Kähne durch das Spiegelbild der Türme und Fensterrosen fuhren. Der eine Turm war hoch und schön; der andre war nur ein unvollendeter Stumpf, auf den man ein langweiliges Schieferdach gestülpt hatte. Die Einwohner von Bergheim waren heiter, fröhlich und von glücklicher Natur. Ich erfuhr, daß es meistens Weinbauern waren. Auch gab es viele Obstgärten. Als ich sie zum erstenmal sah, hingen sie voller Früchte, und als der Frühling kam, brandeten sie in unabsehbaren Wogen von weißen und rosa Blüten gegen die Stadt. Noch nie hatte es einen Frühling gegeben wie den Frühling von 1914 – jedenfalls erzählten uns das die alten Bauern. Es war ein unbändiges Blühen wie noch nie, ein übermütiges Jauchzen auf jedem Ast und Zweig, eine Verheißung von Überfluß im kleinsten Gärtchen wie in den großherzoglichen Parks und Domänen. Als die Blütezeit vorüber war, trugen die Bäume so schwer an den unreifen grünen Früchten, daß man bei jedem die Äste stützen mußte. Sie sahen aus wie eine Armee von Stelzfüßen, die auf Krücken gegen die Stadt marschierten. Inzwischen waren auf den Feldern die Halme hervorgekommen, und es wurde viel davon gesprochen, daß die beste Ernte seit Menschengedenken zu erwarten sei. Der Großherzog fuhr stolz in seinem neuen Auto umher, inspizierte seine eigenen Felder und die seiner Untertanen, die Bauern liefen an die Landstraße, nahmen die Mützen ab, beschatteten sich mit der Hand die Augen, riefen Hurra und lächelten dem Landesherrn zu. Wenn das Auto in einer dichten grauen Wolke verschwand, erfüllte es sie mit Stolz, daß sie den großherzoglichen Staub schlucken durften und daß ihr Herrscher ihre Hoffnungen teilte: es wird prächtige Äpfel geben, einen guten Wein und eine Menge Kartoffeln, Roggen und Weizen.

Es ist schwer, sich heute die vollkommene Wunschlosigkeit jener Tage zu vergegenwärtigen, das bei allen vorhandene Gefühl, einer einzigen, glücklichen Familie anzugehören. Freilich stand der Großherzog oben und der kleine Pächter unten, aber sie waren vom gleichen Holz und im Grunde nicht sehr verschieden. Wie die meisten seiner Untertanen, hatte der Großherzog einen runden Schädel, hohe Backenknochen, blaugraue Augen und dunkles Haar. Er hatte denselben Humor und sprach dieselbe Mundart, einen launigen, gemütlichen Dialekt, der sich vortrefflich zur Selbstironisierung und zu Liebeserklärungen eignete.

Auf der Rheinstraße stand eine hohe Säule, und ganz hoch oben stand der hohe Vorfahr, Großherzog Hugo der Gütige, im römischen Cäsarengewand und voller Taubenschmutz. Östlich vom Zentrum senkte sich die Altstadt gegen den Rhein. Westlich breitete sich die Neustadt aus, mit dem neuen Schloß, dem neuen Theater, der neuen Universität und dem Odenberg mit seiner modernen Künstlerkolonie, einer seltsamen Ansammlung in schreienden Farben prunkender öffentlicher und privater Gebäude mit flachen Dächern.

Jenseits des Odenbergs, wo die Anhöhe in eine sandige Ebene auslief — der als Boden eines Urmeers galt —, versteckten sich die weniger anziehenden und nützlicheren Stadtteile. Die Gas- und Kraftanlagen, die große chemische Fabrik von Heil & Warburg — kurz Hewa genannt —, die Kasernen und Exerzierplätze. Die Arbeitersiedlung, der Güterbahnhof und eins der großherzoglichen Spielzeuge: ein Militärflugplatz mit Hallen und ein paar rad......... Flugzeugen, in denen junge Offiziere umherjonglierten.

Es war bekannt, daß der Großherzog allen militärischen Klimbim verabscheute und seinen Vetter, den Kaiser, aus tiefstem Herzen haßte. Als der Kaiser in jenem Frühjahr zu Besuch kam, gab es einen kleinen Skandal. Der Großherzog kam zu spät zur Parade, weil er sich zu lange bei einer Ballettprobe im Theater aufgehalten hatte. Seine erstaunten Untertanen sahen, wie er in Generalsuniform, die Brust ein einziger Klempnerladen, die Straße hinunterrannte, noch gerade die Straßenbahn zum Exerzierplatz erwischte und dann in seinen Taschen nach Kleingeld suchte, um die Fahrkarte zu bezahlen. Da Großherzöge gewöhnlich kein Geld bei sich haben, erbot sich einer der Fahrgäste unterwürfig, ihm auszuhelfen, der Schlächtermeister Wiegele. »Ach, das ist sehr lieb von Ihnen«, sagte der Großherzog. »Sie sind doch der Metzger Wiegele, nicht wahr? Ich habe mich oft an Ihrer Leberwurst delektiert. Es ist die beste in der ganzen Stadt.«

»Zu Diensten, königliche Hoheit«, erwiderte der Metzger Wiegele. »Darf ich mir die große Freiheit nehmen, Eurer Hoheit eine kleine Probe meiner neuen Wurst ergebenst zu unterbreiten: sie heißt ›Bergheimer Wonne‹.«

Das tat er denn auch, wurde dafür mit dem Titel eines großherzoglichen Hofmetzgers ausgezeichnet und bekam die Erlaubnis, das Wappen des Großherzogs auf sein Ladenschild malen zu lassen. Die Zeitungen des

Ländchens berichteten die kleine Geschichte, und die Untertanen liebten ihren Herrscher nun noch mehr. Die Preußen und ihren verrückten, großmäuligen Kaiser mochten sie nicht leiden, und es freute sie von Herzen, daß Hugo ihn auf dem heißen, sonnigen und staubigen Paradeplatz hatte warten lassen.

Der Großherzog war verhältnismäßig arm, obgleich das Land reich und fruchtbar war. Das Volk bezahlte die mäßigen Steuern, ohne viel zu murren und zu schwindeln, und umgekehrt waren die Steuerämter gegen säumige Zahler sehr nachsichtig. Man behauptete, der Herzog verwende jeden Pfennig seiner Apanage für das Wohl des Landes. Er stiftete der Universität einen neuen Trakt mit einem gut ausgestatteten chemischen Laboratorium, denn für Chemie hatte er sich schon als Junge brennend interessiert. Für das Museum, das er im alten Schloß eingerichtet hatte, kaufte er einen echten Dürer. Er ließ die Landstraßen verbessern, da er selbst gern mit der halsbrecherischen Geschwindigkeit von fünfunddreißig Kilometern in der Stunde dahinraste; und er gründete eine öffentliche Bibliothek, weil er von Büchern viel hielt. Allerdings gab er nur für solche Dinge Geld aus, die ihn persönlich interessierten und die er liebte — so daß Stadt und Land seine Persönlichkeit und Liebhabereien widerspiegelten —, aber er gab großzügig und bereitwillig für alles, was er der Mühe wert erachtete, und behielt nichts für sich. In seinem Privatleben war er einfach. Seine persönlichen Ausgaben bestritt er wie jeder andre Rittergutsbesitzer aus dem Ertrag seiner Güter und Forste. Er war ein sehr liebenswürdiger, hochgewachsener, freundlich lächelnder Mann Mitte der Dreißig, den ein scheuer, schüchterner, unansehnlicher Schatten begleitete: seine Frau Großherzogin Helena war eine kleine Prinzessin vom Lande gewesen, sie hatte ein langes schmales Gesicht und einen schlechten Teint. Wie die meisten Prinzessinnen war sie schlecht angezogen, und die Intellektuellen der Stadt machten sich heimlich darüber lustig, daß sie sich immer irgendwelche Blößen gab, wenn der Großherzog ihr seine Künstler und Gelehrten vorstellte. Die einfachen Leute auf den Straßen und Märkten aber liebten sie. Sie sagten, Helena sei gütig und tue in ihrer unaufdringlichen Art viel Gutes. Auch hatte sie ihre Pflicht erfüllt, indem sie dem Land zwei kleine Prinzen geboren hatte, die genauso zerfahren, liebenswürdig und hübsch waren wie ihr Vater.

Ich sah die Großherzogin zum erstenmal auf einem der vielen Bälle, die in dieser lebenslustigen Stadt zwischen Neujahr und Fastenzeit stattfanden. Clara zeigte sie mir.

»Schau — das ist sie«, sagte sie und stieß mich mit dem Ellbogen an.

»Wer?« fragte ich.

»Die Großherzogin. Die dort drüben — mit dem alten schwarzen Samtkleid und den Baumwollhandschuhen. Warum, um Himmels willen, trägt sie diese schmuddligen Reiherfedern im Haar? Könnte nicht jemand ihrer Zofe klarmachen, daß die Federn mal aufgedämpft werden müssen, damit sie wieder Leben bekommen?« sagte Clara und wandte kein Auge von der kleinen Gestalt.

»Was kümmert's dich, wie ihr Reiher aussieht?« fragte ich erstaunt.

»Ich möchte nur wissen, warum er sie überhaupt geheiratet hat«, sagte Clara statt einer Antwort. In ihrem Gesicht lag ein Ausdruck, wie ich ihn noch nie an ihr beobachtet hatte, aber wir amüsierten uns an diesem Abend so gut, daß ich es vergaß. Erst viele Monate später erinnerte ich mich wieder daran.

Der Ball fand im Alten Festsaal statt, einem schönen Rokokobau mit gelben Damastvorhängen und gewaltigen Kristallüstern. Man mußte ununterbrochen tanzen, da das alte Gebäude keine Heizung hatte und der kalte Januarnachtwind durch die hohen französischen Fenster blies, die Vorhänge blähte und einen in einen Eiszapfen verwandelte, sobald man sich niedersetzte. Am meisten tanzte ich mit Howard Watson, einem jungen Engländer, den ich kurz vorher kennengelernt hatte. Er hatte die vollendete, ein wenig banale Schönheit eines blonden Apoll und war nach Bergheim gekommen, um deutsche Literaturgeschichte oder irgend so etwas zu studieren. Bergheim wimmelte von jungen Engländern, denn die Mutter des Großherzogs war eine englische Prinzessin. Der Großherzog selbst hatte eine Vorliebe für alles Englische, und mit seinen häufigen Reisen nach Schottland, Irland und England machte er — bewußt oder unbewußt — eine gute Propaganda für seine kleine Stadt. Howards deutsche Sprachkenntnisse waren begrenzt, und ich verstand kein Wort Englisch. Aber wir verständigten uns großartig — mit Lachen und Blicken, mit Zeichen und kleinen Skizzen, die er auf meinen Fächer zeichnete. Er lehrte mich den neuen sensationellen Tanz, den Tango, wobei er mich fest packte und eng an sich drückte. Er war unerhört intim, aber in dem neuartigen Rhythmus lag etwas Mitreißendes, das ins Blut ging und das ich vom Walzer nicht kannte. Nach drei Tangos merkte ich, daß ich mich in Howard verliebt hatte. Es machte mich glücklich, denn ich war schon allzulange nicht verliebt gewesen.

»Du gefällst mir«, sagte ich auf deutsch.

»Das heißt: ›I love you, darling‹, sagte er. »Komm, sag es mal auf englisch: I love you, darling.«

»Nein«, sagte ich. »Das ist mehr, als ich sagen wollte.«

Es war mein erster Schritt zu der so wichtigen Erkenntnis, daß die Liebe sich wiederholt und daß man sie, wenn man einmal eine gewisse Routine bekommen hat, ebensowenig verlernt wie Schwimmen oder Reiten. Wir küßten uns viel, und ich war stolz auf Howard, weil er so gut aussah, sich so gut benahm, ein Engländer war und — was wir bei allen Ausländern voraussetzten — viel Geld hatte. Keiner hat einen größeren Minderwertigkeitskomplex als der Deutsche, und er wird ihn nicht los, trotz aller Überwertigkeitsgefühle, die Hitler in ihn hineingepumpt hat. Dieser Komplex ist vom deutschen Geist, von der deutschen Seele nicht zu trennen. Was die Deutschen auch in ihren Kundgebungen schreiben, reden und schreien mögen — im tiefsten Innern glauben sie doch alle, aus weniger gutem Stoff zu sein als Franzosen, Engländer, Amerikaner, Russen, Italiener und andre. Es ist etwas Rührendes in der unerwiderten Liebe und Bewunderung, die

die Deutschen an alles Nichtdeutsche verschwenden. Sie kennen die gesamte ausländische Literatur, sie studieren fremde Sprachen, sie reisen, sie pilgern zu fremden Kunststätten und stehen andächtig vor fremden Altären, und sie schürfen tief in der Psychologie und Philosophie aller Nationen der Erde. Und dann wissen sie nichts Besseres, als den andern den Krieg zu erklären, zu zerstören, was sie bewunderten, zu töten, was sie liebten, und diejenigen zu unterwerfen, deren Liebe sie nicht erzwingen konnten . . .

Nach jenem Abend sah ich Howard täglich. Er hielt mit seinem Wagen immer vor dem Häuschen, in dem ich mit Clara wohnte, gab ein Hupensignal und fuhr mit mir aufs Land hinaus. Oder er kam, wenn das Wetter schlecht war, zu uns herein und trank Tee mit uns. Wir lachten viel, küßten uns viel und tanzten viel. Wir gingen miteinander ins Kino oder ins Theater, und nach der Vorstellung holten wir Clara ab und aßen in dem kleinen Restaurant, wo sich die Schauspieler und Sänger des großherzoglichen Theaters immer zu einem späten Imbiß trafen. Wir tauschten unsere Kenntnisse aus, Howard lehrte mich Englisch, und ich schrieb ihm auf der Schreibmaschine seine deutsche Dissertation. Als er hörte, daß ich Stenotypistin war, sah er mich betroffen an. »Das glaub' ich einfach nicht«, sagte er. »Das soll wohl ein Scherz sein.«

»Warum sollte ich nicht Stenotypistin sein?« fragte ich aufgebracht. Es war nicht das erstemal, daß mich seine englische Engstirnigkeit ärgerte.

»Weil du eine so ausgesprochene Dame bist«, sagte er. Ich mußte über diese Torheit lachen.

»Ich bin eine Dame, die arbeiten muß, um sich ihren Lebensunterhalt zu verdienen«, sagte ich.

Nachdem ich Howard klargemacht hatte, daß ich wirklich Stenotypistin war, wurde er womöglich noch eine Nuance höflicher und aufmerksamer gegen mich — und das war sehr lieb von ihm. Aber er kam nie wieder auf dieses Thema zurück, als wäre es für uns beide peinlich, davon zu sprechen. Ich machte mir Sorgen, denn ich hatte keine Arbeit und konnte Clara schon seit zwei Monaten meinen Anteil an Miete und Haushaltskosten nicht bezahlen. Clara plagte sich schrecklich mit ihren Ballettelevinnen und unterrichtete außerdem eine Laiengruppe. Da der Großherzog sein Interesse an Claras Tanzstil gezeigt hatte, wurde so manches hoffnungsvolle Töchterchen an ihrer Tür abgeliefert, das Schönheit, Grazie und Geschmeidigkeit erwerben sollte. Wenn Clara, heiser von den Kommandos, matt und müde nach Hause kam, in einen Stuhl fiel und sich die Beinmuskeln massierte oder Fichtennadelöl inhalierte, um ihre arme Kehle wieder zu beleben, fühlte ich mich klein und beschämt. Ich hatte unterdessen nichts getan, als die Zeit vergeudet, mit Howard geflirtet und auf Inserate in den beiden Zeitungen geantwortet.

Das Malheur war, daß mein Handgelenk mich von den beiden Berufen ausschloß, die ich bisher ausgeübt hatte, und mich auch hinderte, einen andern zu ergreifen. Die Chirurgie war damals, vor dem Krieg, noch nicht die Zauberkunst, die sie später geworden ist. In Wolzynje schon gar nicht. Ein gebrochenes Gelenk blieb mit großer Wahrscheinlichkeit für immer steif.

Mein Handgelenk wurde mit der Zeit nicht besser, sondern immer noch steifer und steifer. Wenn ich beim Diktat eine Weile gearbeitet hatte, wurden meine Finger kalt und gefühllos; dann fiel mir der Bleistift hin, und ich ließ Wörter aus. Ich verbiß mir die Schmerzen, die mir den Arm hinauf in die Schulterblätter stiegen und bald den ganzen Körper ergriffen.

»Ist etwas mit Ihrer Hand los, Fräulein Sommer?«

»Nein, gar nichts. Es ist wirklich nichts. Ich habe einmal einen kleinen Unfall gehabt, aber das ist schon lange her. Ich schreibe bequem 150 Silben in der Minute.«

»Sie machen ein Gesicht, als nähmen Sie nicht gern Diktat auf, Fräulein Sommer. Ich möchte in meinem Büro freundliche Gesichter sehen.«

»Aber nein, Herr Simons, ich lasse mir sehr gern diktieren, ich liebe meine Arbeit wirklich. Bitte lassen Sie sich durch mein albernes Gesicht doch nicht stören!«

Als ich zum zweitenmal hinausgeflogen war, saß ich trübselig in meinem Zimmer und dachte darüber nach, welchen Beruf ich wohl erlernen könnte, bei dem man die rechte Hand nicht brauchte. Entlassen zu werden, war damals etwas Fürchterliches. Anständigen Menschen passierte das nicht. Wer entlassen wurde, sank auf den Rang der Taugenichtse und Bummler hinab.

Clara kam ins Zimmer, blieb hinter meinem Stuhl stehen und berührte mit den Fingern meine Schultern. Nur eine Tänzerin konnte einen so berühren, lebendig und sehr leicht, ganz anders, als ich es von andern Menschen kannte.

»Bist du niedergeschlagen, Kinderl?«

»Nö. Aber ein Vergnügen ist es nicht, immer hinausgeworfen zu werden.«

»Was willst du denn jetzt tun? Für den Rest deines Lebens mit einem steifen Handgelenk herumgehen und dich selbst bedauern?«

»Es handelt sich nicht darum, was ich tun will — sondern was ich tun kann, Clara.«

»Hör zu, Kinderl, man kann immer tun, was man wirklich will. Ich sage: will. Dein Fehler ist, daß du bis jetzt noch nicht wirklich gewollt hast. Ich habe mir eine Reihe von Übungen für dich ausgedacht, und die mache ich jetzt zweimal täglich mit dir. Es wird verflucht weh tun, aber wenn du auch nur ein einzigesmal kneifst, schmeiß' ich dich 'raus und rede nie wieder ein Wort mit dir. Komm, steh auf, du Bummlerin, hör auf zu jammern und tu etwas für dein verflixtes Handgelenk! Ich hab's jetzt satt.«

Gott segne Clara — sie hat mir die einzige Medizin gegeben, die mir helfen konnte. Ich machte meine Übungen, es war eine Qual, es war die Hölle, nein, es waren zehn brennende, stechende, peinigende Höllen; die Schmerzen waren so stark, daß es beinahe schon wieder ein Vergnügen war, die Herausforderung anzunehmen und die ganze Tortur ohne einen Mucks zu ertragen. Nach drei Wochen war mein Gelenk noch genauso steif, aber meine Finger wurden nicht mehr so gefühllos und kalt, und ich hatte mehr Mut und Selbstsicherheit. Ich gab ein Inserat auf und erhielt drei Antworten — aber bei zwei Stellen kam ich zu spät. Der dritte Brief klang sehr bestimmt. Er forderte mich auf, mich Donnerstag um zehn Uhr in Gießheim F 12 vorzustellen. Es war nicht sehr verlockend, denn Gießheim war die sandige Ebene jenseits des Odenbergs, das Arbeiterviertel, wo die Straßen einfach mit den Buchstaben des Alphabets bezeichnet wurden, als lohne es sich nicht, ihnen hübsche Namen zu geben. Aber es blieb mir kein andrer Weg. Ich nahm die Straßenbahn, und mit Getöse, Klingeln und Schlingern kamen wir die Anhöhe hinauf, an der neuen Bibliothek vorbei und hinunter nach Gießheim. Ich war früher noch nie dagewesen und sog die Luft ein. Es roch so chemisch. Das kam von den Hewa-Werken. Chlor, irgendeine Säure, etwas Bitteres und etwas einfach Abscheuliches. Die Straßen waren nackt und nüchtern wie ihre ABC-Namen, die Siedlungshäuser sahen rein und antiseptisch aus — Hunderte von Wohnhäusern, alle nach dem gleichen Muster gebaut, jedes für vier Familien. An den Straßen waren Bäume gepflanzt, aber sie waren noch klein und dürftig und lehnten sich hilfesuchend an ihre Stützen. Es war ein kalter, sonniger Februarmorgen, der ganze Sand des Urmeerbodens schien herumzufliegen, biß mich ins Gesicht und setzte sich mir in die Augen. Der ganze Stadtteil sah hygienisch und gut angelegt aus, aber es fehlten ihm die Wärme und die gemütliche Unordnung der älteren Teile von Bergheim. Hinter jedem Haus war ein kleiner Gemüsegarten und in jedem dieser Gärten flatterte auf der Wäscheleine die Wäsche ganzer Familien: Vaters Hemden und seine langen wollenen Unterhosen, Mutters Strickschlüpfer und grobe Unterröcke und dann die Wäsche der Kinder, immer kleiner und kleiner, bis zu den Windeln der Säuglinge. In Gießheim hatten die Leute viele Kinder und eine Menge Wäsche.

F 12 war ein zweistöckiger roter Backsteinbau, zwei Querstraßen vom Güterbahnhof entfernt, gegenüber einem neuen Schulgebäude. Ich blieb stehen und zögerte; ich zog mein Jackett glatt und streifte meine sauberen weißen Glacéhandschuhe über. Zu meiner Zeit galten weiße Glacéhandschuhe für ein gebildetes junges Mädchen als unerläßlich. Allerdings hatte ich das dunkle Gefühl, daß sie in dieser Umgebung nicht ganz am Platz waren. Drüben am Rinnstein standen drei kleine Jungen und veranstalteten ein Wettpinkeln. Sie riefen mir etwas zu, das ich nicht verstand, und rannten lachend weg — die Schlitze ihrer vielgeflickten Höschen standen noch offen. Ich betrat F 12.

Ein Geruch von Druckerschwärze schlug mir entgegen. Durch eine offene Tür rechts sah ich in ein Zimmer, wo ein alter Mann mit einem grünen Augenschirm arbeitete. Ein Junge bediente die Handpresse. Links war eine Tür mit einem Pappschild ›Redaktion‹. Ich klopfte an und trat ein. Ein jüdisch aussehender junger Mann blickte von einem Buch auf und sah mich geistesabwesend an. Er war in Hemdsärmeln. Er saß nicht an seinem wackligen Schreibtisch, sondern auf einem abgenutzten Großvaterstuhl am Fenster.

»Mein Name ist Marion Sommer, ich habe einen Brief von Ihnen bekommen —«, begann ich.

»Die Stenotypistin? Sie?« fragte er, und an der Art, wie er mich ansah, merkte ich, daß alles an mir verkehrt war. Mein adrettes schwarzes Kostüm, meine frisch gereinigten weißen Handschuhe, das Band auf meinem Hut.

Ich nickte und zog den Brief hervor. »Oben«, sagte er und deutete mit einem tintenbeschmierten Daumen zur Zimmerdecke. Dann senkte er die Augen und setzte seine Lektüre fort. Ich schloß die Tür, zog rasch meine Handschuhe aus und ging nach oben.

Howard Watson hatte mir gleich auf den ersten Blick gefallen. Seine saubere, gute Erscheinung. Wie ihm der graue Flanellanzug lose von den breiten Schultern hing. Wie ihm der Frack die große, sportliche Figur so tadellos umschloß. Wie ihm das blonde Haar in einem Wirbel in die Stirn wuchs. Wie er nach Yardleyseife duftete. Wie er sich in seinen deutschen Sätzen verhedderte. Wie er lachte. Wie er tanzte. Wie er küßte.

Walter Brandt gefiel mir gar nicht, als ich zum erstenmal den Fuß in sein Zimmer setzte. So etwas von schlampigem Individuum in einer derart schlampigen Bude war mir noch nicht vorgekommen. Überall lagen haufenweise Bücher, Zeitschriften und alte Manuskripte herum — auf dem Fußboden, auf dem Sofa, auf dem Stuhl, den er mir anbot. Er fegte ein paar hinunter, sie fielen zu Boden und eine Staubwolke stieg auf. Ich setzte mich auf die übrigen, es war ein unsicheres und unbequemes Sitzen. Der Fußboden war mit Papierfetzen, Zeitungen und Zigarettenstummeln bedeckt. Mitten auf dem Schreibtisch, auf der Löschblattunterlage, schlief eine dicke graue Katze. Brandt hatte die Angewohnheit, sie geistesabwesend wegzuschieben, wenn er sprach, aber sie kroch immer wieder auf ihren Platz zurück, ohne auch nur ein Auge zu öffnen. Das Sofa hatte nur drei Beine; damit es nicht umfiel, hatte man eine leere Obstkiste untergeschoben. Die Fenster waren schmutzig und klapperten im Gießheimer Wind. In der Ecke spie ein rundes Öfchen Hitze aus, rot im Gesicht und glühend vor Anstrengung. Oben stand ein Teekessel, der ungestört überkochte und kleine Ströme Wasser auf den Ofen sprudelte, wo sie mit wütendem Zischen in Dampf aufgingen. Am liebsten wäre ich umgekehrt und nach Hause gegangen. Aber ich brauchte eine Stellung und ging nicht.

»Mein Name ist Marion Sommer. Ich habe diesen Brief von Ihnen —«, begann ich wieder und hielt dem Mann hinter dem Schreibtisch das Dokument unter die Nase. Er war in Hemdsärmeln und ohne Kragen. Ein Dschungel von braunen Haaren wuchs auf seinem Kopf, und zwei tiefe Furchen spalteten seine Wangen.

»Sie kommen mit zehn Minuten Verspätung«, sagte er. »Setzen Sie sich.« In dem Zimmer war keine Uhr. Später fand ich heraus, daß Walter sich an der Schuluhr gegenüber orientierte.

»Entschuldigen Sie«, sagte ich. »Ich habe die Straße nicht gleich gefunden. Ich war noch nie in Gießheim.«

»Das sieht man«, sagte er, und mein schwarzes Kostüm brannte mir auf dem Rücken, als stände es in Flammen. Ich rutschte unbehaglich auf meinem Piedestal aus alten Manuskripten herum. »Entschuldigen Sie«, sagte ich noch einmal.

»Ich bin Walter Brandt«, sagte er. »Mein Name ist Ihnen wohl bekannt.«

»Nein — ich wüßte nicht...«, stotterte ich. »Ich bin noch nicht lange in Bergheim«, fügte ich hinzu.

»Das merkt man. Woher kommen Sie?«

»Aus Österreich. Aus Wien«, sagte ich unsicher. Vielleicht war das auch verkehrt.

Brandt sah mich an. »Da sind Sie ja sehr weit weg von der Heimat«, sagte er. Was für merkwürdige Augen er hat, dachte ich. Sie waren erstaunlich lebhaft und rund, wie Vogelaugen. Eine schwarze Pupille in einem Ring von gelbem Achat. »Sagen Sie, wenn Sie aus Wien sind — kennen Sie Viktor Adler?«

Ich blätterte rasch in meinem Gedächtnis nach. »Den Sozialisten?« sagte ich erleichtert. »Ja, ich bin öfter mit ihm zusammengekommen.«

»Ah — jetzt wird es interessant. Wo war denn das?«

»Wir hatten eine Gesellschaft für moderne Kunst —«

»Moderne Kunst?« sagte Brandt. Es klang, als wäre ein Fallbeil heruntergesaust und hätte die moderne Kunst geköpft; ich hörte ihr armes Haupt in den Korb fallen und ärgerte mich langsam.

»Ja, für moderne Kunst«, sagte ich. »Und zwar sehr gute Kunst.«

»Sie haben also nicht der Partei angehört«, sagte er.

»Welcher Partei?« fragte ich naiv.

»Der sozialdemokratischen Partei«, sagte er. »Der sozialdemokratischen Partei, Fräulein. Oder ist es Ihnen nicht bekannt, daß so etwas wie eine sozialdemokratische Partei existiert?«

»Ich interessiere mich nicht für Politik«, antwortete ich. Brandt stieß einen Pfiff aus und seufzte. »Darauf brauchen Sie nicht stolz zu sein, Fräulein«, sagte er. »Gar nicht stolz zu sein, Fräulein. Aber wir werden Sie aufwecken, Sie alle, die mit dem Futtersack vor der Nase leben und mit Wachs in den Ohren und Scheuklappen vor den Augen —«

»Hören Sie«, sagte ich nun wirklich ärgerlich, »ich bin nicht zu einer politischen Prüfung hergekommen, sondern weil ich Arbeit suche. Politik ist eine Sache für Politiker. Meine Sache ist Stenographie und Schreibmaschine. Entschuldigen Sie, aber ich glaube, es ist besser, ich versuche die Straßenbahn um elf noch zu erwischen.«

»Langsam, langsam«, sagte Brandt. »Ich wollte Sie nicht verletzen. Sie müssen bedenken, daß mein Beruf nun einmal die Politik ist. In dem Lager, in dem ich stehe, ist das keine einfache Sache. Ich dachte, Sie wissen, daß Sie in der Höhle des Löwen sind. Ich bin gerade kein Viktor Adler, aber ich redigiere eine sozialistische Zeitschrift. Wenn Sie nicht bei mir arbeiten wollen, weil es Ihnen zu gefährlich ist — tja, ich halte Sie nicht.«

Ich hatte mich von meinem fragwürdigen Sitz erhoben, aber nun setzte ich mich wieder hin. Schließlich war ich doch das Mädel, das seinen Kopf in den Rachen des Löwen hatte stecken wollen.

»Ist es denn gefährlich, bei Ihnen zu arbeiten?« fragte ich lebhaft. Jetzt grinste mich Brandt breit an und zwinkerte mir zu.

»Einigermaßen. Einigermaßen. Aber es ist nichts Romantisches dabei, nichts Romantisches, Fräulein«, sagte er. Ich gewöhnte mich allmählich an den Rhythmus seiner Worte. Er sprach den weichen, gemütlichen Dialekt des Landes und hatte die Angewohnheit, manche Satzteile rhetorisch zu wiederholen. Bei der Unterhaltung hielt das allerdings etwas auf, aber auf der Rednertribüne wirkte es sehr eindrucksvoll, wie ich in den folgenden Monaten oft feststellen konnte. »Wir werden nicht gehängt, und wir werden nicht in Öl gesotten. Wir sind schließlich die größte legale Partei in Deutschland — mit 110 Sitzen im Reichstag; wir haben mehr Stimmen als die andern Parteien, auch wenn uns der Kaiser vaterlandslose Gesellen genannt hat. Aber von Zeit zu Zeit werden wir auf der Straße überfallen oder man stürmt unser Büro, oder man verbietet unsre Zeitschrift, die jedesmal so viel Schweiß und Blut kostet. Und darum will ich diesmal auch eine weibliche Hilfskraft engagieren. Meine männlichen Mitarbeiter landen nämlich leider immer im Gefängnis. Der letzte wurde Dienstag verhaftet. Wir sind mit der Arbeit zurück.«

Das war gut. Das war wunderbar. Ich sah mich schon selbst in der Gefängniszelle, mein Haar, eben erst bis zu den Schultern gewachsen, wieder geschoren, im blauen Gefängniskittel. Die Sonne malte die Schatten der Kerkergitter auf den Fußboden . . .

»Weshalb werden sie denn verhaftet?« fragte ich selig.

»Ach — wegen jeder Kleinigkeit. Weil sie in eine Schlägerei hineingeraten oder einen Polizeibeamten beleidigen — jeder nichtige Vorwand genügt. Man findet immer etwas gegen einen, der bei mir arbeitet.«

»Ich möchte bei Ihnen arbeiten«, sagte ich.

Brandt tastete auf seinem Schreibtisch herum, nahm die Katze, setzte sie auf seinen Schoß und kraulte ihr den Hals. Die Katze streckte sich, öffnete die Augen und schmiegte sich wohlig an ihn. Es überraschte mich, daß dieser liederliche, ungekämmte Sozialist auffallend schöne und gepflegte Hände hatte. Sie waren kräftig und sensitiv, und wie er so die Finger in das graue Fell der Katze vergrub, hatte ich den Eindruck, daß es einsame Hände seien. Später verstand ich, daß dieses Kraulen der Katze eine Form des Ausweichens war, wenn ihn etwas bewegte oder verlegen machte. Dann setzte er die Katze auf die Löschblattunterlage zurück und wurde wieder lebhaft und geschäftsmäßig.

»Warum sind Sie von Wien fortgegangen?«

»Aus privaten Gründen.«

»Haben Sie dort gearbeitet?«

»Ja. Ja, ich habe dort gearbeitet«, sagte ich. Es war ja nicht gerade gelogen, nicht wahr? »Und hier auch. In der Simonsschen Bank und in einer Buchhandlung«, setzte ich schnell hinzu.

»Zeugnisse?«

Mir wurde heiß. In beiden Zeugnissen stand, ich würde nicht wegen eines Verschuldens entlassen, sondern wegen einer Schwäche in meiner rechten Hand. Ich hatte die Papiere zerrissen und in der Toilette hinuntergespült. »Nein, keine Zeugnisse.«

Walter Brandt stand auf, ging an mir vorbei zur Tür, öffnete sie und rief über die Treppe hinunter: »Fritz! Komm doch mal einen Moment herauf.«

Dann setzte er sich wieder, schob die Katze vom Löschpapier und sah mich mit seinen ruhigen, runden, gelben Augen an. Nach einer Minute kam der Jüngling, den ich unten hatte sitzen sehen, ins Zimmer gepoltert.

»Ist der Kaffee fertig?« fragte er.

»Hör mal zu, Fritz«, sagte Brandt, »wir werden uns ohne Sekretär behelfen müssen, bis Bürger aus der Haft kommt. Die hier eignet sich nicht. Sie paßt mir ganz und gar nicht. Und die andern hast du ja gesehen. Glaubst du, daß wir allein durchkommen?«

»Ausgeschlossen«, antwortete Fritz und machte sich mit dem Wasserkessel und einer Kaffeekanne zu schaffen, die er unter dem Sofa hervorgezogen hatte. »Was ist denn mit der nun wieder verkehrt?«

»Total verbildet, total falsch erzogen — das merkt man gleich. Hat noch nie von uns gehört. Keine Erfahrung. Keine Zeugnisse. Hat wahrscheinlich in ihrem Leben noch nie eine Arbeit angerührt. Glaubt vermutlich, daß wir hier Räuber und Gendarm spielen und daß es ein Spaß wäre, mal mitzuspielen.«

»Wenn Sie mir vielleicht noch in den Mund schauen wollen — ist mir auch recht«, sagte ich wütend. »Sie wissen, das macht man, wenn man ein Pferd kauft.«

Fritz brach in ein Gelächter aus, aber Brandt ließ seinen Blick auf mir ruhen, ohne einen Muskel seines Gesichts zu verziehen.

»Können Sie gut Französisch?« fragte er. Fritz schob ihm eine angeschlagene Tasse ohne Untertasse in die Hand, er hob sie zum Mund, ohne die Augen von mir zu wenden. »Wir korrespondieren viel mit französischen Freunden«, sagte er. »Können Sie französisches Diktat aufnehmen?«

Französisch sprach ich, wie jedes guterzogene Wiener Kind, solange ich denken konnte. »Prüfen Sie mich doch«, sagte ich. Jetzt hatte ich es mir in den Kopf gesetzt, die Stelle zu bekommen.

»Also schön — warum nicht«, sagte Fritz. »Wo hast du den Artikel von Hervé?« Ich sah, wie Brandt in das Papiermeer auf seinem Schreibtisch hinabtauchte, und zu meinem Erstaunen zog er mit einem Griff das Gewünschte hervor. Mir dämmerte, daß in diesem Tohuwabohu etwas von Ordnung und Methode herrschte. Ich holte tief Atem und setzte mich zurecht.

»Stenographie oder Schreibmaschine?« fragte ich.

»Schreibmaschine, damit wir's lesen können«, sagte Brandt. Er zog eine Maschine unter dem Tisch hervor und stellte sie vor mich hin. Ich legte Hut und Jackett ab. »Zigarette?« fragte er; er hatte wohl bemerkt, daß meine Hände zitterten. Noch nie hatte ich ein solches Lampenfieber gehabt. Es war schlimmer als bei meinem ersten Konzert mit den Wiener Philharmonikern. Ich nahm die Zigarette und spitzte die Ohren. »Mein Name ist Fritz Halban. Ich bin zweiter Redakteur«, sagte der junge Jude mit einem Anflug von Höflichkeit, und dann begann er mir zu diktieren. Dabei ging er in dem kleinen Zimmer auf und ab, stieß das auf dem Boden liegende Papier mit der Fußspitze vor sich her und sprudelte rasch und leicht eine Flut des drolligsten Französisch hervor, das ich je gehört hatte.

Ich klapperte so konzentriert und flink auf die Tasten, als säße ich am Klavier, und bemühte mich, eine Rekordgeschwindigkeit zu erzielen. Mein Handgelenk schmerzte und benahm sich wie ein bockendes Pferd. Brandt erhob sich von seinem Stuhl und sah mir über die Schultern. Ich begann zu schwitzen. »Genug«, sagte er, als ich das erste Blatt aus der Maschine nahm. »Was haben Sie an der rechten Hand?«

»Nichts«, sagte ich. »Gar nichts.«

»Hören Sie mal, Fräulein«, sagte er, »was ist eigentlich mit Ihnen los? Sie sehen nicht wie eine Stenotypistin aus, Sie reden nicht wie eine Stenotypistin, Sie haben eine lahme Hand, und daß mit Ihrer Vergangenheit etwas nicht stimmt, riecht man zehn Meter gegen den Wind.«

»Immerhin — ihre französische Orthographie ist gut«, sagte Fritz aus dem Hintergrund.

»Ich muß jeden meiner Mitarbeiter kennen, ich muß ihm vertrauen können«, fragte Brandt fort, ohne sich um Fritz zu kümmern. »Ihn kennen, ihm vertrauen. Wir hier, auf dieser Seite der Stadt, wir sind nicht zart besaitet, wir sind allerlei gewöhnt; Sie brauchen uns nichts zu verheimlichen. Aber ich muß Sie durch und durch kennen, bevor ich Sie beschäftige. Waren Sie im Gefängnis? Haben Sie einen ermordet? Haben Sie gestohlen? Unterschlagen? Ihre Sträflingsfrisur verrät Sie ja, sobald Sie den Hut abnehmen. Oder sind Sie ein Spitzel? Sind Sie dafür bezahlt, daß Sie sich in unsere Redaktion einschleichen? Heraus mit der Sprache!«

Als ich sah, wie wütend er wurde, während er auf mich einschrie, löste sich meine Spannung in einem explodierenden Gelächter.

»Wer spielt jetzt Räuber und Gendarm?« sagte ich. »Zu schade, daß meine Geschichte nicht halb so interessant ist! Ich habe ein Eisenbahnunglück mitgemacht, habe mir dabei das Handgelenk gebrochen und beinahe auch einen Schädelbruch geholt. Das ist alles. Ich bin meiner Familie davongelaufen und bin zweimal wegen dieses verdammten steifen Gelenks hinausgeflogen. Das Malheur ist nur, daß der einzige Beruf, bei dessen Ausübung ein Mädel nicht durch ein steifes Gelenk behindert wird, nicht gerade auf meiner Linie liegt. Entschuldigen Sie, daß ich Ihre Zeit so lange in Anspruch genommen habe.«

Ich stülpte meinen Hut über die Ohren und suchte meine ominösen Handschuhe hervor. »Halt mal!« sagte da Brandt. »Sagen Sie mir noch eins: Weshalb sind Sie Ihrer Familie davongelaufen?«

»Sie war mir zu bürgerlich«, sagte ich. Ich meinte es nicht im politischen Sinn, eher mit der Verachtung, die mich die Leute von der ›Jungen Kunst‹ gelehrt hatten. Aber ohne es zu wissen, hatte ich damit Brandt das richtige Stichwort gegeben.

»Da haben wir's«, sagte er befriedigt. »Reiche Familie, was? Bourgeois — ich rieche es förmlich. Ich stamme auch aus einer solchen Familie. Wie sind Sie denn in eine Zugkatastrophe gekommen? Was war denn passiert?«

»Ich war auf einer Konzerttournee. Ich war Geigerin«, bekannte ich widerstrebend. »Sie werden von dem Unglück gehört haben. Bei Wolzynje, in Polen.«

Brandt stieß einen leisen Pfiff aus. »Hat Ihnen denn die Bahn nichts gezahlt? Sie haben doch Anspruch auf einen erheblichen Schadenersatz, wissen Sie das nicht?« fragte er. »Die Juristen streiten sich noch darum«, sagte ich. »Aber ich schulde meinem Impresario so viel, daß sowieso alles draufgeht, was ich möglicherweise kriege, vielleicht sogar noch mehr.«

»Da haben wir's«, sagte Brandt, der zusehends vergnügter wurde. »Da haben wir die ganze Geschichte, Fritz. Schau dir das Mädel an! Sie hat noch nichts vom Sozialismus gehört, aber sie besitzt einen Instinkt, der sie aus dem Schmarotzersumpf hinaustreibt, in dem ihre Familie lebt. Sie ist durch einen Unfall, für den ein kapitalistisches Unternehmen, die Eisenbahn, verantwortlich ist, arbeitsunfähig geworden. Man macht sie arbeitslos, man ruiniert sie. Man zahlt ihr nicht mal eine Entschädigung. Zu allem Überfluß ist noch ein Blutsauger von einem Agenten da, der ihr den letzten Pfennig wegnimmt. Und wenn das arme Ding versucht, eine andre Arbeit zu finden, so wird es jedesmal hinausgeworfen – auf die Straße gesetzt ohne Kündigung. Nirgends soziale Sicherheit, nirgends soziales Gewissen. Ein vollendetes Beispiel dafür, wie das kapitalistische System arbeitet. Lassen Sie mich Ihr Handgelenk doch mal ansehen, Fräulein, ja?«

Es war einigermaßen schief und ungerecht, wie er den Fall darstellte. »Herr Krappl ist kein Blutsauger, er hat sehr viel für mich getan«, wandte ich matt ein.

»Sie haben gearbeitet, und er hat den Profit eingestrichen«, sagte Brandt. »Sie haben Geige gespielt, und er hat das Geld genommen. Das ist so einfach wie das Einmaleins, so einfach wie das Einmaleins.«

»Vielleicht«, sagte ich. Ich brauchte die Stelle. Ich konnte es mir nicht leisten, diesem zornigen Propheten zu widersprechen.

»Hören Sie«, sagte er. »Sie werden hier hart arbeiten müssen, und ich kann nicht viel bezahlen. Sechzig Mark monatlich. Aber ich kann Ihnen die Beruhigung geben, daß Sie hier wegen eines steifen Handgelenks nicht entlassen werden. Im Gegenteil. Legen Sie den Hut ab! Fritz wird Ihnen zeigen, was Sie als erstes zu tun haben.«

Und so hatte ich wieder Arbeit – nicht trotz, sondern wegen meines steifen Gelenks.

Ich gehöre nicht zu den Leuten, die Kisten und Koffer voller Andenken und Erinnerungen ehrfürchtig mit sich herumschleppen. Mein Dachboden ist auch nicht mit solchen Sachen vollgestopft und die Laden meines Schreibtisches sind verhältnismäßig leer. Aber ich habe noch einige Nummern des ›Weckruf‹. Das letztemal blätterte ich darin, als ich die Wohnung in New York aufgab, alles ausmusterte, was sich an mein Leben gehängt hatte, und den Rest in einen Schiffskoffer packte, um wieder nach Europa zu fahren und ausfindig zu machen, ob Michaels Augenlicht nicht gerettet werden könnte. Die Blätter sahen recht vergilbt aus, denn wir hatten auf dem billigsten Papier gedruckt; der Druck war grau geworden, und auch der Inhalt schien merkwürdig abgegriffen: Allmächtiger! es kommt alles wieder! Klassenkampf! Achtstundentag. Soziale Sicherheit. Allgemeines Wahlrecht. Soziale Gerechtigkeit. Und dies und jenes. Dieselben alten

Schlagwörter. Ich las ein paar Zeilen, und alles stieg wieder vor mir auf — das ganze Getriebe in F 12. Ich blickte lächelnd auf die vergilbten Nummern des ›Weckruf‹ und zeigte sie meinem Stiefsohn Johnnie Sprague, der gerade aus Spanien zurückgekommen war, noch ganz erfüllt von Bürgerkrieg und Falange und allem.

»Siehst du«, sagte ich zu ihm, »dein Zug kommt jetzt gerade da an, wo unsrer vor mehr als zwanzig Jahren stehengeblieben ist.« Aber Johnnie hat wenig Sinn für Humor. »Was für ein Zug? Was meinst du überhaupt?« sagte er scharf. — »Die alten Probleme, Herr Lehrer«, sagte ich. »Die Dinge, für die ihr jetzt kämpft. Wir haben dafür schon in dem prähistorischen Mittelalter vor dem Weltkrieg gekämpft. Wir hatten diese Probleme nach dem Krieg sogar schon gelöst — und nun sieh dir an, was daraus geworden ist!«

Johnnie blickte mich mit seinen ernsten Eulenaugen an und sagte: »Diese Probleme sind heute ebenso wichtig wie damals. Karl Marx hat vor sechzig, achtzig Jahren gelebt und gepredigt, und immer noch hat die Welt ihn nicht verstanden. Das spricht gegen die Welt und nicht gegen Karl Marx.«

»Da liegt vielleicht der ganze Fehler«, sagte ich. »Ich meine, mit Karl Marx. Wenn er heute lebte, würde er anders schreiben, mehr zeitgemäß — oder bin ich ein Idiot?«

»Ja«, sagte Johnnie, und ich fühlte, daß er mich gern mochte. »Du bist ein Idiot und eine Landplage, sobald es zu einer politischen oder sozialen Debatte kommt. Du glaubst noch immer, das soziale Gewissen bestehe darin, die Küche mit einem Rudel Negergören zu bevölkern und deine Köchin persönlich zu pflegen, wenn sie Typhus hat. Du bist eine verdammte Individualistin, eine elende Liberale, und Leute wie du sind beim Kampf um den radikalen Fortschritt gefährlicher als die offenkundigsten Reaktionäre.« Ja, dachte ich, aber das Individuum ist es, das Zahnschmerzen und Hunger und Prügel spürt. Aber ich sagte nichts, denn diese jungen Extremisten sind so intolerant und diktatorisch — und ich hatte keine Lust zu streiten.

Ich setzte meine Lektüre in den alten Blättern fort. 7. Mai 1914. 14. Mai 1914. Es war, als käme Walter Brandts Stimme durch die Jahre zu mir: »Es wird die Zeit kommen, wo Schluß gemacht wird mit der Ungerechtigkeit, die die Menschheit durch Jahrtausende in zwei Klassen gespalten hat. Herren und Sklaven. Herrscher und Vasallen. Grundbesitzer und Pächter. Adel und Gemeine. Kapitalisten und Arbeiter. Ausbeuter und Ausgebeutete. Unterdrücker und Unterdrückte. An uns ist es, auf sozialistischer Grundlage eine neue Wirtschaftsordnung zu errichten. Wenn möglich, durch Evolution. Wenn nötig, durch Revolution.« Seine Leitartikel waren heute Asche, aber sie waren einmal Feuer gewesen, und noch heute fühlte sich die Asche glühendheiß an.

Ich habe diese alten Nummern des ›Weckruf‹ nicht weggeworfen; ich habe sie zusammengelegt und unten in ein Fach meines Schrankkoffers gepackt. Wenn ich an Walter denke, wird mir immer etwas wehmütig zumute, ob ich will oder nicht, ich glaube, er war der einzige Mann, den ich wirklich geliebt habe — mit der guten Liebe, der großen Liebe, die

Michael ›das einzig Wahre‹ nennt. Vielleicht wäre mein Gefühl für Walter anders, wenn wir geheiratet hätten und miteinander alt geworden wären. Es ist schwer, sich Walter alt vorzustellen — älter, als er im Jahre 1914 war. Wir hätten geheiratet, weiterhin in Bergheim gelebt und Kinder bekommen. In der deutschen Republik wäre er vielleicht irgend etwas Bedeutendes geworden — Oberbürgermeister oder Minister oder etwas Ähnliches. Und später, als Hitler zur Macht kam, hätte man ihn vielleicht ins Konzentrationslager geworfen, man hätte ihn geprügelt oder umgebracht. Oder er wäre vielleicht entkommen und einer von Tschiangkaischeks Ratgebern geworden wie Fritz Halban. Vielleicht aber wäre er auch, wie so viele sozialistische Führer, umgeschwenkt und Nazibonze geworden. Ich jedenfalls würde genau da stehen, wo ich heute stehe. Aber was soll überhaupt das viele Vielleicht! Vielleicht hätte es gar keinen Hitler gegeben, wenn Männer wie Walter den Krieg überlebt hätten.

März, April, Mai, Juni 1914. Die ersten Wochen in F 12 waren fürchterlich. Ich hatte dasselbe Gefühl wie einmal, als ich einen Stein umdrehte, auf dem ich eine halbe Stunde gesessen hatte, um Beeren zu essen und um den Sonnenschein zu genießen. Da fand ich das wimmelnde, sich krümmende, lichtlose Leben unter dem Stein, die Würmer, Spinnen, Larven, graue Wesen ohne Augen, eins über das andre kriechend, ein häßlicher, widerwärtiger Anblick, der mir für den Rest des Tages den Appetit verdarb! Sagte ich, Bergheim war hübsch wie ein Bild? Sagte ich, es herrschte dort vollkommener Friede? Glaubte ich, daß die Menschen dort glücklich waren und ihren Großherzog liebten?

Nun, ich lernte unter den Stein schauen, und was ich zu sehen bekam, war keineswegs schön.

»... Fräulein Sommer, ich empfehle Ihnen, sich die Statistik über Tuberkulose unter den Kleinpächtern anzuschauen ...« — »Fräulein Sommer, wissen Sie nicht, daß die Gehirnhautentzündung in Gießheim Jahr für Jahr geradezu epidemisch auftritt? Man läßt es nicht publik werden, aber trotzdem sterben daran achtzig bis neunzig Kinder in diesem Teil der Stadt. Wohlgemerkt, nicht auf dem Odenberg, wo die reichen Leute wohnen, sondern bei den Arbeitern.« — »... Fräulein Sommer, geben Sie mir die Ziffern über die Unfälle in der chemischen Industrie ...« — »Fräulein Sommer, reden Sie keinen sentimentalen Quatsch, lesen Sie lieber Ihren Karl Marx!« — »Fräulein Sommer, wie hoch ist Ihrer Meinung nach das Durchschnittseinkommen eines gelernten Arbeiters in diesem Staat? Achtzig Mark im Monat, bei einem zehnstündigen Arbeitstag. Wie soll eine Familie von sechs Personen mit achtzig Mark leben? Was glauben Sie? Wissen Sie, welches Alter ein Grubenarbeiter im Durchschnitt erreicht? Vierzig Jahre, und schon lange vorher ist er krank und krumm von Rheumatismus. Was glauben Sie, wer unterstützt so einen Invaliden? Die Bergwerksunternehmungen, in deren Dienst er zum Krüppel geworden ist? Nein, Mäusle, unsre sogenannte Sozialversicherung ist ein Schwindel ... Was sagen Sie? Warum sie so viele Kinder haben? Wissen Sie denn nicht, daß Kindermachen das billigste Vergnügen des Armen ist, oder ihm wenig-

stens so vorkommt, wenn er gerade dabei ist? Ich habe jahrelang für Geburtenkontrolle und Sexualberatung gekämpft — jede Fabrik sollte ihre
Beratungsstelle haben. In der Kirche hat man deshalb gegen mich gewettert,
als ob ich der Antichrist wäre. Ja, ich weiß, die Großherzogin hat ein Heim
für uneheliche Säugling gestiftet — diese verdammte Dilettantin! Sie
müssen doch begreifen: Wohltätigkeit ist eine Beleidigung. Menschen, die
arbeiten, haben ein Recht darauf, anständig zu leben, anständig alt zu
werden und anständig zu sterben. Das ist alles, was wir verlangen. Gerechtigkeit. Sozialen Ausgleich. Ich habe Ihnen noch gar nichts von den Blei-
vergiftungen in der Faberschen Farbenfabrik erzählt, was? . . .«

Eine Zeitlang war ich so verwirrt und verzweifelt, wie es ein junger
Mensch nur sein kann, wenn er entdeckt, daß das freundliche Bild, das er
sich von der Welt gemacht hat, vollkommen falsch, hoffnungslos falsch ist.
Es wurde mir nicht leicht, mich umzustellen, aber nach einiger Zeit fand
ich mich zurecht und schwamm fröhlich mit in dem sozialistischen Strom,
in dem der ›Weckruf‹ nur eine winzige Welle war. Ich erfuhr, daß es bei
den Sozialisten einen linken und einen rechten Flügel gab und dazwischen
eine ganze Reihe von Schattierungen und Nuancen. Ich verwickelte mich in
den Theorien der Radikalen, der orthodoxen Sozialisten, der Revisionisten,
der Syndikalisten, der Kommunisten, der Anarchisten, der englischen Labour
Party, der russischen Bolschewisten und der deutschen Sozialdemokraten
und all den Meinungsverschiedenheiten, die zwischen ihnen standen. Ich
bekam heraus, daß Brandt mit seiner Partei ganz und gar nicht zufrieden
war und seinen eigenen Kurs verfolgte. In mancher Beziehung war er
revolutionär, in andrer wieder ging ihm die Partei zu weit und machte
seiner Meinung nach den Arbeitern dadurch nur Schwierigkeiten. Die
Parteiführer mochte er nicht leiden; er nannte sie die ›großen Bonzen‹.

Karl Marx' Schriften hatte man mir als eine Art Bibel in die Hand ge-
geben; ich sollte daraus die Grundlagen des Sozialismus kennenlernen.
Wie die Heilige Schrift waren sie stellenweise überaus fesselnd und dann
wieder entsetzlich trocken. Wie die Heilige Schrift enthielten sie viele
Stellen, die unabsichtlich oder absichtlich dunkel gehalten waren. Wie die
Heilige Schrift waren sie voller Widersprüche. Und wie bei der Bibel wäre
es ein hoffnungsloses Unterfangen gewesen, sie ganz durchlesen zu wollen.
Ich fragte mich oft, wie viele von den geschworenen Anhängern und Jün-
gern von Karl Marx wohl jedes Wort, das er geschrieben hat, gelesen, darüber nachgedacht und seinen Sinn wirklich zu ergründen versucht haben.
Ich für meinen Teil wurde nur um so konfuser, je mehr ich darin las. Wo es
um Theorien geht, bin ich im hoffnungsloser Fall. Ich verstehe nur, was ich
sehen, greifen und fühlen kann. Ich sah, daß bei den Menschen in Gießheim vieles nicht in Ordnung war, und hatte den Wunsch, für meinen Teil
alles dazu beizutragen, daß sie glücklicher wurden. Nicht etwa, daß sie arm
waren — die Leute in der Kandlgasse waren ärmer, aber glücklicher gewesen. Nicht etwa, daß sie zu schwer arbeiten mußten — die Bauern in der
Umgebung von Gießheim arbeiteten schwerer, und doch waren sie glücklicher. Ja, wenn die Werkzeuge, die Maschinen und die Fabriken den Ar-

beitern gehören würden — vielleicht wären sie dann auch glücklich. Die Revolution, die man ihnen versprach, war vielleicht ebensogut wie der Himmel, den andre Religionen ihren Gläubigen versprachen. Alles war gut, was ihnen eine Seele gab, eine Hoffnung, eine Fahne, der sie folgen, eine Fackel, die sie tragen, ein Ziel, dem sie entgegensehen konnten.

Kein einziger der Grundsätze, die Brandt für die Ordnung des Arbeitsverhältnisses forderte, wurde auf uns, die bei ihm beschäftigt waren, angewandt; keine Maximalarbeitszeit, keine Minimallöhne, keine wie immer geartete Rücksicht. In der Arbeit war Brandt erbarmungslos wie ein Tornado. Und doch war er liebenswürdig, aufmerksam, ja schüchtern. Er hatte zwei Lieblingsthemen, auf denen er in seinen Leitartikeln immer wieder herumritt. Das eine war ein Lokalthema und betraf die Fabersche Farbenfabrik, wo die Arbeitsbedingungen ungesund und die Schutzmaßnahmen gegen die Bleivergiftung unzulänglich waren, den gesetzlichen Vorschriften nicht entsprechend. Unser ›Weckruf‹ wetterte in jeder Nummer, verlangte eine Untersuchung, verlangte, daß das ventilationslose Gebäude für unbenutzbar erklärt wurde, verlangte, daß die dort arbeitenden Männer und Frauen einen angemessenen Arbeitsvertrag bekamen. Das andre war ein Weltthema. Internationalismus. Verbrüderung der Menschheit. Über die Grenzen ausgestreckte Hände. Vereinigung aller Proletarier der Welt.

Ich glaube, daß ich trotz all meiner Begeisterung für die Sache der Arbeiter niemals eine richtige Sozialistin geworden bin. Ich eigne mich nicht dazu, Mitglied oder Anhängerin zu sein, einer organisierten Gruppe anzugehören. Ich muß mich eben auf meine eigene Weise vorwärtstasten, und Johnnie hat wahrscheinlich recht, wenn er mich eine verdammte Individualistin nennt. Manchmal habe ich mich sogar gefragt, ob Walter Brandt ein richtiger Sozialist war, er, der nie körperliche Arbeit geleistet hatte, er, mit seinen weißen, sensitiven Händen, der schüchtern und verlegen war, wenn er sich mit Arbeitern unterhielt, und erst in Schwung kam, wenn er von der Tribüne zu einer Versammlung sprach. Ich weiß nicht, ob ich an die verwirrenden, komplizierten und verwickelten Thesen des Sozialismus glaubte. Aber ich glaubte an Walter Brandt und seinen brennenden Wunsch, die Welt zu verbessern — oder, wenn schon nicht die Welt, so wenigstens Gießheim und die Fabersche Farbenfabrik.

Es war eine meiner Aufgaben, die französischen und englischen sozialistischen Zeitschriften zu lesen, Artikel rot anzustreichen, die ich für wichtig hielt, und manchmal eine Rohübersetzung zu machen. Mein Französisch war leidlich, und mit Hervé und Jaurès wurde ich recht gut fertig, aber mein Englisch reichte für Ramsay MacDonalds Stil nicht aus. Einmal nahm ich mir einen Artikel mit nach Hause und bat Howard, ihn zu übersetzen. Das war die Ursache unsres ersten Konflikts.

»Was für ein gräßlicher Blödsinn!« sagte er, nachdem er ein paar Zeilen gelesen hatte. »So einen Schmutz faßt man nicht mal mit der Feuerzange an!«

Es ärgerte mich und ich gab ihm eine Kostprobe von den statistischen Zahlen, mit denen mich Brandt gefüttert hatte.

»Schrecklich! Wie kann man nur einen solchen Mist in dein hübsches Köpfchen stopfen!« sagte er. »Wenn du auch nur einen Funken Rücksichtnahme für mich hast, gibst du diese Stellung sofort auf.«

»Was hat es denn mit dir zu tun, wo ich arbeite?« fragte ich ärgerlich.

»Aber versteh doch, Darling! Es wirft doch ein schlechtes Licht auf mich, wenn bekannt wird, daß du Sozialistin bist oder dich mit dieser Sorte Menschen abgibst. Das bringt mich doch in eine abscheuliche Lage!«

»Jetzt redest du wie mein Vetter Hermann«, sagte ich und ließ ihn auf der Straße stehen.

Ich nahm Diktate auf, ich stenographierte, ich tippte die Aufsätze von Brandt und von Fritz, einmal, zweimal, ich schrieb Artikel aus den einlaufenden Zeitungen und Broschüren ab. Ich half beim Korrekturlesen, schnitt Zeitungsnotizen aus, klebte sie ein, registrierte sie und legte sie ab, telefonierte, empfing Gesinnungsgenossen und wimmelte lästige Besucher ab, ich hielt Brandts Stundenplan in Ordnung, ich log für ihn und beschützte ihn, wie es die Pflicht einer Privatsekretärin ist. Jede Woche hatte ihren Höhepunkt, einen Wildbach von Arbeit, wenn die neue Nummer herauskam. Dreitausend Nummern falzen, Streifbänder umlegen, Adressen schreiben, Marken aufkleben, die fertigen Sendungen aufstapeln, schließlich dem Botenjungen beim Hinuntertragen und bei der Beförderung zur Post helfen — zwei Tage lang hatte ich danach immer einen steifen Rücken. Aber der eigentliche Bürobetrieb war nur die Hälfte meiner Arbeit. Dazu kamen die Versammlungen, bei denen ich die Reden mitstenographieren mußte. Die Fahrten in die entfernten Ortschaften zu Diskussionen in verrauchten Bierlokalen, die späten, müden Heimfahrten mit Bummelzügen, das Überreden widerborstiger Parteimitglieder, die Einladungen zu kleineren Komiteesitzungen und schließlich die Abende, die wir in den Arbeitervereinen verbrachten, um neue Leute kennenzulernen und in Parteidingen auf dem laufenden zu bleiben. Aber es machte trotz allem Spaß. Es machte Spaß, nicht als Mädel, sondern als Kamerad behandelt zu werden. Es machte Spaß, nicht allein, sondern Teil einer Gruppe zu sein, das schwarze Schaf einer kleinen Familie innerhalb der größeren Familie der Partei. Mein ganzes Leben lang habe ich gern Menschen kennengelernt. Ich habe sozusagen immer einen kannibalischen Heißhunger auf Menschen gehabt: ich konnte sie massenweise konsumieren. Jetzt hatte man mir ein ganz neues Gericht vorgesetzt, und ich verschlang es mit größtem Appetit.

Die Arbeiter und die unansehnlichen Arbeiterfrauen mit den müden Gesichtern. Die wortkargen, zuverlässigen alten Vorarbeiter. Die jungen Burschen mit den rauhen Stimmen und rohen Fäusten. Die Philosophen, die im Lesezimmer des Vereins saßen, Darwin studierten und den ›Kosmos‹ lasen. Die Bauernsöhne und Bauerntöchter, die in die Stadt gegangen waren, weil ihnen die Hewa lieber war als die Landarbeit, das Versammlungslokal lieber als die Kirche mit ihrem langweiligen lateinischen Gemurmel.

Während dieser paar Monate im Frühling und Frühsommer 1914 war ich glücklich. Ich spürte den Pulsschlag der Welt unter meinen Fingern. Wenn eine Nummer des ›Weckruf‹ verboten wurde, war ich stolz. Stolzer noch, als einmal Bauern in eine unsrer Dorfversammlungen eindrangen, und es zu einer Schlacht mit Fäusten, Stühlen und Bierkrügen kam. Ich kauerte unter einem Tisch, unter den mich Brandt sofort geschoben hatte. Ich beobachtete ihn aus meinem Unterstand und war überrascht, ja begeistert, als ich sah, was für ein gewandter und erstaunlich starker Boxer er war.

»Mäusle, diesen Abend gebe ich nicht für tausend Mark her«, sagte er strahlend, als wir nachts wieder in F 12 waren und ich seine Verletzungen mit Jod behandelte. Fritz war mit einer bösen Stirnwunde in die Unfallstation des Krankenhauses gebracht worden, und wir waren allein. Wir machten uns Kaffee, und Brandt diktierte mir, bis die Straße draußen in der Morgendämmerung grau wurde und der Himmel über dem Schulgebäude sich grün färbte wie ein unreifer Apfel. »Wie gefällt es Ihnen, Mäusle, an der Spitze der Kolonne zu marschieren, statt hintendrein?« fragte er. »Mächtig«, sagte ich. »Es würde mir freilich noch mehr gefallen, wenn ich ein Junge wäre und nicht unter den Tisch kriechen müßte, wenn der Spaß anfängt.«

Brandt nahm die Katze vom Schreibtisch und setzte sie auf seine Schulter. »Ja, manchmal wünsche ich mir auch, Sie wären ein Junge«, sagte er. »Manchmal wünsche ich es mir. Und manchmal bin ich froh, daß Sie geradeso sind, wie Sie sind.«

Er ging ans Fenster und blieb stehen; das Zwielicht lag auf seinem Gesicht, und die Katze schmiegte ihr Köpfchen bei ihm in die Höhlung zwischen Kinn und Schulter. »Kommen Sie her, Mäusle«, sagte er nach einer Weile. »Schauen Sie sich den Himmel an. Schöne Farbe, was?« Dann standen wir beieinander, ohne zu sprechen, sahen zu, wie das Grün zu Orangerot wurde, und lauschten dem Klappern und Klirren, als der Milchzug in den Güterbahnhof einfuhr. Ich war auf die Katze eifersüchtig. Ich beneidete sie — anders kann ich's nicht beschreiben. Ich war müde und schläfrig, ich hätte meinen Kopf gerne dahin gelegt, wo jetzt ihr Kopf lag, um mich auszuruhen und mich von Brandts Hand mit dieser geistesabwesenden, verlorenen, zärtlichen Geste streicheln zu lassen. Nach einiger Zeit legte er mir die Hand auf die Schulter und wiederholte: »Ja, Mäusle, Sie gefallen mir geradeso, wie Sie sind.«

So begann es: mit der Eifersucht auf die Katze. Mit einem Gefühl der Unruhe. Mit dem unbegründeten Bedürfnis zu weinen. Mit dem Wunsch, auf dem Klavier Schubert zu spielen. Mit der verstohlenen Frage, wie er wohl als Kind ausgesehen haben mochte. Mit dem Wunsch, ihn zu bitten: Plag dich doch nicht so ab! Bitte mach eine Pause, um zu atmen, dich umzusehen, eine Blume, ein Lächeln, eine Farbe zu betrachten. Die säuerliche Süße der ersten Kirschen zu kosten. Den reinigenden Regen auf einer staubigen Landstraße zu riechen. Er war wie ein Mensch, der von hohen Mauern umschlossen ist. Er war ein Sträfling, der im Kreis herumgeht. Sträflinge vor sich und hinter sich. Als er mich ans Fenster gerufen und mir das Grün am Horizont gezeigt hatte, fühlte ich ein Brennen in den Augen. Es kam so selten vor, daß er etwas außerhalb seines Kreises sah. Wie er das nur gesagt hatte: »Schöne Farbe, was?« Als hätte er vorher nie etwas Grünes gesehen.

»Was ist mit dir los, Kinderl?« fragte mich Clara. »Bist du eine Schlafwandlerin?«

»Das ist der Frühling«, sagte ich. »Vielleicht steckt auch eine kleine Erkältung in mir.«

»Aber dein Gelenk ist besser, ja?« sagte Clara.

»O ja, danke, viel besser.«

»Möchtest du nicht gern wieder eine Geige haben? Ich habe im Theater gehört, daß eine Geigerin recht preiswert eine verkaufen will.«

»Danke, Clara. Begreifst du denn nicht? Ich will nicht Geige spielen — nie wieder. Meine Arbeit gefällt mir mehr — viel mehr.«

Mit Howard hatte es wieder ein paar unangenehme Auseinandersetzungen gegeben, und ich sah ihn bloß noch ein-, zweimal in der Woche. Er gefiel mir noch immer, ich hatte seine Augen und seine Küsse noch immer gern — aber manchmal langweilte er mich mit seiner höflichen, naiven Arroganz. »Du bist ein Snob«, sagte ich zu ihm. »Du bist ein Pedant. Du bist ein Spießer.« Manchmal zog er Fotos von seiner Familie aus der Brieftasche und wiederholte sich in Wendungen, in denen er auf seine beiläufige englische Art mit seiner Verwandtschaft renommierte. »Mein Onkel, Lord Crenshaw«, oder: »Weißt du, was Lady Evelyn zu meiner Mutter gesagt hat? ›Lady Watson‹, hat sie gesagt, ›wenn Sie meinen Mann so gut kennen würden, wie ich ihn kenne...‹« Er versuchte mir zu erklären, welch grundlegender Unterschied zwischen einem Solicitor und einem Barrister bestand und dann wieder zwischen einem gewöhnlichen Barrister und einem King's Counsel wie Sir Frederic, seinem Vater. Es war zum Weinen langweilig. Ich mochte auch nicht mehr mit ihm tanzen. Tanzen — während die Arbeiter in der Faberschen Fabrik langsam mit Blei vergiftet wurden!

Ich hatte mit Brandt einige dieser Kranken besucht, als er neues Material für sein altes Thema sammelte. Das Weiße in ihren Augen war gelb. Sie sahen wie Gespenster aus. Sie ließen die Schultern hängen, klagten über Brennen im Magen und sagten, daß ihnen die Beine von unten herauf langsam steif würden...

Im Mai fuhr Brandt für eine Woche zu seiner Mutter nach Frankfurt, und ich entdeckte zu meinem Schrecken, daß ich nicht mehr ohne ihn sein konnte. »Kinderl, du läufst herum wie eine vergiftete Ratte«, sagte Clara. »Was ist los? Hat dir jemand aus Versehen Pfeffer in den Hintern gestreut?«

»Ach, laß mich um Himmels willen in Ruhe!« sagte ich wild. Clara schaute mich an, aber sie wurde nicht böse. Sie legte den Arm um mich und tätschelte mir den Kopf. »Schon gut, ich weiß, wie das ist. Ich fürchte, ich bin selber verliebt.«

»In wen?« fragte ich überrascht.

»Du kennst ihn nicht.«

Na ja, Marion, da sind wir ja wieder mal soweit, sagte ich zu mir selber. Wieder verliebt. Verliebt in einen Mann, der dich doch nur für einen Bestandteil seiner Schreibmaschine hält, für ein Stück seiner Büroeinrichtung.

Verliebt in einen verrückten, unvernünftigen Narren. Das ist eine neue Hölle, in der ich mich nun zurechtfinden soll. Bitte, würde jemand so freundlich sein, mir den Weg zu zeigen – ich war noch nie hier... Verliebt in einen Menschen, der besessen ist von ein paar Millionen Entrechteter und der bei ›Liebe‹ nichts andres denkt als: an jedem Fabriktor eine Beratungsstelle für Geburtenkontrolle. Er ist häßlich, sagte ich mir, aber dabei erinnerte ich mich an die Linie, die von seinem Kinn zu seiner Schulter lief, wo der Hals fein und schlank emporstieg, wie aus Edelholz geschnitzt; an das Dickicht kastanienbraunen Haars und die kühne weiße Stirn, die sichtbar wurde, wenn er sich – bevor er die Rednertribüne betrat – das Haar zurückstrich. Er ist kalt, er kennt keine Gemütserregungen, er ist nur Gehirn und Fanatismus, dachte ich. Aber da sah ich ihn vor mir, wie er eines Tages einen kleinen Jungen, der von einem Motorrad umgerissen worden war, in die Redaktion hinauftrug, ihm Erste Hilfe leistete und ihm Geschichten erzählte, damit er seine Schmerzen vergessen sollte. Da war er ein ganz anderer Mensch gewesen: zärtlich, weich, liebevoll. Und so kam ich auf einem Umweg wieder zur Katze zurück. Bitte, bitte, könntest du mich nicht auch so liebhaben wie die Katze? Könntest du mich nicht in deine Hände nehmen und mir alle Wärme geben, die du zu geben hast? Dann fiel mir ein, daß die Katze keinen Namen hatte. Man nannte sie einfach ›die Katze‹ – fertig. Walter Brandt konnte sich nicht damit beschäftigen, einen Namen für eine Katze zu suchen. Er hatte der Menschheit zu dienen, nicht wahr? Er konnte sich nicht mit einer Sekretärin abgeben, die eine alberne Gans war und zapplig wurde, wenn sie nur seine Stimme und seine Schritte auf der Treppe hörte oder sah, wie sich seine Rückenmuskeln unter dem Hemd bewegten. Eine schöne Genossin ist aus dir geworden, Marion, sagte ich zu mir. Jetzt bist du auch so eine wie die Millionen Privatsekretärinnen, die in ihren Chef verliebt sind und es sich nicht anmerken lassen wollen...

»Mäusle, wo zum Teufel haben wir den Bericht über die Löhne der Traubenpflücker hingetan, den ich aus Frankfurt mitgebracht hatte..?«

Ich blieb mit offenem Mund stehen. Er nannte mich Mäusle. Er hatte mir einen Namen gegeben. In dieser Hinsicht war ich der Katze weit voraus. Denk doch nur, ich war in unserm kleinen Kreis der einzige Mensch, für den er einen Kosenamen hatte! Auch hatte er mir aus Frankfurt ein kleines Geschenk mitgebracht, irgend was Seidenes – einen Schal oder so etwas Ähnliches –, ganz billig und geschmacklos. Aber es war immerhin etwas, nicht wahr? Es war sehr viel, denn es kam von ihm. Unerwiderte Liebe nährt sich von solchen Kleinigkeiten... »Hier ist der Bericht. Ich habe die Ziffern unterstrichen und auch an die Winzergenossenschaft im Bezirk Ingelheim geschrieben, damit wir ihnen entgegentreten können... Brauchen Sie sonst noch etwas?«

Ich vermied es, ›Herr Brandt‹ zu ihm zu sagen, und er hatte mich nicht aufgefordert, ihn bei seinem Vornamen zu nennen, wie es die anderen Genossen taten. Eine Sekretärin, die in ihren Chef verliebt ist, muß eine Meisterin im Jonglieren und Seiltanzen sein. Ich war es.

28. Juni. Es war ein Sonntag, aber wir hatten dringende Arbeiten und blieben bis sieben in der Redaktion; dann zog ich eine frische weiße Batistbluse an, die ich mir mitgebracht hatte, Brandt ging unter die Brause und kam, in seinen Rock schlüpfend, mit nassem, glatt zurückgebürstetem Haar wieder heraus. Unten wartete Fritz Halban mit drei Freunden von uns: Adolf Hausmann, Vorarbeiter in der Oxydierungsabteilung der Hewa, seinem Sohn Louis und dessen Freundin Paula. Für den Abend war ein geselliges Zusammensein von Parteimitgliedern in Heinzels Gartenlokal verabredet, eine Tanzunterhaltung mit Reden und Musik. Brandt war einer der Redner, und es war für ihn selbstverständlich, daß ich — wie bei ähnlichen Anlässen — mitkam und seine Rede stenographisch aufnahm. Er bereitete sich selten auf eine Rede vor, er sprach viel besser aus dem Stegreif, doch wollte er nachher schwarz auf weiß lesen können, was er gesagt hatte. Ich für meinen Teil wünschte nichts sehnlicher, als noch ein paar Stunden mit ihm zusammen zu sein. Ich wäre ihm selig auf den Grund des Meeres gefolgt, wenn er mich dazu aufgefordert hätte. Der Abend war warm und mild und erstrahlte in dem eigenartigen Glanz des Frühsommers; die Sonne war hinter der Anhöhe des Odenbergs untergegangen, aber es war noch nicht dunkel. Der Himmel war klar, nur im Westen hatte der Wind einen Haufen rosiger Federwölkchen zusammengekehrt. In dem Augenblick, wo ich aus dem Haus trat, sah ich Howards Auto auf der gegenüberliegenden Straßenseite stehen; er saß hinter dem Lenkrad. Das war eine unerwartete Situation. Ich war überrascht, denn er war noch nie in diesen Stadtteil gekommen. Ich hatte ihm ja auch nie die genaue Adresse der Redaktion genannt. Er gab ein Hupensignal, stieg aus dem Wagen, kam auf mich zu und nahm den Hut ab. »Hallo«, sagte er. Ich blieb stehen. »Hallo, Howard«, erwiderte ich. Die beiden Hausmanns mit Paula, die vor mir gingen, blieben ebenfalls stehen und warteten auf mich. »Geht nur weiter«, sagte ich, »wir treffen uns an der Haltestelle.« Ich war sehr verlegen. Hinter mir hörte ich Brandt mit den Schlüsseln klimpern, während Fritz viel zu laut flüsterte: »Wer ist denn dieser Jung-Siegfried mit dem Auto?« Die Hausmanns hatten sich neben mir aufgepflanzt. »Wir haben Zeit — die Bahn kommt erst in zehn Minuten«, sagte Paula.

Inzwischen war Howard bei mir angelangt; wir reichten uns die Hand. »Guten Tag, Howard«, sagte ich, »was für eine Überraschung!«

»Guten Tag«, wiederholte er. »Ja, ich wollte dich abholen und nach Hause bringen. Es ist ein Skandal, daß du sonntags arbeiten mußt — das hat uns den ganzen Tag verdorben. Aber es ist ein herrlicher Abend, ja?«

»Herrlich«, sagte ich mit einem dummen Gesicht und einem dummen Gefühl. Alle standen um mich herum und warteten. »Das ist Howard Watson, ein Freund von mir«, sagte ich. Allgemeines Händeschütteln. »Sehr angenehm«, sagten die Hausmanns mit der würdevollen Korrektheit kleiner Leute. Ich stellte sie einzeln vor. »Guten Abend«, sagte Howard. »Guten Abend. Guten Abend.« Er setzte für meine Freunde sein sonnigstes Lächeln auf, obwohl ihm sichtlich unbehaglich zumute war. Auch meine Freunde fühlten sich unbehaglich. Ihre Hände waren an den Nagelwurzeln schwarz, denn kein Arbeiter kriegt seine Finger jemals rein, wenn er auch noch so viel schrubbt. Fritz hatte wie gewöhnlich Tintenflecken an den Fingern. Nur Walters Hände sahen repräsentabel aus. Paula fühlte Howards Blick und versteckte ihre Hände in den Rockfalten. »Das ist dieses ekelhafte Silbernitrat«, sagte sie. »Das geht nicht ab.«

»Ich weiß, ich pfusche selber mit Chemie herum«, sagte Howard und zeigte seine Fingerspitzen. Seine ostentative Freundlichkeit ärgerte mich.

»Sieh zu, daß du sie loswirst, und komm mit, Darling. Ich muß mit dir sprechen«, sagte er auf englisch zu mir. »Ich glaube, das geht nicht«, antwortete ich. »Wenn ich gewußt hätte, daß du kommst —« Ich wandte mich zu den andern. »Herr Watson studiert hier Deutsch, aber er spricht es noch nicht sehr gut«, versuchte ich zu erklären. Die Hausmanns starrten ihn mit wohlwollender Neugier an. Fritz hatte hinter seinen schweren Augenlidern einen Schimmer von Ironie, und Brandt sagte unerwartet in ausgezeichnetem Englisch: »Watson — Watson? Habe ich nicht bei Engelmanns in Frankfurt Ihre Schwester kennengelernt? ... Ja, ich dachte mir's gleich, sie hat mir erzählt, daß sie einen Bruder hat, der in Bergheim studiert. Sie sehen einander ähnlich. Wir haben uns über Florenz unterhalten. Wir stimmten in unseren Anschauungen über Italien in vieler Beziehung überein.«

»Ja, meine Schwester hat ein Jahr lang in Florenz eine Schule besucht«, sagte Howard. »Ich glaube, sie mochte Italien nicht leiden. Und Sie? Gefällt Ihnen Italien auch nicht?«

»Ich möchte nicht verallgemeinern«, sagte Brandt. »Aber ich fand es nicht so, wie ich es erwartet hatte. Ich machte sozusagen eine empfindsame Reise. Ich bin von hier nach Venedig zu Fuß gewandert und habe allerlei Nettes erlebt. Allerlei Nettes. Und allerlei dabei gelernt.«

»Sie sind gewandert?« sagte Howard verdutzt. »Wollen Sie sagen, daß Sie den ganzen Weg von Bergheim bis Venedig zu Fuß gegangen sind?«

»Gewiß, und warum auch nicht? Ich bin auf den Spuren der Wanderburschen von Anno dazumal gegangen. Über den Brenner und durch das Etschtal. Es war sehr aufschlußreich, und ich habe bestimmt mehr gesehen, als ich von den Fenstern eines D-Zuges aus gesehen hätte. Je langsamer die Reise, desto reicher die Ernte.«

»Und Sie haben meine Schwester kennengelernt?« sagte Howard und ließ das Thema fallen. Die Sache war ihm zu fremd. (Stell dir vor, meine Liebe, ich habe einen Deutschen getroffen, der zu Fuß von Bergheim nach Venedig gewandert ist. Diese Deutschen sind doch verrückte Käuze, nicht wahr?) »Wie geht es ihr? Sieht sie gut aus?«

»Entzückend, wenn ich so sagen darf. Sie hat mir erzählt, sie wolle Sie im Juli besuchen. Sie hat mir versprochen, mich von ihrer Ankunft zu verständigen, damit wir uns weiter über unsre italienischen Eindrücke unterhalten können.«

»Ja, Helen wird wohl herkommen und ein paar Wochen bei Lady Diana wohnen, bevor sie nach England zurückfährt«, sagte Howard. »Lady Diana ist nämlich die Kusine meines Vaters und hat sie eingeladen.«

145

Mit höchstem Erstaunen hörte ich diesem freundschaftlichen Geplauder zu. Ich war darauf gefaßt, daß Brandt gleich mit einem Aphorismus von Oscar Wilde aufwarten würde. Aber plötzlich erlosch das Lächeln auf Howards Gesicht, als habe jemand auf den Lichtschalter gedrückt. Er sagte: »Natürlich kann diese schreckliche Sache, die in Sarajewo passiert ist, unsre ganzen Pläne umwerfen. Sie haben selbstverständlich davon gehört?«

»Ja«, sagte Brandt. »Einer meiner Freunde im Bergheimer Nachrichtenbüro hat mich angerufen und es mir erzählt. Er war vor Erregung ganz außer Atem. Es ist für diese Leute die größte Sensation seit vielen Jahren.«

»Was ist denn passiert?« fragte ich auf deutsch, um der englischen Unterhaltung ein Ende zu machen. Brandt sah mich von der Seite an. »Ach, ich habe es ganz vergessen, es Ihnen zu erzählen, Mäusle. Ihr Erzherzog Franz Ferdinand und seine Frau sind ermordet worden. Eine unglückliche Familie, diese Habsburger!«

»Um Himmels willen, liebste Marion, du willst doch nicht sagen, daß du nichts davon gewußt hast?« sagte Howard. »Es hat doch Extrablätter gegeben. Die ganze Stadt ist voll davon, und es heißt, der Großherzog habe den Kronrat zu einer außerordentlichen Sitzung einberufen.«

»Was sind Extrablätter?« fragte ich. Ich erinnere mich noch so deutlich daran, weil ich vorher nie etwas von Extrablättern gesehen oder gehört hatte. »Man kann noch welche am Bahnhof bekommen«, sagte Hausmann. »Ich glaube, ich hab' eins in der Tasche.« Er war ein wortkarger Mann, und wenn er sprach, klang seine Stimme wie das Knarren eines Ruders in einer eingerosteten Dolle. Er brachte das Blatt zum Vorschein; die Druckerschwärze war noch feucht und der Druck verschmiert. Ich las es im Licht der Abenddämmerung. »Na schön«, sagte ich, »vielleicht ist es besser so. In Österreich mochte sie niemand leiden.«

»Kommen Sie nun, oder kommen Sie nicht?« drängte Paula. »Wir verpassen noch die Elektrische.«

»Deshalb wollte ich dich abholen«, sagte Howard zu mir. »Es ist schrecklich. Offenbar begreifst du nicht, was es bedeutet. Ich bin ganz außer mir — ich mußte kommen und mit dir darüber sprechen. Komm, Marion«, setzte er auf deutsch hinzu, »sag deinen Freunden gute Nacht — sie haben es eilig.«

»Aber ich muß bei ihnen bleiben. Ich bin im Dienst, versteh doch!« sagte ich. »Ich habe ein Stenogramm aufzunehmen — es ist wichtig.«

»Na hör mal, auch für Überstunden muß es doch eine Grenze geben«, sagte Howard mit unvermittelter Schärfe. »Ich bin überzeugt, Herr Brandt verlangt von dir nicht mehr als zehn Stunden Arbeit, noch dazu am Sonntag.«

»Wir wollen heute abend nicht arbeiten, sondern uns ein bißchen amüsieren. Ein geselliges Zusammensein. Wein, Musik, Tanz. Es steht vollständig bei Fräulein Sommer, ob sie mitkommen will oder nicht«, sagte Brandt, und seine runden Bernsteinaugen streiften flüchtig mein Gesicht.

»Na also, Darling«, sagte Howard und faßte mich am Ellbogen, um mich über die Straße zu führen.

»Entschließt euch schon!« sagte Paula, indem sie Louis am Ärmel zog. »Wir haben keine Zeit für soviel Hin und Her.«

»Ich gehe mit euch«, hörte ich mich sagen. Es entstand eine kurze Pause, und dann – bevor Howard noch etwas sagen konnte – begann Brandt: »Ich möchte einen Kompromißvorschlag machen«, sagte er mit einer Elastizität, die ich an ihm noch nie beobachtet hatte. »Wenn Mäusle sich darauf versteift, warum kommen Sie dann nicht auch mit, Mister Watson? Vielleicht ist es Ihnen ganz lieb, einmal etwas andres zu sehen als eine Gartengesellschaft bei Lady Diana.«

»Gut«, sagte Howard nach kurzem Zögern. »Gut. Danke für die Einladung. Ich komme gern mit. Schade, daß ich Sie nicht alle in meinem Wagen mitnehmen kann – ich habe leider nur für drei Personen Platz. Treffen wir uns also dort – wohin wir gehen?«

»Ich hätte mich sowieso gefürchtet, in dem Ding zu fahren«, sagte Paula sarkastisch. »Kommt ihr beiden, wir laufen zur Elektrischen.« Howard führte mich über die Straße. Ich brauchte mich nicht umzusehen, um zu wissen, daß Brandt uns folgte. Ich spürte ihn, als ob Strahlen oder Wellen von ihm ausgingen oder was sonst von Menschen ausgeht, in die man verliebt ist. Als Howard mir die Tür öffnete, war Brandt an meiner Seite. »Vielen Dank«, sagte er, »ich glaube, ich nehme Ihre Einladung an und fahre mit. Wenn man den ganzen Tag in dem muffigen Loch gearbeitet hat, tut einem die frische Luft gut.« Ich sah, wie Howard sich auf die Lippen biß, aber er bewahrte eine gute Haltung. Er reichte mir Schleier, Mütze und Brille, die er immer für mich im Wagen hatte. »Sie können meine Brille haben«, sagte er zu Brandt, »ich bin ans Fahren gewöhnt und Sie nicht.« Es war eine etwas forcierte Äußerung des englischen Fair play. Er ging um den Wagen herum und kurbelte ihn an. Dann setzte er sich ans Steuerrad und brachte das Auto zu einem explosiven Start. Ich saß zwischen beiden Männern und wußte nicht, an welcher Seite meines Körpers das elektrische Prickeln stärker war. Warum mußte ich mich in den einen verlieben, obwohl er mich schlecht behandelte und sich nichts aus mir machte, und den andern kränken, obwohl er immer nett und rücksichtsvoll war und mich sehr gern hatte?

»Jawohl, Mister Watson, es wird Ihnen bei Heinzel gefallen«, überschrie Brandt den pustenden, ratternden, rüttelnden Wagen. »Wir werden Ihnen zeigen, wie einfache Leute eine frohe Stunde verbringen.«

»Ich fürchte, ich bin heute viel zu aufgeregt, mich unterhalten zu können«, rief Howard zurück. »Es ist nicht der richtige Augenblick zum Lustigsein.«

»Sie nehmen diese Episode von Sarajewo viel zu ernst«, schrie Brandt.

»Man kann sie nicht ernst genug nehmen«, schrie Howard zurück. Ich wandte den Kopf vom einen zum andern, als verfolgte ich ein Tennismatch.

»Es überrascht mich, daß Ihnen der Tod eines österreichischen Erzherzogs so viel bedeutet«, schrie Brandt. »Soviel ich gehört habe, war er ein Mensch ohne besondere Gaben und besaß nicht einmal den natürlichen Charme der andern Habsburger. Er war unpopulär und stand vollkommen unter dem Einfluß eines Mannes, den ihr Engländer aus guten Gründen nicht leiden könnt, unsres Kaisers.«

»Es geht gar nicht darum, was sein Tod für mich bedeutet, sondern für die Welt«, erwiderte Howard.

»Für die Welt bedeutet's doch nur, daß wieder ein Stein aus einem längst überlebten autokratischen und monarchistischen System herausgebrochen ist. Ich kann mich darüber unmöglich aufregen. Ich glaube, daß noch viele Potentaten umgebracht oder zur Abdankung gezwungen werden, bevor noch dieses Jahrhundert viel älter wird, und daß dies für die Welt nur von Vorteil sein wird.«

»Um Himmels willen, seid ihr Deutschen denn blind für alle Realitäten?« rief Howard, erregter, als ich ihn je gesehen hatte. »Laßt eure Diplomaten — oder unsere Diplomaten — den allergeringsten Fehler begehen, und wir haben Krieg.«

»Es wird keinen Krieg geben — nie wieder«, sagte Brandt. »Nie wieder Krieg. Nie wieder werden die Arbeiter eines Landes gegen die Arbeiter eines andern kämpfen. Jedenfalls nicht wegen eines degenerierten Trottels von Erzherzog, der von einem verrückten Chauvinisten erschossen wird. Jedenfalls nicht, um für den König oder Kaiser die Kastanien aus dem Feuer zu holen. Jedenfalls nicht, um Offizieren und blutgierigen Militaristen nur Gelegenheit zum Avancement zu geben und den Munitionsfabrikanten Profite zu verschaffen. Nein, es wird keinen Krieg geben. Davor werden wir die Welt bewahren — wir, die internationale Sozialdemokratie.«

Die Straßenlaternen brannten bereits, als wir die Höhe des Odenbergs erreichten. Ich sah, wie Howards Gesichtsmuskeln arbeiteten, während er sich die richtige Antwort zurechtlegte — wie ein Schuljunge, der für eine Prüfung memoriert. Im letzten Dämmerschein kam er mir sehr blaß vor; der Wind blies ihm das Haar aus der Stirn, und der Gießheimer Staub klebte grau und schwer an seinen Brauen und Wimpern.

»Wenn es zum Krieg kommt«, sagte er, seine Worte in sorgfältiges Deutsch fassend, »wenn es zum Krieg kommt, dann wird kein einziger englischer Arbeiter zu Hause bleiben. Dafür lege ich meine Hand ins Feuer. Was eure deutschen Arbeiter tun werden, weiß ich nicht; ihr habt eine große Armee, euer Kaiser ist ein aufgeblasener Kampfhahn, und im Herzen seid ihr ein Volk von Militaristen. Kaum denkbar, daß eure Arbeiter sich weigern werden, zu den Waffen zu greifen. Unser König ist ein friedlieben-der Mann, und wir sind eine friedliebende Nation, die sich nur um ihre eigenen Angelegenheiten kümmert. Wenn es aber zum Krieg kommen sollte, dann wird jeder Engländer dabei sein, und dann können Sie Ihre ganze internationale Sozialdemokratie über Bord werfen.«

Der Wagen rollte nach der Stadt hinunter, jetzt mit weniger Lärm als vorher, da der Motor nach dem angestrengten Klettern verschnaufte und sich ausruhte. Auch die beiden Männer schwiegen, und es wurde kein Wort mehr gesprochen, bis wir im ältesten Teil der Stadt bei Heinzels Gartenlokal ankamen. Die Terrasse mit der Tanzfläche stand auf Pfählen am Rheinufer.

Girlanden von Lampions spiegelten sich im Wasser, und die Menschen, die sich in ihren kleinen Booten den Fluß hinuntertreiben ließen, ruderten in der Dunkelheit ein Weilchen gegen die Strömung, um dem gedämpften Hmtata-hmtata der Musik zu lauschen.

Die Luft war ungewöhnlich mild und kühl, voll vom Geruch feuchter Bretter, frisch gemähten Grases, tropfender Wachskerzen, welker, sonnenmüder Rosen und rauchender Holzfeuer. Die Welt war schön, Brandts Augen leuchteten wie Bernstein, die Rede, die er hielt, war hinreißend — wer kümmerte sich darum, was weit unten in Sarajewo geschehen war?

Ich habe oft an die Unterhaltung im Auto zurückdenken müssen, später, als beide im Krieg ums Leben gekommen waren — Howard Watson und Walter Brandt.

Wie unglaublich ahnungslos wir in diesen Krieg hineingestolpert sind, wie wenig wir wußten, und wieviel weniger noch man uns gesagt hatte! Ich weiß nicht, was in den Köpfen von Kaiser, Generälen und Sykophanten vorgegangen war. Aber ich weiß, daß ich weder in Deutschland noch in Österreich jemals auch nur einer einzigen Seele begegnet wäre, die damit gerechnet hätte, daß wir einem Nachbarn den Krieg erklären oder sein Land besetzen würden, oder die etwas Derartiges auch nur im entferntesten für möglich gehalten hätte. Als 1914 die Mobilisierung angeordnet wurde, war es leicht gewesen, uns glauben zu machen, die Franzosen, unsere ›Erzfeinde‹ würden Deutschland überrennen, die Städte bombardieren, die Getreidefelder niederbrennen, die Frauen vergewaltigen, die Männer töten und die Kinder entsetzlich foltern, wenn unsre Männer ihnen nicht Einhalt geböten. Und so zogen unsere Männer hinaus, mit leuchtenden Augen, die Brust geschwellt von edelster Begeisterung, um unser Vaterland zu verteidigen — das war alles ganz klar und selbstverständlich gewesen. Noch heute weiß ich nicht, wer den Krieg gewollt hat — wenn ihn überhaupt irgend jemand irgendwo auf der Welt gewollt hat — und wie die tückischen Drähte gezogen wurden, an denen sich die uniformierten Marionetten aller Nationen auf die Schlachtfelder bewegten. Es war unwahr, was man uns über die Franzosen erzählte; und es war ebenso unwahr, was man den Franzosen, den Engländern und den Amerikanern über die Deutschen erzählte. Die Deutschen sind von Natur friedfertig und nicht leicht in Harnisch zu bringen, aber sie sind geradezu besessen davon, ihre Pflicht zu tun, sie haben eine wunderbare Ausdauer und ein großes Talent, Leiden zu ertragen. Leiden fördert das Beste in ihnen zutage, während sie durch Erfolg leicht ein bißchen unangenehm werden.

Vielleicht haben sie Ende der dreißiger Jahre ein bißchen mehr Erfolg gehabt, als ihnen guttat, und das hat ihre damalige Oberschicht wohl so bösartig gemacht. Unter dieser Schicht aber gab es Millionen von Deutschen, die auch dann noch fleißig, bescheiden, ruhig, friedfertig, gutmütig und durch und durch anständig waren. Deutschland ist nicht gerade ein gesegnetes Land. Oft ist der Himmel grau, es regnet und stürmt. Während der Wintermonate müssen die Lampen manchmal den ganzen Tag über brennen. Der Boden gibt nicht viel mehr her als Roggen, Kartoffeln und

Kohl. Deutschland ist von allen Seiten eingeklemmt und bedrängt. Deutschland ist wie ein Mensch, der sein Leben lang in zu engen Schuhen herumgeht. Enge Schuhe machen einen übellaunig und unfreundlich, enge Schuhe sind schlecht für den Humor, und es kommt der Augenblick, wo einem nichts wichtiger erscheint, als diese engen Schuhe loszuwerden.

Krieg ist ein niedriges Geschäft und wird aus niedrigen Beweggründen geführt, und keine schön klingenden Reden und keine Großtaten können mich vom Gegenteil überzeugen. Kein Soldat würde sein Leben für Gewinnung und Erhaltung eines Absatzmarktes opfern; nicht für alles Öl des Orients, nicht für allen Kautschuk von Indonesien, nicht für alles Erz von Schweden und nicht für allen Profit, den irgend jemand dabei macht. Soldaten brauchen eine Fahne, eine ›gute Sache‹, für die es sich ihrer Meinung nach zu kämpfen und zu sterben lohnt. Der Platz an der Sonne. Lebensraum. Das Vaterland gegen den Angreifer verteidigen. Die Kinder schützen. Die Demokratie verteidigen. Freiheit und Bürgerrechte. Nach eigner Fasson leben können. Dies und das. Alles nur Schlagworte, ein gigantischer mörderischer Schwindel. Wie seltsam, wie kindlich, wie primitiv, wie rührend ist diese Menschheit, die nie wieder für die niedrigen, wenn auch höchst realen Interessen in den Krieg ziehen will, sondern nur noch für die prächtigen, großartigen, flammenden Worte, die doch nichts als Lügen sind! ... Ich weiß nicht, wer durch Kriege gewinnt, wer durch Siege gewinnt. Aber ich weiß, daß die Soldaten — alle Soldaten! — und das Volk auf beiden Seiten immer verlieren. Als ich an einem Montag im Juli in die Redaktion kam, war es dort merkwürdig still. Unser alter Drucker Anton war nicht da, und die Druckpresse sah aus wie ein müdes schlafendes Tier. »Guten Morgen, Fritz«, rief ich in das Zimmer jenseits des Korridors hinüber, bekam aber keine Antwort. Ich öffnete die Tür. Das Zimmer war leer, die Fenster standen offen, und auf dem Schreibtisch herrschte eine geradezu unheimliche Ordnung. Ich ging über die knarrende Treppe hinauf in mein Arbeitszimmerchen. Ich hörte, wie Brandt in seiner Schlafkammer auf und ab ging, allerlei auf den Boden schmiß, Schranktüren zuwarf und überhaupt allen möglichen Lärm machte: »Mäusle, kommen Sie doch mal her!« rief er, als er mich auf der Schreibmaschine klappern hörte. Ich strich mir das Haar zurück und ging hinein. »Guten Morgen«, sagte ich in der Tür. »Ich habe Ihnen eine Rohübersetzung von Jaurès' Rede in der französischen Kammer gemacht — Wenn Sie sehen wollen ...«

Brandt war dabei, allerlei in einen kleinen Reisekoffer zu werfen. »Guten Morgen, Mäusle«, antwortete er. »Setzen Sie sich hin!« Das war bloß eine freundliche Redensart, denn es gab wie gewöhnlich keinen Quadratzentimeter, auf dem man hätte sitzen können. »Ich brauche die Rede nicht«, fuhr er fort, indem er Unterwäsche in den Koffer stopfte, »aber Sie könnten mir mal die Hemden herüberreichen.«

»Verreisen Sie?«

»Ja.«

»Nach Frankfurt?«

»Ja.«

»Was ist denn mit der Nummer für die nächste Woche? Wir müssen doch Ihren Leitartikel haben, bevor Sie wegfahren. Hundert Zeilen. Das übrige können Halban und ich für Sie besorgen, wenn Sie nur noch einen Blick auf den Satzspiegel werfen, den wir gemacht haben.«

»Es gibt keine nächste Nummer – auf sechs Wochen verboten«, sagte er. »Sie können auf Urlaub gehen.«

»Und was ist mit Fritz?« fragte ich.

»Fort. Zu seinem Regiment einberufen. Wiesbaden«, sagte Brandt, indem er einen Rock aus dem Schrank nahm und ihn ausschüttelte.

»Es scheint, daß alle fortgehen, bloß ich nicht«, sagte ich.

»Wer denn noch?« fragte Brandt. Er legte den Rock aufs Bett und kniete vor dem Schrank nieder, um noch etwas herauszuholen. Es war ein Uniformrock.

»Zum Beispiel Howard Watson«, sagte ich. »Er ist gestern nach England abgereist. Er läßt Sie bestens grüßen.«

Brandt erhob sich; er hatte ein Paar Militärstiefel in der Hand, die ganz verstaubt waren und den menschlich-kläglichen Ausdruck hatten, den unbenutzte Schuhe oft annehmen.

»So, so«, sagte er. »Der Lord läßt sich entschuldigen. Reizend. Na, ist gut, Mäusle. Das Schiff wird schon nicht sinken, wenn es auch von den Ratten verlassen wird.«

»Er ist nach Hause gerufen worden«, sagte ich. »Es ist nicht schön, von einem Abwesenden so zu sprechen. Howard würde so etwas nicht tun.«

»Na, ich habe öfter das Gefühl gehabt, ich könnte ihn umbringen. Vielleicht treffe ich ihn irgendwo im Krieg — es würde mir wohltun, meine Flinte auf ihn abzuschießen, abgesehen davon, daß es eine patriotische Tat wäre.«

»So ein Scherz paßt gar nicht zu Ihnen«, sagte ich. »Und Howard wird nicht in den Krieg gehen. Wir kämpfen gegen Frankreich. England ist unser Freund.«

Er lachte ärgerlich. »Hat Ihnen der Abschied das kleine Herz gebrochen?« fragte er.

»O nein«, sagte ich. »Was haben Sie übrigens gegen ihn?«

»Nichts. Ich kann ihn bloß nicht leiden. Ich kann seine Klasse und seine Art nicht leiden, und ich verabscheue alles, was er repräsentiert; diese ganze verdammte Gesellschaft, ihre Heuchelei, ihre Verlogenheit, ihren Imperialismus — was sie den Chinesen während des Opiumkrieges, was sie Indien angetan haben, was sie Tag für Tag den unterdrückten Völkern der ganzen Erde antun, nur um ihren fünfprozentigen Moloch zu mästen, die geheiligte Bank von England.«

Ärgerlich hieb er die Stiefel auf den Boden.

»Sie können den armen Jungen doch nicht für alle Sünden des Britischen Empire verantwortlich machen«, sagte ich. »Er ist so nett und tut niemandem etwas zuleide.«

»Der Teufel soll ihn holen!« sagte Brandt. Er ist schlecht gelaunt, weil man seine Zeitschrift verboten hat, dachte ich.

»Der Teufel soll ihn holen mitsamt seiner Nettigkeit!« sagte Brandt. »Geben Sie mir die Hemden! Sie wissen recht gut, warum ich ihn niederknallen möchte. Aber das ist Ihnen egal.«

Darauf wußte ich keine Antwort. Brandt klopfte sich den Staub von den Händen, nahm mein Gesicht und bog es zurück. »Oder doch nicht?« fragte er. Seine Augen waren mit einemmal ganz schwarz, der ganze Bernstein war fort, und die großen Pupillen flackerten mit einer eigenen Unrast.

»Oder doch was?« sagte ich. Ich mußte mich räuspern.

Ich weiß nicht, was Brandt in meinem Gesicht oder in meinen Augen sah oder was meine Heiserkeit ihm verraten hatte. Aber seine Hände glitten von meinem Kinn, seine Arme schlossen sich um mich, und die Zeit blieb stehen.

Vielleicht wird die Wissenschaft einmal herausfinden, worauf es zurückzuführen ist, daß zwei Menschen aufeinander ›einschnappen‹, wie man es in Amerika nennt. Warum die eine Umarmung bloß die Oberfläche streift, während die andere eine tiefe, starke Erfüllung ist, die unser Innerstes erfaßt, die uns spüren läßt, daß wir bisher nur die Hälfte eines Ganzen gewesen sind; daß hier, in der Vereinigung mit diesem einen Menschen und sonst nirgends, die Ergänzung ist; jeder Nerv beruhigt, jeder Wunsch befriedigt, jede Unruhe besänftigt, jedes wandernde, irrende Sehnen heimgeleitet. Es muß Ströme, Schwingungen oder Strahlen geben, irgendwelche kosmischen Rhythmen, die genau aufeinander abgestimmt sind, damit es zu dem kommt, was man mit der abgedroschenen Phrase bezeichnet: zwei Liebende fühlen sich eins werden.

Ich glaube, es ist etwas sehr Seltenes, und viele erleben es nie. Wäre ich an jenem Tag zu spät ins Büro gekommen, und hätte ich Walter Brandt nicht mehr angetroffen — hätte ich es auch niemals erlebt.

Als er mich wieder losließ, war die Welt verändert, und alles, was ich bis dahin erlebt hatte, war ausgelöscht: Charles Dupont, Kant, Howard — lächerliche kleine Schatten, die ihre Verbeugung machten und abgingen. »Ich hab' es nicht gewußt«, sagte ich.

»Ich auch nicht — die ganze Zeit über nicht —, oder vielleicht wollte ich dem Gefühl nicht nachgeben«, erwiderte Walter.

»Deine Hände —«, sagte ich selig.

»Was ist mit ihnen?«

»Nichts. Ich liebe sie. Du hast die Katze gefüttert und mich hungern lassen.«

»Ich war ein Idiot. Ich wußte es nicht. Ich sah dich mit deinem snobistischen jungen Gott herumziehen — ich habe mir auf die Nägel gebissen und geglaubt, ich kann dich ja doch nicht haben.«

»Wann hast du es zuerst gemerkt?«

»Ich glaube, an dem Tag, als du herkamst. Mit dem steifen Handgelenk und dem kurzen Haar — so verschüchtert und so frech. Und du?«

»Ich weiß nicht. Warte mal. Wie du von der Brause kamst und Wassertropfen im Haar hattest. Wie du ärgerlich warst über einen Fehler, den die

Partei gemacht hatte — ja, ich glaube, ich liebe dich am meisten, wenn du ärgerlich bist.«

Wir saßen auf seinem Bett, das bestreut war mit den Dingen, die noch einzupacken waren, und rezitierten die uralte Litanei aller Liebenden.

»Deine Augenbrauen haben die Form von Flügeln«, sagte er und zeichnete sie mit dem Finger nach. »Und auf deiner Stirn hast du zwei Falten — ich liebe sie.«

»Die kommen vom Karl-Marx-Lesen«, sagte ich. »Und davon, daß ich in einen blinden, augenlosen, gefühllosen Regenwurm von Mann verliebt bin —«

»Karl Marx soll sich aufhängen!« sagte er. »Diese ganze verdammte, dreckige sozialdemokratische Partei soll sich aufhängen und die tattrige, verworrene, brüchige Zweite Internationale dazu! Bebel, Liebknecht, Rosa Luxemburg — die ganze Bande soll sich aufhängen!«

Er strich mir das Haar aus der Stirn und säumte meinen Haaransatz mit einem Seidenfaden von Küssen. »Mäusle«, sagte er, »mein Mädel, meine Freundin — wir haben noch vier Tage Zeit, bis ich zu meinem Regiment einrücken muß. Wir müssen eine Ewigkeit daraus machen.«

Ich sah nach dem blauen Uniformrock, den er über die eiserne Bettstelle geworfen hatte. Mit schlaffen Ärmeln, verdrücktem Kragen und blinden Metallknöpfen hing er dort und hatte den flehenden Ausdruck eines verzweifelten Bettlers.

»Du? Zu deinem Regiment?« fragte ich verständnislos.

»Ich bin Reserveoffizier, verstehst du, Mäusle. Ich muß am ersten August einrücken. Kommt es nicht zum Krieg, so bedeutet es einfach sechs Wochen Waffenübung wie jedes Jahr. Gibt es aber Krieg, nun dann muß ich eben wie jeder andre mitgehen und den Franzosen die Hölle heiß machen. In jedem Fall sind vier, fünf Tage alles, was uns im Augenblick bleibt.«

»Was ist denn mit der Internationale?« fragte ich. »Die wird es doch nicht zum Krieg kommen lassen? Man wird zum Generalstreik aufrufen, und die Arbeiter werden sich weigern, die Waffen in die Hand zu nehmen und zu kämpfen. Hast du das nicht immer gesagt?«

»Hoffen wir zu Gott, daß es nicht zum Krieg kommt«, sagte Walter mit genau denselben Worten, die Howard tags zuvor beim Abschied gebraucht hatte. (Komisch, wie Atheisten von Walters Kaliber in der Klemme Gott anrufen — wohl aus einer atavistischen Gewohnheit.) »Aber du kannst mir glauben, die Internationale wird den Krieg nicht verhindern. Nach diesem Kongreß nicht. Nach den Reden von Jaurès nicht. Schau nur, wie sie durcheinanderrennen wie Mäuse, die ihr Loch nicht finden. Es wird Proklamationen und Ansprachen regnen, sie werden erklären, daß der Krieg um jeden Preis verhindert werden muß — und dann werden sie ihre Gewehre nehmen, werden hingehen und aufeinander schießen — Deutsche, Franzosen, Russen und der ganze verdammte Rest. Es sei denn, daß irgendein vertrockneter altmodischer Diplomat mehr Vernunft hat und im letzten Augenblick eine Lösung findet.«

Ich wußte nicht, was ich sagen sollte. Walter war also im Begriff, in seine alte blaue Uniform zu schlüpfen, Rekruten den Stechschritt einzudrillen, Kommandos zu geben und Offizier zu sein. Ich wußte nicht: Sollte ich stolz oder enttäuscht sein? Einerseits war ich eine eifrige, gerade erst bekehrte Anhängerin der internationalen Einigkeit — andererseits konnte ich mich dem Nimbus von Offiziersrang und Offiziersuniform nicht entziehen. Ich war schließlich in einer Welt, einer Epoche aufgewachsen, die im Offizier die Blüte der Menschheit sah.

»Ich werde aus allem nicht recht klug«, sagte ich verstört.

»Hör mal, Mäusle, laß dich nicht verwirren! Bevor ich Sozialist wurde, war ich Mann und Deutscher, und noch heute bin ich erst einmal Mann. Sogar Karl Marx war 1870 für die Teilnahme am Krieg. Möchtest du, daß ich mich wie ein Feigling benehme? Möchtest du, daß ich davonlaufe und mein Vaterland im Augenblick der Gefahr im Stich lasse? Daß ich in die Schweiz fliehe, in Kaffeehäusern herumsitze und mit andern Verschwörern theoretisiere? Daß ich es mir gutgehen lasse, während die Franzosen Deutschland eindringen und meine Brüder hinmorden? Ich hab' eine alte Mutter in Frankfurt — ich habe dich —, glaubst du wirklich, ich würde mich davor drücken, für euch und eure Sicherheit zu kämpfen? Reden wir nicht mehr darüber — mein Entschluß steht fest, und ich weiß, daß ich richtig handle. Und im übrigen wollen wir hoffen, daß es gar nicht zum Krieg kommt. Komm, Süße, wir wollen keine Zeit verlieren.«

Der Gasthof zum ›Paradies‹ liegt einsam, tief eingebettet in die Buchenforste des Odenwaldes. Dort verbrachten wir die letzten Tage vor der Vollstreckung des Urteils. Ich höre jetzt noch das Knarren der Haustürklinke, ich sehe die roh schablonierte Zierleiste, die an den weißgetünchten Wänden meines Zimmers entlanglief: fünf Vögel, ein Nest, fünf Vögel, ein Nest. Ich sehe noch den Jasminstrauß in einem braunen Tonkrug auf dem Fensterbrett. In den vier weißen Blütenblättern saßen betaute gelbe Staubgefäße; mitten in der Nacht mußte Walter aufstehen und die Blumen auf den Balkon hinaustragen — so schwer war ihr Duft. Ich erinnere mich an das friedliche morgendliche Geräusch, wenn der Gärtner unter unsern Fenstern den Kies harkte, an den bewegten Schatten eines Zweiges auf den Fensterläden, an den Klang einer Stimme, die »Franz!« rief. Ich erinnere mich, daß ich zum Frühstück auf meiner Buttersemmel Honig hatte und daß Walter mir die klebrigen Finger mit der feuchten Serviette abwischte, als wäre ich ein Baby. Ich erinnere mich an den gewundenen Stamm einer alten Eiche an der Landstraße, an die Risse im Holzboden der Veranda, an das rauhe Gefühl beim Anfassen des Treppengeländers. Ich erinnere mich an die Farben des Sonnenuntergangs, an die Form eines Abendwölkchens, das sich, während wir uns küßten, in fliederfarbigen Flaum auflöste, an die feuchte ländliche Kühle der Bettwäsche. Ich erinnere mich an die Atmosphäre, an den Duft, an die Melodie dieser Tage. Ich erinnere mich an jede dumme kleine Einzelheit. Aber ich erinnere mich nicht daran, was wir sprachen, was wir all die Zeit über taten, und wie wir über die Schwelle hinwegkamen, vor der alle Liebenden zögernd und schweigend stehenbleiben, ehe sie den Schlüssel umdrehen und das Zimmer betreten —

sie wagen es nicht, einander anzusehen, sie sagen sich gute Nacht und tun so, als nähmen sie Abschied. Und dann, zuletzt, stürzen sie einander in die Arme, die Augen geschlossen, die Lippen suchend, die Hände kühner werdend, Haut an Haut, die Körper aneinandergeschmiegt, stürzend durch Regenbogen, durch einen Wirbel von Sternen, jetzt durch Dschungel, jetzt durch loderndes Feuer, jetzt durch ein blausilbernes Nichts, tiefer als der Tod, jetzt auf dem Kamm einer Woge, Woge auf Woge, bis sie schließlich von einer letzten Woge an den Strand gespült werden.

Ich spürte unter meinen Händen die feinen, langen Muskeln seines Rückens, und ich fühlte unser Herz schlagen, erst hart und schnell und dann langsamer und immer langsamer. Unser Herz — nicht meins, nicht seins. Und wie eine Million Frauen vor mir dachte ich: Ich wußte ja nicht, daß Liebe so sein kann, lieber Gott, ich wußte es nicht . . .

Wir hatten zwei Zimmer, mit einem Baderaum dazwischen und einem Balkon, der an allen drei Räumen entlanglief. Unsre Zahnbürsten, die in demselben Behälter standen, sahen verheiratet aus, ebenso wie unsere Bademäntel, die an zwei Haken an derselben Tür hingen. Wir hatten uns nicht als Mann und Frau eingeschrieben, sondern ganz korrekt als Walter Brandt und Marion Sommer. Ich war Walter dankbar dafür, daß er den Leuten nichts vormachen wollte — es hätte so kleinlich und bürgerlich ausgesehen. Als wir auf dem Balkon frühstückten, kam die Besitzerin des Gasthofs, um uns guten Morgen zu wünschen. Sie war eine großbusige, freundliche Person, die auf dem dünnen Haar eine Art Charlotte-Corday-Haube trug. »Guten Morgen, guten Morgen, Herr Brandt«, sagte sie. »Es ist schön, Sie wieder einmal bei uns zu sehen. Wie ist es Ihnen ergangen? Und wie lange bleiben Sie diesmal? Ach — bloß vier Tage? Und das Fräulein? Na, ich werde der Köchin sagen, daß Sie da sind, sie soll versuchen, Sie rasch noch ordentlich aufzufüttern. Mein Gott, sind das nicht unruhige Zeiten? Aber es wird keinen Krieg geben, das sage ich Ihnen — die Österreicher sollen sich mit den dreckigen Serben da unten allein herumschlagen.«

Als sie gegangen war, saß ich schweigend da und streute den bettelnden Spatzen Brotkrumen hin. »Du warst schon früher einmal hier?« fragte ich schließlich, ganz plötzlich verloren in einer dunklen Höhle des Elends.

»O ja«, erwiderte er. Meine Kehle zog sich zusammen.

»Mit einer andern?« fragte ich und merkte, daß ich gleich losheulen würde.

»Nein, allein. Herrgott, wie allein ich damals war. Mäusle! Es war nach dem Tod meiner Frau. Ich brauchte Ruhe und Heilung. Es ist der richtige Ort, wieder gesund zu werden.«

»Ich wußte gar nicht, daß du verheiratet warst«, sagte ich, nachdem ich es aufgefaßt hatte. »Ich weiß überhaupt so wenig von dir!«

»Ja, ich habe als ganz junger Mensch geheiratet — mit zweiundzwanzig. Sie war Arbeiterin in der Fabrik meines Vaters — dort habe ich sie kennengelernt. Sie war lungenkrank und starb nach einem Jahr. Von Kindheit an unterernährt. Keine richtige Pflege, keine ärztliche Behandlung — das typische Beispiel für den Fluch der Kinderarbeit. Sie hieß Anna. Sie hatte aschblondes Haar, das beinahe grau aussah. Mein Gott, wie sie das Leben liebte!«

Es klang trocken und sachlich wie einer der statistischen Berichte, die er mir zu diktieren pflegte.

»Als sie – als sie dich verließ, wurdest du also Sozialist?« fragte ich.

»Ja, sozusagen. Es brachte mir die Mängel der gegenwärtigen Gesellschaftsordnung mit einem Schlag zum Bewußtsein. Weißt du, die Katze gehörte ihr. Ich hatte sie ihr geschenkt, damit sie nicht so allein war. Die Katze ist schon sehr alt. Du mußt dich ihrer annehmen, falls ich lange fortbleiben sollte.«

»Natürlich«, sagte ich. »Wie kommt es, daß die Katze keinen Namen hat?«

»Oh, sie hat einen Namen, aber für den täglichen Gebrauch ist er zu albern. Anna nannte sie ›Gräfin Jolanda‹. Sie las gern Kitschromane. Und so, wie es darin zugeht, malte sich in ihrem Kopf die Welt: Gräfin Jolanda. Ich halte es für ehrlicher und schmeichelhafter, eine Katze ›Katze‹ zu nennen, verstehst du? Arme Anna, sie glaubte, daß reiche Leute zu jeder Mahlzeit Schlagsahne essen und in Nachthemden mit Diamantknöpfen schlafen.«

»Du mußt sie sehr liebgehabt haben«, sagte ich, voll dumpfer Eifersucht auf die Vergangenheit.

»Damals glaubte ich's«, antwortete er, und es wurde mir viel leichter.

Die Stunden vergingen, eine kümmerliche Reihe von Stunden, die nur allzu rasch verflogen. Wir wanderten durch die Bogengänge des Buchenwaldes, unsere Schuhe schoben die Kupferflut des vorjährigen Herbstlaubs vor sich her, wir saßen auf einem Felsblock inmitten eines Baches, umgeben von kühlem Minzengeruch. Über uns spannte der wilde Hopfen seine Rankennetze aus. Wir zogen Schuhe und Strümpfe aus und ließen die Zehen in das plätschernd dahinschießende Wasser hängen. Wir pflückten große, saftige Himbeeren und suchten in den tiefen Mooskissen nach Pilzen. Wir standen am Rand einer Bergwiese und sahen einem Mann zu, der sie mit breiten Schwüngen abmähte. Unter der Sense fiel das Gras mit seidigem Knirschen. Er sagte, wenn das Wetter so bliebe, würde er in zwei Tagen fertig sein, und ich dachte: Wenn die Wiese abgemäht ist, muß von Walter Abschied nehmen. Ich nahm etwas von dem frisch geschnittenen Gras auf und steckte es in meine Manteltasche. Während des ganzen Abends trug ich seinen Duft mit mir herum, es vertrocknete in meiner Tasche, und ich vergaß es. Und als ich den Mantel nach einem Jahr wieder hervorholte und das vertrocknete Gras fand, mußte ich weinen. Die Dämmerung kam mit kleinen raschen Vogelrufen und dem lautlosen Samtflug der Fledermäuse, mit dem Gurgeln einer unsichtbaren Quelle neben unserm Weg.

In den beiden nächsten Tagen machte ich zum erstenmal eine Erfahrung, die sich seither immer wiederholt hat: daß ich nie dabei war, wenn rings um mich die großen geschichtlichen Entscheidungen fielen, daß ich nie im

Mittelpunkt des Geschehens stand, sondern immer gerade zum Mittagessen fortgegangen war.

Ob es andern Frauen auch so geht? Der Weltkrieg begann an dem Tag, an dem ich mein neues Sommerkleid trug — blau mit einer kirschroten Schärpe. Er endete an dem Tag, da Martinchen Bauchschmerzen hatte, weil sein dritter Backenzahn durchbrach. Der Anschluß Österreichs fand statt, als ich mit Clara beim Abendessen war und Apfelstrudel aß. Und der Zusammenbruch Frankreichs im Zweiten Weltkrieg wird für mich immer der alberne Tag sein, an dem ich einem Jungen nachlaufen wollte, der fünfzehn Jahre jünger war als ich. Lustig drauflos zu fiedeln, während Rom in Flammen steht, scheint die vorherrschende Beschäftigung der Menschheit zu sein. Wir verstehen die grausamen Scherze der Weltgeschichte niemals in dem Augenblick, wo wir sie erleben, sondern immer erst zwanzig Jahre später . . .

So zog ich denn an jenem schicksalsschweren 31. Juli das neue blaue Kleid mit der kirschroten Schärpe an und machte mit Walter eine Tageswanderung, fröhlich wie eine Lerche. Wir entdeckten einen verborgenen kleinen See, einen entzückenden Weiher, in dem sich der Himmel tiefblau spiegelte; das eine Ende stand voller Schilf, und Kiefern marschierten den Hang hinunter zum Ufer, die Rinde von der Sonne fast purpurn gefärbt — die Stämme schwankten schläfrig, und die Wipfel berührten einander mit einem singenden Ton, bei dem ich an meine verlorene Geige denken mußte. Der Friede dieses Tages war vollkommen und fleckenlos wie ein kostbarer Smaragd. Wir schwammen in dem kühlen, klaren Wasser, das einen eigenen Duft hatte, wir lagen in der Sonne und ließen uns die trocknen braunen Kiefernnadeln durch die Finger rieseln wie Sand. Wir hatten noch anderthalb Tage vor uns — ein Meer von Zeit. Wir packten die harten Eier aus, die belegten Brote und das Obst und veranstalteten ein prächtiges Picknick. Dann stellte ich mich schlafend; ich hielt die Augen geschlossen und atmete den Rauch von Walters Zigarette ein, der in kleinen Böen gegen meine Nasenlöcher wehte. Ich fühlte, wie Walters Schatten auf mich fiel, und wußte, daß er mich ansah. Ich spürte die Wärme seines Körpers. Ich merkte, daß er etwas Leichtes neben meine Hand legte, und fragte mich, was es wohl sein mochte. Als er aufstand und leise fortging, blinzelte ich danach: Blumen, wilde gelbe Schwertlilien mit dem schwachen Duft von Sandelholz. »Wie ein japanischer Holzschnitt«, flüsterte ich. Er hatte sie ungeschickt abgerissen, mit viel zu kurzen Stielen, so wie kleine Jungen für ihre Mutter Blumen pflücken. Ich richtete mich auf und sah mich nach Walter um. Er ging nach dem See hinunter; seine Haut war golden von der späten Sonne. Ich lächelte — denn jetzt kannte ich seine Haut schon. Ich liebte diese Haut, sie war warm und fein, aber nicht so weich wie meine. Noch konnte ich das Wunder, das mir geschehen war, nicht ganz fassen, das ewige Wunder, das Fremde von gestern in Liebende von heute verwandelt. Mann! dachte ich. Wie ein Pfeil! Er war groß und mager, es war nichts Schlaffes und Weiches an ihm; ein schlanker, aufrechter Zweckbau von Knochen unter einer dünnen Schicht von Muskeln. Er flitzte in den See, ich sprang auf und lief ihm in das kalte Wasser nach, das eine schmale Schaumlinie hinterließ, wo unsere Arme es teilten.

Als wir in den Gasthof zurückkamen, war der Krieg erklärt.

Jemand hatte die Nachricht telefonisch an das ›Paradies‹ durchgegeben, und am Abend, als wir beim Essen saßen, kam ein Junge aus der Stadt und brachte Extrablätter mit. Ich weiß noch, daß ich sagte: »Schon das zweite Extrablatt innerhalb eines Monats — denk mal!« Und dann strichen wir das feuchte verschmierte Blatt auseinander und lasen es dreimal. Frau Müller, die Besitzerin des Gasthofs, kam an unsern Tisch und sagte: »Was bedeutet denn das: Krieg? Was bedeutet denn das?«

»Wir werden es ihnen zeigen«, sagte Walter, »wir werden ihnen heimleuchten. Keine Sorge, Frau Müller. Kein einziger Franzose wird den Fuß auf deutschen Boden setzen. Sie haben ein großes Maulwerk, aber kämpfen können sie nicht.«

»Mein Ältester dient gerade — es ist sein drittes Jahr«, sagte Frau Müller. »Er wird direkt ins Feld gehen müssen.«

»Je rascher wir es hinter uns haben, desto besser«, sagte Walter. »Machen Sie sich wegen des Jungen keine Sorgen. Wir machen einen kleinen Spaziergang nach Paris, und in ein paar Wochen ist der ganze Spaß vorüber.«

Ich hätte damals gern gewußt, ob er wirklich so dachte, oder ob er bloß große Worte machte, um Frau Müller zu trösten. Seine Augen waren wieder schwarz, und ich wußte, daß er erregt war. Er bestellte Wein und füllte mein Glas. »Wir wollen darauf trinken«, sagte er. »Auf was?« fragte ich. »Auf die bessere Welt, die nach dem Krieg kommen wird«, sagte er, indem er die winzigen goldenen Bläschen beobachtete, die in dem moussierenden Moselwein aufstiegen. »Auf die Zukunft — der Welt — Deutschlands — und auf unsere Zukunft!«

»Ich möchte wissen, ob er mit seiner Wiese fertig geworden ist«, sagte ich.

»Wer, um Himmels willen?«

»Zwei Tage brauchte er, nicht wahr? Als er mit dem Mähen anfing, war Frieden. Ehe er fertig ist, ist Krieg. Ein merkwürdiger Gedanke. Vielleicht muß er fort, bevor er seine Arbeit getan hat.«

»Du hast einen Schwips«, sagte Walter. »Komm, wir gehen hinauf.«

Unsere Schuhe waren vom Wandern durch die taufeuchten Wiesen naß geworden, und in meinen Schnürsenkeln war ein verwelktes Gänseblümchen hängengeblieben. Als wir durch den Flur gingen, trat eine alte weißhaarige Dame auf uns zu, die wohl zu den ständigen Bewohnern des Gasthofes gehörte.

»Haben Sie schon gehört? Wir haben Krieg?« fragte sie uns. »Das ist schwer für die jungen Leute, nicht wahr? Der junge Herr wird ins Feld gehen müssen, und die junge Dame wird dableiben und sich die Augen ausweinen. Ja, ja, ich weiß, was das ist. Ich bin eine alte Frau und erinnere mich noch an den Krieg von 1870. Ich war damals verlobt, und mein Bräutigam war bei den Königsulanen. Er ist nicht zurückgekommen. Der Krieg ist ein schlimmes Handwerk. Ach, ich sollte wohl nicht so traurige Geschichten erzählen. Sie kommen zurück, junger Herr, Sie kommen zurück. Es bleibt uns nichts anderes übrig, als zu kämpfen, wenn diese Franzmänner wieder frech werden. Sie müssen wohl von Zeit zu Zeit ihre Lektion bekommen. Also – viel Glück, junger Herr, viel, viel Glück, und Gott beschütze Sie!«

Ich sah, wie sich Walter unter den altmodischen Segenswünschen drehte und wand, und zog ihn weg. Aber die alte Dame kam uns nach.

»Hören Sie, junge Frau«, sagte sie zu mir und nahm mich beiseite. »Ich möchte Ihnen einen kleinen Rat geben, denn ich weiß, was Krieg bedeutet, und Sie wissen es nicht. Holen Sie alles Geld, das Sie haben, von der Bank, wechseln Sie es in Goldstücke um und verwahren Sie es unter der Matratze! Und kaufen Sie getrocknete Erbsen, soviel Sie kriegen können – für Erbsensuppe, verstehen Sie? In Frankreich hat man 1871 Ratten gegessen. Man weiß nicht, was kommt. Nehmen Sie zweihundert – dreihundert Mark, und kaufen Sie dafür Erbsen! Dann kann Ihnen nichts passieren. Alles, was Sie dann brauchen, ist heißes Wasser. Und wenn es wirklich ganz schlimm kommt, genügt auch kaltes Wasser, wenn Sie sie lange genug einweichen. Das ist es, was man in einem Krieg braucht: Gold und Erbsensuppe. Viel Glück, liebes Kind. Und denken Sie nicht, daß ich verrückt bin! Ich bin bloß alt und habe viel gesehen.«

»Was wollte die gute alte Kassandra von dir?« fragte Walter, als ich zu ihm zurückkam.

»Sie scheint im Oberstübchen nicht ganz richtig zu sein«, flüsterte ich. »Sie hat den großen Erbsensuppenkomplex. Aber sonst ist sie ganz harmlos.«

Wie oft habe ich in den folgenden Jahren an sie denken müssen! Hundert Pfund Erbsen hätten uns über die Hungersnot hinweggeholfen. Hundert Goldstücke hätten uns in der Inflation gerettet. Aber an jenem Abend ging ich kichernd die Treppe hinauf, und nachher sangen wir ein Duett – einen Kanon auf das Thema: »Wir brauchen keine Erbsensuppe, Erbsensuppe, Erbsensuppe, dideldum.« Ich glaube, wir waren beide ein bißchen betrunken – nicht so sehr vom Wein, eher von Sommerluft und Sonne und von der Erregung darüber, daß nun Krieg war. Wir sagten: Krieg. Aber wir wußten nicht, was das bedeutet. Für uns hieß Krieg: Fahnen und Trompeten, ein General auf einem stolzen weißen Roß, eine Kavallerieattacke mit Säbeln, die in der Sonne glitzerten, Trommelwirbel, marschierende Soldaten und siegreiche Truppen, die durch die Rheinstraße zogen. In unserm Krieg gab es weder Tote noch Verwundete, nicht einmal tote oder verwundete Franzosen.

Dies war unsere dritte Nacht, der niemals eine vierte folgte. Walter war unruhig geworden und zerstreut; wir verbrachten den Morgen auf der Veranda und warteten auf eine telefonische Verbindung mit Frankfurt. Die Leitungen waren besetzt, aber nach ein paar Stunden gelang es Walter, mit seinem Bruder zu sprechen und einige Informationen zu bekommen – plötzlich gab es wieder eine solide, geordnete Familie Brandt. »Komm, Mäusle, gehen wir spazieren! Wir müssen etwas Wichtiges besprechen«, sagte er ruhig, als er angehängt hatte. – »Hör zu!« sagte er, als wir über die Lichtung hinter dem Fluß schritten. »Es klingt vielleicht etwas abrupt, aber du kennst mich jetzt etwas besser als vor zwei Tagen. Glaubst du, daß du es mit mir aushalten könntest? Hast du nicht auch das Gefühl, daß wir zusammengehören?«

»Ja«, sagte ich heiser.

»Du weißt, wie ich es meine. Auf Gedeih und Verderb —«

»Bis daß der Tod uns scheidet«, sagte ich und bemühte mich auszusehen, als ob ich lächelte.

»Ja, Mäusle, bis der Tod uns scheidet. Wir werden heiraten, sobald ich zurückkomme, vorausgesetzt, daß du dir's während meiner Abwesenheit nicht anders überlegst. Inzwischen kannst du dich nach einer Wohnung und nach ein paar Möbeln umsehen; ich überlasse alles dir. Ich würde gern in der Altstadt wohnen — mit dem Blick aufs Wasser. Das Büro in F 12 behalten wir vorläufig. Du mußt dich um die verschiedenen Dinge kümmern, die ich nicht mehr erledigen konnte. Ich schicke dir einen Scheck, du bezahlst die Miete, drei Monate Lohn für Anton und nimmst dir selber drei Monate Gehalt. Wenn die drei Monate um sind, werden wir weiter sehen; höchstwahrscheinlich bin ich dann schon zurück. Die Zeitschrift werde ich für die Dauer des Krieges nicht herausgeben. Ich glaube, dafür, daß sich die Partei in diesem kritischen Augenblick so loyal verhalten hat, wird sie der Regierung später die Rechnung präsentieren. Ich baue darauf, daß nachher alles anders und besser sein wird, Mäusle —«

»Jawohl, mein Herr«, sagte ich.

»Glaubst du, daß du mit mir glücklich sein wirst?«

»Weißt du das noch nicht?«

»Mein Bruder rät mir, sofort nach Frankfurt zu kommen. Es scheint schwer zu sein, einen Platz in der Bahn zu kriegen — alle Züge sind für Truppentransporte reserviert. Es könnte länger dauern, als ich denke, und ich muß morgen mittag dort sein. Was soll ich tun?«

»Nun — wenn du fahren mußt, dann fahr; fahr schnell! Ich möchte einen Leutnant nicht daran hindern, in Kriegszeiten seine Pflicht zu tun.« Noch immer versuchten wir über alles in scherzhaftem Ton zu sprechen.

»Ich liebe dich«, sagte Walter plötzlich, »ich liebe dich. Marion, ich liebe dich, hörst du? Ich liebe dich so sehr!« Es lag ein verzweifeltes Drängen darin. »Ich gehe furchtbar ungern fort, Mäusle. Ich begehre dich so, ich habe doch kaum angefangen, richtig bei dir zu sein. Es kommt uns doch noch eine Nacht zu, nicht? Nicht wahr, Mäusle? Das Regiment kann warten, aber wir beide —«

Frauen sind von Natur ein unzuverlässiges Geschlecht. So sind wir geschaffen, daran können wir nichts ändern. Wir können Fliegerin, Polarforscherin, Akrobatin und Kunstreiterin werden, wir können uns einfach weigern, auf die Vorgänge in der weiblichen Abteilung unsres Körpers Rücksicht zu nehmen. Aber als Liebende können wir keine Stundenpläne einhalten; die Dinge haben eine empörende Art, sich just im ungeeignetsten Moment zu ereignen, und viele Mädels bewahren ihre Tugend nicht aus moralischer Stärke, sondern weil sie zufällig gerade ihre Tage haben. Seit einigen Stunden hatte ich schon gemerkt, daß die bekannten ziehenden Rücken- und Lendenschmerzen stärker wurden. Ich wußte nicht, wie ich das einem Mann erklären sollte; ich war auch nicht sicher, ob Männer im allgemeinen über die weibliche Biologie Bescheid wußten. Ich blieb stehen und scharrte mit dem Absatz im Gras; ich bückte mich, hob einen Marienkäfer auf, setzte ihn auf meine Handfläche und tat so, als wäre ich in seine Rückenzeichnung vertieft.

»Hör mal, Liebling, wegen dieser Nacht: Vielleicht solltest du doch noch heute nach Frankfurt zurückfahren — ich weiß nicht, wie ich es dir erklären soll — es ist etwas ganz Dummes — aber ich könnte sowieso heut nacht nicht bei dir sein — vielleicht ist es die Aufregung — wir haben eine Nacht gut, wenn du aus dem Feld zurückkommst.«

Walter errötete langsam — sogar seine Ohren wurden rot. »Ach«, sagte er. »Nun — das ist — natürlich, ich verstehe — mein armes kleines Mäusle — was bin ich doch für ein Vieh, daß ich dich die ganze Zeit quäle! Willst du dich nicht hinsetzen?«

Das Marienkäferchen steckte ein zartes, winziges schwarzes Flügelchen unter seinen lackroten Flügeldecken hervor. »Es will fortfliegen«, sagte ich, um über unsere Verlegenheit hinwegzukommen. Walter lehnte sich mit der Schläfe an meine Schläfe. »Weißt du noch, wie man es dazu bringt, fortzufliegen?« sagte er. »Mir fallen die Worte nie ein.«

»Freilich weiß ich es«, sagte ich.

> »Flieg, Käfer, flieg,
> Vater ist im Krieg.
> Mutter ist in Pommerland,
> Pommerland ist abgebrannt,
> Flieg, Käfer, flieg!«

Und bei der letzten Verszeile breitete das Käferchen seine Flügel aus und flog programmgemäß davon.

»Siehst du?« sagte ich stolz.

»Weißt du, der Reim geht auf den Dreißigjährigen Krieg zurück«, sagte Walter. »Reichlich grausig, nicht? Hoffen wir, daß solche Lieder in diesem Krieg nicht geboren werden.«

Es war eine große Zeit. Es gab so viele Siege, daß wir gar nicht so schnell mitkamen. Die Kirchenglocken läuteten. Tag für Tag wurde geflaggt. Die Kriegsberichte, die überall in der Stadt an den Litfaßsäulen klebten, meldeten glorreiche Erfolge — und niemand sagte uns, daß wir die Marneschlacht verloren hatten. Wir wußten nicht einmal, daß es eine Marneschlacht gegeben hatte. Die ersten Verwundeten kamen nach Hause und wurden überall gefeiert. Wenn man sie fragte, wie es an der Front stehe, sagten sie: »Ausgezeichnet!« Man sah auf der Straße die ersten Mütter und Witwen der gefallenen Helden in Trauerkleidung, und alte Herren traten vor ihnen zur Seite und nahmen vor ihnen die Hüte ab — eine schöne Geste der Ehrfurcht.

Der Krieg schuf seine eigenen Konventionen, und wir trugen sie wie eine Rüstung. Wenn du dich um deinen Mann sorgtest, durftest du es nicht zeigen. Wenn dich quälende Visionen nicht schlafen ließen, mußtest du es für dich behalten. Bekamst du die Nachricht, daß er auf dem Feld der Ehre gefallen war, so durftest du nicht wehklagen, sondern mußtest lächeln und stolz sein. Wenn man dir den Vater, den Mann, den Geliebten, den Sohn nahm, hättest du dich lieber in ein finstres Erdloch verkrochen, als das zu tun, was dein Herz wollte: dich aufzulehnen und zu schreien. Und doch — gelobt seien die Konventionen: sie halten das Volk in Kriegen, bei Luftangriffen und Rückzügen davon ab, in kreischenden, schäumenden Wahnsinn auszubrechen.

Neun Wochen nach Kriegsausbruch starb die Katze, und ich fürchtete mich, es Walter zu schreiben. Ich hätte mir diese Bedenken sparen können, denn zu dieser Zeit war er selber schon tot. Ich erfuhr es mit großer Verspätung, weil ich kein Familienmitglied war und mich der Brief Fritz Halbans, der es mir mitteilte, erst viel später erreichte. Auch nachdem ich schon die Gewißheit hatte, daß Walter irgendwo in Flandern gefallen war, sorgte ich mich noch immer um ihn, dachte an ihn, sehnte mich nach ihm, wachte mitten in der Nacht mit einem Schreck auf und rief seinen Namen, da ich geträumt hatte, er sei in Gefahr. Die verwundeten Soldaten sagten, daß eine Hand oder ein Bein noch lange nach der Amputation schmerze. Dies war dasselbe. Alle Frauen erlebten es, und keine sprach davon. In gewissem Sinn war ich schlimmer daran als die offiziellen Leidtragenden. Es hätte sich für mich nicht geschickt, Trauer zu tragen, und niemand behandelte mich mit besonderer Teilnahme. Niemand — ausgenommen Clara, die vieles herausfühlte, was ich ihr verschwiegen hatte.

»Ach, Fräulein Sommer, Sie haben niemanden an der Front? Keinen Bruder? Keinen Verlobten? Sie sind ein glückliches Mädchen.«

»Nein — bloß ein Freund von mir ist in Flandern gefallen. Mein früherer Chef — erinnern Sie sich? Walter Brandt.«

»O der, freilich! Was Sie nicht sagen! Manche dieser Sozialisten sollen ja vor dem Feind oft mehr Schneid zeigen als manch anderer. Nun, er ist für sein Vaterland gefallen — das macht viele Fehler gut, die er begangen hat. Keine Sorge, Sie können jeden Tag eine bessere Stelle haben.«

Je mehr Männer in den Strudel des Krieges gezogen wurden, desto mehr Stellen wurden für die Frauen frei. Clara war dauernd um mich herum und wollte um alles in der Welt herauskriegen, was ich vorhatte. »Willst du nicht wieder arbeiten, Mönchlein?« sagte sie. Das war ihr neuester Name für mich, und er enthielt all die herbe, unausgesprochene Zärtlichkeit, die es nur zwischen Frau und Frau gibt.

»Ja, ich will arbeiten. Aber nicht in einem Büro. Da bleibt einem zuviel Zeit zum Denken —«

»Du hast recht. Was du brauchst, ist harte Arbeit«, sagte Clara. »Kinderl, ich werde mich umsehen und dir eine Arbeit suchen, daß dir die Knochen krachen und du abends ins Bett fällst wie ein Mehlsack.«

Sie selbst arbeitete in einem wütenden Tempo. Den ganzen Vormittag Proben, den ganzen Nachmittag Gymnastik mit Berufstänzern und Laien; vor der Abendvorstellung eine Stunde Arbeit an sich selbst. Das Theater war voll wie noch nie, und dem Volk gute Vorstellungen zu bieten gehörte zur Aufrechterhaltung der Moral in der Heimat. Nur an zwei Abenden der Woche war kein Ballett. Zwischendurch arbeitete Clara für das Rote Kreuz, ging mit ihren hübschen Tänzerinnen in die Lazarette, um den Verwundeten vorzutanzen, und benutzte jede freie Stunde dazu, sich als Pflegerin ausbilden zu lassen. Und dann gab es noch ›den Mann‹. Sie traf ihn offenbar täglich, wenn auch nur für ein paar Minuten. Wenn sie zu müde war, um die Schranken geschlossen zu halten, sprach sie von ihm, und ihr hartes, willensstarkes Gesicht wurde weich. »Er hat merkwürdige Augen«, sagte sie etwa. »Das linke ist etwas kleiner als das rechte. Es sieht komisch aus — aber ich hab's gern. Er ist wie ein kleines Kind, das sich im Wald verlaufen hat. Er weiß nichts vom Leben, außer was er in den Büchern gelesen hat. Aber ich will ihn aus seinen rosigen Träumen aufrütteln. Das wird ihm guttun. Er ist ein paar Jahrhunderte zu spät auf die Welt gekommen. In engen Seidenhosen und Spitzenmanschetten hätte er eine gute Figur gemacht — sagen wir in Florenz, etwa in der Spätrenaissance. Es gibt nichts Schrecklicheres als einen Mann von einsfünfundachtzig Größe, den man mit dem Löffel füttern muß. Manchmal hab' ich's satt, ihn sozusagen in einem geistigen Kinderwagen herumzuschieben. Er muß lernen, allein fertig zu werden.« Aus solchen Bruchstücken machte ich mir von ›dem Mann‹ und Claras Beziehungen zu ihm ein Bild, aber es war unvollständig, es hatte Lücken wie ein unvollendetes Puzzlespiel.

Als der Krieg schon vier Monate gedauert hatte und die Leute sagten, er könne noch ein halbes Jahr dauern, schien ›der Mann‹ sehr deprimiert zu sein. Er nahm Claras Zeit offenbar mehr in Anspruch als sonst, und ich ärgerte mich einigermaßen über die Art, wie sie ihn verwöhnte. »Mönchlein«, sagte Clara, »es gibt Dinge, die du nicht verstehst. Wenn ich ihn allein lasse, säuft er. Das ist seine Methode, sich selbst und allem zu entfliehen.« Der Ausdruck ›Fluchtkomplex‹ war noch nicht erfunden.

»Trinkt dein Mann, weil er sich vor dem Krieg fürchtet?«

»Er fürchtet sich nicht«, sagte sie. »Er hat keinen Funken physischer Angst. Aber er verabscheut diesen Krieg, er war vom ersten Augenblick an dagegen —« Sie hielt inne und biß sich auf die Lippen, denn so etwas durfte man nicht aussprechen. Eine unbehagliche Pause entstand. »Wie kommt es, daß man ihn nicht in Uniform gesteckt und an die Front geschickt hat?« fragte ich. »Er ist doch nicht krank, was?«

»Krank? Er? O nein!« rief Clara aus, und ich hörte heraus, wie verliebt sie war. »Vorläufig hat er verschiedenes zu tun, das macht ihn unabkömmlich. Wichtige Geschäfte. Aber er wird selbstverständlich an die Front gehen wie jeder andere.«

Kein Gewebe ist so dicht und fest wie weibliche Diskretion. Die Männer sind von Natur und Instinkt Schwätzer und Plauderer. Man braucht nur zu beobachten, wie ein Kanarienvogel in schmetternden Koloraturen verkündet, daß er verliebt ist; wie es der Hahn von seinem Misthaufen hinauskräht, daß er sämtlichen Hennen des Hofes beigewohnt hat. Oder man denke an ein Eisenbahnabteil voll reisender Geschäftsleute, die sich ihre Eroberungen erzählen. Und dann sehe man sich die Mädels an, die wie kleine feuersichere Kassenschränke die Geheimnisse der Männer in sich verschließen. Die kleinen Dirnen, die Gefährtinnen der Nacht, die Geliebten der Ehemänner, die Freundinnen von Bankiers und Politikern, die schlankbeinigen Sekretärinnen — diese Legion koketter Weibchen, die Männer, Familien, Industrien, Länder ruinieren könnten, wenn sie sprechen wollten. Aber sie sprechen nicht. Diese ganz spezifisch weibliche Diskretion hat zwei Seiten: nicht sprechen und nicht fragen. Ich habe nicht gefragt, und Clara hat nicht gesprochen.

Nachdem Walter gefallen war, hatte es keinen Sinn mehr, das Büro in Gießheim zu halten, und das von ihm überwiesene Geld war längst aufgebraucht. Meine letzte Arbeit als seine Sekretärin war die Liquidierung des ›Weckruf‹. Ich erledigte sie ganz mechanisch, innerlich erstarrt und stumpf.

Um Neujahr fand Clara die richtige Arbeit für mich. Die Großherzogin hatte die Frauen und Mädchen in einem Aufruf aufgefordert, sich für die soziale Fürsorge und für die Armenpflege ausbilden zu lassen, da die Fachkräfte bereits sämtlich in den Feld- und Heimatlazaretten arbeiteten. Der Dienst an den Alten und Schwachen, an den rachitischen unehelichen Kindern, an dem ganzen wimmelnden Leben in den Elendsvierteln der Altstadt umgab einen allerdings nicht mit einem solchen Nimbus wie die Pflege unsrer Helden. So war unsre Gruppe nur klein, kaum ein Dutzend Frauen. Eine Ärztin mittleren Alters bereitete uns Hals über Kopf auf unsre Pflichten vor.

Frau Dr. Süßkind sprach und benahm sich genau wie die Karikaturen der Suffragetten und Frauenrechtlerinnen in den Witzblättern. Sie nannte den Krieg nie anders als einen großen Saustall und behauptete beharrlich, das Frauenwahlrecht würde alle Übel der Welt ausrotten, Kriege, Ungerechtigkeit, Kinderarbeit, Todesstrafe und den ganzen übrigen grausigen Blödsinn, der den Männern in ihre Gesetze und Gebräuche hineingerutscht war. Für sie waren die Männer böse Buben, die nichts mehr liebten, als mit Knallfröschen gefährlichen Unfug zu treiben, ganz gleich, ob ein harmloser Passant dabei zu Schaden kam. In Frau Dr. Süßkinds Weltordnung war alles weise und herrlich organisiert, abgesehen davon, daß sie vergessen hatte, ein Winkelchen für die sexuellen Beziehungen zwischen Mann und Weib einzurichten, für diese störende, ruinöse Kleinigkeit, welche Liebe zu nennen sie entschieden ablehnte.

Die Ausbildung, die wir von ihr erhielten, war gut, denn sie war gegen sich selbst hart und unnachgiebig und nahm uns und unsre Pflichten sehr ernst. Eine Zeitlang drückte ich abends vor dem Einschlafen noch meinen Verlust und meinen Kummer ans Herz, aber bald war ich immer so müde, daß mir die Augen zufielen, sobald ich das Licht ausschaltete. Und mit der Zeit schien es mir ganz natürlich, daß Walter fort war, denn er war ja nur einer von Millionen, und man konnte doch nicht vom Schicksal eine bevorzugte Behandlung verlangen.

Ich hatte vor den andern einen kleinen Vorsprung, da meine neue Beschäftigung sich von der Arbeit, die ich für Walter geleistet hatte, nicht sehr unterschied. Als die Bezirke unter uns aufgeteilt wurden, bat ich darum, nach Gießheim geschickt zu werden.

»Darüber müssen Sie unbedingt mit der Großherzogin sprechen«, sagte Frau Dr. Süßkind. »Sie ist die Organisatorin — ich bin bloß der Unteroffizier, der euch zu drillen hat. Eine große Frau, unsre Großherzogin.«

Es überraschte mich, von den männlich behaarten Lippen der Ärztin ein so sanftes und ergebenes Lob zu hören. Noch mehr überraschte es mich, daß die Großherzogin mich offenbar bereits kannte. Man hatte uns für unsre Ausbildung zwei Räume in der Festhalle überlassen; der große Saal, in dem in glücklichen Zeiten die Winterbälle stattgefunden hatten, war in ein Krankenhaus umgewandelt worden. Eines Morgens fanden wir die Großherzogin neben der Ärztin an einem Tischchen sitzend, mit Plänen, Karteien, Registraturen und Krankengeschichten beschäftigt. Eine Hofdame saß gähnend im Hintergrund, sie hatte die ganze Nacht mit der Großherzogin auf dem Bahnhof bei der Überwachung von Verwundetentransporten zugebracht. Unsere sogenannte Amtseinführung war ohne jede feierliche Förmlichkeit. Frau Dr. Süßkind bellte uns ein paar Worte zu, und dann sprach uns die Großherzogin, sichtlich verlegen, mit leiser Stimme und mit der Zunge anstoßend, den Dank dafür aus, daß wir unsere Zeit und unsere Arbeit opferten. »Was wir hier tun, ist keine Wohltätigkeit, sondern ein höchst notwendiger Teil der Ordnung, die wir in der Heimat aufrechterhalten müssen«, sagte sie. »Sie werden ein kleines Gehalt bekommen, ein sehr kleines allerdings nur, denn es gibt allzu viele Aufgaben, die finanzielle Hilfe erfordern, und unsre Mittel sind nur beschränkt. Man erwartet von Ihnen, daß Sie mit Herz und Seele an die Arbeit gehen, daß Sie nicht müde werden und sich entmutigen lassen. Ich hoffe, daß Sie an die soziale Arbeit, die wir leisten müssen, nicht mit falschen, romantischen Vorstellungen herangehen. Es ist eine harte, mühevolle und sehr undankbare Arbeit. Der Gedanke, daß Sie für eine gute, wichtige Sache arbeiten, muß Sie für alles entschädigen. Und nun werde ich Ihnen, wenn Frau Dr. Süßkind einverstanden ist, Ihre ersten Aufgaben zuteilen. Wenn Sie eine nach der andern vortreten wollen . . .«

Es hörte sich durchaus nicht so an, wie man es von einer schüchternen, verlegenen, immer im Hintergrund stehenden Großherzogin erwartet hätte. Während sie sprach, schien sie sicherer zu werden, wenn sie auch die Stimme nicht erhob und wir die Ohren spitzen mußten, um sie zu verstehen. Sie hatte einen kleinen Sprachfehler, so daß alles ein wenig komisch herauskam, und sprach im Dialekt des Landesteils, in dem sie aufgewachsen war. Sie war in ein abscheuliches, verschimmeltes Grün gekleidet und hatte einen höchst unvorteilhaften Kneifer auf die Nase geklemmt, mit dem sie die Karteiblätter las, die ihr Frau Dr. Süßkind hinschob.

»Marion Sommer, Marion Sommer«, sagte sie, als ich an das Tischchen trat. »Sie sind also Marion Sommer. Und Sie wollen in Gießheim arbeiten, sagt mir Frau Dr. Süßkind. Weshalb?«

»Ich kenne den Bezirk und die Menschen dort«, sagte ich. »Königliche Hoheit«, setzte ich nachhinkend hinzu.

»Es ist ein schwieriger Bezirk. Haben Sie dort schon gearbeitet?«

»Ja«, sagte ich. »Ich war eine Zeitlang Sekretärin von Walter Brandt.«

»Ach«, sagte sie, nahm den Kneifer ab und sah mir in die Augen. »Er ist in Flandern gefallen, nicht wahr? Es tut mir leid. Er war ein braver Mann und seiner Überzeugung treu. Also gut. Es wird viel zu tun geben in Gießheim. Viele Mädchen, die in der Hewa arbeiten, sind – äh –«

»Schwanger«, ergänzte Frau Dr. Süßkind.

»Ja. Ich hätte gern ein Verzeichnis von ihnen mit den voraussichtlichen Entbindungsdaten, damit wir rechtzeitig Betten bereitstellen können. Ferner ist dort eine Zunahme von Krankheiten – äh – ich meine –«

»Geschlechtskrankheiten. Syphilis. Gonorrhö«, sagte Frau Dr. Süßkind.

»Richtig — zu erwarten, und wir möchten gern eine gewisse Kontrolle darüber bekommen. Wir haben Flugblätter drucken lassen, aus denen hervorgeht, wann und wo kostenlose Behandlung geboten wird. Wir wollen mal sehen, was es noch gibt. Nach den Berichten ist in der Nähe der Kasernen ein neues Viertel im Entstehen — ein Viertel, das –«

»Ein Prostituiertenviertel«, half Frau Dr. Süßkind aus.

»Jawohl. Sie werden ein Auge darauf haben müssen. Wir wollen Mädchen unter zwanzig Jahren dort nicht zulassen. Frau Dr. Süßkind wird mir auch einen Bericht über den Gesundheitszustand der Mädchen liefern, die in der neuen Sprengstoffabteilung der Hewa arbeiten. Ich möchte, daß Sie ihr dabei helfen. Das ist für den Augenblick alles. Frau Doktor Süßkind wird Ihnen detaillierte Instruktionen für diese Woche geben. Ihr Gehalt ist siebzig Mark im Monat. Ich danke Ihnen, und viel Glück, Fräulein Sommer.«

»Danke — ich werde mich bemühen, alles zu Ihrer Zufriedenheit zu machen«, sagte ich — »Königliche Hoheit.« Sie gehörte zu jener Art Menschen, die man immer bei ihrem Titel anzureden vergißt. Sie setzte den Kneifer wieder auf die Nase und raschelte mit ihren Papieren. »Fräulein Sommer«, sagte sie, als ich eben den schwachen Versuch eines Hofknickses machte und mich entfernen wollte.

»Ja — Königliche Hoheit?«

»Sind Sie nicht aus Wien?«

»Ja, Königliche Hoheit.«

»Können Sie denn mit den Leuten hier sprechen? Ich meine — macht Ihnen der Dialekt keine Schwierigkeiten?«

»Ich glaube nicht. Ich eigne mir Dialekte ziemlich leicht an. Ich habe den hiesigen Dialekt sehr gern.«

»Sie sind eine Freundin unsrer Ballettmeisterin, nicht wahr?« sagte die Großherzogin. »Ja, ich dachte es mir. Ich sah Sie miteinander im Theater — oder war es auf dem Ball in der Festhalle?«

Mein Gott, was für eine kleine Stadt ist das doch, dachte ich. Sekundenlang stieg jene unglaubhafte Nacht aus der Vergangenheit in mir auf. Howard. In diesem selben Gebäude waren wir auf die Galerie hinaufgegangen, um uns zu küssen — es ist noch kein Jahr her. Gott strafe England!

»Ja, Königliche Hoheit.«

»Clara Balbi ist eine große Künstlerin — ich bewundere sie sehr.«

Ich wußte nicht, was ich sagen sollte. »Nun — das ist vorläufig alles. Danke, Fräulein Sommer.« Die Großherzogin entließ mich.

»Zu Befehl, Königliche Hoheit.«

Die Zeit war weiterhin groß und glorreich und mit Siegen gespickt; überall herrschte übermütige, leicht fiebrige Heiterkeit. Das Theater war überfüllt, hübsche Offiziere auf Urlaub saßen im Orchesterfauteuil, und eine Logenreihe war für verwundete Soldaten reserviert, die von netten, freundlichen Schwestern begleitet wurden. Siegesfeiern bei Wein und Musik. Basare für jeden erdenklichen Zweck. Die Menschen verliebten sich, verlobten sich und heirateten — alles während einer einzigen Woche Fronturlaub. Der Frühling kam wie ein Fieber, und der Stadtpark und die Orangerie glichen nachts den Hainen, in denen die alten Griechen ihre Orgien und Mysterien feierten. Auf jeder Bank, hinter jedem Strauch lag ein Mann in Uniform mit einem Mädel. Mai, Juni, Juli. Die ersten Kriegskinder kamen zur Welt und erhielten hochklingende, patriotische Namen. Fast ein Drittel war schon vor der Geburt vaterlos geworden, denn der Verbrauch an Menschenleben im ersten Kriegsjahr, als noch die rechten Erfahrungen fehlten, war ungeheuer. Die Zahl der schwangeren Mädchen in Gießheim war für eine junge Wohlfahrtspflegerin wie mich überraschend hoch. Auch meine statistischen Kurven über die Geschlechtskrankheiten sahen wie der Himalaja aus. Frau Dr. Süßkind schüttelte den Kopf und verschrieb das neue Wundermittel Salvarsan. Die Großherzogin überließ uns das Gartenhaus ihres kleinen Sommerpalastes als Heim für uneheliche Säuglinge. Dort arbeiteten wir in Schichten, vor und nach unserm Außendienst. Es verging kaum eine Woche, in der wir nicht an den winzigen Sohlen der wunderbar vollkommenen Füßchen der Neugeborenen die häßlichen, glänzenden Blasen jener Krankheit entdeckten. Die Arbeit im Säuglingsheim gefiel mir am meisten; die Dienststunden dort kamen mir wie ein Feier- und Ruhetag vor. Die Großherzogin schien dasselbe zu empfinden. An vielen Abenden besuchte sie uns, bevor sie zum Bahnhof ging, wo sie einen Dienst zur Übernahme der Schwerverwundeten eingerichtet hatte, die meistens zur Nachtzeit eingeliefert wurden. Sie pflegte mit mir von Bettchen zu Bettchen zu gehen und mir zuzusehen, wie ich meinen schreienden Schutzbefohlenen die Zehnuhrflasche gab. Die Kleinen wurden dann plötzlich still und schielten vor Trinkeifer.

»Könnten Sie mir wohl ein Glas Limonade geben, bevor ich zum Bahnhof gehe, Marion?« fragte mich die Großherzogin.

Ich machte die Limonade, nicht aus Zitronen, sondern aus einem synthetischen weißen Pulver; Zitronen gab es ja seit Kriegsbeginn nicht mehr. Zucker war neuerdings rationiert, und dies und jenes begann knapp zu werden. Aber man sagte, noch vor dem Winter werde bestimmt alles vorbei sein, und die Frontberichte wurden immer besser. Während ihre Hofdame draußen im Auto ein Zehnminutenschläfchen machte, trank die Großherzogin in dem kleinen Büro, das man für die diensthabende Säuglingsschwester abgeteilt hatte, die Limonade. In diesen kurzen Ruhepausen kamen wir einander näher und wurden später richtig befreundet. Die Großherzogin war von einer unersättlichen Neugier. »Erzählen Sie mir etwas, Marion«, pflegte sie zu sagen, »erzählen Sie mir etwas von Wien und Ihrem Leben dort! Sie haben dort die Schule besucht? Wieviel Kinder waren in Ihrer Klasse? . . . Fünfzig? Interessant! Es muß herrlich sein, mit einer solchen Schar von Kindern aufzuwachsen. Haben Sie viele Schulfreundinnen gehabt? Und Clara Balbi? Sie ist Ihre beste Freundin, nicht? . . . Oh, Sie kennen sie seit Ihrer Kindheit? Interessant! Erzählen Sie mir von ihr — war sie ein schönes Kind? Begabt? Sehr zart? Launenhaft? Sie ist so zierlich und zerbrechlich wie ein Meißner Porzellanfigürchen, finden Sie nicht auch?«

Ich mußte lachen. »Clara? Zerbrechlich?« rief ich aus. »Königliche Hoheit, Clara ist stark und stramm und elastisch wie eine Stahlrute. Sie flucht wie ein Feldwebel, arbeitet wie ein Kuli und frißt wie ein Haifisch. Ich wünschte, wir hätten in Gießheim eine Hebamme von Claras Stärke und Ausdauer. Sie haben sich durch ihre Gazeröckchen täuschen lassen — Königliche Hoheit.«

Die Großherzogin schien lange über meine Beschreibung nachzudenken. »Interessant«, sagte sie geistesabwesend. »Grüßen Sie sie von mir, Ihre starke Freundin — ich möchte sie einmal kennenlernen . . .«

Ich erzählte es Clara. Sie nahm es mit jenem eigenartigen taubstummen Ausdruck auf, der bedeutete: Straße gesperrt. »Ihrer Königlichen Hoheit steht es jederzeit frei, mich in die Hofloge zu befehlen, sooft Ihre Königliche Hoheit es wünschen«, sagte sie. Und später, am gleichen Abend, als sie bei der Lampe saß und ihre Trikots ausbesserte: »Du scheinst ja ganz bezaubert zu sein, daß sie sich herabläßt, mit dir zu sprechen wie ein normales menschliches Wesen. Eine schöne Sozialistin ist aus dir geworden, Mädel!«

»Sie ist ein guter Mensch, das ist alles«, sagte ich. Aber ich fühlte, daß ich rot wurde; es war richtig, daß ich mich durch die besondere Aufmerksamkeit, die mir die Großherzogin widmete, beeindruckt und geehrt fühlte. Es ist erstaunlich, wie stark Anerzogenes in einem wurzelt und wie schwer man sich davon lösen kann.

Ich fürchte überhaupt, irgend etwas mit mir stimmt nicht. Es war stets mein Fehler, daß ich von jedem Ding immer beide Seiten sah. Solange die Menschen glaubten, die Erde sei eine flache Scheibe, die auf dem Universum schwimmt — oben Gott und unten der Teufel —, war alles viel einfacher. Als man aber entdeckte, daß die Welt eine Kugel ist, daß die eine Seite dunkel ist, wenn die andere hell ist, daß aber beide Hälften nicht einfach schwarz und weiß sind, sondern daß sie miteinander abwechseln — da wurde dann alles viel komplizierter. Deswegen kann ich nie eine richtige Parteigängerin und richtige Kämpferin sein. Alles, was ich aufbringen kann, ist Mitleid — für die Unterdrückten und für die Unterdrücker. Für die Starken, die das Banner vorantragen, und für die Strauchelnden, die am Weg liegenbleiben. Deswegen konnte Walter nie eine wirkliche Sozialistin aus mir machen und Kurt mich nicht in eine Konservative verwandeln, deswegen konnte John Sprague mich nicht überreden, Republikanerin zu werden, sein Sohn mich nicht zum Kommunismus bekehren und Michael bei mir keinerlei Sympathien für die Nazis wecken. Und deshalb sind alle Ismen, die man mir, einen nach dem andern, gepredigt hat, von mir abgeflossen wie Wasser von einem Entenschwanz. Ich fürchte, das ist ein Charaktermangel. Ich kann einfach nicht Partei nehmen.

Und so konnte ich mich mit der Großherzogin anfreunden, obwohl ich Walter geliebt hatte. Aber wenn ich sie auch sehr liebgewann, betrachtete ich den Miniaturhof von Bergheim nach wie vor als alberne und kostspielige Maskerade. Die Menschen in meinem Gießheimer Bezirk dagegen waren sehr wirklich, ich hatte Mitleid mit ihnen und wollte ihnen helfen, so gut ich konnte. Aber es war nicht leicht, sie zu lieben, und sie machten es mir weidlich schwer. Was haben sie nicht über mich geschimpft, was haben sie mir nicht alles vorgelogen, was nicht alles getan, um mich zu ärgern! Aber so ging es allen Wohlfahrtspflegerinnen, und man hatte mich ja gewarnt.

»Warum gehen Sie eigentlich nicht lieber als Schwester in ein Lazarett und pflegen Soldaten wie die andern jungen Mädchen?« fragte mich die Großherzogin ein andermal.

»Ich weiß nicht recht«, sagte ich. »Es kommt mir so — wie soll ich sagen — so berechnend vor.«

»Was meinen Sie damit — berechnend?«

»Ach, dieses dauernde Tätscheln und Flirten, das dazugehört — und dann, man sieht in der Schwesterntracht mit dem weißen Häubchen so verteufelt gut aus, darauf müssen ja die Soldaten hereinfallen.«

»Ich wußte gar nicht, daß Sie so prüde sind, Marion«, sagte die Großherzogin. »Ich glaube, die Schwestern in den Feldlazaretten sind bewundernswert, und was wir in der Heimat tun können, ist absolut nichts, verglichen mit ihrem Heldentum.«

»Ja, in den Feldlazaretten, da sind die guten, alten, häßlichen Schwestern. Unsere Heimatlazarette dagegen sind die reinsten Heiratsmärkte.«

»Ist denn das so schlimm? Möchten Sie nicht auch einen netten Offizier mit dem EK 1 heiraten?«

»Nein. Noch nicht«, sagte ich. »Sehen Sie, der Mann, den ich liebte, ist in Flandern gefallen. Vielleicht schrecke ich deshalb davor zurück, Verwundete zu verbinden — ich kann's nicht recht erklären, aber ich halte mich lieber noch eine Zeitlang an die Säuglinge und die Prostituierten — Königliche Hoheit.«

»Oh, das kann ich verstehen. Hören Sie, Marion, könnten Sie sich nicht die ›Königliche Hoheit‹ für die Gelegenheit aufheben, wo meine Hofdame in der Nähe ist? Es ist so lästig, wenn wir allein sind. Einverstanden?«

»Ja — ich danke — Königliche Hoheit. Ich meine — ich wüßte nicht, wie ich Sie sonst anreden soll.«

»Nun, Marion, meine wenigen Freunde nennen mich Pimpernell. Es ist ein komischer Name — aber so nennen sie mich. Denken Sie dran?«

»Ja — gewiß — Königliche Hoheit. Ich — ich verehre Sie sehr — Pimpernell. Und die meisten armen Leute von Gießheim tun es auch . . .«

Im September entschloß sich der Großherzog, an die Front zu gehen, um — wie sich die Bergheimer Zeitungen ausdrückten — zu seinem glorreichen Regiment zu stoßen. Es war ein feierlicher Akt, als er die Zügel der Regierung der Großherzogin übergab. Er hielt dabei eine Rede, die in den Zeitungen abgedruckt wurde. Darin proklamierte er, daß seine Gemahlin, die Großherzogin Helena Doris Malvina Eleonore von Bergheim-Zuche, während seiner Abwesenheit die Regierung übernehme und daß sie dem Land eine Mutter sein, dem Kronrat vorsitzen und Herrscherin über Stadt und Land Bergheim sein werde bis zu dem Zeitpunkt, da er, der Großherzog, mit seinen siegreichen Truppen wieder heimkehre. Am Abend fand ein Fackelzug statt, der Großherzog trat mit der Großherzogin und den beiden kleinen Prinzen auf den Balkon, und die Militärkapelle spielte das ›Niederländische Dankgebet‹, das aus irgendeinem Grund im Krieg zur zweiten Nationalhymne geworden war. Die Leute sagten, der Krieg werde drei Jahre dauern; Fleisch, Butter, Brot und Eier waren rationiert, und auf den Straßen sah man viele Krüppel. Die Großherzogin brachte die Kriegsblinden in ihrem Sommerpalast unter, wo wir auch unser Säuglingsheim hatten, und ließ sie in Brailleschrift und Korbflechten unterrichten. Sie verzichtete auf den letzten Schein von Hofeitelkeit, ließ ihre geschwätzigen Hofdamen zu Hause, und man konnte sie zu Fuß durch die Rheinstraße laufen sehen, den Hut schief aufgesetzt, die Kleidung unmöglich wie immer, in großer Eile, um zu einer Sitzung des Kronrats zurecht zu kommen — während ihr Auto eine Ladung Kriegsbeschädigter am Rhein spazierenfuhr.

»Die Leute sagen, Sie seien ein prachtvoller Mensch«, sagte ich zu ihr, so stolz, als wäre Pimpernell meine eigene Schöpfung. »Man sagt, das Land sei noch nie so gut regiert worden wie jetzt, trotz Krieg, Blockade und Lebensmittelnot. Im Vergleich zu den anderen deutschen Staaten —«

»Das ist doch keine Kunst«, sagte sie und wischte sich die Schweißperlen vom Gesicht — sie schwitzte jetzt immer und war immer in Eile. »Jede Frau kann ein Land gut regieren. Es ist genau wie die Führung eines Haushalts, nur in größerem Maßstab. Denken Sie an Katharina, an Maria Theresia und Victoria. Aber ich bin froh, dem Großherzog beweisen zu können, daß ich zu etwas zu gebrauchen bin.«

Arme Pimpernell, seit ihr Vetter vor zehn Jahren auf dem Schloß ihrer Eltern Jagdgast gewesen war, hatte sie in seinem Schatten gelebt — mit ihm verheiratet, dabei aber unglücklich in ihn verliebt. Er war so charmant, so blendend, so künstlerisch, so bei jedermann beliebt. Kein Wunder, daß sie einen Minderwertigkeitskomplex bekam und ihn all die Jahre hindurch nährte, bis er so schwer wurde wie ein übergroßer Kürbis auf dünnem Stiel. Seit der Großherzog ins Feld gegangen war, entfaltete sie sich und begann in ihrer unaufdringlichen Art aufzublühen. Noch immer war sie recht miserabel angezogen, ihr Teint war noch schlechter geworden, sie nahm sich keine Zeit, ihr Haar zu pflegen, und ihr Sprachfehler war so schlimm wie je. Aber sie hatte viel von ihrer Schüchternheit verloren und verblüffte die Minister durch die Fülle gediegenen Wissens, das sie sich in aller Stille angeeignet hatte. »Andere Frauen mögen sein wie Blumen«, sagte sie einmal zu mir, »aber ich bin wie eine Kartoffel. Ich habe meine Form und meine Farbe davon, daß ich unterirdisch gewachsen bin. Nicht schön, aber nützlich. Ich bin um kein Haar besser als früher, es ist nur, daß die Menschen jetzt eben die Kartoffeln den Blumen vorziehen.«

Was mich ein bißchen besorgt machte, war, daß sie zusehends abmagerte und sich ein nervöses Zucken des linken Augenlids zugezogen hatte. Manchmal schloß sie das Auge, drückte das Lid mit zwei Fingern nieder und hielt es so eine Zeitlang. Aber wenn sie das Auge öffnete, war das Zucken wieder da. »Sie schlafen nicht genug, Pimpernell«, sagte ich zu ihr, während ich neben ihr durch die Korridore trabte.

»Oh, ich schlafe sehr viel, ich mache öfter mal ein Nickerchen«, erwiderte sie. »Ich wette, ich schlafe mehr als Sie und Ihre Freundin Clara Balbi. Ich habe bemerkt, daß sie fast jede Nacht nach dem Theater Lazarettdienst macht.«

Es war richtig, daß Clara neuerdings mehr Zeit für sich zu haben schien als zu Kriegsbeginn — jenem Kriegsbeginn, der nun schon weit zurücklag, in einer nebelhaften, fast mythischen Vergangenheit. Wir alle hatten unser Leben dem Krieg angepaßt. Es schien schon ganz natürlich, daß immer Krieg war und immer Krieg sein würde. Dies Leben war auf eine unnormale Weise normal geworden. Jeder Schrecken wird, wenn er lange genug dauert, zur Gewohnheit, und nichts ist so erstaunlich und dabei so beruhigend wie die menschliche Fähigkeit, sich an etwas zu gewöhnen. Aber bisweilen richteten wir uns mitten in der Nacht auf, plötzlich aus dem Schlaf geschreckt, und horchten, als könnten wir den Schlachtlärm im Westen vernehmen, wo das große Morden und Sterben Tag für Tag weitergingen.

Während des Sommers, als das Theater Ferien hatte, machte Clara ihre Prüfung als Rot-Kreuz-Schwester, und eines Tages überraschte sie mich mit der Mitteilung, daß sie sich freiwillig zum Dienst in einem Frontlazarett gemeldet habe. »Und was ist mit mir?« fragte ich. »Soll ich ganz allein hierbleiben?«

»Du brauchst dich doch nicht zu beklagen. Du hast eine Menge Arbeit, und du liebst diese Arbeit — oder nicht?«

Ich bejahte es, und es war auch in gewissem Sinne richtig. »Also, darauf kommt's doch an«, sagte Clara. »Mir graut vor der Arbeit, die man mir im Theater aufgehalst hat. Ich habe genug von all diesen albernen, fahnenwedelnden, patriotischen Balletts, die ich für ›unsere Helden‹ aufführen muß. Außerdem weiß ich sehr wohl, daß ›unsere Helden‹ davon ebenso genug haben. Ich mag ganz einfach nicht mehr irgend so eine idiotische Rose oder einen Pfau oder sonst so einen neckischen Blödsinn tanzen, zur Unterhaltung unsres Publikums. Herrjeh, Marion, fühlst du nicht, daß wir ja gar nicht in unsrer Zeit leben, sondern daneben, konserviert in einem Einmachglas und auf den Schrank gestellt? Wenn ich daran denke, was ich tanzen möchte und was ich wirklich tanze, so möchte ich mich am liebsten selber ankotzen.«

Ich hörte den Ausbruch ruhig an. Ich glaubte zu erraten, was dahintersteckte. Clara packte mit beiden Händen ihr Haar und zog fest daran, wie es ihre Gewohnheit war, wenn sie sich wieder in die Gewalt bekommen wollte. »Wenn ich schon nicht tanzen kann, was ich will, möchte ich wenigstens dort sein, wo etwas passiert. Nicht zu Hause sitzen und allmählich wahnsinnig werden«, sagte sie ruhiger. Ich wartete einen Moment, unsicher, ob ich die unsichtbare Grenze überschreiten solle. Ich hatte nie Fragen gestellt, aber es machte mich besorgt, daß Clara seit langem nicht mehr von ›dem Mann‹ sprach.

»Ist er an die Front gegangen?« fragte ich. »Du brauchst es mir nicht zu sagen, wenn du nicht willst.«

»Ja. Wieso?«

»Ist er — ich meine — ist er gesund? Oder hast du schon lang keine Post von ihm?«

»Oh, er ist gesund. Er ist hinter der Front. Bei Brüssel.«

»Na, das ist ja schön. Was macht er denn dort?«

»Er schreibt Sonette«, sagte Clara zu meinem maßlosen Erstaunen. »Sonette über kleine Holzkreuze, über die Stümpfe zerschossener Weiden, die aussehen wie betende Bucklige, und ähnlichen Mist. Und vermutlich säuft er, vielleicht hat er auch mit Morphium angefangen. Jedenfalls füttern sie ihn gut, halten ihm jede Gefahr vom Leib und sorgen dafür, daß er über die wirklichen Verhältnisse so unorientiert bleibt wie der Goldfisch im Glas.«

»Wer ist denn ›sie‹?« fragte ich verwirrt. Ich hatte mir immer vorgestellt, Claras ›Mann‹ wäre Militärarzt in einem Frontlazarett oder so etwas.

Clara stand auf und kniete vor dem Eckschrank nieder, in dem wir unser Porzellan verwahrten. Mit viel Geklapper und Geklirr nahm sie die Teller für unser Abendessen heraus.

»Bist du tatsächlich so dumm und weißt immer noch nicht, um wen es sich handelt?« fragte sie. »Natürlich um ihn, den Großherzog! Hugo den Schwachen. Hugo den Unzeitgemäßen. Und ausgerechnet ich Idiotin muß in ihn verliebt sein!«

Ich brauchte einige Zeit, bis ich es verdaut hatte. »Na, so sag doch etwas!« sagte Clara polternd.

»Es ist nie auch nur im mindesten über euch geklatscht worden«, sagte ich einfältig. »Du mußt unglaublich diskret gewesen sein.«

»O ja«, sagte sie, »ich war diskret, bis ich blau im Gesicht wurde. Wir sind nicht am Hof Ludwigs XV., und ich bin nicht die Dubarry. Unter gar keinen Umständen sollte seine Frau gekränkt werden. Dabei ist sie, wie ich glaube, der einzige Mensch, der etwas ahnt. Frauen ahnen immer etwas. Armes trauriges Pickelgesicht. Landesmutter! Ha!«

»Sie ist sehr gut«, verteidigte ich sie.

»Sicherlich! Wahrscheinlich viel besser als er! Sie kann nichts dafür, daß sie ihm so auf die Nerven fällt. Aber er verfault und verschimmelt inwendig dabei. Wenn er nur nicht so hilflos wäre — dann würde ich ihn nicht so gern haben müssen.«

Mir taten sie alle drei leid, jeder von ihnen war so unglücklich und einsam in seinem Winkel des ewigen Dreiecks. »Sie liebt ihn auch, die Großherzogin«, sagte ich.

»Ja, ich weiß. Aber sie ist frigid«, erwiderte Clara.

»Aber Clara, red doch keinen Unsinn! Sie hat doch zwei Kinder«, rief ich empört aus.

Clara kam aus der Ecke hervor, blieb vor meinem niedrigen Stuhl stehen, nahm mein Gesicht zwischen ihre Hände und sah auf mich herab mit dem alten amüsierten Ausdruck, den ich seit unsrer ersten Begegnung in der Milchtrinkhalle an ihr kannte.

»Weißt du nicht, Mönchlein, daß es Millionen Frauen gibt, die Kinder haben und doch immer frigid waren?« fragte sie.

Das war echt Clara, so etwas zu sagen, und ich hörte heraus, daß wir ihr leid taten, ich in meiner Unschuld und alle frigiden Frauen der Welt.

Ich habe mich manchmal gefragt, ob aus Kurt Tillmann und mir wohl ein glückliches Ehepaar geworden wäre — mit Kindern und Enkelkindern, mit silberner Hochzeit, einem Bridge-Abend an jedem Freitag, einer hübschen Rente für unsre alten Tage und zwei Grabplätzen auf dem Friedhof, Seite an Seite. Es wäre ein deutscher Friedhof gewesen, denn Kurt und ich hätten immer an demselben Ort gewohnt, gelebt und das Zeitliche gesegnet, und dort hätte es für mich keinerlei Unrast gegeben, kein Wanderleben, kein ewiges Packen und Weiterziehen. Oder ich hätte vielleicht doch meine Sachen gepackt, hätte mich scheiden lassen und wäre mit großem Krach und Geschrei fortgegangen, da ich nun einmal für ein Familienidyll nicht tauge. Oder ich wäre mit Kurt vielleicht doch eine stille, gesetzte, brave deutsche Hausfrau geworden und hätte Hitler angebetet. Und mich nicht mit vierundvierzig Jahren lächerlich gemacht und mich in einen Engländer verliebt, der kaum älter ist als meine Söhne. Kurt hatte bestimmt das Zeug zu einem guten Ehemann, einem braven, soliden, häuslichen, friedliebenden, treusorgenden Ehemann. Schultern, an denen es sich gut ruhen und schlafen ließ. Clara sagte mir einmal, man kann die Männer in zwei Klassen einteilen: in solche mit kalten und solche mit warmen Füßen. Sie behauptete, es erfordere eine sehr große Liebe, mit einem von der kaltfüßigen Sorte ins Bett zu gehen, besonders in einem so rauhen und frostigen Land, wie es Deutschland während der Kohlenrationierung war. Aber es gehöre, sagte sie, nur ein Funken Leidenschaft dazu, mit einem Warmfüßigen unter die Decke zu schlüpfen, und dann fühle man sich sehr rasch behaglich, wohlig und angenehm gelöst.

Ein solcher Mann war Hauptmann Tillmann.

Aber es ist wohl eine müßige Überlegung, wie unsre Ehe ausgegangen wäre, denn obgleich wir fast zweieinhalb Jahre verheiratet waren, kam er während dieser ganzen Zeit nur sechs Wochen auf Urlaub nach Hause, und wie Hunderttausende anderer Kriegsfrauen blieb ich mit einem Fremden verheiratet.

Ich lernte ihn eines Nachts im Mai 1916 kennen, als er mit einem Verwundetentransport ankam. Er trug die zerfetzte Uniform eines Infanteriehauptmanns, den rechten Arm in der Schlinge und den Mantel über die Schulter geworfen. Er hinkte ein wenig, konnte aber gehen; offenbar war es ein leichter Fall. Er war nett und heiter, aber nicht laut. Soviel ich herausbringen konnte, hatte er an zwanzig Verwundete nach Bergheim begleitet, während er selbst nach Hahnenstadt in Norddeutschland weiterreisen sollte. Er hatte einen kleinen Bart, viel heller als sein Kopfhaar, tiefliegende blaue Augen, war klein und untersetzt und sah sonst wie jeder andere leicht verwundete Infanteriehauptmann aus. »Sie sind Preuße?« fragte ihn die Großherzogin, wobei sie, wie immer, wenn sie Banalitäten zu den Verwundeten sagte, vor Verlegenheit lispelte. »Das will ich meinen, Kleine«, antwortete er freundlich. Irgend jemand gab ihm einen Puff und flüsterte ihm ins Ohr, er spreche mit Ihrer Königlichen Hoheit, der Großherzogin von Bergheim-Zuche, und für uns, die wir hundert anstrengende Nächte im Dienst mit ihr verbracht hatten, war es ein komischer Anblick, wie der Hauptmann ruckartig militärische Haltung annahm und schlimmer stotterte als Pimpernell.

Wie gut erinnere ich mich an diese Nacht — an alle diese Nächte, in denen wir auf dem Bahnhof Dienst taten. Die Bogenlampen gaben nur trübes Licht, da der Stromverbrauch stark eingeschränkt war, aber manchmal war es eine Gnade, daß die Züge voll menschlicher Wracks in Dunkel gehüllt blieben. Der schale Dunst von Koks, Kohle und Dampf unter der gläsernen Bedachung des Bahnhofs; die verschwommenen, bleichen Gesichter der Soldaten, die aus den an die Front fahrenden Zügen herausblickten; die seltsame, stumme Prozession der Verwundeten, die aus den Lazarettzügen hervorkamen — manche gingen allein, manche von Kameraden gestützt, andre wurden auf Bahren getragen. Wir mußten sie sortieren: die leichten Fälle, die Hilflosen, die Hoffnungslosen, die Sterbenden, die Toten. Einige hatten statt eines Gesichts nur blutige Gazebäusche, einige kamen ohne Arm, ohne Bein — anstelle der fehlenden Gliedmaßen war unter der grauen Decke eine ergreifende Leere —, manche phantasierten, manche waren bewußtlos, manche fluchten, um nicht stöhnen zu müssen. Aber im großen und ganzen waren sie ziemlich still — ich weiß nicht, ob die Schwestern sie für die Ankunft unter Morphium gesetzt hatten oder ob es Resignation war oder vielleicht sogar eine Art rührender Eitelkeit. Die leichten Fälle hatten, wie sie aus dem Zug stiegen, alle das gleiche eingefrorene Lächeln, wahrscheinlich weil sie froh waren, für eine Weile von der Front fortzukommen, froh, am Leben zu sein und zwei Beine, zwei Arme, zwei Augen zu haben — alles noch komplett. Es standen keine hübschen jungen Mädchen mehr bereit mit Blumen und Küssen, bloß zwei resolute Frauen mittleren Alters teilten Kaffee und Zigaretten aus — geduldige und ausdauernde Reste der jubelnden Scharen, die zu Kriegsbeginn dagestanden hatten. Ich weiß noch, daß wir in jener Nacht zu wenig Ärzte hatten, denn unser Militärarzt hatte sich Typhus geholt (es war eine leichte Epidemie in der Stadt — offiziell als Darmkatarrh bezeichnet), und Frau Dr. Süßkind hatte den Dienst übernommen — zum amüsierten Erstaunen der leichten Fälle, die noch nie von einer Ärztin behandelt worden waren. In ihrer Uniform sah sie übrigens kaum anders aus als ein schlechtrasierter grauhaariger Mann, und nur wenn sie von Bahre zu Bahre schritt, sah man, daß sie einen Rock anhatte. »Na, Herr Hauptmann, was ist mit Ihrem Arm los?« fragte sie Kurt. »Ich glaube, mein Verband muß gewechselt werden«, sagte er. »Aber ich kann warten; es ist ja nichts; nehmen Sie ruhig erst die andern vor!«

Obwohl die Nacht warm war, schien er zu frösteln wie die meisten. Zu viel Blutverlust, dachte ich. Ich brachte ihn in einen andern Raum, wo wir Kaffee und Tee an die Wartenden ausgaben. Ich weiß nicht mehr, was wir miteinander gesprochen haben, als ich den Verband abnahm und ihn für die Untersuchung durch Frau Dr. Süßkind vorbereitete. Es war das übliche. Ob er Schmerzen habe, und er verneinte; wie es an der Front stehe, und er sagte: großartig; wo er zuletzt gewesen sei, und er sagte: bei Douaumont. Dieselbe Unterhaltung, wie wir sie mit allen Soldaten führten. Sein Arm gefiel mir nicht, ich ging in den andern Raum zu Frau Dr. Süßkind und sagte es ihr. Als ich zurückkam, war er in Schweiß geraten, fröstelte aber noch immer, und ich wußte, daß es kalter Schweiß war. Aber ich ging darüber hinweg, denn bei diesem Dienst durfte man nicht weich sein.

»Noch ein bißchen Kaffee?« fragte ich ihn; er lächelte und sagte: »Ein Schnäpschen wäre mir lieber.«

Wir hatten auf dem Bahnhof keinen Schnaps. Er ergriff meine Hand und sagte: »Oder wenn ich mich ein bißchen an Ihnen festhalten könnte ...« Ich blieb stehen und balancierte das Tablett mit dem Verbandszeug in einer Hand.

»Haben Sie sich doch nicht wie ein kleines Kind!« sagte ich, denn er war doch wirklich nur ein leichter Fall, und ich durfte mich nicht zu lange mit ihm aufhalten.

»Haben Sie vielleicht eins ...?« sagte er und hielt meine Hand fest.

»Ein was?« fragte ich. »Ein Schnäpschen? Leider!«

»Nein, ein Kind!« sagte er.

»Nein, ich bin nicht verheiratet«, erwiderte ich.

»Dann ist es gut«, sagte er und ließ meine Hand los. Ich ging weiter. Als Frau Dr. Süßkind seine Verletzung untersucht hatte, sagte sie ihm, er könne nicht weiterreisen, er müsse ins Lazarett. Er wollte nicht recht — es sei ihm wichtig, nach Hahnenstadt zu kommen, wo seine Familie lebe. »Hören Sie, Herr Hauptmann«, sagte Frau Dr. Süßkind barsch, indem sie ihn durch ihre Brille scharf ansah. »Wollen Sie vielleicht den Brand kriegen und den Arm verlieren, was?«

»Nein, zum Teufel!« rief er aus.

»Na also«, sagte sie. »Manche wollen es ja. Manche wollen lieber einen

Arm verlieren, als wieder zusammengeflickt und an die Front zurückgeschickt werden. Aber ich glaube nicht, daß Sie zu denen gehören.«

»Festsaal-Lazarett«, sagte sie zu ihm, während sie sein Krankenblatt aus-
schrieb. Da er mit den Zähnen klapperte, legte ich ihm den Mantel um die
Schulter, nahm ihn bei seinem gesunden Arm und führte ihn hinaus.

»Ich muß meiner Schwester ein Telegramm schicken«, sagte er.

»Selbstverständlich«, beruhigte ich ihn.

»Sie wird sich zu Tode ängstigen«, sagte er. »Wollen Sie es für mich besorgen?«

»Gewiß«, antwortete ich. »Aber kommen Sie jetzt, der Autobus wartet
nicht auf Sie. Im Bett werden Sie sich viel besser fühlen.«

»Ich fühle mich schon jetzt besser«, sagte er. »Sie sind prachtvoll. Sie sind
ein prachtvolles Mädel. Wie heißen Sie? Ich möchte Sie heiraten.«

Ehe wir noch zur Tür kamen, brach er zusammen. Man mußte ihn drei
Wochen im Lazarett behalten, dann aber war er wieder vollkommen hergestellt und gesund und hatte noch beide Arme.

Gegen Ende des zweiten Kriegsjahres stand es so: es gab noch immer viele
Siege. Wenn sie auch nicht mehr so groß und gewaltig waren wie zu Beginn, so genügten sie doch, uns glücklich, stolz und zuversichtlich zu machen. Die Franzosen waren nicht in Deutschland eingedrungen, vielmehr
standen die Deutschen tief in Feindesland. Die Zeitungen wiesen immer
wieder darauf hin, und wir machten uns gegenseitig ein bißchen Mut damit,
wenn wir kleinmütig wurden. Noch immer wurde gelegentlich geflaggt; die
Fahnen waren von Regen und Sonne und von allzu häufigem Gebrauch
schon ein wenig verblichen. Das Leben ging seinen gewohnten Gang, wir
waren heiter und gut aufgelegt wie immer. Es schien, daß sich viel mehr
Menschen inniger liebten und mehr Ehepaare einander inniger zugetan
waren als in Friedenszeiten. Und das hätte dem Leben eigentlich einen
höheren Glanz verleihen müssen. Aber wir wußten jetzt, daß der Krieg,
den wir anfangs für etwas Schönes und Großes gehalten hatten, ja für das
Größte, was es überhaupt gab, unter der heroischen Oberfläche sehr viel
Häßliches barg; und wir begannen vom Frieden zu träumen, wie der Gefangene von der Freiheit träumt. Allzuoft hatten die Glocken der alten
Kirche einen Sieg gefeiert. Ach, wenn sie doch bald den Waffenstillstand
einläuten wollten!

Die Lebensmittel waren streng rationiert, und wir fühlten uns meistens
müde und abgespannt. Wäre die Vitaminlehre zu jener Zeit schon genügend
bekannt gewesen, so hätten wir gewußt, daß wir an Vitaminmangel litten;
da wir es aber nicht wußten, trieb der knurrende Magen jeden dazu, sein
Gedächtnis nach alten Beziehungen zu Bauern zu durchstöbern und Freunde
auf dem Lande aufzusuchen in der Hoffnung, ihnen ein bißchen Butter oder
einen Happen Fleisch ›ohne‹ herauslocken zu können. Es gab kein Leder für
Schuhe, und die Strickorgien von 1914 mußten wegen Wollmangels eingestellt werden. Milch gab es nur für Säuglinge und werdende Mütter. Wir
hatten mit den Zähnen allerlei durchzumachen. Die Liebesgabenpakete, die

man den Soldaten an die Front schickte, enthielten Bücher, Spiele und vom Mund abgesparte Zigaretten statt — wie früher — Schinken, Kuchen und Wollsocken. Nur wenige meldeten sich noch freiwillig zum Militärdienst, viele aber verfielen auf alle möglichen Schliche, um als unabkömmlich erklärt zu werden und zu Hause bleiben zu können. Wir hatten allerlei gelernt: Daß nicht alle Generäle strategische Genies sind. Daß nicht alle Franzosen, Russen, Italiener und Engländer Feiglinge sind. Daß nicht alle Deutschen gut und alle Feinde schlecht sind. Noch glaubten wir, daß unsere Sache die gute Sache war und daß Gott auf unserer Seite stand — und machten uns nicht klar, daß die Feinde ihrerseits dasselbe glaubten. Wir merkten allmählich auch, daß der Krieg nicht die reinigende, bessernde Wirkung auf unsern Charakter hatte, wie man allgemein angenommen hatte. Rings um uns gab es Schmuggel, Bestechung, Schwindel und Profitmacherei — und das alles unter unsern eigenen Landsleuten. Wir fanden auch heraus, daß unsere Soldaten für den Feind kein Haßgefühl hatten, eher eine gewisse teilnahmsvolle Hochachtung und Sympathie. Es sind brave Jungens wie wir — so dachten sie; wir kämpfen für unser Land, sie für das ihre. Noch freuten wir uns, wenn wir lasen, was für große Verluste unsre Feinde in den Schlachten erlitten. Bei den hohen Zahlen hatten wir denselben Nervenkitzel, dieselbe Befriedigung, die man hat, wenn man beim Pferderennen gewinnt oder einen besonders großen Fisch fängt. Wir dachten dabei nicht an menschliche Wesen, jung, stark und lebendig, die nun tot waren, nicht an verwesende Leichen, zerfetzte Leiber, die in Bombenkratern begraben waren oder im Drahtverhau hingen. Soundso viele tote Feinde, das war etwas Abstraktes, worüber man sich freuen konnte. Es kam uns auch nicht zum Bewußtsein, daß irgendein uns bekannter Soldat persönlich und eigenhändig getötet habe. Die Soldaten redeten auch nicht davon. Aber wir alle hatten, auch wenn wir es nicht aussprachen, das Gefühl, daß wir versagen würden, wenn der Krieg nicht vor dem Winter zu Ende wäre.

Als es Hauptmann Tillmann besser ging, sah ich ihn oft. Er strich um das Säuglingsheim herum, um mir zu begegnen, wenn ich herauskam. Er fuhr mit mir in der Straßenbahn nach Gießheim, er begleitete mich auf meinen Wegen von Haus zu Haus und wartete draußen. Gewöhnlich sah man ihn von Kindern umgeben, deren Interesse für verwundete Soldaten nie erlahmte. Er erzählte ihnen Räubergeschichten, zeigte ihnen neue Figuren im Bindfadenspiel und schenkte ihnen kleine Granatsplitter, die man ihm aus Arm und Oberschenkel gezogen hatte und die nun herrliche Andenken darstellten.

Bald war Kurt Tillmann ›mein Hauptmann‹ geworden. Die meisten weiblichen Wesen hatten ›ihre Soldaten‹; er war für sie der hilflose, erbarmungswürdige Invalide, den man pflegen und verwöhnen und bemuttern mußte, aber auch der starke, tapfere Beschützer, zu dem man aufblickte und auf den man stolz war. »Wie geht's Ihrem Hauptmann«, fragte die Großherzogin. »Ihr Hauptmann wird Montag aus dem Lazarett entlassen«, verkündete mir Frau Dr. Süßkind. »Ihr Hauptmann ist ein feiner Mann — er hat meinem Willi ein Stück Schokolade gegeben«, sagten die Frauen in

Gießheim dankbar. »Ihr Hauptmann ist der erste nette Preuße, den ich kennengelernt habe«, bemerkte das junge Mädchen, das mit mir im Säuglingsheim Dienst tat, wenn er auf mich wartete. Auch Kurt selbst betrachtete sich als ›meinen Hauptmann‹. Er überantwortete mir seine ganze Person. Er behauptete, ich müsse mich um ihn kümmern, mit ihm im Park spazierengehen, ihn auf der Terrasse des Lazaretts besuchen und für ihn Briefe schreiben, bis er den rechten Arm wieder gebrauchen könne. Erst war es ihm so eilig damit gewesen, nach Hahnenstadt zu kommen, aber nachdem er aus dem Lazarett entlassen war und zur vollständigen Erholung vier Wochen Urlaub bekommen hatte, trieb er sich noch immer in Bergheim herum. In der zweiten Urlaubswoche verlobten wir uns.

Seit Clara an die Front gegangen war, fühlte ich mich sehr einsam. Sie war schließlich doch nicht Schwester geworden, vielmehr hatte der Großherzog sie mit vier ihrer Ballettänzerinnen zu Fronttourneen bei den Bergheimer Regimentern befohlen. Als sie ihre kitschigen Kostüme einpackte, hatte sie wild geflucht.

Mit Hauptmann Tillmann kam nach langer Zeit seelischer Öde zum erstenmal wieder ein bißchen Wärme in mein Leben. (Für mich ist er auch dann noch ›Hauptmann Tillmann‹ geblieben, als wir schon lange verheiratet waren.) Es tat gut, wieder geküßt zu werden, ihm zuzusehen, wie er seine Pfeife rauchte, auf das maskuline Geräusch zu horchen, womit er sie am Aschenbecher ausklopfte, ihm die Pfeife zu stopfen — denn seine Hand war noch ungeschickt. Es tat gut, daß das Zimmer nach Tabak, Leder, Rasierseife und Mann roch. Allzulange hatte ich ausschließlich in der Gesellschaft von Frauen gelebt, die weich, bedrückt und ängstlich waren, sich dabei aber die ganze Zeit stark, heiter und zuversichtlich stellten. Die Männer waren von Natur aus stark, sie brauchten nicht Komödie zu spielen, und ich glaube, auch Kurt war tapfer. Jedenfalls ließ er niemals, wenn er verwundet nach Hause kam, im geringsten erkennen, daß er vor der Rückkehr an die Front Angst hatte.

Daß er fallen könnte, das schien ihm gar nicht in den Sinn zu kommen. Vielleicht war das auch bloß Verstellung und Konvention — ich kam ihm nie so nahe, daß es mir ganz klargeworden wäre.

Vor unserer Trauung hatten wir einen kleinen Streit, denn er verlangte von mir, ich solle meine Arbeit aufgeben und zu seiner Familie nach Hahnenstadt ziehen, und ich weigerte mich.

»Du Dickschädel!« sagte er. »Schlimmer als Pulke.« Pulke war sein Feldwebel; er sprach die ganze Zeit von ihm, erzählte kleine Anekdoten, machte sich über ihn lustig, beklagte sich über Pulkes ständige Widerborstigkeit und Besserwisserei — und alles zusammen vermittelte mir eine schwache Vorstellung von der unausgesprochenen grenzenlosen Zuneigung, die hinter seinen Worten steckte, von jener Zuneigung, wie sie nur zwischen Männern entsteht, die endlose Gefahren und die kurzen, entbehrungsreichen Pausen miteinander teilen. »Und du hast Pulke lieber als mich«, antwortete ich ausweichend. Schließlich ordnete die Großherzogin die Angelegenheit für mich. Sie sprach mit Hauptmann Tillmann und bat ihn, mich ihr nicht wegzunehmen. Er verbeugte sich, machte einen Kratzfuß, stotterte Unsinn, schlug die Absätze zusammen und stand stramm. Es amüsierte mich, daß ein gekröntes Haupt einen so gewaltigen Eindruck auf ihn machte, wenn es auch nur Pimpernells unansehnliches, schlecht frisiertes, schüchternes gekröntes Haupt war. Wahrscheinlich war Hauptmann Tillmann ein Snob. Wahrscheinlich wäre er unter normalen Umständen nur ein zweiter Vetter Hermann geworden. Wahrscheinlich hätte er mich unter normalen Umständen nie geheiratet, und vielleicht wäre ich nicht imstande gewesen, auch nur sechs Monate mit ihm zusammen zu leben. Aber es war Krieg, und wir haben es nie erfahren.

Wir wurden zugleich mit einem Dutzend andrer Brautpaare am laufenden Band getraut. Kurts Zug ging früh um vier. Wir standen mitten in der Nacht auf, wie betäubt von Müdigkeit, und es kam uns nicht zum Bewußtsein, daß der Abschied uns weh tat. Es war wie der seltsame Dämmerzustand vor einer Operation, wenn man eine gehörige Dosis Skopolamin bekommen hat. »Wo hast du mein Rasierzeug hingetan?« fragte Kurt, der in Unterhosen in der Badezimmertür stand. Ich hätte gern die Narben auf seinem Arm geküßt, aber ich fürchtete, es könnte sentimental wirken. Zu Kriegsbeginn waren wir sentimental gewesen, aber das war nun überwunden. Ich gab Kurt das Rasierzeug.

»Pulke wird Augen machen, wenn er mich sieht mit einem Gesicht, glatt wie ein Kinderpopo, der alte Gauner«, sagte Kurt und verschwand wieder im Badezimmer. Ich faltete unsern Trauschein zusammen und verwahrte ihn. Kurt kam rasiert ins Zimmer zurück, ich sah, daß er seine Erkennungsmarke wieder trug, die er während des Urlaubs abgelegt hatte. »Da«, sagte er und fingerte in seiner Tasche herum, »du kannst meine Brotmarken für diese Woche haben, ich brauch sie nicht mehr. Ich bekomme meine Rationen.« Automatisch zählte ich die Marken nach.

»Danke. Das ist eine große Hilfe«, sagte ich.

»Eine verflucht ungeeignete Tageszeit, von seiner Frau Abschied zu nehmen«, sagte er. »Komm, gib mir einen Kuß, bevor ich den Mantel anziehe.«

»Gib gut acht auf dich!« sagte ich — und dann stand ich einen Moment starr und schweigend, denn ich hatte einen Geist gesehen. Gib gut acht auf dich! — das hatte ich auch zu Walter Brandt gesagt. Er war fortgegangen und nie zurückgekommen, und ich hatte gewaltige Felsblöcke des Vergessens über sein Gedächtnis gewälzt. Da war er ganz plötzlich wieder; nur dieses eine einzigemal während meines Beisammenseins mit Kurt war mir der Geist erschienen.

Kurt sollte zurückkommen. Ich wollte es.

»Und betrüg mich nicht mit einem dieser französischen Mädels, auf die unsre Soldaten immer 'reinfallen!« sagte ich rasch, denn es war höchste Zeit, einen Scherz zu machen.

»Pulke würde mich nicht lassen, selbst wenn ich es wollte«, sagte Kurt.

Ich will nicht, daß du fällst, du nicht! Das war's, was ich dachte. — Sieh nicht so blaß und verzweifelt aus, ich werde nicht fallen, wenn ich's irgendwie vermeiden kann, jetzt, wo ich dich habe! Das war's wohl, was er dachte und was jeder Soldat dachte, wenn er von seiner Frau Abschied nahm. Aber das waren verbotene Worte, die nie gesprochen wurden, nie zum Ausdruck kamen. Die Konventionen hielten dicht. Brave Frauen weinten nicht, wenn ihre Männer ins Feld gingen — basta! Ich fragte mich manchmal, ob unsre Männer dafür dankbar waren oder ob sie uns für hart, gefühllos und gedankenlos hielten, ob es nicht liebevoller gewesen wäre, ihnen zu sagen, wie wir um sie bangten und daß wir lieber einen lebenden Feigling hätten als einen toten Helden. Es sah ja geradezu aus, als hätten die Frauen nichts anderes im Sinn, als ihre Männer an die Front zu schicken, als wüßten sie nicht, wie es draußen zuging.

Wir nahmen ein Taxi, fuhren zum Bahnhof, standen auf dem Bahnsteig herum und redeten lauter belangloses Zeug; der Zug fuhr ein, pünktlich wie alle Züge in Deutschland auch in Kriegszeiten. Es war kein Militärzug, sondern ein gewöhnlicher Zug, zur Hälfte mit Zivilpersonen besetzt, einige Abteile für Offiziere reserviert.

Drei Minuten Aufenthalt.

»Also —«, sagte Kurt.

»Also —«, sagte ich.

»Leb' wohl, mein Kleines!« sagte er.

»Leb' wohl, mein Hauptmann!« sagte ich. Er stieg in den Zug, erschien am Fenster, ließ es herunter und streckte mir die Hand hin.

»Bitte melde der Großherzogin meinen tiefsten Respekt«, sagte er; ich weiß nicht, ob es ihm ernst war, oder ob er es nur wegen der andern Offiziere in seinem Abteil sagte. »Gern«, sagte ich.

»Und sag' Ihrer Königlichen Hoheit, sie soll dich bitte nicht zuschanden rackern!« fügte er hinzu. »Ich will dich in unversehrtem Zustand wiederkriegen, wenn ich das nächstemal auf Urlaub komme.«

»Wann kommst du?« fragte ich. Der Zug setzte sich langsam in Bewegung, und ich hielt seine Hand fest und ging mit.

»Hoffentlich zu Weihnachten«, antwortete er. Der Zug bewegte sich schneller, und ich begann zu laufen.

»Na, dann sind wir ja soweit«, sagte Kurt. »Leb' wohl!« Ich lief noch ein paar Meter mit, dann mußte ich seine Hand loslassen. Die Lokomotive spuckte mir einen dicken Puff grauen Dampf ins Gesicht, und als er sich auflöste, sah ich, wie der Zug in dem Tunnel hinter dem Bahnhof verschwand; kurze Zeit glühten noch die roten Lichter, und dann war er fort. Ich weiß nicht, wie es kam, daß mir plötzlich mein ›feiner‹ Großvater einfiel. Seit Jahren hatte ich weder an ihn noch an ein anderes Familienmitglied gedacht. In meiner Kindheit saß er auf einer Wolke zur Seite Gottvaters und legte ein gutes Wort für mich ein, sooft es nötig schien. Auch Putzi war jetzt da oben. Möchte wissen, ob sie zueinander noch Herr Sommer und Herr Dobsberg sagen.

Bitte, dachte ich, bitte, ihr beiden da oben, gebt mir auf den Hauptmann Tillmann acht: er ist mein Mann.

Nach einigen Wochen waren Trauung, Ehe und Zusammensein mit Hauptmann Tillmann für mich gar nicht mehr recht greifbar, so wie es mit unsern Träumen geht, wenn wir sie erzählen wollen. Zumindest erschien alles viel unwirklicher, als es die Kranken von Gießheim waren, die Säuglinge in ihren Bettchen und die Mütter, die sie nicht nähren wollten; die Verwundetentransporte, die nachts ankamen, Pimpernells nervöses Augenzucken und das bleiche, aber gefaßte Gesicht Annas, die einmal in der Woche in unserer Wohnung reinmachte und deren Geliebter auf dem Feld der Ehre gefallen war. Sechs Wochen nachher wurde aber alles höchst real, als ich merkwürdige Zustände bekam und Frau Dr. Süßkind feststellte, daß ich schwanger war.

Mein Gott, wie wunderbar fühlte ich mich mit dem Kind, das in mir wuchs! Noch nie war ich so stark, so gesund gewesen, so völlig in Harmonie mit allem. Während der ersten drei Monate mußte ich jeden Morgen ein wenig spucken — es war mir fast angenehm. Es war Klein Erikas Art, mir guten Morgen zu sagen und mir zu versichern, daß sie in der Nacht nicht abhanden gekommen sei. Erika, Heidekraut; ich hatte den Namen immer geliebt. Meine Lieblingspuppe hatte Erika geheißen, und ich schwankte keinen Augenblick, wie ich meine Tochter nennen sollte — und daß es eine Tochter sein würde, darüber hegte ich nicht den geringsten Zweifel. Auch hatte ich schon eine ganz konkrete Vorstellung, wie sie aussehen würde, wie ich sie anziehen und wie ich ihr die vielen Irrwege ersparen würde, die ich hatte gehen müssen, bevor ich erwachsen war. Daß ich mich so lebendig, so froh und unternehmend fühlte, hing vielleicht auch damit zusammen, daß ich wegen meines Zustands einen halben Liter Milch neben meiner Tagesration bekam.

Damals war es keine Kleinigkeit, die Wäsche für einen Säugling zu beschaffen, denn die sechs Windeln und zwei Garnituren Babyausstattung, die mir nach den Bestimmungen zugeteilt wurden, waren aus Ersatzstoff und zerfielen nach dreimaligem Waschen. Ich hatte im Säuglingsheim und bei den Neugeborenen des Jahres 1916 in Gießheim genug mit diesen Schwierigkeiten zu tun. Die Großherzogin hatte uns ein paar Dutzend ihrer eigenen Bettücher mit eingestickter Krone geschenkt; wir hatten sie zerschnitten, gebraucht und gewaschen, bis sie nur noch aus Fetzen bestanden, und dann hatten wir gar keine mehr. Kraft meines Trauscheins hatte auch ich meine gesetzliche Ration von drei Bettüchern bekommen; davon sollten immer zwei im Gebrauch und das dritte in der Wäsche sein. Ich zerschnitt sie und machte daraus winzige Babyhemden; sie waren grob und rauh, und ich bezweifelte, daß sie Erika gefallen würden. Aber es war eine grobe und rauhe Welt, und meine Tochter sollte nur gleich von Anfang an ihre Haut abhärten.

Und dann kam die Explosion in Gießheim. Es war an einem Montagmorgen im November, als ich unten in K 36 mit den drei Möller-Kindern beschäftigt war.

Sie hatten Keuchhusten. Die Ansteckungskeime waren von Haus zu Haus geflogen, wobei sie die Gießheimer Staubwolken als Verkehrsmittel benutzt hatten. Ich hatte die drei Kleinen gerade auf den Küchentisch gesetzt, um sie zu waschen, ihnen die Nase zu putzen und ihre Dosis Thymol zu verabreichen, als etwas auf uns einschlug. Es geschah eine ganze Menge zu gleicher Zeit. Etwas preßte mir die Luft aus den Lungen, meine Ohren wollten bersten, nicht von dem ungeheuren, dumpfen fernen Getöse und dem Krachen ringsum, sondern von dem Luftdruck. Ich wurde in die Höhe gehoben und gegen den Ofen geschleudert, wobei ich mir die Hand verbrannte. Der Schmerz riß mich aus meiner Erstarrung, es kann auch eine sekundenlange Bewußtlosigkeit gewesen sein, dieses schwarze Etwas, das sich plötzlich wie ein Vorhang über mich gesenkt hatte. Die Fensterscheiben waren zerbrochen, der Spiegel — der Stolz der Möllers — war heruntergekracht und hatte das Baby gestreift. Als ich mich gefaßt hatte, hielt ich es im Arm; eine Weile blieb es stumm vor Schreck, dann begann es wild zu schreien und mit den Füßen gegen meinen Bauch zu stoßen wie gegen einen Gong. Erika! dachte ich verzweifelt, aber jetzt war keine Zeit, an Erika zu denken.

Es war ein schwarzer Tag für Gießheim. Die genaue Zahl der Opfer erfuhren wir nie. Die Zeitungen sprachen von vierundzwanzig und nannten sie Helden, die auf dem Feld der Ehre gefallen seien. Mit der Zeit konnten wir diese Beruhigungspillen nicht mehr vertragen, und wir konnten das Wort vom Feld der Ehre nicht mehr hören, ohne daß uns übel wurde und wir das Bedürfnis fühlten, jemandem ins Gesicht zu schlagen. Da der Öffentlichkeit die Wahrheit grundsätzlich vorenthalten wurde, verbreiteten sich in der Stadt die wildesten Gerüchte. Vierhundert waren ums Leben gekommen, nein, sechshundert, nein, zwölfhundert. Meistens Frauen, die in der Munitionsfabrik gearbeitet hatten, und auch Kinder in den Packräumen. In Bergheim wurde allerlei getuschelt. Die einen sprachen von dem Millionenschaden der Hewa, die andern schüttelten die Fäuste und fragten, wie viele Millionen die Hewa an dem Krieg bisher wohl verdient habe. Offiziell bezeichnete man die Explosion als einen Unfall, wie er überall unvermeidlich sei, wo große Mengen von Sprengstoff hergestellt werden. Inoffiziell flüsterte man von englischen Spionen, von sozialistischer Sabotage, von Anarchisten, von einem Komplott der Pazifisten, alle Munitionsfabriken in die Luft zu sprengen und damit dem Krieg ein Ende zu machen. Wochenlang hielt die Stadt den Atem an und erwartete eine zweite Katastrophe, die uns alle in Stücke zerreißen würde.

Es fand ein feierliches Leichenbegängnis statt, bei dem die Großherzogin ein paar hochtönende Phrasen lispelte, die offenbar einer ihrer Minister aufgesetzt hatte. Das Volk — eine schwarze Masse von Frauen, dazwischen ein paar Kriegsbeschädigte und Greise — stand dabei, die Gesichter verschlossen, die Augen ausdruckslos. Pimpernell sprach ins Leere. Ich wußte, welche Qualen es ihr jedesmal bereitete, wenn sie gezwungen war, in den gespreizten, leeren Wendungen des Amtsdeutsch zu reden.

Merkwürdig, wie klar und scharf diese Erinnerungen wiederkehren, jetzt, wo wieder Krieg ist. Sie waren unter Jahren eines bequemen, sorgenfreien

Lebens begraben gewesen, unter der Gewißheit, so etwas könne nie wieder geschehen, eingeschläfert durch das Schlagwort ›Nie wieder Krieg!‹, durch die trügerische Sicherheit eines Pazifismus, der die ganze Welt erfaßt zu haben schien. Jetzt ist wieder Krieg. Völker werden ausgehungert, Soldaten getötet, Städte niedergebrannt, Kirchen bombardiert, Frauen sind wieder einsam, angsterfüllt und stumpfsinnig tapfer, und alle Parteien verlangen wieder vom lieben Gott, daß er auf ihrer Seite stehe: so sind wir also zwanzig Jahre lang im Kreis gegangen.

Erinnerst du dich an das Kamel, das wir in Jerusalem gesehen haben? Es arbeitete in einer Ölpresse und ging an einer Deichsel endlos in der Runde, um die Mühlsteine zu drehen, die das Öl aus den Oliven preßten. Es war ein altes Kamel, hatte übertrieben lange Wimpern wie eine Filmschauspielerin und einen besonders blöden Gesichtsausdruck — blöd sogar für ein Kamel. Jahrelang war es schon im Kreis gegangen, Tausende von Meilen mußte es schon zurückgelegt haben, mußte wohl schon mehreremal um den Erdball herumgewandert sein. »Wird es denn nie müde?« fragte ich den Araber, dem das Tier gehörte. »Nein, es ist geblendet, Lady«, sagte er würdig. »Es weiß nicht, daß es im Kreis geht. Es glaubt, daß es am Ende der Reise in einer Oase ankommen wird.«

Das sind wir, das ist die Menschheit. Ein blödes, blindes, altes Kamel, das im Kreis geht, Mühlsteine dreht und auf eine Oase hofft.

Kurz nach Neujahr kam Clara nach Hause — ein Wirbelsturm von Küssen und Fragen und Lachen und drolligen Geschichten vom Fronttheater. Es tat gut, sie wieder da zu haben, und wir genossen es immer wieder von neuem, nach so langer Trennung endlich wieder zusammenzusein. Sie wollte noch immer Krankenschwester werden.

»Wo ernsthaft etwas passieren könnte, schickt man keine Ballettmädels hin«, sagte sie. »Alles, was ich erlebt habe, waren ein paar Granaten. Es ist ein merkwürdiges Gefühl. Du hättest uns sehen sollen, wie wir umherrannten und Deckung suchten. Ich kriege einen Orden dafür. Stell dir vor — ich mit einem Orden, Kinderl! Aber der Krieg ist Scheißdreck, absolut. Eine Zeitlang behielt man uns in Brüssel, und wir gaben im Théâtre de la Monnaie Vorstellungen. Die Bühne ist so groß wie eine Bahnhofshalle, und du kannst dir nicht vorstellen, wie schäbig und unmodern die Kulissen sind. Ich hatte immer Angst, meine vier Mädels würden sich auf der Bühne verlaufen. Aber den Soldaten gefiel's.

Heiratsanträge hat's geregnet. Andere Anträge natürlich auch. Aber von allen Städten hat mir Brüssel am allerwenigsten gefallen. Es wimmelt von französischen Huren — du solltest bloß sehen, wie sie sich in den Hotels herumtreiben, alle Altersklassen, alle Abstufungen — kostspielige für die Offiziere, diskrete, zuverlässige für den Generalstab und der Abschaum für die Soldaten. Die müssen Schlange stehen für das bißchen Vergnügen, wie wir hier fürs Brot. Und die Männer benehmen sich wie losgelassene Teufel. Drei Tage Urlaub nach Brüssel bedeutet, daß sie hinterher bei einem Sturmangriff eingesetzt werden, verstehst du? Kein Wunder, daß sie noch alles mitnehmen wollen, was sie kriegen können, ehe sie in Stücke gerissen werden. Und dann die Belgierinnen! Alle tragen Trauer, richtig Trauer: lange schwarze Witwenschleier; und sie sehen dich nicht an, wenn sie auf der Straße an dir vorbeigehen. Es läuft einem kalt über den Rücken. Ich habe mich jedesmal geschämt, wenn ich eine von ihnen sah. Ich hatte das Gefühl, als müßte ich sagen: ›Vergeben Sie uns, was wir tun! Wir tun es nicht aus freien Stücken. Es trifft uns genauso wie Sie.‹ Na, man kann ja so etwas nicht sagen. Aber ich war nicht gern in Brüssel.«

»Und wie geht's ihm? Deinem ›Mann‹?«

»Er hat Heimweh wie der verlorene Sohn«, sagte Clara. »Ich hoffe bloß, daß der Krieg zu Ende ist, bevor er weiße Mäuse sieht. Es scheint, sechzehn königliche Ahnengenerationen geben einem eine sehr dünne Schädeldecke, die leichter einen Sprung kriegt als eine plebejische Birne, wie die deine und meine. Aber ich glaube, ich habe ihm den Kopf zurechtgesetzt, wenigstens für eine Weile.«

Und damit fiel bei ihr die Tür ins Schloß. Ich hörte geradezu, wie der Mechanismus einschnappte, und wußte, daß ich keine Fragen mehr stellen durfte.

»Ich höre, Clara Balbi ist zurückgekommen«, sagte die Großherzogin bald darauf eines Abends. »Sie muß interessante Dinge zu berichten haben.«

»Sie ist nicht sehr gesprächig, Pimpernell.«

»Ich möchte trotzdem mit ihr sprechen. Könnten Sie sie nicht einmal abends mitbringen? Ich möchte sie kennenlernen — ganz inoffiziell, verstehen Sie. Glauben Sie, daß sie etwas dagegen hätte?«

»Weshalb sollte sie etwas dagegen haben?« sagte ich tastend. Im Herzen wußte ich, daß sie sehr wohl allerlei dagegen hatte, wenn aber Pimpernell so töricht war, auf einer Begegnung mit ihrer Rivalin zu bestehen, nun, dann mußte ich Clara eben mitbringen. Es gab wohl eine kleine Auseinandersetzung mit Clara, aber sie war nachgiebiger geworden und leichter zu behandeln, seitdem sie so unterernährt war. Auch konnte ich alles von ihr haben, was ich wollte, sobald ich ihr damit drohte, Erika würde im Mutterleib Bauchschmerzen bekommen, wenn sie mich nervös machte.

Und so brachte ich Clara denn — nach kaum einer Woche Überredungsarbeit — auf den Bahnhof mit, und wir spielten unsere kleine Komödie sauber mit allen Stichworten und Repliken.

»Königliche Hoheit, darf ich mir die Freiheit nehmen, Ihnen meine Freundin Clara Balbi vorzustellen?«

»Fräulein Balbi, ich bin glücklich, Sie kennenzulernen. Ich bin eine große Bewunderin von Ihnen.«

»Vielen Dank, Königliche Hoheit. Königliche Hoheit sind zu gütig.«

»Sie haben mehrere Vorstellungen für unsere Truppen gegeben. Hat es Ihnen Freude gemacht?«

»Gewiß, Königliche Hoheit. Es war ein wundervolles Erlebnis.«

»Wie finden Sie den Geist unserer braven Soldaten?«

»Hervorragend, Königliche Hoheit.« — Lange Pause.

»Haben Sie während Ihres Aufenthaltes an der Front vielleicht zufällig den Großherzog gesehen?« fragte Pimpernell mit zuckenden Augenlidern.

»Jawohl, Königliche Hoheit. Seine Königliche Hoheit gab uns die Ehre seiner Anwesenheit bei einigen unserer Vorstellungen in Brüssel.«

»Wie war Ihr Eindruck? Wie sieht er aus?« fragte die Großherzogin, wobei sie einen Anlauf nahm, über mehrere drei Meter hohe Hürden zu springen.

»Ich glaube, Seine Königliche Hoheit war bei bester Verfassung. Er kam mir zwar etwas schlanker vor, aber das liegt vielleicht an der Uniform. Er ist sonnverbrannt und schien sich bei der Vorstellung gut zu amüsieren. Er lachte wiederholt über unsere kleinen Kapriolen.«

»Hat er mit Ihnen gesprochen?«

Ich sah Clara an. Sie hatte ihr zorniges Engelgesicht, und ich fürchtete, sie würde jetzt sagen: Hören Sie mal, was soll dieser ganze Quatsch? Sie wissen es, und ich weiß, daß Sie es wissen — also reden wir frisch von der Leber weg! Aber Clara, meine kleine Diplomatin, hielt sich zurück.

»Ja, Königliche Hoheit«, sagte sie. »Seine Königliche Hoheit kam nach der Vorstellung auf die Bühne und sprach ein paar Worte zu unserer Truppe. Es war eine große Ehre für uns.«

Die Großherzogin ließ einen tiefen Seufzer hören. Sie hatte versucht, über einen hohen Zaun zu klettern, war aber wieder hinuntergestoßen worden. Claras Gesicht wurde etwas weicher, und sie fügte hinzu: »Ich habe vor einigen Tagen einen Brief von Baron Zwerchsattel bekommen. Er schreibt mir, daß Seine Königliche Hoheit sich außerordentlich wohl befindet. Seitdem er auf Château Branquet übergesiedelt ist, reitet er viel und hat zur Erholung auch das Aquarellmalen wiederaufgenommen. Zwerchsattel schrieb sehr vergnügt.«

Die Großherzogin holte tief Atem. »Kennen Sie Baron Zwerchsattel näher?« fragte sie. Baron Zwerchsattel, ein hübscher junger Bursche, der Sohn des Hofmarschalls, war der Adjutant des Großherzogs.

»Ja, Königliche Hoheit. Er ist ein guter Freund von mir. Und ein großer Briefschreiber. Wenn Königliche Hoheit sich für die Nachrichten, die ich häufig von ihm erhalte —«

»Hat Zwerchsattel etwas über die Verluste unseres Infanterieregiments in Flandern geschrieben?«

»Er hat etwas angedeutet, Königliche Hoheit, aber ohne Details.«

»Hat er etwas über den Eindruck gesagt, den es auf den Großherzog gemacht hat?«

»Jawohl, Königliche Hoheit. Er schreibt in seinem Brief, daß der Großherzog zwei Tage lang niemanden von seinem Stab sehen wollte und sich die Mahlzeiten auf seinem Zimmer servieren ließ. Es tut mir leid, Königliche Hoheit, wenn Sie das beunruhigen sollte —«

»Nein, nein. Durchaus nicht. Man muß in einem Krieg auf solche Rückschläge gefaßt sein. Selbstverständlich empfindet der Großherzog den Verlust jedes einzelnen seiner Soldaten sehr schmerzlich. Er ist sehr sensitiv.«

»Ja, sehr sensitiv. Das ist wohl jedes Vollblut, nicht?« sagte Clara.

Ich räusperte mich warnend, und Clara schwieg. Pimpernell sah sie mit einem ängstlichen Blick an, und Clara lächelte ihr tröstend, aufrichtend zu, als wollte sie sagen: Machen Sie sich nicht allzuviel Sorgen, wir werden ihn schon irgendwie durch diesen ganzen Dreck durchbringen, Sie kümmern sich um den Thron, und ich kümmere mich um den Mann.

»Wie gefällt dir die Großherzogin?« fragte ich Clara auf dem Heimweg.

»In ihrer Art ganz gut«, sagte Clara. »Aber um Himmels willen, was ist mit ihrem Teint los? Kannst du ihr nicht sagen, daß sie für ihr Gesicht Teerseife benutzen soll?«

Ich mußte lachen. »Weißt du noch, wie Teerseife aussieht?« fragte ich. Das graue Stück Seife, das wir als Monatsration bekamen, zerbröckelte in kleine Lehmkrumen, sobald es mit Wasser in Berührung kam; es gab keinen Schaum und fühlte sich auf der Haut wie Schmirgelpapier an. Für unsern Teint und unsere Ersatztextilien war es mörderisch.

»Na, du kannst überzeugt sein, daß Ihre Königliche Hoheit jede gute Seife haben kann, die sie haben will«, sagte Clara ärgerlich.

»Das glaub ich nicht«, antwortete ich. »Sie lebt grundsätzlich streng von den Rationen wie jeder andre.«

»Streng von den Rationen, mit Milch und Butter von den Krongütern, dazu Wildbret und Geflügel aus ihren Forsten.«

»Du wirst lachen: nein. Sie schenkt alles den Lazaretten. Du glaubst doch nicht, daß sie wie ein Kriegsschieber lebt, was?«

Die Kriegsschieber waren eine neue Gesellschaftsschicht. Es waren die Kriegsgewinnler, die sich wie die Maden von dem Verfall des Landes nährten. Sie hatten Geld und kauften Lebensmittel auf, denn es gab einen Schleichhandel mit Lebensmitteln für alle, die die Quellen kannten und die ungeheuerlichen Preise bezahlen konnten. Sie waren wie Holzwürmer, wie Termiten; sie bohrten und unterminierten. Sie verbreiteten Haß, Neid und Mißtrauen. Es gab in Deutschland nur zwei Klassen: diejenigen, die hungrig umhergingen, und diejenigen, die es verstanden, ihre Bäuche zu füllen – die Kriegsschieber.

Zu Hause angekommen, wühlte Clara in ihren Sachen und brachte ein Stück Seife zum Vorschein. Ich sehe es noch vor mir: es war Veilchenseife von Roger & Gallet, in malvenfarbigem Papier, auf dem eine kleine Vignette in Gold und Violett zu sehen war und das auch nach Veilchen roch.

»Da«, sagte sie. »Ich hab's in Brüssel bekommen. Ich hab' mir's für eine besondere Gelegenheit aufgehoben. Ich wollte ein Bad nehmen und himmlisch duften, wenn der Krieg zu Ende ist und mein ›Mann‹ nach Hause kommt – sozusagen als Siegeshymne. Gib ihr das Ding und sag ihr, sie soll doch, zum Teufel, sehen, diese abscheulichen Pickel loszuwerden!«

Im Februar bekam ich mein Baby, genauso wie ich es mir vorgestellt hatte – in meinem eigenen Bett und ohne Arzt. Immerhin war es gut, Clara da zu haben – Clara, meine liebste, beste Freundin, meinen Felsen von Gibraltar. Sie wich während der zwölfstündigen Quälerei nicht von meiner Seite. Und sie genoß jede einzelne Minute. Ich klammerte mich an sie, ich schlug und stieß und biß sie, aber sie lachte nur dazu und sagte: »Herrlich ist das! Jesus Maria, ist das herrlich! Komm, Kinderl, arbeite, tu etwas — so, so, gib her! Hörst du — gib her! Herrgott, das ist schöner als ein neues Ballett machen, und viel leichter — und man weiß doch, was man hat, wenn's vorüber ist. Vorwärts, nur noch zehn Minuten, vorwärts, Mönchlein, du mußt Erika helfen!«

Die Hebamme, die wie eine Maus irgendwo in einem dunklen Hintergrund hin und her huschte, rang die Hände über unser angestrengtes Duett: ich schrie, und Clara ermunterte mich, so viel Lärm zu machen, wie ich nur wolle, wenn es mich erleichtere. Es muß mehr nach einem Ringkampf ausgesehen haben als nach einer Entbindung, und auch ich fand es herrlich. Die Schmerzen waren, wenn auch stark, doch so natürlich und gesund, als hätte mein Körper darauf gewartet und sei nun zufrieden, hinabzutauchen zu den Wurzeln des Frauentums.

Die Sonne ging eben auf, und es war ein rosiger Perlmuttermorgen, als das Kind zur Welt kam. Für den Bruchteil einer Sekunde dachte ich — sehr scharf, sehr intensiv — an die Wäscherin Kathi. Ich stützte mich auf die Ellbogen und sah auf das Kind hinunter, das da zwischen meinen Schenkeln lag — naß, rot, runzlig und unglaublich lebendig. »So. Jetzt kannst du Frau Doktor Süßkind rufen«, sagte ich. Man nahm mir das Kind weg, es gab einen komischen, quäkenden Schrei von sich, es hatte eine Stimme, es hatte viel zu große Fäustchen, es hatte kleine Füßchen und Zehen mit Nägeln, winzig wie Pünktchen. Clara hielt das Neugeborene in die Höhe; sie machte vor Überraschung ein dummes Gesicht.

»Es ist ja ein Bub«, sagte sie. »Schau, es ist ein Bub!«

»Freilich ist's ein Bub«, sagte die Hebamme kichernd, während sie mit der Nabelschnur manipulierte. Clara hielt mir das Kleine so hin, daß ich seinen winzigen wohlgestalteten männlichen Apparat sehen konnte. Mein kleines Männchen, dachte ich, wir werden dafür sorgen, daß es keinen Krieg gibt, wenn du groß wirst. Die Hebamme trug ihn fort und wickelte ihn in einen Bogen dickes weißes Kreppapier. Auch ich lag auf solchem Papier, da wir mit Wäsche sparsam sein mußten. Wir hatten noch vier Bettücher, aber sie waren dünn, fadenscheinig und voller Löcher. Dann kam Clara mit einem Topf dampfenden Kakaos herein. »Mit Milch gemacht, nicht mit Wasser«, sagte sie. »Und richtiger Zucker ist drin. Trink! Du hast es verdient.« Es war der Höhepunkt der materiellen Freuden, als Martinchen so glorreich zur Welt kam. Komisch, sich vorzustellen, wie Martin jetzt ist! Was für ein Wunder war er, als er zur Welt kam.

Jetzt ist er ein reisender Kaufmann, solide und durchschnittlich wie sein Vater, und kurbelt das Geschäft im mittleren Westen der USA an; und es ist wieder Krieg, schlimmer als der letzte, und es sieht aus, als müßte mein Junge früher oder später auch mit. Und ich bin wieder unterwegs nach einem Bahnhof, um einen Mann fortzubringen, der für sein Vaterland kämpfen will — es ist wie ein böser Traum, in dem immer wieder dasselbe passiert . . .

Das Frühjahr 1917 kam, und wenn es eine Offensive gab, so hörten wir nichts davon. Es gab massenhaft Siege, aber wir interessierten uns nicht mehr dafür. Die Glocken läuteten nicht, es wurde nicht geflaggt. Die letzten Männer im Land wurden zusammengekratzt und hinausgeschickt – alte Leute und Schuljungen. In den Lazaretten wurden die Verwundeten in aller Eile notdürftig zusammengeflickt und wieder an die Front geworfen. Jetzt nannten alle Soldaten den Krieg schon ›das große Schlamassel‹, und wir empfanden tiefstes Mißtrauen gegen große, edle Worte, ein Mißtrauen, das die ganze Welt in den seither vergangenen Jahren nicht mehr überwunden hat – die ganze Welt, mit Ausnahme der waschechten Nazis. Wir schickten nicht mehr so viele Liebesgabenpakete an die Front, denn es war nichts mehr da, was man hätte schicken können. Im Gegenteil: die Urlauber brachten ihrer Familie Lebensmittel von der Front mit, Konserven, harten, trockenen Zwieback, eine Wurst, ein Stück Käse, ein Paar Schuhe, die sie bei einem französischen Mädel gekauft oder gestohlen hatten. All unser Sinnen und Trachten drehte sich um die Frage: Wo kriegt man was zu essen her? Es war ein tierischer Trieb, und wir haßten allmählich unsern Magen, der in regelmäßigen Abständen neu gefüllt werden mußte, wenn wir am Leben bleiben wollten. Unser Tag verging damit, daß wir vergeblich herumliefen, daß wir Schlange standen, die Lebensmittelkarten abholten und uns eintragen ließen, daß wir den Hering von dieser Woche gegen die Margarine der nächsten Woche tauschten, daß wir irgendwohin stürzten, wo es angeblich hintenherum Kartoffeln geben sollte, daß wir in den Wald gingen und unter dürrem Laub nach Bucheckern suchten und sie in die Ölpresserei brachten, die uns dafür Öl gab, so daß wir ein bißchen Fett für die Kohlrüben hatten. Hunderte solcher absolut unerläßlichen Dinge mußten erledigt werden, und das füllte unser Leben so restlos aus und spielte für uns eine so große Rolle, daß wir darüber den Krieg fast vergaßen.

Als die Vereinigten Staaten in den Krieg eintraten, gab es in der Stadt keine Extrablätter und in den Zeitungen keine Schlagzeilen. Die Nachricht wurde in die Heeresberichte eingewickelt, wie man eine bittere Arznei in eine Gelatinekapsel hüllt. Uns schien ein Feind mehr oder weniger nichts auszumachen. Die Amerikaner waren weit fort – was konnten sie uns denn tun? Sie hatten nicht einmal eine Armee und waren, soviel wir wußten, verrückte Millionäre. Auch vollbrachten unsere U-Boote auf den sieben Meeren wahre Wunder, und die Vorstellung von Truppentransportern über den Atlantischen Ozean war vollkommen phantastisch und lächerlich. Aber wir waren müde – mein Gott, wie müde waren wir im Frühjahr 1917! – und das Wort ›Frieden‹ bekam einen Klang wie Engelschöre, wie goldene Posaunen des Himmels. »Lieber Gott, wenn doch nur wieder Frieden wäre!« sagten die Menschen überall. »Nur Frieden – warum können wir nicht Frieden machen?«

Nun, man kann eben nicht Frieden machen. Wie stellt ihr euch das vor – Frieden machen? Man wedelt mit einer weißen Fahne, und alles ist aus? Aber wenn wir aufhören, zu kämpfen, wäre dann nicht Frieden? Man kann nicht aufhören, zu kämpfen.

Warum nicht?

Also, man kann eben nicht — fertig. Was glaubt ihr, würde geschehen, wenn wir aufhörten zu kämpfen?

Also nur mal angenommen, wir hörten doch auf, zu kämpfen. Was würde dann geschehen? Ich weiß nicht. Niemand weiß, was geschehen würde. Angenommen, wir hörten auf, die Franzosen und Engländer aber nicht. Wir wären dann genau wieder da, wo wir zu Kriegsbeginn waren. Der Feind würde in Deutschland einmarschieren, die Städte niederbrennen, die Frauen vergewaltigen, die Kinder martern, die Männer umbringen, die Brunnen vergiften, uns in Giftgas ersticken lassen und bei Luftangriffen Tod und Verderben über uns bringen. Versteht ihr jetzt, warum wir nicht Frieden machen können?

Aber die Russen haben doch aufgehört zu kämpfen. Warum sollten wir es nicht auch können?

Ach, die Russen, die Feiglinge. Jetzt schlagen sie sich gegenseitig bei ihrer Revolution tot. Ihr wollt doch keine kommunistische Revolution in Deutschland, wie? Jetzt, wo wir im Osten keine Armeen mehr brauchen, werden wir die Alliierten schnellstens verdreschen, aber ordentlich! Das ist die einzige Möglichkeit, Frieden zu bekommen. Und wir werden Frieden bekommen. Sehr bald.

Eines Nachmittags um drei Uhr läutete die Glocke des alten Doms, die große Glocke, die lange geschwiegen hatte; die eine Glocke, die übriggeblieben war, nachdem sich alle andern in Kanonen verwandelt hatten. Die Menschen blieben stehen, horchten und liefen zu den Anschlagsäulen, um die letzten Kriegsnachrichten zu lesen, aber da stand nichts von einem bedeutenden Sieg. Auf der Rheinbrücke standen alle Menschen in dichten Scharen und lauschten mit erhobenem Kinn dem Glockengeläut. Dann war auf einmal in der ganzen Stadt das Gerücht verbreitet: Der Krieg ist aus! Waffenstillstand! Der Kaiser hat ein Friedensangebot gemacht, und die Alliierten haben es angenommen. Frieden! Frieden! Frieden! Die ganze Stadt war wie verrückt. Menschen umarmten und küßten einander, Menschen weinten, Menschen knieten nieder und beteten: »Dank, o Gott, Frieden, Frieden, Frieden!« Die Statue des heiligen Franziskus war bald ein Blumenmeer. Vor dem Schloß sangen sie das Niederländische Dankgebet: »Wir treten zum Beten vor Gott, den Gerechten.« In der Menge waren viele Kriegsbeschädigte; sie sangen laut, einfach und innig, und das Kinn zitterte ihnen, weil sie die Tränen zurückhalten wollten. Die Menschen erwarteten, daß die Großherzogin auf den Balkon trete, aber sie war an diesem Tag nicht in der Stadt. Sie war auf dem Land, wo sie die Beschaffung von Hilfskräften für die Bauern organisierte, damit es im Herbst etwas zu ernten gab. Kriegsgefangene waren über das Land verteilt worden; sie sollten anstelle der fehlenden Arbeitskräfte in der Landwirtschaft helfen. »Frieden, Frieden!« riefen die Leute einander zu. »Unsere Männer werden nach Hause kommen, die Kriegsgefangenen werden entlassen, der Krieg ist vorbei!« Es bildete sich eine Prozession, ein Strom von Frauen drängte über die Rheinbrücke in den Dom. Eine volle Stunde läutete die Glocke, dann hörte sie mit ein paar letzten, verlorenen, verirrten metallischen Klängen auf.

Die Glocke hatte anläßlich des Todes des Erzbischofs geläutet. Das war alles. Es gab keinen Frieden. Es wird nie wieder Frieden geben, nie wieder. Die Menschen schlichen in ihre Häuser zurück, stumm, ohne einander anzusehen, beschämt, als wären sie bei einem Trunkenheitsexzeß ertappt worden. Dieser Tag hinterließ in unserm Gemüt einen Knacks. Eine Woche später erzählte man sich, in Gießheim sei es zu Unruhen gekommen. Man sprach von geheimen Zusammenkünften der Kommunisten, die eine Revolution nach russischem Muster anzetteln wollten.

Die Rationen der Munitionsarbeiter wurden dann auf Kosten der andern erhöht, die keine Munition herstellten. Ich hatte meine Arbeit wiederaufgenommen, aber es gab für mich nicht viel zu tun. Jeder hatte genug Geld, aber man konnte dafür nichts kaufen, es gab nichts. Manche Mädchen gingen nach einer Pikrinsäurevergiftung mit gelbgrünen Gesichtern umher; dann wurde die eine Gesichtshälfte wieder normal, während die andre immer noch aussah, als hätte sie jemand aus Ulk grün angestrichen. Die Menschen verlegten ihre Sonntagnachmittagsspaziergänge nach dem Gefangenenlager hinter dem Exerzierplatz in Gießheim. Sie standen vor dem Stacheldrahtzaun und starrten zu den Gefangenen hinüber, als wären es wilde Tiere im Zoo. Es war kein Haß dabei, keine Bosheit, nur stumpfe Neugier.

»Sieh mal, die armen Teufel«, sagten sie, oder: »Es ist ein Skandal, daß wir sie füttern müssen. Man hätte sie ohne Gnade niederknallen sollen.« Und dann ließ sich eine Frau hören, deren Sohn irgendwo in Rußland oder Frankreich gefangen war: »Wir müssen sie gut behandeln, sonst läßt man es unsere gefangenen Soldaten entgelten.«

Auch ich ging einige Male hin, ich hatte die Vorstellung, ich könnte Howard Watson unter den Gefangenen entdecken. Aber dann erzählte mir Clara, daß er in einem Luftnahkampf gefallen sei. Er war Flieger gewesen, einer von jenen heiteren, kaltblütigen Engländern, die in dieser mechanisierten Schlächterei, zu der der Krieg seit Erfindung von Tanks und Giftgas herabgesunken war, die Tradition der Ritterlichkeit hochhielten. Clara wußte es von ihrem ›Mann‹, der ihr auch geschrieben hatte, daß die deutschen Flieger Howard mit militärischen Ehren bestattet und seine Sachen über den feindlichen Linien abgeworfen hätten, als Zeichen ihrer Achtung vor dem tapferen Gegner. Sie erzählte uns das alles eines Nachts, als wir auf dem Bahnhof Dienst taten. Angeblich hatte sie es von Zwerchsattel erfahren.

Die Kantine auf dem Bahnhof war geschlossen worden, weil Kaffee für die durchfahrenden Soldaten ein zu großer Luxus geworden war. Die Ankunft von Verwundeten, die Abfahrt zurechtgeflickter Soldaten, die Durchfahrt von Zügen von und nach der Front war längst eine nüchterne, alltägliche Sache geworden. Die Helferinnen des Roten Kreuzes hatten den Nachtdienst aufgegeben. Nur Pimpernell saß fast jede Nacht da, ganz allein, und verlangte nicht einmal von ihren Hofdamen, daß sie ihren Schlaf opferten. Vielleicht war es nur eine törichte Geste, vielleicht aber konnte sie nicht schlafen und wollte lieber etwas tun, statt sich in ihrem königlichen Bett im leeren Palast herumzuwälzen. Vielleicht dachte sie auch, durch Güte und erhöhte Pflichterfüllung ein System aufrechterhalten zu können, das im Begriff war, zusammenzubrechen.

Die Leute, die von den Schlachtfeldern kamen, interessierten sich jedoch nicht mehr für das Lächeln oder die Ansprache einer Großherzogin. Es gab viele, die im stillen fluchten und sie, sobald sie den Rücken wandte, beschimpften. Manchmal hätte ich weinen können über dieses Lächeln, das sie wie ein sinnloses Aushängeschild mit sich herumtrug. Es ergriff mich, als ich im vergangenen Jahr dasselbe Lächeln wiederzuerkennen glaubte — diesmal auf dem Gesicht der Königin von England. Sie lächelte, während sie warme Würstchen aß, in der Hoffnung, die Vereinigten Staaten zur Teilnahme am Krieg bewegen zu können. Sie lächelte beim Rückzug aus Dünkirchen, sie lächelte bei den Niederlagen ihres Landes.

Wir waren ein merkwürdiges Trio, die Großherzogin, Clara und ich, die Freundin beider. Viele Nächte saßen wir da und spielten ein Spiel, das Pimpernell erfunden hatte. »Wir wollen an etwas Schönes denken«, pflegte sie zu sagen, und es kam darauf an, sich an die guten Dinge der Vergangenheit zu erinnern und davon zu erzählen. Es war, als trügen wir Licht in die Finsternis.

»Ein Sommertag«, begann Clara. »Mir ist sehr heiß, und ich habe ein bißchen Sonnenbrand. Ich stehe am Seeufer auf dem Sprungbrett und prüfe seine Federkraft. Ich fühle die Rauheit der Kokosmatte unter meinen Sohlen, und die Luft weht kühl um meine Arme und Schultern, wo ich den Sonnenbrand habe. Es riecht nach nassen Holzplanken und Wasser, man hört das Plantschen und Schreien der Kinder im Wasser. Ich dehne und strecke mich, ich halte mich mit den Zehen am Rand des Brettes fest und zögere eine Sekunde. Und dann stoße ich ab und segle durch die Luft und spüre, daß der Sprung gelungen ist; jetzt schlage ich auf das Wasser auf, nein, ich schlage nicht auf, ich schneide in das Wasser ein und bin mitten in einem großen Dröhnen, ich öffne die Augen, und alles ist grün. Ich werde emporgetragen, und dann schwimme ich in den See hinaus.«

»Ja«, sagte Pimpernell. »Oder in die Stallungen gehen, des Morgens, und während der Nacht ist ein kleines Füllen zur Welt gekommen. Es steht noch auf viel zu langen, wackligen Beinen, aber es hat lebhafte Augen und sieht einen mit einem eigentümlichen Blick der Neugeborenen an, und dann der reine, gute Geruch von Pferdemist, und die Stallburschen gehen umher und füllen Heu in die Krippen, und man taucht die Hand in den Hafer und bringt der Mutter eine Handvoll davon. Das Geräusch, mit dem die Pferde das Futter kauen; wie sie den Boden stampfen, wie sie sich nach einem umsehen, wenn man an ihrem Stand vorbeigeht. Und der Stallbursche klatscht ihnen mit der flachen Hand auf die Kruppe, und man sagt: ›Heute nehm' ich Schneewittchen‹, und ist voller Vorfreude, denn man ist erst zehn Jahre alt, und der Vater hat einem versprochen, einen auf einen Ritt querfeldein mitzunehmen, über Stock und Stein, und man ist stolz und zugleich fürchtet man sich, und es ist einem in der Magengrube kalt.«

»Seid ihr jemals Pilze suchen gegangen?« fragte ich. »Ich ja — mit meinem Großvater. Wir gingen in den Wienerwald und sammelten ganze Körbe voll. Wie sie ihre Köpfchen aus dem Moos herausstecken — und wißt ihr noch, wie sie riechen? Ihr müßt nach dem Regen hinausgehen, bevor die Würmer und Schnecken über sie gekommen sind, am frühen Morgen, vor Sonnenaufgang. Eure Füße werden naß, und im Gras hängen kleine Hängematten aus Spinnweben, ganz voller Tautropfen. Manchmal knabbert ein Eichhörnchen an den Pilzen — ihr könnt die Spuren ihrer Zähnchen finden, besonders an den Birkenröhrlingen, die unter den Birken wachsen. Wir nennen sie Kapuziner, wie die Mönche.«

»An einem kalten, blauen Wintermorgen im Schlitten fahren, im Waldhaus ankommen und heißen, gewürzten Glühwein trinken — mit Zimt und Gewürznelken . . .«

»Im hohen Gras einer Alm liegen — die Bienen summen über meinem Kopf, und ich mache mich so klein wie eine Grille . . .«

»Im Theater sitzen, bevor der Vorhang aufgeht, und hören, wie die Instrumente gestimmt werden . . .«

»An einem Kornfeld entlanggehen und die Ähren durch die Finger gleiten lassen, und am dunkelblauen Himmel steht eine große weiße Wolke . . .«

»Schlittschuhlaufen auf einem sonnbeschienenen Eislaufplatz, wenn die Musik einen Walzer spielt, wenn man verliebt ist, ein neues Kleid anhat und erst fünfzehn ist . . .«

»Einem kleinen Bach lauschen . . .«

»Einen Kirschbaum in voller Blüte sehen . . .«

»Zwei spielenden Kätzchen zuschauen . . .«

»Durstig sein und ein Glas kalter Milch trinken . . .«

»Hungrig sein und in ein Stück Brot hineinbeißen . . .«

»Müde sein, die Schuhe ausziehen, sich dehnen und sich ins Bett fallen lassen . . .«

Die guten Dinge. Die warmen, reichen Dinge — das Leben. Wir holten unsere kleinen Schätze hervor, putzten sie blank und zeigten sie einander. Es gab so viele, daß uns der Vorrat nie ausging.

Das waren merkwürdige Nächte, als wir drei beisammensaßen und unsere Glückspäckchen auswickelten, während wir auf eine neue Wagenladung menschlicher Trümmer warteten, die von den Fronten nach diesem westlichen Vorposten Deutschlands geschwemmt wurden.

VIERTES KAPITEL

Marion legte das unvollendete Bernhardinerfigürchen aus der Hand. Sie starrte es an, ohne es zu sehen, und sammelte ihre Gedanken, die in der letzten halben Stunde so weit weggewandert waren.

Unten im Dorf schlug die Turmuhr mit der weinerlichen Stimme einer alten Frau. Marion wischte sich die Hände ab und stand auf. An ihrem Zeigefinger hatten sich durch den Druck des Schnitzmessers zwei kleine Blasen gebildet. Ich muß mehr arbeiten und meine alten, ehrlichen Schwielen wieder kriegen, dachte sie geistesabwesend. Sie schüttelte die Holzspäne von ihrem Rock und fegte sie mit dem Fuß unter den Tisch. Es war fünf Minuten nach halb eins, als sie auf den Balkon hinaustrat. Sie drehte das Fernrohr so, daß es auf den See hinaus stand. Sie wartete darauf, daß auf dem Stückchen glitzernden Wassers, das zwischen den Tannenwipfeln sichtbar war, das Hotelboot erschien, das blauweiße Motorboot, das vermutlich Christopher über den See brachte. Der Tag war jetzt warm und wolkenlos, und eine summende Unruhe hatte sich über das Tal gesenkt. Der Himmel war rund und von einem gläsernen, altmodischen Blau; er erinnerte Marion an die Zuckerdose auf dem Frühstückstisch ihrer Großeltern. Nach einer Weile hörte sie in der Ferne das asthmatische Tuck-tuck-tuck des Motors, konnte aber das Boot nicht sehen. Das Geräusch wurde schwächer und hörte auf. Marion holte tief Atem. Nun ist er fort für immer, dachte sie. Sie richtete das Fernrohr auf den Zickzackgipfel, der zum Kees hinaufführte. Nach einigen Minuten glaubte sie, eine winzige Gestalt zu sehen, die den Pfad emporstieg; es konnte Christopher sein. Aber es konnte auch sonst jemand sein — der Briefträger — oder der Bub von der Keesalm — es konnte auch eine Täuschung ihrer sonnengeblendeten Augen sein. Wenn er schon weg ist, muß Michael bald kommen, dachte sie, als sie ins Haus zurückging, ganz plötzlich müde und leer. Dann hörte sie unten bei der Mühle die Kinder singen, und es fiel ihr ein, daß Michael bei ihnen bleiben wollte, um ihnen bei Neros Beerdigung zu helfen.

»Es ist ja ein Wahnsinn!« sagte sie plötzlich laut und stand reglos da und starrte einen Augenblick lang mit weit offenen Augen ins Nichts. Und dann stürzte sie sich jäh in einen Katarakt von Geschäftigkeit. In Trance geraten — so hatte Clara in alten Zeiten diese Anfälle genannt. Marion hatte die wichtigsten Entscheidungen ihres Lebens immer in solchen seltsamen, überraschenden Anfällen von Entrücktheit getroffen. Sie mochte lange planen und berechnen, scharf nachdenken und sorgfältig veranschlagen, alles gegeneinander abwägen und sehr vorsichtig und vernünftig sein — und dann ging sie plötzlich wie eine Rakete los, und zwar — immer in der verkehrten Richtung. »Du solltest auf den Rummelplatz gehen, als die

Dame, die aus der Kanone geschossen wird«, hatte ihr Sohn Martin öfter als einmal zu ihr gesagt.

Chris, Liebster, dachte Marion, ja, ich will heut nacht mit dir die Sterne vom Himmel pflücken.

Im nächsten Moment war sie in ihrem Zimmer, warf das Kleid ab, zog die Wanderhose an, schnürte sich die Bergschuhe zu, stopfte ihr Nachtzeug in den Rucksack, riß ihre Lederjacke vom Nagel und jagte in atemloser Eile die Treppe hinunter. Einen Augenblick blieb sie stehen, um ein paar Zeilen für Michael zu schreiben: »Milchi, ich begleite Christopher. Bin entweder noch heute abend oder erst übermorgen wieder zurück. Du kannst mich in der Arlihütte anrufen. Kaltes Fleisch und Salat sind in der Speisekammer. Morgen kannst du im Hotel essen. Geld ist in der obersten Schublade. Gib acht auf dich!«

Sie steckte die Füllfeder in die Hosentasche und legte den Zettel mitten auf den Tisch, unter Neros unvollendete Birnholzpfoten, damit Michael ihn gleich sah. Die Turmuhr schlug eins.

Marions überstürzter Abgang hatte weder Sinn noch Verstand. Aber gemessen an den Dingen, die zu dieser Stunde in der Welt passierten, kamen ihr alle Bedenken urplötzlich lächerlich und kleinlich vor, und die fünfzehn Jahre, die sie von Christopfer trennten, schrumpften zu einem Nichts zusammen. Wieder blieb sie eine Sekunde vor dem Spiegel stehen, und jetzt fand sie, daß sie eigentlich doch nur ganz wenig Runzeln hatte, man sah sie überhaupt kaum.

Christopher hat sie wahrscheinlich noch gar nicht bemerkt, dachte sie, und wenn, so hat er sie vielleicht gerade gern, so wie alle Liebhaber die Unvollkommenheiten der Geliebten gern haben. Sie verließ den Spiegel mit einem flüchtigen Lächeln, stürzte hinaus, kehrte wieder um, ergriff den Eispickel, der neben dem Seil und den beiden Gasmasken im Korridor hing, schulterte ihn, schlug die Tür zu und war fort.

Als Marion das Haus verließ, spielte sie mit der schwachen Möglichkeit, Christopher noch einzuholen, bevor er über den See fuhr. Er hatte davon gesprochen, daß er um ein Uhr aufbrechen wollte, und als sie beim Hotel ankam, war es kaum ein Viertel zwei. Dort erfuhr sie jedoch, daß Mister Lankersham vor etwa einer halben Stunde mit dem Motorboot abgefahren war, das einige Touristen abholen sollte und noch nicht zurück war. Es war das einzige Motorboot in Staufen, und Marion hatte keine andere Möglichkeit, als sich von dem alten Hammelin gemächlich hinüberrudern zu lassen. Sie rief nach ihm und seinem Boot.

Der Alte kam aus dem Halbdunkel der Schmiede heraus und blinzelte in die Sonne.

»Sie wollen übers Kees?« hüstelte er, als er den Eispickel sah, der an einem Lederriemen an ihrem Handgelenk hing.

»Ja, und ich hab' es sehr eilig«, sagte sie.

Als sie im Boot saßen, fragte der alte Hammelin: »Ihren Engländer einholen, wie?« Der Mann, der ein ganzes Leben lang Pferde beschlagen hatte, konnte Gedanken lesen.

»Ja — eventuell«, antwortete Marion unbestimmt, und der Alte zwinkerte ihr verständnisvoll zu. Er sprach von Christopher immer als von ›Marions Engländer‹, was sie im stillen eigentlich gern hatte.

»Ihr Engländer ist fort für immer«, hustete Hammelin. »Hat mir heut' morgen adieu gesagt. Die Guten gehen, und die Schlechten bleiben.«

Ungeduldig beobachtete Marion, wie langsam das andre Ufer näher kam. Allmählich konnte sie jeden Felsen und Baum erkennen, während Hammelin das Boot mit langen flachen Ruderschlägen über das klare, grüne Wasser trieb.

»Heut' gibt's einen schönen Sonnenuntergang, und morgen haben wir gutes Wetter«, sagte er und blickte prüfend nach dem Wetterwinkel bei den Sieben Brüdern. Er gab Marion die Prognose wie ein Geschenk, und in diesem Sinn nahm sie sie auch entgegen.

»Vielen Dank, Vater Hammelin«, sagte sie, als das Boot auf dem sandigen Strand knirschte. Sie sprang ans Ufer, bevor es der Alte noch ganz ans Land ziehen konnte.

»Eile mit Weile«, sagte er geruhsam. »Wenn Sie so rennen, holen Sie ihn nie ein. In den Bergen heißt es: langsam, langsam und ruhig, ruhig.«

»Ja, danke, das weiß ich«, sagte Marion ungeduldig. Hammelin reichte ihr den Rucksack und ließ sich Zeit dabei.

»Der Bergführer vom Hotel geht mit zwei Touristen auf die Arlihütte; sie brechen in einer halben Stunde auf«, sagte er. »Vielleicht warten Sie lieber und schließen sich ihnen an —?«

»Nein, ich glaube, ich gehe gleich los«, sagte Marion, zitternd vor Ungeduld. »Wenn ich meinen Engländer einholen will, muß ich mich beeilen, wissen Sie.«

»Haben Sie denn keine Angst vor dem Grauhorngletscher?«

»Ach, keine Spur«, sagte Marion. »Er ist doch leicht, nicht? Ich war schon so oft oben, daß ich jede Spalte und jeden Gletscherbruch und jeden Schrund kenne.«

»Leicht ist er schon«, gab der alte Hammelin schließlich zu. »Na, ich werde dem Bergführer sagen, er soll sich für alle Fälle nach Ihnen umsehen. Berg Heil!«

Sie schlüpfte mit den Armen in die Riemen des Rucksacks, schulterte den Pickel und zog los. Rasch marschierte sie durch das sandige Ufergras, das belebt war von summenden Bienen und Hunderten gaukelnder blauer kleiner Schmetterlinge und erfüllt von dem würzigen Duft des Thymians. Erst als sie den Bergpfad erreicht hatte und die Steigung begann, verlangsamte sie ihr Tempo und überließ sich dem stetigen, rhythmischen Zug ihrer schweren und genagelten Bergstiefel. An der dritten Wendung des Weges blieb sie stehen, um hinunterzuschauen und dem alten Hammelin zu winken, dessen Boot von hier oben aussah wie ein Insekt, das über die grüne Glasfläche des Sees kroch. Er winkte zurück und jodelte. Vom Turm in Staufen schlug es zwei.

Marion schritt fest aus. Wenn Christopher den Aufstieg in langsamem Tempo begonnen hatte, wie er es gewöhnlich tat, konnte sie ihn noch im

Schatten und Duft der Tannen — unterhalb der Baumgrenze — einholen. Aber nach zehn Minuten mußte sie rasten, Atem schöpfen und das Tempo verlangsamen. Sie lächelte mitleidig über sich selbst. Vielleicht macht er auf der Keesalm Rast, dachte sie, vielleicht auch bei der Quelle, wo wir unsre Feldflaschen füllten, als wir das letztemal die Tour machten.

Der Senn auf der Keesalm hatte ihn vor einiger Zeit vorbeikommen sehen, wußte aber nicht sicher, wann. Er erklärte, daß der Bergsteiger sich keinen Augenblick aufgehalten habe. Die Tannen traten zurück; noch gab es ein paar windgekrümmte Fichten, dann passierte Marion die Baumgrenze, und nun war der Pfad auf dem steinigen Grund kaum noch zu erkennen. Sie wischte sich den Schweiß vom Gesicht und marschierte stramm weiter. Sie malte sich aus, wie sie Christopher bei der Quelle treffen würde. Er wird dort auf einem Felsen sitzen, seine Pfeife rauchen und aufblicken, wenn er ihren schnellen Schritt hört. Die Sonne wird in seinen Brillengläsern blitzen, er wird sich die Hand an die Augen halten, und sobald er sie erkannt hat, wird er langsam aufstehen. »Hallo, Marion. Also bist du doch gekommen. Ich wußte, du wirst dir's überlegen«, wird er sagen und sich bemühen, seine Erregung zu verbergen. Und dann wird er das Quellwasser in seinen hohlen Händen sammeln, es an ihren Mund heben und sie trinken lassen. Das hatte er damals gemacht, und ihr hatte diese liebevolle Geste sehr gefallen — wenn auch das Trinken auf diese Art etwas unbequem war.

Aber als Marion zur Quelle kam, war niemand da. Sie gönnte sich ein paar Minuten Rast, um sich die Hände zu kühlen und ihr erhitztes Gesicht zu waschen. Ihre Ohren waren wie taub, das Blut sang in ihren Schläfen, und ihr Herz klopfte rasend, wie immer, wenn sie die 2000-Meter-Grenze überschritt. Als sie sich bückte, um sich die Schnürsenkel festzubinden, sah sie auf dem Boden einen kleinen glitzernden Gegenstand; sie hob ihn auf und untersuchte ihn sorgfältig. Es war ein Stückchen Stanniol, wie es Christopher immer von der Schweizer Schokolade abriß, die er auf seine Bergtouren mitnahm. Während Marion noch mit dem kleinen Beweisstück dastand, entdeckte sie einen winzigen Aschenkegel, einen Miniaturvulkan mit einem dünnen Rauchfähnchen. Er roch nach Christophers Pfeife. Sie bückte sich und berührte das Aschenhäufchen — ja, es war noch warm. Es konnte nur ein paar Minuten her sein, daß er die Stelle verlassen hatte, und schon nach wenigen Wegwindungen mußte sie ihn einholen. Eilig nahm sie ihren Rucksack, schwang ihn über die Schultern, nahm sich weder zum Trinken noch zum Rasten Zeit, und wanderte — rascher als vorher — durch das sonnengetränkte Schweigen des Kees.

Zwei verliebte Bussarde spielten oben im stillen Äther; die Schatten ihrer weitgespannten Schwingen bewegten sich vor Marion über den felsigen Boden. Es war ein schöner Anblick, aber Marion ließ sich keine Zeit, die Raubvögel zu beobachten. Nun wurde der Steig, der sein Fischgrätenmuster den Kees hinauf zeichnete, zusehends steiler. Bald ließ sie die beiden Bussarde unter sich, und als sie stehenblieb, um Atem zu holen, sah sie, wie die Vögel die schwarzen Kreise ihre Fluges auf den jähen Hang der Bergwand schrieben.

Zu denken, daß es eine gewöhnliche Laus war, die mich in den Schoß einer Familie zurückbrachte und mich zwang, meine Unabhängigkeit aufzugeben! Eine Filzlaus, wie unsere Soldaten sie in ihren Schamhaaren von der Front mitbrachten — nichts andres als ein gewöhnlicher Pediculus pubis!

Hauptmann Tillmann ging es gar nicht gut, als er diesmal zurückkam. Ein Geschoß hatte ihn unterhalb des rechten Ohrs getroffen, und es war ein reines Wunder, daß die Halsschlagader unverletzt geblieben war. Und dann war er im Schützengraben verschüttet worden, und als er nach einigen Tagen gefunden wurde, lag er in Fieberphantasien und hatte Lungenentzündung. Immerhin, nun war er da und hatte vierzehn Tage Erholungsurlaub, nachdem man ihn in einem Lazarett hinter der Front schlecht und recht verarztet hatte. Er war noch ein bißchen wacklig, stiller als sonst, seine Augen lagen tief, und sein Ausdruck war scheu — aber im übrigen war er immer noch ein guter Soldat, bereit, wieder hinauszugehen und weiterzukämpfen. Ich machte ihn mit seinem Sohn bekannt, und die beiden faßten gleich auf den ersten Blick eine starke Zuneigung zueinander. Klein Martin staunte sich die Augen aus dem Kopf, er war von dem Bart, den Orden und der preußischen Stimme seines Vaters tief beeindruckt, und Kurt benahm sich natürlich so, als sei er der erste Mann, der das Wunder vollbracht hatte, Vater zu werden. Die beiden konnten Stunden und Stunden in stummer gegenseitiger Betrachtung verbringen — jeder wunschlos selig im Anblick des andern. Abgesehen davon, daß Martinchen ein immer hungriges Baby war, hatte er das angenehme, gelassene Naturell seines Vaters, wenn er sich auch kurz vor Hauptmann Tillmanns Ankunft angewöhnt hatte, mehr als sonst zu schreien. Er bohrte seine winzigen Fäustchen in die Augen und schrie, bis er blau im Gesicht war. Ich hatte das Gefühl, ich müßte mich deswegen entschuldigen, weil es Hauptmann Tillmann doch im Schlaf stören müsse — und er brauchte wahrhaftig alle Ruhe, die wir ihm in diesen zwei Wochen Galgenfrist nur verschaffen konnten. Aber es schien ihm gar nichts auszumachen.

»Was ist mit seinen Augen los?« fragte er mich am dritten Tag. »Sind sie nicht ein wenig rot?«

»Ja, ich weiß«, sagte ich. »Diese Reizung haben jetzt viele Babys; Frau Doktor Süßkind hat mir Tropfen gegeben, aber sie nützen nicht viel.«

»Der alte Dragoner?« murmelte Kurt — er mochte sie nicht leiden. Ich ließ meine beiden Männer allein zu Hause und ging aus, um irgend etwas zum Essen aufzutreiben. Als ich zurückkam, fand ich Kurt in großer Aufregung. »Komm rasch, Marion!« rief er mir zu. »Sieh dir mal den Jungen an! Guck mal genau hin! Kannst du erkennen, was es ist? Es bewegt sich. Ganz bestimmt. Es bewegt sich. Es ist Ungeziefer. Es ist irgendein gottverdammter Dreck, der ihm in die Augen gekommen ist. Du und deine Frau Doktor Süßkind — ihr seid ja blind, Idioten, die ihr seid!«

Ich starrte auf die rotgeränderten Augenlider des Kindes. Da war ein bräunlicher Schorf, und der Schorf bewegte sich. Wortlos reichte mir Kurt ein Vergrößerungsglas. Ja, nun sah ich es auch — etwas wie winzige Krabben, die ihre Beinchen in die zarte Haut um Martinchen Augen bohrten. Ich war entsetzt. Verdammt noch mal, dachte ich, als wir mit dem Baby zu dem Arzt stürzten, den mein Mann haben wollte. Irgendwie mußte einer seinen Pediculus pubis an der Entlausungsanstalt vorbei in Gießheim eingeschmuggelt haben, und dann hatte ich das Tier wohl zu Hause eingeschleppt und auf Martinchen übertragen. Die Läuse hatten wohl den nackten kleinen Frosch nach Haaren abgesucht, nach einem gemütlichen wohnlichen Plätzchen, und da die einzigen Haare, die sie finden konnten, seine Brauen und Wimpern waren, hatten sie sich dort niedergelassen.

Kein Wunder, daß ich völlig zusammenbrach. Hauptmann Tillmann erklärte, daß ich mein eigenes Kind vernachlässige, sein Kind, unser Kind, und mich statt dessen um die dreckigen Kommunisten und Verbrecher von Gießheim kümmere. »Du hast recht«, sagte ich schuldbewußt. »Nicht eine Stunde länger Wohlfahrtsarbeit!« sagte er. »Du hast recht«, schluchzte ich. »Nicht einen Tag mehr in Bergheim!« — »Du hast recht«, heulte ich. Er sagte, ich solle sofort meine Sachen packen und zu seiner Familie in Hahnenstadt übersiedeln, damit sein Sohn in einer anständigen Umgebung aufwachsen könne. Was konnte ich dagegen sagen oder tun? Ich packte meine Sachen, sagte Pimpernell adieu, und am nächsten Morgen waren wir alle drei unterwegs. Daß Clara diesmal als richtiggehende Krankenschwester wieder an die Front gegangen war und ich daher ohnehin allein geblieben wäre, erleichterte die Sache. Vielleicht gibt es in Hahnenstadt mehr zu essen, dachte ich. Aber das war ein völlig ungerechtfertigter Optimismus.

Von Wien nach Süddeutschland zu übersiedeln war leicht gewesen. Von Süddeutschland nach dem preußischen Norddeutschland zu ziehen — das war, als würde man in einem phantastischen Projekt auf den Mond geschossen. Die Menschen, ihre Stimmen, ihr Benehmen, ihre Lebensführung — alles war ganz anders. Der Boden war anders, der Himmel, das Licht, ja die Luft. Von all den fremden Ländern, durch die ich in meinem Leben gekommen bin, ist mir kein einziges so fremd gewesen wie dieses deutsche Land, dreihundert Kilometer nördlich von Bergheim.

Mein Mann brachte mich in der Wohnung seiner Schwester unter, und ein paar Tage lang hatte ich solches Heimweh, daß ich weder essen noch schlafen konnte. Irmgard Klappholz war eine dürre, vorzeitig ergraute Frau, steif wie ein Brett. Ihre Stimme war monoton. Sie spitzte den Mund immer in einer Art, als müsse sie einen Schmerz unterdrücken. Und dabei lächelte sie unaufhörlich. Von dem bloßen Anblick dieses dauernden Lächelns tat mir nach einiger Zeit das ganze Gesicht weh. Irmgard war nett und freundlich zu mir — was so die Leute in Hahnenstadt freundlich nannten. Sie hatten so einen dunklen Aberglauben, als stemple es einen zum Zimperlieschen, wenn man Gefühl oder Wärme zeigte.

»Höchste Zeit, daß du zu uns gekommen bist«, sagte sie. »Schließlich gehörst du jetzt zur Familie, und wir müssen zusammenhalten. Ja, ja. Ach, du lieber Gott!« Jede ihrer Äußerungen schloß mit diesem Seufzer. Mein Schwager war viel älter als Kurt, und seine Hose hing in jenen charakteristischen losen Falten herab, die erkennen ließen, daß ihr Träger im Krieg ein Bein verloren hatte. Er machte darüber säuerliche Witze und demonstrierte stolz das Kunstbein, das man für ihn angefertigt hatte. Es war tatsächlich eine höchst kunstvolle Prothese, und ich zollte ihr auch alle Bewunderung, ganz wie er es zu erwarten schien.

Die beiden Klappholz hatten ihren ältesten Sohn im Krieg verloren, der zweitälteste war schon lange vermißt. Sie hatten die Hoffnung aufgegeben, ihn je wiederzusehen. Vor kurzem war nun auch der dritte einberufen worden, noch ein Schuljunge. Er war in einem Übungslager und sollte in zwei bis drei Wochen an die Front gehen. Irmgard brachte mich in dem Zimmer unter, das den beiden älteren Söhnen gehört hatte, und bat mich, alles unberührt und unverändert zu lassen. Sie deutete an, daß es ein schweres Opfer für sie sei, mir die Benutzung dieser Gedächtniskapelle zu überlassen, und dafür hatte ich volles Verständnis. Ich setzte mich auf die Bettkante und wagte nicht, mich zu rühren. Ich versuchte mir die Persönlichkeit der früheren Bewohner des kleinen Heiligtums vorzustellen. Der Älteste hatte Offizier werden sollen wie mein Mann. »In unsrer Familie sind die Erstgeborenen immer Soldat gewesen«, sagte Irmgard zu mir. Auf einer Fotografie sah man ihn in einer Gruppe von Kadetten, die knapp anliegende Uniformen trugen. Am Spiegel steckte die Amateuraufnahme eines jungen Mädchens. An der Wand über dem Bett hingen gekreuzte Degen und Säbel, auf dem Regal standen Bücher über Militärwissenschaft und Kriegsgeschichte. Eine Ecke war den Bildnissen Friedrichs des Großen reserviert, den er offenbar sehr verehrt hatte. Ob er wohl gewußt hat, was für ein zynischer, skeptischer Preußenhasser der große König gewesen ist? dachte ich. Der zweite Junge hatte sich wohl für Astronomie interessiert. Ich sah ein primitives Teleskop, das sichtlich nach den Angaben einer Knabenzeitschrift zusammengebastelt war. Dann eine Markensammlung und einige Bände Nietzsche, die mich in diesem Milieu überraschten. Über seinem Bett — das jetzt mein Bett sein sollte — hing eine farbige Reproduktion, ein wahrer Alpdruck: Wagners Wotan, der in der Waberlohe die ohnmächtige Walküre in den Armen hielt. Nachdem Kurt wieder ins Feld gegangen war, wagte ich es, diesen Greuel nach der Wand umzudrehen — wenigstens in der Nacht und wenn ich allein im Zimmer war —, aber ich hatte immer Angst, ich könnte mal vergessen, das Bild wieder umzudrehen, oder dabei ertappt werden, wenn ich gerade dieses Sakrileg beging.

Hier also werde ich leben müssen, wenn der Krieg vorüber ist, dachte ich, als ich auf der Bettkante saß. Ich werde die Frau von jemand sein, die Schwiegertochter von jemand, die Schwägerin von jemand. Bist du nicht mit Scheuklappen in diese Ehe hineingesprungen, Marion, Kind? Wie ein Pferd, das durch den brennenden Reifen springt? Nun, ich werde ja auch die Mutter von jemand sein, nicht wahr? Das ist besser. Das ist viel besser, nicht? Ich habe Kurt gern. Ich habe ihn riesig gern. Bei ihm wird es sicher und friedlich sein wie in Abrahams Schoß. So hat es Fritz Halban immer genannt: wie in Abrahams Schoß. Sich vorzustellen, daß Fritz jetzt Kampfflieger mit dem Pour le mérite ist — der kleine jüdische Bücherwurm! Wie konnte er mit seiner Brille überhaupt Flieger werden? Vielleicht war er weitsichtig — das ist vielleicht ein Vorteil für einen Flieger. Wenn ich Wolle hätte, würde ich ihm einen Schal stricken.

Die Wohnung selbst sah aus wie hunderttausend andere Wohnungen des besseren Mittelstandes jener Zeit. Der Eingangsflur war ein finsterer, fensterloser Schlauch, der mit einem großen Wäscheschrank, mit Hut- und Kleiderrechen, dem Schirmständer, den Fahrrädern der Jungens und allerlei anderm Kram vollgestellt war. Auf dem Wäscheschrank fristeten die Koffer und Hutschachteln der Familie neben leeren Einmachgläsern ein freudloses Dasein. Die Küchengerüche konnten aus diesem Blinddarm nicht entweichen und blieben daher für immer darin hängen. Ebenfalls aus der Küche drangen die mehr oder weniger ungnädigen Töne, die Elisabeth in ihren verschiedenen Gemütsaufwallungen auszustoßen pflegte. Elisabeth war eine treue, aber launenhafte Perle, die auf harten, knarrenden Sohlen durchs Leben wandelte und die Familie als ihr persönliches Eigentum betrachtete, womit sie sich für unser Durchhalten verantwortlich machte, für unsere Gesundheit und einen standesgemäßen Anstrich.

Die Zimmer waren hoch und hatten dunkle Decken und imitierte Holztäfelung. In der Ecke stand ein mächtiger Kachelofen, der uns mit kaltem Gesicht anglotzte, wenn uns die Kohlen ausgegangen waren. In jedem Stockwerk waren vier solcher Wohnungen, und sobald man das Haus betrat, schlug einem schon auf der Treppe in dichten Schwaden der Hungersnotgeruch von Kohlrüben entgegen, daß es einem den Atem benahm. Das Haus stand in dem altmodischen, aber vornehmen Viertel, das man die Riede nannte; diese Gegend galt als standesgemäßer Wohnbezirk für Familien unsrer Kreise. Es gab Stunden, in denen ich hätte schreien mögen und am liebsten aus dem Grau dieses achtbaren Gefängnisses ausgebrochen wäre.

Kurt hätte mir schließlich wohl erlaubt, auszuziehen und mir eine eigene Wohnung zu nehmen. Aber damals war zu den bereits bestehenden Kalamitäten eine neue gekommen, die in den folgenden Jahren noch schlimmer werden sollte: es gab nirgends genug Wohnungen, und durch neue Vorschriften wurden nun auch die Zimmer rationiert. Wollte man eine Wohnung bekommen, mußte man enorme Bestechungsgelder bezahlen; aber zum erstenmal seit Jahren verdiente ich kein Geld, sondern wurde von einem Mann unterhalten und mußte daher tun, was er mir sagte. Daß dieser Mann mein Gatte war, bedeutete für mich keinen wesentlichen Unterschied. Ich fühlte mich beengt und unbehaglich, denn sich selbst zu erhalten wird einem zu einer Gewohnheit, die einem kostbar ist und auf die man nur sehr schwer verzichten kann.

»Heißt du wirklich Marion?« fragte mich Irmgard. »Ich dachte, nur Zirkusreiterinnen haben so einen Namen. Ach, du lieber Gott! Hättest du etwas dagegen, wenn ich Maria zu dir sage — es klingt anständiger, findest du nicht auch?« Innerlich blieb ich Marion Sommer. Aber äußerlich wurde ich zu Maria Tillmann. Mädel, Mädel, was für eine Metamorphose, dachte ich bei mir. Mein Schwiegervater kam öfter von seiner Jagdhütte bei Dethfurth auf Besuch in die Stadt und brachte ein paar Rebhühner mit. Er und sein Dackel Männe besichtigten das neue Enkelkind mit kritischem Geschnüffel. »Er ist seinem Vater wie aus dem Gesicht geschnitten«, erklärte der alte Herr schließlich. »Dir sieht er nicht ein bißchen ähnlich, Marion, nicht ein bißchen.« Mir war, als hörte ich ihn ›Gott sei Dank‹ seufzen.

Mein Schwager kam bisweilen ins Zimmer gestelzt, um in den Sachen seiner Jungens herumzukramen. »Ich wollte mir mal Hellmuths Schulaufsätze durchlesen«, sagte er. »Er war der vergötterte Liebling seiner Lehrer. Lauf nicht weg, Maria, du störst mich gar nicht. Übrigens, wenn du mir einen Gefallen tun willst, streite nicht mit Irmgard über Martinchens Ernährung! Sie hat drei Jungens aufgezogen, und du bist doch noch so jung und unerfahren.«

»Ich habe ein Heim mit vierzig Säuglingen betreut«, sagte ich, aber er antwortete mit einer wegwerfenden Handbewegung: »Vierzig Bastarde. Vierzig Proleten, damit es in Zukunft noch mehr böses Blut gibt.« Proletarier ›Proleten‹ zu nennen und das Wort mit äußerstem Abscheu auszusprechen, war auch so eine Art in der Riede. »Es ist mir unbegreiflich, daß du so etwas übernehmen konntest«, sagte meine Schwägerin. »Ja, wenn du tapfere Soldaten gepflegt hättest, das wäre etwas andres, aber sich mit diesem Auswurf der Menschheit gemein zu machen – ach, du lieber Gott, du lieber Gott!«

»Pimpernell hatte mich darum gebeten«, sagte ich pompös.

»Wer? Pimpernell? Auch so ein Zirkusname«, sagte Irmgard verächtlich.

»Die Großherzogin von Bergheim-Zuche – meine beste Freundin«, erklärte ich. Es war mein einziger Trumpf, und dann hatte ich eine Weile Ruhe.

Bald aber wurde mir klar, daß diese unangenehmen Menschen auf ihre eigene rauhe Art gütig und anständig waren, und ich merkte auch, daß ich ihnen allmählich weniger unsympathisch wurde. Natürlich durfte eine solche Regung nicht gezeigt werden. Irmgard schenkte mir die Babyausstattung ihrer Jungens; einen märchenhaften Schatz von zarten Hemdchen, Windeln, gestrickten Mützchen, Jäckchen und Wollsocken für die kommende kalte Zeit. Mein Schwager sparte sich von seiner Brotration etwas ab, damit ich mehr zu essen hätte; denn ich nährte Klein Martin noch. Mein Schwiegervater unternahm umständliche Expeditionen aufs Land und brachte mit der Miene eines großen Löwenjägers drei Pfund Kartoffeln und ein Kaninchen und legte mir die Beute wie einen Tribut zu Füßen. Kurt schrieb weiterhin lustige Briefe von der Front, in denen er seinen neuen Unterstand als elegantes französisches Schlößchen beschrieb und Pulke seinen Majordomus nannte. Es gewährte ihm sichtlich große Erleichterung, mich von Bergheim fort und bei seiner Familie zu wissen. Und Martinchen, der seinen Pediculus pubis los war, war wieder hungrig und vergnügt wie immer; er nahm an Gewicht zu, schaute sich seine Finger an und wunderte sich über die herrlichen Töne, die er mit seiner Kehle, seiner Zunge und seinen süßen kleinen rosa Kinnbacken hervorzubringen vermochte.

Der jüngste Klappholz – er hieß Martin wie mein Bub – kam nach Hause, um sich zu verabschieden, ehe er ins Feld ging. Er war ein schmächtiges Bürschchen mit Brille, noch ein richtiges Kind, ich mochte ihn sehr gut leiden. Es gab ein großes Getue, wie er in den sechs Wochen seiner Ausbildung gewachsen sei, und man machte etwas krampfhafte Scherze: er werde die Franzosen schlagen, oder, der Krieg werde bald gewonnen sein, jetzt, wo Martin Klappholz mitkämpfte. Irmgard lächelte bis zur letzten Minute, dann ging sie in ihr Schlafzimmer und schloß sich für drei Stunden ein. Aber zum Abendessen war sie wieder fest auf den Beinen, und bei Tisch thronte sie in untadeliger Haltung über einem Überfluß an feinem altem Porzellan und einem Nichts an Essen. Nach kaum drei Wochen erhielten wir die Nachricht, daß Martin auf dem Feld der Ehre gefallen war. Auch wurde der Familie mitgeteilt, daß Hellmuth, der vermißte Sohn, als tot angesehen werden müsse.

Wissenschaftler sagen, daß es so etwas wie Über-Nacht-weiß-Werden nicht gibt. Aber ich habe es selber erlebt. Irmgard war grau, als Martin fortging, und als er tot war, war sie weiß. Mit ihren zweiundvierzig Jahren war sie eine alte Dame mit weißem Haar und runzliger Pergamenthaut, aber sie lächelte noch immer mit ihren gespitzten Lippen und ihren verzerrt heruntergezogenen Mundwinkeln.

»Er ist fürs Vaterland gefallen«, sagte sie monoton. »Er hat seine Pflicht getan, und wir müssen die unsere tun. Ach, du lieber Gott!«

Ich hätte sie gern einmal in meine Arme genommen und sich ausweinen lassen, sie von diesem versteinerten Lächeln befreit und ihr gesagt, wie sehr ich sie bewunderte. Aber so etwas konnte man in Hahnenstadt nicht tun. Mein Haar wurde zwar nicht über Nacht grau, aber von einem Tag zum andern versiegte die Milch für Martinchen. Ich rannte ins Rathaus und stand wegen seiner Säuglingsmilchration an, und wir schickten dem Großvater ein aufgeregtes Telegramm, er solle versuchen, ein paar Karotten und Spinat für Martin aufzutreiben. Der alte Herr kam mit ein bißchen Gemüse in die Stadt, aber der undankbare Martin erhob ein großes Geschrei und trat in einen zweitägigen Hungerstreik, ehe er die Flasche nahm oder das Karottenpüree aß, auf das die ganze Familie so stolz war. Über all dieser Aufregung vergaß Irmgard ihre Jungens wenigstens immer mal für ein paar Minuten. Mein Schwager schien über den neuen Schicksalsschlag ganz gut hinwegzukommen. Die einzige Veränderung, die ich an ihm wahrnehmen konnte, war, daß er täglich in den Keller hinunterstelzte und ein bis zwei Flaschen schweren Burgunder heraufholte, die er dann im Lauf des Abends leerte. Wie die meisten Preußen, war er ein Kenner und Liebhaber eines guten Weins, und er hatte dort unten einen Vorrat bester Jahrgänge. »Das ist gut«, pflegte er zu sagen, »das wärmt die alten Knochen.« Er war ein Mann von Siebenundvierzig und bekleidete ein höheres Amt — er hatte irgend etwas mit den staatlichen Salzbergwerken in der Provinz zu tun. Dafür, daß er ein Bein und alle drei Söhne verloren hatte, kam er mir manchmal etwas zu munter vor.

Ja, und dann kam der Herbst mit der Jagdsaison. Mein Schwiegervater lud meinen Schwager ein, zu ihm in die Jagdhütte zu kommen und dort ein paar schöne Tage zu verleben. Vermutlich wollte der alte Herr ihm über seinen Verlust und seinen Kummer hinweghelfen. Herr Klappholz zog seinen Jägeranzug an und sah darin aus wie die Karikatur eines ostpreußischen Junkers aus dem ›Simplizissimus‹. Er nahm seine Flinten aus dem Glasschrank im Wohnzimmer, starrte sie an, putzte und ölte sie und spielte damit den ganzen Abend herum.

Dann fuhr er mit dem Nachtzug nach Dethfurth und kam nie wieder zurück. »Ein Unglücksfall«, sagte der alte Herr Tillmann, als er zwei Tage später mit der Schreckensbotschaft ankam. »Er muß über eine Baumwurzel gestolpert und dabei an den Hahn gekommen sein.« Wir wußten alle, daß er sich das Leben genommen hatte, aber wir blieben tapfer bei der offiziellen Version. Ein preußischer Beamter hatte die Nerven nicht zu verlieren, ein Vater hatte sich nicht das Leben zu nehmen, weil er drei Söhne verloren hatte, ein Tillmann hatte ehrenvoll zu sterben. Ein einzigesmal während der ganzen Zeit gab Irmgard zu, daß ihr Gatte seinem Leben selbst ein Ende gemacht hatte. Es war November, als ein Brief von Hellmuth eintraf.

Der Brief kam aus einem Gefangenenlager tief in Rußland und klang ebenso heiter wie Hauptmann Tillmanns Episteln von der Front. Es war derselbe vierschrötige, geräuschvolle, maskuline Humor. Hellmuth schrieb, daß er gesund sei, daß er tischlern gelernt habe, daß er dick geworden sei und daß sich seine Eltern um ihn keine Sorgen machen sollten. Der Brief hatte mehr als ein halbes Jahr gebraucht, um sich durch die russischen Bürgerkriege zu winden und schließlich nach Hahnenstadt zu gelangen. Nachdem Irmgard ihn zweimal gelesen hatte, lächelte sie nicht mehr. Sie sagte: »Wenn sein Vater ein bißchen mehr Rückgrat gehabt hätte, hätte er sich nicht erschossen. Er hätte gewartet und gehofft und auf Gott vertraut. Aber er hat schlappgemacht. Was meinst du, soll ich dem Jungen etwas von dem Unfall seines Vaters schreiben, oder soll ich damit warten, bis er nach Hause kommt?«

»Darf ich einen Freund zum Kaffee einladen?« fragte ich Irmgard eines Tages im November.

»Kaffee?« sagte sie mit hochgezogenen Brauen.

»Er bringt den Kaffee und eine Dose Kondensmilch mit; ich dachte, wir könnten einen Bohnenkuchen backen . . .«

Wir hatten damals alle möglichen wunderbaren Rezepte. Man konnte einen herrlichen Kuchen backen, wenn man Bohnen hatte. Man kochte sie, machte ein Püree daraus, knetete es mit Wasser, tat Saccharin in den Teig und schob das Ganze in den Backofen. Man konnte sich auch einen besonderen Luxus leisten und den Kuchen mit Karottenmarmelade füllen. Das heißt, wenn man außer Bohnen auch Karotten hatte. Ich hatte zufällig ein halbes Pfund von beidem, ich hatte es mir für einen solchen Anlaß aufgespart.

»Wer ist denn dieser Freund?« fragte Irmgard mißtrauisch.

»Fritz Halban«, sagte ich.

»Meinst du etwa den berühmten Fritz Halban? Den Flieger?« sagte sie ehrfurchtsvoll. »Mit dem bist du befreundet?«

»Ja. Ich kenne ihn von Bergheim her, und wir haben uns ab und zu geschrieben«, antwortete ich.

»Selbstverständlich. Es wird uns ein Vergnügen und eine Ehre sein, ihn zum Kaffee bei uns zu sehen«, sagte meine Schwägerin feierlich.

Wäre ich Fritz auf der Straße begegnet, hätte ich ihn nicht erkannt — so verändert war er. Aber er hatte seine Ankunft in Hahnenstadt brieflich angekündigt, und ich hatte mit ihm telefoniert.

Er sah ungemein schick aus in seiner dunkelgrauen Fliegeruniform. Er hatte ein ganz verändertes Benehmen und sprach ganz anders. Er trug keine Brille mehr. Er hatte den Pour le mérite bekommen, die höchste Tapferkeitsauszeichnung. Sein Draufgängertum hatte ihn populär gemacht. Wie es damals so Mode war, machte er Witze über seine Heldentaten, als Irmgard, die gierig jedes seiner Worte verschlang, ihn auspreßte. Es war die neue Art zu renommieren, und es lag etwas von jüdischer Skepsis darin, das ihrem einfachen, geradlinigen Denken fremd war. »Sie scherzen«, sagte sie schließlich. Fritz zuckte mit den Schultern und wandte mit einer abbittenden Geste die Handflächen nach oben, was in mir blitzartig die Zeiten von F 12 wachrief.

»Wie sieht es an der Front aus«, fragte ich ihn, als Irmgard für eine Minute das Zimmer verlassen hatte.

»Oh, uns Fliegern macht's Spaß, aber sonst sieht es ziemlich mies aus«, sagte er. »Die Soldaten wollen nicht mehr kämpfen. Man muß sie mit Maschinengewehren ins Feuer treiben. Sie revanchieren sich damit, daß sie ihre Offiziere von hinten niederknallen.«

Ich war entsetzt. Solche Sachen hatte man uns immer vom Feind erzählt, aber ich wäre nie auf den Gedanken gekommen, daß so etwas in unserm eigenen Heer vorkommen könne. Ich mußte an Hauptmann Tillmann denken und hoffte zu Gott, daß Pulke ihm den Rücken decken werde. Ich war froh, daß Fritz diese Bemerkung nicht in Irmgards Gegenwart gemacht hatte. »Sie sind ja ein gräßlicher Defätist«, sagte ich. »Vergessen Sie nicht, man erwartet in diesem Hause von Ihnen, daß Sie als Nationalheld auftreten und reden.«

»Ich sage nur die Wahrheit«, entgegnete er. Er blickte sich im Zimmer um. »Ja, Mäusle, es ist ein weiter Weg von F 12 hierher, nicht wahr? Wir leben in einer großen Zeit, heißt es jetzt immer, aber wäre es Ihnen nicht auch lieber, sie wären noch klein wie damals?« Er war ein wenig in sich zusammengesunken und sah nun sehr jüdisch aus, aber als Irmgard mit dem Bohnenkuchen hereinkam, riß er sich zusammen, straffte sich und wurde vor meinen staunenden Augen wieder der schneidige Offizier.

»Wie hat er dir gefallen?« fragte ich Irmgard, als er gegangen war. Ihre blutleeren Wangen hatten ein wenig Farbe bekommen, und ihre Augen leuchteten vor Erregung über diesen Besuch.

»Man merkt gleich, daß er ein großer Mann ist«, sagte sie. »Er ist so bescheiden und zurückhaltend, wenn er von seinen Taten spricht. Solange wir Männer wie ihn haben, die im Westen die Wacht halten . . .« Ich zuckte zusammen, wie immer, wenn sie ihre Brompülverchen servierte, angelesene

Leitartikelphrasen, die sie für bare Münze nahm. »Es ist doch wohl ausgeschlossen, daß Oberst Halban Jude ist, nicht wahr?« fragte sie plötzlich.

»Warum sollte er nicht?« sagte ich.

»Er sieht fast so aus«, sagte sie. »Aber die Juden sind Feiglinge. Er kann kein Jude sein.«

In diesem Augenblick war ich selber ein Feigling. Statt zu sagen: »Ja, er ist Jude, aber wahrhaftig kein Feigling«, duckte ich mich und murmelte etwas wie: »Ich weiß es wirklich nicht. Ich habe ihn nie danach gefragt.«

Allerdings hatte ich einen triftigen Grund, Irmgard die gute Meinung über Fritz nicht zu nehmen. Er war nämlich zu einem bestimmten Zweck nach Hahnenstadt gekommen. Er hatte einen jüngeren Vetter aufgesucht, der sehr krank gewesen war und um den er sich offenbar ernste Sorgen machte. Manfred Halban war Schauspieler an unserm Stadttheater. Ich hatte ihn mehrmals auf der Bühne gesehen, und er hatte mir sehr gefallen. Ich hatte nicht geahnt, daß er mit Fritz verwandt war. Aber vielleicht lag in seinen Gesten und in seiner Stimme eine gewisse Ähnlichkeit; jedenfalls hatte ich immer schon eine unbestimmte Sympathie für ihn gehabt, als wären wir alte Bekannte. Fritz wollte ihn in einem netten Heim unterbringen, und dabei zählte er auf mich. Nun war die Wohnung für uns zwei Frauen ohnehin zu groß geworden, und man hätte uns doch bald einen Untermieter hineingesetzt, einen ›Zwangsmieter‹, wie man damals sagte. Wilde Gerüchte gingen von Mund zu Mund. Gebildete Leute aus Irmgards Kreisen sollen mit ihren Zwangsmietern geradezu Fürchterliches durchzumachen haben. Daher schien es mir eine für beide Teile gute Lösung zu sein, Manfred Halban bei uns aufzunehmen. Aber dann mußte ich Irmgard verheimlichen, daß er Jude war. Die Juden waren in den Augen der Familie Klappholz unsauber, sie wuschen sich nicht ordentlich, sie waren Betrüger und hatten einen fremden Geruch. Darum schwieg ich, als Irmgard mich fragte, ob unser Fliegerheld Jude sei.

Ich traf Fritz und seinen Vetter tags darauf in einem Café, und zwei Tage später brachte er ihn zu uns, um ihn Irmgard vorzustellen. Manfred hatte ein lebhaftes Mienenspiel und ausdrucksvolle Hände, und in seiner klaren Bühnensprache klang noch eine Spur Süddeutsch durch. Seine Augen waren ein wenig zu groß und zu strahlend, und in seiner Stimme war eine leichte Heiserkeit, die etwas Anziehendes hatte. Er hatte hellbraunes gewelltes Haar, weich wie Kinderhaar, und eine hohe weiße Stirn.

»Wie kommt es, daß Sie nicht eingerückt sind?« fragte Irmgard ihn in ihrer geraden Art mit der in Hahnenstadt üblichen Taktlosigkeit. »Ich gebe zu, daß die Theater weiterspielen müssen, aber so junge Leute wie Sie sollte man nicht als unabkömmlich reklamieren. Wir könnten ganz gut mit unsrer alten Schauspielergarde auskommen.«

Ich sah, wie Manfred das Blut in die Wangen schoß und wie die Muskeln seiner Kinnbacken arbeiteten.

»Sie sollten das den Militärärzten sagen«, erwiderte er. »Die sind es, die mich nicht an die Front lassen wollen. Ich habe mich immer wieder gemeldet, vom ersten Tag des Krieges an. Glauben Sie etwa, daß es einem Mann

Vergnügen macht, mit den alten Frauen zu Hause zu sitzen und Strümpfe zu stricken, während die andern draußen in den Schützengräben liegen und kämpfen?«

»Mein Vetter war ziemlich krank«, sagte Fritz. »Bis jetzt konnte er die Musterungskommission nicht von seiner Tauglichkeit überzeugen.«

»Aber Sie sehen doch so gut aus«, sagte Irmgard, hartnäckig wie immer. »Was fehlt Ihnen denn?«

»Die Bronchien sind nicht ganz in Ordnung«, antwortete Manfred. »Aber es geht mir dabei jetzt ganz gut. Ich hoffe, daß man mich das nächstemal nehmen wird.«

»Wenn die beiden Damen ihn aufnehmen und ihn ein bißchen bemuttern, wird er bald Bäume ausreißen können, davon bin ich überzeugt. Was er braucht, ist ein Heim und einigermaßen regelmäßige Mahlzeiten. Übrigens bekommt er Extrarationen – eben, weil er nicht ganz gesund ist«, sagte Fritz diplomatisch.

Während der folgenden Tage wurde noch hin und her verhandelt, aber schließlich wurde Manfred unser Mieter, und Fritz ging mit einer gewissen Erleichterung an die Front zurück. Da er keine Geschwister hatte, hing er nämlich an diesem Vetter. Mit dem etwas überspannten Familiensinn, den man so oft bei Juden findet, hatte er ihn gewissermaßen als jüngeren Bruder adoptiert.

»Bronchien? Blödsinn!« sagte er, als er mich davon unterrichtete, was der junge Schauspieler an Pflege und Ernährung brauche. »Der arme Teufel lebt vom letzten Lungenzipfel. Letztes Jahr hat man ihn operiert und ihm ein paar Rippen herausgeschnitten, nachdem er ohne Erfolg einen Pneumothorax nach dem andern bekommen hatte. Sie passen auf, daß es ihm gutgeht, solange es noch dauert, nicht wahr, Mäusle? Er braucht vor allem Ruhe, und dabei ist er so leicht erregbar. Ich gebe zu, daß die Schauspielerei keine besonders zuträgliche Beschäftigung für ihn ist, aber es ist das einzige, was er versteht. Es frißt ihm das Herz ab, daß man ihn nicht an die Front läßt. Kaum zu glauben, so ein Idiot! Will durchaus noch diese ganze Schweinerei mitmachen, ehe alles vorbei ist. Na schön, Sie geben auf ihn acht – um der alten Zeiten willen, ja, Mäusle. Vielen Dank.«

Ich hatte Gewissensbisse, einen Menschen ins Haus zu schmuggeln, der Jude und schwindsüchtig war. Vielleicht, wenn Fritz nicht ›Mäusle‹ zu mir gesagt hätte, wenn er mich nicht an den kurzen Frühling in F 12 erinnert hätte ... Aber was nützt es, darüber nachzudenken, was geschehen oder was nicht geschehen wäre, wenn das oder jenes anders gewesen wäre. Fritz brachte ein ärztliches Attest bei, daß Manfreds Krankheit in ihrem gegenwärtigen Stadium nicht ansteckend sei, und ich sorgte dafür, daß er meinem kleinen Martin nicht zu nahekam. Irmgards Vorurteile gegen Juden waren mir einfach zu lächerlich; ich fand, daß ich darauf keine Rücksicht zu nehmen brauchte. Einige der besten Menschen, die ich in meinem Leben kennengelernt hatte, waren Juden gewesen. So zum Beispiel Herr Krappl. Der Dirigent Kant. Auch Walter Brandt, glaube ich – obwohl ich darüber nie nachgedacht hatte. Juden hat es in Deutschland seit Karl dem Großen gegeben, und während all der Jahrhunderte sind sie eben Deutsche geworden.

»Manfred, wollen Sie mir einen Gefallen tun?« sagte ich zu dem jungen Schauspieler an dem Tag, als er bei uns einzog und ich ihm dabei half, seine Bücher in seinem Zimmer unterzubringen. »Sagen Sie meiner Schwägerin nichts davon, daß Sie Jude sind. Ich weiß, es ist albern — aber es würde alles unnötig komplizieren.«

Wieder schoß ihm das Blut ins Gesicht, und wieder zogen sich die Muskeln unter seiner Haut zusammen. »Ich bin doch gar kein Jude«, sagte er.

»Oh — verzeihen Sie — ich dachte, da Sie Fritzens Vetter sind —«

»Daß meine Eltern Juden waren, macht doch mich noch nicht zum Juden, nicht wahr?« antwortete er heftig. »Ich bin getauft und als Katholik erzogen; wollen Sie meinen Taufschein sehen?«

Damals waren in Deutschland die Theorien von der ›Rassenreinheit‹ noch nicht verkündet worden. ›Jüdisches Blut‹ war noch kein Schlagwort, und die jüdischen Großmütter galten noch nicht als dunkle Punkte auf der Ahnentafel. Ich stammelte noch ein paar Entschuldigungen und ließ es dabei bewenden. Aber bald entdeckte ich, daß Manfred rettungslos in die beiden Komplexe verstrickt war, von Juden abzustammen und nicht an der Front zu sein. Er brachte immer die Rede darauf, sobald er nur mit jemandem sprach. Erregt und gereizt und errötend beklagte er sich über die Militärärzte, die ihm nicht erlaubten, Soldat zu werden, und mit weinerlicher Stimme erzählte er, daß er jeden Sonntag zur Kirche gehe, beichte und die heilige Kommunion nehme, als wollte er sich selbst beweisen, daß er ein guter, echter Katholik sei. Katholisch sein war in Österreich und Süddeutschland das übliche. In Hahnenstadt war der Katholik fast genauso ein Außenseiter wie der Jude. Nach einiger Zeit entdeckte ich, daß Manfred nicht nur Katholik, sondern auch wilder Antisemit war. Und kein Antisemitismus ist so grimmig und bissig wie der zwischen Juden und Juden — das habe ich oft beobachtet.

»Das kommt daher, daß wir einander zu gut kennen«, sagte Manfred, als ich ihn darüber befragte. »Wissen Sie nicht, wie die Mitglieder einer Familie einander verachten können? Nun, die Juden bilden eine einzige Familie seit Abrahams Zeiten.«

Es war ein harter Winter, und Deutschland hatte keine Kohlen mehr. Vor dem Krieg hatte es Kohlen im Überfluß gehabt; ebenso war es mit dem Zucker gewesen. Niemand konnte erklären, warum und wohin ein lebensnotwendiges Produkt nach dem andern verschwand. Aber in diesem Winter 1917/18 entdeckten wir, daß es viel leichter ist, zu hungern als zu frieren. Ich brachte unsre Kohlenration in einer kleinen Markttasche nach Hause. Die Gasbadeöfen wurden von einer Kommission, die von Haus zu Haus ging, plombiert. Der Verbrauch von Gas und Strom wurde bis zum äußersten eingeschränkt. Man durfte nur zu bestimmten Stunden kochen; die übrige Zeit ließ man die Speisen in der Kochkiste oder unter den schweren Federkissen gar werden. Auf den schlecht beleuchteten Straßen gab es keine rechte Sicherheit mehr. Man war stets in Gefahr, daß einem die Einkaufstasche mit den Lebensmitteln oder die Handtasche mit den Lebensmittelkarten entrissen wurde. Die Schaufenster, in denen nur eine einzige Glühbirne glimmte, waren leer. Nur wenige elegante Feinkostgeschäfte hatten Delikatessen ausgestellt, aber das waren nur Attrappen. Trotzdem lief einem bei diesem Anblick das Wasser im Mund zusammen. Wir verklebten die Fenster, um die kalte Winterluft abzuhalten, und da wir außerstande waren, die gefräßigen Ungeheuer von Kachelöfen zu füttern, stellten wir im Speisezimmer ein eisernes Öfchen auf, in dem wir das bißchen Wärme hegten, das wir den paar zugeteilten Briketts entlocken konnten. In den Schlafzimmern gefror das Wasser in den Waschbecken, die Rohrleitungen in den Wänden platzten, und die Wasserleitung war ständig in Unordnung. Wenn wir zu Bett gingen, wickelten wir uns bis zum Kinn in alte Mäntel und Schals ein und zitterten trotzdem stundenlang vor Kälte, ehe uns warm genug wurde, daß wir einschlafen konnten. Die vornehmen Bewohner der Riede lebten ›wie die Proleten‹, die ganze Familie kroch in dem einzigen Raum zusammen, in dem der eiserne Ofen stand. Es gab erfindungsreiche Vorrichtungen, die die Wärme auch in die andern Zimmer leiten sollten. Lange Ofenrohre schlängelten sich durch die Wände, zogen sich quer durch Manfreds Zimmer (das neben dem Speisezimmer lag), drangen durch die nächste Wand in das ehemalige Schlafzimmer der Eltern, wo ich mit Martin schlief, und endeten im Zimmer der Jungens, wohin sich Irmgard zurückgezogen hatte. Man konnte ruhig die Hand auf die Rohre legen; sie waren in Manfreds Zimmer noch ziemlich warm, lauwarm in meinem und ganz kalt in Irmgards Raum. Sie, die Spartanerin, behauptete fest und steif, lieber in einem kalten Zimmer zu schlafen, aber sie zog sich einen chronischen Katarrh zu. Nachts lag ich eingeklemmt zwischen ihren und Manfreds Hustenanfällen. Ihr Husten kam explosiv, während sich Manfred nur auf eine eigentümliche Art räusperte und es sich niemals erlaubte, richtig zu husten; als ob er durch die Unterdrückung des Hustens sich gesünder machen könnte, als er wirklich war.

Martinchen schien bei jeder Nahrung zu gedeihen, die wir für ihn auftreiben konnten; der brave Kleine wurde dick und bekam Apfelbäckchen, als ob die Kälte, der Mangel und die rauhen Winde, die von den Marschen her bliesen, ihn ernährten. Martinchen war in diesem Winter mein privates Wärmeöfchen. So dunkel die Zeit auch sein mochte — ich hatte mein eigenes kleines Licht in mir. An manchen Tagen glaubte ich, vor Glück bersten zu müssen. Wunder über Wunder ereigneten sich vor meinen Augen. Martinchen bekam seine ersten Zähne. Sie kamen paarweise, erst die unteren Schneidezähne, dann die oberen, und sofort beschäftigte er sich mit der Bildung von Konsonanten, die er stundenlang übte. Er quietschte vor Lachen; er begnügte sich nicht mehr damit, über die komischen Dinge, die um ihn her vorgingen, zu lächeln, er wollte in seinem Vergnügen auch gehört werden. An dem Tage, als er entdeckte, daß man Guckguck spielen kann, war ich überzeugt, ein Genie zur Welt gebracht zu haben. Eines Tages konnte er sich schon aufrichten, und vier Wochen später konnte er, wenn er sich am Kinderwagen festhielt, auf seinen wackligen Wurstbeinchen stehen. Wir hatten das alte Ding von den Klappholzens geerbt; es stammte aus der Zeit, als die Jungens noch klein gewesen waren. Die jauchzenden Tierschreie, mit denen Martin den gelben Becher begrüßte, in dem er seine Milch bekam; die tiefe Hingabe, mit der er sein Gesicht hineinsteckte; das zärtliche Glucksen und Lallen, womit er sich mit dem geliebten Becher zu unterhalten versuchte; ich hätte alle Beethoven-Sinfonien und noch eine Menge Bach für die Musik hingegeben, mit der mein Kleines seine Milch trank. Martinchen war der einzige, der Irmgards eiserne Selbstbeherrschung zum Schmelzen bringen und dem Drachen Elisabeth ein Zeichen menschlicher Rührung entlocken konnte. Elisabeth diente der Familie Klappholz seit zwanzig Jahren und verzieh es mir nie, daß ich Kurt geheiratet hatte.

Alles in allem erwies sich die Anwesenheit Manfred Halbans in unserm Haushalt als Segen. Vor allem kamen uns seine Extrarationen für die Küche sehr zustatten — ein bißchen Milch, ein bißchen Fleisch, ein bißchen Margarine. Dann seine Kohlenzuteilung. Dann die Freikarten fürs Stadttheater, die es uns ermöglichten, viele Abende in einem verhältnismäßig warmen Raum zuzubringen und zu Hause Brennstoff zu sparen. Und schließlich war es irgendwie ein angenehmes Gefühl, einen Mann im Hause zu haben. Manfred war still und taktvoll; er saß in seiner kalten Bude und betrat das einzige warme Zimmer, wo wir andern uns aufhielten, immer nur, wenn wir ihn besonders dazu aufforderten. Niemals aber nutzte er dieses notgedrungene Beisammensein aus, niemals störte er uns. Gewöhnlich las er ein Buch und machte sich so unsichtbar, daß wir seine Anwesenheit beinahe vergaßen. Wenn er die Empfindung hatte, daß wir dazu gerade aufgelegt waren, erzählte er uns lustige Geschichten. Er wußte eine ganze Menge, und er erzählte gut. Erstaunlicherweise konnte er Irmgard zum Lachen bringen, nicht etwa nur zu einem krampfhaften Lächeln mit heruntergezogenem Mundwinkel, nein, richtig zum Lachen. Das war eine unschätzbare Gabe, und ich war ihm dankbar dafür. Auf der Bühne wirkte er nicht halb so stark wie im privaten Kreis. Er spielte nur Nebenrollen, spielte sie ruhig und korrekt, aber nie hervorragend. Wenn er einen Brief von Fritz bekam und ihn vorlas, wurde er lebendig. Fritz schrieb interessante Briefe, und in manchen Wendungen glaubte ich Brandts Einfluß zu erkennen. Ich lehnte mich in meinem Stuhl zurück, wärmte meine Füße an dem Öfchen und schloß die Augen, während Martinchen in seinem Kinderwagen an meiner Seite schlief. Es war, als zöge ich mich auf eine kleine verborgene Insel zurück, von der niemand etwas wußte. Manfreds weiche, heisere, schwindsüchtige Stimme mit der Andeutung süddeutschen Akzents, die mir sympathisch geworden war; die Dinge, die Fritz zu berichten wußte; wie er sich ausdrückte, und wie Manfred die Briefe vorlas; das trug mich auf einem fliegenden Teppich aus Hahnenstadt fort und quer durch die Kriegsjahre zurück in eine Vergangenheit, nach der ich manchmal schreckliches Heimweh hatte.

Und so wäre alles gut und glatt gegangen, wenn Manfred nicht auf die Idee gekommen wäre, sich in mich zu verlieben.

Ende Februar hatten wir eine strenge Kältewelle, und das war schlimm. Der alte Herr Tillmann da draußen in seiner Jagdhütte wurde krank und schrieb uns einen Jammerbrief. Irmgard kratzte an Kohle und Lebensmitteln zusammen, was wir besaßen, Elisabeth wickelte sich in ihr altes schwarzes Umhängetuch, und die beiden Frauen gingen auf eine Expedition, um den alten Herrn zu pflegen. Ich blieb allein in der Wohnung, um mich um den kleinen Martin und unseren Mieter zu kümmern.

Manfred war Schauspieler und konnte leicht zwei verschiedene Menschen darstellen. Wenn Irmgard dabei war, spielte er den ruhigen, höflichen, korrekten jungen Herrn. Waren wir aber allein, so war er zynisch, launenhaft, sarkastisch und streitlustig. Niemals sprach er es deutlich aus, daß er in mich verliebt war. Er hielt es für selbstverständlich, daß ich es wußte — und ich wußte es auch. Seine hungrigen Augen folgten mir, wohin ich auch ging. Wenn ich mich in meinem Zimmer auskleidete, hatte ich das sonderbare Gefühl, er beobachte mich durch die Wände hindurch. Ich wagte es nicht, mich in meinem Bett umzudrehen, weil ich spürte, daß er auf jedes Geräusch lauschte. Ich fühlte mich unbehaglich, und zu gleicher Zeit tat mir der Junge furchtbar leid. Er war ein so armer Teufel; er war krank, sterbenskrank und ertrug es so tapfer. Er hatte immer das drängende Verlangen, so zu sein wie alle andern. Hinauszugehen und etwas zu leisten. Im Winter 1917/18 hatten viele Männer den Krieg endgültig satt und setzten alle Hebel in Bewegung, daheim bleiben zu können. Durch Betrug, Lüge und Bestechung versuchte man loszukommen, man erkaufte sich die Dienstuntauglichkeit mit jedem Preis und mit jeder Demütigung. Man verstümmelte sich selbst, ruinierte sein Herz mit starken Drogen, flüchtete unter Lebensgefahr in ein neutrales Land oder lief zum Feind über, um in Gefangenschaft zu kommen. Alles, alles, um dem Krieg zu entrinnen. Manfred aber fühlte es wie eine offene Wunde, daß man ihm verweigerte, mit den andern hinauszugehen und zu kämpfen.

»Ein Blödsinn, solchen Ausschuß wie mich zu Hause zu behalten und gesunde, starke Männer an die Front zu schicken!« sagte er gelegentlich bitter. »Die sind es doch, die leben wollen; die sind es doch, die ein Recht darauf haben, am Leben zu bleiben. Aber ich? Eben gut genug, daß meine Knochen an die Leimfabrik verkauft werden. Wozu konserviert man mich hier? Damit ich die Lebensmittel auffresse, die man Frauen und Kindern geben könnte? Extrarationen — großartig! Es ist ein verbrecherischer Skandal!«

Ich sah, daß er Temperatur bekam, und versuchte ihn zu beruhigen, aber er tobte weiter: »Wenn es darauf ankommt, tapfer zu sein — es gibt keinen Menschen, der so mutig ist wie der, der den Tod schon seit Jahren mit sich herumträgt. Was habe ich zu fürchten? Herrgott, Menschen wie mich müßte man zu den gefährlichsten Aufgaben heranziehen. Man sollte aus solchen Halbkrepierten eine Selbstmörderbrigade zusammenstellen und sie auf den Feind loslassen! Es muß ein paar Hunderttausende solcher Todeskandidaten wie mich im Land geben. Warum stellt man uns nicht zu einer

Division zusammen und läßt uns den Krieg gewinnen? Das wäre das einzig Vernünftige, finden Sie nicht auch? Das wäre was für uns! Jeder von uns würde tausendmal lieber im Feld sterben, anstatt im Bett zu liegen und seine Lunge in die abscheuliche Flasche zu spucken, bis er krepiert!«

»Na, na«, sagte ich. »Sehen Sie doch nicht so schwarz! Es geht Ihnen doch schon viel besser, und Sie wollen doch wieder ganz gesund werden, nicht wahr? Alles, was Sie brauchen, ist ein bißchen Geduld. Der Krieg kann warten. Er geht jo sowieso ewig weiter, und Sie kommen immer noch früh genug dazu, wenn Sie wiederhergestellt sind.«

»Das wird ja reizend sein, wenn mein Sohn mich mal fragt: ›Papa, was hast du im Krieg gemacht?‹ — ›Ich habe den Mortimer am Stadttheater von Hahnenstadt gespielt, mein Kind. Ich habe dazu beigetragen, daß man in der Heimat durchgehalten hat!‹« Er fuchtelte grimmig in der Luft herum. Dann verkrampfte er die ruhelosen Hände ineinander, ließ sie sinken und starrte sie an. »Nur daß ich keinen Sohn haben und tot und begraben sein werde, noch ehe der Krieg vorüber ist«, setzte er kläglich hinzu.

»Manfred, mein Junge«, sagte ich, »wenn es etwas gibt, was ich verabscheue, so ist es das Mitleid mit sich selbst. Hören Sie auf, sich zu bejammern, und gehen Sie zu Bett!«

»Jawohl, geh zu Bett wie ein braver Junge! Und laß dir nicht einfallen, von Frau Hauptmann Tillmann zu träumen!« beendete er die Unterhaltung. Wir saßen im kalten Speisezimmer, in das man einige Möbelstücke aus der Wohnstube gestopft hatte, da es der einzige bewohnbare Raum der Wohnung geworden war. Ein schwaches Feuerchen flackerte im Ofen, vor den wir ein Sofa geschoben hatten, um ein bißchen mehr von der unzulänglichen Wärme abzukriegen. Da Irmgard unsre Kohlenration für den Schwiegervater mitgenommen hatte, hielten wir das Feuer verzweifelt mit allem möglichen in Gang. Wir kauften zu Wucherpreisen Zeitungspapier. Wir hatten schon alle Holzkisten, die wir auftreiben konnten, verheizt und überlegten schon, welche Möbelstücke wir verfeuern könnten. Das Malheur war, daß das Holzfeuer nur ein kurzes Leben hatte. Hätten wir noch etwas Fett auf dem Leib gehabt, so wäre uns wärmer gewesen; aber wir waren beide nur noch Haut und Knochen. »Sie sind das entzückendste Skelett, dem ich in meinem Leben begegnet bin, Marion«, sagte Manfred. Er war der einzige, der mich bei meinem Zirkusnamen nannte, und er tat es auch nur, wenn wir allein waren. In Irmgards Gegenwart war ich für ihn höchst ehrbar die Frau Hauptmann Tillmann. Aus solchen unscheinbaren, nicht greifbaren Kleinigkeiten hatte er ein Netz um mich gesponnen, als hätten wir ein Geheimnis miteinander.

»Sie können mich nicht leiden, nicht wahr?« fragte mich Manfred eines Tages, während er mir zusah, wie ich den Haferbrei für Martin fertigmachte.

»Aber natürlich kann ich Sie leiden«, sagte ich ungeduldig. »Aber jetzt gehen Sie mir bitte aus dem Weg, ja?«

Er setzte sich auf Elisabeths Küchenstuhl. »Warum können Sie mich nicht leiden, Marion?« bohrte er weiter. »Warum? Wollen Sie mir nicht die Wahrheit sagen?«

»Ich habe Ihnen die Wahrheit gesagt. Ich habe Sie gern, und ich freue mich, daß Fritz Sie zu uns gebracht hat. Also bitte.«

»Können Sie mich nicht leiden, weil Sie mich für einen Juden halten?« fragte er.

»Jetzt sind Sie einfach albern«, sagte ich. »Bitte geben Sie mir Martins Teller!«

»Oder können Sie mich nicht leiden, weil Sie glauben, daß ich ein nutzloser Krüppel und ein Feigling bin?« beharrte er. »Sie wissen, daß es nicht meine Schuld ist.«

»Ich kann Sie nicht leiden, wenn Sie nicht aufhören, Ihre Selbstkasteiung vorzuführen«, sagte ich ärgerlich. »Sonst kann ich Sie ganz gut leiden.«

»Aber Sie glauben nicht, daß Sie mich auch lieben könnten, nicht wahr, Marion?«

»Um Gottes willen!« rief ich wütend aus, nahm Martins Teller und trug ihn ins Zimmer. Das Kind saß in seinem Ställchen und begrüßte das Essen mit seiner üblichen jauchzenden, quiekenden Fanfare. Manfred war mir wie ein Hund nachgegangen. Ich nahm den Kleinen auf, setzte ihn auf meinen Schoß und begann den Löffel mit dem Haferbrei in sein gieriges, feuchtes Schnäuzchen zu schieben.

»Wenn ich draußen im Schützengraben läge wie Hauptmann Tillmann, dann würden Sie mich lieben«, sagte Manfred. »Diese abwesenden Helden sind uns armen Krüppeln gegenüber kolossal im Vorteil. Sagen Sie, was für ein Mensch ist er? Wenn er seiner Schwester auch nur im geringsten ähnelt, so verstehe ich nicht, warum Sie gerade auf ihn verfallen sind. Sie passen in diese Familie wie ein Parfümflakon in ein Faß toter Fische. Sie brauchen mir nichts zu erzählen! Ich weiß Bescheid. Ich kenne Sie viel besser, als Sie sich selbst kennen. Jesus Maria, wie einsam wären Sie, wenn Sie nicht wenigstens mit mir reden könnten.«

»Eines schönen Tages haue ich Ihnen doch noch eine 'runter, Manfred«, sagte ich. Ich war sehr verärgert, um so mehr, als ein Schimmer Wahrheit in seinen Worten lag.

Das Kind auf meinem Schoß schnaufte vor Eifer, möglichst viel Essen in möglichst kurzer Zeit hineinzuschlingen.

»So ein hungriges Baby hat's noch nicht gegeben«, sagte ich; der Löffel schlug mit einem hellen Ton gegen seine neuen Zähne — das war unser jüngster Spaß —, und Martinchen lachte aus vollem Halse.

»Na schön. Also keine Liebe. Aber wenigstens ein bißchen Mitleid könnten Sie mit mir haben. Sie könnten aus Mitleid ein bißchen lieb zu mir sein. Oder ist das auch noch zuviel verlangt?«

»Aber Manfred, Sie würden doch kein Mitleid wollen«, sagte ich. Der Junge tat mir furchtbar leid. Am liebsten hätte ich ihn auf den Schoß genommen, um ihn ruhiger zu machen.

»Hören Sie, Marion«, sagte er, »haben Sie nicht letzten Mittwoch Pferdefleisch gekauft? Sie sind durch die ganze Stadt gelaufen und haben fünf

Stunden angestanden, nicht wahr? Und Sie hatten solche Angst, das Pferdefleisch würde ausverkauft sein, bevor Sie drankamen. Ihre Hände haben gezittert — so — sehen Sie her!« Er hielt mir seine zitternden Hände vor die Augen, und ich zuckte unwillkürlich zurück. »Und als Sie dann wirklich ein Stück Pferdefleisch nach Hause gebracht haben, waren Sie so glücklich, als hätte man Ihnen das Leben gerettet. Na also!«

»Na also?« sagte ich.

»Wenn Pferdefleisch für Sie gut genug ist, so ist Mitleid für mich gut genug«, sagte er. »Man muß lernen, Kompromisse zu machen. Wie der ›Große Krumme‹ in ›Peer Gynt‹ irgendwie sagt: ›Drum herum!‹ Abfinden!«

Zwei Tage später geschah etwas, das damals belanglos schien und seine Bedeutung erst viel später erweisen sollte, in den trüben Jahren, die noch kamen ...

An jenem Morgen stand in den Zeitungen, daß jeder, der mit einem Handwagen auf den städtischen Markt käme, fünfzig Pfund Kohl kaufen könne. Leicht erfroren, aber immerhin noch genießbar. Es war ein Angebot von schwindelnder Größe, und nachdem ich Martinchen gefüttert und zu seinem Nachmittagsschläfchen ins Bett gebracht hatte, brach ich hochgestimmt nach dem städtischen Markt auf. Da Irmgard und Elisabeth noch beim alten Herrn Tillmann in Dethfurth waren und ich niemanden kannte, der den Einkauf für mich hätte machen können, lieh ich mir vom Portier einen Handwagen und machte mich auf den Weg. Es war ein kalter Tag, die Straßen waren mit Eis bedeckt. In Hahnenstadt bläst immer ein heftiger Nordost; er kommt von der Nordsee, und die Hahnenstädter hatten die Gewohnheit angenommen, sich automatisch gegen den Wind zu stemmen, sobald sie aus dem Haus traten. Ich schob meinen Karren den langen Weg, über die Brücke, die das Flüßchen überspannt, durch das Armenviertel auf der anderen Seite und weiter bis zum Rande der Hahnenmarsch, wo der städtische Markt lag.

Mit seinen leeren Ständen bot er einen traurigen, deprimierenden Anblick; man kam sich vor wie ein hungriger Bettler, der umherstreicht und etwas Eßbares aufzutreiben sucht. Manchmal machte der Markt den Eindruck, als sei das Ende der Welt gekommen, als habe alles Wachstum aufgehört und als werde die verwüstete Erde bald nicht einmal mehr Wälder und Wiesen tragen. Manchmal träumte man von einem Markt voll Fleisch und Geflügel, voll Eiern und Obst, mit Pyramiden von Brot und Gehängen von Schinken und Speck. Sogar heute noch, da die Märkte reichlich mit Lebensmitteln versorgt sind, habe ich manchmal das Gefühl, als träumte ich nur und müßte gleich aufwachen und wieder in Hahnenstadt stehen und hungrig sein. Vielleicht treibt schon wieder alles dahin: zurück zu Hunger und elender Hoffnungslosigkeit, zu dem Zustand, der jedem Kriegsende vorausgeht ...

Vor den wenigen Ständen, an denen die fälligen Lebensmittelrationen abgegeben wurden, standen die üblichen Schlangen. Zank, Aufregung, Murren. Manche drängten, manche warteten resigniert, manche waren egoistisch, manche gütig und hilfsbereit. Wenn man einige Jahre nach Lebensmitteln angestanden hat, lernt man die Menschen kennen. Während wir langsam in der Schlange vorrückten, senkte sich die frühe Dämmerung über uns, und der Frost schnitt uns in Finger und Zehen. Aber schließlich kam ich zu meinem unwahrscheinlichen Schatz von fünfzig Pfund Kohl. Man warf ihn mir in den Handwagen, und glücklich, wenn auch etwas ermüdet, schob ich ihn nach Hause. Wenn ich einen Augenblick stehenblieb, um Atem zu schöpfen, betastete ich meine Fracht zärtlich und fühlte die klobige Rundung der Kohlköpfe. Die Kostbarkeit hatte einen merkwürdigen Geruch, aber ich sagte mir, es ist der Handwagen, der so riecht, und nicht mein Kohl. Ich schob weiter, denn es war spät und dunkel geworden; zuletzt machte ich mir Sorgen, ob nicht etwa Martinchen erwacht und aus seinem Bettchen gefallen sei oder sich gar mit seinen Kissen erstickt habe. Schließlich kam ich in der Riede an und bat unseren Portier, mir tragen zu helfen.

»Was haben Sie denn da bekommen, Frau Hauptmann?« fragte er. »Kohl? Und eine solche Menge?« Er schnupperte. »Allmächtiger, wie der stinkt! Ich glaube, es lohnt sich gar nicht, ihn hinaufzutragen. Damit verstänkern Sie sich nur die Küche.«

Ich besah mir den Kohl genauer und betastete ihn. Er fühlte sich feucht und klebrig an und stank unbeschreiblich. Mein Schatz war ein einziger Matsch, schmutzig und faulig. Ich mußte ihn in den Mülleimer werfen. Der Portier half mir. »Da haben Sie es, Frau Hauptmann«, sagte er. »Feine Leute wie Sie und Frau Oberinspektor hungern und opfern ihre Männer dem Vaterland, während diese dreckigen Juden im dritten Stock zu Hause sitzen und sich einen Bauch anfressen.« Der Kriegsschieber, der kürzlich die Wohnung über uns bezogen hatte, wurde als Schmach und Schande für das ganze Haus angesehen, aber was nützte es mir in meiner abgrundtiefen Enttäuschung, ihn zu verfluchen. Ich glaube, ich habe ein bißchen geweint, als ich die spärlich beleuchtete Treppe hinaufkroch. Als ich aber die Wohnungstür öffnete, blieb ich wie angewurzelt auf der Schwelle stehen. Hier schlug mir ein ganz anderer Geruch entgegen, einer, den ich schon fast vergessen hatte. Ein seliger Duft, süß, winterlich, heimatlich. Einer jener Düfte, von denen wir — Pimpernell, Clara und ich — in Bergheim gesprochen hatten, wenn wir uns von den Dingen erzählten, die Menschen glücklich machten: Bratäpfel!

Ich hörte Martinchen im Speisezimmer krähen und lallen, hörte Manfred mit ihm sprechen. Ich riß die Tür auf und stand auf der Schwelle zum Märchenland.

Das Zimmer war warm. Ein schönes, lebhaftes Feuer prasselte im Ofen, Martin hatte die dicken Wollsachen nicht mehr an und krabbelte im bloßen Hemdchen herum, das den unbehinderten Anblick seines runden kleinen Popos gestattete. Auf dem Ofen brutzelten die Äpfel und erfüllten die ganze Welt mit ihrem Aroma. Der Tisch war gedeckt; da standen Butter und ein Glas Honig, ein halber Schinken war da und ein ganzes Brot, vier Eier und drei Päckchen: Kaffee, Mehl und Zucker. Das Ganze war wie einer jener

Träume, die man hat, wenn man hungert. Ich spürte, wie mir das Wasser im Mund zusammenlief, und sekundenlang konnte ich einfach nicht sprechen.

»Guten Abend«, sagte Manfred. »Ich habe das Kind gebadet, und nun tollt es ein bißchen herum. Es ist warm hier, nicht?«

»Ja, es ist warm«, sagte ich.

»Ich habe noch vier Kästen Kohle zurückgelegt. Wenn Sie ein Bad nehmen wollen, können Sie sich Wasser warmmachen. In meinem Zimmer ist es auch warm, da können Sie meine Gummiwanne benutzen.« Ich sah mich um; die Tür zu seinem Zimmer stand offen, das Ofenrohr glühte vor Hitze.

»Wieso sind Sie heute nicht im Theater?« fragte ich, wie vor den Kopf geschlagen.

»Damit ist es vorbei. Mit dem Theater bin ich ein für allemal fertig. Von jetzt an bin ich nicht mehr der Hanswurst für alle Welt.«

»Was soll das alles bedeuten?« fragte ich. »Sind Sie Kriegsschieber geworden?«

»Nein, sondern Soldat. Man hat mich genommen. Marion, man hat mich genommen. Man hat mich schließlich doch genommen. Morgen rücke ich ein. Dies hier ist mein Abschiedsmahl für Sie. Wie gefällt es Ihnen?«

»Wo haben Sie denn das alles her?«

»Oh, man kann doch alles haben, wenn man genug dafür bezahlt«, sagte er gleichgültig.

»Woher haben Sie so viel Geld?« fragte ich. »Das muß doch ein Vermögen gekostet haben.«

Er lachte leise. »Sie wissen ja, ich brauche meine Ersparnisse doch nicht mehr. Sie wissen, daß ich nicht zurückkomme«, sagte er. Es traf mich so, daß ich einen Augenblick wie erstarrt dastand; dann ging ich zu ihm und gab ihm einen Kuß.

»Sie sind ja beschwipst«, sagte ich. »Sie haben ja Fieber; Sie kleiner Wahnsinniger — was soll ich bloß mit Ihnen machen?«

Ich habe es nie jemandem erzählt, daß ich einmal mit einem Mann nur deshalb ins Bett gegangen bin, weil er mir eine gute Mahlzeit gegeben hat, weil ich ein warmes Bad bekam und ein geheiztes Zimmer. Und vielleicht auch, weil das, was ich ihm dafür geben konnte, so wenig und so unbedeutend war und doch für ihn so viel bedeutete. Man sprach von so etwas nicht, als der Krieg zu Ende war, und die Menschen würden es auch nicht verstanden haben. Jetzt würden sie es vielleicht wieder verstehen, die Flüchtlinge auf den europäischen Landstraßen, die Menschen, die sich angstvoll in den Luftschutzkellern zusammendrängen, die frierenden, hungernden, verängstigten einsamen Frauen, die Männer in Todesgefahr.

Es geschah in Manfreds Zimmer. Durch die offene Tür konnte ich hören, wie das Feuer im Öfchen leise bullerte, und konnte sehen, wie die Lichtreflexe an der Decke tanzten; und in der Luft hing noch immer der süße Duft der Bratäpfel. Das Ofenrohr, das aus der Wand kam, glühte noch eine Zeitlang, dann wurde es schwarz und verschwand mit leisem Knacken im Nachtdunkel.

Manfreds Körper war fieberheiß, sehr mager und sehr fremd. Ich drückte ihn aus Freundlichkeit an mich und dachte die ganze Zeit an den Kuchen, den ich backen wollte. Seit langem schon hatte ich keinen Kuchen mehr gebacken, und ich versuchte mich an das Rezept zu erinnern. Ich wollte ein halbes Pfund Mehl nehmen, ein Ei und etwas Natron, daß der Teig ging. Ich hatte noch ein bißchen gehamsterte Himbeermarmelade zum Füllen. Ich wollte ihn ganz allein backen, ohne Elisabeths strenge Aufsicht, und ihn Hauptmann Tillmann schicken. Ich hörte Manfred in meinen Armen leise seufzen. Ich empfand Mitleid mit ihm und streichelte sein weiches, seidiges Haar. Und alles war so gewichtslos, als hätte ich die leere Luft geküßt und einer Wolke gestattet, mich zu umarmen.

Plötzlich war es Frühling geworden. Eine lange Reihe sonniger, warmer Tage kam von der Heide im Süden in die Stadt marschiert, ein früher Vortrupp kommender schönerer Monate. Der alte Herr Tillmann hatte sich erholt, und Irmgard hatte ihn mitgebracht, er sollte bei uns bleiben. Mit ihm kam der Dackel Männe, ein empfindsames Geschöpf, das sich zu schämen schien, weil es immer Hunger hatte. Irmgard nahm die Nachricht von Manfreds plötzlicher Abreise kühl auf. »Ich bin froh, daß er fort ist; es erspart uns Ungelegenheiten«, sagte sie. »Ich hätte ihm ohnedies gekündigt. Weißt du, meine Liebe, er ist nämlich doch Jude. Er und sein berühmter Vetter. Vater ist seiner Sache absolut sicher, nicht wahr, Vater? General Prittwitz hat es erzählt. Ich verstehe wirklich diese Welt nicht mehr, wenn man Juden ins Fliegerkorps aufnimmt und ihnen den Pour le mérite gibt. Nicht wahr, Vater?«

»Ich habe mehrere Juden gekannt, die ganz nette Leute waren«, sagte der alte Herr mit dem gemäßigten Liberalismus seiner Generation. Wir brachten ihn in dem Stübchen neben mir unter, nachdem Elisabeth und Irmgard es gründlich gescheuert hatten, als müßten sie jede Spur von dem armen Manfred beseitigen. Ich ging in die Küche, um meinen Kuchen für Hauptmann Tillmann zu backen, aber zum Glück hatte ich das Paket noch nicht abgeschickt, als ein Telegramm kam, daß er auf dem Weg nach Hause sei. Wie alle Frauen, deren Männer unerwartet auf Urlaub kamen, schwirrte ich umher wie eine Biene, putzte das Kleine heraus, wusch meine Unterwäsche, frisierte mich, rieb mir die Hände mit Glyzerin ein, tupfte mir den letzten Tropfen Kölnisch Wasser hinter die Ohren und fühlte mich bereit und verführerisch wie die Königin von Saba, als sie König Salomo erwartete.

Diesmal war Hauptmann Tillmann nicht verwundet, er hatte bloß einen Nervenschock und eine leichte Gasvergiftung, betonte aber nachdrücklich, daß er aus Versehen etwas Gas von den eigenen Linien geschluckt habe, als wollte er dem Feind die Fähigkeit absprechen, ebenfalls Giftgas zu verwenden. Ich merkte, daß seine Nerven von der Schießerei vollkommen kaputt waren. Unter normalen Verhältnissen hätte man ihn als leicht geistesgestört in eine Anstalt gesteckt, aber im Krieg fiel sein Verhalten nicht weiter auf. Sooft ein Straßenbahnwagen vorbeisauste, sah er sich ängstlich nach Deckung um. Er war wieder einmal Vegetarier geworden, wurde beim Anblick einer Fleischspeise grün im Gesicht und stand vom Tisch auf. Und er konnte nicht in einem Bett schlafen. Es krampfte mir das Herz zusammen, wenn ich sah, was der letzte Winter aus diesem guten, tapferen, ruhigen und widerstandsfähigen Mann gemacht hatte, und ich hätte meine rechte Hand dafür gegeben, wenn ich ihn wieder so hätte haben können, wie er war, als ich ihn kennenlernte.

Die Nacht nach Hauptmann Tillmanns Heimkehr werde ich niemals vergessen. Wir verbrachten sie miteinander wie zwei Fremde oder wie ein Patient mit seiner Pflegerin. Ich habe die Möbel im Klappholzschen Schlafzimmer nie leiden mögen. Sie waren klobig und schwer und überladen in dem scheußlichen Hahnenstädter Greuelstil, der zu allem Überfluß noch einen Tudor-Einschlag hatte. Der Wäscheschrank sah wie eine Burg mit Zinnen und Mauern aus, ebenso die hohen Bettspiegel, namentlich wenn man sie im Halbschlaf betrachtete.

»Macht es dir etwas aus, wenn ich auf dem Fußboden schlafe?« sagte Kurt, als wir das Zimmer betraten und die Tür hinter uns schlossen. Man hatte uns den ganzen Tag kaum allein gelassen, und wir fühlten uns ein wenig befangen. Kurt lachte verlegen.

»Ich bin nicht mehr gewohnt, in einem Bett zu schlafen«, sagte er halblaut. »Es ist mir dann, als müßte ich ersticken. Auf der Herreise mußte ich in einem Hotelbett schlafen, und das war fürchterlich.«

Bevor er sich auskleidete, drehte er das Licht aus. Ich saß auf der Bettkante und hörte ihn im Finstern rumoren und das Bettzeug auf dem Fußboden ausbreiten. Dann hörte ich, wie er von einem seiner dumpfen, bellenden Hustenanfälle gepackt wurde. »Laß mich doch das machen!« sagte ich. »Nein, danke«, antwortete er im Dunkeln. »Du weißt nicht, wie ich es haben will.« Ich zog mich langsam aus und wußte nicht recht, was ich tun sollte. Wenn bloß Clara da wäre, dachte ich und mußte im Dunkeln lächeln, weil der Gedanke so komisch war. Sie versteht sich so ausgezeichnet auf alles, was zwischen Mann und Frau spielt, dachte ich. Nach einer Weile spürte ich, daß Kurt neben dem Bett stand und sich niederbeugte, um mich zu küssen. Er hatte die Stiefel und den Waffenrock ausgezogen, das Hemd aber und die Hosen anbehalten. Er küßte mich auf den Mund, und sein Stoppelbart kratzte mich am Kinn. Unten fuhr ein Straßenbahnwagen vorbei, und ich merkte, wie Kurt zusammenfuhr und sich duckte.

»Es ist ja nichts«, flüsterte ich und legte ihm die Arme um den Hals, »es ist ja nichts.« Doch er machte sich los, kauerte auf dem Boden, hielt den Atem an und lauschte. »Toll«, sagte er, »es klingt genau wie ein Granatwerfer.«

»Du wirst dich daran gewöhnen. Es ist bloß die Straßenbahn«, sagte ich.

Ich hörte, wie er sich seufzend auf dem Lager ausstreckte, das er sich auf dem Fußboden gemacht hatte. »Es ist nichts«, sagte ich noch einmal. »Du bist zu Hause und in Sicherheit. Denk nicht an deine Granatwerfer und schlaf!«

»Zu dumm«, sagte er. »Draußen im Schützengraben träumt man die ganze Zeit davon. Jede Nacht denkt man: Ich werde ein Bad nehmen, werde die Uniform ausziehen, wenn ich schlafengehe, und werde ein Bett haben.

Ich werde ein Bett haben, denkt man; ich werde auf einem sauberen Laken schlafen, werde ein Kissen haben, werde den guten Duft frischer Bettwäsche atmen, es wird nicht geschossen werden, es wird keinen Alarm gegeben, und ich werde in einem Bettchen schlafen. So denkt man. Und dann wird man zu einer kurzen Erholung hinter die Front geschickt, kriegt ein gutes Quartier, und ein Bett ist auch da. Und das erste, was dir passiert, ist, daß der Franzose mitten in der Nacht das Dorf beschießt, und du hast nicht mal Hosen an. Und dann kann man nicht mehr in einem Bett schlafen, weiß der Teufel warum. Aber jede Nacht verfolgt einen der Gedanke: Ich werde mich rasieren, werde baden, werde mich ausziehen und in einem Bett schlafen – das ist alles, woran man denken kann. Schläfst du schon, Kleines?«

»Nein, Kurt, ich höre zu.«

»Bist du müde?«

»Nein, eigentlich nicht. Und du?«

»Ja, ich bin sehr müde. Aber ich kann nicht schlafen. Laß uns ein bißchen plaudern, willst du?«

»Soll ich das Licht andrehen?«

»Nein. Sprechen wir von Martin. Er strotzt von Gesundheit, nicht wahr? Man redet an der Front soviel davon, daß unsere Kinder daheim verhungern. Aber er sieht ganz und gar nicht verhungert aus, nicht wahr?«

»Oh, wir haben eine Menge zu essen. Mach dir darüber keine Sorgen!«

»Und er kennt mich. Hast du gehört, wie er zu mir ›Papa‹ gesagt hat? Er ist so gescheit. Stell dir vor, so ein winziger Floh, erst ein Jahr alt, und kann schon sprechen und gehen. Ein prächtiger Bursche, der junge Herr Tillmann!«

Ich hörte Kurt unten am Fußboden lachen, und dann ging das Lachen wieder in einen Hustenanfall über. »Kleines«, sagte er, als es vorbei war, »ich möchte so gern deine Hand halten.«

Ich ließ meine Hand hinunterhängen, er nahm sie und legte sie unter seine Wange. »So ist es besser«, seufzte er. Ich hörte ihn ruhig atmen und dachte, er sei eingeschlafen. Mein Arm wurde gefühllos, und ich versuchte die Hand zurückzuziehen, aber Kurt war noch wach und hielt mich fest. »Sag mir«, flüsterte er, »hast du Sehnsucht nach mir gehabt?«

»O ja, sehr. Die ganze Zeit.«

»Du hast mir auch gefehlt«, sagte er. »Herrgott, hab' ich Sehnsucht nach dir gehabt!« Eine Weile lag er schweigend. Dann sagte er: »Ich bin draußen impotent geworden wie so viele von uns.«

»Warum sagst du das?« sprach ich in die Dunkelheit hinein. »Du bist einfach übermüdet. Das ist doch ganz natürlich. Ruhe und Ausspannen – das ist alles, was dir fehlt.«

»Bist du mir böse?« fragte er, als ich meine Hand wegzog.

»Warum sollte ich dir böse sein?« sagte ich. »Nein, mein Arm ist eingeschlafen.«

»Armes kleines mageres Ärmchen«, sagte er. »Komm, ich reibe es mal. So, nun ist's schon wieder gut. Und jetzt will ich dich schlafen lassen.«

»Gute Nacht, Liebster«, sagte ich ins Finstere. »Schlaf gut!«

Eine Weile hörte ich, wie er sich unruhig hin und her warf. Dann kam wieder eine Straßenbahn vorbei. Er richtete sich auf und lauschte. Meine Augen hatten sich unterdessen an die Dunkelheit gewöhnt, und ich konnte nun die Umrisse seiner Gestalt erkennen. Er saß da, die Knie an die Brust gezogen, das Gesicht aufwärts gewendet. »Alles in Ordnung«, sagte ich. »Es ist nichts.«

»Ich dachte, du schläfst«, antwortete er. »Schläfst du nicht?«

»Ja, ich schlafe«, sagte ich und lächelte im Dunkeln. Er streckte sich wieder aus.

»Marion«, sagte er nach einer Weile.

»Ja, Liebster?«

»Ich hab' dich so lieb.«

»Ich weiß. Ich hab' dich auch lieb.«

»Ich sehne mich so sehr nach dir. Ich sehne mich gerade jetzt so sehr nach dir.«

Ich überlegte. »Soll ich zu dir kommen?« flüsterte ich.

»Ja. Nein. Warte! Herrgott, ich sehne mich so nach dir! Macht es dir etwas aus, bei mir auf dem Fußboden zu liegen?«

»Gar nichts. Das ist lustig auf dem Fußboden. Warte, ich nehme mir das Kissen mit 'runter.«

»Weißt du, es macht mich nervös, im Bett zu liegen.«

»Ja, ich weiß. So, da bin ich.«

»Ich kriege Zustände im Bett.«

Er zitterte, und ich nahm ihn in meine Arme. Ich drückte ihn so fest an mich, daß es ihm weh getan haben muß, und nach einigen Augenblicken hörte das Zittern auf. Wir küßten uns innig, dann kam wieder ein Straßenbahnwagen vorbei, und Kurt wich schlottrig und kraftlos von mir zurück. »Alles in Ordnung«, flüsterte ich. »Es ist nichts, es ist alles in Ordnung.« Er rutschte ein bißchen hinunter, so daß sein Kopf auf meiner Schulter lag. Ich fühlte einen scharfen Schmerz, er grub seine Zähne hinein, und dann spürte ich, daß er wie von kurzen Krämpfen geschüttelt wurde, und ich begriff, daß er schluchzte und doch nicht schluchzen wollte. Der Fußboden unter uns war hart, und die Nacht begann kalt zu werden. Ich hielt ihn in meinen Armen, und sein Stoppelbart kratzte mich an meiner naßgeweinten Schulter. Ich streichelte und liebkoste ihn und tat, was ich konnte, um seinen gebrochenen Stolz wiederaufzurichten. Es ist ein sonderbarer, primitiver Stolz, den die Männer haben; er sitzt mitten in ihrem Geschlecht, und ich glaube, was sie Liebe nennen, besteht zum großen Teil aus ihrem Bedürfnis, sich immer wieder davon zu überzeugen, daß sie noch kräftige und zuverlässig arbeitende Maschinen sind.

Übrigens besserte sich Kurts Zustand sehr rasch. Er heilte — wie mein Großvater zu sagen pflegte — so schnell wie ein Eidechsenschwanz. Eine Woche später war er fast normal, nett, ruhig und vernünftig. Wir verbrachten sozusagen Flitterwochen miteinander, indem wir aus dem Turmzinnen-Schlafzimmer nach Dethfurth, in Schwiegervaters Jagdhütte, flüchteten. Was er Jagdhütte nannte, war in Wirklichkeit nicht mehr als eine kleine

Hütte unter den Fichten, das Überbleibsel eines alten Bauernhauses, vier weißgetünchte Wände mit schwarzbraunen Eichenbalken um einen einzigen Raum. In dem großen gemauerten Herd unterhielten wir ein Holzfeuer, während draußen der Schnee fiel — denn mit dem kurzen, vorzeitigen Frühlingswetter war es wieder vorbei. Wir waren sehr glücklich. Die Nächte waren lang, und ich war erfüllt von einer tiefen, gelösten Zärtlichkeit für meinen Mann. Nach einer Woche hatte er wieder gelernt, in einem Bett zu schlafen, und hier gab es keine Straßenbahn ...

Aber noch war sein Urlaub nicht zu Eende, als er schon wieder nicht mehr erwarten konnte, an die Front zurückzukehren. Die Heeresleitung hatte große Vorbereitungen zu einer Generaloffensive getroffen, die im Frühjahr die Entscheidung bringen sollte, und jedermann war davon überzeugt, daß die französische Front zusammenbrechen und der Krieg sehr bald aus sein werde.

Manfred Halban fiel Anfang April, gerade um die Zeit, als ich die Feststellung machte, daß ich wieder schwanger war.

Im Frühling 1918 war es fast so wie zu Kriegsbeginn, denn es gab jeden Tag große Siege. Wir hatten alle die Empfindung, es handle sich jetzt nur noch darum, daß wir uns zusammenrissen und noch ein paar Wochen durchhielten. Dann würde der Krieg aus sein, und wir würden gesiegt haben. Wir waren so voll Zuversicht und Mut, daß es uns schien, als hätten wir schon lange nicht so viel zu essen und so wenig Hunger gehabt. Hatten wir uns jemals über etwas beklagt? Es wäre ja lächerlich gewesen, über die unbedeutenden Entbehrungen und Opfer überhaupt ein Wort zu verlieren. Es war nicht kalt, und die Sonne schien über die Heide im Süden der Stadt. Die Marschen im Nordosten waren gelb von Hahnenfuß, die Welt war schön. Dann hörten nach einiger Zeit die Siege wieder auf, und die Frontberichte verfielen wieder in die alte Leier: Nichts Neues vor Verdun. Wir hatten wieder Hunger. Den ganzen Sommer gingen überall unbestimmte Gerüchte um, aber keiner sagte uns, daß wir den Krieg verloren hatten. So wurde es Herbst.

Als ich an einem grauen Novembermorgen die Treppe hinunterging, hielt mich der Portier an. »Ich an Ihrer Stelle würde nicht ausgehen, Frau Hauptmann«, sagte er. Er hielt einen Besen in der Hand, fegte aber die Treppe nicht.

»Warum nicht?« fragte ich überrascht.

»Nur so. Heute nicht. Ich würde zu Hause bleiben. Es ist sicherer«, sagte er mit einer geheimnisvollen Miene, die mich beunruhigte.

»Ich muß wegen der Lebensmittelkarten ins Rathaus«, sagte ich. »Eigentlich hätte ich gestern schon hingehen sollen.«

»Warum schickt Frau Hauptmann nicht die Elisabeth? Ich würde Ihnen raten, die Elisabeth hinzuschicken. Ihr wird niemand etwas tun«, sagte er.

»Mir wird auch niemand etwas tun. Elisabeth hat Grippe und liegt«, sagte ich. »Ich fürchte, die Frau Oberinspektor kriegt sie auch. Überhaupt — warum soll man denn nicht ausgehen?«

»Weiß Frau Hauptmann nicht, was los ist?«

»Die Zeitung ist heute morgen nicht gekommen. Was ist denn los? Haben wir eine Schlacht gewonnen? Oder sind Unruhen in der Stadt?« Es gab ab und zu Unruhen. In den Industriebezirken jenseits des Flusses hatte es auch Streiks gegeben. Ein paarmal hatte der Pöbel die Bäckereien des Armenviertels gestürmt und das ganze Brot fortgeschleppt, das übrigens zu einem Drittel aus undefinierbaren Stoffen bestand. Vor kurzem hatte man sogar vor dem Rathaus an der Brücke Maschinengewehre aufgestellt, um die aufrührerischen Elemente zu warnen. Aber von solchen Unruhen drang nur ein gedämpfter Lärm in die Riede.

»Unruhen?« sagte der Portier. »Nein, nicht gerade das, Frau Hauptmann. Aber der Krieg ist aus.«

»Der Krieg ist aus? Was heißt das: Der Krieg ist aus? Er kann doch nicht von einem Tag zum andern aus sein?« rief ich aus. »Haben wir ihn gewonnen?«

»Nein. Man hat bloß aufgehört zu kämpfen«, sagte der Mann. »Und jetzt ist Revolution.«

»Wollen Sie sagen, daß wir Frieden haben?« rief ich. »Ist es wahr? Oder ist es wieder nur ein Gerücht?«

»Jawohl, wir haben Frieden«, antwortete er. »Der Krieg ist aus, und die Revolution ist da. An Ihrer Stelle, Frau Hauptmann, würde ich nicht auf die Straße gehen.«

Ich schob ihn zur Seite und ging meines Weges. Ich war wie vor den Kopf geschlagen. Ich konnte nicht mehr richtig denken. Die Straßen sahen nicht anders aus als sonst. Dieselbe alte Dame, die ich jeden Morgen sah, führte ihren Hund von Laterne zu Laterne, dieselben Kinder trabten in Holzschuhen zur Schule. Derselbe Schornsteinfeger kam an mir vorüber, mit einem lustigen Gesicht unter der Rußschicht. Ich ließ ihn rechts vorbei, denn das bringt Glück. An der Ecke nahm ich die Straßenbahn und verlangte einen Fahrschein nach dem Rathaus. »Ich weiß nicht, ob Sie heute durchkommen«, sagte die Schaffnerin, während sie den Fahrschein knipste, »Sie können's ja versuchen.« Das war alles. Niemals hat die Welt eine ruhigere und ehrbarere Revolution gesehen als die deutsche. Und niemals eine, die so verpufft ist.

An der Brücke standen die Maschinengewehre wie immer, rundherum eine Gruppe bärtiger Soldaten in zerfetzten grauen Uniformen. Am Arm trugen sie rote Binden. Auch ein paar Matrosen waren dabei. Alle waren in ihrer derben Art freundlich und gutmütig und bereit, jedermann alle gewünschten Auskünfte zu erteilen. Alte und Junge hatten einen Kreis um die Soldaten gebildet; ganz vorn standen die zerlumpten Proletarierkinder des Bezirks, eifrig dabei und neugierig, manche mit Soldatenmützen auf den ungekämmten Haaren. Von den sogenannten besseren Leuten sah ich niemanden in dem Gedränge. Ich selbst hatte nicht das Gefühl, zu diesen besseren Leuten zu gehören, und wirkte wohl auch nicht so. In meinem Zustand sah ich aus wie eine Telegrafenstange, an der man einen Sack angebunden hat. Nach und nach nahmen die Gerüchte festere Form an: Ja, der Krieg ist aus. Die Soldaten haben aufgehört zu schießen, zuerst die Marine und dann die Armee. Hindenburg ist tot. Der Kaiser hat sich mit allen seinen Söhnen umgebracht. Unsre Männer werden bald nach Hause kommen, und jeder wird wieder genug zu essen haben. Nein, man braucht keinen Passierschein, um nach dem Rathaus durchzukommen. Jeder kann jetzt tun, was er will. Freiheit. Das Wort klang wie Glockenläuten. Wir waren frei. Der Krieg war aus. Wir hatten Frieden, wir waren frei, die Ämter im Rathaus arbeiteten wie gewöhnlich, ich bekam meine Marken einschließlich der Extramilchration für Martin und mich, da ich im neunten Monat war. In den ersten Stunden war es kaum möglich, die volle Bedeutung von alldem zu erfassen. Die Leute, die nach ihren Marken Schlange standen, tauschten die sonderbarsten Ansichten aus. Sie waren glücklich und machten unaufhörlich Späße. Deutschland würde wohl eine Republik werden. Man hatte den Eindruck, daß eine Revolution das beste war, was uns hatte passieren können. Es schien, daß wir den Krieg verloren hatten. Darum kümmerte sich niemand. Niemand begriff, was das zu bedeuten hatte. Niemand vergoß eine Träne um Kaiser und Hindenburg. Niemand konnte sich eine Vorstellung davon machen, wie es zu diesem plötzlichen Frieden gekommen war, keine Vorstellung davon, wie sich die Zukunft gestalten würde. Wenn man bei einem Grubenunglück verschüttet wird und durch ein Wunder lebend herauskommt, fragt man nicht, was für Wetter draußen ist. Dieses Gefühl hatten wir alle.

Das ist es, wofür Walter Brandt gekämpft hat, dachte ich auf dem Heimweg. Für eine bessere Welt. Für ein freies Land. Für ein freies Volk. Für eine Republik. Wenn er doch diesen Tag hätte erleben dürfen! Es wird für jedermann Lebensmittel geben. Schulen, Universitäten und Bildung für alle. Theater und Konzerte für jeden, der dazu Lust hat. Vielleicht wird das Geld überhaupt abgeschafft. Ich war davon fast überzeugt. Keine Armut und kein Reichtum mehr. In was für eine wunderbare Welt kommt mein Kind! Das war mehr als ein gewonnener Krieg, oh, unvergleichlich mehr. Ich sah weiße Säulen aus der Heide emporsteigen wie griechische Tempel, sah fröhliches Volk im Sonnenschein tanzen, und eine mächtige Musik erhob sich, ein Gesang von Frieden und Freiheit, überwältigend schön. Ich schwebte auf Wolken, als ich nach Hause kam. »Der Krieg ist aus!« rief ich, als ich in Irmgards Zimmer stürzte. »Kurt kommt wieder! Vielleicht ist er wieder da, bevor unser Kind auf die Welt kommt. Bist du nicht glücklich?«

Der alte Herr Tillmann saß in der Nähe der Tür und hielt ein Gewehr quer über seinen Knien, bereit, jeden Eindringling niederzuschießen. Er hatte zwei Orden aus der alten Zeit an seinen Rock geheftet. Sein Gesicht trug den Ausdruck finsterer Entschlossenheit, sogar seine Schnurrbarthaare standen in die Höhe — wie die Borsten eines wütenden Ebers. Männe saß wachsam zu seinen Füßen, zu jeder Jagd bereit, auf die Herrchen etwa verfallen sollte. Irmgard stand, in tiefe Trauer gekleidet, am Fenster und blickte hinter den schweren Vorhängen auf die Straße hinunter. Sie war grau im

Gesicht, und ihre beginnende Grippe äußerte sich in einer Schnupfennase. Die beiden starrten mich verständnislos an.

»Glücklich? Ich verstehe nicht, was du damit sagen willst, Maria«, sagte der alte Herr. »Dies ist eine Stunde tiefster Erniedrigung. Es ist das Ende Deutschlands. Und du bist glücklich?«

»Ich kann mir nicht helfen. Ich bin glücklich. Der Krieg ist aus, das ist alles, was ich weiß. Und du wirst sehen, Vater, jetzt wird in Deutschland alles schöner werden. Freust du dich denn nicht auch, daß Kurt nach Hause kommt?«

»Wie ich meinen Sohn kenne, wäre er lieber tot als besiegt«, sagte der Alte. »Was mich angeht, so schmerzt es mich, diesen Tag erleben zu müssen.«

»Oh«, sagte ich bestürzt, »wir scheinen einander nicht zu verstehen.«

»Nein, wahrhaftig nicht. Wir haben uns nie verstanden«, warf Irmgard plötzlich ein. »Aber was ich auch von dir gedacht habe, nie hätte ich es für möglich gehalten, dich in einem solchen Augenblick auf der Seite der Verräter zu finden, der Kommunisten, des Auswurfs! Mein armer Bruder!«

Ich hatte sie nie zuvor so aufgeregt gesehen. Ihre blassen Augen funkelten, und ihre Hände zitterten. Die ganze Szene war so lächerlich, und die großen Worte kamen mir mit einemmal so komisch vor, daß ich laut auflachen mußte. Die in den letzten Monaten aufgestauten Ängste und Spannungen schossen in mir hoch und entluden sich in einer Explosion in meiner Kehle. Ich konnte nicht aufhören zu lachen. Ruhig, Mädchen, ruhig! sagte ich zu mir. Jetzt werden wir hysterisch. Ich holte tief Atem und versuchte mich zusammenzunehmen. »Du Österreicherin!« sagte Irmgard. Es klang wie: Du Stück Dreck! Sie kam auf mich zu und blieb so unvermittelt vor mir stehen, daß ich einen Augenblick lang glaubte, sie wolle mich schlagen. Aber sie gab nur einen unverständlichen Laut von sich und rauschte an mir vorbei aus dem Zimmer. Das ernüchterte mich. »Es tut mir leid. Verzeih mir, Vater!« sagte ich. »Ich glaube, ich habe kein Verständnis für feierliche Tragödien.«

»Du scheinst ganz zu vergessen, daß meine Tochter in diesem Krieg zwei Söhne und ihren Mann geopfert hat«, sagte der Alte. »Geopfert wofür? Um das Land zu retten, um uns zu helfen, den Feind zu besiegen. Um unsere ruhmreichen Traditionen hochzuhalten. Nicht aber, um einer Horde von Verbrechern und Meuchelmördern den Weg zu ebnen. Ach, so viel Opfer an Menschenleben – und dann so ein Ende! Aber mögen sie nur kommen, mögen sie kommen! Lebendig kriegen sie mich nicht. Ich werde jeden, der es wagt, mich zu berühren, wie einen tollen Hund niederschießen.«

Ein paar Tage lang schlossen sich die beiden in ihre Zimmer ein und behandelten mich wie eine Verbrecherin. Sogar die alte Elisabeth, die mit hohem Fieber in ihrer Mansarde lag, sprach nur widerstrebend mit mir, wenn ich zu ihr kam, um ihr die Suppe oder die Medizin zu bringen. Mit Martin und dem ungeborenen Kind in meinem Schoß repräsentierte ich im Hause die Revolution. Nur der Portier, der es mit keiner der beiden Parteien verderben wollte, war nett zu mir und wurde sogar vertraulich, er hatte sichtlich jeden Respekt vor mir verloren. Er sagte nicht mehr: Frau Hauptmann; da ich nichts gegen die Kommunisten hatte, war ich nun eine einfache Frau Tillmann für ihn.

Allmählich begann sich die Verwirrung, die betäubende Überraschung, die wir Revolution nannten, ein wenig zu klären. Wir hatten keinen Frieden, sondern nur einen Waffenstillstand, der jeden Augenblick wieder zu Ende sein konnte. Der Kaiser hatte nicht Selbstmord begangen, sondern war geflüchtet. Hindenburg war nicht tot, sondern versuchte unverdrossen und zuverlässig wie immer seine Armeen in die Heimat zu führen; und die Soldaten achteten ihn und gehorchten ihm wie früher, trotz der Meuterei. Arbeiter- und Soldatenräte schossen wie Pilze aus dem Boden und gaben Manifeste, neue Gesetze und Versprechungen heraus. Wir erfuhren, daß es die Spartakisten waren, die den Krieg beendet, das Land gerettet hatten und es nun regierten — was für Leute das eigentlich waren, wußte niemand genau. Erst nach vielen Jahren begriff ich, daß der Boden für diese armselige Pseudorevolution durch wohlorganisierte unterirdische Arbeit vorbereitet worden war und daß eine Revolution ebensoviel systematische Organisation erfordert wie ein Krieg. Alles in allem war es eine höchst interessante Zeit, und ich lernte eine Menge über die Anpassungsfähigkeit der menschlichen Natur. Mein Schwiegervater schoß niemanden nieder, sondern begann unter den neuen Männern nach alten Bekannten zu suchen. Nach Leuten, die ihm verpflichtet waren, nach irgendeinem armen Teufel, den er als Amtsgerichtsrat in Dethfurth gut behandelt hatte. Wenn das jetzt die herrschende Klasse war, dann war es wohl gescheiter, sich mit ihnen zu verständigen. Andrerseits hatten die Arbeiter- und Soldatenräte zuwenig Erfahrung, um das Steuer übernehmen zu können. Sie wollten zwar Ordnung, fürchteten aber die Verantwortung. Deshalb beließen sie die konservativen alten Beamten des kaiserlichen Regimes im Amt; dankbar schüttelten sie ihnen die Hände und fühlten sich durch ihre Mitarbeit geehrt. Alles kam ganz anders, als man es erwartet hatte. Unsere Helden — die Offiziere, die allmählich in die Heimat zurückkehrten, nahmen sich nicht das Leben, wenn ihnen die Achselstücke heruntergerissen wurden. Im Gegenteil: es gab viele, die sie sich seelenruhig selber sauber abtrennten, um Unannehmlichkeiten auf der Straße zu vermeiden. Auch träumten sie nicht davon, eine Gegenrevolution ins Werk zu setzen. Sie waren des Kämpfens und Mordens müde. Alles, was sie wollten, war Ruhe, Erholung und Entschädigung für die verlorene Jugend. Heiraten, tanzen, trinken — und vergessen, daß sie durch alle Höllen eines Weltkriegs gegangen waren. Und das Erstaunlichste war, daß die Armen nicht — wie sonst bei Revolutionen — die Reichen umbrachten. Sie brachten nur solche um, die ebenso arm waren wie sie selbst. Da waren sie wieder, meine alten Freunde von F 12; der linke Flügel und der rechte Flügel und die Mitte des Sozialismus. Unabhängige Sozialisten und gemäßigte Sozialisten; die Spartakisten, die Kommunisten, die Radikalen und die gemäßigten Radikalen. Da waren sie, unfähig, sich zu verständigen. Sie kämpften um die Herrschaft über Deutschland wie verhungerte Hunde um einen Knochen. Was in dieser Zeit und in den folgenden Jahren an ernsten Schießereien vorkam, geschah zwischen Sozialisten und Kommunisten, und wenn es damit endete, daß Hitler kam, nun, so glaubte ich bisweilen: sie hatten es verdient.

Eines Tages geriet ich selbst in eine kleine Schießerei, als ich Martinchen ein bißchen an die Luft führte. Ich hatte eine große rote Schleife an den Kinderwagen gebunden, und alles ging recht gut; aber auf dem Heimweg befand ich mich plötzlich zwischen zwei schießenden Gruppen. Schreiende, kreischende Menschen rannten vorüber. Manche zeigten auf ein Dach und schrien, dort oben seien Maschinengewehre aufgestellt. Es gab einen merkwürdigen, prasselnden Lärm, wie ich ihn noch nie gehört hatte, und dann sah ich zwei Männer vor mir zu Boden fallen und ausgestreckt auf dem Gehsteig liegenbleiben. Ich rannte davon, suchte kopflos nach einem Schutz wie eine Maus nach einem Loch; aber mit einemmal sah ich hinter jedem Haustor und jedem Fenster schußbereite Männer. In solchen Augenblicken denkt man nicht viel. Ich fiel einfach in einen scharfen Galopp, den Kinderwagen, an dem die rote Schleife lustig flatterte, vor mir herschiebend, während Klein Martin vor Freude krähte, da doch das alles offenbar nur zu seiner Unterhaltung geschah. Es ist seltsam, wie unbedeutend einem eine Revolution erscheint, wenn man mittendrin ist. Das kommt daher, daß man nie das Ganze sieht, sondern immer nur den kleinen Bruchteil, von dem man persönlich betroffen ist. Auf dem Heimweg beschloß ich, von dem Zwischenfall nicht ein Wort zu sagen. Noch bevor ich unser Haus in der Riede erreicht hatte, war ich davon überzeugt, daß meine Panik ganz unbegründet gewesen war. Trotzdem sollte mir dieser Tag noch allerlei Komplikationen bringen.

Irmgards Erkältung hatte sich zu einer schweren Grippe entwickelt, und sie hatte sich widerstrebend zu Bett gelegt. Mein Schwiegervater ging im Zimmer auf und ab, hinter ihm Männe, dessen lange Dackelschnauze mit dem sichtbaren Ausdruck von Gram und Mitgefühl an seines Herrn Ferse geheftet war. Ich machte dem alten Herrn ein kleines Mittagessen, stahl etwas Hafermehl von Martins Ration und kochte für meine beiden Patienten eine Suppe. Irmgard lag mit dem Gesicht zur Wand und wollte nicht mit mir sprechen. Ich trug die Terrine in die Dachkammer hinauf. Es war ein erbärmliches Loch, wie alle Dienstzimmer in guten Häusern. Das Bett war in einen Winkel unter dem schrägen Dach gezwängt; es war kalt hier und zugig, und trotzdem war die Luft schal und verbraucht. Als ich die Treppe hinunterging, spürte ich, wie sich irgendwo in meinem Rücken ein Schmerz zusammenzog, den ich aber nicht zur Kenntnis nehmen wollte. Es war noch nicht die Zeit für das Kind: bis dahin waren es mindestens noch drei Wochen. Ich rief Dr. Mayer an, den alten getreuen Eckehard der Familie, er möchte doch mal kommen und sich Irmgard ansehen. Er versprach, bald da zu sein.

Eine halbe Stunde später rief er jedoch an und teilte mir mit, daß er nicht kommen könne. Man hatte nahe der Bahnkreuzung Barrikaden aufgebaut, wodurch die Verbindung zwischen dem Wrangelplatz, wo er wohnte, und unserem Viertel unterbrochen war. Es fanden wilde Kämpfe statt – ich verstand nicht recht, zwischen wem. Ich aß die Suppe, die Irmgard nicht angerührt hatte, aber kurz nachher revoltierte mein Magen und gab alles wieder her. Ich konnte mich über die Art meiner Schmerzen nicht länger täuschen, sie kehrten in immer kürzeren Zwischenräumen wieder. Das ist ja lieblich, dachte ich. Ich rief ein Krankenhaus nach dem andern an, um für mich ein Bett und für Irmgard eine Pflegerin zu bekommen. Es stellte sich heraus, daß unser nobles Viertel von der übrigen Stadt abgeschnitten und daß man nicht sicher war, ob ein Krankenwagen durchgelassen würde. Man versprach, das möglichste zu tun. Ich setzte mich hin und wartete. Die Schmerzen kamen alle fünf bis sechs Minuten; dieses neue Baby schien äußerst ungeduldig zu sein. Ich ging in Irmgards Zimmer, der alte Herr saß neben dem Bett und tat, als lese er in einer Zeitschrift. Irmgards Wangen glühten vor Fieber; die roten Flecken lagen wie aufgemalt auf ihrem grauen Gesicht. Sie lächelte nicht, aber es sah noch immer so aus, als ob sie lächle.

»Wie geht es dir, Irmgard?« fragte ich schüchtern.

»Ich habe sehr hohe Temperatur«, sagte sie mit klagender Stimme, als wolle sie mich und die Revolution dafür verantwortlich machen. Ihre Lippen waren trocken und aufgesprungen. Sie tat mir leid. »Was willst du von mir«, sagte sie. »Warum läßt du mich nicht in Ruhe?« Ich preßte die Hand gegen meinen Rücken und wartete, bis die nächste Welle vorüber war, denn man kann nicht sprechen, wenn man solch einen Schmerzkrampf hat. »Schau«, sagte ich dann, »es ist wirklich zu dumm – aber ich glaube, ich kriege das Kind und muß ins Krankenhaus. Ich werde sehen, daß du eine Pflegerin bekommst. Wenn alle Stricke reißen, muß eben Elisabeth aufstehen und sich um dich kümmern.«

Da klingelte es, und mein Schwiegervater ging schwerfällig zur Tür, um zu öffnen. Das Getrappel von Männes Pfoten auf dem nackten Fußboden des Korridors klang laut und fröhlich. Der junge Mann, der draußen stand, war ein Arzt, den das Krankenhaus in unserm Viertel aufgetrieben und zu mir geschickt hatte – denn es war kein Durchkommen bei den Barrikaden. Er schien erbarmungswürdig unerfahren und ängstlich. Bei Bauchschüssen oder anderen Kriegsverletzungen mochte er ausgezeichnet gewesen sein, aber ich zweifelte, ob er auch je etwas davon gehört hatte, wie Kinder auf die Welt kommen. Kaum hatte er mich zu Bett geschickt und den alten Herrn gebeten, in die Küche zu gehen und Wasser heißzumachen, als Irmgard und Elisabeth gleichzeitig erschienen. Beide hatten in großer Rührung das Bett verlassen, bereit, mir beizustehen. Allerdings schien es mir doch recht zweifelhaft, ob die beiden guten Samariterinnen, die in Wolken von Grippebazillen einhergingen, für mich und das Kind das Richtige waren. Aber, du lieber Gott, wie froh war ich doch, ihre ernsten, besorgten Gesichter zu sehen und Frauen um mich zu haben!

Es war geradezu ein Vergnügen gewesen, Martin zur Welt zu bringen. Aber dieses zweite Kind schleppte mich durch eine Hölle von Schmerzen und ließ sich Zeit dabei. Jede Minute war mir, als ginge mir ein Schlächtermesser durch und durch. Noch schlimmer war es, daß infolge der Revolution abends der Strom abgestellt wurde, und daß ich den ganzen Zirkus beim Flackerlicht dünner Kerzen und beim Schein einer Lampe durchmachen mußte, für die mein Schwiegervater bei Freunden in der Nähe das Petroleum zusammengebettelt hatte.

Mein junger Arzt vergoß Ströme von Angstschweiß, und ich mußte ihn trösten, sobald ich selbst eine Atempause hatte.

Das sah ihm ähnlich, dem kleinen Michael, zu früh auf die Welt zu kommen, mit dem falschen Ende voran, um ja alles so schwierig wie möglich zu machen – und so lange dazu zu brauchen und schließlich als lebloses, blaues kleines Etwas geboren zu werden, dem man erst verzweifelt den Atem entlocken mußte! Und das alles gerade während einer Revolution, als es kein Licht gab und das Knattern der Maschinengewehre die Nacht durchlöcherte.

FÜNFTES KAPITEL

Christopher hatte immer behauptet, man könne den Grauhorngletscher in Pantoffeln begehen; er nannte die Tour einen kleinen Vormittagsspaziergang. Es war so ein Gletscher, auf den die Bergführer ihre Sonntagstouristen mitnahmen, damit sie zu Hause etwas zu renommieren hatten: ein großes Abenteuer mit wenig Gefahr. Wo der Steig den Kamm des Kees erreichte, blieb Marion stehen, um auf den Gletscher hinunterzuschauen und das Terrain zu überblicken. Die Freude am Erklettern des Kamms war ihr durch die Enttäuschung, daß sie Christopher noch nicht eingeholt hatte, fast verdorben. Es ist schwer, mit Vierundvierzig einen Neunundzwanzigjährigen einzuholen, entschuldigte sie sich in Gedanken; Christopher schien auf einer Bergtour immer so langsam zu gehen, daß es beinahe komisch aussah, aber irgendwie ließ er dann doch alle hinter sich und nahm mit seinem leichten Schritt alle Hindernisse und Schwierigkeiten, als ob sie gar nicht da wären. »Er erklettert Berge, wie Heifetz Violine spielt«, hatte Michael kürzlich von ihm gesagt.

Nirgends in der Welt ist das Schweigen so tief wie in den Bergen, Marion sah auf ihre emsig tickende Armbanduhr. Es war zehn Minuten nach drei. Sie wischte sich den Schweiß vom Gesicht und hörte ihren Atem als lautes Geräusch; wenn sie die Luft ausstieß und einzog, war ein schwacher, kratzender Schmerz in ihrer Luftröhre. Unten zog sich der Gletscher wie ein sanft geschwungener Fluß aus Eis hin, der in einem Bogen um den trotzigen, massiven Kegel des Grauhorns herumfloß. Der Schatten des Kees teilte den Gletscher scharf in zwei Teile. Diesseits war ein kaltes Blau und jenseits, wo das Sonnenlicht mit voller Wucht eine verwitterte Oberfläche traf, ein goldenes, blendendes Weiß. Sobald sich Marions Augen an den grellen Widerschein dieser Eismasse gewöhnt hatten, entdeckte sie einen schwarzen Punkt, der sich langsam in der schattigen Bläue vorwärtsbewegte. Christopher, Chris, Liebster, dachte sie selig. Sie holte tief Atem und machte einen ihrer erfolglosen Versuche, zu jodeln. Es war eine Kunst, die sie nie hatte lernen können. Es klingt, als wenn ein junger Hahn zu krähen versucht, dachte sie, und lachte über sich selbst. Als sie dann mit ihren Augen, die nicht mehr so jung und scharf waren wie einst, genauer hinsah, entdeckte sie noch eine Gestalt auf dem Gletscher und dann noch drei. Sie gingen hintereinander, höchstwahrscheinlich angeseilt. Sie sahen aus wie Fliegen, die auf einer Geburtstagstorte herumkrabbeln.

Der Steig, dem Marion bisher gefolgt war, lief den Grat entlang, und sie mußte ihn jetzt zum kurzen, steilen Abstieg nach dem Gletscher verlassen. Sie erinnerte sich an die zwei charakteristischen Felsbildungen, die den leichtesten Ausgangspunkt für die Überquerung des Gletschers und auch den besten Abstieg über die Moräne markierten. Als sich Marion dem Eisstrom näherte, wurde es fühlbar kalt. Sie blieb stehen, um in ihre Jacke zu schlüpfen und sich das Gesicht zum Schutz gegen den Schneebrand mit Zinksalbe einzureiben. Sie konnte es nicht erwarten, hinüberzukommen; sie hatte keine Angst davor, den Gletscher allein zu überqueren, lieber hätte sie es allerdings in Christophers Gesellschaft getan. Bei den letzten zwanzig Metern der Moräne kam sie ins Rutschen, Felsbrocken und Steine rollten ihr unter den Füßen weg und fielen in Sprüngen auf den Gletscher hinab. Marion fing sich auf und bekam Knie und Atem wieder in Gewalt. Sie fühlte sich ein wenig unsicher, als sie am Rand des Gletschers ankam, wo das Eis schmutzig und von graubraunen Rissen durchzogen war und aussah wie die Schnittfläche eines riesenhaften, alten verschimmelten Käses. Mit der automatischen Bewegung des geübten Bergsteigers griff sie nach dem Pickel, um ihn zur Hand zu haben, wenn sie das Eis prüfen und eventuell Stufen hineinschlagen mußte, und dann machte sie sich an die Überquerung. Der erste Teil des Gletschers, der im Schatten des Kees lag, war recht leicht. Es war das, was Christopher einen Spaziergang nannte. Die Touristen vor ihr hatten in der verharschten Oberfläche eine deutliche Spur hinterlassen, und Marion hatte nichts anderes zu tun, als dieser Fährte zu folgen. Sie beugte sich nieder, um unter den Fußspuren die von Christopher herauszufinden. Sie kannte die Abdrücke, die seine genagelten Stiefel hinterließen, und er kannte ihre Spuren. Das Nagelmuster war so eindeutig und leicht erkennbar wie ein menschliches Gesicht. Aber offenbar waren an diesem Tag allzu viele Menschen über den Gletscher gegangen; wirklich sah es aus, als wäre eine Elefantenherde über diesen Teil getrampelt. Marion richtete sich mit einem Seufzer auf und marschierte weiter. Aber dort, wo der Schatten des Berges aufhörte, erhoben sich Zacken und Kämme von Eis, zwischen denen sich schmale Spalten öffneten, und es war nicht ungefährlich, sich darüberzubeugen und in die unwirklich grünblaue Kristalltiefe zu schauen. Bevor sich Marion in die blendende Helle hinauswagte, nahm sie den Rucksack ab, um ihre Schneebrille hervorzusuchen. Sie kramte unter den wenigen Dingen, die sie mitgenommen hatte, konnte aber die Brille nicht finden. Plötzlich erinnerte sie sich, wo sie sie gelassen hatte. Sie lag zu Hause auf dem Balkon, wo sie sie bei dem ersten Sonnenbad des Jahres benutzt hatte. »Verflucht und zugenäht«, murmelte sie, denn das war ein übler Anfang. Sie blickte über die gleißende, glitzernde Eisebene und fragte sich, wie sie ohne Schneebrille hinüberkommen sollte. Ach, es wird schon gehen, dachte sie. Zwanzig Minuten Unbehagen, das ist alles. Sie zog die Krempe ihres alten Filzhutes über die Augen und wagte sich in den blendenden Glanz hinaus. Sie bewegte sich vorsichtig und langsam weiter, auf den Kämmen balancierend, die oft kaum breiter waren als ihre Schuhe. Sie liebte ihre genagelten Bergstiefel, wie man ein altes treues Haustier liebt. Sie verließ sich darauf, daß sie sie sicher über den Gletscher zu Christopher bringen würden. Bei jedem Schritt spürte sie, wie die Nägel ins Eis griffen und ihr einen sicheren Halt gaben. Von Zeit zu Zeit blieb sie stehen, um sich mit dem Pickel einen bequemen Weg in die Eisfläche zu hauen. Bald waren die beiden Blasen an ihrer rechten Hand aufgegangen, und es bildeten sich neue. Von Zeit zu Zeit mußte sie anhalten, ihre Füße fest ins Eis stemmen und die überanstrengten Augen schließen, um sie ein wenig auszuruhen. Einmal legte sie den Kopf weit in den Nacken, um nach dem Grauhorn hinaufzuschauen. Es war ein schöner Berg, dunkel und gewaltig, wo seine Flanke vom Schrund am Gletscherrand aufstieg, aber hell, fast durchscheinend, wo sein Gipfel in den tiefblauen Himmel stach. Auf der höchsten Spitze saß kokett ein Wölkchen, das in zehn verschiedenen Schattierungen von Gold leuchtete. Der erbarmungslose Glanz des Gletschers blendete Marions Augen, der Himmel erschien ihr fast schwarz, und der Schnee dort oben war nicht mehr weiß, sondern von einem unwirklichen Flamingorosa. Auch wenn sie die Augen schloß, blieb dieses Rosa hinter den Lidern, und sie fühlte das Blut heftig darin pulsieren.

Einmal, als sie eine hohe Eisspitze umgangen hatte, war sie plötzlich ganz sicher, daß die dunkle Gestalt, die sich da vorn über den Gletscher bewegte, Christopher war. Um einen festeren Halt zu haben, stammte sie den Pickel gegen die Eiswand neben sich, legte die hohle linke Hand vor den Mund und rief langgezogen seinen Namen, wie es die Sennen tun, wenn sie einander rufen. Der Ruf kam in fünffachem Echo zurück. Sie rief noch einmal. Die kleine schwarze Gestalt blieb stehen. Marion rief ein drittesmal. Die kleine schwarze Gestalt antwortete mit einem Jodler, der vertraut klang. Es muß Christopher sein, dachte sie glücklich. Ich werde warten, bis er zurückkommt, um mich zu holen. Erst jetzt kam ihr zum Bewußtsein, daß sie müde war, daß sie sich auf ihre Augen, die durch die Überanstrengung geschwächt waren, nicht verlassen konnte und daß sie Angst hatte, den Aufstieg zur Arlihütte allein zu machen. Die Überquerung des Gletschers war leicht, aber da, wo es wieder hinaufging, kam noch ein Kamin, und es war ihr nicht recht klar, wie sie ohne Begleiter und ohne Seil damit fertig werden sollte. Sie wartete, rief und wartete wieder. Dann sah sie, daß Christopher — wenn es Christopher war — keine Miene machte, umzukehren. Die kleine schwarze Gestalt kroch stetig vorwärts, verschwand hinter einem Grat und war außer Sicht. Marion seufzte und ging weiter. Ich kann immer noch auf den Führer warten und ihn bitten, mir bei dem Kamin zu helfen, dachte sie bei sich. Der Schatten des Kees begann sich auszubreiten wie dünne blaue Tinte auf Löschpapier. Das war ihr nur angenehm. Der Sonnenglanz war sehr lästig, und auf dem sonnenbestrahlten Teil des Gletschers lief man immer Gefahr, auf brüchiges Eis zu kommen.

Weltgeschichte und persönliches Erlebnis sind zweierlei. Wir alle wissen, was 1918 geschehen ist, was am Versailler Vertrag falsch war und daß in ihm schon der Keim zu Hader, zu Schwierigkeiten ohne Ende und zu einem neuen Krieg gelegt worden ist. Wir haben darüber gelesen, man hat es uns immer wieder gesagt und gelehrt, und Meere von Druckerschwärze sind dafür vergossen worden. Die Dinge aber, an die ich mich erinnere, sind nur drollige Kleinigkeiten. Ein Flickwerk. Bruchstücke von farbigem Glas, die nicht einmal ein Kaleidoskop bilden.

Wir hatten zum Beispiel das Gefühl, daß alle Wände schiefstanden und auf uns fallen wollten. Ich weiß nicht, warum wir alle diesen Eindruck hatten. Man ging durch eine Straße, blickte zu den Häusern hinauf und sah, daß sie nicht aufrechtstanden. Es war, als hätte ein Erdbeben sie aus ihrer senkrechten Lage geschüttelt. Die Welt, in der wir lebten, stand kopf. Die Maler versuchten sie zu malen, die Dichter versuchten sie zu beschreiben, und das Ganze nannte man Expressionismus.

In den Wohnungen war es kalt, auf den Straßen war es dunkel. Nur jede dritte Straßenlaterne durfte brennen; an den beiden andern waren die Brenner ausgeschraubt. Sie sahen aus wie feldgraue Soldaten ohne Kopf, die die Straße entlangmarschierten. Last- und Lieferwagen machten ein Höllengetöse, weil keine Gummireifen mehr zu haben waren und man statt dessen eine Art Spiralfeder um die Räder wickelte, um den Stoß zu dämpfen. Wenn man zum Zahnarzt ging, um sich eine Goldplombe machen zu lassen, mußte man Großmutters Goldbrosche mitbringen. Aber Großmutters Goldbrosche hatte man schon längst dem Vaterland geopfert, und so stopfte einem der Zahnarzt etwas in die Zähne, das wie eine Taschenlampenbatterie schmeckte und sich auch genauso benahm. Gott weiß warum. Es gab weniger Lebensmittel denn je, weil jetzt die Männer miternährt werden mußten. Die Stadt war voll von verstümmelten Soldaten, und die Bürgersteige waren mit Bettlern besäumt, die nicht baten, sondern forderten.

Erinnerst du dich an die kleine Tragikomödie mit dem amerikanischen Speck? Ich weiß nicht mehr, ob wir ihn als Gabe aus den Vereinigten Staaten bekommen haben, oder ob wir dafür in Gold zahlen mußten. Aber er war da, der eingesalzene amerikanische Speck, in einem Land, das seit Jahren kein Fett gesehen hatte. Die Amerikaner, die ihren Speck gern zum Frühstück essen und die uns bedauerten, hatten wohl die gute, menschenfreundliche Idee, recht viel davon nach Deutschland zu schicken, um uns das zu geben, was wir am dringendsten brauchten. Es war das einzige, was für jeden von uns erschwinglich war, und wurde frei verkauft. Aber, mein Gott, wie haßten wir die Amerikaner dafür! Ihr Speck hatte nicht die geringste Ähnlichkeit mit unserm Speck. Bis er zu uns kam, war er ranzig geworden und schmeckte so salzig wie das Tote Meer. Freilich hatten wir keine Möglichkeit, ihn frisch zu erhalten; keine Kühlanlagen, weder in den Lagerhäusern noch auf den Eisenbahnen und erst recht nicht im Privathaushalt. Millionäre mögen einen solchen Luxusgegenstand, wie es ein Eisschrank war, besessen haben – aber die Millionäre hatten es nicht nötig, diesen ekelhaften Speck zu essen. Er wurde von Tag zu Tag ranziger; manche wußten gar nicht, daß man Speck braten kann, und niemand sagte es ihnen. Sie kochten ihn in Wasser und versuchten ihn in großen Brocken hinunterzuwürgen. Er schmeckte schlecht und kam wieder hoch. Dann kam jemand auf den Gedanken, ihn mit Borsäure zu behandeln, um ihn besser zu konservieren. Nun schmeckte er ganz grauenvoll; wir schluckten ihn mit Todesverachtung hinunter, aber wieder kam er hoch, und wir fluchten über die Amerikaner. Dieses Zeug kam gleich nach Viehfutter und Hundefraß und war das Abscheulichste, das wir essen mußten, um uns irgendwie am Leben zu erhalten.

Im Jahre 1918 haßte jeder jeden. Die Armee, die an der Front gekämpft hatte, haßte die Marine, die all die Zeit nichts getan und zum Schluß gemeutert hatte. Die Frontkämpfer haßten die ›Heimkrieger‹, die es verstanden hatten, zu Hause zu bleiben. Die Sozialisten haßten die Kommunisten und umgekehrt. Sie knallten sich gegenseitig die führenden Köpfe ab, so daß sie kopflos zurückblieben wie jene Straßenlaternen. Natürlich haßte der entthronte Adel die neue Ordnung. Die Intelligenz, Deutschlands Rückgrat, haßte die Arbeiter, die dreimal soviel Geld verdienten wie Rechtsanwälte, Lehrer und Wissenschaftler. Die Arbeiter haßten die Intelligenz wegen ihres verbohrten Kulturdünkels. Die Reichswehr haßte die Polizei. Die Polizei, die erst ›Sipo‹, dann ›Schupo‹ hieß, hatte mit Haß in den eigenen Reihen zu tun. Und jedermann haßte die ›Raffkes‹, die sich die Bäuche füllten, die in wohlgepolsterten Autos fuhren und ihre Weiber an Diamanthalsbändern herumzeigten.

Die ganze Zeit gab es Unruhen, Streiks, Straßenkämpfe, Mord und Totschlag. Immerhin, wir hatten sozusagen Frieden.

Was mich anlangt, so hatte ich damals mein eigenes Problem, ein quäkiges, um das liebe Leben ringendes Fünfeinhalbpfundproblem. Michael war vom ersten, widerstrebenden Atemzug an ein schwieriges Kind. Er mußte mit Wärmflaschen am Leben erhalten werden und war jämmerlich klein. Aber er blieb am Leben, mit der hungrigen, drängenden Begierde aller kleinen Kreatur, die sich in dem alles beherrschenden Lebenswillen konzentriert.

Michael erinnerte in seinem Äußeren an die Figuren El Grecos. Alles an ihm war lang und überstreckt, als hätte ich mich während der Schwangerschaft in die Hahnenstädter Gotik versehen. Und doch war der alte Herr Tillmann außerordentlich stolz auf den Jungen und fand ihn überaus wohlgestaltet. »Sieh dir mal den kleinen Schelm an«, sagte er. »Sieh mal die Schädelform — ein echter nordischer Langschädel!« Ich hörte diesen Ausdruck, der später zu einem so peinlichen Schlagwort werden sollte, zum erstenmal und war verblüfft. Der alte Herr Tillmann sah mich von unten bis oben an und nickte, sichtlich zufrieden, daß ich nicht imstande gewesen war, die gute Tillmann-Rasse zu verderben. Eigentlich sonderbar, daß ich während der Schwangerschaft und auch noch nach Michaels Geburt keine Gewissensbisse, keine Angst hatte. Lange kam es mir gar nicht in den Sinn, daß er womöglich nicht Kurt Tillmanns Kind sein könnte. Ich hatte die flüchtige, gewichtslose Stunde mit Manfred Halban tief in den violetten Samtbeutel meines Unterbewußtseins gestopft, weg aus dem wachen, bewußten Leben. Für mich war es nichts andres gewesen als ein bißchen Menschenfreundlichkeit gegenüber einem kranken armen Teufel, der bald sterben mußte. Und er war so taktvoll und zurückhaltend gewesen und war für mich geradezu ein Fremder geblieben. Und als ich ihm am nächsten Morgen das Frühstück brachte und ihm adieu sagte, wurde kein einziges intimes Wort gewechselt.

»Adieu, Frau Hauptmann Tillmann, und vielen Dank für alles.«

»Adieu, Manfred, und alles Gute!«

Aus solchen losen Beziehungen entstanden doch keine Kinder — oder doch?

Michael war ein reizbares, nervöses, empfindliches, schwieriges Kind. Er weinte viel und hatte eine Art zu schluchzen, die einem ins Herz schnitt. Nicht wie ein kleines Kind, eher wie ein schwächlicher alter Mann. Immer war irgend etwas mit ihm los. Aus heiterem Himmel bekam er kurze, aber erschreckende Fieberanfälle, Krämpfe, Bauchschmerzen. Die ersten Zähne kamen wie eine schwere Krankheit, und dieselbe Aufregung wiederholte sich jedesmal, wenn wieder ein Zahn durchbrach. Michael blieb lang, mager und kränklich. Damit er ein bißchen an Gewicht zunahm, mußte ich alle Kniffe der Säuglingspflege anwenden, die ich im Kinderheim gelernt hatte.

»Ein Kriegskind«, sagte Dr. Mayer. »Das verliert sich später.«

»Das war doch zu erwarten«, sagte der Großvater. »Er ist ja während der Revolution geboren. Die ewige Angst und Aufregung. Das mußt du doch bedenken.«

Irmgard grub vergessene Erinnerungen an die Zeit aus, als mein Mann noch Säugling war. Offenbar hatte auch er damals an Leibschmerzen und kleinen Fieberanfällen gelitten. Sie zeigte mir seine verblaßten Kinderfotos, und alle waren sie glücklich über die auffallende Ähnlichkeit. Irgendwie sahen sich alle Säuglinge ähnlich — so wie sich angeblich auch die Chinesen ähnlich sehen. Aber nicht für den, der die Chinesen oder die Säuglinge kennt. Ich hatte im Kinderheim gelernt, die starken Unterschiede zwischen den kleinen Persönlichkeiten zu erkennen. Nein, ich fand nicht, daß Michael seinem Vater oder auch nur seinem Bruder ähnlich sah. Ich fand, er sei viel schöner, aus einem feineren Stoff gemacht als die Tillmanns. Er kam mit einem rötlichen Haarschopf über der Stirn zur Welt. Dann kam eine Zeit, wo er ein kahlköpfiger, kleiner, alter Mann war, und dann wuchs ihm der feinste, reizendste Pelz von weißer Seide. Seine Augen waren groß, seine Wimpern dunkel und lang; das verlieh ihm einen melancholischen Blick, wie ihn junge Affen zuweilen haben. Die langen Wimpern hatten Manfred Halban den weichen, flehenden Ausdruck gegeben.

Mitten in der Hungersnot geboren, zeigte Michael eine fast arrogante Gleichgültigkeit gegen Essen. Dagegen wollte er immer Gesellschaft haben. Er hatte Geltungsbedürfnis. Er brauchte Zuschauer und wollte nur essen, schlafengehen oder mit seinen Spielsachen spielen, wenn er wußte, daß ihm jemand dabei zusah.

»Er gibt Vorstellungen wie ein Schauspieler«, sagte Elisabeth.

Ich blieb wie angewurzelt stehen, die Milchflasche in der Hand. Wie ein Schauspieler. Ich glaube, es war das erstemal, daß mir der Gedanke durch den Kopf fuhr. Michael war damals sieben Monate alt. Wochenlang dachte ich darüber nach, und dann faßte ich einen Entschluß.

In der Frage, wie man ein anfälliges Kind großzieht, hatte ich zu Dr. Mayer nicht allzu viel Vertrauen. Als Michael im August bei einer gewöhnlichen Erkältung unverhältnismäßig hohes Fieber bekam, sagte ich mir, daß etwas geschehen müsse. In der Riede gab es nur zwei gute Kinderspezialisten, aber wenn ich zu einem von ihnen ging, konnte ich sicher sein, daß er mich erkennen oder durch irgendeinen Tratsch herauskriegen würde, wer wir waren — Michael und ich. Ich wickelte den Jungen ein, packte ihn in den Kinderwagen und zog los — über die Brücke, ins Armenviertel, zum Rathaus, wo man eine Mütterberatungsstelle eingerichtet hatte, ähnlich wie in Bergheim. Das Warten zwischen andern Frauen auf den harten Bänken, der Anblick der belehrenden Bildplakate und der Säuglingsfürsorgestatistiken, die rings an den Wänden hingen, die Mischung von Armeleutegeruch und dem Geruch oft gewaschener Windeln, die mir gleich wieder vertraut war — das alles stimmte mich sentimental. Auch hier gab es einen weiblichen Arzt, aber nicht ein streitbares Mannweib wie Dr. Süßkind, sondern eine von den jungen, schlichthaarigen, gutgewachsenen Frauen meiner eigenen Generation. Ihr Name war Dr. Merz.

»Marion Sommer?« sagte sie mit einem Blick auf die Karte, die die Pflegerin ausgefüllt hatte. »Kein Vatername? Ein uneheliches Kind?... Schön. Was ist mit ihm los?... Bißchen Untergewicht, wie? Nervös? Nun, das sind sie alle, kein Wunder. Was bekommt er zu essen...? Gut. Es scheint, daß Sie recht gut für ihn sorgen.«

»Ich habe selbst als Kinderpflegerin gearbeitet«, sagte ich.

»Schön, weshalb sind Sie dann besorgt? Er hat eine kleine Erkältung, aber das hat nichts zu sagen. Im übrigen ist er kerngesund. Prächtiges Kerlchen.«

Michael starrte sie fasziniert an. Zur Abwechslung war er still. Ich glaube, es machte ihm Vergnügen, im Mittelpunkt des Interesses zu stehen.

»Sein Vater hatte etwas an der Lunge«, sagte ich. »Das heißt, er hatte eine weit fortgeschrittene Tuberkulose. Ich habe Angst, das Kind könnte etwas geerbt haben.«

»A so. Nein, nein«, sagte die Ärztin. »Nein, Tuberkulose ist nicht vererblich, soviel wir wissen. Aber ich würde den Vater nicht zuviel in die Nähe des Kindes lassen. Ich würde mich an Ihrer Stelle selbst von ihm fernhalten. Sie wissen, daß es in hohem Maße ansteckend ist, nicht wahr?«

»Der Vater starb vor der Geburt des Kindes«, sagte ich.

»Oh, so? Das tut mir leid. Aber vielleicht ist es für alle Beteiligten das beste. Warten Sie mal, ich werde Ihnen eine größere Milchration für den Jungen aufschreiben. Einen halben Liter täglich, ja? Und er soll so viel frische Luft und Sonne haben wie möglich. Lassen Sie ihn bei offenem Fenster schlafen, auch im Winter. Das wär's ja wohl.«

»Danke, Frau Doktor. Ich werde mich danach richten«, sagte ich, und eine Zentnerlast fiel mir vom Herzen. Ich nahm Michael auf den Arm; er schlug mich mit seinen kleinen Fäustchen ins Gesicht und krähte.

»Hören Sie«, sagte Frau Dr. Merz, während sie die Karte für mich aufschrieb. »Ich möchte den kleinen Kerl alle Monate einmal sehen. Es ist besser, ein bißchen aufzupassen.«

»Dann besteht nach Ihrer Meinung also doch die Gefahr, daß sich noch etwas zeigt?« fragte ich. Sie schrieb weiter, ohne mich anzusehen.

»Mein liebes Kind, jeder Mensch kann Tbc kriegen. Das brauche ich

Ihnen wohl nicht zu sagen«, antwortete sie. »Jedenfalls müssen wir besonders auf der Hut sein. Die Krankheit selbst kann er nicht geerbt haben, wissen Sie. Aber er kann die Disposition geerbt haben. Hier haben Sie die Anweisung auf die Milch. Pasteurisiert natürlich. Machen Sie sich keine Sorgen! Es fehlt ihm nichts.«

»Danke. Danke vielmals, Frau Dokter«, sagte ich. Sie sah mich mit ihren klaren Augen fest an. »Es ist schon gut«, sagte sie. »Aber es ist doch ärgerlich, daß ihr Mädels nicht vorsichtiger sein könnt. Es ist ja nicht unbedingt notwendig, von einem schwindsüchtigen Mann ein Kind zu kriegen. Es gibt schließlich so etwas wie Geburtenkontrolle. Hier, lesen Sie diese Broschüre. Ist eigentlich verboten, verstehen Sie? Wir machen unsere Fortschritte im Schneckentempo, und ich darf Ihnen nicht sagen, wie man empfängnisverhütende Mittel anwendet. Immerhin –«

Ich segelte so glücklich hinaus, als hätte mir jemand die Kronjuwelen der Hohenzollern geschenkt. Diese Unterredung mit einem Menschen, der meine Sprache sprach, zu mir paßte und zu meiner Generation gehörte, hatte mir mächtig wohlgetan. Es war nicht leicht gewesen, meine geheime Schuld aus der dunklen Tiefe heraufzuholen, in der sie verschüttet gewesen war, durchaus nicht leicht. Was wie ein lässiges Gespräch zwischen der Ärztin und mir geklungen hatte, war das Ergebnis vieler schlafloser, qualvoller Nächte gewesen. Aber das Ergebnis war der Mühe wert. Michael war gesund, und ich wollte darauf achten, daß er nie so krank würde, wie sein Vater gewesen war. Wenn Manfred Halban sein Vater war. Wenn. Wenn. Wenn. Als ich über die Brücke kam, die ins Tillmannsche Reich führte, war ich meiner Sache schon wieder gar nicht mehr sicher. Als ich ihn an jenem Abend zu Bett brachte und seine Temperatur wieder normal war, schaute ich die Köpfe meiner beiden schlafenden Buben an, und auf einmal schienen sie einander so ähnlich, daß ich mich selbst eine hysterische Ziege nannte. So eine verrückte Idee, daß er vielleicht nicht Hauptmann Tillmanns Kind sein könnte!

So ging es noch viele Jahre weiter. Es gab Zeiten, in denen mit Michael alles in Ordnung war, wo er gesund war, sich normal aufführte, mir keine Sorgen machte und wo ich überzeugt war, daß er wirklich Hauptmann Tillmanns Sohn war. Und dann kam wieder ein Schlag aus heiterem Himmel, er wurde krank und machte tolle Sachen, erfüllte die Luft mit seinen Problemen und zeigte das unstete Temperament meines vergessenen Mieters. In solchen Tagen stürzte ich tief hinab, fühlte mich an allem schuldig und verabscheute mich wegen jenes kurzen Zusammenseins mit Manfred Halbans fiebrigem, ausgehungertem, zerrüttetem Körper. Vielleicht wenn mein Mann am Leben geblieben wäre, wenn er Michael großgezogen hätte, wenn Michael nach ihm geartet wäre — durch jenen geheimnisvollen Prozeß, der die Kinder nach dem Vorbild der Eltern formt, mit denen sie zusammen leben –, vielleicht hätte ich nie in den trüben Nebeln des Zweifels herumtappen müssen. Aber als Michael kaum vier Wochen alt war, erhielt ich die Nachricht von Hauptmann Tillmanns Tod. Sie kam unmittelbar nach der Beerdigung Irmgards, die sich ruhig und fast kampflos der Grippe ergeben hatte, und traf mich um so härter, als sie völlig unerwartet kam.

Seit Beginn der Revolution hatte ich nichts mehr von ihm gehört, aber das war nur natürlich und das übliche während des Rückzugs. Wenn ein Offizier bei seiner Truppe blieb und sie in guter Ordnung nach Hause brachte, war es Kurt Tillmann, davon war ich überzeugt. Ich erwartete seine Heimkehr mit Ungeduld. Ich saß am Fenster und sah auf die Straße hinunter, ich wartete auf das Läuten der Türglocke. Ich werde seine Stimme und seinen Schritt auf dem Korridor hören, er wird daheim sein — und dann erst wird der Krieg endgültig aus sein. Dann, an einem nebligen Dezembermorgen, ertönte die Türklingel, und Elisabeth führte einen Mann in der feldgrauen, zerfetzten Uniform herein, die alle trugen — Mannschaften wie Offiziere. Er war etwa vierzig Jahre alt, hatte einen runden Schädel mit kurzgeschorenem Haar, schien verlegen und schwitzte reichlich. Er stellte sich vor als Otto Pulke, Hauptmann Tillmanns Feldwebel. Wir wechselten einige höfliche Worte, ich bot ihm Wein an, und er trank auf das Wohl des Neugeborenen. Ich fragte ihn, ob ich ihm irgendwie helfen könne, und er antwortete, umgekehrt werde ein Schuh draus. Die Soldaten hätten ihn zum Sprecher gewählt — er trug das Abzeichen des Soldatenrats —, und er sei in der Lage, mir Lebensmittelkarten zu verschaffen, da er zu den neuen Behörden gute Beziehungen habe. Nachdem wir so eine Zeitlang Konversation gemacht hatten, nahm ich einen Anlauf. »Wann haben Sie meinen Mann zum letztenmal gesehen?« fragte ich mit wachsender Unruhe. »Wissen Sie, wie es ihm geht?«

Pulke räusperte sich. »Es ist eine Woche her, nein — um genau zu sein —, neun Tage«, sagte er. »Ja. Ich hatte gar nicht gewußt, wie schlecht es mit ihm stand. Sie kennen ja Hauptmann Tillmann. Er ließ es sich nicht anmerken. Es ist ein Jammer, daß so was einem Mann wie ihm passieren mußte.«

»Was denn?« fragte ich und fühlte, wie mein Haar an den Wurzeln kalt wurde.

»Um Ihnen das zu erzählen, bin ich hergekommen. Heute morgen habe ich mit meiner Frau gesprochen. ›Du wirst selbst hingehen und es Frau Hauptmann Tillmann schonend mitteilen‹, hat sie gesagt. Aber zum Teufel, das ist leichter gesagt als getan! Ich weiß nicht, wie ich die Sache anfassen soll, verstehen Sie?«

»Er ist tot?« sagte ich.

»Oh — Sie wissen es also schon?« hörte ich Pulke durch das gewaltige Brausen eines Wasserfalls sagen.

»Verzeihen Sie«, sagte ich, »ich bin noch etwas schwach nach dem Kind. Es ist schon wieder gut. Danke.«

Ich klammerte mich an Martinchen und schluckte den Wein, den mir die alte Elisabeth einflößte. »Wissen Sie, ich bin schon einigermaßen trainiert«, sagte ich zu Pulke und wunderte mich, daß ich dabei leise lachte. »Meine Angehörigen haben eine komische Art, en gros zu sterben. Sie wollen mir gewiß berichten, wie es passiert ist?«

»Jawohl. Zu Befehl, Frau Hauptmann«, sagte Pulke und nahm Haltung an. Er schien froh zu sein, daß ich nicht ohnmächtig geworden war, und auch ich war froh darüber. Als er seine Geschichte abzuhaspeln begann, wurde mir klar, daß er sie schon wiederholt erzählt haben mußte, wahrscheinlich seiner Frau und seinen Freunden zu Hause, und daß er — aus irgendeinem mir unverständlichen Grund — in der Wiedergabe eine merkwürdige Befriedigung fand.

»Wissen Sie, der Herr Hauptmann hatte kurz vor dem Waffenstillstand Fieber und Ruhr, oder vielleicht war es Typhus. Er wollte sich nicht die Zeit nehmen, in ein Lazarett zu gehen, und das konnte ich ja verstehen. Er wollte eben rasch nach Hause kommen. Wir verschafften ihm also ein Pferd, und er ritt mit der Mannschaft weiter. Allmächtiger Gott, die Straßen in Frankreich! Während des ganzen Rückzugs verloren wir Leute; sie fielen einfach am Straßenrand um und krepierten im Dreck. Es regnete die meiste Zeit, und wir gaben dem Herrn Hauptmann Decken oder Vorhänge oder was sonst es war, die wir in einem Haus gefunden hatten. Es waren Bilder hineingewebt, und wir wickelten ihn hinein, da er einen furchtbaren Schüttelfrost hatte. Er sagte, so sei's großartig und warm, und es sei ihm egal, wie es aussehe. Es sah schon komisch aus. Alle diese Bilder von nackten Weibern um unsern Herrn Hauptmann herumgewickelt! So kommen wir also abends in ein Dorf und sehen, daß die Brücke vor uns gesprengt ist. Das mußten unsere eigenen Leute irrtümlich nach dem Waffenstillstand gemacht haben. Es hatte den ganzen Tag geregnet, diese Art von Regen, die kälter ist als Schnee, und wir waren alle quatschnaß. Ich sprach mit dem Herrn Hauptmann, und er gab Befehl, im Dorf zu übernachten. Natürlich fand sich in dem Nest kein Mauseloch, wo nicht schon ein Soldat drin war, viel Disziplin gab es auch nicht mehr, wie sich Frau Hauptmann vorstellen können, und vielleicht wäre es besser gewesen, wir wären weitermarschiert — egal, ob wir vor Nässe trieften oder nicht. Aber Herr Hauptmann sah aus, als würde er nicht länger durchhalten. Den ganzen Tag mußten wir ihn von Zeit zu Zeit vom Pferd heben, und er hockte sich auf den Straßenrand, und Blut und Wasser flossen nur immer so heraus aus ihm. Und nichts schwächt einen Menschen mehr als diese verdammte Schweinerei mit den Gedärmen, Frau Hauptmann werden schon verzeihen. Ich sagte also zu einigen Artilleristen, die in der Kirche schliefen, sie sollten für den Herrn Hauptmann Platz machen. Es gab ein kleines Palaver, und ich mußte ihnen erst meinen Revolver zeigen, ehe sie zusammenrückten und ihm sogar ein wenig Heu abgaben. Ich glaube, er hat sich in dieser Nacht ganz wohl gefühlt. ›Das ist großartig, Pulke, du altes Kamel. Das macht einen neuen Menschen aus mir‹, sagte er, und dann druselte er ein, und ich ging hinaus, um nach unserer Kompanie zu sehen — das heißt, was von ihr übrig war. Ganze sechsundzwanzig von zweihundert und kein einziger Offizier, mit Ausnahme von Herrn Hauptmann. Es ist ein Jammer, da kommt er durch die ganze Sauerei durch, und dann schrammt er in einer elenden Dorfkirche in Frankreich ab, noch dazu mutterseelenallein, nicht einmal ich war bei ihm. Am nächsten Morgen gaben wir ihm ein anständiges Begräbnis; die

Mannschaft war vollzählig dabei und ließ sich Zeit. Tat ihnen allen mächtig leid. Sehen Sie mal, ich habe von der Ortschaft einen kleinen Plan gezeichnet, für den Fall, daß Frau Hauptmann das Grab besuchen wollen, wenn wir wieder Frieden haben und man wieder hinfahren kann. Es liegt auf dem kleinen Hügel gerade nördlich von Vernerouge; es sind noch mehr Kreuze dort, aber in seins habe ich seinen Namen geschnitzt. Und ich habe auch ein paar von seinen Sachen mitgebracht — ich habe sie draußen gelassen. Ich dachte, es wird die Frau Hauptmann zu stark aufregen, wenn ich damit hereingepoltert komme . . .« Das ist es, was mir übrigblieb, als der Krieg aus war: ein roh gezeichneter Plan von einem Dorf, irgendwo in Frankreich. Hauptmann Tillmanns Brieftasche mit meinen Briefen und Fotos, ein Armeerevolver, sein Koppel und sein Degen. Seine Orden und eine kleine Witwenpension. Sein alter Vater, für den ich sorgen mußte, und zwei kleine Söhne.

Ich machte Inventur, und wie alle Welt ging ich an die Arbeit. Ich fing wieder von vorn an.

Im Herbst 1919 kam Hellmuth Klappholz aus der russischen Gefangenschaft nach Hause, und wir trafen große Vorbereitungen zu seinem Empfang. Besonders Elisabeth hatte sich mächtig herausgeputzt und ging in einer Duftwolke von Rosenwasser und Glyzerin umher, wie eine Braut am Hochzeitsabend. Wir hatten die beiden Jungen geschrubbt, bis sie vor Sauberkeit glänzten, und ein grandioses Essen vorbereitet. Obwohl Großvater sich infolge seiner Gelenkentzündung nicht rühren konnte und auf die Jagd verzichten mußte, hatte eine treue Seele aus Dethfurth uns mit Wildbret versorgt. Elisabeth hatte es mit Wurzeln, Kräutern und Gewürzen eingelegt — »genauso wie Frau Oberinspektor es zu machen pflegte« —, und die ganze Wohnung war von dem Feiertagsgeruch gebratenen Wildbrets erfüllt. Elisabeth hatte auch einen Kuchen gebacken — »Pflaumenkuchen ist immer Hellmuths Schwäche gewesen« —, und die gesparten Eier und der Zucker einer ganzen Woche waren dabei draufgegangen. Der alte Herr hatte schon am frühen Nachmittag alle Abzeichen seiner Würde angelegt, seinen schwarzen Bratenrock mit den Orden, und alle halbe Stunde ging ich zu ihm hinein, um ihm die Schuppen und die Zigarrenasche von Weste und Rockaufschlag abzubürsten; und dann sah ich nach Martins Höschen, ob nicht etwa ein Wechsel nötig sei. Denn obgleich er schon ein kleiner Mann von zweieinhalb Jahren war, passierten ihm doch von Zeit zu Zeit kleine Verdauungsunfälle. Michael hatte aus dem besonderen Anlaß die Erlaubnis bekommen, mit Männe zu spielen, dem einzigen Wesen, das ihn für längere Zeit ruhig und zufrieden machen konnte. Großvater behütete zwei Flaschen Burgunder, damit sie die richtige Temperatur behielten — genügend warm, aber nicht zu warm —, und über der ganzen Wohnung lag ein schwacher Abglanz des früheren guten Lebens. Wir konnten Hellmuth nicht an der Bahn abholen, da er über den Zeitpunkt seiner Ankunft nichts Genaues gewußt hatte, und ich war ungeduldig und nervös. Kalte Hände, Kopfschmerzen, und als ich mit der Zungenspitze über meine Lippen glitt, fand ich eine knospende Blase. Mit einem Wort: Lampenfieber. Ich trug ein schwarzes Kleid und ein Perlenkettchen, das Irmgard mir hinterlassen hatte. Als ich an dem hohen Spiegel zwischen den Fenstern vorbeiging, blickte mir eine hundertprozentige Tillmann entgegen. Vollendete Mimikry, dachte ich, über mich selbst belustigt.

Die Türglocke läutete. Ich hörte, wie Elisabeth öffnete und ein mageres Begrüßungsbächlein hervorsprudelte. Großvater quälte sich von seinem Stuhl hoch, reckte sich auf und marschierte ins Vorzimmer. Ich hielt es für taktvoller, zurückzubleiben. Dann aber hörte ich, wie der alte Mann nach ein paar abgerissenen Worten zu weinen anfing, und das brachte mich in Bewegung. Ich ging hinaus und fand ihn am Hals des Jungen hängend. Er rieb das Gesicht gegen seine Schulter und weinte. Der Junge, den er umarmte, war ein Stück kleiner als der Großvater, aber immerhin noch groß, und er blickte mit einem verlegenen, fast unmutigen Ausdruck über das gebeugte Haupt des weinenden Alten hinweg. Er hatte die klaren Züge seiner Mutter, ihr langes Kinn, ihre schmalen Schläfen und einen rosigen Teint. Er wartete, sichtlich abgestoßen, aber wohlerzogen, bis der Alte seine Fassung wiedergewonnen, die Nase geputzt und etwas von Alt- und Schwachwerden gemurmelt hatte. Sobald der Großvater ihn freigegeben hatte, ging er auf das Fahrrad zu, das im Hintergrund des langen schmalen Korridors stand. »Oh, ihr habt mir mein Fahrrad aufgehoben«, sagte er. »Nein, Hellmuth, das ist nicht deins«, sagte Elisabeth. »Es gehört Pulke.«

»Und wer bitte ist Pulke?« fragte Hellmuth arrogant.

»Unser Zwangsmieter. Wir erzählen dir das später«, sagte Großvater. »Komm, ich mache dich mit Tante Maria bekannt.«

»Willkommen zu Hause, Hellmuth«, sagte ich. Es war wohl nicht gerade das, was ich in Anbetracht der Umstände dieser Heimkehr hätte sagen sollen. Er klappte die Absätze zusammen und schnarrte: »Es ist mir ein besonderes Vergnügen, dich kennenzulernen, Tante Maria.« Ich mußte darüber lächeln, wie gut er seine Manieren über den ganzen Krieg und die russische Gefangenschaft bewahrt hatte. Er wartete nicht, bis ich ihn in sein Zimmer führte, sondern ging vor uns hinein. Ich hatte eine Fotografie seiner Eltern auf das Nachttischchen gestellt, neben das Fernrohr seiner Knabenzeit, und ein paar Efeublätter an den Rahmen gesteckt. Auch die Orden seines Vaters lagen da, in einem kleinen Glaskasten, der von einer Schmetterlingssammlung stammte, die ich auf dem Dachboden gefunden hatte.

»Na, hier hat sich wenigstens nicht viel verändert«, sagte er und nahm vor den Fotos Haltung an, die Hände an der Hosennaht. Als ich die Tür hinter mir schloß, um ihn allein zu lassen, sah ich, wie er nach dem Fernrohr griff.

Nach einer Weile kam Hellmuth aus seinem Zimmer; er hatte sich selbst mit seinen kleinen Vettern bekannt gemacht und bewunderte höflich Martins rote Bäckchen, zeigte aber offenkundig stärkeres Interesse für Michael. Es war ein gemeinsamer Zug aller Männer der Familie, daß sie kleine Kinder liebten und mit ihnen umzugehen verstanden. Ich hatte immer geglaubt, sie wären eher dazu geboren, Häuptlinge irgendeines nordischen Stammes zu sein als einfach Väter von einem oder zwei Kindern. Aber Hellmuth bestand darauf, daß Michael in seinem hohen Stühlchen beim Mittagessen neben ihm sitze. Michaels Augen waren so groß und glänzten so, daß ich glaubte, er habe ein wenig Temperatur; da er aber glücklich lachte und stiller war als sonst, gab ich nach. Elisabeth brachte die Suppe herein, und wir hatten kaum zu essen begonnen, als das Grammophon im Nebenraum zu spielen anfing.

»Um Himmels willen, wo kommt denn die Musik her?« fragte Hellmuth.

»Das sind die Proleten«, sagte Großvater. »Die machen zu allen Stunden Radau.«

»Welche Proleten?«

»Die Zwangsmieter. Die Leute, die uns die Wohnungskommission hereingesetzt hat. Frau Pulke hat eine bedauerliche Vorliebe für vulgäre Musik.«

»Das ist doch ein Gewaltakt! Keine Regierung hat das Recht, in eine Privatwohnung einzudringen. So was machen doch bloß die dreckigen Russen. Ich hatte nie gedacht, daß ich so etwas in meinem eigenen Haus erleben würde«, sagte Hellmuth und schob seinen Teller zurück.

»Sie behandeln das Problem, so gut sie es verstehen«, sagte ich, um ihn zu beruhigen. Elisabeth hatte sich mit unsrer Suppe so viel Arbeit gemacht, sie hatte unsere ganze Fleischration darin gekocht, um sie recht kräftig und schmackhaft zu machen — und nun aß er sie nicht. »Es sind Übergangserscheinungen. Bis man für alle Heimkehrer Unterkunft hat —«

»Wie kommt es, daß jetzt nicht genug Platz ist, wenn vor dem Krieg genug Platz war? Was ist mit denen, die nicht zurückgekehrt sind? Das sind doch mehr, das sind Millionen«, sagte Hellmuth. »Konntet ihr euch denn nicht wenigstens aussuchen, wen ihr in die Wohnung nehmen wollt?«

»Das haben wir getan«, sagte ich. »Pulke war während des ganzen Krieges der Feldwebel deines Onkels. Ich fühle mich ihm verpflichtet, und übrigens sind es nette Leute.«

»Abgesehen vom Geruch«, sagte Großvater sarkastisch. »Und davon, daß Frau Pulke häufig das Bedürfnis hat, ihren Kummer in Grammophonmusik zu ertränken. Aber du wirst dich daran gewöhnen. Du wirst dich an so manches gewöhnen müssen, mein Junge — an so manches.«

Das Grammophon hatte aufgehört; aber nach einer Pause, die man zum Aufziehen brauchte, begann dasselbe Stück wieder von vorn. Elisabeth kam herein, warf einen gekränkten Blick auf Hellmuths halbvollen Suppenteller und trug ihn hinaus. »Bum«, sagte Michael. »Bum, bum, bum.« Es war sein erstes Wort, die Nachahmung von Martins Spielgewehr, wenn der Kork herausknallte. Martin war in die Küche geschickt worden, wo er die schwere Kunst erlernte, allein zu essen mittels eines sinnreichen Löffels, der in einem rechten Winkel abgebogen war und der, wenn man auch noch so ungeschickt war, direkt im Mund landete.

»Welchen Kummer hat denn Frau Pulke zu ertränken?« fragte Hellmuth. »Ihr Mann ist doch zurückgekommen, nicht wahr?«

»Es handelt sich um ihren Bruder. Er hat während der letzten Straßenkämpfe einen Lungenschuß gekriegt und liegt seitdem im Lazarett«, sagte ich.

»Ein Kommunist«, sagte Großvater.

Es entstand eine Pause. Und dann begann, im unrichtigsten Moment, der Lüster zu schwingen, dröhnendes Klavierspiel drang durch die Zimmerdecke, Stühle wurden lärmend hin und her geschoben, und eine Elefantenherde schien in der Wohnung über uns herumzutrampeln.

»Da haben wir's«, sagte Großvater. »Die Juden. Tanzen. Jede Nacht derselbe Radau. Vor zwei Jahren gingen sie in der Altstadt hausieren, mit einem Packen alter Kleider auf dem Rücken. Jetzt tanzen sie uns auf dem Kopf herum. Da hast du alles in drei Worten.«

Hellmuth wurde unter der rosigen Haut blaß. In seinem langen schmalen Gesicht zuckten die Muskeln.

»Das ist doch öffentliche Ruhestörung! Warum holt ihr nicht die Polizei?« sagte er.

»Polizei? Du weißt, was geschehen würde — oder weißt du's nicht? Sie würden dem Schutzmann Eier, Butter und Schnaps geben, und die Polizei würde einen Kratzfuß machen, sich verbeugen und ihnen die Stiefel lecken. Polizei, haha! Alles Sozis. Alle von den Juden bezahlt.«

Elisabeth kam herein und trug den Braten auf. Sie wartete, bis Hellmuth zerstreut den ersten Bissen in den Mund schob. Und dann — da er keinerlei anerkennende Bemerkung machte — verfiel ihr altes Gesicht, und sie schlich zur Tür. Hellmuth schien das Essen gar nicht zu bemerken. Seine Augen wanderten umher, und ich sah, wie es hinter seiner schmalen Stirn arbeitete. »Da hätten wir mal hier sein sollen«, sagte er.

»Natürlich hättet ihr die Revolution niedergeschlagen«, sagte Großvater mit unterdrückter Wut. »Ihr! Wer denn sonst?«

»Ich kann nicht verstehen, was euch allen geworden ist, daß ihr jeden Schimpf und jede Demütigung hinnehmt wie eine gottgesandte Strafe«, schrie Hellmuth. »Strafe — wofür? Dafür, daß wir Leben und Blut hingegeben haben! Ich weiß nicht, was mit diesem Land geschehen ist. Ich weiß nicht, was mit euch allen geschehen ist. Habt ihr denn keinen Stolz mehr im Leib? Erlaubt ihr einer Horde von dreckigen Sozialisten, euch zu kommandieren! Da hätten wir hier sein sollen! Aber wartet nur, bis wir alle wieder daheim sind, alle Offiziere, die noch in den Gefangenenlagern sind. Die Abrechnung kommt! Das könnt ihr mir glauben.«

Michael hatte seinen aufgeregten Vetter mit offenem Mund beobachtet. Ich sah, wie sich sein Gesichtchen verzog und zitterte, und wußte, was kommen würde. In dem Augenblick, als Hellmuth seine Philippika beendet hatte und die Gabel in den Rehbraten stieß, als hätte er einen Feind vor sich, brach Michael in ein wehklagendes, ohrenzerreißendes Geschrei aus. Er war ein schwaches, zartes Kind, aber — bei Gott! — er konnte mehr Lärm machen als alle andern. Martin mußte ihn bis in die Küche gehört haben, denn er kam hereingeschoben, ganz Eifer und Rachelust. Vom ersten Augenblick an hatte er sein Brüderchen als persönliches Eigentum betrach tet, für das er die Verantwortung trug, und er gestattete nicht, daß ihm jemand etwas zuleide tat. »Du schlechter Mann!« schrie er, mit seinen Fäustchen Hellmuths Schenkel bearbeitend. In der Hand hielt er noch seinen Patentlöffel, und die Hafergrütze troff auf Hellmuths Hosen. Michael brüllte, durch diesen Augenblick angeregt, noch lauter, das Grammophon spielte, die Juden tanzten, und der Großvater schrie nach Ordnung und Ruhe.

Ebenso plötzlich, wie er angefangen hatte, hörte Michael auf zu heulen und starrte den Alten erschrocken an. Bevor er noch einen neuen Krawall beginnen konnte, stand ich auf und nahm ihn auf den Arm. »Ich glaube, es wird besser sein, ich bringe die zwei zu Bett, ehe sie sich allzusehr aufregen«, sagte ich hastig. »Entschuldigt mich bitte. Elisabeth, servieren Sie bitte Kuchen und Kaffee im Wohnzimmer! Vater — und auch du, Hellmuth —, bitte fangt immer schon mit dem Kaffee an! Ich bin in ein paar Minuten wieder da.«

Als ich ins Wohnzimmer zurückkam, stritten die beiden Männer immer noch.

»Was ist aus uns geworden?« schrie Hellmuth. »Ein Volk von Knechten, Bettlern, Sklaven! Du verstehst nicht, was es heißt, nach Hause zu kommen und das Land in diesem Zustand anzutreffen. Draußen, in Rußland, konnte ich nichts anderes denken als: Deutschland, Deutschland. Ich schlief bei den Pferden, ich arbeitete auf dem Feld, ich wurde geschlagen und herumgestoßen. Ich machte mir nichts draus, es war mir egal. Ich war Gefangener und stolz darauf, es ohne Murren zu tragen. Das ist der einzige Stolz, der einem Gefangenen übrigbleibt. Es ihnen nicht zeigen, wie gepeinigt du bist. Und dann der Weg zurück — vier Monate habe ich gebraucht, um durch Rußland zu kommen. Der Dreck, der Hunger, die Strapazen! Die Roten, die Weißen! Heute waren die einen obenauf, morgen die andern. Und all die Zeit dachte ich: Deutschland. Wir waren unser vier, und wir standen es gemeinsam durch: Heinz Arnheim, Joachim Sarwitz und Andreas. Du erinnerst dich doch an Andreas, Großvater? Wir träumten von nichts anderm, als nach Hause zu kommen. Aber, so wahr mir Gott helfe, wenn wir gewußt hätten, wie es in Deutschland aussieht, hätten wir uns den Weißen angeschlossen. Wir hätten uns jedem angeschlossen. Nichts hätte so demütigend sein können wie dieses Leben, zu dem ihr euch erniedrigt habt. Wie kannst du nur, Großvater, wie kannst du nur! Wie kann ein Mann wie du sich damit abfinden? Hier — da sind Vaters und deine Gewehre. Was hindert uns, sie zu nehmen, hinauszugehen und jeden niederzuknallen, der uns kleinkriegen will? Tausend Mann — gib mir tausend Mann, die keine Angst kennen, tausend Mann, die entschlossen sind, Wandel zu schaffen oder zu sterben — und dieses Land voll Deserteure und Meuterer könnte noch gerettet werden!«

»Hör auf, jetzt habe ich aber genug!« schrie der alte Tillmann. »Du redest wie ein dummer Junge. Und du bist ja auch einer. Wo warst du denn, als wir den schwärzesten Tag durchmachten? In Rußland! Kriegsgefangener! Du kannst uns nicht erzählen, was Courage ist! Tapfere Männer lassen sich nicht gefangennehmen. Tapfere Männer sterben, wie es deine Brüder getan haben, wie es dein Vater, wie es alle meine übrigen Söhne und Enkel getan haben. Du – du –«

Der Alte zitterte vor Zorn; er sah aus wie ein alter morscher Baum im Sturm. Hellmuth kam auf ihn zu, und einen Augenblick lang fürchtete ich, er werde seine Hand gegen den Großvater erheben. Aber mit einemmal riß er sich zusammen und nahm militärische Haltung an. Mit großem Aufwand schlug er die Hacken zusammen und legte die Hände an die Hosennaht. »Zu Befehl, Großvater«, sagte er. »Ich bitte um Vergebung. Es ist alles so niederschmetternd –« Er ließ sich ein bißchen zusammensinken, nahm aber sofort wieder Haltung an. »Und jetzt möchte ich mich, wenn du gestattest, beurlauben«, sagte er, in seine militärischen Manieren zurückfallend. »Ich habe eine Verabredung mit ein paar Freunden. Gute Nacht.«

Als er fort war, ging ich in die Küche, wo Elisabeth in einem Weinkrampf vor den Trümmern unsres Festmahls saß. »Er hat gar nichts gegessen, der Hellmuth«, sagte sie und starrte mich mit ihren alten, geröteten Augen an.

»Das kommt daher, daß er so glücklich ist, wieder daheim zu sein«, sagte ich zu ihr. »Wissen Sie nicht, daß großes Glück den besten Appetit verdirbt? Das pflegte wenigstens mein Großvater immer zu sagen.«

Elisabeth begann die Reste zusammenzukratzen.

»Wie konnte ich das ahnen?« sagte sie. »Wie konnte ich das ahnen?« Dann raffte sie sich zusammen und setzte hinzu: »Wenn ich bloß etwas Mehl kriegen könnte, dann könnten wir morgen eine Wildpastete machen, glaubt Frau Hauptmann nicht auch?«

Wenn Michael oder Hellmuth – jeder auf seine Weise – allzu problematisch wurden, holte ich mir Martinchen zu Hilfe, denn er war zum Familienoberhaupt geboren; er war ein gesetztes, gutartiges, verantwortungsbewußtes Kerlchen und ein guter Versorger, schon zu einer Zeit, wo es ihm zuweilen noch Schwierigkeiten machte, seine Höschen trocken zu halten. Er sparte sich kleine Bissen von seinen Mahlzeiten ab und schmuggelte sie edelmütig in mein Bett, um so zu meiner Ernährung beizutragen. Sooft ich das Deckbett zurückschlug, fand ich kleine Stückchen Kartoffeln oder Karotten, einen Eßlöffel Spinat oder Grießbrei auf meinem Kopfkissen. Ich schätzte diese Gaben sehr. »Martin gibt«, pflegte er zu sagen. »Martin ist guter kleiner Junge.« Mit dem Patentlöffel, der ihm selbst bei der Verbesserung seiner Tischmanieren so förderlich gewesen war, wollte er auch Männe essen lehren. »Männe ist dummer Hund«, beklagte er sich dann. »Milchi ist dummes Kind.« Er hatte Michaels Namen in das beste Wort seines Vokabulars verwandelt: Milch – Milchi. Noch heute nennt er ihn so. Martin war übereifrig bemüht, jede seiner sprachlichen Neuerwerbungen mit seinem Brüderchen zu teilen und einen gebildeten Menschen aus ihm zu machen. Michael wiederum bekam Wutanfälle und stieß und schrie, wenn Martin ihn dumm nannte. Er wußte, daß er nicht dumm war, und wollte sich nicht beleidigen lassen, wenn er sich auch in dem verzwickten Gestammel, das die Menschen Sprache nennen, nicht ausdrücken konnte.

Wenn er auch — Gott sei Dank! — Manfreds Tbc nicht geerbt hatte, so doch ganz gewiß seine Minderwertigkeitskomplexe plus Überkompensationen. Er saß mit gespitzten Ohren und wachsamen Augen unter dunklen, schweren Wimpern in seinem Laufställchen und sammelte Geräusche. Er konnte fast jedes Geräusch, das er hörte, nachahmen: Männes Knurren, Ächzen, Stöhnen und sein kurzes, freudiges Bellen. Großvater, wie er sich räusperte. Das Quietschen der Tür, das Tapptapp von Elisabeths Filzpantoffeln, das Knarren ihrer Schuhe, das Zischen des Wasserkessels auf dem Ofen. Lange bevor er ›Mama‹ sagte, konnte er mit seiner dünnen, zittrigen Kinderstimme jede der fünf Grammophonplatten der Frau Pulke nachsingen, und ich begann mich zu fragen, was für ein Kind wohl aus ihm werden und was für ein Mann aus dieser kleinen Zwiebel hervorwachsen würde.

Später, als der Junge größer wurde, mußte man ihm Geschichten erzählen. Ein Heuschreckenschwarm konnte ein Getreidefeld nicht rascher abfressen, als Milchi die Geschichten verschlang. Zuerst überlieferte ihm Martin die einfachen Geschichten in seiner eigenen abgekürzten Fassung: »Es waren einmal sieben Zwerge, und Schneewittchen sagte: ›Ich will einen Apfel‹, und die Zwerge sagten: ›Du kannst keinen Apfel kriegen, wir sind keine Kriegsschieber, wir haben keine Äpfel.‹« (Die Einschaltung stammte aus Elisabeths Lehren.) »Und dann kaufte Schneewittchen den Apfel von der bösen Königin, und sie sagte: ›Mmm, was für ein Apfel!‹ Und sie warf ihn in die Luft, und der Prinz sagte: ›Heirate mich.‹ Und jetzt essen sie jeden Tag Äpfel.«

Milchi dachte über die Geschichte nach. »Was ist ein Apfel?« fragte er. »Ich weiß nicht«, sagte Martin. »Du bist dumm«, sagte Milchi. »Selber dumm«, sagte Martin, und schon war die Schlacht im Gange. Hellmuth kam aus seiner Bude und fragte gereizt: »Was ist denn jetzt wieder los? Ich muß nachdenken. Gibt es denn keinen Moment Ruhe in diesem Haus?« »Sie haben nie Äpfel gegessen«, sagte ich. »Deshalb prügeln sie sich. Sie haben noch einen großen Genuß vor sich.«

Hellmuth ging in sein Zimmer zurück und schlug die Tür hinter sich zu, voll Wut gegen eine Welt, in der kleine Jungen keine Äpfel bekamen. Pulke nahm die beiden auf den Schoß, jeden auf ein Knie, und erzählte ihnen von Apfelbäumen und daß es im nächsten Herbst für jeden von ihnen hundert Äpfel geben werde. Großvater kramte in einem Haufen alter Zeitungen und zog Bilder von Äpfeln und Obstgärten hervor. Und ich ging aus, um auf den leeren Ständen des städtischen Marktes etwas Obstartiges aufzutreiben und es meinen Jungen zu essen zu geben.

Später entwickelten sich die Geschichten zusammen mit den Kindern; Großvater, Hellmuth und Pulke — jeder hatte im Geschichtenerzählen sein eigenes Fach. Großvater erzählte von den Zeiten vor dem Krieg, von diesen wundervollen, unglaubhaften Zeiten, als der Kaiser mit einem offenen Wagen fuhr, wo es Paraden gab und jeder reich und glücklich war, wo jeder essen konnte, soviel er wollte, und tun, was ihm beliebte. Es war mir nicht sehr angenehm, daß er die kleinen Köpfe mit Groll gegen die Zeit, in der sie selbst lebten, erfüllte, und ich hatte darüber mit dem Alten Auseinandersetzungen. »Es ist zu verstehen, daß du selbst verbittert bist, Vater«, sagte ich. »Aber die Kinder sind unter andern Verhältnissen geboren, es ist ihre Zeit, und es hat keinen Sinn, in ihnen Sehnsucht nach etwas zu erwecken, das aus und vorbei ist.« Den Buben aber gefielen Großvaters Geschichten am meisten. Pulke arbeitete ihrer Wirkung entgegen, indem er ihnen Geschichten von den wunderbaren Dingen erzählte, die sie bald bekommen würden, wenn sie nur ein wenig Geduld hätten. Sie werden ein Automobil bekommen, wenn sie groß sind, jeder ein Automobil für sich allein, und vielleicht werden sie auch fliegen lernen. Alle Menschen werden in hellen, sauberen, großen Häusern wohnen, und es wird Spaß machen, in die Schule zu gehen, mit ihren Sportplätzen und ihren Spielen und Ausflügen. Es wird Theater und Kinos und Konzerte für Kinder geben, auch für die Großen, und alles bei freiem Eintritt. Und man wird nicht hart arbeiten müssen, um zu leben, gerade nur so viel, um die Arbeit zu lieben, weil überhaupt nicht arbeiten langweilig wird und einen nervös macht. Und es wird nicht bloß einen Sonntag in der Woche geben, sondern zwei oder sogar drei, mit Kuchen und Schlagsahne für jedermann. Ich erkannte diese Sorte Geschichten wieder. Pulke arbeitete bei der Eisenbahn und war ein geschworener Sozialist. Gießheim F 12. Sie klangen nach dem ›Weckruf‹.

Die Jungen hörten Pulke zu, aber so schön auch alles klang, wurden sie doch nach einer Weile unruhig. Es war zu viel Theorie darin und nichts, was man mit Händen greifen konnte. »Erzähl uns von unserm Vater!« verlangte Milchi. »Und vom Krieg. Als er ging hinaus mit vier Soldaten und fing dreiundzwanzig Franzosen.« Pulke entsprach der Bitte mit Vergnügen, und das war viel besser. Das war Fleisch und Blut; man konnte die Nacht riechen, in der sie auf Patrouille gegangen waren, und die erschreckten Stimmen der Franzmänner hören, die sie beim Lagerfeuer hinter einem Dorf namens Moulin-sur-Crute erwischten, und man konnte ›unseren Hauptmann Tillmann‹, den Vater — Gott hab' ihn selig! —, beinahe sehen und berühren, den Tapfersten in der ganzen 26. Division.

»Ich hab' meinen Vater lieb«, sagte Martin mit einem tiefen Seufzer, wenn die Geschichte zu Ende war.

»Ich hab' meinen Vater auch lieb«, sagte Milchi. »Ich habe ihn noch mehr lieb. Ich liebe meinen Vater am meisten von der ganzen Welt. Als er eine Kugel im Bein hatte, marschierte er und marschierte er, und er sagte: ›Es ist in Ordnung, Feldwebel, es tut nicht weh, es ist nur ein Flohbiß.‹ Er hat mich auch lieb.«

»Woher weißt du, daß er dich lieb hat?« fragte Martin gekränkt, da er selbst nicht in der Lage war, derartig kühne Feststellungen zu machen.

»Er hat es mir gesagt. Er ist in mein Zimmer gekommen und hat gesagt, ›Milchi, ich hab' dich lieb, du bist mein Knuddelfrosch!‹« (Das Wort stammte aus Elisabeths Vokabular.)

»Das ist nicht wahr.«

»Doch, es ist wahr.«

»Wann ist er in dein Zimmer gekommen? Er kann nicht kommen, er ist tot — nicht wahr, Onkel Pulke? — und wenn wir größer sind, werden wir ihn besuchen und ihm Blumen bringen, aber zu uns kann er nicht kommen.«

»Er ist gekommen, wie ich im Bett lag, und er hat mir gesagt, daß er mich lieb hat.«

»Du hast geträumt!« sagte Martin verächtlich; es war ihm eine Erleichterung, eine materialistische Erklärung für das Unglaubhafte gefunden zu haben.

»Nein! Sag ihm, Mama, daß ich es nicht geträumt habe« — und hier hatte Michael einen seiner niederträchtigen Genieblitze —, »er hat gesagt: ›Ich hab dich viel lieber als Martin.‹«

Das brachte Martin für einen Augenblick zum Schweigen. Ich sah, wie er die Fäuste ballte, und wußte, daß es jetzt unausweichlich zum Kampf kommen werde. »Schau, Martin, er ist ja noch ein kleines Kind«, sagte ich schnell. »Er weiß noch nicht, ob er träumt oder nicht.«

Martin beruhigte sich, und Michael schmollte. »Mama, bitte verbiete ihm zu träumen, daß mein Vater ihn lieber hat als mich«, bettelte Martin. »Mein Vater ist marschiert und marschiert mit einer Kugel im Bein, und er hat gesagt: ›Es ist ein Flohbiß‹, aber Milchi ist ein Schreihals, und wenn er sich den Kopf stößt, so schreit er so, daß ihm Onkel Hellmuth eine 'runterhauen muß.«

Nun war es Michael, der in Scham versinken mußte, denn er mußte zugeben, daß er sehr leicht weinte. Und zwar nicht nur, wenn er sich den Kopf stieß, sondern über hundert andere kleine Schmerzen, die Martins robustere Natur nicht einmal bemerkte. Weil Männe traurig war. Wegen der unglücklichen Maus, die von Elisabeth in einer Mausefalle gefangen worden war. Weil der Prinz in einen Frosch verwandelt worden war und gern im Bett der Prinzessin schlafen wollte. Weil es regnete. Weil Milchis Schutzengel, mit dem er in lebhaftem geistigem Verkehr stand, keine Schuhe hatte, nicht einmal im Winter, wenn es schneite. Oder einfach weil er Kummer hatte, jenen traurigen, geheimnisvollen, tränenreichen, unerklärlichen Kinderkummer, wie ihn die überempfindlichen Drei- und Vierjährigen manchmal haben.

Nicht daß Milchi etwa seiner eigenen Schwäche ohne weiteres nachgegeben hätte — keineswegs. Seine beiden Ich kämpften schwer miteinander, und zuweilen siegte der Tillmannsche Teil über die fremde, jüdische, unselig weiche Seite seiner Natur. Dabei fand er die volle Unterstützung seines Onkels Hellmuth. Wie tief Hellmuths Einfluß ging, erfuhr ich erst viel später. Ich weiß nicht, was für Geschichten Hellmuth den beiden Jungen erzählte, denn er erzählte sie nicht vor fremden Ohren, und so blieben sie ein Geheimnis zwischen den dreien. Aber ich sah meine Buben mit glühenden Wangen und glänzenden Augen aus Hellmuths Bude herauskommen; sie waren widerspenstig und wollten nicht schlafengehen und erklärten, sie seien Männer und wollten Uniformen und Gewehre haben und jeden totschießen, bum, bum, bum. Nach solchen Sitzungen bekam Michael gewöhnlich etwas Temperatur oder schrie im Schlaf, und ich hatte eine ernste Unterredung mit Hellmuth und bat ihn, die Kleinen nicht zu sehr aufzuregen.

»Im Gegenteil. Du verzärtelst sie«, erwiderte er ungnädig. »Du und die alte Elisabeth machen verwöhnte Weichlinge aus ihnen. Sie brauchen eine männliche Hand, sie brauchen Hiebe, sie brauchen Abhärtung. Mach sie stark und tapfer — das ist es, was sie brauchen. Verstehst du denn nicht, Tante Maria? Das ist doch die kommende Generation, sie werden Deutschland wieder befreien müssen; sie werden ihren Kampf zu kämpfen haben, und es wird ein harter Kampf werden.«

Vielleicht hatte er recht, dachte ich; ich war selbst nicht für Verwöhnen. Aber während Hellmuth für meine Jungens spartanische Ideen proklamierte und die kindlichen Gemüter und Körper überanstrengte, lebte er selbst in einer merkwürdigen Untätigkeit und schien unfähig, irgend etwas Nützliches zu tun. Offiziell hieß es, er habe seine juristischen Studien, die durch den Krieg unterbrochen wurden, wiederaufgenommen. Er pflegte sich in sein Zimmer zurückzuziehen und wie auf einer einsamen Insel dort zu bleiben. Stunde um Stunde, Tag um Tag lag er auf seinem Bett, die Füße in alten Militärstiefeln auf dem Bettspiegel. Das Lehrbuch fiel ihm aus der Hand, und von Zeit zu Zeit übermannte ihn ein plötzliches Schlafbedürfnis. Wenn ich in sein Zimmer kam, erwachte er erschrocken und starrte mich an, als sei ich sein ärgster Feind. Allmählich fing er sich wieder, richtete sich auf und wurde wieder korrekt und höflich. Er tat mir leid. Es war etwas Dekadentes in seinem langen schmalen Gesicht und in seinen mageren, vernachlässigten Händen, als hätte dieser letzte Zweig des alten Familienbaumes nicht mehr Saft und Kraft. Sein Großvater war — trotz seiner Gicht — bestimmt aus zäherem Holz. Manchmal erinnerte mich der Junge an die dünnen, schwächlichen Spargel, die aus dem Boden sprießen, nachdem man die guten, dicken, saftigen geerntet hat.

»Bist du müde?« fragte ich ihn. »Soll ich das Fenster öffnen? Warum gehst du nicht ein bißchen im Park spazieren? Es würde dich erfrischen, und du würdest nicht einschlafen, wenn du studieren sollst.«

»Studieren — was? Studieren — wozu?« fragte er mit einer Handbewegung, als ob er etwas Ekelhaftes wegwürfe — einen Wurm, eine Wanze, ein klebriges Stück Dreck. »Ach, es ist ja alles so hoffnungslos. Laß mich in Frieden, Tante Maria, bitte!«

Sowie das Mittagessen beendet war, rollte er seine Serviette zusammen, schob sie in den kleinen Metallring mit der Inschrift ›Gold gab ich für Eisen‹, schlug höflich die Absätze zusammen und verschwand. »Entschuldige mich, Tante Maria, ich habe eine Verabredung mit meinen Freunden«, sagte er und war fort. Einige von diesen Freunden kannte ich flüchtig. Sie kamen von Zeit zu Zeit und saßen in Hellmuths Bude, die wir nachher lüften mußten, um den infernalischen Gestank der Tabakspfeifen hinauszukriegen. Manchmal gaben sie auf der Straße ein Pfeifsignal, ein fröhliches, keckes Signal, das Schwertmotiv aus Wagners ›Ring‹, und dann rannte Hellmuth mit ihnen davon, zu irgendwelchen geheimen Zusammenkünften und mysteriösen Angelegenheiten. »Diese Grünschnäbel mit ihren kindischen Spielereien!« knurrte der Alte hinter ihm her. »Schießen mit Erbsen aus Spielzeugkanonen! Wer sind übrigens diese sogenannten Freunde?«

Heinz Arnheim, Joachim Sarwitz, Graf Andreas von Elmholtz. Drei von Tausenden, die den Weg aus dem Krieg heraus und zurück in den Frieden nicht finden konnten. Überall in den Straßen sah man sie. All diese jungen und doch schon gezeichneten Gesichter. Ihr großartiges Auftreten und ihre Armut. Ihre soldatischen Manieren, ihren Ausdruck finsterer Entschlossenheit — eine Maske, hinter der sie ihre Verwirrung verbargen. Sie sahen alle gleich aus, sie sprachen dieselbe Sprache, sie dachten dieselben Gedanken. Alle trugen die gleichen Windjacken, alte Militärhosen Schaftstiefel oder Ledergamaschen; es war beinahe eine Uniform. Sie waren keine Soldaten mehr, aber Zivilisten waren sie auch nicht geworden. Es war ein gefährliches Mittelding. Sie steckten beisammen in geheimen Vereinigungen, da sie es nicht ertragen konnten, allein zu sein. Als man sie ins Feld schickte, waren sie noch halbe Kinder gewesen, und als sie in die Heimat zurückkamen, war ihnen ihre Welt inzwischen unter den Füßen weggezogen worden. Sie hatten keinen Boden, auf dem sie stehen konnten, und sie wußten nicht, was sie anfangen sollten. Sie hatten nichts andres gelernt als Schießen und Deckung nehmen, und sie konnten ohne das tägliche Narkotikum von Kampf und Aufregung und Gefahr nicht mehr leben. In einem Land, das nichts so dringend brauchte wie Frieden, damit seine Wunden heilen konnten, lebten sie weiter wie Soldaten, die in Feindesland kampierten. Sie kamen zusammen, um ihren gewohnten Kriegsjargon zu sprechen, das alte Spiel zu spielen, feierliche Eide abzulegen, in Reih und Glied zu stehen, Befehle zu erteilen und entgegenzunehmen und die Disziplin blinden Gehorsams aufrechtzuerhalten. Sie wollten kämpfen. Wofür? — das wußten sie nicht genau. Es war eine lockende Sache für Leute, die stolz und unglücklich, jung und engstirnig waren, die keine Lust zu ehrlicher Arbeit hatten, wohl aber jene verworrene Leidenschaft des Deutschen für Dulden und Märtyrertum, möglichst in einer flotten Uniform. Nach einiger Zeit hatten sie dafür auch einen Namen, wenn auch keinen Inhalt: Nationalsozialismus.

In den Vereinigten Staaten haben sie — Gott sei Dank! — ihren Fußballsport.

Ich habe wahrhaftig nichts übrig für die Nazis. Aber ich habe gerade einen unter meinen Augen aufwachsen sehen, und ich weiß, wie das alles gekommen ist. Ich habe niemals den Abend vergessen, als Hellmuth nach fünf Jahren Krieg und Gefangenschaft nach Hause kam und nichts vorfand als eine Fotografie seiner verstorbenen Angehörigen und die Orden seines Vaters in einem alten Schmetterlingschaukasten. Und ich verstehe nur zu gut, daß ein paar tausend, die bei der Heimkehr dasselbe durchgemacht haben, eine Reinkultur zur Züchtung bösartiger Keime künftiger Armeen bildeten.

Es war, wenn ich mich recht erinnere, Ende 1922, als ich Clara wiedersah. Noch immer sahen die Mauern aus, als wollten sie umfallen, die jungen Künstler malten expressionistischer denn je, und die jungen Dichter schrieben in einem explosiven Stil über die Verdichtung des Raums und die Tugend des Vatermordes. Von dieser Woge des Expressionismus wurde Clara zum Ruhm emporgetragen und in unsre Stadt geschwemmt.

Wir befanden uns mitten in einem Zustand, den man Inflation nannte; es war ein Prozeß, den niemand verstehen oder erklären konnte — man hatte das Gefühl, von einem Erdrutsch erfaßt zu sein. Die Preise gingen in die Höhe, und die Löhne folgten nach. Die Löhne gingen in die Höhe, und die Preise folgten nach. Es war so ähnlich, als wenn man auf einer Leiter ohne Ende Hand über Hand hinaufkletterte. Die Arbeiter bekamen tausend Mark statt einer Mark, und das nächste war, daß das Brot zweitausend Mark kostete. Die Arbeiter traten in den Streik, und es wurde Militär aufgeboten, um sie wieder an die Arbeit zurückzutreiben. Es gab mehr und wildere Straßenkämpfe als früher, und die Schlangen vor den Lebensmittelläden waren länger als während des Krieges. Und doch gab es Leute, die dabei noch reich wurden. Wir empfanden alle, daß es nie zuvor eine enttäuschtere Generation gegeben hatte als unsre. Und wenn die Psychiater sich die Mühe genommen hätten, die ganze Bevölkerung zu untersuchen, so hätten sie gefunden, daß wir alle, ausnahmslos, leicht geistesgestört waren.

Eines frühen Morgens im Dezember stand ich unter dem verrußten Glasdach des Bahnhofs, mit dem hohlen Kitzel der Erwartung im Magen, und dann fuhr der Zug ein, und Clara war da, die ich in all diesen Jahren nicht mehr gesehen hatte. Wir hätten gern geweint, aber wir gehörten nicht zu der Generation, die weint; wir rauchten nur unsere Zigaretten etwas schneller und sahen einander mit dem prüfenden Frauenblick an, der ohne Worte fragt: Wie geht's dir, meine Freundin, wie hat dich das Leben behandelt, bist du noch schön, bist du verliebt oder nicht, woher kommen diese kleinen dunklen Vertiefungen unter deinen Backenknochen, du siehst durchaus älter aus, als du bist, ich hab' dich lieb, ich habe dich vermißt — und du?

Clara stürmte wie ein Wirbelwind in das stille, ehrbare Hahnenstädter Hotel, packte das Telefon, rief einem bestürzten Theatermann ihre Wünsche wegen der Proben, der Beleuchtungseffekte, der Inszenierung zu, disponierte über Koffer, Kostüme und Ausstattungsmaterial, gab zwei Interviews, saß einem verwirrten Pressefotografen, bestellte Frühstück für uns beide und warf schließlich alle andern hinaus. Dann ließ sie sich auf das Hotelbett fallen, schleuderte die Schuhe von den Füßen und lachte mich mit jenem tiefen, rauhen Knabenorgan an, nach dem ich mich so oft gesehnt hatte. Das Fotografieren im Zimmer war damals noch eine umständliche Geschichte, die eine Wolke von beizendem Magnesiumrauch hinterließ, und auf den Bildern sah man aus wie ein Kadaver, der eben vom Grund eines Flusses heraufgeholt war, wo er länger gelegen hatte, als ihm gut tat. Clara öffnete das Fenster und schnappte frische Luft.

»Was für ein Hundeleben! So ein Scheißdreck!« sagte sie mit Aplomb. »Und Anna, die mir viel hätte abnehmen können, konnte nicht mitkommen – wegen der Schwarzen Schmach –«

»Wer ist Anna?« fragte ich.

»Oh, sie ist mein alles: Dienstmädchen, Kammerjungfer, Sekretärin, Gewissen, was du willst. Erinnerst du dich nicht an sie? Sie machte doch in Bergheim bei uns rein.«

Ich hatte eine schwache Erinnerung an etwas Blasses, Mageres, Junges, das auf dem Fußboden herumkroch und mit dem Staub unter den Möbeln kämpfte. »Oh, Anna, natürlich. Die ist noch bei dir? Und was ist das mit der Schwarzen Schmach?« (Das war das Klischeewort der Zeitungen für die farbigen Besatzungstruppen.)

»Nun, als Bergheim diese afrikanischen Neger als Besatzungstruppe bekam, kriegte Anna von einem ein Kind. Deshalb behalte ich sie bei mir; niemand sonst wollte sie nehmen, und man konnte sie doch nicht einfach in den Rhein springen lassen, nicht wahr?«

»Wurde sie vergewaltigt?«

»Vergewaltigt? Ach wo! Sie ist ganz verrückt nach dem schwarzen Kerl. Ich übrigens auch. Er ist das hübscheste, kindischste Stück Ebenholz, das man sich denken kann. Die Schwarze Schmach ist leider nicht so gut ausgefallen. Ich glaube, ihr schwarzes und weißes Blut mischten sich nicht besonders gut. Es ist nicht leicht, das Kind aufzuziehen. Sie sieht ein bißchen grau aus, wie der Kaffee, den wir den Soldaten auf dem Bahnhof gaben, erinnerst du dich? Sie ist sehr schüchtern und auch recht anfällig. Gerade jetzt haben wir die Masern, und darum muß ich mich mit dem ganzen Dreck allein herumschlagen. Nun, du bist ja selbst auf Tourneen gewesen.«

»Das war etwas anderes«, sagte ich; ich mußte mich weit, weit zurücktasten, um mich an die Zeit zu erinnern, als ich Violinkonzerte gegeben hatte. »Ich bin nie richtig berühmt gewesen, weißt du.«

»Berühmt, pah!« sagte Clara. Sie sah mich lange und ernst an. »Laß dich anschauen, Mönchlein«, sagte sie, indem sie mir die Hand entgegenstreckte und mich zu sich aufs Bett zog. »Haben wir uns sehr verändert? Oder nur ein bißchen?«

»Ich weiß nicht«, sagte ich. »Ich glaube schon, Clara. Aber wie und wann es geschehen ist – das weiß ich nicht. Ich weiß nicht einmal, wie wir vorher ausgesehen haben.«

»Vor was?««

»Oh – vor alldem –«, sagte ich unbestimmt. Ich war sicher, daß sie mich verstehen werde. »Erinnerst du dich noch, daß wir geglaubt hatten, unsere Antipoden ständen die ganze Zeit auf dem Kopf? Nun, wir sind unsere eigenen Antipoden geworden, gewissermaßen, dieses Gefühl habe ich. Ich glaube, mir ist schwindlig, seit der Krieg aus ist.«

»Vielleicht kriegst du nicht genug zu essen, mag sein, daß es davon kommt«, sagte Clara. »Komm, wir wollen frühstücken.«

Es war ein fabelhaftes Frühstück. Nach damaligem Geld mußte es ein paar tausend Mark gekostet haben. Wir aßen in aller Ruhe, sahen uns an und wurden wieder ganz vertraut miteinander. Ja, wir hatten uns verändert; wir trugen kurze Röcke; Claras Haar war kürzer geschnitten. »Es hat beim Tanzen so gestört«, sagte sie. Soviel ich weiß, hatte sie die Bubikopfmode in Deutschland eingeführt. Aber in Hahnenstadt trug man noch den sittsamen Knoten.

Wir hatten auch eine andere Art, uns zu bewegen, und sprachen eine derbere Sprache als damals. Unsre Männer hatten sie aus dem Schützengraben mitgebracht, und es war allerlei an uns hängengeblieben.

»Übrigens, ich soll dir Grüße bestellen«, sagte Clara. »Vorigen Monat hab' ich in Wien getanzt. Ich habe viele alte Freunde getroffen — das heißt, soweit sie zurückgekommen sind.«

Ich fragte mich, welche alten Freunde sie getroffen haben mochte. Aus ihren wenigen Briefen wußte ich, daß Mama Balbi gestorben war und daß Claras Schwester Witwe geworden war und einen kleinen Hutsalon hatte. Ich wußte, daß man Claras ›Mann‹ gezwungen hatte abzudanken und daß er mit Pimpernell in Rheinhalden eine Versuchsfarm betrieb. Zum Abschied hatte er Clara ein ansehnliches Geldgeschenk gemacht, mit dem sie in München eine Tanzschule eröffnet hatte.

»Sind die Grüße von Schani?« fragte ich.

»Schani ist fein heraus. Er war mit seiner ganzen Kompanie übergelaufen, weißt du. Er war bei den Tschechen. Das war sein Glück. Du wirst viel gute, neue Musik von ihm hören, sobald er in Mode kommt ... Nein, nicht von Schani. Grüße von Charles Dupont. Mein Gott, wenn er dich jetzt sähe, würde er sich schütteln. Aus mit der Beauté, was?«

»Wie geht's ihm?« fragte ich mechanisch.

»Glänzend wie immer. Hat große Erfolge. Verdient einen Haufen Geld mit den Porträts von Herrn und Frau Neureich ... Komm, nimm dir noch Butter! Honig auch. Nun erzähl du!«

»Was?«

»Wie lebst du? Allein?«

»Du weißt, ich habe zwei Buben.«

»Ja, ja. Ich meine — keinen Mann? Keine Liebe?«

»Nein. Keinen Mann. Keine Liebe.«

»Komisch. Warum nicht?«

Ich überlegte. Ja, warum? Diese schweren, dunklen, vollgestopften Zimmer in der Riede, Hellmuth mit seinem Brüten hinter geschlossenen Türen, mein Schwiegervater, sehr alt, sehr brummig, geplagt von Gicht und Prostataschmerzen. Vielleicht beginnender Krebs, meinte Dr. Mayer. Milchi war auch nicht ganz in Ordnung. Ernstlich, ich muß mal mit ihm zu Frau Dr. Merz gehen und mit ihr darüber sprechen ...

»Ich glaube, ich habe keine Zeit zu solchem Luxus wie Liebe«, sagte ich. »Weißt du, ich hab' eine Stellung. Ich habe mir nur heute einen Tag freigenommen, deinetwegen.«

»Ja? Was arbeitest du?« sagte Clara leichthin, als ob es das Einfachste von der Welt wäre, mitten in der Woche einen Tag freizukriegen.

»Oh — was ich gerade kriegen kann. Gegenwärtig bin ich in einem Blumengeschäft. Das ist eine Arbeit, zu der sich ein Mann schlecht eignet. Sonst gibt's jetzt zu viele Arbeitslose.«

»Ja, das stimmt. Mußt du denn arbeiten? Wie steht's mit deiner Pension?«

»Praktisch nicht vorhanden. Man verspricht immer, sie aufzuwerten, aber es geschieht nicht. Von meiner monatlichen Pension kann ich mir nicht mal das Brot für eine Woche kaufen. Es ist zu verrückt.«

»Hm«, sagte Clara.

»Und wie geht es dir?« fragte ich.

»Ja, wie geht es mir? Manchmal verdiene ich haufenweise Geld, und manchmal bin ich pleite.«

»Nein. Ich meine — mit den Männern. Dir liegen doch alle zu Füßen — oder ist es noch derselbe?»

»Ich kann mich nicht binden. Männer sind so lästig«, sagte Clara unbestimmt und bewegte die Zehen in ihren Seidenstrümpfen. Dann richtete sie sich auf, rollte die Strümpfe bis zu den Knöcheln auf und betrachtete gedankenverloren ihre Beine. Nur Milchi konnte in den Anblick der eigenen Beine so versunken sein wie Clara. Sie streckte die Hand aus, tastete nach ihrer Zigarettendose und zündete sich eine Zigarette an. »Hier!« sagte sie und warf mir das Etui zu. Clara verstand es, ein Bett im Handumdrehen in ein Nomadenzelt zu verwandeln. Es war mit Büchern, Zeitschriften, Briefen und Telegrammen übersät; eine kleine Tüte mit billigen Bonbons — billig in relativem Sinn — lag da, zwei glänzende Äpfel, ein Manikürekästchen, ein Schal, eine Aktentasche, aus der Fotos, Kostümzeichnungen, Seidenmuster auf die Bettdecke herausgerutscht waren. Es sah unordentlich und gemütlich aus und machte aus dem Hotelzimmer ein Heim.

»Erzähl mal. Was macht dein ›Mann‹?«

»Oh, vermutlich geht's ihm gut«, sagte sie, und aus dem Klang ihrer Stimme erkannte ich, daß er für sie ebenso tot war wie Charles Dupont für mich. »Mein Gott, ist die Liebe nicht das Unwichtigste, was es gibt? Und auch das Lächerlichste?«

»Ja. Besonders wenn man gerade mal nicht verliebt ist«, sagte ich überlegen.

»So ist es. Oder wenn sie den Mann, in den du zufällig verliebt bist, in dein Lazarett bringen und ihm die Gedärme wie Makkaroni heraushängen und du für ihn nichts weiter tun kannst, als ihm eine tüchtige Portion Morphium geben — stark genug, ihn rasch von seinen Schmerzen zu befreien, für immer.«

Ich sagte nichts, und nach einer Pause setzte Clara hinzu: »Es war einer unsrer Krankenträger. Ich glaube, es war, was man die ganz große Liebe nennt. Er war Kriegsdienstverweigerer. Aber er holte die Verwundeten aus dem dichtesten Kugelregen.« Sie richtete sich auf und schlüpfte in die Schuhe. »Begraben wir die Toten, und vergessen wir den Krieg!« sagte sie fast fröhlich. »Es ist ein paar tausend Jahre her. Und jetzt soll ich angeblich Lesbierin sein.«

»Was ist denn das?« fragte ich verblüfft. Ich wußte mit dem unbekannten

Wort nichts anzufangen. Clara gab mir eine knappe Erklärung. »So, und stimmt es denn?« fragte ich. Ich hatte zwei Kinder, aber wieder einmal fühlte ich mich Clara gegenüber lächerlich unerfahren und naiv.

»Ich habe doch noch nicht versucht, dich zu verführen, nicht wahr?« sagte sie mit kurzem, tiefem Lachen. »Und dabei bist du das, was man meine ›beste Freundin‹ nennt. Komm, wir gehen. Ich habe um zehn Uhr Probe.«

Es wurde ein aufreibender Tag, der aufreibendste seit langem. Probe bis drei. Clara fluchte und schrie in die Soffitten hinauf und in den dunklen Zuschauerraum hinunter, schlug Krach im Büro und brachte wie ein Erdbeben das ganze verschlafene Stadttheater in Bewegung. Wieder Interviews und wieder Aufnahmen — diesmal langsame, künstlerische. Mittagessen mit einer Gruppe ultramoderner junger Künstler, die sich die ›Schwarzen Pferde‹ nannten. Am Nachmittag schleppte ich Clara schnell mal in die Riede, um ihr meine Buben zu zeigen. Martin benahm sich wie gewöhnlich sehr gut. Seine Augen hafteten auf Claras Handtasche, in der Erwartung, es könnte etwas Eßbares daraus hervorkommen. Milchi machte sofort sein Glück bei Clara. Er kletterte auf ihren Schoß und machte sich erbötig, ihr eine Geschichte zu erzählen.

»Ich hab' dich lieb«, sagte er, ihr Gesicht mit seinen schokoladebeschmierten Pfoten streichelnd. »Du riechst fein. Du darfst auch in meinem Bett schlafen.« Ich sah, wie er sich im Eiltempo in sie verliebte. Mit dieser Art, für manche Menschen, Tiere und Dinge sofort zu entflammen, war er ganz mein Kind. Hellmuth kam hereingeschlendert, um sich den berühmten Gast anzusehen, und versuchte arrogant zu sein; aber er war schüchtern und befangen vor Clara. Nach einer Weile ging sie mit ihm in sein Zimmer, um sich einige Andenken anzusehen, die er ihr zeigen wollte. Ich hörte, wie sie sich ernsthaft miteinander unterhielten. Clara fragte ihn aus und diskutierte mit ihm seine Probleme, und er erzählte ihr von den Tänzen, die er im Kaukasus gesehen hatte. Schließlich fragte er sie, ob sie ihm nicht eine Freikarte geben könne; er hätte sie so gern gesehen. »Wissen Sie, ich kann mir keine Karte leisten«, sagte er mit einem gequälten Lächeln. »Wir sind richtige Bettler geworden.«

An diesen Tag erinnere ich mich so gut, weil es so etwas ganz andres war als mein Alltag. Ich sah Clara tanzen, obgleich es mir gefiel, war ich doch nicht so aufgeregt wie die andern Zuschauer, weil ich mit ihr und ihren Ideen aufgewachsen war und mir alles, so originell und neu es auch sein mochte, doch schon ganz vertraut vorkam. Da waren alle die Geschöpfe, die sie tänzerisch gestalten wollte, da war unsere Zeit und unser Leben, nackt und grausam, dann wieder komisch, manchmal unergründlich und nebelhaft wie der Stoff, aus dem Träume gemacht sind.

Nach der Vorstellung nahm Clara mich zu einer Gesellschaft mit, die ihr zu Ehren bei irgendwelchen reichen Leuten gegeben wurde — offenbar Kriegsschiebern. Ganze Zimmerfluchten — die Einrichtung war überladen, die Teppiche waren zu dick, der Tisch ächzte unter der Last teurer, importierter Delikatessen, in der Bibliothek standen Bücher, die nach dem Meter gekauft zu sein schienen, in Leder gebunden — ich mußte an die Löcher in meinen Schuhen denken —, der Champagner war zu gut und die ganze Gasterei abstoßend. Es machte den Eindruck, daß hier alles en gros einge-kauft war, Flügel, Autos, Lebensmittel, Likör, Schmuck, Ballen von Seide und andern Geweben, Pelze und Wäsche, Gobelins und Himbeermarmelade, Fasan und Reis, Nachthemden und Kristallüster, Gemälde und Kisten mit Seife.

Ich habe nicht gewußt, daß Clara auch Hellmuth aufgefordert hatte, mit-zukommen. Plötzlich entdeckte ich ihn, wie er mit einem Glas Champagner in der Hand dastand und so grün im Gesicht war, daß ich fürchtete, es werde ihm übel und er werde sich vor aller Augen blamieren. Ich glaube, er hatte sich in Clara verliebt und war einfach mit ihr gegangen, ohne zu ahnen, in was für eine Gesellschaft er geraten war. »Hast du zuviel getrunken?« flüsterte ich ihm zu. »Willst du nicht ein wenig an die frische Luft gehen?«

Er sah mich an, als erkenne er mich nicht; dann lachte er: »Frische Luft wäre das richtige! Sie stinken zum Himmel, diese dreckigen Juden. Ekelt's dich nicht auch an? Sieh nur, wie sie sich vollstopfen, während wir — du lieber Gott! Ich hätte ein paar Handgranaten mitbringen sollen, wahrhaf-tig! Na schön, nächstesmal werde ich besser ausgerüstet sein, wenn ich in Gesellschaft gehe.«

»Du hättest uns nicht mitnehmen sollen«, sagte ich zu Clara, nachdem Hellmuth gegangen war. »Es ist ganz nett, Witze über solche Raffkes in den Zeitungen zu lesen, wenn man es aber mit eigenen Augen sieht, geht's einem an die Nieren.«

»Ach was! Es kann dir nur guttun, einmal aus deinem alten Gleis heraus-zukommen und zu sehen, wie andere Leute leben«, sagte Clara. Ich trank noch ein paar Glas Champagner, und die Dinge verloren allmählich ihre Schärfe. Später verpackte man uns in ein Prachtauto — wenigstens erschien es uns als Prachtauto, damals, 1921 —, einen Wagen auf watteweichen Rei-fen, und wir fuhren durch die Straßen, die trotz der späten Stunde noch sehr belebt waren. Ich hatte nicht gewußt, daß Hahnenstadt ein Nachtleben be-saß. Das Wort war eben in Aufnahme gekommen. So sah das also aus — Bars und Tanzlokale, Weinstuben und wieder Bars, alles voll eleganter Menschen, durchrüttelt von amerikanischer Jazzmusik — Ströme starker, süßer, eisgekühlter Getränke. Während ich in meiner keuschen Burg in der Riede schlief, war in den Nebenstraßen der Altstadt eine neue Welt aus dem Boden gewachsen.

Ich trank den ersten Cocktail meines Lebens, und als wir sehr spät in Claras Hotel, wo ich übernachten wollte, zurückkamen, schwamm ich in einer seligen Wolke.

Schweigend stiegen wir die Treppe hinauf. Obwohl ich noch beschwipst und übermütig war und in einem Schwebezustand einherging, machte ich mir doch schon Sorgen, da ich um acht Uhr morgens wieder bei meiner Ar-beit sein mußte. Claras Zimmer war kalt, und sie stellte die Heizung an; die Röhren sagten gluck-gluck-kleng-kleng, blieben aber kalt. »Nachts wird nicht geheizt«, sagte ich. Clara wickelte mich in einen schweren, wattierten Kimono. Sie zündete eine Zigarette an, steckte sie mir in den Mund, und nahm selbst eine. Dann brachte sie aus ihrem Koffer einen kleinen Primus-kocher zum Vorschein und setzte Wasser auf.

»Was machst du denn?« fragte ich. »Kaffee«, sagte sie. »Du mußt einen klaren Kopf bekommen.« Sie nahm ein paar braune Würfel, löste sie in dem kochenden Wasser auf und goß den Kaffee in ein Wasserglas. Der gute bittere Duft erfüllte das Zimmer und schuf die Illusion von Wärme. »Meine Erfindung«, sagte sie. »In einem Hotel bekommst du nie Kaffee, wenn du ihn am dringendsten brauchst, nämlich zwischen vier und fünf Uhr morgens.«

Sie setzte sich neben mich und legte den Arm um meine Schulter.

»Ich kann den Gedanken nicht ertragen, daß du so weiterleben sollst wie bisher. Ich hatte nicht gewußt, wie es ist; aus deinen Briefen war es mir nicht klargeworden. Aber jetzt, wo ich es mit eigenen Augen sehe — Mönchlein, du lebst in einem Gefängnis! Das ist nichts für dich! Warum tust du das? Warum schleppst du diesen brummigen alten Miesepeter und den finsteren jungen Verschwörer mit dir herum? Es ist schlimmer als ein Gefängnis. Es ist ja, wie in der Familiengruft lebendig begraben zu sein.«

»Das verstehst du nicht«, sagte ich. »Ich habe Verpflichtungen und muß sie erfüllen.«

»Verpflichtungen — Quatsch! Du hattest auch gegen deine Eltern Verpflichtungen und bist von ihnen weggegangen, ohne mit der Wimper zu zucken.«

»Das ist etwas ganz andres«, sagte ich. »Ich habe mir meine Eltern nicht ausgesucht, war also berechtigt, sie zu verlassen. Aber diese Suppe habe ich mir selbst eingebrockt und muß sie nun auch auslöffeln.«

»Einen Dreck mußt du!« sagte Clara aufgebracht. »Als du deinen Haupt-mann geheiratet hast, da hast du doch nicht alle verfluchten Verwandten mitgeheiratet. Du redest lauter Stuß.«

»Nein, so ist es nicht. Ich muß dir etwas erzählen, Clara. Ich möchte nicht, daß du mich für eine reuige Magdalena hältst, aber ich habe einen Fehler begangen. Jeder Mensch macht Fehler. Es kommt nur darauf an, ob man den Mut hat, die Folgen zu tragen. Und das werde ich tun — da hast du mein ganzes Glaubensbekenntnis. Basta.«

»Nix, basta«, sagte Clara und lächelte zu dem alten Wiener Ausdruck, der nun hier in Hahnenstadt plötzlich wieder auftauchte.

»Was für einen Fehler hast du denn gemacht, wenn ich fragen darf? Ich mag nicht, wenn du geheimnisvoll wirst.«

»Na schön«, sagte ich. »Ich habe noch nie zu jemandem davon gesprochen. Ich habe es kaum vor mir selber zugegeben. Also: Ich glaube, Michael ist nicht von meinem Mann.«

Clara war nicht besonders erschüttert. Sie sah mich an, als ob es sie amüsiere, als ob sie gern gelacht oder gepfiffen hätte.

»Hm«, sagte sie schließlich. »Du glaubst es nur. Du weißt es also nicht bestimmt?«

»Nun — siehst du —«

»Natürlich. Das ist eine weise Mutter, die den Vater ihres Kindes kennt«, sagte sie.

»Hör mal, über so etwas macht man doch keine Witze«, sagte ich verletzt.

»Worauf du dich verlassen kannst! Also, was ist mit ihm los? Kannst du ihn nicht heiraten? Ist er verheiratet? Du liebst ihn doch, nicht wahr?«

»Er ist tot. Und wenn er noch lebte, würde ich ihn auch nicht heiraten. Ich habe ihn überhaupt nicht geliebt. Ich habe ihn kaum gekannt. Es geht eben im Leben nicht immer alles nach Schema F.«

»Ach herrje«, sagte Clara etwas sanfter. »Da hast du ja allerlei durchgemacht.«

»Das Schlimmste weißt du noch nicht. Er war Jude und schwindsüchtig. Ich kriege jedesmal einen Todesschreck, wenn Milchi auch nur niest. Lieber Gott, ich habe so ein Durcheinander angerichtet, ich weiß gar nicht, wie ich's wieder gutmachen soll. Siehst du nicht ein, daß ich der Familie verpflichtet bin? Das ist es, warum ich auf Liebe und Männer und alles verzichte. Das ist doch das mindeste, was ich tun muß, um wieder gutzumachen, was ich angerichtet habe.«

»Mach doch keine tragische Gestalt aus dir, Mönchlein. Nimm dich nicht so furchtbar wichtig. Was glaubst du, wie viele Millionen Frauen in derselben Patsche sitzen? Millionen Mädels, die keine Ahnung haben, wer der Vater ihres Kindes ist — ihr Mann, ihr Geliebter oder der nette Kerl, den sie in der Bar kennengelernt und dann nie wiedergesehen haben.«

Auf diesen Gedanken war ich noch nicht gekommen.

»Tatsächlich?« fragte ich, erstaunt über diese neue Offenbarung.

»Darauf kannst du Gift nehmen«, sagte Clara. »Über die Väter, die nicht wissen, ob sie wirklich die Väter ihrer Kinder sind, ist so viel zusammengeschrieben worden. Schön. Aber wie steht es mit den Müttern? Wie sollen die es immer wissen? Blödsinn!«

»Wenn er bloß nicht krank gewesen wäre —«, sagte ich.

Clara faßte mich am Kinn und sah mir merkwürdig forschend in die Augen. »Sag mal — hast du das Kind deshalb weniger lieb?«

»Weniger?« sagte ich bestürzt. »Weniger? Natürlich mehr!«

»Warum glaubst du, daß es von diesem — von dem Mann ist, den du kaum gekannt hast?«

»Es sieht ihm so ähnlich; immer ähnlicher, je älter es wird.«

»Dann muß ich schon sagen, dieser Mann muß einen großen Charme gehabt haben. Der Bub ist so reizend, daß sich einem das Herz zusammenzieht — wie immer, wenn etwas zu vollkommen ist.«

»Nein. Ich glaube nicht, daß Manfred Charme hatte. Er war — du weißt — ich hätte nicht aus seinem Glas getrunken. Und jetzt habe ich ein Kind, das höchstwahrscheinlich von ihm ist. Ich weiß nicht, immer müssen mir solche komischen Sachen passieren.«

»Dir und jeder andern auch. Schau dich doch nur um, wie die Menschen leben. Sie entschädigen sich für die Zeit, die sie verloren haben, und haben keine Hemmungen mehr. Und es ist doch auch alles nicht so wichtig, was zwischen Männern und Frauen vorgeht. Hast du schon einmal in einem Mikroskop einen Tropfen schmutziges Wasser gesehen? Nun, das ist ungefähr dasselbe. Der Wirbel, das eilige Getriebe, womit sich diese Infusorien verwandeln, wie sie ausschwärmen, wie sie sich spalten, wie sie zergehen — ich muß mal einen Tanz daraus machen. Ich werde ihn ›Polygamie‹ nennen — du dumme, sittsame kleine Monogamistin.«

Großvater starb zu Beginn des Sommers. Während der letzten fürchterlichen Monate seiner Krebskrankheit hielt ich seine Selbstachtung aufrecht, indem ich ihn ständig unter Morphium setzte. Ich hatte Dr. Mayer, diesem altmodischen, steifleinenen alten Herrn größere Dosen abgeschwatzt, als er eigentlich erlauben wollte. Erst im letzten Stadium begann der Großvater in seiner Schwäche zu weinen und sich deshalb zu verfluchen. Er war durchscheinend geworden wie ein Lampenschirm, aber er starb genauso, wie man es von einem preußischen Amtsgerichtsrat der alten Schule erwarten durfte. Er war tief unglücklich darüber, daß er seine Memoiren ›Ich diente dem Vaterland‹ nicht vollenden konnte; ich ließ ihm das Manuskript in den Sarg legen. Ich stelle mir manchmal vor, daß er irgendwo auf einer hübschen, soliden Wolke, die für alte Herren der ›besseren Kreise‹ reserviert ist, meinen beiden Großvätern begegnet und daß die drei dann einen himmlischen Skat miteinander spielen.

Hellmuth verkaufte die Wohnung mit allem Inventar — ich weiß nicht, wie viele Inflationsmillionen er dafür bekam, aber ich weiß, daß er zwei Monate später damit gar nichts andres anfangen konnte, als sie der Wasserspülung im WC anzuvertrauen.

Elisabeth packte ihre Sachen zusammen und verschwand am Horizont wie das Grollen eines fernen Gewitters. Was mich betraf, so sagte mir Hellmuth, ich solle mich ans Wohnungsamt wenden, damit man mich irgendwo unterbringe. Dasselbe galt für Pulke und seine Familie. Für Pulke war es nicht schwer, da er bei der Polizei war, wo Männer seines Kalibers sehr geschätzt wurden. Ich glaube, es war sein glücklichster Tag, als er wieder eine richtige Uniform anziehen und wieder unterwürfige, schlappe junge Rekruten schinden und drillen durfte. Für mich und meine Kinder sah die Lage nicht so rosig aus.

»Also«, sagte Frau Dr. Merz, »es ist kein Grund zur Beunruhigung, immerhin hat der Kleine jeden Abend etwas Temperatur. Er ist lymphatisch und blutarm, wir müssen vor allem sehen, daß er diesen Keuchhusten loswird.«

»Sind Sie sicher, daß es bloß Keuchhusten ist?« fragte ich.

»Es ist ein richtiger Keuchhusten; er tritt überall in diesem verfluchten Nest auf, aber ich würde doch nicht sagen ›bloß‹. Es ist eine böse Sache, die ihm Appetit und Schlaf nimmt. Solange wir die Epidemie in Hahnenstadt haben, wird er ihn nicht loswerden. Und bei seiner Veranlagung, Sie wissen ja —«

Das Wort Tuberkulose wurde zwischen uns nicht ausgesprochen, aber es bildete den Hintergrund aller unserer Beratungen.

»Was der Junge wirklich braucht, ist gute, reine Bergluft und viel Sonne und nicht diese trübe Finsternis, die man hier in der Stadt Himmel nennt. Lassen Sie ihn im Freien schlafen, Sommer und Winter, und geben Sie ihm viele gute und einfache Nahrung, dann brauchen Sie sich keine Sorgen zu machen. Es gefällt mir nur nicht, daß er immer etwas Temperatur hat ...«
So kam es, daß wir nach Einsiedel gingen.

Es fällt mir nicht ganz leicht, aus der Vergangenheit ein deutliches Bild von Einsiedel heraufzubeschwören, da es sehr ähnlich aussah wie Staufen und die beiden Orte sich in meiner Erinnerung miteinander verschmelzen, sich übereinanderschieben und sich überblenden. Einsiedel lag in den bayrischen Bergen und verdiente sicherlich seinen Namen. Um hinzukommen, mußte man entweder über den See rudern oder den schmalen Pfad gehen, der sich am Ufer entlangschlängelte. Wo der Obersee endete und in einem scharfen Winkel in dem schwarzen Teich endete, den man Untersee nannte, sprang eine kleine Halbinsel in das grüne Wasser vor. Dort stand die Kapelle Maria Einsiedel, errichtet zur Erinnerung daran, daß hier vor etwa zweihundert Jahren ein Boot mit jungen Leuten in einem der Stürme, die manchmal den See aufwühlten, zerschellt war. Am Bergabhang nisteten ein paar verstreute Bauernhöfe, voneinander so weit wie möglich entfernt, denn die Menschen, die sich hier niedergelassen hatten, waren — ob sie es nun wußten oder nicht — Einsiedler. Das war mein Glück, da sich das Wohnungsamt nicht einen Pfifferling um Einsiedel zu kümmern schien und uns daher gestattete, ein ganzes Haus für uns allein zu mieten. Es war ein einsames, altersschwaches Gebäude, das herabhängende Schindeldach tief über die Ohren gezogen. Man hatte das Dach mit Steinen belegt, um es gegen die Stürme zu verankern. Es leckte ständig, und wir mußten immer Töpfe und Pfannen auf den Fußboden stellen, um die Rinnsale aufzufangen. Holzbalkone liefen auf zwei Seiten um das Haus. Über der Tür war der heilige Florian. Er sah aus, als ob er Aussatz hätte. Eine Inschrift besagte:

>»Heiliger Florian,
Beschütz dies Haus,
Zünd' andre an!«

Was diesem Vers an Menschenfreundlichkeit fehlte, wog er durch Gläubigkeit auf. Die Balkone waren für uns sehr wichtig, denn hier konnte Michael Sommer und Winter im Freien schlafen. Ich nähte für ihn wattierte Schlafsäcke und packte ihn darin ein, daß er warm und geschützt war. In klaren Winternächten waren die Sterne nah und groß, und der zackige Kegel des Watzmanns stand hoch und weiß über dem erstarrten Spiegel des Untersees. Die Luft war so kalt, daß sie einen in der Kehle schmerzte, und so herrlich, daß sie einen zum Jodeln verlockte. Eine glitzernde Draperie von Eiszapfen hing von der Dachrinne, von Zeit zu Zeit brach einer ab, fiel herunter und zersplitterte mit einem feinen, singenden kristallenen Klang. An sonnigen Tagen erschien der Himmel unglaublich dunkel neben den leuchtenden Schneegipfel. Im Frühling hörten wir die Lawinen niederdonnern, und manchmal konnten wir beobachten, wie sich eine Lawine von der Flanke des Berges losmachte und in einer Rakete weißen Pulvers zerstob. Manche sahen aus wie Wasserfälle, andere wieder waren geballt, roh und drohend, brachen die Fichten nieder und töteten, was ihnen in den Weg kam. Die Bergwände fielen steil nach dem Untersee ab und leuchteten im Sommer von dem tiefen, gesunden Rot der Alpenrosen. Wild und ungebändigt war die Natur in Einsiedel, und ich fühlte mich recht klein und beklommen, so allein mit meinen beiden Buben in dem verfallenen einsamen Haus. Im Sommer kamen öfter Leute aus München, sie ruderten über den Obersee und picknickten bei der Kapelle. Im Winter waren wir die meiste Zeit eingeschneit, der See fror zu, und man konnte mit einem Schlitten hinüberfahren. Ruderboot und Schlitten gehörten zum Haus. Das Boot leckte, und beim Schlitten war etwas an der linken Kufe nicht in Ordnung. Ich versuchte eine starke, unerschrockene Gebirglerin aus mir zu machen; aber das war gar nicht so einfach. Die ersten Wochen waren ein Kampf mit tausend gemeinen, zähen, unbesiegbaren Widerständen. Weltflucht ist ein ganz verzweifeltes Unternehmen, und niemand soll mir erzählen, wie herrlich es sein muß, auf einer einsamen Insel zu leben. Feuer machen, ohne daß das Haus im Rauch erstickt, Holz spalten und trocken halten, die Petroleumlampe füllen und verhindern, daß sie rußt. Die Lebensmittel heranschaffen. Ich mußte sie in Anzbach kaufen und dann über den See rudern. Die Expeditionen durch den Schnee, um meinen täglichen Milchbedarf vom Gabelhof, meine Eier und Hühner von der Gugglmutter hoch oben am Bergsteig zu holen. Die Menschen in den Bergen sind wortkarg und nicht sehr freundlich gegen einen Fremden. Sie sind taub und stumm und feindselig. Sie hielten mich für einen Trottel. Ich verstand nicht, Brot zu backen, ein Schwein zu schlachten, Würste zu machen, Schinken zu räuchern. Wenn sich ein Bienenschwarm wie ein summender goldbrauner Beutel an meinem Balkon hängte (was als großes Glückszeichen galt), so verstand ich es nicht, ihn hereinzuholen und in einen Bienenstock zu setzen. Wenn sich einer der Gugglbuben meiner erbarmte und es für mich tat, so fürchtete ich mich, im Herbst die Honigwaben herauszunehmen. Wären die Leute in Einsiedel weniger interesselos gewesen, sie hätten mich gesteinigt, weil ich meine Kinder zwang, in der Kälte zu schlafen. So aber gaben sie sich mit der Erklärung zufrieden, daß ich verrückt, aber harmlos sei. Wenn sie mir einmal halfen, geschah es nur widerwillig, und wenn ich ihnen dafür irgendeinen kleinen Betrag bezahlte, so bestärkte es sie in der Überzeugung, daß ich im Kopf nicht ganz richtig sei. Ein kleiner Betrag — das hieß in diesen Jahren erst ein Millionenmarkschein, dann bald ein Milliardenmarkschein. Immer tat mir der Rücken weh, meine Hände wurden hart wie Holz, und oft wurde ich vor Einsamkeit fast verrückt.

Aber, lieber Gott, wie schön war es, wie rein und weit und frei! Michael wurde stark und gesund und groß, von allen Orten war Einsiedel wahrscheinlich der einzige, wo ich mich und meine Kinder in diesen verrückten Inflationsjahren von der entwerteten Pension einer Offizierswitwe erhalten konnte.

Natürlich war es wieder Clara gewesen, die diesen Platz für mich ausfindig gemacht hatte; sie schien immer dann zur Stelle zu sein, wenn ich sie am dringendsten brauchte. Besonders schön war, daß sie im Sommer zu ausgedehnten Wochenendbesuchen und im Winter zu Skipartien kam. Einmal, als sie einen Sehnenriß hatte und Ruhe brauchte, verbrachte sie einen vollen Monat bei mir. Auch nahm ich manchmal meine Buben, ruderte sie über den See, in Anzbach stiegen wir in die Eisenbahn — so nahe war die Zivilisation an unsere Wildnis herangekommen — und fuhren auf ein paar Tage nach München, unter dem Vorwand, daß Michael von einem Arzt untersucht werden müsse. Aber der Doktor lachte bloß, wenn ich ihm Michael vorführte. »Vollkommen gesund, und Sie werden sehen, der wächst seinem Bruder noch über den Kopf«, sagte der Arzt jedesmal. Martin war immer noch der Herr im Haus, das Oberhaupt der Familie, Häuptling des Stammes und Gebieter. Ein friedfertiger, kleiner Bursche und viel praktischer als ich. Jedem der Jungen waren gewisse kleine Hausarbeiten übertragen: Reisig sammeln, den kleinen Garten begießen, die Katze füttern, die Bootsdollen ölen, den Hühnern das Futter bringen, den Tisch decken, darauf achten, daß die Regentonne nicht überlief. Nach einigen Monaten bekamen wir einen neuen Mieter: die Schwarze Schmach. Clara brachte Anna mit, und Anna brachte ihr farbiges kleines Mädchen mit und ließ es bei uns, als Clara wieder auf Tournee ging. Die Schwarze Schmach war drei Jahre alt, hatte schwarze Brombeeraugen und eine graubraune Haut; von Zeit zu Zeit brachen unvermittelt Wildbäche von Tränen oder Gelächter aus ihr hervor. Die Schwarze Schmach trug ein bayrisches Dirndlkleid, ihr afrikanisches Haar war in vier dünne Zöpfchen geflochten, und es war ein denkwürdiger Anblick, sie bei der Sonntagsmesse in der kleinen Kapelle zu sehen. Clara bezahlte für sie Kost und Quartier — ich glaube, sie benutzte die Schwarze Schmach nur als Vorwand, um während der schlimmsten Inflationszeit meine Finanzen zu stützen. Meine Buben waren zum Bersten stolz auf die Schwarze Schmach. Weiße oder braune Kinder wie die Gugglbuben, die konnte jeder haben, aber kein schwarzes, kein wirklich durch und durch schwarzes! Daß die Schwarze Schmach durch und durch schwarz war, schien ihnen von größter Wichtigkeit. Ich fand die Jungen einmal, wie sie die Kleine mit wilder Entschlossenheit schrubbten, wobei sie sich meiner Scheuerbürste und des Schmirgelpapiers bedienten, das ich für meine Kupferpfannen benutzte. Großer Jubel: die Farbe ging nicht ab! Auch ihr Inneres wurde untersucht. Martin machte ihr den Mund auf, soweit es ging, und Michael spähte hinein, um zu sehen, ob die Schwarze Schmach überall schwarz sei. Das war sie nun nicht, und die Buben gingen zwei Tage mit verdrießlichen Gesichtern herum. Ich glaube, sie hätten die Schwarze Schmach am liebsten auseinandergenommen, um zu sehen, wie sie inwendig aussah, und ob sie wirklich und wahrhaftig durch und durch schwarz sei. Ich mußte mit ihnen vernünftig reden und ihnen eine grundlegende Erklärung der biologischen Tatsachen geben. Das Komische daran war, daß sich die Schwarze Schmach willig und ohne einen Mucks jeder Mißhandlung unterwarf, die die Jungen im Zuge ihrer Forschungsarbeit für notwendig hielten. Ich hatte den Eindruck, daß sich ihr dreijähriges Seelchen sogar durch soviel gründliche Beachtung geehrt und geschmeichelt fühlte. Martin übernahm ihre Erziehung, ebenso wie er mir behilflich gewesen war, Milchi stubenrein und folgsam zu machen. Sie erbte Milchis Schlafsack, nachdem er ihm zu klein geworden war und ich einen neuen für ihn gemacht hatte.

O diese tiefe, heitere Stille in unsern Winternächten, wenn ich die drei Kinder auf dem Balkon schlafengelegt, ihren Abendgebeten gelauscht und sie noch einmal gut eingepackt hatte! Sie rollten sich zusammen wie drei kleine Brezeln, und bald konnte ich an ihrem ruhigen Atem erkennen, daß sie fest schliefen. Dann blieb ich noch eine Minute stehen und horchte in das Schweigen hinaus. Es war so still, daß man die Stille singen hören konnte. Es war, als atmete und schliefe die Welt mit mir und meinen Kindern sicher und befriedet in Gottes Hand ...

SECHSTES KAPITEL

Zehn Minuten später entdeckte Marion, daß sie die Fährte der Menschen, die vor ihr über den Gletscher gegangen waren, verloren hatte. Sie lachte ärgerlich auf und machte kehrt, um ihre eigenen Spuren bis zum Punkt zurückzuverfolgen, wo sie von den vielen gemeinsamen Fußspuren abgewichen war. Aber das Zurückklettern war viel schwieriger. Wieder kam sie ins Rutschen. Sie hakte sich mit dem Eispickel fest, gewann aber nur einen unsicheren Halt. Ruhig, ruhig, dachte sie. Das Herz schlug ihr in der Kehle. Ich bin ja verrückt, dachte sie, das schaffe ich nie. Es wird ja dunkel, ehe ich zur Arlihütte komme — und was dann? Kehren wir um, gehen wir nach Hause, und vergessen wir das ganze Abenteuer, dachte sie. Als sie aber über die Eisfläche zurückblickte, die sie bis jetzt überquert hatte, schien sie eine endlose Strecke zu sein — das Kees war weit, weit hinten, während das Grauhorn ganz nah vor ihr aufstieg. Sie zwang sich dazu, ruhig zu atmen, rief noch einmal und lauschte. Nichts antwortete außer dem fünffachen Echo. Sie schloß eine Weile die Augen, um dann wieder recht klar und scharf sehen zu können. Sie mußte die verlorene Spur wiederfinden. Hinter ihren geschlossenen Lidern hatte sie eine schöne Vision: sie sah Christopher über den Gletscher gehen, so wie sie ihn gesehen hatte, als sie die Tour zu zweit gemacht hatten. Er schritt weit aus, mit einer solchen Leichtigkeit und sicheren Ruhe, als ginge er nicht über glattes, trügerisches Eis mit tiefen, blauen Gletscherspalten zur Rechten und zur Linken, sondern über die samtenen Rasenflächen seines heimatlichen England. Diese Vision war so wirklich und so schön, daß Marion mit geschlossenen Augen lächelte und immer noch lächelte, als sie die Augen geöffnet hatte und weiterkletterte. Sie bemühte sich, die Muskeln zu entspannen und frei zu atmen. Von einem erhöhten Eisgipfel sah sie umher und entdeckte die fußbreite Fährte, die sie verloren hatte. Es konnten bis dorthin kaum zwanzig Meter sein; aber zwei Eisgipfel, die jäh zu Gletscherspalten abfielen, trennten sie von dem gesuchten Weg.

Als Marion eine Eisbrücke überquerte, fühlte sie plötzlich, wie der Grund unter ihr nachgab. Was nun geschah, ging so blitzschnell vor sich, daß sie es kaum verstand. Sie fühlte, wie sie durchbrach. Sie fiel wie durch eine Falltür und griff nach einem Halt; Eis splitterte unter ihren Fingern, sie glitt und fiel, etwas Kaltes und Weißes stob um ihr Gesicht wie Schnee, ihr ganzer Körper war brennender Schmerz. Der Pickel war ihr von einem Hindernis, das stärker war als sie, aus der Hand geschlagen worden. Immer noch fiel sie, fiel sie, es war eine endlose Fahrt hinunter in die Tiefen des Gletschers. Schließlich wurde der Sturz durch eine harte Kristallwand aufgehalten, die sich ihr entgegenschob. Ein letztes Aufschlagen, ein heftiger Schmerz — dann überschlug sich Marion und saß da.

»Das ist idiotisch«, sagte sie laut und sehr streng zu sich. Sie mußte jetzt unbedingt streng gegen sich sein, um sich nicht von dem Schock des Sturzes unterkriegen zu lassen. Ihr Herz klopfte in einem irrsinnigen Tempo, und sie zitterte am ganzen Leib. Tief atmen! kommandierte sie sich und gehorchte. Nach einigen Minuten — oder vielleicht waren es bloß Sekunden — gewann sie die Herrschaft über ihre Nerven wieder und versuchte sich ihre Lage klarzumachen. Inzwischen hatten sich ihre Augen an das seltsame Zwielicht dieser Regionen gewöhnt, und sie sah sich um. Es war komisch — aber das war hundert Prozent Marion —, daß ihr erster Gedanke war: Wie schön! Wie unglaubhaft, unwirklich schön! Das nächste war, daß sie mit der Hand in die Tasche ihrer Jacke fuhr und mit einem Seufzer der Erleichterung die Zigaretten und das Feuerzeug fand. Sie inhalierte den Rauch und begann zu lachen. »Das ist die komischste Sache, die mir je passiert ist«, sagte sie laut. »Du bist ja vollkommen verdattert, Mädchen«, sagte sie. »Du sprichst ja laut mit dir selber. Tu das nicht! Reiß dich zusammen!«

Sie riß sich zusammen und untersuchte ihre Lage. Es war nicht so schlimm, wie sie gedacht hatte, während sie durchbrach. Sie hatte die Empfindung gehabt, als fiele sie von der Spitze des Eiffelturms. Als sie aber hinaufschaute, sah sie, daß der Rand der Gletscherspalte gar nicht so weit entfernt war. Der Abstand von dem Eisband, das ihren Fall aufgehalten hatte, bis zur Oberfläche des Gletschers war nicht größer als der Abstand vom Fußboden bis zur Decke eines Zimmers. Der Himmel war dunkel und nah, und die Sonne schien in die Spalte, traf die gegenüberliegende Eiswand und schlug glitzernde Funken aus der blau durchscheinenden Masse. Es war etwas Beruhigendes und Tröstliches in diesem leuchtenden Streifen Sonne, den sie beinahe mit Händen erreichen konnte. Weniger erfreulich war es, in die dunkelnde Tiefe der Spalten hinabzuschauen, die neben Marions unsicherem Sitz steil abfiel.

Marion zuckte zusammen, als sie ganz weit dort unten ihren Pickel erblickte; er hatte sich mit seiner Spitze auf einem vorstehenden Eisgebilde gefangen, etwa zehn Meter unter ihr, wo sich die Spalte zu einer undurchdringlichen blauschwarzen Finsternis erweiterte. Es bestand nicht die geringste Hoffnung, den Eispickel wiederzubekommen. Sagen wir ihm adieu, dachte Marion, bemüht, gute Miene zum bösen Spiel zu machen. Sie rauchte ihre Zigarette zu Ende und drückte sie auf dem Eis aus, bevor sie den Stummel in die Spalte warf. Das war zweifellos komisch. Marion lachte leise. Sie schob sich auf ihrem Sitz zurecht, so daß sie etwas bequemer saß, und überlegte den nächsten Schritt. Es war ein Glück, daß die Spalte nur ein paar Meter von der Fährte entfernt war, die jeder benutzte, der den Gletscher überschritt. Wenn sie von Zeit zu Zeit um Hilfe rief, so mußte sie jemand, der vorbeikam, hören. Gerade jetzt befanden sich fünf Menschen auf dem Gletscher, einer von ihnen mußte sie hören, und dieser eine war natürlich Christopher. Es schien ihr das Natürlichste von der Welt, daß er schließlich kommen und sie herausholen werde. Wenn nicht, dachte Marion, dann werde ich eben selbst herauskommen müssen. Ohne Seil wird es nicht leicht sein, aber es wird gehen. Automatisch vermerkten ihre Augen jeden Vorsprung und jeden Buckel im Eis, an dem ihre Füße einen Halt, ihre Hände einen Griff finden könnten. Wenn ich meinen Eispickel hätte, wäre es ein Kinderspiel, dachte sie. Sie sah, wo sie Stufen in die steile Wand schlagen würde, wenn sie noch ihren Pickel hätte. Höchstens drei Meter Eiswand, das war alles, was sie von der sicheren Welt trennte. Ja, aber wir haben keinen Pickel, Mädel, das ist nun einmal so, sagte sie sich. Wir wollen es mal mit dem Rufen versuchen.

Ihre Stimme klang schwach und erschreckend dünn. Wir müssen lauter singen; hier ist keine Badewannenakustik, dachte Marion. Sie füllte ihr Zwerchfell mit Luft und legte los. Mit einemmal stieg der vollendetste Jodler aus ihrer Kehle. Sie lauschte ihm mit Überraschung und Anerkennung. Was man nicht alles kann, wenn man muß, dachte sie. Sie hielt den Atem an und horchte, ob Antwort kam. Ja — es schien, als höre sie einen Jodler, sehr schwach, sehr weit oben, ohne Widerhall. Sie jodelte noch einmal.

Es war sehr kalt dort unten; Marion war froh, daß sie den Rucksack nicht verloren hatte. Er bildete eine gute Isolierschicht zwischen der Eiswand und ihrem Rücken. Weniger schön war das Gefühl an der Sitzfläche, wo sie einzufrieren glaubte. Ihre Lippen waren trocken, Hände und linke Wange zerschunden. Nachdem die Betäubung des ersten Schocks gewichen war, erwachte in ihrem Körper ein Schmerz nach dem andern. Was sie am meisten beunruhigte, waren ein dumpfer Schmerz und eine Steifheit in ihrem rechten Fußgelenk. Sie versuchte es zu bewegen, aber es verhielt sich weiterhin sehr verdächtig. Sie zwängte sich in ein sicheres Plätzchen zwischen der Wand der Gletscherspalte und einem kleinen Eiskegel, der gewissermaßen eine Barriere bildete und so den Abgrund freundlich Marions Blick entzog.

Immer wieder rief sie; sie glaubte eine Antwort zu hören, diesmal näher und deutlicher. Na, wir sind schon in schlimmeren Lagen gewesen, dachte sie. Wolzynje war schlimmer. Als Michael zu erblinden drohte, das war schlimmer gewesen! Sie zündete sich noch eine Zigarette an und rief wieder.

Schön ist es hier unten wahrhaftig. Zu dumm, daß ich meine Kamera nicht mitgenommen habe. Erinnerst du dich an das Andersen-Märchen von der ›Schneekönigin‹? Hier spielt es. Ein Eispalast. Eine Grotte voll Smaragden und Diamanten. In gewissem Sinn bin ich froh darüber, daß ich in die Gletscherspalte gefallen bin, es ist ein Erlebnis, dessen sich wenige Menschen rühmen können. Ich bin so froh darüber wie Kathi über ihr Holzbein. Ich hoffe bloß, ich werde mit meinem Hinterteil nicht auf meinem Thron anfrieren. Wie wohl Andersens ›Schneekönigin‹ dieses heikle Problem gelöst haben mag? Jetzt ist mir kalt, aber ich bin nicht aufgeregt oder verzweifelt, und Angst habe ich bestimmt nicht. Es ist doch ganz natürlich, daß einem kalt ist, wenn man in einer weiß-blau-grünen Gletscherspalte steckt. Ich bin fünfundfünfzig Kilo Gefrierfleisch, haben Sie Verwendung für mich? Es ist das Komischste, was mir bisher in meinem komischen Leben passiert ist. Ich wollte, ich könnte spazierengehen wie heute früh. Vorsichtig, Marion, vorsichtig, sonst fahren wir in die Tiefe hinunter ... wie mit einer Berg-und-Tal-Bahn. Na, jetzt können wir nichts tun als sitzen und warten. Christopher wird bald da sein.

Marion saß und wartete und rauchte und rief in regelmäßigen Abständen und wartete wieder. Angestrengt versuchte sie sich all die Ratschläge ins Gedächtnis zurückzurufen, die ihr Max Wilde gegeben hatte. Denn Max Wilde war ein großartiger Bergsteiger gewesen und hatte ihr alles beigebracht, was sie von Bergen und Bergsteigen wußte. Seit Jahren hatte sie nicht an ihn gedacht, aber jetzt fiel er ihr ein. Ganz intensiv dachte sie jetzt an ihn, während sie wartete und die Eiswand nach einem Ausweg absuchte und dabei beobachtete, wie die Sonne Zoll um Zoll hinaufkroch, dem Rand der Gletscherspalte zu.

Max Wilde kam zu uns während des ärgsten Unwetters, das wir je erlebt hatten. Es war Frühling, der späte Frühling der Berge, und ein warmer Südwind hatte plötzlich mehr Gletschereis zum Schmelzen gebracht, als die schmalen Rinnen der Bergbäche zu fassen vermochten. Es war Lawinenwetter, die Wasser kamen donnernd von den Höhen herab, wälzten Baumstämme und Felsblöcke mit sich und türmten sie auf dem flachen Strand unserer Halbinsel auf. Hinter dem Watzmann war schweres Gewölk aufgestiegen, und als es barst, gab es eine Art Sintflut. Der See brodelte und und kochte und schäumte. Er stieg, leckte an dem Uferpfad und verschluckte ihn. Wir konnten weder über das wütende Wasser rudern noch am Ufer entlangwandern. Als ich an diesem Morgen zum Gabelbauer watete, um meine Milch zu holen, brummte er etwas von einem Erdrutsch weiter unten am Weg. Unser Haus stand auf einem Hügel und war gegen Hochwasser geschützt, sonst aber recht verlassen. Daß das Dach leckte, war eine glatte Beschönigung. In Wirklichkeit gab es überhaupt nur ein paar trockene Inseln, und ich legte die Matratzen der Kinder in die Winkel, wo es nicht durchregnete, Martin und Milchi legten, keuchend und schnaufend, Bretter quer durchs Zimmer, vom Ofen zum Tisch, vom Tisch zum Schrank.

Die Schwarze Schmach saß auf einem Schemel und plantschte mit den nackten Füßchen im Wasser, wobei sie ihr Lieblingsspiel spielte. Jede ihrer winzigen Zehen war ein Tier: Anki, Panki, Lanki, Manki, Sanki, und alle badeten. Der Regen rauschte, und auf dem Sturm kam die Nacht geritten; ich fühlte mich wie Vater Noah in seiner Arche. Es war kalt, und wir hatten unser ganzes Holz aufgebraucht. Es blieb mir also nichts übrig, als die Stallaterne zu nehmen und über den Hof nach dem Schuppen zu waten, wo wir unsern Brennholzvorrat hatten. Martin und Milchi hatten den größten Teil der Woche damit zugebracht, das Holz an der Außenwand des Schuppens aufzuschichten, wo es im allgemeinen durch das überhängende Dach geschützt war. Ich zog wie die Schwarze Schmach die Schuhe aus, nahm den Regenmantel über den Kopf und platschte durch den Regen. Der Hof hatte sich in einen tiefen Morast verwandelt, und ich mußte darauf achten, meine Füße herauszuziehen, bevor sie zu tief einsanken. Das Holz war vollkommen durchnäßt, ein dichter Wasservorhang floß vom Dach auf meinen Holzstoß herab. Ich öffnete mit dem Schlüssel den Schuppen, in dem ich meine Konserven eingeschlossen hatte. Die Tür hatte sich geworfen, ich mußte sie mit Gewalt aufreißen.

»Guten Abend, Mutter«, sagte eine Baßstimme im Finstern. Mir blieb das Herz stehen. Es wurde so viel von Räubern und Landstreichern gesprochen in diesen Bergen — mir war allerdings nie etwas gestohlen worden. Ich drehte die Laterne in die Richtung, aus der die Stimme kam, und spähte zwischen die Gemüsekonserven auf der Stellage — jeder hatte gelernt, die Lebensmittel zu konservieren; das war einer von den Kunstgriffen, die die harten Zeiten uns gelehrt hatten. — Und da lag ein Bündel alter Kleider.

»Erschrecken Sie nicht, Mutter«, sagte das Bündel. »Ich habe nichts Böses vor. Es gießt so. Sie werden mir's doch nicht krummnehmen, daß ich hier untergeschlüpft bin?«

»Wie sind Sie denn hereingekommen?« fragte ich verdutzt. Das Bündel richtete sich auf und ließ zwei nackte Beine von der Stellage herunterbaumeln. Sie waren schlammbedeckt, an einem Fuß fehlten drei Zehen. Vom andern Ende des Bündels, wo sich der Kopf befand, kam ein Kichern. »Mutter, wenn Sie nicht wollen, daß Diebe 'reinkommen, müssen Sie was Besseres erfinden. Ich hab's mit dem Taschenmesser gemacht, denken Sie mal!«

Ich holte einige Dosen herunter und legte sie in meine Schürze.

»Ich habe nichts gestohlen«, sagte der Mann. Es war ein alter Mann, aber seine Stimme klang kräftig und jung. Er hatte langes weißes Haar und ein braunes Gesicht, eine Landkarte von einem Gesicht, voller Berge und Täler. Die Augen waren zwei Seen in dieser Landkarte. Seen von einem harten Blau, eingebettet in tiefe Augenhöhlen. »Ich bin ganz schwach vor Hunger, aber ich habe nichts gestohlen«, wiederholte der Mann. »Aber wenn ich noch mehr Hunger kriege — 'nen heiligen Eid kann ich auch nicht leisten, daß ich mir nicht doch noch was nehme«, sagte er und lachte mir offen ins Gesicht.

»Woher kommen Sie?« fragte ich ihn. Er machte eine unbestimmte Handbewegung gegen Nordwesten.

»Von da drüben. Über die Berge«, sagte er.

»Sie wollen doch nicht sagen, daß Sie bei diesem Wetter über den Watzmann gegangen sind?« sagte ich. Er war von der Stellage heruntergekommen, und wie er so mit seinen schmutzigen Füßen dastand und das Wasser von seinen triefenden Fetzen herunterlief, bildete sich rings um ihn ein kleiner Teich.

»Über den Watzmann oder einen anderen Mann, Mutter«, sagte er heiter. »Sie waren noch nie im Himalaja, Mutter. Das sind Berge! Hier gibt's ja bloß Maulwurfshügel.«

»Was wissen Sie denn vom Himalaja?« fragte ich erstaunt.

»War auf dem Karakorum damals, Anno 98 mit der Whitley-Expedition. Ich weiß, was Sie jetzt denken. Sie denken: ›So ein Lügner!‹ Na, dann sehen Sie mal her.« Er öffnete sein Hemd oder das, was er sein Hemd nannte, und fingerte an einer Kette herum, die er um den Hals trug. Ein Dschungel von grauem Haar sah durch die Fetzen hervor, und seine Arme waren tätowiert.

»Sehen Sie, hier«, sagte er und zog einen fremdartigen Lederbeutel hervor, den er auf dem Leib trug. Er hockte sich nieder, öffnete den Beutel und breitete auf seinen Knien einige Papiere und Urkunden aus. Ich sah, daß er das Wanderbuch der Handwerksburschen besaß, und schließlich brachte er einen vergilbten, abgegriffenen Zeitungsausschnitt zutage. Es war ein

Holzschnitt in dem gemütlichen, keine Einzelheit auslassenden Stil der Familienzeitschriften von Anno dazumal und zeigte eine Gruppe von Männern in drollig wirkender Bergausrüstung. »Der da, das bin ich«, sagte er und zeigte mit seinem schwarzen, knotigen Finger auf eine der Gestalten. »Ein Prachtkerl, was? Ja, das war 98, seitdem ist viel Wasser ins Meer geflossen.«

Er verstaute den Ausschnitt wieder in seinem Beutel und den Beutel unter seinem Hemd. In den folgenden Jahren lernte ich begreifen, was für einen unermeßlichen Schatz dieser Beutel für Max bedeutete und was für ein schmeichelhafter Vertrauensbeweis es war, daß er ihn mir zeigte, kaum daß wir uns kennengelernt hatten. Und dieser Beutel war es auch, der Max Wilde schließlich verriet und ihn seinem Schicksal auslieferte . . .

Die Kinder kamen auf den Balkon heraus und riefen, wo ich solange bliebe, und ob Martin kommen solle, um mir zu helfen.

»Nein, um Gottes willen, bleibt, wo ihr seid, ich komme schon«, rief ich zurück. Max hörte mit offenbarem Vergnügen dem Kleeblatt zu, das herüberrief: »Schnell, schnell! Wir wollen essen!«

»Sind das Ihre?« fragte er mich.

»Zwei davon«, sagte ich. »Wir haben — wir haben ein kleines schwarzes Mädel bei uns — wissen Sie, es ist von damals, als wir die schwarzen Besatzungstruppen hatten.«

Er grinste freundlich. »Schwarz oder weiß, das ist egal«, sagte er.

»Mutter, wenn Sie all die Hautfarben gesehen hätten, die ich auf Gottes Erde gesehen habe, so würden Sie sich über gar nichts mehr wundern. Unter der Haut sind alle gleich. Stich ihnen ein Messer hinein, und sie bluten alle rot, tu ihnen weh, und sie weinen alle salzige Tränen.«

»Sie scheinen ja ein gutes Stück herumgekommen zu sein«, sagte ich. Die Kunst der Konversation war in Einsiedel nicht hochentwickelt, und es machte mir Spaß, mit dem alten Vagabunden zu sprechen. Ich ging nach der Tür und schaute mein nasses Holz an.

»So eine Schweinerei!« sagte ich verzweifelt.

»Wo ist der Bauer?« fragte mich Max.

»Wer?« fragte ich. »Es gibt keinen Bauern. Ich bin mit den Kindern allein.« Als das heraus war, biß ich mir auf die Lippen. Die Gugglmutter hatte vielleicht recht, wenn sie mich für einen Trottel hielt. Diesem Strolch zu sagen, daß kein Mann im Haus war, mußte geradezu wie eine Einladung wirken, die Gelegenheit auszunutzen. Im unbestimmten Licht der Laterne schien es mir, als sei in seinen Augen ein bösartiger Funke aufgeglommen. »Kein Mann?« sagte er. »Das ist schlimm. Keiner, um Ihr Bett zu wärmen . . .? Kommen Sie, ich trage es Ihnen.« Er hob das Holz mit einem schnellen Griff auf und ging voraus.

»Hören Sie«, sagte ich, »auch wenn kein Mann im Haus ist, so ist doch die gute Armeepistole meines Mannes da. Kommen Sie also nicht auf abwegige Gedanken.«

Er blieb stehen und wandte sich um. »Jesus Maria, Mutter! Haben Sie doch nicht solche Angst vor mir«, sagte er freundlich. »Ich will Ihnen mal was sagen. Nie Angst haben! Nie. Und wenn Sie Angst haben, zeigen Sie es nicht! Kommen Sie! Treten Sie hier 'rauf! So.«

Er warf die Holzscheite vor uns hin, immer einen, und hob sie wieder auf, sobald wir hinüberbalanciert waren. Als wir an die Hintertür des Hauses kamen, wo die drei Kinder auf uns warteten, blieb er stehen. »Ich möchte Ihnen gern zeigen, wie man es macht, daß nasses Holz brennt«, sagte er. »Aber wenn Sie so Angst haben, komm' ich nicht ins Haus. Vielleicht stellen Sie mir einen Napf Suppe heraus, Mutter, dann brauch' ich nicht zu stehlen.«

Ich wußte nicht, was ich sagen sollte, aber während ich noch zögernd dastand, kam Martin herüber, schüttelte Max fest die Hand und sagte mit seiner klaren, hellen Knabenstimme: »Essen Sie Knödel gern? Meine Mutter macht die besten Knödel von Einsiedel. Kommen Sie herein, und schauen Sie ihr zu! Wir haben gern Gäste. Nicht wahr, Mutter?«

So kam Max in unser Haus und blieb zwei Jahre bei uns.

Männer sind von Natur aus nicht seßhaft. Sie lernen dich kennen, sie bleiben eine Zeitlang bei dir, und dann verlassen sie dich und gehen fort. Sie gehen in den Krieg, töten und werden getötet. Sie werden bankrott und erschießen sich in der Herrentoilette der Börse. Sie verlieben sich in eine andere Frau und lassen sich von dir scheiden. Mancher bleibt vielleicht bei dir, aber er verändert sich so, daß es schlimmer ist, als wenn er fortgegangen wäre. Er ist nach wie vor mit dir verheiratet, und doch hast du das Gefühl, daß er fort ist und nur eine Attrappe zurückgelassen hat, die in seinem Bett schläft, beim Frühstück die Zeitung liest und die Haushaltsrechnungen bezahlt. Aber jeder Mann, ob er nun für kürzere oder längere Zeit bei dir gewesen ist, läßt etwas da, wenn er weiterwandert: seine Kinder, sein Geld, seinen Namen; seine Grammophonplatten, seine Telefonnummer, seine Bowlenrezepte; kleine Erinnerungen, eine Handvoll Erlebnisse, eine Handvoll neuer Erfahrungen, ein ewiges Heimweh nach seinen Händen, seiner Stimme, Zärtlichkeiten; einen Tropfen Bitterkeit, ein Falte in deinem Gesicht, einen harten Unterton in deinem Lachen. Max Wilde, ein alter Landstreicher, ein Vagabund oder etwas noch Schlimmeres, hat mir mehr Gutes und Bleibendes gegeben als jeder andre, obgleich er niemals auch nur meine Fingerspitze berührt hat. Aber auch er ging fort und kam dabei ums Leben.

Mein Gott, wie leicht und angenehm wurde alles, nachdem Max Wilde zu uns gekommen war! Er liebte die Kinder, und die Kinder beteten ihn an. Er besserte das Dach aus, und es regnete nicht mehr durch. Er brachte den Schornstein in Ordnung, und das Holz brannte, ob es trocken oder naß war; wir erstickten nicht mehr im Rauch, es blieb nur der gute, feine Duft brennender Scheite im Haus. Er machte neue Schlösser an die Türen und malte einen neuen St. Florian an die Wand. Er bebaute das Brachland, das zum Haus gehörte, pflanzte Beeren, Gemüse und Kräuter in unserm kleinen Garten an und konnte erlesenere, bessere Gerichte zubereiten als der Küchenchef der ›Vier Jahreszeiten‹ in München. Unsere Hennen legten große bräunliche Eier, und bald hatten wir auch unser Schwein im Stall. Im richtigen Zeitpunkt ruderte er mit der Sau über den See, um sie decken zu lassen, denn er hatte zum Eber des Gugglbauern kein Vertrauen. In diesem Jahr warf die Sau zweimal, einmal zwölf und das zweitemal vierzehn Ferkel, und Max ließ die Kinder zuschauen, wobei er ihnen die Bedeutung des Vorgangs erklärte. Wir hatten Würste, Schinken und Speck, hatten unsern eigenen Kohl, unsere eigenen Kartoffeln und lebten davon zu einer Zeit, als man für solche Sachen Milliarden bezahlen mußte. Auch eine Ziege mit zwei Zicklein besaßen wir; die Milch war natürlich ›gut für dich‹, aber Michael behauptete, daß sie nach alten Schuhen schmecke, und ich zwang ihn nicht dazu, sie zu trinken. Wir wagten noch mehr. Es dauerte nicht lange, da hatten wir auch eine Kuh in einem netten kleinen Stall. Max hatte ihn aus dem Treibholz gebaut, das die Wildbäche an den Strand des Seewinkels spülten. Die Kuh hieß Amalia, und die Kinder behandelten sie, als sei sie die Königin von Saba. Es gibt nichts, was Max nicht machen konnte. Er schien jedes Handwerk erlernt zu haben. Er tischlerte Möbelstücke und bemalte sie mit Rosen und Vergißmeinnicht. Er flickte meine Kupferpfannen und besohlte die Schuhe der Kinder. Er kochte Himbeersaft von wildwachsenden Himbeeren, die die Kinder heimbrachten, er machte ihnen Bogen und Pfeile und lehrte sie damit schießen. Er hatte begnadete Hände; sie waren immer schmutzig, schwarz und knorrig wie Wurzeln; sie rochen nach Leim, Schweinsdärmen, Schießpulver und hundert andern Dingen. Aber alles wuchs und blühte und gedieh unter seiner Pflege, von den Bienen im Stock bis zur Schwarzen Schmach, die ihn verehrte; von den Kaninchen im Stall — die niemals wie die Kaninchen anderer Leute Kolik bekamen — bis zu Michael, der in diesen Jahren emporschoß und ein hübscher, kräftiger, gesunder Junge wurde. Er bekam sonngebleichtes Haar, ein braunes Gesicht und Backen von dem Rot eines reifen Pfirsichs — und er lernte die Unbeständigkeit seines Charakters beherrschen. Ich glaube, noch heute malt sich die Welt für ihn in den leuchtenden Farben, wie sie in den Geschichten Max Wildes erschien, die er dem Jungen erzählte, bevor er noch lesen konnte. Meine Kinder brauchten in diesen Jahren keine Bücher und keine Schule. Max war besser als jedes Buch.

Es war aber nicht so, daß er nun endgültig seßhaft geworden wäre, der alte Vagabund. Er hatte nur für eine kleine Weile Rast gemacht, aber dann kamen wieder Zeiten, in denen er ruhelos wurde. Dreimal verließ er uns und blieb ein paar Wochen fort. Immer aber kam er wieder zurück, weil er etwas Wichtiges vergessen hatte. Er hatte immer eine gute Ausrede dafür, doch noch bleiben zu müssen. Amalia mußte zu Gabels Stier gebracht werden, zum Beispiel; das war ein großes Ereignis, und es mußte zur rechten Zeit geschehen. Wie damals, als die kleinen Schweinchen zur Welt kamen, war es wichtig, daß die Kinder dabei waren und ernst über diese Dinge belehrt wurden. Er verschaffte ihnen eine gute, klare Vorstellung und ersparte mir jene stotternden, zimperlichen Erklärungen, wie sie sich andre Eltern für ihre Sprößlinge ausdenken mußten. Dann wieder mußte Max warten, bis die Kuh gekalbt hatte. Es war ein prächtiges Kalb, und er mußte es aufziehen, es zur gegebenen Zeit nach Anzbach bringen und an den Schlächter verkaufen. Inzwischen war es Herbst geworden, und das war eine schlechte

Wanderzeit. Und so blieb Max das ganze Jahr bei uns; ich war fast geneigt zu glauben, er habe das Abenteuerleben aufgegeben, um dafür einen Platz hinten dem Ofen einzutauschen, wo drei Kinder auf ihm herumkletterten.

Natürlich gab es mit Max auch allerlei Schwierigkeiten, und es war nicht alles eitel Wonne und Honigseim. Es wurde zum Beispiel ganz deutlich, daß er der Polizei aus dem Wege ging und auch mich dazu bewegen wollte, ihn dabei zu unterstützen. Er sträubte sich dagegen, seine Bürgerpflicht zu tun, nach Anzbach hinüberzurudern und sich anzumelden. Die Gendarmen kamen zu mir und fragten mich über den neuen Mieter oder Handlanger, oder was er sonst wäre, aus, und Max verschwand und kam drei Tage lang nicht zurück. Schließlich packte ich ihn beim Kragen und ging selbst mit ihm auf das Gemeindeamt in Anzbach. Max brachte aus seinem Beutel Papiere zum Vorschein, die in bester Ordnung befunden, ordnungsgemäß abgestempelt und registriert wurden, worauf wir wieder heimruderten. Nur das war nicht in Ordnung, daß sein Name in diesen Dokumenten nicht Max Wilde, sondern Emil Hacker lautete.

»Nun«, sagte ich, als wir heimruderten, »wozu nun erst alle diese Geschichten? Kein Mensch schneidet Ihnen die Ohren ab.«

»Ich kann sie bloß nicht ausstehen«, sagte er. »Mutter, ich kenne diese Schnüffler besser als Sie. Am schlimmsten sind die in den Ämtern. Machen nur Schwierigkeiten.«

»Wie heißen Sie denn nun wirklich?« sagte ich. »Sind Sie der Max oder der Emil?«

»Ich bin Max«, sagte er mit seinem üblichen Grinsen, »aber Emil — Gott hab' ihn selig! — war ein besserer Kerl als ich.« Ich zog daraus den Schluß, daß er Emils Papiere gestohlen hatte oder daß Emil vielleicht bei einem dunklen Abenteuer ums Leben gekommen war und daß Max aus gutem Gründen die Papiere an sich genommen hatte. »Sie fragen nicht viel, Mutter. Das gefällt mir so gut an Ihnen«, sagte Max, und merkwürdigerweise fühlte ich mich geschmeichelt. »Frauen fragen immer so viel, und dann verraten sie einen, weil sie so dumm sind und nichts für sich behalten können. Aber Sie sind nicht so.«

»Ich habe nicht angenommen, daß Sie ein Unschuldslamm sind, als ich Sie in meinem Schuppen entdeckte«, sagte ich. »Und es interessiert mich nicht, weshalb Max der Polizei aus dem Weg gehen muß, während Emil ihr offen ins Gesicht sehen kann.«

Die Tätowierungen, die seinen wetterharten braunen Körper bedeckten und die sichtbar wurden, wenn er nackt bis zum Gürtel bei der Arbeit stand, hätten einer Bordellmutter in Port Said die Schamröte ins Gesicht getrieben. Aber wir hatten uns an diese Bilder, die rings um seinen Nabel gemalt waren, so gewöhnt, daß wir sie gar nicht bemerkten. Max hatte zahlreiche Narben. Und dann kam die Geschichte von den fehlenden Zehen.

Die Schwarze Schmach brachte dieses Thema zuerst aufs Tapet.

»Du hast keine Anki-Panki«, sagte sie. »Was hast du damit gemacht?«

»Ich habe sie mir abgebissen«, sagte Max. Das war so ein Witz, wie ihn die Kinder gern hatten.

»Ich weiß es, laß mich's erzählen«, rief Milchi lebhaft. »Du bist in eine Falle geraten, und das Eisen hat dich geschnappt, und du warst gefangen. Da hast du dir die Zehen abgebissen und bist davongelaufen.«

»Ja, so ähnlich. So ungefähr war es«, sagte Max. »Nur war es keine Falle. Es war im Norden von Kanada, es ist schon ein paar Jahre her. Wir waren so eine Art Goldsucher, wißt ihr, aber wir suchten nicht Gold, sondern Radium. Man nennt es Pechblende; es sieht nach gar nichts aus, gerade wie ein Stück vertrockneter Pferdemist. Na, wie gesagt, da war ein Lager, man nannte es Teufelskamin, und wir hatten fünfunddreißig unter Null. Wißt ihr, was das heißt? Da erfrieren also meine Anki-Panki, und ich sage zu mir selber, ›Mensch‹, sagte ich, ›wenn du deine Bonbons nicht loswirst, dann bist du bald ganz und gar hin.‹ Ich nehme also mein Taschenmesser und schneide sie ab. Das spürt man nicht, wenn sie erfroren sind. Überhaupt nicht. Erst später, im Frühjahr, wenn sie auftauen.« Er nahm sein Taschenmesser heraus und sah es nachdenklich an. Das war auch einer seiner großen Schätze und schien alle seine Abenteuer mitgemacht zu haben. Die Klingen waren vom jahrelangen Gebrauch ganz dünn geworden, und das Lederfutteral war schon ganz blankgewetzt. Was die Zehen betrifft, so war ich überzeugt, daß er uns etwas vorgeschwindelt hatte. Vielleicht waren sie wirklich erfroren gewesen, vielleicht hatte er sie sich auch wirklich selber abgeschnitten. Aber das konnte nicht schon Jahre her sein. Als er zu uns gekommen war und ein heißes Fußbad genommen hatte, war da, wo die Zehen fehlten, eine böse Vereiterung sichtbar geworden. Ich mußte alle meine alten Künste aus der Zeit beim Roten Kreuz aufwenden, um den Eiter zu entfernen und eine saubere Ausheilung zu erzielen. Über die fehlenden Anki-Panki hatte ich meine eigene Theorie. Wer mit solchen Schmerzen lieber über den Watzmann wandert, als in ein Krankenhaus zu gehen und sich behandeln zu lassen, der muß gute Gründe dafür haben. Er muß wissen, warum er Amtsaugen scheut und sich vor der polizeilichen Anmeldung drückt. Aber, wie Max sagte, ich fragte nicht, ich wollte gar nichts davon wissen. Dahinter standen gar keine edlen Beweggründe. Es war einfach, weil ich ihn brauchte. Ich konnte es mir nicht leisten, etwas über ihn herauszukriegen, was mich gezwungen hätte, ihn bei der Polizei anzuzeigen.

Er ging nach Anzbach und kam betrunken zurück. Ich wollte nicht, daß die Kinder ihn in diesem Zustand sahen, und zerrte ihn in den Schuppen, damit er dort seinen Rausch ausschlafe. Es war ekelhaft, den Alten mit seiner Schnapsfahne hineinzubugsieren, und ich war sehr böse mit ihm. Aber dann überraschte er mich mit einem verzweifelten moralischen Katzenjammer.

»Mutter«, sagte er (so nannte er mich immer, trotz seiner weißen Haare), »Mutter, wenn Sie mich nochmals besoffen erwischen, so nehmen Sie eine Kette und binden Sie mich irgendwo fest. Denn wenn ich einen Rausch habe, weiß ich nicht, was ich tue, und das ist entsetzlich. Ich kann Ihnen gar nicht sagen, wie dreckig mir zumute ist, wenn ich aus einem Rausch aufwache. Ich habe Angst — das ist der einzige Zustand, in dem ich Angst habe. Ich sehe meine Hände an und denke: Hände, was habt ihr getan, während ich betrunken war? Wenn ihr etwas Schlechtes getan habt, so möchte ich lieber tot sein. Sehen Sie, einmal, als der Rausch verflogen war, hatte ich blutige Hände, und da dachte ich: Hände, habt ihr jemand ermordet? Es ist ein fürchterliches Gefühl, kalter Schweiß läuft von einem herunter, als ob man überall Fontänen am Körper hätte. Nun, das einemal war es nichts. Ich hatte eine Flasche zerbrochen und mir dabei in die Hand geschnitten. Aber, allmächtiger Gott, Mutter, lassen Sie es nicht zu, daß ich mich wieder besaufe.«

Ich erinnere mich, wie er ein andermal zu mir sagte: »Es gibt Menschen, die haben von Geburt an einen Tropfen böses Blut in sich, schwarzes Blut. Und manchmal steigt dieses schwarze Blut hoch, und alles wird schwarz. Das ganze Blut wird schwarz von diesem einen einzigen Tropfen. Es ist so, wie wenn ein Tintenfisch seine Tinte herausläßt. Alles schwarz, alles, alles schwarz!«

Den schlimmsten Streit hatten wir, als der Gabelbauer erschien und sich beschwerte, daß Max seine jüngste Tochter belästigt habe. Er schwur, er werde ihm das Genick brechen, wenn er dem Mädel noch einmal in die Nähe komme. Ich nahm es auf mich, selbst mit Max darüber zu sprechen. »Wie konnten Sie so etwas tun? Es ist entsetzlich«, sagte ich. »Wenn das wahr ist, wird mir übel, wenn ich nur daran denke.«

»Was ist denn so Entsetzliches dabei?« sagte er. »Ich bin ein Mann, und sie ist ein Weib. Was ist da weiter dabei?«

»Sie ist kaum zwölf. Sie ist ein Kind!« sagte ich aufgebracht.

»Trotzdem ist sie ein Weib«, sagte er. »Auf das Alter kommt es nicht an. Sie ist in den Jahren und braucht einen Mann. Wenn eine Kuh brünstig wird, führt man sie zum Stier, aber wenn ein Mädel, Sie wissen schon, was, braucht, so ist der Teufel los. Am Sonntag kam ich dazu, wie sie geheult hat, weil die andern Mädels bei ihren Burschen waren, und sie hatte keinen. Da hab' ich sie bloß ein bißchen gestreichelt, und gleich war ihr besser. Das war alles.«

»Schön. Wenn sie einen Burschen haben will, so sollen sich die jungen um sie kümmern. Sie sind ein alter Mann und sollten sich schämen«, sagte ich, wobei mir bewußt wurde, wie affektiert es klingen mußte, diesem alten Sünder eine Moralpredigt zu halten.

»Wenn sich's darum handelt, da wissen die alten Männer besser Bescheid als diese jungen Böcke, was ein Mädel braucht«, sagte er mit einem bösen Funkeln in den Augen. »Und übrigens bin ich gar nicht so alt. Ich bin zweiundfünfzig, und das ist ein verdammt gutes Alter.«

»Das ist nicht wahr«, sagte ich verblüfft. Ich hatte immer gedacht, Max wäre über Siebzig und über solche Heldentaten längst hinaus.

»Wollen Sie meinen Paß sehen?« sagte er wutschnaubend.

»Ihren oder den von Emil?« sagte ich. Er spuckte kunstvoll aus und zog sich die Hose mit einem Ruck hoch.

»Sie brauchen selber einen Mann, Mutter«, sagte er. »Es ist gegen die Natur, wie Sie leben, und die größte Sünde, die es gibt.«

Es machte mich wütend, ich schrie ihn an und schüttelte die Fäuste vor seinem Gesicht. »Sie lassen die Mädels in Ruhe, oder ich schmeiße Sie hinaus!« schrie ich. »Ich will hier meinen Frieden haben, es war schwer genug, ihn mir zu schaffen. Ich will nicht, daß der Gabelbauer Sie erschlägt oder daß die Gugglbuben Sie niederschießen, verstanden? Wenn Sie es trotz Ihres Alters nicht mehr aushalten können, so gehen Sie nach Anzbach und nehmen Sie sich irgend so ein Mädel, sie sind dazu da, aber lassen Sie die Mädel von Einsiedel in Frieden!« Ich sagte ihm noch allerlei unangenehme Dinge und nahm kein Blatt vor den Mund. Er hörte verdrossen zu. »Schon gut, schon gut, Mutter«, sagte er schließlich. »Ich hab' nichts Schlechtes getan. Ich werde Ihnen einmal von den Inseln erzählen, wo die Mädchen mit zehn Jahren mannbar werden; das wird mit einem großen Fest gefeiert, und jeder Mann des Stammes, vom Häuptling bis zum jüngsten Burschen, darf mal zu ihnen gehen. Lustig, was? Das ist natürlich. Na schön, hier hat man eben andere Sitten. Ich bin mit den Eskimos und den Zulukaffern gut ausgekommen, ich werde auch mit dem alten Sauertopf hier auskommen. Machen Sie sich darüber weiter keine Sorgen.«

Aber ich machte mir Sorgen, und als Clara auf einen ihrer Blitzbesuche heraufkam, sprach ich mit ihr über Max. Clara war restlos begeistert von ihm, und sie machte sichtlich einen mächtigen Eindruck auf ihn. Immer bevor sie kam, badete er und schrubbte sich sauber, rasierte sich sogar den Bart ab und gab sein Geld für neue Hemden aus, für ein Paar gestickte Hosenträger und eine teure, weiche, graue Tiroler Lederhose. Clara war von seinem wachsenden Sündenregister begeistert. »Der alte Lump«, sagte sie, »der alte Heide — findest du ihn nicht reizend? Was würdest du ohne ihn anfangen? Hat er wieder etwas Neues geschnitzt? Zeig's mir mal!«

Das Geld, das Max für Schnaps, für seine Besuche bei Mädchen und für seine Garderobe brauchte, verschaffte er sich dadurch, daß er Spielzeug schnitzte und verkaufte. Das Schnitzen von Spielzeug war in diesen versteckten Bergtälern eine traditionelle Bauernkunst. Ich hatte viele dieser derben, kleinen Figürchen gesehen und mochte sie gern, aber ich ließ mir nicht träumen, was für eine wichtige Rolle sie in meinem eigenen Leben spielen sollten. Als Weihnachten herankam, holte Max sein kostbares Taschenmesser hervor und schnipselte an kleinen Stückchen Holz herum, die er sich mitgebracht hatte. Er brauchte härteres Holz als die Fichtenscheite von unserem Holzstoß: Walnuß, wilde Kirsche und das Holz der Espen, die im Unterland standen und aussahen wie schlanke Mädchen mit weißen Körpern, die durch die Abendnebel schritten.

»Was machen Sie?« fragte ich interessiert.

»Ich mache für die Kleinen ein Christkind in der Krippe«, sagte er. »Es soll eine Überraschung werden. Sagen Sie's ihnen nicht, und verstecken Sie es gut!« Er arbeitete abends daran, nachdem die Kinder auf dem Balkon schlafengegangen waren, und ich sah ihm zu. Es war faszinierend, ihm zuzusehen, und diese Abende sind mir als etwas Stilles, Gutes und Frohes in Erinnerung geblieben; es war, als schaue man Blumen zu, wie sie wachsen. Im Ofen prasselte das Feuer, später war es nur noch Glut, und wir hörten die glimmenden Scheite rascheln, wenn eines auf den Rost herabfiel und die andern sich zurechtschoben wie lebende Wesen, die sich im Schlaf umdrehen. Bisweilen brach von der Dachrinne draußen ein Eiszapfen ab und fiel mit dem leisen Klang einer Glasglocke auf den gefrorenen Boden. Es duftete nach Bratäpfeln und Tannenzapfen, der Hund stöhnte und bellte leise im Schlaf und bewegte die Pfoten; er träumte wohl, daß er hinter einem Vogel her sei. Ich sah, wie die braune Kopfhaut unter Max Wildes seidigem, dünnem weißem Haar glänzte und wie sich die Muskeln unter der unanständigen Tätowierung seiner Arme bewegten. Die Schnitzel flogen von seinem Messer, und das Stück, an dem er arbeitete, gewann Form und Glätte. Max reihte seine kleinen Geschöpfe auf dem Tisch auf, damit ich mit ihnen spielen konnte. Erst das kleine Christkind in seiner Krippe; dann die kniende Maria, die sehr erstaunt dreinschaute; Joseph mit dem Gesicht des Gabelbauern; die Heiligen Drei Könige, die Hirten, die Engel, die Schafe, die Ochsen, den Stall, die Palmen. Der Schrank, in dem wir die Überraschung zusammen mit einer ganzen bunten Welt von hölzernen Figürchen aufbewahrten, füllte sich immer mehr. Während Max diese ganze farbenfrohe Welt schnitzte, erzählte er mir von den Menschen, mit denen er zusammengekommen war, wie er zu ihnen gestoßen war und warum er sie wieder verlassen hatte. Ich hörte mit einer gewissen Beklemmung zu und fragte mich, wann und warum er uns verlassen würde. Das Leben war so viel angenehmer und inhaltsreicher geworden, seit Max bei uns war, und die Vorstellung, daß wir uns jemals wieder ohne ihn behelfen müßten, erschreckte mich. Manchmal machte er einen Abstecher ins Exotische und schnitzte ganz sonderbare Gestalten. »So schnitzen die Maori ihre Figuren«, bemerkte er, während unter dem Messer ein wild aussehendes Wesen entstand. »Sie haben bloß drei Finger und strecken die Zunge heraus. Die Maori glauben nämlich, man kann den Feind dadurch erschrecken, daß man ihm die Zunge herausstreckt. Stellen Sie sich bloß mal vor, wie solche gottverdammten Menschenfresser vor andern Menschenfressern herdenweise davonlaufen, weil sie ihnen die Zunge herausstrecken . . .!«

»Das hier machen gewisse afrikanische Stämme für ihren Hokuspokus«, sagte er ein andermal und zeigte mir zwei primitive menschliche Figuren. »Es ist ein Mann und eine Frau, sehen Sie?«

Es war unmöglich, ihr Geschlecht zu übersehen, denn viel andres war an den hölzernen Körpern kaum zu sehen. Max lachte in sich hinein. »Da war unten in Kamerun ein Missionar, der war dauernd auf der Jagd nach solchen Pärchen, jahrein, jahraus. Was er auftreiben konnte, verbrannte er. Müssen Hunderte gewesen sein. Dann kam eine Expedition, und man fragte ihn, ob er schon mal auf solche Figuren gestoßen sei. Sie brauchten sie für irgendein Museum und wollten tausend Dollar pro Stück zahlen. Nun hatte der Missionar zu jenem Zeitpunkt schon jede schwarze Seele längs des Oberlaufes des Flusses bekehrt, und es war nicht eine einzige Figur übriggeblieben. Er raufte sich die Haare und weinte, der gute Mann mit seiner Religion. Tausend Dollar pro Stück — und er hatte sie alle verbrannt, hatte ein Vermögen verbrannt! Mutter, das war 'ne Sache!«

»Und was geschah dann?« fragte ich, denn ich kannte seine Erzähler-technik und gab ihm willig das Stichwort.

»Ich habe ihm ein paar Dinger geschnitzt, und das Geld haben wir ge-teilt«, schloß er, wobei er die beiden Figürchen in die Hand nahm und sie in einer höchst obszönen Stellung zusammenfügte. Er war erstaunlich be-gabt. Er war imstande, jeden Stil nachzuahmen, den er irgendwann ge-sehen hatte. Er bevölkerte meinen Schrank mit gotischen, barocken und viktorianischen Gestalten, mit javanischem Schnitzwerk und primitiver Negerplastik. Er machte Figuren, die man nicht ansehen konnte, ohne zu erröten, und andere, die so zart und fein waren, daß man sie kaum zu be-rühren wagte.

»Ich möchte Ihnen helfen«, sagte ich, nachdem ich ihm wochenlang be-gierig zugesehen hatte. »Es macht mich nervös, so dazusitzen und zuzu-schauen und nichts zu tun.«

»Jucken Ihnen die Hände, Mutter, wie?« sagte er. »Schön, nehmen Sie den Malkasten und bemalen Sie sie! Darin leiste ich nichts.«

Ich bemalte also zunächst die Figuren, und bald darauf schnitzte ich selber meine erste. Max brachte mir ein Messer — dasselbe, das ich heute benutzt hatte, um Nero zu schnitzen — und ein besonders ausgesuchtes Stück Holz — nicht so weich wie Fichte und nicht so hart wie Kirschholz. Er ver-brachte einen ganzen Tag damit, im Treibholz am Seeufer herumzuprobie-ren, und ich erinnere mich noch genau an die knorrige Struktur dieses ersten Stückchens Holz, das ich bearbeiten sollte. Es war vom Wasser zu einem Silbergrau verwaschen und im Lauf der Zeit abgegriffen und von der Sonne gebleicht worden — und doch war es lebendig.

»Passen Sie auf, worauf das Holz hinauswill«, sagte Max zu mir. »Es sagt es Ihnen, wenn Sie genau hinhorchen. Holz hat Verstand, geradeso wie Sie und ich.« Ich fühlte unter meinen Fingern die Elastizität des Holzes und scheute mich, hineinzuschneiden, als könnte ich ihm bei einer falschen Bewegung weh tun. »Was soll ich schnitzen?« fragte ich Max. »Sie müssen selber herauskriegen, was drin ist«, sagte er. »Im Anfang müssen Sie ihm seinen Willen lassen. Später können Sie es dazu zwingen, Ihnen zu gehor-chen. Probieren Sie zuerst etwas Einfaches: etwas, das Sie kennen, etwas, das Sie gern haben. Sagen wir einen Apfel. Wie wäre das für den An-fang?«

Clara hat diesen Apfel heute noch. Sie benutzt ihn als Briefbeschwerer, das dumme Mädel. Sie nahm ihn mit, als sie 1938 um des lieben Lebens willen aus Wien flüchten mußte. Er hatte nicht viel von einem Apfel, aber ich war stolz wie nach Martins Geburt.

Nach drei Monaten hatte ich die Empfindung, als sei das Holzschnitzen die Arbeit, die ich mir ein ganzes Leben lang gewünscht hatte. Mein Geigen-spiel war eine unnütze Quälerei gewesen. Meine Versuche als Sekretärin waren dilettantisch geblieben. Meine soziale Arbeit war mehr Flucht ge-wesen als sonst etwas. Aber hier, das war etwas, für das ich bestimmt war.

»Du hast ja das Holz im Blut, Marion«, sagte Clara, mich mit meinen Ahnen neckend, der achtbaren Firma Dobsberg & Söhne. Daran war etwas

Wahres. Bald ging ich selbst auf die Suche nach geeignetem Holz, schleppte Wurzeln, Baumstümpfe und Klötze nach Hause und hegte sie wie lauteres Gold. Meine Hände schienen einen eigenen Verstand zu entwickeln; ich freute mich, daß sie während meiner Zeit in Einsiedel hart und kräftig geworden waren — sonst hätte ich den Kampf mit dem Holz nicht bestehen können. Ich brachte es dazu, mir richtig zu gehorchen. Bald entdeckte ich, daß ich eine Menge Geschöpfe kannte, die ich nachbilden wollte, auch wenn ich nicht so viel herumgekommen war wie Max. Ich schnitzte mir alle Babys, die ich liebte, in all den lustigen Stellungen und Beschäftigungen, bei denen ich sie beobachtet hatte. Ich schnitzte mir jedes Tier, das ich wollte: Kühe, Ziegen, Hunde und aus Sentimentalität eine alte fette Katze namens Gräfin Jolanda. Ich wagte mich in die Welt der Märchen, die ich den Kindern erzählte, und das Schnitzen machte mir um so mehr Spaß, je mehr ich mich von der Wirklichkeit entfernte und kleine phantastische Geschöpfe formte: Zwerg Nase, die böse Königin, den Hasen und den Swinegel. Ich ertappte mich dabei, wie ich — ganz für mich selbst — laut herauslachte, wenn mir eine neue lustige Figur einfiel, die ich aus einem kleinen beiseitegelegten Stück Birkenholz machen könnte. Die Kinder zeigten brennendes Interesse für meine Bemühungen. Sie lehnten an meinen Knien und sahen mir zu, und ihre Kritik war mir ebenso nützlich wie ihr Beifall. Max schien stolz, aber auch ein bißchen eifersüchtig zu sein. Zwischen uns gab es wilde Wettbewerbe, und er schnitzelte wie verrückt, um mir einen Schritt voraus zu bleiben. Allmählich hatten wir jede Stellage und jedes Brett mit Figuren gefüllt; sie fielen zu Boden und zerbrachen, und selbst die Kinder hatten bald so viele, daß ihre Begeisterung nachließ. Der Sommer war gekommen, und nun gab es für sie eine andre Unterhaltung: Max lehrte sie Angelgerät und Fliegen machen, sie gruben nach Regenwürmern und gingen angeln. Die erste Touristen tauchten auf, und eine Schlange erschien in unserm Paradies: die Geschäftstüchtigkeit. Ich begann meine Figuren an die Touristen zu verkaufen. Sie interessierten sich nicht besonders für den Hochflug meiner Phantasie, aber ich hatte zwei Babyfiguren, die wie warme Semmeln weggingen. Die eine stellte ein dickes, rosiges, blondes Baby dar, das seine Zehen in den Mund zu stecken versuchte. Das andre lag auf dem Bauch und zeigte der Welt einen rosigen runden Popo. Und jeder idiotische Tourist wollte diese Babys haben. Und ich konnte das Geld so gut gebrauchen. Ich mußte dieses Haus, in dem wir uns so sicher und zufrieden fühlten, ja wohl bald verlassen und in irgendeine Stadt übersiedeln, wo die Kinder die Schule besuchen konnten. Ich wandte mich von den lockenden Gestalten ab, die sich in meine Phantasie drängten, mich im Schlaf lächeln ließen und geboren werden wollten, und unterwarf mich der Aufgabe, immer wieder dieselben blöden Babys zu schnitzen. Max schloß sich mir dabei an, und wir fabrizierten so viele zehenlutschende und popozeigende Babys, daß wir Millionen und Milliarden Inflationsmark damit verdienten. Und dann, noch in demselben Sommer, ereignete sich allerlei, das meinem Leben eine neue Wendung gab.

Erst kam Clara zu Besuch und kündigte an, daß sie zwei Wochen da-

bleiben und dann mit Anna und der Schwarzen Schmach nach Berlin übersiedeln werde. Ich hatte die Empfindung, daß jemand mir mit einem Hammer auf den Kopf schlug. »Weg von München? Nach Berlin? Und ich soll
allein in Einsiedel bleiben? Warum, um Himmels willen?« rief ich bestürzt.

»Weil mir Kant ein Angebot gemacht hat, das meine kühnsten Träume
übertrifft«, sagte Clara. »Erinnerst du dich noch an Kant? ›Pierrot Mélancolique?‹ An den Mann mit dem dämonischen Bart und dem hinreißenden
Taktstock? Er ist Direktor der Hochschule für Musik in Berlin geworden,
und sein erstes war die Einrichtung von Klassen für modernen Tanz, deren
Leitung ich übernehmen soll. Ich bin eine Kanone, Mönchlein, verstehst
du?«

Auch Schani Kern war in Berlin. Er war Generalintendant der Staatsoper
geworden. Auch als Komponist hatte er sich einen Namen gemacht. Susi,
seine Frau, arbeitete unter ihm als Primadonna. Wie die meisten Sängerin-
nen hatte sie Fett angesetzt. Alle schienen in Berlin zu sein, während
frühere Kunstmetropolen wie München, Dresden und Wien in den Hintergrund getreten waren. »Wie kommt es, daß jetzt alle obenauf sind?« fragte
ich.

»Kinderl, wir sind an der Reihe«, sagte sie. »Die Welt hört endlich auf
uns. Unsre Generation steht jetzt vorn.«

Es verwirrte mich etwas, wie sie fortfuhr, mit neuen Namen und Ideen
herumzuwerfen. Ich war eine Bauersfrau, hatte eine Kuh, und meine Sau
sollte demnächst wieder Junge werfen. Auch hatte Max ein paar der wilden
Kirschbäume gepropft; es war ein bedeutsames Experiment, und wenn es
gelang, konnten wir im nächsten Sommer große süße Kirschen haben.
Dennoch schien es, als hätten meine Gespräche mit Clara an irgend etwas
gerührt, das seit langem in mir geschlummert hatte. Sie arbeitete an einem
neuen Tanz, und ich fragte sie, ob ich ihr zusehen dürfe. »Warte noch ein
bißchen, bis er mehr Form angenommen hat«, sagte sie.

»Wie wird der Tanz heißen?« fragte ich.

»Pietà«, sagte sie. »Es handelt sich um eine Frau, die ihren toten Sohn
auf dem Schoß hält.«

Eine Woche später rief mich Clara auf die Tenne herunter, die ihr als
Atelier diente. In der Scheune war es kühl und dämmrig, Heugeruch und
der feuchte Duft von frisch gemähtem Gras, das Max für Amalias Abendessen hereingebracht hatte, lagen über dem Raum. Clara tanzte, und ich sah
zu. Es war ein grandioser Tanz, der uns beide traurig machte. Um die Stimmung zu verbessern, legte sie einen andren Tanz ein, eine Karikatur der
leeren, schillernden Zuckrigkeit des altmodischen Balletts mit seinen Gazeröckchen, und das war so komisch, daß ich bei jeder Drehung und Pirouette
und Attitüde laut herauslachen mußte. Nachdem Clara abgereist war und
die Schwarze Schmach mitgenommen hatte, befiel mich die Traurigkeit von
neuem; denn Einsiedel war nicht mehr dasselbe, wenn Clara so weit weg
war. Um die gedrückte Stimmung aus meinem Haus zu vertreiben, begann
ich kleine Holzfiguren von Clara zu machen. Eine nannte ich ›Pietà‹ und
die andere ›Ballerina‹ und schickte sie ihr als Geburtstagsgeschenk an ihre

Berliner Adresse. Max hänselte mich wegen dieser Schnitzereien, Clara schrieb nicht, ob sie ihr gefallen hatten, und ich vergaß das Ganze.

Dann kam die Stabilisierung der Mark. Die Milliardentürme stürzten zusammen, das Leben wurde wieder normal, und die Menschen knöpften ernüchtert ihre Taschen zu. Ich machte wieder Zehenbabys und Popobabys, aber die Käufer blieben aus, und in dieser neuen, ordentlichen Welt brauchte man Geld. Da kam plötzlich von Clara ein kurzer, eiliger, fast unleserlicher Brief, an den ein Zeitungsausschnitt geheftet war. Stundenlang wußte ich nicht, wie mir geschah. Clara hatte meine Holzfiguren offenbar an eine Ausstellung für Kunsthandwerk geschickt, und dort hatten sie einen durchschlagenden Erfolg gehabt. Man schien sie draußen überaus ernst zu nehmen, und der Zeitungsartikel schrieb über meine Holzfiguren, als kämen sie gleich nach den Skulpturen am Portal der Kathedrale von Chartres. Eben diese Übertreibung ließ das Ganze ein bißchen lächerlich erscheinen, aber es tat mir nichtsdestoweniger wohl. Schau, Marion, Mädel, sagte ich zu mir, und klopfte mir selber auf die Schulter, schüttelte mir die Hände, schau, da hast du dich in die Berge eingegraben, hast gelernt, Kühe zu melken und Butter zu machen, und trotzdem hast du mit der Welt da draußen Schritt gehalten, auch wenn du es nicht gewußt hast. Laß mal sehen, was man über dich schreibt. »Die zerbrechliche Schönheit und innere Reinheit dieser Schnitzereien stehen auf einer Höhe mit den anonymen alten Meistern, und während die ›Pietà‹ durchtränkt ist von der tiefen Weisheit, die aus dem Humus des bayrischen Katholizismus entspringt, ist die ›Ballerina‹ von einer auf die Spitze getriebenen Verfeinerung, die es fast unglaublich erscheinen läßt, daß ein und dieselbe Künstlerhand ein so weites Gebiet beherrscht!« Ach Quatsch, die Schweine müssen gefüttert werden! »Max, geben Sie mir das Buttermilch für das Schweinefutter, und rufen Sie den Kindern am Ufer zu, daß sie, zum Donnerwetter, endlich nach Hause kommen sollen!« Ein Steinchen war in den stillen Teich meines Lebens geworfen worden. Ich spürte, wie das Wasser sich kräuselte; Luftbläschen stiegen vom Grund auf und zerplatzten, eine Störung überlief die Oberfläche, flache, kaum merkliche Wellen. Noch hätte alles vorübergehen und sich wieder beruhigen können — wäre nicht der Minister ermordet worden.

Der Minister war ein ruhiger, reservierter Mensch gewesen und hatte nicht viel von einem Kämpfer gehabt. Ein Träumer vielleicht, ein Denker, ein Bücherwurm, von vielen geachtet, von wenigen geliebt. Die deutsche Regierung der zwanziger Jahre konnte keine Kämpfer brauchen oder wollte keine. Sie hatte ruhige, besonnene Männer nötig, die die Trümmer aufräumten, das finanzielle Durcheinander ordneten, irgendwie die enormen Summen aufbrachten, die zur Bezahlung der Kriegsschulden erforderlich waren, das Wohlwollen der Siegerstaaten wiederherstellten und eine Erleichterung der Lasten herbeiführten, in der Heimat behutsam die Gegensätze innerhalb der Gesellschaftsschichten und Anschauungen milderten und alles in allem die Last zu tragen verstanden, die das kaiserliche Regime ihr hinterlassen hatte. Und jetzt war der Minister in einem Eisenbahnzug bei München erschossen worden, und obgleich er keineswegs populär war, zweifelte niemand daran, daß es für Deutschland ein großer Verlust war. Einige Verhaftungen wurden vorgenommen, einige Nester von kindischen Geheimbündlern wurden ausgehoben, und ein neuer Minister wurde ernannt, der das Werk fortführen sollte. Seit dem Krieg war der politische Mord zu einer solchen Alltäglichkeit geworden, daß man sich darüber nicht besonders aufregte. Zu uns nach Einsiedel drang von alldem nur ein schwaches Echo, vermittelt durch Zeitungen, die vier Tage alt waren, wenn sie uns erreichten, oder durch Gerüchte, die aus den Stammtischdebatten von Anzbach entstanden waren.

Vierzehn Tage nach dem Mord kam Hellmuth Klappholz unerwartet auf Besuch nach Einsiedel, und nun kamen die Dinge ins Rollen. Als ich hereinkam, saß er auf der Eckbank im Wohnzimmer, von Max argwöhnisch beobachtet. Die zwei Kleinen kletterten auf ihm herum, und besonders Milchi schien außer Rand und Band zu sein vor Freude und Erregung, den Onkel wiederzusehen. Das überraschte mich, denn der Bub war noch ein Baby, als wir von Hahnenstadt weggezogen waren, und ich hätte nicht gedacht, daß er ihn überhaupt wiedererkennen würde. Er erstickte ihn mit seinen Umarmungen, erzählte Geschichten und renommierte lärmend mit seinen großen Taten als Jäger, Landwirt und Fischer. Ich war wie aus allen Wolken gefallen. »Guten Tag«, sagte ich und setzte meine zwei Eimer mit Blaubeeren nieder, die ich am Bergweg gesammelt hatte. Hellmuth erhob sich und salutierte in seiner alten, lächerlich schneidigen Art. »Guten Tag, Tante Maria«, sagte er. »Das hast du nicht erwartet, nicht wahr?«

»Ich hätte ihn ja nicht hereingelassen«, berichtete Max verdrießlich, »aber ich war mir nicht sicher, ob es Ihnen gepaßt hätte, wenn es zu einer Schlägerei gekommen wäre.«

»Nein, es ist schon recht, Max«, sagte ich. »Es ist mein — es ist mein Neffe.«

»Neffe, he?« sagte Max, und in dem Wort lag ein Berg von Andeutungen. »Wird er hierbleiben?«

»Das geht Sie nichts an«, antwortete ich, Max stieß einen leisen Pfiff aus und ging wortlos hinaus.

»Wer ist das?« fragte Hellmuth nervös. Es kam mir sonderbar vor, daß er nach so langer Trennung und bei einem so unverhofften Auftauchen nichts Wichtigeres zu sagen hatte.

»Unser Knecht«, sagte ich.

»War er im Feld?«

»Nein. Ich glaube nicht.«

»Also ein Deserteur?«

»Sei kein Esel, Hellmuth!« sagte ich. »Er ist ein alter Mann und hat irgendwo in Turkestan gesteckt, als der Krieg ausbrach. Was geht das übrigens dich an? Er war eine Zeitlang in der Fremdenlegion, wenn dir das etwas sagt.«

»Man verständigt sich rascher mit alten Kameraden«, sagte Hellmuth. »Offen gestanden, hatte ich nicht damit gerechnet, einem fragwürdigen Fremden in die Arme zu laufen, als ich herkam.«

Ich sah ihn mir an. Er trug noch immer die alte Windjacke, die Militärhose und die Ledergamaschen; sein Gesicht war schmal und abgespannt, was sein Kinn noch länger erscheinen ließ als früher. Er war unrasiert und trug eine übertriebene Straffheit zur Schau.

»Bist du hungrig?« fragte ich ihn.

»Ja. Danke. Durstig auch.«

Ich schickte die Buben in den Keller, wo unsere Milch in flachen Schüsseln stand, damit sich die Sahne absetzte. Ich ging zum Schrank, schnitt ein paar dicke Stücke von unserm selbstgebackenen Brot herunter, bestrich sie mit Butter und belegte sie mit Wurst. Die Jungen kamen auf ihren nackten Füßen wieder hereingetrappelt, jeder mit einer Schüssel Milch. Als sie auf die Bank kletterten, die Ellbogen auf den Tisch stemmten und Hellmuth beim Essen und Trinken zusahen, lockerte sich sein gespannter Ausdruck etwas. Michael goß die Milch aus der Schüssel in einen Krug; dazu gehörte ein Kunstgriff; aber der Kleine verschüttete nicht viel. Hellmuths Zeigefinger malte geistesabwesend Figuren in die Milchringe auf dem Tisch.

»Na, Hellmuth«, sagte ich, nachdem er gegessen hatte, »was führt dich in diesen Winkel? Bißchen abgelegen, nicht wahr?«

»Wir sind auf einer Wanderung«, sagte er, »und wir dachten, es könnte nett sein, hier ein paar Tage Rast zu machen. Das heißt, wenn wir dir nicht lästig fallen, Tante Maria.«

»Wir? Wer denn sonst noch?«

»Andreas — erinnerst du dich an ihn? Graf Andreas von Elmholtz. Du hast ihn in Hahnenstadt kennengelernt. Wir kamen miteinander aus Rußland.«

»Wo ist er denn jetzt?«

»Er ist den Bergweg hinaufgegangen«, sagte Hellmuth mit einer unbestimmten Handbewegung gegen das Fenster. »Wenn du einverstanden bist, daß wir ein paar Tage hierbleiben, soll ich ihm ein Signal geben.«

»Was für ein Signal?«

»Ist ja egal. Natürlich konnten wir nicht mit diesem Mann rechnen, der sich da bei dir herumtreibt. Wir wollten mal von allem weg«, sagte Hellmuth mit einem gezwungenen, kurzen Lachen.

»Hör mal, mein Junge«, sagte ich, allmählich begreifend, »bist du vielleicht in der Patsche? Und willst du sagen, daß ihr euch in meinem Haus verstecken wollt?«

»Nicht gerade das. Wir sind auf einer Wanderung, das ist alles. Wir sind etwas knapp bei Kasse und brauchen ein paar Tage Rast, ehe wir weitergehen — wenn du das Patsche nennen willst —«

»Du weißt, was ich meine«, sagte ich.

»Nein, das weiß ich nicht«, erwiderte er.

»Michael, Martin, geht mal und sammelt die Eier ein«, sagte ich zu den Buben, die jedes Wort verschlangen, das wir sprachen. »Ihr müßt die braune Henne suchen, sie ist weggelaufen und hat ihre Eier versteckt. Sie wird wieder oben auf dem Felsen sein wie das letztemal.«

»Ich habe keine Geheimnisse«, sagte Hellmuth, nachdem die Kinder fort waren. »Ich hatte nicht gedacht, daß du wegen eines einfachen Besuchs so viel Wesens machen würdest. Schließlich seid doch ihr, du und die Jungen, die einzigen Verwandten, die mir geblieben sind; es ist doch natürlich, daß ich das Bedürfnis habe, euch einmal zu sehen, nicht?«

Hinter diesen Worten war etwas verzweifelt Drängendes, und wieder mischten sich in meinen Gefühlen, wie einst, Abneigung und Mitleid. Ich glaube, ich habe ihn geistesabwesend angestarrt und vergessen, etwas zu sagen, während ich nach der richtigen Auslegung seiner rätselhaften Worte suchte. Mit einemmal warf er den Kopf zurück und sagte mit einem gezwungenen Lachen: »Na schön. Ein paar von unsern Freunden sind verhaftet worden, und da dachten wir, es ist besser, wir gehen erst mal allem aus dem Wege, bis sich der Gestank verzogen hat.«

»Noch immer spielt ihr Räuber und Gendarm«, sagte ich gereizt. Es schien mir doch gar zu kindisch, aber man konnte ihm wohl aus seinen Fehlern keinen Vorwurf machen. Er war noch nicht erwachsen, als man ihn an die Front geschickt hatte; auf diesem Punkt ist er eben stehengeblieben und hat sich nicht weiterentwickelt.

»Habt ihr etwas mit der Ermordung des Ministers zu tun?« fragte ich. Das Leben in Einsiedel hatte mich schrecklich simpel und aufrichtig gemacht. Hellmuth sah mir merkwürdig herausfordernd in die Augen.

»Selbstverständlich nicht«, sagte er.

»Dein Ehrenwort?«

»Mein Ehrenwort.« Ich holte tief Atem.

»Ich wäre nämlich nicht sehr begeistert, wenn ich einen politischen Mörder, welcher Couleur immer, decken müßte«, sagte ich.

»Selbstverständlich nicht«, wiederholte er.

»Schön«, sagte ich. »Du kannst deinem Freund das Signal geben.«

Er ging ans Fenster, holte einen kleinen Rasierspiegel aus seinem Rucksack und sandte ein Lichtsignal nach dem Untersee. Die reflektierten Sonnenstrahlen schossen scharf und fast greifbar von der Spiegelfläche. Hellmuth wiederholte sein Signal mehrmals und steckte dann den Spiegel wieder ein. »Du könntest ihn dann und wann auch zum Rasieren benutzen, weißt du«, sagte ich. Ich haßte den Jungen beinah, weil er in den Frieden unseres stillen Winkels eingebrochen war.

Andreas war ein dunkelhaariger, dunkeläugiger Bursche, ebenso angezogen wie Hellmuth, sonst aber ein ganz anderer Typ. Er war so erschöpft, daß er dem Zusammenbruch nahe schien. Der schlottert ja vor Angst, dachte ich. Ich brachte die beiden im Dachzimmer unter, das für Claras kurze Besuche reserviert war, und sagte ihnen, sie sollten sich, wenn sie Schwierigkeiten vermeiden wollten, im Haus halten. Andreas legte sich sofort ins Bett und blieb einige Tage liegen, da er wunde Füße hatte. Ich mußte darüber lächeln, wie schwach und weich die beiden Helden waren im Vergleich mit dem harten Bergvolk, an das ich mich schon gewöhnt hatte. »Wenn ihr euch wirklich verstecken wollt, so habt ihr euch einen schlechten Platz ausgesucht«, sagte ich zu ihnen. »Zwei Burschen wie ihr können in einer Stadt wie München leicht untertauchen; aber ihr müßt euch darüber klar sein, daß ihr jetzt schon in Einsiedel und Anzbach, am Obersee und am Untersee den Hauptgesprächsstoff bildet.«

Andreas antwortete mit einem schwachen Grunzen. Hellmuth ging stundenlang unaufhörlich im Zimmer auf und ab, als sei er in einer Gefängniszelle. Beide wurden von Tag zu Tag unruhiger. Ich wußte nicht, was sie fürchteten oder erwarteten, und ich wollte es auch nicht wissen. »Das ist hier ja schlimmer als ein Kerker«, schrie mich Hellmuth an, als ich das Essen brachte. Das ärgerte mich. »Die Tür ist offen. Ihr könnt jederzeit gehen«, schrie ich zurück. »Ich habe euch nicht gebeten, herzukommen, und ich werde den Tag preisen, an dem ihr wieder geht!« Darauf bekam ich keine Antwort. Am nächsten Tag stand in der Zeitung, daß der Mörder des Ministers sich wahrscheinlich in einer der Berghütten des Watzmanngebietes verborgen halte. Die Zeitungen beschrieben den Mörder als einen Mann in den Zwanzigerjahren, mittelgroß, von militärischer Haltung, ziemlich schlank, mit Windjacke, Militärhosen und Stiefeln oder Ledergamaschen bekleidet. Es gab Tausende und aber Tausende, auf die diese Beschreibung paßte. Andreas und Hellmuth grinsten verschlagen, als sie es lasen. Ich war überzeugt, daß sie mehr wußten, als sie mir sagen wollten, aber ich war ebenso überzeugt, daß sie mit dem Attentat unmittelbar nichts zu tun hatten. Eher hatte ich das Gefühl, daß sie sich ungebührlich aufspielten und daß ihr ganzes Verhalten nur eine Pose war, mit der sie Eindruck machen wollten — auf wen, wußte ich nicht. Ich konnte sie ganz einfach nicht ernst nehmen, aber auf alle Fälle war es äußerst lästig, sie im Haus zu haben.

Eines Nachmittags kam Michael, der zum Angeln an den See gegangen war, den Steig heraufgerannt und stürzte atemlos mit glühendheißen Backen ins Zimmer. »Sie kommen«, schrie er. »Sie kommen, sie holen Onkel Hellmuth. Was machen wir denn nur, Mutter? Schießen?« Ich sah, daß er gleich losheulen würde. Er hatte schon lange nicht geweint; aber jetzt ging der tapfere kleine Stolz in Scherben.

»Na, na«, sagte ich, und machte mich von ihm los. »Was ist das alles für ein Unsinn? Wer kommt?«

»Die Polizei«, sagte er schluchzend, »die Polizei, und sie suchen ihn. Ich weiß es, sie suchen ihn. Ich habe gehört, wie er es sagte, als ich am Fenster horchte. Mach doch, daß sie ihn nicht kriegen, Mutter, bitte, bitte!«

Nur mit großer Mühe konnte ich ihn beruhigen, und in der folgenden Nacht mußte ich zweimal auf den Balkon gehen und ihn zudecken. Er hatte im Schlaf geschrien und Alpdruck gehabt. Die Streife, die mit dem Polizeiboot aus Anzbach gekommen war, ging an unserm Haus und am Gabelhof vorbei und verschwand über den Bergsteig, der um den Untersee herum zur Skihütte auf dem Watzmann führte. Ein Kielwasser von Geflüster und Geschwätz folgte ihnen.

»Ist der Jüngling, der zuerst gekommen ist, ihr Schatz«, fragte mich Max Wilde am gleichen Abend, als wir beisammensaßen und unsre Babypopos rot bemalten.

»Sie sind ja verrückt«, sagte ich. »Er ist mein Neffe. Er ist der einzige, der von der Familie meines Mannes übriggeblieben ist, und darum muß ich zu ihm halten.«

»So viel Risiko für einen Neffen? Das ist zuviel!« sagte Max; er hatte Hellmuth vom ersten Augenblick an nicht leiden können. Diese Abneigung wurde übrigens herzlich erwidert. »Wir werden die Polizei auf dem Hals haben, ehe wir noch Papp sagen können. Wenn Sie einen Funken Verstand hätten, würden Sie ihn schnell 'rausschmeißen, ein für allemal.«

»Er ist ein Tourist, wie jeder andere«, sagte ich. »Er hat angestrengt studiert und braucht Erholung und viel frische Milch. Die Polizei hat mit ihm nichts zu schaffen.«

»Ach, guck mal an! Weshalb hat er dann seinem Freund telegrafiert, daß die Luft rein ist? Wenn Sie auch nichts merken, ich hab' einen Riecher für so was.«

»Wer hat wem telegrafiert?« fragte ich, indem ich mich dümmer stellte, als ich war.

»Heliographen-Signale«, sagte Max. »Wir haben das oft gemacht. In Uganda. Ich will Ihnen mal was sagen, Mutter: Er oder ich! Wenn Sie ihn nicht hinauswerfen, dann gehe ich. Ich bleibe nicht unter einem Dach mit ihm. Er hat zuviel Angst. Alles Unglück in der Welt kommt von Menschen, die Angst haben. Menschen, die Angst haben, fangen Kriege an, ihre Gewehre gehen zu leicht los; Menschen, die Angst haben, sind die lautesten Schreier und trampeln am wildesten auf denen herum, die keine Angst haben. Denn Menschen, die Angst haben, müssen immer angeben, damit man glaubt, sie hätten keine Angst.«

»Haben Sie etwa noch nie Angst gehabt? Sie geben doch auch immer an.«

»Natürlich habe ich Angst gehabt, Mutter, sicher«, sagte er, und ein merkwürdiger Ausdruck kam in sein gefurchtes, vertrocknetes Gesicht. »Sie ahnen nicht, was für Angst ich ein- oder zweimal ausgestanden hab' — darum weiß ich ja gerade, was alles passieren kann, wenn man Angst hat. Es ist schlimm, Mutter. Angst ist das Schlimmste, was es gibt. Ich sage Ihnen nur eins: Es gibt Millionen Arten, Angst zu haben, aber nur eine einzige, mutig zu sein. Mutig ist man, wenn man dahin gekommen ist, daß man weiß, es kann mir nichts geschehen. Nichts. Hören Sie? Nichts kann mir geschehen. Das ist alles, was Sie wissen müssen: es kann mir nichts geschehen. Das ist das einzige, worauf es ankommt.«

Er legte das Baby, an dem er gearbeitet hatte, weg und griff nach seinem Messer. Ich dachte, er wollte ein neues Baby anfangen, aber er verschnitzelte nur ein Stück Holz, und ich sah, daß seine Gedanken weit weg waren.

»Was wollen Sie damit sagen: ›Es kann mir nichts geschehen?‹« fragte ich. »Ich weiß, daß mir allerlei passieren kann, allerlei höchst Unangenehmes sogar.«

»Unangenehmes! Davon rede ich doch nicht«, sagte er. Meine weibliche Einfalt machte ihn ungeduldig. »Ich meine, wenn Sie einmal wissen, daß Ihnen nichts geschehen kann, dann wird das Leben sehr erfreulich. Es ist so, Mutter: was immer auch geschieht, es kann doch nur auf zwei Arten ausgehen. Entweder Sie überleben es, und das ist gut. Oder Sie sterben daran

– und das ist beinah' besser. Verstehen Sie's jetzt? Die Natur ist in dieser Hinsicht gütig. Niemand kriegt eine schwerere Last, als er tragen kann, nicht wahr? Nehmen wir an, Sie sind krank, Sie haben solche Schmerzen, daß Sie es nicht aushalten können. Was geschieht? Entweder die Schmerzen hören auf, Sie werden gesund, bleiben am Leben und vergessen alles; oder Sie sterben, und die Schmerzen sind für immer weg. Nehmen wir an, Sie werden geprügelt — ich meine richtig geprügelt, wie man Menschen in China prügelt. Sie bleiben am Leben, oder Sie sterben. Im Krieg, wenn Sie einen Schuß abkriegen, oder wenn Ihr Haus niederbrennt, und die Kinder sind drin, oder wenn Sie unter ein Auto kommen, oder wenn Ihr Geliebter Sie verläßt, oder was Sie sonst an Schmerz, Kummer, Verlust und Marter durchzumachen haben — entweder Sie halten es aus, oder es wird zuviel. Entweder kommen Sie durch, oder Sie sterben. Wird dadurch nicht alles einfacher, Mutter? Und das sage ich auch den Kindern jeden Tag: ›Nie Angst haben, es kann euch nichts geschehen.‹«

Es waren gute Worte, Worte, wie ich sie seit langem nicht gehört hatte, aber nichtsdestoweniger bekam Max Angst, als eine zweite Polizeistreife kam und jedes Haus in Einsiedel durchsuchte. Er bekam große Angst und versteckte sich zuerst im Milchkeller und ging dann in panischem Schrekken auf und davon in die Berge. Inzwischen wurden Hellmuth und Andreas, zwei sauber rasierte, arrogante, gleichmütige Herren, von der Polizei verhört, ihre Papiere wurden geprüft und in vollster Ordnung befunden, und ihr Besuch schien die natürlichste und harmloseste Sache von der Welt zu sein. Es war eine richtige Komödie, denn die Polizisten waren ehemalige Feldwebel und Unteroffiziere, und meine beiden ungebetenen Gäste waren ehemalige Offiziere. Alle waren im Feld gewesen und sprachen ihre eigene Sprache. Die Hacken wurden zusammengeschlagen, es wurde salutiert, und es war direkt drollig anzusehen, wie die beiden Polizisten zu Hellmuth und Andreas wie zu Vorgesetzten aufblickten. Sie entfernten sich unter Entschuldigungen, und nachher mußte Hellmuth seinen Kameraden in die Dachkammer schleppen, da er zu schwach in den Knien war, um allein die Treppe hinaufzugehen.

Soweit hatte ich es also kommen lassen — aber was sonst hätte ich tun können? Man kann doch Menschen, die bei einem Schutz suchen, nicht der Polizei ausliefern, nicht wahr? Es war schwer zu entscheiden, was in einem solchen Fall recht oder unrecht ist. Als aber die Polizei fort war, fühlte ich mich wie ein Verbrecher und war von kaltem Schweiß bedeckt. Die Kinder stürzten zum Abendessen herein und waren so aufgeregt, daß ich sie nicht zügeln konnte.

»Warum wollten Sie Onkel Hellmuth mitnehmen?« fragte Michael atemlos. »Aber sie haben es nicht getan, nicht wahr? Ich hätte es nicht erlaubt, daß sie ihn mitnehmen, ich hätte sie mit Pfeil und Bogen erschossen, ich kann gut schießen — frag Max!«

»Jaha — aber ich kann es doch noch besser mit meiner Schleuder, Mutter, nicht? Und sie stecken doch nicht Menschen ins Gefängnis, bloß weil sie ihr Vaterland lieben, nicht wahr, Mutter? Onkel Hellmuth sagt, sie tun es, aber ich glaub's nicht«, sagte Martin besonnen und vernünftig, obgleich auch er erregt war.

»Onkel Hellmuth wird ein General werden, und wenn ich groß bin, werde ich ein Soldat wie mein Vater, und wir werden alle Franzosen tot-schießen, und — und ich werde die Fahne tragen — und die Musik wird spielen — und — und —«

»Sprich nicht, Milchi, sondern iß!« sagte ich müde ... Warum stellt man uns nicht zu einer Division zusammen und läßt uns den Krieg gewinnen? hörte ich eine heisere, fiebrige, schwindsüchtige Stimme aus der Vergangen-heit. Es war eine gefährliche Mischung, der lebhafte, brennende jüdische Ehrgeiz von Michaels Vater, verquirlt mit dem Tillmannschen Familienstolz und Hellmuths reinem fanatischem Nationalismus. An jenem Abend fühlte ich nur eine gewisse Beklemmung. Erst Jahre später wurde ich mir dar-über klar, was für einen tiefen Eindruck Hellmuths kurzer, geheimnisvoller Besuch in Einsiedel bei Michael hinterlassen hatte.

Später kam Hellmuth herunter, ruhig, aber etwas verändert. »Du bist ein Prachtkerl, Tante Maria«, sagte er. »Danke für die Deckung. Du hast einer großen Sache einen guten Dienst erwiesen.«

Sein Gesicht war grün unter der braunen Haut; der ganze Junge war grün — innen und außen.

»Schon gut«, sagte ich. »Und jetzt denke ich, wäre es das beste, wenn du mit deinem knieweichen Freund fortgingst.«

»Jawohl. Zu Befehl!« antwortete er, klappte die Absätze zusammen und ging die Treppe hinauf. Das ist alles, was du kannst, dachte ich. Die Absätze zusammenschlagen und dich und andre Menschen in die Patsche bringen.

In jener Nacht blieb ich lange auf und wartete auf Max; aber er kam nicht zurück. Ich durchsuchte den Keller, den Schuppen, den Stall und jeden Win-kel des Hauses — aber ich fand ihn nicht. Unser Boot lag vertäut am See-ufer, aber Hauptmann Tillmanns Mauserpistole war aus der Schublade verschwunden, wo ich sie immer verwahrte. Ich versuchte zu schlafen, war aber zu aufgeregt. Noch vor Tagesanbruch nahm ich Mantel und Bergstiefel, packte den Rucksack voll Lebensmittel und stieg den Bergpfad hinauf. Wenn er sich vor der Polizei versteckte, mußte er hungrig werden, dachte ich. Es war ein sinnloses Unternehmen, das zu nichts führte. Der Morgen kam herauf, die Berggipfel färbten sich rosa, und der See trat mit seinem matten Zinnglanz aus dem Dunkel.

Ich kehrte um und ging nach Hause. Tagelang wartete ich auf Max. Aber er kam nie mehr wieder.

Hellmuth und sein Freund schlossen sich einer Gruppe harmloser junger Leute an und wanderten mit ihnen und einem Bergführer über den Paß. Vierzehn Tage nachher wurde Graf Andreas von Elmholtz in einer Schutz-hütte aufgespürt und erschoß sich. Er hinterließ einen Zettel, auf dem ge-schrieben stand, daß er — er allein — den Minister ermordet habe und daß er gern mit seinem Leben dafür bezahle. Der Fall wurde als aufgeklärt und erledigt angesehen, aber ich für meinen Teil war der Überzeugung, daß er es gar nicht gewesen war, sondern auf höheren Befehl die Schuld auf sich genommen hatte, um ein wertvolleres Mitglied seiner Vereinigung zu retten. Hellmuth wurde mit mehreren andern in Nürnberg verhaftet, wegen Verschwörung oder wie sie es nannten, vor Gericht gestellt und zu einem Jahr Festung verurteilt.

Hätte Hellmuth nicht in unserm stillen Winkel die Polizei auf die Beine gebracht, so wäre Max am Leben geblieben und ein mildes, freundliches, zahnloses Großväterchen geworden. So aber stöberte man ihn irgendwo in unsern Bergen auf. Er stand unter schwerem Verdacht. Man brachte ihn nach München. Der Lederbeutel, von dem er sich nicht trennen wollte, verriet ihn. Man identifizierte ihn als den lang gesuchten Mörder zweier junger Mädchen.

Es war in beiden Fällen Lustmord; der erste Fall lag sechs Jahre zurück, der zweite war kaum ein halbes Jahr vor der Zeit geschehen, als ich Max im Schuppen gefunden hatte. Welch furchtbare Ironie in dem Gedanken, daß dieser Mensch, mit den begnadeten Händen, der bei uns in jeder Minute gütig, hilfsbereit und selbstlos gewesen war, daß derselbe Mensch auch ein grausamer, gefühlloser Mörder sein konnte. Aber manchmal denke ich, etwas Tod und Mord ist wohl auf dem Grund jeder Liebe, jedes Kusses.

Ich besitze noch die schmierige Postkarte, die mir Max Wilde in der Nacht vor seiner Hinrichtung geschrieben hat:

»*Liebe Mutter, kränken Sie sich nicht meinetwegen, ich bin zufrieden, wie es ist, und erinnern Sie sich, ich habe keine Angst. Sagen Sie den Kindern nicht, was ich getan habe, sie würden es nicht verstehen. Sie, Mutter, verstehen es, weil wir Freunde sind und ich Sie immer gern gehabt habe. Gott sei meiner Seele gnädig, er wird den schwarzen Fleck wegwaschen und mich wieder wie neu machen. Amen.*«

SIEBENTES KAPITEL

Gott sei mir gnädig! dachte Marion drunten in der Gletscherspalte. Ob wohl der alte Hammelin für mich auch so ein kleines Kreuz machen wird, mit einem kleinen Dach darüber, wie man es immer macht, wenn einer in den Bergen verunglückt ist? Hier ruht Marion Sprague, in eine Spalte des Grauhorngletschers gefallen am 14. Juni 1940. Gott sei ihrer Seele gnädig!

Sie sah das kleine Kreuz vor sich; die Schindeln des Dächleins waren wie aus grauer Seide, gebleicht vom Alter und vom Regen vieler Jahre. Wach auf, Marion, Mädel! dachte sie und rüttelte sich auf. Sie war beinahe eingeschlafen. Es ist weder die Zeit noch der Ort für ein Nickerchen. Verdammt kalt ist's hier, und meine Hände sind ganz steif. Sie hauchte in die Hände, um sie zu erwärmen. Steife Hände kann ich nicht brauchen, wenn ich versuchen soll, ohne Hilfe hier herauszukommen. Immer noch rief und jodelte sie ab und zu, aber schon seit geraumer Zeit war keine Antwort mehr gekommen. Zu dumm, wie man in einer solchen Lage jedes Zeitgefühl verliert. Vorwurfsvoll blickte sie auf ihre Armbanduhr. Das Glas war zerbrochen, und die Zeiger waren stehengeblieben, eigensinnig auf drei Uhr dreiundvierzig. Sie schüttelte das Gelenk und zog die Uhr auf — aber sie wollte nicht gehen. Marion faßte einen dunklen Riß in der gegenüberliegenden Eiswand ins Auge. Ich werde warten, bis die Sonne über diesen Riß kriecht, dachte sie. Wenn bis dahin niemand gekommen ist, versuche ich mich allein herauszuarbeiten.

Die nächsten paar Minuten konzentrierte sie sich ganz darauf, einen Plan für ihre Befreiung zu machen. Sie überlegte genau jeden Tritt, jeden Griff, jeden Halt. Eisklettern ohne Pickel und Seil war keine Kleinigkeit, aber es ging um Leben oder Tod, irgendwie mußte es also gehen. Die Sonne brauchte nur allzu wenig Zeit, den Riß zu passieren und ihn im Schatten zurückzulassen. Und der Schatten breitete sich langsam, aber unerbittlich gegen den Rand hin aus, wie ein dunkles Gewächs, das aus der Finsternis emporwuchs. Na schön, versuchen wir's also, dachte Marion. Diesen Augenblick hatte sie gefürchtet und ihn so lange wie möglich hinausgeschoben. Aber wenn sie noch vor Einbruch der Nacht irgendwohin kommen wollte, so war es Zeit, anzufangen. Ein Abstand von drei Metern war zu bewältigen. Wenn alles gutging, war sie in fünf Minuten draußen und konnte den ganzen idiotischen Zwischenfall vergessen. Obwohl sie den Körper in Bewegung gehalten hatte, waren ihre Beine steif und verkrampft, mehr von der Kälte als von dem Hocken hinter der Eisspitze. Brave, feste, zuverlässige Eisspitze, dachte sie mit einer sonderbaren Zärtlichkeit. Sie benutzte sie als Stütze, um sich aufzurichten. Die Spalte füllte sich jetzt mit unheimlichen, leisen Geräuschen, mit gläsernen Seufzern und einem feinen musikalischen Klirren da und dort, und ein-, zweimal ertönte ein schußähnlicher Knall, der aus den Tiefen verstärkt zurückkam. Vorsichtig, behutsam richtete sich Marion auf. Einen Augenblick stand sie da, die Hand an den Eiskegel gestützt, und dann setzte sie sich ebenso vorsichtig wieder hin.

Das ist bös, dachte sie. Das ist verdammt bös. Ich wußte es schon die ganze Zeit; ich wollte es mir bloß nicht zugeben.

Ihr rechter Fußknöchel war gebrochen. Sie hatte das Gefühl wiedererkannt, in dem Augenblick, als sie versuchte, ihr Gewicht auf den rechten Fuß zu verlegen. Beim Skilaufen hatte sie einmal den linken Knöchel gebrochen. Es war ein Gefühl, das man nicht vergißt. Als ob nichts im Schuh wäre. Eine zitternde Hinfälligkeit, kein Schmerz, nein; kein eigentlicher Schmerz, nur die absolute Unfähigkeit, auf dem gebrochenen Fuß zu stehen. »Schweinerei!« sagte sie laut. »Blöde, verfluchte Schweinerei! So etwas kann nur mir passieren. Und es geschieht mir auch recht.«

Sie blieb still sitzen und dachte angestrengt nach. Jetzt konnte sie nur noch stillsitzen und hoffen, daß irgend etwas geschehen werde. Sie holte die Zigaretten heraus, zündete sich eine an und zählte nach, wie viele noch übrig waren. Vierzehn. Wenn nötig, genug für die ganze Nacht. Nun wollen wir einmal sehen, welche Chancen wir haben, dachte sie. So etwas passiert ja sonst nicht. Menschen fallen ja im allgemeinen nicht in Gletscherspalten, um dringelassen zu werden und zu krepieren. Wie stehen die Chancen? Recht gut, sollte ich meinen. Besser als die Chancen in Dünkirchen gewesen waren, nicht? — und doch sind die Engländer nach Hause gekommen. Ich komme auch nach Hause. In gewissem Sinn stecken wir alle in einer Gletscherspalte, die ganze unselige Menschheit, und wir wissen nicht genau, wie wir wieder herauskommen sollen. Aber wir werden herauskommen. Wir sind bis jetzt noch jedesmal herausgekommen — es handelt sich nur darum, daß man nicht zu rasch aufgibt.

Da ist zum Beispiel der alte Hammelin. »Gehen Sie auf die Arlihütte?« wird er den Hotelführer fragen, der mit zwei Touristen hinaufgeht. »Wäre ganz gut, wenn Sie sich mal nach Mrs. Sprague umsehen würden. Ob sie mit dem Gletscher fertig wird. Sie ist allein hinauf, ihrem Engländer nach.« Der Führer wird grunzen und nicht weiter daran denken. Wenn er aber über den Gletscher geht, wird er meine Fußspuren sehen, die in einer falschen Richtung führen. Dazu ist er ja ein Führer. Es gibt kein Eiskörnchen, das diese Bergführer nicht sehen und beobachten und verstehen. Er wird wieder grunzen, wird das Seil mit seinen beiden Touristen an einem zuverlässigen Eisblock festmachen, wird ihnen sagen, daß sie ruhig stehenbleiben und warten sollen und dann meiner Spur folgen und da nach mir suchen, wo ich vom Weg abgewichen und auf meinen eigenen Spuren wieder zurückgegangen war. Er wird zu der Eisbrücke kommen, mit der ich durchgebrochen bin, und wird mich herausziehen. Er wird mich in seinem Schwyzerdütsch fürchterlich ausschimpfen, und ich werde nur die Hälfte davon verstehen. Dann wird er meinen Knöchel schienen, mich anseilen und mich entweder zur Arlihütte hinauf oder zurück nach Staufen schleppen.

Dann Michael. Er wird meine Zeilen lesen und nachsichtig lächeln, aber er wird sich freuen, daß ich Christopher nachgegangen bin. Er wird durch das Fernrohr schauen und kolossal stolz sein, daß er Augen hat, mich zu sehen, wie ich als winziges Pünktchen über das Kees krieche. Er wird sich ausrechnen, um welche Stunde wir in der Schutzhütte ankommen werden — Christopher und ich (er wird natürlich glauben, daß wir zusammen ankommen), und er wird um die Zeit des Abendessens anrufen. Christopher wird ihm sagen, daß er mir nicht begegnet sei, und Michael wird ihm sagen, daß ich ihm nachgegangen bin. Zuerst wird jeder denken, der andre mache Spaß. Dann werden sie sich darauf einigen, daß ich verrückt bin. Dann werden sie sehr ernst und schweigsam werden. Dann wird es ein gewaltiges Hin und Her geben mit einer Rettungsaktion und Fackeln und Lichtsignalen, wie damals, vor drei Jahren, bei der Lawinenkatastrophe; und Staufen wird bis zum nächsten Unglücksfall neuen Gesprächsstoff haben.

Nein, ich weiß, was geschehen wird. Christopher wird von mir eine telepathische Nachricht bekommen. Etwas wird an seinem Herzen zupfen oder ihm ins Ohr flüstern. Schließlich sollten doch zwei Verliebte dasselbe leisten können, was jedes billige Kofferradio leistet. Ich bin überzeugt, daß der menschliche Körper so etwas wie eine Antenne besitzt und daß wir Wellen aussenden und empfangen können. Hallo, hier ist Marion. Kannst du mich hören oder fühlen, Chris, mein Liebling? Bitte kehr um und geh zurück! Du willst mich doch noch einmal sehen, nicht? Du willst doch heute abend bei mir sein, ebenso wie ich bei dir sein möchte? Du mußt umkehren und mich suchen. Zum Teufel mit dem alten Grauhorn, mußt du denken; ich gehe zurück zu Marion und bleibe die ganze Zeit bei ihr, bis mein Flugzeug abgeht. Du wirst mit langen Schritten den Gletscher herunterwandern, leicht und frei und in Eile, um nach Staufen zurückzukommen und mich zu überraschen. Dann wirst du stehenbleiben und dich ganz tief niederbeugen und mit deinen kurzsichtigen Augen meine Spuren in dem weichen, flockigen Eis verfolgen. Das sind doch Marions Nagelschuhe, wirst du denken. Du hast mir einmal gesagt, daß du meine Fußspur unter Hunderten herausfinden würdest, nicht? Schön, jetzt kannst du es einmal beweisen, Christopher, mein Liebling. Du wirst die Brauen zusammenziehen und überlegen, was diese Spuren bedeuten, dann wirst du tief aufatmen und begreifen und glücklich sein. Also war es doch Marion, die ich jodeln gehört hatte, wirst du denken, es war keine Einbildung. Sie ist mir gefolgt — sie liebt mich! Wo ist sie jetzt? Bald wirst du an den Rand meiner Gletscherspalte kommen, sehr bald. Du wirst rufen: ›Marion! Marion! Wo bist du? Was ist dir geschehen?‹ Und deine Stimme wird sehr ängstlich klingen, gar nicht englisch, gar nicht so beherrscht. Ich werde antworten — sehr ruhig, sehr gefaßt: ›Hallo, Chris, ich warte auf dich.‹ Dann wirst du dein Seil herunterlassen und mich kunstgerecht hinaufseilen, und ich werde lachend sagen: ›Ich habe mich selber in den Eisschrank gelegt, um mich für dich frischzuhalten.‹ Und dann wirst du meinen Knöchel verbinden und mich küssen und warmreiben und mich irgendwie nach Hause schleifen. Und du wirst die Nacht bei mir bleiben, und wir werden über die ganze Geschichte lachen.

Was ist das für ein Gepfeife im Dunkeln? dachte Marion, indem sie die Dampfwölkchen, die bei jedem Atemzug aus ihrem Mund kamen, beobachtete. Sie bewegte die Arme, rieb sich die Hände und klatschte sich auf die Schenkel, um das Blut in Bewegung zu bringen. Vor einer Weile hatte sie ihren dicken Sweater aus dem Rucksack geholt und war hineingeschlüpft, den Rucksack benutzte sie als Sitzkissen. Sie hatte sich so bequem eingerichtet, wie es die Umstände erlaubten, jedenfalls einigermaßen sicher und mit einem hinreichenden Spielraum zwischen Rücken und Eiswand. Gern hätte sie ein Stück Holz gehabt, um ihren Fuß zu schienen, aber auf Gletschern und in Gletscherspalten wachsen keine Bäume. Noch empfand sie in ihrem Knöchel keinen richtigen Schmerz, nur zunehmenden Druck und Steifheit. Die Hauptsache war jetzt, nicht einzuschlafen, die schweren Augenlider keine Macht über sich gewinnen zu lassen und immer wieder zu rufen, damit man sie finden könne. Wieder erinnerte sie sich an das Spiel, das sie in jenen ermüdenden Nächten auf dem Bahnhof von Bergheim gespielt hatten. Sie rief sich all die schönen und guten Dinge des Lebens ins Gedächtnis zurück und baute aus ihnen eine Hecke zum Schutz gegen Kälte und Angst und Einsamkeit. Die Erdbeeren, die Michael ihr heute morgen gebracht hatte. Das Gefühl, wie Christophers rauher Mantel sie auf einem schmalen Waldpfad an der Schulter gestreift hatte. Das Stück Birnholz, aus dem sie Neros Porträt geschnitzt hatte. Ihre Gedanken gingen in einem wirren Zickzackmuster hin und her. Einmal dachte sie intensiv an das Enkelchen, das bald geboren werden sollte, so intensiv, daß sie glaubte, es zu sehen und in ihren Armen zu fühlen. Dann wieder war sie mit Christopher zusammen, aber sie war nicht vierundvierzig, eine Frau, deren Augen zu schwach waren, die Brüchigkeit einer Eisbrücke zu erkennen, und deren Knochen schon so spröde waren, daß sie bei einem leichten Fall zerbrachen. Sie war wieder sechzehn, und der Mann, dem sie begegnete, war nicht Charles Dupont, sondern Christopher Lankersham, und es war ein überströmendes Glück, daß die Gletscherspalte davon warm wurde. Es ist erstaunlich, was man sich alles zusammenphantasieren kann, dachte Marion. Die Sonne war etwas nach links gekrochen, und der Schatten reichte kaum einen halben Meter höher als vorher. Marion gönnte sich ein Lächeln des Mitleids. Was du dir nicht alles zusammenphantasierst, Mädel! Man sagt, es ist ein schlechtes Zeichen, wenn die Gedanken so mit einem davonrennen. Man sagt, Ertrinkende sehen ihr ganzes Leben in der letzten Minute, und Erfrierende auch.

Schon gut, schon gut. Rauchen wir noch eine Zigarette und denken wir an etwas Drolliges. An ein Känguruh zum Beispiel. Das erste, was ich mache, wenn ich wieder in New York bin und wieder arbeite, wird eine Känguruhgruppe sein. Was hat das alte Känguruh zu seinem Känguruhbaby gesagt? »Ich will dich lehren, im Bett Zwieback essen!« Komisch, ja? Riesig komisch. Wie warm muß es in der Bauchtasche einer Känguruhmama sein ...

Für mich ist die Känguruhmutter der Inbegriff des Glücks. Mein Junges in meiner Bauchtasche mit mir herumzutragen, während ich in großen Sätzen umherspringe und mir gerade genug Zeit lasse, das Grüne von Busch und Baum abzuknabbern — das ist das Schönste, das ich mir denken kann, und gerade das habe ich während der Jahre von 1925 bis 1930 getan. Die schlechten Zeiten waren vorbei — für mich und für Europa. Wir taten alles, was wir konnten, um rasch zu vergessen, daß es jemals einen Krieg gegeben hatte, überall kam man uns mit Freundschaft und Wohlwollen entgegen, auf den Märkten gab es Lebensmittel und in unsern Taschen solides, wertbeständiges Geld. Eine wichtige Sache haben wir im letzten Krieg gelernt: daß Nöte kommen und gehen, und nichts so schrecklich ist, daß man es nicht bald vergessen könnte.

In Berlin ließ es sich in diesen Nachkriegsjahren sehr schön leben. Da war ein frisches, stärkendes Klima für Arbeit und Spiel, und die Menschen waren heiter, lebhaft, humorvoll und tolerant. In seinem Charakter war das Berlin dieser Periode New York so ähnlich, wie eine europäische Stadt einer amerikanischen überhaupt nur ähnlich sein kann. Aber damals hatten alle großen Städte begonnen, einander ähnlich zu sehen, viel ähnlicher als früher. Vor dem Krieg war Amerika für uns ein entlegener Kontinent gewesen, wo edelmütige Indianer herumgingen und die brutalen Goldsucher skalpierten und wohin die schwarzen Schafe der guten Familien abgeschoben wurden, die dann drüben Zeitungen verkauften und als fabelhaft reiche, wenn auch verschrobene Industriemagnaten endeten. Jetzt entdeckten wir, daß wir alle amerikanisiert waren. Ob diese Entwicklung zu preisen oder zu beklagen sei — das wußten wir nicht genau.

Im Krieg hatten wir gelernt, daß es so etwas wie Freund und Feind nicht gibt. Die Soldaten waren einander ziemlich gleich, ob sie nun Franzosen, Engländer oder Deutsche waren; und die Mütter, die Opfer, die Kinder und das Volk im allgemeinen waren es auch. Und was die Toten anlangt, nun, da gab es überhaupt keinen Unterschied. Mit dieser neuen Weisheit ausgerüstet, rückten wir näher zusammen und wurden gute Nachbarn. Wenigstens für eine Weile.

Ich glaube, jede Periode ist in ihren eigenen Stil, in den eigenen Geschmack maßlos verliebt, und Clara hatte recht: jetzt waren wir an der Reihe. Für Amerika mögen es die ›Roaring Twenties‹ gewesen sein — unbändige Jahre. In Europa waren die zwanziger Jahre anders. Es waren die lächelnden Jahre. Sie lächelten mit dem milden, weisen, etwas matten und hektischen Lächeln eines Kranken, der sich einer gefährlichen, fast hoffnungslosen Operation unterzogen hatte und sich nach dem Erwachen lebend wiederfindet. Wir krempelten uns die Ärmel auf, sahen uns um und waren mit unsrer neuen, kleinen, freundlichen Welt zufrieden. Es war auch eine Welt der Frauen, und man erlaubte uns Frauen, beim Ordnungmachen zu helfen, nachdem die Männer eine so heillose Wirtschaft gemacht hatten. Man gab uns das Recht, zu studieren, in jedem Beruf tätig zu sein, und man gab uns das Wahlrecht. Allerdings sehe ich noch nicht, daß es uns weitergebracht, uns glücklicher gemacht oder uns mehr Einfluß verschafft hätte, als unsere Mütter gehabt hatten; ja, es hat uns nicht einmal die Macht gegeben, unsere Männer davor zurückzuhalten, sich in eine neue Katastrophe zu stürzen. Aber in den zwanziger Jahren hatten wir das Gefühl, der absolute Gipfel der Vollkommenheit zu sein; jede von uns war ein kleiner Weltverbesserer. Da wir Frauen waren, gingen wir vor allem erst einmal wie besessen an ein Großreinemachen. Wir ließen Licht und Luft herein, gingen allem zu Leibe, was verstaubt war, räumten mit dem alten Gerümpel auf und warfen alles Unechte auf den Kehricht. Unsere Wohnungen wurden hell, unser Leben angenehm, wir hatten Badezimmer, Radio, Staubsauger und Kleinauto — oder mindestens die Aussicht darauf, und wir hatten vor allem nicht mehr das dumme Getue mit der doppelten Moral, bitte sehr. Nachdem dies geschehen war, sahen wir in den Spiegel und beschlossen, schön zu werden. Da wir die Jahre versäumt hatten, in denen wir wirklich jung und hübsch waren, gestatteten wir uns eine verspätete, künstliche, hitzige Art von Jugend. Im Handumdrehen entdeckten wir für uns den Schönheitssalon, die kosmetische Industrie, das Rouge auf den Wangen, die gemalten Lippen, die Dauerwellen. Zum erstenmal bedienten sich auch die anständigen Frauen all der vorteilhaften Mittelchen, die jahrhundertelang den unanständigen vorbehalten gewesen waren, und das allein schon war keine geringe Errungenschaft. Inzwischen hatten unsere Männer die Kalorien, die Vitamine, die Hormone entdeckt. Aufatmend hörten wir, daß unsere geheimsten, sündigen Begierden nichts mit Moral und Ethik zu tun hatten, daß sie nicht vom Teufel stammten, sondern von unsern Drüsen. Das war die schönste Botschaft seit langem. Jetzt wollen wir noch die Geburtenkontrolle organisieren, sagten wir, und dann wird die Welt vollkommen sein . . .

Michael erzählte mir einmal, daß die Kautschukgewinnung im großen kaum älter ist als fünfunddreißig Jahre. Das war ein Bissen, an dem ich lange zu kauen hatte. Ich stellte mir einen kleinen Gummibaum vor, der vor vierzig Jahren irgendwo in Sumatra gepflanzt worden war. Wieviel Arbeit, Schweiß und Erfindungsgabe mußten hineingesteckt werden, bis er endlich die nützlichen kleinen Dinger lieferte, die man diskret in der Drogerie kauft. Mein Gott, wie hat der kleine Gummibaum das ethische, moralische, philosophische, soziale Gesicht der Welt verändert! Er hat uns Mut zum Lieben und Geliebtwerden geschenkt, die Möglichkeit, auseinanderzugehen, wenn es aus war, und mit heiler Haut und ohne Folgen davonzukommen. Was für ein Segen, daß keine unerwünschten, unwillkommenen und unglücklichen Kinder mehr in die Welt gesetzt zu werden brauchten. Daß er Selbstmorde und Kindesmorde verhinderte. Elend aus der Welt schaffte. Schluß machte mit dem ältesten, abgedroschensten Romanstoff. Guter braver kleiner Gummibaum in Sumatra, du hast eine große Mission zu erfüllen, aber schon heute hast du mehr für die Welt getan als alle Moraltheoretiker zusammen! Auf diesem neuen Stromlinienplaneten hatte ich auch für mich einen kleinen Schlupfwinkel gefunden. Aber ich wäre mit diesen Jahren vielleicht doch nicht so zufrieden gewesen, wenn sie mir nicht so viel Erfolg gebracht hätten. So jedoch wurde ich, Marion Sommer, die Schöpferin des Stromlinienspielzeugs. Berufstätige Frau, Familienversorger, Geldverdiener, Freundin interessanter Menschen. Atelierchefin und Leiterin der Spielzeugabteilung von Eichheimer & Co., eines Riesenunternehmens, das viele Gebiete des modernen Lebens versorgte — mit Badezimmereinrichtungen, Schiebetüren, Gartenmöbeln, Markisen und hundert andern Dingen. Die Spielwarenfabrik war nur eine von zahlreichen Abteilungen, aber ich muß sagen, die Gesellschaft verdiente gut daran. Deutsches Spielzeug war ein Exportartikel, der gut bezahlt wurde, in guter ausländischer Valuta, und das neue Interesse für Kinderpsychologie gab der Fabrikation von Spielwaren — im Zusammenhang mit der Bedeutung, die das Kunsthandwerk nach dem Krieg gewonnen hatte — ein besonderes Gewicht. Ich hatte einen arbeitsreichen Zwölfstundentag, sechs Gehilfen und einen Stab von Lehrlingen. Mit der Fabrik selbst, wo das Spielzeug nach meinen Entwürfen in Massenproduktion hergestellt wurde, hatte ich wenig zu tun. Dann und wann erschien Büttner bei mir, ein aufgeregter, verdrossener, alter Vorarbeiter von gnomenhaftem Aussehen, um mir zu erklären, daß es technisch unmöglich sei, diese oder jene Figur im großen herzustellen. Aber ich hatte in den prähistorischen Zeiten von Gießheim F 12 mit Vorarbeitern umzugehen gelernt, und in den meisten Fällen konnte ich den alten Büttner dazu bewegen, es doch noch möglich zu machen, oder ihn durch kleinere Änderungen am Entwurf umstimmen. Auch hatte ich mir in aller Eile und im geheimen die technischen Kenntnissen verschafft, die mein neuer Beruf erforderte. Das übrige war leicht. Hauptsache, ich hatte Ideen und die nötige Beharrlichkeit, sie mit tausend kleinen Finten gegen den Widerstand des alten Eichheimer durchzusetzen.

Wir wohnten im ruhigsten Teil eines ruhigen Wohnviertels; das Haus stand mitten in einem großen Garten mit alten Bäumen und einem kleinen Teich. Haus, Teich und Garten gehörten einer Familie, die einst groß und reich und jetzt klein und arm war. Es war nur noch der Schatten einer Familie; eine Familie, die still und würdig unterging, inmitten schwarzer Porphyrsäulen und unmoderner Gemälde, mit trockenem Brot zum Abendessen, unbezahlten Wasserrechnungen und Steuervollstreckungen. Ich hatte von ihnen die ehemalige Gesindewohnung im obersten Stockwerk gemietet und sie mir neu eingerichtet. Trotz einiger schräger Dachecken war es eine sehr hübsche Wohnung. Ich fand auch eine Perle, die mir den Haushalt führte und während meiner Arbeitszeit auf die Buben achtgab. Gertrud war mager, säuerlich und unfreundlich, aber unheimlich tüchtig und uns mit dem Fanatismus eines treuen Hundes ergeben. Sie hatte eine Schwäche, die sie mit den meisten Hausangestellten dieser aufgeklärten, fortschrittlichen, sozialistischen Zeit teilte. Sie wollte nicht als Dienstmädchen, sondern als ›Hausgehilfin‹ bezeichnet und als Fräulein Bieber angeredet werden.

Jeden Morgen, zehn Minuten vor sechs, schrillte mein Wecker. Ich drehte mich auf die andre Seite, streckte mich, gähnte und aalte mich in dem Bewußtsein, daß ich bis zum Aufstehen noch eine Ewigkeit Zeit habe. Ich holte mir die Zeitung, die mir die Perle unter die Tür geschoben hatte, überflog die Nachrichten, gähnte noch einmal und spielte ein bißchen mit einer Idee, die mir gestern abend beim Tanzen gekommen war. Es handelte sich um einen Pinguin namens Sebastian, einen lustigen Burschen, der gewiß ein Schlager werden konnte. Dann mußte ich aufstehen, um mich anzuziehen. Wenn ich mein ausgiebiges, luxuriöses Bad genommen hatte, war es an der Zeit, die Jungen zu wecken. Ich ging auf den Zehenspitzen in ihr Zimmer, wo es auch im Sommer immer kühl und frisch war, und schaute mir die Kinder erst mal eine Weile an. Michael schlief noch immer auf dem Bauch und lag höchst unordentlich da. Er sah aus, als sei Schlafen für ihn eine anstrengende Arbeit, eine Turnübung, ein Wettrennen mit Traumgegnern. Die Bettdecke hatte er zu Boden geworfen, sein Körper war lang und trug die Merkmale des Vollblutes. Er sah nicht aus wie ein Kind, sondern wie eine Miniaturausgabe eines Mannes. Auf seinem Nachttischchen lag ein Stoß Bücher; er war ein Bücherwurm und hatte periodenweise seine erklärten Lieblinge: die Indianer, die Dschungelgeschichten, die Bienen, die Kreuzzüge, Himmel und Sterne, Richard Löwenherz. Auf seinem Tisch hatte er ein Mikroskop, und in einem Winkel stand ein alter Topf, worin er für seine Forschungen schmutziges Wasser züchtete. Dazu wollte es eigentlich nicht mehr recht passen, daß er seinen Schlafkameraden in die Arme geschlossen hatte: Nibbel, das einäugige Kaninchen. Er hatte es zu seinem fünften Geburtstag bekommen und nahm es seitdem immer mit ins Bett.

Ich berührte leicht Hals und Schläfe des Kindes. Es geschah ganz automatisch — ich war gewohnt, auf diese Art seine Temperatur zu prüfen. Seit Einsiedel bestand keine Gefahr mehr für die Lungen, aber er hatte eine Brustwarzenentzündung gehabt, und seit der Operation war ich wieder ängstlich. Martin behauptete, ich verwöhne Michael und mache einen Weichling aus ihm. Um ihm zu beweisen, daß er kein Weichling sei, hatte Michael ihn in höchst überzeugender Weise verhauen. Michael erwachte immer, sowie ich ihn berührte; er fuhr hoch und war sofort hellwach. Dagegen bekam man Martin nur mit gewaltigem Lärm wach. Er schlief so ordentlich wie seinerzeit Hauptmann Tillmann, und wenn ich auf den schlafenden Jungen hinuntersah, bekam ich manchmal Sehnsucht nach seinem Vater. Martin war kleiner und derber als Michael. Er wickelte sich ordentlich in die Bettdecke, und wenn er auch nicht gerade schnarchte, atmete er doch geräuschvoll, und ich konnte mir gut vorstellen, daß er mit Fünfunddreißig ein Schnarcher sein würde. An der Wand über seinem Bett hing ein schaurig-schöner Kalender mit einer betörenden Dame in Rosa auf dem Titelblatt, und auf seinem Nachttischchen stand eine komplett eingerichtete Puppenstube aus Karton ausgeschnitten, gefaltet und geklebt. Es war eigentlich eine etwas unwürdige Liebhaberei für einen Jungen seines Alters, aber es paßte gut zu seiner geschickten, praktischen Veranlagung. Ich rief ihn an und klatschte ihm mit einem nassen Waschlappen ins Gesicht, bis er auf der tiefen Höhle seines Schlafs, in der er seine Nächte zubrachte, hervorkroch.

»Ich soll dich daran erinnern, daß wir einen Mann kommen lassen müssen wegen des Gasofens«, sagte er, sobald er munter war. Er sah in seinem Notizbuch nach, ernst und sorgenvoll wie ein kleiner Buchhalter, darauf bedacht, daß wir nichts vergaßen, was den Haushalt betraf. Er liebte sein Notizbuch und kritzelte es mit allem möglichen Wissenswerten voll, das er zusammentrug. Da standen Angaben wie: die Lichtgeschwindigkeit beträgt 300 000 Kilometer in der Sekunde; ein feuchter Tabakumschlag um den Leib kann einen Menschen durch Nikotinvergiftung töten; um kochenden Spinat grün zu erhalten, setze man eine Messerspitze doppeltkohlensaures Natron zu.

Auch ein paar läppische Witze standen darin, die er irgendwo aufgeschnappt und getreulich eingetragen hatte. Einmal fragte ich ihn, wozu er all diese Perlen aus der Rubrik ›Unterhaltung und Wissen‹ aufbewahre, und da erklärte er höchst ernsthaft, er möchte sich dahin bringen, einmal ein fesselnder Gesellschafter zu sein. Nur zu, mein Lieber! Ich hoffe nur, daß diese alten Kalauer dir bei deinen Bemühungen um Aufträge bei den Farmern von Iowa von Nutzen sind!

Beim Frühstück hatten wir eine wichtige Konferenz über die geschäftlichen Möglichkeiten des Pinguins Sebastian. Diese Frühstücksgespräche waren das beste Düngemittel für mein Gehirn. Obwohl er noch nie einen gesehen hatte, imitierte Michael den Pinguin so täuschend, daß wir noch schallend lachten, wenn wir in den ›alten Keuchhusten‹ kletterten. Ein Auto, Modell 1926, versetzt uns heute nicht in Entzücken, aber, mein Gott! wie stolz waren wir damals darauf! Es hatte seinen Namen von den sonderbaren und hartnäckigen Auspuffgeräuschen, die durch nichts zu beseitigen waren. Die Fahrt zur Schule war ein Riesenspaß, erforderte jedoch ein gutes Stück Diplomatie. Ein richtiger Junge wäre lieber gestorben, als im Auto zur Schule gebracht zu werden. Das roch nach reich sein und verwöhnt werden. Reiche Leute waren noch immer etwas Verächtliches; man faßte sie nicht mit der Feuerzange an. Darum fuhren wir auf listigen Umwegen in die Gegend der Schule, und an irgendeiner Straßenecke setzte ich die Jungens ab. Ich sah ihnen nach, bis sie um die Ecke galoppiert waren, und steuerte dann den ›alten Keuchhusten‹ ins lärmende Herz der Stadt, wo ich mein Büro hatte.

Meine guten Nothelfer, das Baby mit der Zehe und das Baby mit dem Popo wurden weiterhin laufend in aller Welt verkauft. Sie hießen Hanki und Panki, und ich hatte ihnen ein schwarzes Schwesterchen gegeben, das nach dem niedlichen Vorbild der Schwarzen Schmach modelliert war. Wir nannten es Bamba, und es ging vortrefflich, besonders in England. Dann kam der große Erfolg mit der Kuh Amalia und ihrem langbeinigen, blöd dreinschauenden Kalb. Wir erzeugten sie am laufenden Band, setzten sie auf Rädchen und verkauften sie sehr billig; eine Zeitlang sah man sie überall in den Parks, wo Kinder waren. Dann stürzte ich mich auf die Sau samt Familie und machte dazu einen bayrischen Bauernhof mit den knorrigen Gestalten des Gabelbauern, der Gugglmutter und ihrer gelbhaarigen Kinder. Dann kam der Zoo, der überaus lustig war und uns viele

Aufträge aus England brachte. Besonders das Nilpferd und sein Junges wurden sehr populär, weil sie so albern aussahen und jeder einen Bekannten hatte, der Ähnlichkeit mit ihnen hatte. Nach meiner Afrikareise machte ich einen Zulukral und eine Safari von weißen Männern in Tropenhelmen, mit ihren Zelten und Lastträgern und mit den wilden Tieren, die sie gefangen hatten. Die Jungens aller Altersstufen hatten ihre Freude daran. Mit dem Psychoanalytiker, der in unserm Verwaltungsrat saß, hatte ich lange, tiefsinnige Diskussionen; er erklärte mir, das Spielen sei ein Ersatz für mangelnde Erlebnisse und die Erfüllung von dem und jenem. Möglich. Ich entwarf und schnitzte just, was mir einfiel, was mir lustig vorkam und was Herr Eichheimer für unverkäuflich hielt.

Wie bei jeder berufstätigen Frau bestand mein Tag aus ein paar wenigen Stunden wirklich schöpferischer Arbeit und aus endlosen Folgen kleiner Unannehmlichkeiten, Konferenzen und Auseinandersetzungen mit Leuten unter mir und über mir. Es war immer ein Problem, wann ich mir das Haar waschen lassen sollte. Man kann das Mittagessen überspringen, während der Arbeit einen Apfel essen und ein Glas Milch trinken, um die eingesparte Mittagszeit zur Anprobe bei der Schneiderin zu verwenden, sich maniküren zu lassen, einen neuen Hut zu kaufen, zur Ausgleichsgymnastik zu gehen, kurz, zu all den kleinen Besorgungen und Wegen, die eine berufstätige Frau machen muß, wenn sie auf ihr Äußeres Wert legt. Aber das Haarwaschen ist, soviel ich weiß, ein Problem, das bis heute keine arbeitende Frau zur völligen Zufriedenheit gelöst hat. Ein andres Problem ist der Heimweg nach Arbeitsschluß, ganz gleich, ob man ihn nun mit Auto, Bus oder U-Bahn macht. Man ist ermüdet, reizbar und ungeduldig — und ein paar hunderttausend andre Leute, die nach der Arbeit nach Hause gehen, sind es auch. Eine ganze Stadt ist auf den Beinen. Die Menschen, die in den Verkehrsmitteln an den Halteringen hängen und sich gegenseitig auf die Zehen treten oder sich wild hupend mit ihren Wagen einen Weg zu bahnen suchen, trampeln einander auf den Nerven herum. Man fühlt einen kleinen, steifen Schmerz zwischen den Schultern und einen andern an der Innenseite der Beine, hat ein bißchen Kopfweh von den Anstrengungen des Tages und dann diese niederträchtigen Geschichten, die unausweichlich in dem weiblichen Apparat da drinnen vor sich gehen. Es ist immer diese halbstündige Nervenprobe zwischen Arbeit und Erholung, die einen so viel Energie kostet und abends an der Wohnungstür als schiffsbrüchigen Neurastheniker landen läßt.

Und dann die glorreiche Auferstehung, bewirkt durch eine heiße Dusche, Umziehen, ein bißchen Rouge, einen kleinen Flirt mit dir selber im Spiegel und vielleicht auch einen Drink. Die Männer tun mir leid, denn alles, was sie zu ihrer Wiederbelebung tun können, ist, sich zu rasieren — und auch das tun sie nicht gern. Kein Wunder, daß so viele von ihnen abends schlecht aufgelegt sind.

Meine Abende waren reich und ergiebig. Die meisten meiner Freunde waren nach Berlin übergesiedelt. Da war vor allem Clara mit ihrer Herde von Tänzerinnen — kurzhaarige, langbeinige Geschöpfe, die vor Lebensfreude barsten. Schani Kern, sehr lustig, sehr berühmt, immer noch in Susi, seine Frau, verliebt, die nun schon wie eine richtige Hundertkiloprimadonna aussah. Kant, gealtert und ein bißchen zusammengeschrumpft, immer leise verwundert über die Mädchen dieser Generation, die man nicht zu verführen brauchte, die vielmehr selbst verführten — und zwar ohne besondere Feierlichkeit. Schauspieler waren da, die ich von Bergheim, Maler, die ich von Wien her kannte. Ab und zu kam Fritz Halban hereingespritzt und holte mich zu einem Flug in seiner possierlichen Kiste ab. Er war ein großes Tier im Luftfahrtministerium geworden, und er war der einzige Mensch auf der Welt, der ›Mäusle‹ zu mir sagte.

Sonderbar, daß ich jetzt an alle diese Menschen denken muß. Clara ist Masseuse in New York. Kant ist ein alter Mann, der gerade noch dazu taugt, die zweitklassigen Sommerkonzerte in Scheveningen zu dirigieren — falls er nicht zufällig während des Bombardements in Rotterdam gewesen ist. Schani? In welchem Konzentrationslager, auf welcher Landstraße bist du jetzt, du bester Freund meiner frühen Tage? Fritz Halban bildet in Tschungking junge Chinesen zu Fliegern aus. Und Charles Dupont malt geschleckte Porträts von Nazibonzen, auf denen sie so aussehen, wie sie gern aussehen möchten. Es ist eine kuriose, verdrehte Welt, in der das Korn wegfliegt und die Spreu zurückbleibt . . .

In letzter Zeit hat man mit Geschrei und Geschreibe und Propaganda von Hitler so viel hergemacht, daß schon beinah jeder daran glaubt, es hätte des ›Führers‹ bedurft, Deutschland zu ›retten‹. Aber das ist nicht wahr; hol mich der Teufel — es ist nicht wahr. Es ist uns in jenen Jahren nicht schlechtgegangen, gar nicht schlecht. Ja, es ist uns erstaunlich gutgegangen, wenn man bedenkt, was wir durchgemacht hatten, was für Schulden wir bezahlen mußten, und was für einen Krieg wir verloren hatten. Es lag eine fröhliche Atmosphäre des Wiederaufbaus und der Wiedergeburt über diesen Jahren, und mit etwas Geduld, etwas Unterstützung und etwas Großherzigkeit seitens der Franzosen, etwas Verständnis seitens der Engländer und Amerikaner, etwas weniger verbohrtem Egoismus seitens der Wohlhabenden, etwas weniger Einmischung seitens Moskaus und etwas weniger Dummheit im allgemeinen hätte die Welt wieder ganz schön und Deutschland zu einem zufriedenen und willig mitarbeitenden Partner werden können.

Berlin war während dieser Jahre ein Mittelpunkt des kulturellen Lebens, und Künstler und Intellektuelle sind ein zähes Volk. Sie sind wie ein fester Rasen, dem es nichts schadet, wenn man darüber geht. Nachdem Krieg und Inflation über sie hinweggetrampelt waren, richteten sie sich wieder auf und arbeiteten ebenso gut wie vorher, wenn nicht besser. Die Bühne war lebendig, unternehmend und brodelte vor Lust am Experiment. Die Schulen waren voll neuer Ideen, die Konzerte zahlreich und von unerreichter Qualität. Die Kunstausstellungen waren in ihrer bewußten, verbissenen Art unterhaltsam. Vorträge und Diskussionen, das Wochenende an den vielen Seen der Umgebung, Exkursionen in die allmählich verschwindenden Elendsviertel, Kostümfeste in verrückten Ateliers — wahre Orgien in Stahlmöbeln und Kartoffelsalat. Zunächst aßen wir alles, was halbverhungerte Menschen nur essen können. Dann begannen wir Diät zu halten, schlank zu werden, das Haar kurz zu schneiden, die Brauen zu rupfen, kurz, das Fettgewebe von Leib und Seele zu entfernen. Wir schwammen, spielten Tennis, tanzten. Wir tanzten und tanzten, zu jeder Zeit, an jedem Ort, und bekamen nie genug davon. Wir tanzten, so wie kranke Hunde Gras fressen — um das Gift aus ihrem Blutkreislauf herauszubekommen. Es wurde viel in Gelegenheitsliebe gemacht, und es entstand ein merkwürdiges Zwielicht der Geschlechter. Frauen trugen Monokel, und Männer benahmen sich etwas zu anmutig, und beide gingen mit psychoanalytischen Symptomen und Ausdrücken hausieren. Ich weiß nicht, wodurch diese Welle von Homosexualität entstanden ist, die man allgemein mit griechischer Natürlichkeit akzeptierte. Ich nehme an, daß Männer und Frauen allzulange in erzwungener Trennung gelebt und sich in den Schützengräben und Gefangenenlagern, beziehungweise in der Heimat, wo die Frauen zusammengepfercht ohne Männer leben mußten, an die Geschlechtsgenossen gewöhnt hatten. Auch waren wir so blödsinnig tolerant und verständnisvoll geworden, daß es schon beinahe krankhaft war.

Ich persönlich reiste in diesen Jahren viel umher und streifte wie viele andre die Eierschalen des Lokalpatriotismus und des Nationalismus ab und wurde Kosmopolit. Ich mußte die europäischen Hauptstädte besuchen, Beziehungen anknüpfen, mußte neue Ideen sammeln, den Geschmack und die Reaktionen anderer Völker kennenlernen. Überall fand ich Frauen meiner Art: es war eine Art Geheimbund der Frauen, die Sinn für Arbeit, Ambitionen und Unabhängigkeit hatten und für die es ganz selbstverständlich war, daß wir alle schon irgendwie durch Hölle und Fegefeuer gegangen waren, ohne viel Wesens davon zu machen. Manchmal denke ich mit einem Lächeln daran zurück, wie es war, als ich mich zum erstenmal hinauswagte, ohne zu wissen, wie man ein Taxi nimmt, wieviel Trinkgeld man dem Träger gibt, und wie man sein Herz daran hindert zu brechen. Jetzt war ich immer selbstsicher, ob ich nun einen Speisewagen betrat, die Treppe zu einem Schiffssalon hinunterstieg oder mit einem Mann ausging. Es war die Sicherheit, die mit dem Erfolg kommt. Richtig angezogen, richtig gepflegt, richtig geschminkt, im Gleichgewicht und beherrscht. Freilich kein Küken mehr, aber noch immer anziehend genug, mir den Gefährten aussuchen zu können, der mir gefiel, für ein Jahr, einen Monat, eine Nacht.

Ich lernte John Sprague kennen, so wie sich die Menschen in einer Operette kennenlernen, vor dem Hintergrund des bleichen, grauen Moskau von 1928. Moskau war bleich und grau, weil die Sowjetregierung alle Farben außer Grau und Rot zu Bourgeoisfarben erklärt hatte. Deshalb waren die neuen Gebäude grau angestrichen — in der Farbe des Proletariats —, und die roten Spruchbändern mit den Parteiparolen, die quer über die Straßen gespannt waren, und die roten Fahnen, die über Lenins Grab wehten, genügten nicht, die Stadt freundlicher erscheinen zu lassen. Man hatte sogar Renoirs Bilder aus den Museen entfernt wegen des fanften Rosa seines

Frauenfleisches, und im Theater erkannte man alle Bühnenfiguren, die blau, grün oder rosa gekleidet waren, als Bourgeois und pfiff sie aus.

Wieder einmal war Clara schuld daran, daß ich mich an einen Ort begab, wo ich eigentlich nichts zu suchen hatte. Sie hatte mir den Floh ins Ohr gesetzt. Sie war selbst in Rußland gewesen, um Studien für ihre Tanzschule zu machen, und seitdem quälte sie mich immer, ich solle doch meine Ferien einmal in Moskau verbringen. »Es ist ganz anders als alles, was du kennst«, hatte sie zu mir gesagt. »Es ist ein Erlebnis, das du dir nicht entgehen lassen darfst. Es ist der Anfang von etwas Großem. Es ist, als ob man die ersten Christen aus den Katakomben herauskriechen sähe, oder so ähnlich. Du wirst hinfahren, Kinderl, und du wirst von neuen Ideen platzen. Vergiß aber nicht, Essen mitzunehmen, denn das ist das einzige, was man dort nicht hat.«

Es war wirklich ›ganz anders‹, und der Anfang von irgend etwas war es auch, aber als ich am Abend meiner Ankunft in Moskau kein Zimmer bekam, verwünschte ich Clara wütend. Intourist, das staatliche Reisebüro, hatte mich gut über die Grenze gebracht und mich mit bloß acht Stunden Verspätung auf dem Unglücksbahnhof abgesetzt. Es war kalt und finster und fremd, und niemand war zur Hand, kein Führer, kein Mann vom Reisebüro, und weit und breit war kein Wagen zu sehen. Russen, die ich im Zug kennengelernt hatte, erbarmten sich meiner und packten mich in das Vehikel, das sie vom Bahnhof abholte. Sie hatten irgend etwas mit der jungen Filmindustrie zu tun, und man hatte ihnen den außerordentlichen Luxus eines Autos zugestanden — eines offenen Lastwagens ohne Bereifung. Nach der kurzen, rüttelnden Fahrt durch die Straßen von Moskau hatte die Halle des ›Grand Hôtel‹ etwas Unwirkliches — etwas Wunderliches, Zusammenhangloses, wie ein Wachsfigurenkabinett, wo der Glanz früherer Zeiten konserviert wird. Die Pfeiler waren aus Marmor, aber der Fußboden war nackt und schmutzig. Wie in jedem andern Hotel gab es ein Empfangspult, sogar einen Empfangschef dahinter, der mehrere Sprachen sprach, aber ein Zimmer für mich gab es nicht, obwohl die Intourist versprochen hatte, eins zu reservieren; alle meine Einwendungen stießen auf vollständige Gleichgültigkeit. Daß jemand kein Zimmer hatte, war ein viel zu alltägliches Vorkommnis, als daß man sich darüber aufgeregt hätte. Erst lachte ich, dann bat ich, und dann wurde ich wütend; zum Schluß war ich verzweifelt. Das Büro der Intourist war nachts geschlossen, und der Hotelportier ließ sich auf keine Debatten ein. »Kein Zimmer frei!« — das war alles, was er zu sagen wußte. Absolut kein Zimmer? Kein Winkel, kein Sofa, keine Badewanne, wo ich die Nacht zubringen könnte? Nein. »Kein Zimmer frei.« Ich prallte ab von einer Kautschukwand aus Desorganisation und teilnahmslosem Lächeln. Vielleicht im ›Métropole‹, meinte jemand. Ein Mann in Filzstiefeln ließ sich überreden, mein Handgepäck durch den Schnee zu tragen, und so zog ich hinter ihm her nach dem ›Métropole‹. Meine Ohren waren erfroren, und ich war darauf gefaßt, daß sie mir vom Kopf fallen und auf dem Pflaster zersplittern würden wie die Eiszapfen in Einsiedel. In einem tiefen Loch im Straßenpflaster sah ich eine Gruppe kleiner Jungens kauern, schlafend oder tot, unter dem Schnee erfroren. »Bez Prizornye«, sagte mein Führer grinsend, stieß sie mit dem Filzstiefel an und ging weiter. Niemals habe ich so ein bodenloses Elend gesehen, und es erschreckte mich — sowohl der Anblick wie die vollkommene Gleichgültigkeit, mit der es hingenommen wurde. Es war spät geworden, und am Empfangspult des ›Métropole‹ wiederholte sich die Szene aus dem ›Grand Hôtel‹. Kein Zimmer frei. Gibt es keine andern Hotels in der Stadt? Keine Hotels, keine Zimmer. Nun, was in Lenins Namen glaubte man denn, sollte ich tun? Kann ich nicht in der Halle bleiben und auf einem Stuhl schlafen? Nein, nicht gestattet. Im Wartesaal des Bahnhofs übernachten? Nachts geschlossen. Also was dann? Ins ›Grand Hôtel‹ zurückgehen, meinte der Angestellte und ließ mich stehen. Ich sah mich um; der Mann mit den Filzstiefeln war fort. Mein nasses Handgepäck stand neben mir auf dem schmutzigen Fußboden und sah auch erfroren aus. Nun, was jetzt? Ich kann doch nicht auf der Straße schlafen, nicht? Es ist unter Null. Ein Lächeln, ein Schulterzucken, keine Antwort. Ich war dem Weinen nahe.

Das war der Augenblick, in dem John Sprague in mein Leben trat.

»Do you speak English?« fragte er, denn meine Auseinandersetzungen mit dem Hotelpersonal waren ein Gemisch von Deutsch und Französisch gewesen.

»A little —«, antwortete ich. Er war ein Turm von einem Mann, der in seinem Waschbärenpelz gewaltig aussah. Ich hatte noch nie einen solchen Pelz gesehen, und er machte auf mich den Eindruck von etwas außerordentlich Großartigem. Ich sagte ihm, in welch mißlicher Lage ich mich befände, und er hörte mir nachdenklich zu. »Sagen Sie, Towaritsch«, sagte er zu dem Angestellten, »können Sie die Dame nicht in Ferbers Zimmer unterbringen? Er bleibt bis Samstag in Leningrad — er hat es mir selbst gesagt.«

»Wir haben schon acht Personen in Ferbers Zimmer«, sagte der Angestellte. »Eine Delegation aus Kiew.«

»Hm —«, machte John und rieb sich das Kinn. Eigentümlich: Wenn man mit einem Menschen zusammen lebt, werden einem solche kleinen Gesten so vertraut, daß man sie gar nicht mehr bemerkt. Aber wenn ich an unsre erste Begegnung zurückdenke, sehe ich ihn immer so: er steht am Pult des ›Métropole‹, ein trübes graues Licht rieselt über seinen Pelz, er reibt sich das Kinn und denkt nach, was mit mir geschehen soll.

»Es ist eine abscheuliche Situation«, sagte ich. »Wenn sie es nicht verstehen, für die Touristen zu sorgen, warum nehmen sie dann unser Geld und machen durch ihre verflixte Intourist in der ganzen Welt Reklame?«

»Kommen Sie, setzen wir uns einen Augenblick nieder und überlegen, was wir tun können«, sagte er und zog mich in den verlassenen Speisesaal, wo an einem Tisch ein paar Leute saßen und zwei schläfrige Kellner unter Topfpalmen träumten, ohne den Gästen die geringste Aufmerksamkeit zu widmen. Ich sah mich in der altmodischen, unzeitgemäßen Pracht des Saales um und kam mir vor wie ein Überbleibsel aus einer verlorenen Welt. Der Kapitalismus ist eben ein Dinosaurier, dachte ich.

»Reisen Sie allein?« fragte mich mein großer Amerikaner, als wir uns niedergelassen hatten.

»Ja. Ich reise gern allein«, sagte ich.

»Worin?«

»Bitte?«

»Ich meine, was ist Ihr Geschäft? Oder sind Sie zum bloßen Vergnügen hier?« Ich hörte die Ironie heraus und stutzte.

»Beides«, sagte ich. »Ich bin Spielwarenerzeugerin.« Es wurde mir ziemlich schwer, seine breite amerikanische Aussprache zu verstehen und noch schwerer, mein halbvergessenes Englisch auszugraben. Er lächelte mich an: »Hm, Spielwarenerzeugerin — so was«, sagte er. »Sie kommen mir vor wie das kleine Mädchen mit den Zündhölzern . . . Kellner!« schrie er und schlug mit der Faust auf den Tisch. »Verzeihung! Aber sie kommen nur, wenn man sie anbrüllt. Ist Ihnen kalt? Was Sie brauchen, ist Tee mit einem tüchtigen Schuß Wodka. Es wird eine Stunde dauern, bis wir ihn kriegen — aber machen Sie sich nichts daraus.«

Ich sah mich um. »Es sieht alles etwas unwirklich aus, diese ganze Aufmachung«, sagte ich.

»Ist aber wirklich, verdammt wirklich«, sagte er. »Deshalb habe ich Sie von dem Empfangspult weggeführt. Sie hätten den Mann in Schwierigkeiten bringen können — und sich selbst auch. Haben Sie nicht bemerkt, wie erschrocken er war, als Sie gegen die Organisation loslegten?«

»Ich bin keine Russin, ich kann sagen, was ich will, nicht?«

»Nun — nein! Besser nicht. Vergessen Sie nicht, daß die GPU jedes Wort hört, das Sie sprechen. Sie wollen doch keine Schwierigkeiten haben. Besser, man nimmt alles als einen guten Witz.«

»Es ist aber kein Witz, um Mitternacht bei Frostwetter anzukommen und auf die Straße gesetzt zu werden.«

»Hören Sie zu«, sagte er. »Sie können für diese Nacht mein Zimmer haben. Ich — ich wollte ohnedies ausgehen. Mit den Boys Poker spielen. Ich kann für eine Nacht bei einem Freund unterkommen. Es macht mir gar nichts, wirklich nicht. Wir wollen nicht lange darüber debattieren. Da kommt endlich der Wodka.«

Heruntergekommen, wie das ›Métropole‹ war, zeigte es doch Spuren früheren Glanzes. Die Korridore waren lang und breit, und das Zimmer, in das mich John eingeladen hatte, war sehr hoch. Alles roch nach schadhaften Klosettrohren, und die Toiletten waren in einem schauderhaften Zustand.

»Die Installateure müssen sämtlich Weißrussen gewesen sein«, spekulierte John. »In der ganzen Stadt ist nicht ein Stück der Kanalisation in Ordnung.«

Eine einzige elektrische Birne spendete trübes Licht. Die Einrichtung des Zimmers bestand aus einer eisernen Bettstelle, einem winzigen Waschtisch, zwei Stühlen und einem kleinen Tisch, alles rachitisch. »Haben Sie Lebensmittel mitgebracht?« fragte mich John. »Schön. Legen Sie sie vor das

Fenster; dort hebe ich auch meine Eßwaren auf.« Er begann sein Nachtzeug einzupacken, während ich dastand und vor Dankbarkeit ganz verlegen war.

»Sie sind sehr gütig«, sagte ich.

»Nicht der Rede wert, Kindchen«, sagte er. »Morgen wird sich die Intourist Ihrer annehmen — vielleicht. Na, gute Nacht! Der Lichtschalter ist neben der Tür. Manchmal funktioniert er.« Er kam noch einmal zurück. »Haben Sie Bekannte in Moskau?« fragte er.

»Ich habe ein paar Empfehlungsschreiben.«

»Okay, sonst hätte ich Sie gern mit den Boys bekannt gemacht. Zeitungsmenschen, wissen Sie. Die haben ihre Verbindungen. Nebenbei bemerkt: Das Telefon wird abgehorcht, seien Sie vorsichtig, wenn Sie mit Einheimischen sprechen. Haben Sie eine Flitspritze?«

»Nein —«, sagte ich erstaunt.

»Sie können meine nehmen. Sie werden sie brauchen. Na — gute Nacht!«

Ich blieb allein, todmüde, zitternd und leicht betäubt. Schau nur, Mädel, wohin du dich diesmal verirrt hast: in das Bett eines großen, freundlichen Amerikaners in Moskau ... Die Kissenbezüge rochen nach ihm, ungewohnt, aber nicht unangenehm. Nach Zigaretten und Franzbranntwein. Hoffentlich war es bloß Freundlichkeit. Hoffen wir, daß er nicht mitten in der Nacht zurückkommt und Dummheiten macht. Nein, es schien, daß er mir wirklich bloß helfen wollte. Ich hatte damals nicht gewußt, wie hilfsbereit Amerikaner sind. Wir alle hatten geglaubt, daß sie hart, berechnend, rücksichtslos und geldgierig wären. Dieser war es jedenfalls nicht. Stell dir nur mal vor, Mädel, du hättest damals niemanden gefunden, dem Hilfsbereitschaft so selbstverständlich war wie diesem Fremden im Pelz. Stell dir mal vor, du wärst überhaupt nie einem Amerikaner begegnet! Wenn es viele solche Amerikaner gab, mußte es ein sehr nettes Volk sein. In Europa steht jeder für sich allein und gegen alle andern ...

Wanzen. Seit jener denkwürdigen ersten Nacht meiner jungen Selbständigkeit in Wien hatte ich keine Wanzen gesehen.

Ich stand auf, stieß mich in dem fremden Zimmer an den Zehen, tappte durch die Kälte nach dem Lichtschalter, fand die Flitspritze und betätigte sie ausgiebig. Obwohl ich sehr müde war, konnte ich nicht schlafen. Irgend jemand öffnete die Tür — es war kein Schloß vorhanden —, spähte in den dunklen Raum und machte wieder zu. Ich mußte in mein Deckbett hineinlachen. Die GPU, dachte ich. Wird mich nach Sibirien verschicken, weil ich über die Intourist geschimpft habe. Jedenfalls waren ihre Wanzen kräftig und lebhaft ...

Der nächste Tag war noch kälter, und ich setzte meinen Kampf gegen die zahllosen Hindernisse fort, die sich einem damals in Rußland bei jedem Schritt entgegenstellten. Die Untüchtigkeit und der Mangel an Organisation waren erschreckend.

Die Toiletten waren etwas Entsetzliches. Das Badezimmer hatte eine verrostete, leckende Wanne, die unter einer Schmutzschicht träumte, und selbstverständlich gab es kein warmes Wasser. Das kalte Wasser tröpfelte nach einer Weile als braune Soße heraus. Die Klingel ging nicht, und die Tür schloß nicht. Ich brachte das Bett meines Amerikaners in Ordnung, machte mit meinem eigenen Handtuch sauber und wagte mich auf die Straße. Es gab nur wenige Straßenbahnen, und ich sah die Menschen in endlosen Reihen warten und dann mit Nägeln und Zähnen um einen Platz kämpfen. Ich gab es auf, mit der Straßenbahn zu fahren, und fragte mich schlecht und recht nach dem Büro der Intourist durch. Dort wartete ich zwei Stunden auf einen bestimmten Towaritsch, der angeblich ein Hotelzimmer für mich reserviert hatte. Als er endlich kam — ein lächelnder, freundlicher, kleiner Mann in einem schmutzigen Russenkittel —, schien er ernstlich beleidigt zu sein, daß ich ohne offizielle Zustimmung ins ›Métropole‹ gegangen war. Als es herauskam, daß ich nicht wußte, in wessen Zimmer ich die Nacht verbracht hatte, hatte ich das Gefühl, eine gewaltige Staatskrise heraufbeschworen zu haben. Übrigens wußten sie es schon. Das System funktionierte — ich stand seit dem Augenblick meiner Ankunft unter Beobachtung. Zunächst wurde mir eine Dolmetscherin beigegeben, Towaritsch Amfiteatroff. Es war eine Frau in meinem Alter und von meiner Art, aber offenbar hatte irgend etwas sie versteinert. Ich dachte mir, daß sie der früheren intellektuellen Klasse angehört haben müsse, aber vor Angst halb wahnsinnig war, irgendein Wort oder auch nur ein unbeabsichtigter Gesichtsausdruck könnte sie als nicht hundertprozentige Bolschewikin verraten. Es ist mir nicht gelungen, ihrem breiten, sanften Gesicht jemals so etwas wie ein Lächeln zu entlocken. Wenn ich im Laufe unsrer endlosen Wanderungen von einer Sehenswürdigkeit zur anderen fragte: »Sind Sie nicht müde?« so fuhr sie zusammen und schüttelte den Kopf. »Wollen Sie nicht mit mir ein Glas Tee trinken?« da erschrak sie, als ob ich sie aufgefordert hätte, einen Hochverrat zu begehen. Ich begriff: gute Bolschewiken durften weder hungrig noch müde sein. Sie hatten immer rührig und begeistert zu sein. Die Erläuterungen der Genossin Amfiteatroff waren aus einem Buch gelernt; ebenso die Antworten auf meine Fragen. Wenn sie eine Frage nicht beantworten wollte, gab sie vor, mich nicht zu verstehen, obwohl ihr Französisch und ihr Deutsch perfekt waren, wenn auch von einem leichten jiddischen Akzent gefärbt.

Bei der Intourist war man sehr freundlich und höflich zu mir, aber wenn die Rede darauf kam, daß man mir ein Zimmer geben sollte, so stieß ich auf die alte Kautschukwand. Ein Lächeln, ein apathisches Schulterzucken. »Kein Zimmer frei!« Ich versuchte meinen Anspruch geltend zu machen. Ich wies die im voraus bezahlte Rechnung vor, die mir das Recht auf ein erstklassiges Zimmer im ›Grand Hôtel‹ gab. »Kein Zimmer frei!«

»Nun, wann werden Sie ein Zimmer für mich haben?« Eine entschuldigende Handbewegung: Wer weiß? Ich geriet in Weißglut.

»Wenn Sie kein Zimmer für mich haben, dann fahre ich noch heute abend nach Berlin zurück!« ließ ich ihnen durch mein Sprachrohr Amfiteatroff sagen. Es folgte eine Debatte auf russisch, und ich stieß wieder gegen die Kautschukwand. »Unmöglich. Die Züge sind ausverkauft. Ihr Platz ist für den 9. Februar reserviert. Kann nicht geändert werden!«

»Ich habe an mehrere Personen Empfehlungsschreiben«, sagte ich zu meiner Dolmetscherin. »Fragen Sie, ob es mir gestattet ist, sie zu besuchen und, falls sie mich einladen, bei ihnen zu übernachten.« Wieder Debatte auf russisch. Sie schauten in die Briefe, die mir Clara und einige linksstehende Freunde mitgegeben hatten. Man lächelte; man nickte; man sagte mir, ich könnte besuchen, wen ich wollte, und tun, was ich wollte. Man lieferte mir die Schlüssel der Stadt aus. Man gab mir ein Büchlein mit Lebensmittelmarken und entließ mich unter Segenssprüchen. Und nun begann eine unnachsichtige Wallfahrt unter Amfiteatroffs ernster Aufsicht, ein eisernes offizielles Programm aller Dinge, die ich sehen mußte, unter strenger Vermeidung der Dinge, die ich nicht sehen durfte. Man begegnete meinen Wünschen nie mit einem direkten Nein. Was der Tourist nicht sehen sollte, wich in der Unterhaltung immer weiter und weiter zurück und verschwand schließlich in einem nebelhaften Vakuum. Ich hatte die ganze Zeit das Gefühl, als ob ich Wasser träte; nie spürte ich Grund unter den Füßen. Ich besuchte Fabriken und Fabriken, Schulen und ein Säuglingsheim, ein Heim für frühere Prostituierte und Lenins Grab, wo der kleine Mann in seinem Glasschrank lag und aussah wie eine bescheidene Nummer aus Madame Tussauds Wachsfigurenkabinett, Baracken, Arbeiterklubs und wieder Fabriken. Ihre politische Organisation war unsicher und ihre wirkliche Produktion verschwindend gering. Ich begann zu verstehen, was Clara damit sagen wollte, wenn sie sie mit den Urchristen verglich. Was man hier aufgebaut hatte, war nur deshalb eindrucksvoll, weil es aus der vollständigen Zerstörung hervorgewachsen war. Es war schwerfällig, unzulänglich und primitiv, wie es die frühchristliche Kunst gewesen war, nachdem die Vollkommenheit der griechischen Kunst und die technischen Wunder der römischen Kolonisation zerstört, verbrannt und zu Teufelswerk erklärt worden waren. Man hatte die Zivilisation bis auf das niedrigste Niveau der Analphabeten heruntergebracht, damit alle von Grund auf wieder anfangen konnten. Es gab nur eine Sehenswürdigkeit, und ich wurde ihrer nicht müde. Das war der Stolz, den das einfache Volk angesichts seiner Errungenschaften empfand, die Begeisterung dieser zerlumpten, hungrigen Massen, ihre Überzeugung, daß sie zu Rettern der Welt auserwählt seien. Einer Welt, von der sie, ich muß schon sagen, sehr wenig wußten und von der sie eine ganz schiefe Vorstellung hatten.

Die Leute, an die ich Empfehlungsschreiben hatte, waren im ersten Augenblick sehr nett und gastfreundlich gegen mich; erst wenn ich ihnen von Schwierigkeiten, ein Zimmer zu bekommen, erzählte, rollten sie sich zusammen und zogen sich erschreckt in ihre Schneckenhäuser zurück. Es war ihnen offenbar nicht erlaubt, Fremde über Nacht bei sich zu behalten, aber sie hätten ohnehin keinen Platz gehabt. Was die Sache komplizierte, war der Umstand, daß sie mir von diesem Verbot nichts sagen durften. Alles war ziemlich verworren, weil die wichtigsten Sachen nicht ausgesprochen wurden, sondern zwischen den Zeilen gelesen werden mußten. Alle Wege machte ich in Begleitung von Amfiteatroff, die in einem Winkel saß und auf jedes meiner Worte aufpaßte. Bald hatte ich das Gefühl, daß ich in einer Gefängniszelle saß, deren Decke so niedrig war, daß ich nicht aufrecht stehen konnte. Dieser erste Tag vermittelte mir eine Kostprobe von der Luft, die die Menschen in einem totalitären Staat einatmen müssen. Es war eine seltsame Mischung von Enthusiasmus, Furcht und freiwilliger Selbstvernichtung.

Ich war an jenem Abend gerade dabei, meine Sachen zu packen, als mein Amerikaner nach Hause kam.

»Entschuldigen Sie, daß ich noch da bin«, sagte ich. »Die Leute sind hier so unzuverlässig.«

»Ach, was Sie nicht sagen!« sagte er.

»Bitte?«

»Nichts«, sagte er. »Nichts von Bedeutung. Also, man hat Ihnen kein Zimmer gegeben.«

»Wieso wissen Sie es?« fragte ich.

»Hab's im Hotelbüro herausgekriegt. Übrigens habe ich nichts anderes erwartet.«

»Man hat sich bereit erklärt, mir eine Matratze in ein anderes Zimmer zu legen. Wo die Delegation schläft.«

»Haben Sie schon einmal mit acht Genossen in einem Raum geschlafen?« fragte er. »Nein, das habe ich mir gedacht. Das würde Ihnen kaum gefallen.«

»Ich habe wohl keine andre Wahl, nicht?« sagte ich. »Sie waren in der vergangenen Nacht so gütig –«

»Hören Sie zu«, sagte er. »Ich habe, Ihr Einverständnis voraussetzend, den Leuten gesagt, sie sollen die Matratze hierher bringen. Ich meine, es ist das beste, was Sie tun können – hierbleiben, bis Sie ein eigenes Zimmer bekommen. Ich bin vielleicht keine passende Gesellschaft, aber besser als acht Towaritsche bin ich schon. Ich wasche mich täglich und schnarche nicht. Ich meine, wir sind in Rußland, und die Menschen hier sind ganz anders als wir daran gewöhnt, zusammenzurücken.«

»Das habe ich bemerkt«, sagte ich. »Ich habe heute eine Familie besucht; neunundvierzig Familien wohnen dort in einem Einfamilienhaus – ein Dutzend in einem Zimmer –«

»Eben. Das wollte ich Ihnen sagen. Anderswo mag es einigermaßen merkwürdig erscheinen, mit einem Fremden in ein und demselben Zimmer zu kampieren, aber in Moskau findet man nichts dabei. Wir brauchen einander ja nicht zu stören. Abgemacht? Abgemacht. Mein Name ist John Sprague.«

»Ich heiße Marion Sommer«, sagte ich steif und ein wenig bedrückt. Unter diesem Namen war ich beruflich bekannt. Ich musterte John Sprague verstohlen, er lächelte und nickte mir zu. Es war schön, daß jemand für einen sorgte, und weder Ort noch Zeit erlaubte einem, zimperlich zu sein.

»Ich bin harmlos, vertrauenswürdig, vierzig Jahre alt und glücklich verheiratet – das ist meine Frau –«, sagte er und zeigte auf das Bild einer wunderschönen Frau, das auf dem rachitischen Tisch stand. »Ich schlage Ihnen vor, daß Sie das Bett behalten und ich mir die Matratze nehme. Das Bett ist mir sowieso zu kurz. Das sind alle Hotelbetten. Ich werde dafür sorgen, daß die Matratze noch vor Mitternacht kommt. Unterdessen gehe ich mit den Boys aus, und wenn ich nach Hause komme, werden Sie vermutlich schon schlafen. Tun Sie nur so, als ob ich überhaupt nicht existierte. Oder würden Sie am Ende gern mitkommen?«

»Nein, danke vielmals«, sagte ich. »Ich bin müde. Sie wissen, es ist mein erster Tag in Moskau; es überwältigt einen gewissermaßen. Sie freilich scheinen hier schon lange zu leben —«

»Nein — erst fünf Wochen. Nächsten Montag gedenke ich wieder nach Amerika abzureisen, und dann können Sie das Zimmer für sich allein behalten. Ich bin Geschäftsmann, wissen Sie. Ich muß hierbleiben, bis ich meinen Kram verkauft habe.« Er lachte laut.

»Ich bin Werkzeugerzeuger«, sagte er. »Jawohl, so würden Sie mich vermutlich bezeichnen: ein Werkzeugerzeuger. Das werde ich von nun an auf meine Visitenkarte drucken lassen: John W. Sprague, Werkzeugerzeuger«, sagte er lachend und ging.

Ich kam aus einem Land, wo man Titel und große, aufgeblasene Worte liebte. Ich war damals mit der Schlichtheit der angelsächsischen Form noch nicht vertraut. Erst nach vielen Jahren kam ich dahinter, daß Sprague einer der großen Maschinenfabrikanten der Vereinigten Staaten war und daß die Werkzeuge, die er der Sowjetregierung verkaufte, nicht, wie ich geglaubt hatte, Nägel und Hammer waren, sondern komplette Bohranlagen, Eisenbahnen, Gruben und Kraftwerke, die man hier bauen wollte.

Einige Tage wohnte ich mit John Sprague im selben Zimmer, fast ohne etwas von seiner Existenz zu merken. Er kam spät nachts auf den Zehenspitzen herein, zog sich im Finstern aus und legte sich mit einem unterdrückten Seufzer auf die Matratze; ein lockeres Brett im Fußboden knarrte, und dann hörte ich nur die ruhigen Atemzüge eines müden Mannes, der eingeschlafen war. Am Morgen sah ich ihn manchmal flüchtig, wie er sich, in einen grünen Bademantel gehüllt, die Zähne putzte oder sich rasierte. Ich schloß die Augen wieder und drehte mich zur Wand, und wenn ich wieder erwachte, war er schon fort. Tagsüber wurde ich von der Amfiteatroff herumgeschleppt und mußte mir die Sehenswürdigkeiten der Stadt anschauen. Wenn ich abends zurückkam, merkte ich, daß Sprague während meiner Abwesenheit dagewesen war und seine Schreibmaschine benutzt, von seinen Vorräten gegessen, ein paar Zigaretten geraucht und Wasser auf den Fußboden gespritzt hatte, was auf eine gründliche Waschung hindeutete. Ab und zu fand ich kurze an die Wand gesteckte Mitteilungen, in denen er mich wissen ließ, wo ich ihn nötigenfalls finden konnte, oder mich fragte, ob ich mit ihm ins Theater gehen oder mit ›den Boys‹ zusammenkommen möchte. Eines Morgens kam er zurück, um seine Aktentasche zu holen, die er vergessen hatte. »Guten Morgen, Spielwarenerzeugerin«, sagte er heiter. »Wie geht's?«

»Danke, sehr gut, Mister Sprague«, sagte ich. »Hoffentlich störe ich Sie nicht allzusehr. Die Intourist hat es endgültig aufgegeben, ein Zimmer für mich aufzutreiben.«

»Schön. Und wie gefällt Ihnen Moskau?« fragte er.

»Es macht einen großen Eindruck auf mich«, antwortete ich in meinem steifen, ernsten Englisch.

»Macht es das? Wirklich? Nun, Sie machen ja mit ihnen keine Geschäfte — das ist der Unterschied. Oder sind Sie ein ›parlor pink‹? Sie sehen nicht danach aus.«

»Was ist ein ›parlor pink‹, bitte?« fragte ich. Er erklärte es mir, und ich sagte ihm, daß man diesen Typus in Deutschland ›Salonkommunisten‹ nannte. »Ich verstehe nichts von Politik. Sie ist für mich ein Buch mit sieben Siegeln«, sagte ich. »Es ist wie mit der Mathematik: entweder man versteht sie, oder man versteht sie nicht. Aber viele von meinen Freunden sind ›parlor pinks‹.«

»Ja, die Intellektuellen der meisten Länder haben bedauerlich wenig Selbsterhaltungstrieb«, sagte John. »Sie lassen sich zu leicht blenden. Sie vergessen, daß Gedankenfreiheit die Grundlage jedes menschenwürdigen Daseins ist . . . Warum lachen Sie?«

»Es ist komisch, daß Sie Schiller zitieren«, sagte ich.

»Ich habe gar nicht einen Ihrer hochtrabenden Klassiker zitiert«, sagte er. »Ich habe die Verfassung der Vereinigten Staaten zitiert, und — wenn Sie mich fragen — es ist ein verdammt gute Verfassung.«

»Und Sie wissen sie auswendig?« sagte ich spöttisch, denn es berührte mich einigermaßen komisch.

»Gewiß. Lernen denn Ihre Kinder ihre Verfassung nicht in der Schule?«

»Abgesehen von unsern Berufspolitikern habe ich noch nie von jemandem gehört, der auch nur die geringste Ahnung davon hätte, was in unserer Verfassung steht«, sagte ich verdutzt.

»Nun, das ist der Unterschied zwischen uns. Ihr kennt eine Menge gespreiztes Zeug von toten Dichtern, und wir kennen die einfachen Grundlagen unseres täglichen Lebens.«

»Ich bin noch gar nicht davon überzeugt, daß Ihr Amerikaner einen größeren Selbsterhaltungstrieb habt als unsre Intellektuellen. Die liefern wenigstens den Bolschewisten keine Waren.«

Er lachte gutmütig. »Gut gesagt, Towaritsch!« sagte er. »Aber hören Sie, Kind, ich bin Geschäftsmann. Alles, was ich zu tun habe, ist, meinen Kram zu verkaufen. Ich würde ihn auch dem Teufel verkaufen, wenn er meine Preise akzeptiert, verstehen Sie?«

Nein, ich verstehe es nicht, dachte ich, sagte es aber nicht. Sprague betrachtete mein Frühstück, das ich mir auf dem kleinen Tisch, gerade unter dem wachsamen Augen von Mrs. Spragues Fotografie, zurechtgelegt hatte. »Hören Sie mal«, sagte er, »wäre es nicht eine gute Idee, wenn wir uns mit unsren Vorräten zusammentäten und ab und zu mal zusammen frühstückten? Unten im Speisesaal zu frühstücken macht mir offen gestanden keinen Spaß. Und ich weiß einen Laden, wo man besseres Brot bekommt.«

Von nun an wurde ich häuslich, machte mein Bett, brachte morgens das Zimmer ein wenig in Ordnung und deckte den Tisch, während John Sprague ging, um etwas zum Essen aufzutreiben. Wir hatten Kaviar zum Frühstück, und was man sonst noch in den Spezialläden für Fremde bekommen konnte. Das Angebot, seine Lebensmittel mit mir zu teilen, war, wie mir bald bewußt wurde, abermals ein Akt unaufdringlicher Menschenfreundlichkeit. Er glaubte wohl, daß ich nicht genug zu essen hätte, und er selbst sehnte sich nach den Fleischtöpfen Amerikas: Rührei. Speck. Warmes Gebäck. Orangenmarmelade. Immerhin besaß er einen großen Vorrat an Kondensmilch und hartgefrorener Butter, und es machte ihm sichtlich Freude, mich essen zu sehen.

»Also, Sie sind von Moskau eingenommen, Kind«, sagte er ein paar Tage später. »Nun sagen Sie mir — was ist so wunderbar an diesem Schmutz und Unrat und Wirrwarr hier?«

Ich versuchte es in Worte zu fassen, gab es aber auf. »Die Menschen —«, sagte ich. »Sie haben etwas, wofür sie leben — sie haben ihre große Idee; das ist das einzige, was an ihnen etwas gilt. Schauen Sie die Gesichter an! Sie sind stolz; ich habe noch nie Menschen gesehen, die so stolz und so glücklich waren wie diese Russen in ihrer fürchterlichen Armut. Sie leben nicht für heute. Sie haben den Glauben, daß ihre Kinder und Kindeskinder in einer besseren Welt leben werden —«

»Das ist leeres Zeug. Alles, was ihre Führer ihnen zu geben haben, ist dies: Versprechungen für die Zukunft, statt Brot für heute.«

»Das ist es eben. Es liegt ihnen nichts an Brot; sie brauchen es nicht. Die ganze Welt ist materialistisch geworden. Aber eine Idee ist wichtiger als Brot, und die Menschen hier bilden den Beweis dafür.«

»Na, das ist noch die Frage. Ich bin Materialist und komme aus einem hundertprozentig materialistischen Land, wie Ihre roten Freunde Ihnen sagen werden. Ich bin für Wasserleitung und Kanalisation, einen Wagen für jedermann und anständige Ernährung unserer Arbeiterkinder — und dazu ein paar kleine Kostbarkeiten wie Gleichheit und Streben nach Glück. So — das ist ein zweites Zitat aus unserer Verfassung.«

»Und was geschieht für die Seelen?« sagte ich, da ich nicht aufgeben wollte.

»Seelen? Sie sollen in die Kirche gehen«, erwiderte John prompt. »Erzählen Sie mir nicht, daß man in der Sowjetunion keine Religion hat. Man hat die Heiligen und die Ikonen hinausgeworfen und an ihre Stelle das Bild von Lenin gehängt. Man hat die Kirchen gesperrt und Lenins Mausoleum gebaut. Haben Sie gesehen, wie die Leute davor Schlange stehen und in langen Prozessionen hineinmarschieren, um ihren toten Heiligen zu sehen? Wenn das nicht dasselbe ist, was die Katholiken tun, dann weiß ich nicht . . .«

»Ja, sie sind naiv, sie sind noch nicht lange genug Atheisten«, sagte ich. »In einem Arbeiterklub hat man mir einen Embryo in Alkohol gezeigt und erklärt, dieses Glasgefäß enthalte den Beweis dafür, daß es keinen Gott geben kann.«

»Da haben Sie es«, sagte John. »Mir hat man in einer Kaserne eine Zahnbürste gezeigt und mich gefragt, ob ich schon mal so etwas Wunderbares gesehen hätte. Sie behandelten das Ding wie einen mächtigen Zauber. Sie demonstrierten mir seine Verwendung. Die armen Teufel!«

»Und doch hat man in Rußland die Empfindung, als sei die ganze übrige Welt schlecht und tot, nur noch gut genug, in ein Museum gestellt zu werden. Ich selber kann mir kaum vorstellen, daß ich wieder nach Hause fahren und mein gewohntes Leben weiterleben soll. Aber ich glaube, wenn man einmal wieder daheim ist, kann man sich so etwas wie Rußland gar nicht mehr vorstellen.«

»Wissen Sie, was ich gern täte? Ich möchte ein paar Tausend von unseren Roten hinüberschicken, damit sie sich eine Kostprobe von den Segnungen des Kommunismus holen«, sagte John Sprague. Nach den begeisterten Predigten, die ich täglich bei den Zusammenkünften meiner russischen Bekannten hörte, klang es platt und spießbürgerlich.

»Das ist kein Argument«, sagte ich ungeduldig.

»Argumente, Argumente, das ist alles, was man hier zu hören bekommt. Parteiparolen und Argumente! Es ist so langweilig, daß man das große Grausen kriegt. Was ich haben will, ist ein warmes Bad und Menschen, mit denen man frei sprechen kann, denen nicht die Angst in den Gliedern sitzt, daß sie ›liquidiert‹ werden. Herrgott, werde ich froh sein, wieder nach Hause zu kommen!«

»Wenn jemand den Menschen außer Brot auch noch eine Idee geben würde, für die sie leben können — einen Glauben ohne Schrecken —, dann wäre die Welt erlöst«, sagte ich. John Sprague stand auf und sah mich lachend an.

»Finden Sie nicht selber, daß Sie etwas zuviel auf einmal verlangen?« sagte er. »Na schön, auf Wiedersehen, Spielwarenerzeugerin. Ich muß in den Kreml, um wieder eine verkaufstechnische Hochdruckrede gegen die Erlöser der Welt loszulassen.«

»Eine scheußliche Erkältung haben Sie sich geholt«, sagte John Sprague am nächsten Morgen zu mir.

»Es tut mir leid — stört Sie mein Husten nachts?« fragte ich verlegen. »Es muß mich im Dampfbad erwischt haben.«

»Es gehört viel mehr dazu, meinen Schlaf zu stören«, sagte er. »Aber es klingt abscheulich. Da, nehmen Sie das, und reiben Sie sich die Brust ein, Towaritsch —«

Meine Erkältung verschlimmerte sich, ich wußte, daß ich Fieber hatte, wollte es mir aber nicht eingestehen. Ich klapperte mit den Zähnen und fühlte mich elend. Ich sagte der Amfiteatroff, daß ich ein, zwei Tage im Bett bleiben müßte. Sie zuckte die Schultern und nahm es wie eine Beleidigung der bolschewistischen Sache zur Kenntnis. Ich kroch fröstelnd unter meine Decken und trank einen Hektoliter heißen Tee mit einem Hektoliter Wodka. Nach einer Weile mußte ich zur Waschschüssel taumeln und alles wieder von mir geben. Als ich den langen breiten Korridor entlangging, um die Waschschüssel im Badezimmer zu reinigen und frisches Wasser zu holen, drehten sich die Wände um mich, und ich fragte mich, wie ich um Himmels willen wieder in mein Bett zurückkommen sollte. Marion, Mädel, dachte ich, in Moskau krank werden ist ein schlechter Scherz. Ich sagte mir ernstlich, daß es keinen Sinn hätte, krank zu werden, ließ mich wieder auf das Bett fallen und zog die Decken über mich. Mitten in der Nacht wurde das Licht angedreht, und jemand beugte sich über mich. Ich brauchte einige Zeit, mich durch die schwankenden grünen Fetzen hindurchzuwinden, mit denen mein Fieber das Zimmer erfüllte.

»Was ist mit Ihnen los, Kind?« fragte John Sprague. »Sie werden doch nicht am Ende krank?«

Er betrachtete mich eine Weile ernst, dann brachte er seinen Waschbärenpelz und breitete ihn über mich. »So, jetzt wird Ihnen warm werden.«

Den alten Waschbärenpelz besitze ich heute noch. Ich habe ihn nach Staufen mitgenommen und Michael damit zugedeckt, wenn er in diesen langen, kalten und angsterfüllten Winternächten auf dem Balkon liegen mußte. Dieser Pelz bedeutet für mich Wärme, Sicherheit, Güte und Schutz. Er bedeutet John Sprague. Was den Pelz betrifft, bin ich sehr sentimental, so sentimental, wie ich überhaupt sein kann. In jener Nacht schlief ich unter diesem Pelz ein, während John neben meinem Bett saß und auf mich achtgab wie eine gute, zuverlässige Pflegerin und Wärme und Ruhe mich durchströmten. Ich wünschte, ich hätte jetzt, in diesem Augenblick, den Pelz bei mir. In Johns altem Waschbärenpelz gehüllt, könnte ich die ganze Nacht in meiner Gletscherspalte bleiben, würde nicht frieren und nicht zu Schaden kommen. Aber der Waschbärenpelz hängt hinter der Tür unsres Hauses in Staufen, John ging fort und starb und ließ mich allein.

Das Gute an einer Lungenentzündung ist, daß man nicht allzulange auf sein Urteil zu warten braucht. Wie Max Wilde damals sagte: »Entweder man stirbt, oder man bleibt am Leben.« Während der Krise, die am siebten Tag eintrat, glaubte ich, daß ich sterben würde. Es kam mir ziemlich sinnlos vor, in einem schmutzigen Moskauer Hotel zu sterben, während die Wanzen auf mir herumturnten, und das muß mir so komisch erschienen sein, daß ich in meinem Fieber laut darüber lachte. Ich hatte lichte Momente, in denen ich mich daran erinnerte, daß ich daheim zwei kleine Jungen hatte und es mir nicht leisten konnte, zu sterben. Ich sagte es John Sprague. »Recht haben Sie, Kind. Lassen Sie sich nicht unterkriegen! Setzen Sie sich auf die Hinterbeine! Kämpfen Sie!« antwortete er. Ich kämpfte und siegte. Ohne John hätte ich es nie zustande gebracht. Er blieb in Moskau, bis ich wieder gesund und außer Gefahr war. Er brachte einen amerikanischen Arzt zu mir, pflegte mich und sorgte für mich und war immer da, wenn ich ihn brauchte.

»Müssen Sie nicht fortgehen und Werkzeuge verkaufen, John?«

»Kümmern Sie sich nicht um meine Geschäfte, sehen Sie lieber zu, daß Sie rasch wieder gesund werden! Alle Werkzeuge, die ich diesmal verkaufen wollte, habe ich bereits verkauft.«

Ich dachte darüber nach. Allmählich lernte ich seine amerikanische Art, sich indirekt auszudrücken, begreifen.

»Wollen Sie sagen, daß Sie Ihre Geschäfte erledigt haben und nur meinetwegen in Moskau geblieben sind?«

»Nun — in gewissem Sinne ja, und in gewissem Sinne nein. Ich konnte Sie doch nicht in diesem Zustand allein hier lassen, nicht? Ich hatte nicht die Empfindung, daß Sie die Sache in einem der dreckigen Towaritschspitäler durchstehen würden.«

»Ich kann Ihnen niemals vergelten, was Sie für mich getan haben.«

»Ach, Unsinn. Sie sind ein famoser Kerl. Wenn ich einmal in der Klemme bin, werden Sie mir heraushelfen. Jetzt machen Sie die Augen zu und schlafen Sie ein bißchen! Inzwischen hole ich etwas Kaviar aus dem Laden.«

Nachdem er gegangen war, hatte ich ein kleines stummes Zwiegespräch mit Mrs. Spragues Fotografie. Sie sah selbstsicher und weltgewandt und so unerträglich schön aus, daß ich den Fotografen verdächtigte, er habe das Bild mehr als gründlich retuschiert. Neben ihr lehnte ein Knabe, schüchtern und etwas verdrossen, wie Kinder auf Fotografien aussehen. John hatte ihn mir als seinen Sohn vorgestellt. In den Tagen meiner Wiedergenesung hatte ich ihn über die Einzelheiten seines Lebens in den Vereinigten Staaten ausgefragt, konnte mir aber kein Bild davon machen. Sie lebten auf Long Island, einer Art Vorstadt von New York, aber gar nicht vorstädtisch, erklärte er mir, und ich verstand nicht, was er meinte. Seine Frau war für ihn die Beste auf der ganzen Welt. Er hatte sie kennengelernt, als er im zweiten Studienjahr auf dem College war, und sie sofort nach dem Examen geheiratet. Auch das kam mir böhmisch vor. Er war schwer verliebt in sie, erzählte er mir. Sie war wunderbar, entzückend und hilflos, sozusagen wie eine Blume. Sie sprach französisch wie eine Französin, es gab kein Buch, das sie nicht gelesen und kein philharmonisches Konzert, das sie versäumt hätte. Sie liebte Südfrankreich. Jedes Jahr fuhr sie hin und lernte die interessantesten Menschen kennen. Unter Johns Freunden waren die Weekends auf Long Island berühmt. Sie beherrschte die Kunst, Berühmtheiten in ihren Kreis zu ziehen, in einem Maße, wie er es bei keiner andern Frau beobachtet hatte; das beruhte darauf, daß sie über jeden Gegenstand mitsprechen konnte, der aufs Tapet gebracht wurde. Nach und nach begann ich diese vollkommene Frau zu hassen. Die typische Zelebritätenjägerin, dachte ich. Eine von diesen penetranten, zerbrechlichen, zuviel und zuwenig angezogenen Amerikanerinnen, wie ich sie an der Côte d'Azur getroffen hatte. Es war deutlich zu merken, daß John von sich selbst im Vergleich mit seiner wunderbaren Frau eine sehr geringe Meinung hatte.

»Ich?« sagte er. »Ich bin dumm. Ich bin eben ein Tretmühlengeschäftsmann. Ich spiele mittelmäßig Golf und kann einen annehmbar guten Pfefferminzdrink mixen. Da haben Sie meine ganzen Aktiven. Es ist ein Wunder, daß sich eine Frau wie Sheila mit einem Burschen wie mich nicht zu Tode langweilt.«

Hören Sie mal, sagte ich zu Mrs. Spragues Fotografie, ich will hoffen, daß Sie in Ihren Mann genauso verliebt sind wie er in Sie. Überschätzen Sie bloß Ihre Berühmtheit nicht! Ich kenne sie; ich lebe unter ihnen; in gewissem Sinne bin ich selbst eine Art Berühmtheit. Und ich sage Ihnen, es steckt in einem reellen Mann wie John, der hinausgeht und einer gefährlichen Bande von besoffenen Despoten Werkzeuge verkauft, mehr Draufgängertum und Elan als im Quartier Latin, in Montmartre und Soho zusammen.

Der Junge schmollte aus dem Silberrahmen, und Mrs. Sprague achtete nicht auf mich. Sie blickte nach wie vor gerade vor sich hin und lächelte das leere, hochmütige Lächeln einer Göttin. Und plötzlich wurde ich mir bewußt, daß ich den Gedanken nicht ertragen konnte, John einfach Dank und adieu zu sagen und ihn nie mehr wiederzusehen.

»Na, was führen Sie im Schilde? Sie sehen ja verdammt munter aus«, sagte er, als er zurückkam und sich die erfrorenen Ohren rieb.

»Ich habe soeben den Entschluß gefaßt, meinen nächsten Urlaub in New York zu verbringen«, sagte ich.

»Bravo! Das ist eine Idee, Sheila wird vielleicht ein paar ›parlor pinks‹ für Sie auftreiben können. Und ich bin überzeugt, daß Ihnen unsere materialistischen Badezimmer gefallen werden«, sagte er. Ich sah es ihm an, wie sehr er sich freute.

Es gelang ihm, ein richtiges Auto zu requirieren, das mich zum Bahnhof brachte, und er sorgte dafür, daß ich bequem in einem Abteil untergebracht wurde, das die Sowjets den ›weichen Wagen‹ nannten. »Lassen Sie mal von sich hören«, sagte er. »Hier ist meine Adresse. Geben Sie mir auch Ihre.«

Er notierte sie. »Und Ihre Telefonnummer?« fragte er.

»Wozu? Sie werden mich doch nicht aus New York anrufen«, sagte ich.

»Weshalb nicht?« antwortete er. Und er tat es.

Das Telefonfräulein in Berlin war fast so aufgeregt wie ich selbst. Ein Anruf aus New York war wirklich keine Bagatelle. Die Knie waren mir weich, und meine Stimme zitterte.

»Hallo — hier spricht John — John Sprague, erinnern Sie sich an mich? Wir haben uns in Moskau kennengelernt.«

(Lächerlich, als ob es mehr Johns gäbe, die mich aus New York anriefen.)

»Ja, ich erinnere mich an Sie, John. Wie geht es Ihnen?«

»Ausgezeichnet. Und Ihnen?«

»Auch sehr gut.«

»Das ist schön. Und Ihren beiden Jungen?«

»Die stehen hier bei mir. Sie sind sehr aufgeregt. Ich bin's übrigens auch.«

»Lassen Sie sie mal ins Telefon sprechen. Das ist ein Erlebnis für die Kleinen.«

Es gab ein Zischeln und Flüstern. »Ihr müßt englisch sprechen«, soufflierte ich ihnen, und dann sagte einer nach dem andern mit ernster Stimme: »How do you do?« wie sie es in der Schule gelernt hatten. Nachher blieben sie an meiner Seite stehen und hörten zu, wie ich mit dem Amerikaner sprach, von dem ich ihnen so viel erzählt hatte.

»Das sind zwei famose Jungens. Man hört es. Sprechen sogar englisch!«

»Ich höre Sie so gut, als wenn Sie hier im Zimmer wären«, schrie ich ins Telefon, ganz blöd vor Aufregung. »Wie spät ist es in Amerika? Wie ist das Wetter bei Ihnen? Hier regnet es.«

»Hier scheint die Sonne, und die Tulpen sind schon aufgeblüht. Lieben

Sie Tulpen? Hören Sie zu, Kind. Ich werde in der Woche zwischen dem Vierzehnten und dem Zweiundzwanzigsten in London sein. Wollen Sie nicht auf einen Sprung herüberkommen und mit mir und meiner Frau lunchen?«

»Oh —«, sagte ich. »Nein, das geht nicht. Ich möchte Sie gern wiedersehen. Aber ich kann nicht einfach nach London fahren. Das ist kein Sprung. Das ist eine weite Reise.«

»Nun, versuchen Sie, ob es nicht trotzdem geht. Und wann kommen Sie nach den USA? Sie haben es versprochen, erinnern Sie sich?«

»Jawohl, John, aber in diesem Jahr bekomme ich keinen Urlaub mehr.«

»Okay, also dann nächstes Jahr. Drei Minuten. Auf Wiedersehen, Spielwarenerzeugerin. Es war famos, Ihre Stimme wiederzuhören.«

Von Zeit zu Zeit kamen Telegramme und hier und da auch ein Brief. Ich war erstaunt, wie ungezwungen und unterhaltend diese Briefe waren. Das ist so eine Eigenschaft der Amerikaner, von der wir Europäer nichts wissen: dieser sprühende und doch verfeinerte Humor im Briefschreiben.

Die Jahre 1928 und 1929 gingen vorüber. Ich arbeitete viel, mit geringem Erfolg. Eichheimer & Co. hatten Schwierigkeiten wie jeder andere auch. Sie mußten immer mehr und mehr Arbeiter entlassen, und dauernd wurde davon gesprochen, daß man die Spielwarenabteilung ganz aufgeben müsse. Die Inflation hatten wir überstanden, waren nun aber in eine neue Sache hineingerutscht, die man Depression nannte. Mit der Zeit kamen wir darauf, daß wir in einem Narrenparadies gelebt hatten. Neue Generationen wuchsen heran, und sie machten laut ihre Forderungen geltend: die ›verlorene‹ Generation, die mit zerrütteten Nerven heimgekehrt war — zynisch, verbittert, fahrig; die Fünfzehnjährigen, die uns zur Rede stellten und fragten, was für ein hoffnungsloses Durcheinander wir ihnen übergeben wollten; die Zehnjährigen — wie meine eigenen —, Kinder mit ernsten Augen, Kinder, denen die Entbehrungen und die Unterernährung der ersten Lebensjahre in den Knochen steckten, Kinder, die zu glauben schienen, daß sie die Welt aufs neue erlösen müßten, was es auch koste — und die sich bloß nicht darauf einigen konnten, wie dies geschehen solle. Da Michael zu sehr unter den Einfluß eines jungen kommunistischen Lehrers (der übrigens homosexuell war) geraten war, nahm ich die Buben aus dem fortschrittlichen Landerziehungsheim, wo sie während meiner Reisen untergebracht waren, wieder heraus. Kaum aber hatte ich Michael in eine Berliner Schule gesteckt, als er sich schon einer Pfadfindergruppe anschloß, ›ganze Abteilung kehrt!‹ machte und Hitlerjunge wurde. Er spuckte die jüdischen Mitschüler an und bemalte die Wände seines Zimmers mit Hakenkreuzen. Dafür wurde er von Martin verprügelt, und ich mußte das Zimmer frisch tünchen lassen. Das Echo der fortwährenden Schlägereien und Straßenkämpfe zwischen Kommunisten und Nazis drang bis in meine Wohnung, und wenn ich von der Arbeit nach Hause kam, ermüdet von den ständig wachsenden geschäftlichen Schwierigkeiten, war bei meinen Kindern der Teufel los. Fräulein Hausgehilfin Bieber sympathisierte mit Michael und den Nazis, Martin drohte aus reiner Opposition, wenn er groß sei, werde er Kommunist werden. Ich hielt mir den schmerzenden Kopf, in dem Paukenschläge tobten, und schrie, daß die Buben nichts anderes brauchten als eine tüchtige Tracht Prügel. »Frau Hauptmann sollten wieder heiraten«, riet mir Pulke, wenn er sonntags zu Besuch kam. »Die Jungens brauchen eine Männerhand, das sage ich Ihnen.« Er selbst neigte sich mehr und mehr den Nazis zu. »Die haben wenigstens Schneid und Disziplin«, sagte er.

»Ja, ja, Herr Pulke«, antwortete ich ihm. »Aber es ist nicht so einfach, heutzutage einen Mann zu erwischen, nicht?«

»Das ist wahr«, stimmte er zu. »Und Frau Hauptmann sind auch nicht mehr die Allerjüngste, wenn ich so sagen darf. Es ist ein Jammer, daß der Herr Hauptmann nicht mehr lebt, um seine Jungens zu erziehen.«

Das dachte ich manchmal auch. Ich hatte rechte Sehnsucht nach Hauptmann Tillmann, und einmal träumte ich von ihm, aber er hatte John Spragues Waschbärenpelz an. Michael hatte für seinen toten Vater einen kleinen Altar aufgebaut. Da stand eine verblaßte Fotografie, da lagen das Eiserne Kreuz, der Säbel und das Koppel, und vor diesem Heiligtum hielt er schweigende Andachtsstunden. »Wie ein Chinese, wie ein Heide«, sagte Martin, und schon war die Schlacht im Gang. Dann kam ich dahinter, daß mein Problemkind geheime Zusammenkünfte mit Onkel Hellmuth hatte, und das führte zu einer ernsten Auseinandersetzung. »Du weißt, daß ich alles vertrage, nur keine Lügen und Geheimnisse«, sagte ich zu Michael.

»Du wirst froh sein, wenn uns Onkel Hellmuth rettet, wenn der Tag kommt. Du solltest mir dankbar sein, daß ich die Verbindung mit ihm aufrechterhalte«, erwiderte Michael großartig.

»Du redest wie der aufgeblasene dumme Junge, der du bist«, rief ich. »Wenn Onkel Hellmuth mit uns in Verbindung bleiben will, weshalb kommt er dann nicht offen zu uns?«

»Weil es gefährlich ist. Er wird verfolgt«, sagte Michael pompös. »Die Juden wollen ihn umbringen.«

Ich sprach mit Clara darüber. »Meine Jugendsünden«, sagte ich. »Jetzt kommt das dicke Ende nach.«

»Jugendsünden? Ich wußte gar nicht, daß du welche begangen hast«, sagte sie. »Was ist denn los?«

»Michael!« sagte ich. »Ich hatte dir doch einmal erzählt, daß ich glaube, sein Vater war Jude. Und jetzt will der Junge durchaus Nazi werden.«

Clara lächelte begütigend. »Na ja. Was meinst du, wie viele Juden heute gern Nazis werden würden. Es fasziniert sie, es ist romantisch und theatralisch. Wie die Wagnersche Musik. Na schön, was willst du dagegen tun?«

»Dagegen kann ich ja nichts tun. Das ist es ja eben.«

»Warum sagst du ihm nicht die Wahrheit?«

»Weil er es nicht verstehen würde. Vergiß nicht, er ist erst elf. Und übrigens — ich bin nicht ganz sicher, was die Wahrheit ist.«

»Oder vielleicht bist du ein kleiner Feigling, Kinderl.«

»Ja, vielleicht. Ich fürchte — es könnte ihn zerbrechen. Er ist ohnedies nicht besonders im Gleichgewicht. Ich werde mit ihm darüber sprechen, wenn er alt genug ist.«

Clara sah mich forschend an und seufzte. »Du siehst nicht besonders gut aus«, sagt sie. »Irgendwie alt.«

»Das hat letzten Sonntag schon Pulke zu mir gesagt. So furchtbar jung bin ich ja auch wirklich nicht mehr.«

»Das ist es nicht, daß wir nicht jung sind. Es ist nur, daß wir so viel erlebt haben«, sagte Clara. »Wie wäre es mit ein bißchen Flirt als Schönheitsmittel? Man sagt, Liebe wirkt Wunder, was den Teint anlangt.«

»Liebe«, sagte ich verächtlich. »Seit Menschenaltern war ich nicht verliebt. Nicht einen einzigen Abend lang.«

»Ja, ich weiß. Seit deiner Rückkehr aus Rußland. Könnte das etwas mit dem großen Amerikaner zu tun haben, den du dort kennengelernt hast?«

Auf diesen Gedanken war ich bisher nicht gekommen. Jetzt dachte ich ernsthaft darüber nach. »Nein«, antwortete ich aufrichtig. »Mit dem hat es nichts zu tun. Ausgenommen — ausgenommen vielleicht, daß ich ihn als eine Art Zollstock benutze. Ich hatte es selbst nicht gewußt, aber jetzt, wo du mich fragst — ich messe die Männer an ihm, und alle kommen mir im Vergleich mit ihm irgendwie armselig vor. Und auch dumm. Er hat so viel Leben. Ich glaube, weil er Amerikaner ist. Bei ihnen sind die Sprungfedern noch nicht so ausgeleiert wie bei uns.«

»Hm —«, war alles, was Clara sagte.

Eines Tages klingelte spät abends das Telefon: »Sie werden aus London verlangt!« Ich hatte von John Sprague schon monatelang nichts mehr gehört. Wieder wurde mir schwach in den Knien.

»Hallo — kann ich Frau Marion Sommer sprechen?«

»Ich bin selbst am Telefon, John. Wie geht es Ihnen, John?«

»Ausgezeichnet. Und wie geht es Ihnen, Spielwarenerzeugerin? Reisen Sie noch immer allein?«

»Ja. O ja.«

»Das ist recht. Wie wär's mit einem Sprung nach London übers Wochenend?«

»Ich weiß nicht — ich glaube nicht, daß ich's möglich machen kann, wirklich —«

»Weshalb denn nicht?«

»Ich habe keinen Urlaub — und überhaupt bin ich ›broke‹ —«

Ich hatte bei einer Amerikanerin englischen Unterricht genommen und war stolz darauf, statt ›bankrott‹ das amerikanisch flotte ›broke‹ anwenden zu können.

»Broke — wer ist das nicht! Können wir's nicht aufs Spesenkonto schreiben? Bitte, Marion, kommen Sie!«

»Aber wirklich, John —«

»Hören Sie: Ich bin der Mann mit der Gasrechnung. Ich habe Ihnen gesagt, daß ich sie einmal einkassieren werde. Erinnern Sie sich? Sie haben versprochen, mir zu helfen, wenn ich in der Klemme bin.«

»Sind Sie das, John?«

Das Telefon atmete schwer, einige hundert Kilometer weit weg.

»Ja. Ich glaube.«

»Was ist es denn, John?«

»Ach — dies und jenes. Unter anderm haben wir eine schwere Krise — ich weiß nicht, ob Sie davon gehört haben —«

»Gewiß. Wir haben sie auch.«

»Und dann — meine Frau ist gestorben.«

Ich stand wie erstarrt, den Hörer in der Hand, und wußte nicht, was ich sagen sollte.

»Oh — John. Wie ist das passiert —?«

»Autounfall. Ich kann telefonisch nicht darüber sprechen. Aber ich möchte mit Ihnen reden. Kommen Sie?«

Natürlich kam ich. Ich hatte etwas Geld für einen neuen Wagen beiseitegelegt. Wenn ich den ›alten Keuchhusten‹ noch ein Jahr behielt, konnte ich mir den Ausflug leisten. In fieberhafter Eile ließ ich mir die Brauen zupfen und Dauerwellen machen, dann hatte ich einen Strauß mit Herrn Eichheimer, und an einem nebligen Aprilmorgen ging ich Southampton an Land.

Ich hatte John länger als zwei Jahre nicht gesehen, und er sah ganz anders aus als der Mann, den ich in Erinnerung hatte. Entweder hatte mir das Gedächtnis einen Streich gespielt und ihn mit einer Gloriole umgeben, oder er hatte sich wirklich sehr verändert. Er war groß, aber ein wenig gebeugt. Wie er mit dem Hut in der Hand dastand und mit unsicherem Gesichtsausdruck die Laufbrücke absuchte, sah ich, daß sein Haar von einem matten, glanzlosen Grau war und daß ihm die Haut zu groß geworden war und in losen Falten hing.

»Hallo — Werkzeugerzeuger!« sagte ich. Ich hatte mir das zurechtgelegt. Es schien mir heiter, witzig und auch freundschaftlich zu sein, jedenfalls nicht zu gefühlvoll. Wenn ich auch allerlei Slang gelernt hatte, so locker und amüsant wie die Amerikaner konnte ich mich doch nicht ausdrücken. Das kann ich heute noch nicht. Es ist, als wären wir Europäer aus Blei gemacht, während die Amerikaner aus einem viel leichteren, lebendigeren, elastischeren Stoff bestehen.

»Hallo, Spielwarenerzeugerin«, sagte er. Er kam von seiner Höhe herab und küßte mich auf die nebelfeuchte Wange. Es haftete ein Geruch an ihm, der mir unbekannt war, den ich aber später gründlich kennenlernen sollte: der Morgengeruch nach einer in Gesellschaft einer Flasche Whisky verbrachten Nacht. Er hatte Säcke unter den Augen, die blutunterlaufen waren, und seine Hand war nicht ganz ruhig. Aber — meine war es auch nicht.

»Das ist sehr lieb von Ihnen, daß Sie gekommen sind«, sagte er. »Ich hatte es gar nicht glauben können, bis ich Sie die Laufbrücke herunterkommen sah.«

»Ich bin froh, daß Sie mich aus der Tretmühle herausgerissen haben. Ich hatte jedenfalls etwas Abwechslung nötig«, sagte ich.

Er faßte mich am Ellbogen, und wir gingen, beide etwas verlegen, zum Zug hinüber. John setzte mich im Abteil hinter den Klapptisch und bestellte das Frühstück. Unser Gespräch bestand aus Nichtigkeiten, und der Stoff ging uns alle paar Minuten aus. Wir waren doch so befreundet — weshalb hätte er mich sonst kommen lassen? —, und doch waren wir einander eigentlich ganz fremd. »Erinnern Sie sich an die Toilette im ›Métropole‹?« sagten wir und: »Haben Sie sich in Moskau am Kaviar auch so überessen wie ich?« und: »Möchte wissen, wie der Fünfjahresplan funktioniert.« Ich fragte John, wie das Geschäft ginge, und er sagte: »Mies«, und ich sagte: »Meins auch.« Dann fragte er, ob ich schon oft in London gewesen sei, und ich sagte: »Erst zweimal.« Und dann saßen wir und schauten zum Fenster hinaus, bis der Zug in der Waterloo Station einfuhr.

John hatte für mich ein Zweizimmerappartement im ›Savoy‹ genommen; sein eigenes Zimmer lag in einem andern Stockwerk, was ich recht taktvoll fand. Die Eleganz meines Zimmers verwirrte mich: Seidenvorhänge, am Kamin ein Schirm aus gefälteltem Papier, ein herrlicher Strauß flammender Tulpen in einer Vase auf dem Tisch. John tat sichtlich alles, es mir angenehm zu machen. Er sagte mir, ich solle mich nach der unruhigen Überfahrt ein bißchen hinlegen, während er sich mit ›den Boys‹ treffe. Im Hintergrund seines Lebens rumorte immer ein anonymes Rudel von ›Boys‹. Diesmal waren es die Leute, die in seinem Londoner Büro arbeiteten. Bevor er ging, beugte er sich wieder zu mir herab, und ich dachte, er wolle mich wieder auf die Backe küssen, statt dessen hob er meine Hand auf und küßte sie. Auf mich machte es keinen Eindruck, denn ich stamme aus einem händeküssenden Land, aber etwa ein Jahr später kam ich darauf, daß es für ihn eine große Bedeutung gehabt hatte.

»Ich danke Ihnen, Marion«, sagte er an der Tür. »Ich bin froh, daß Sie gekommen sind.«

Ich blieb allein und zerbrach mir den Kopf, warum er mich den weiten Weg nach London gehetzt hatte. War ich verrückt oder war er's? Wir lunchten miteinander, wir dinierten, besuchten eine Revue, tranken in der Hotelhalle unsern ›Night cap‹, und an der Tür meines Appartements sagte mir John gute Nacht und küßte mir die Hand. »Vermutlich wollen Sie im Bett frühstücken«, sagte er, und ich antwortete: »Nein, danke, im Bett frühstücken ist etwas, was ich mein Leben lang nicht leiden konnte.« Beim Frühstück trafen wir uns, dann gingen wir in den Zoo und sahen uns die jungen Bären an und einen expressionistischen Affen mit einer blauen Nase und einem feuerroten Popo. Der Tag ging unter lauter nichtssagendem Geplauder vorüber, und nachmittags packte ich meine Sachen, um den Nachtdampfer zu erreichen, wobei ich mich fragte, wozu, in Teufels Namen, ich hergekommen sei. In meinem Salon tranken wir Tee, John mixte sich etwas, was er ›Highball‹ nannte, und ich kam mir wie ein kompletter Idiot vor.

»Hören Sie, John«, sagte ich. »Weshalb hatten Sie gewollt, daß ich nach London komme? Ich hatte gedacht, Sie wollten mir etwas erzählen.«

Er sah mich mit den Augen eines kranken Hundes an. »Ich glaube, ich war verrückt, als ich Sie anrief«, sagte er. »Ich hatte mit den Boys ein bißchen getrunken, und es schien mir das Selbstverständlichste von der Welt zu sein.«

»Schön, jetzt bin ich da«, sagte ich. »Und heute nacht werde ich fort sein.«

Er trank ein Glas aus, goß sich ein zweites ein und sank in seinen Fauteuil zurück. »Es fällt mir schwer, davon zu sprechen, aber ich hatte gedacht, es würde mir leichter werden, wenn ich es mir von der Seele reden könnte«, sagte er. »Marion, bitte lassen Sie mich jetzt nicht allein! Bleiben Sie noch diese Nacht! Ich muß mir erst mal Mut antrinken.«

»Ist es — handelt es sich um den Unfall Ihrer Frau?« fragte ich tastend.

»Ja. Darüber wollte ich mit Ihnen sprechen, aber, zum Teufel, das ist nicht so leicht. Wissen Sie, als ich wieder nach New York kam, fiel mir ein Magazin mit einem Artikel über Sie in die Hände, mit Bildern von Ihnen, Ihren Jungens und dem Spielzeug, das Sie machen. Ich wußte gar nicht, daß Sie so berühmt sind. Sie schienen mir solch ein Kind zu sein! Ich war sehr stolz auf Sie. Schau, das ist Marion, dachte ich. Vielleicht wenn ich mit ihr spreche, wird manches klarwerden, womit ich selber nicht fertig werden kann. Sie ist ein famoser Kerl. Ich habe mir den Artikel ausgeschnitten, ich muß ihn irgendwo haben. Ich werde ihn Ihnen zeigen, ich glaube, er stand im *Vanity Fair* —«

»Ja, John«, sagte ich zögernd, ich wußte nicht recht, was ich mit alldem anfangen sollte.

»Lassen Sie mich doch bitte Ihr Billett umtauschen. Sie können morgen früh fliegen und nachmittags in Berlin sein. Was meinen Sie dazu?« schlug er vor, plötzlich von ungestümem Tatendrang erfüllt. Nach vielem Telefonieren und Umdisponieren saßen wir in meinem Zimmer beim Abendessen, und noch immer hatte er mir nichts vom Unfall seiner Frau erzählt. Ich sah, wie er trank und auftaute. Mädel, dachte ich bei mir, das wird eine kitzlige Situation. Ich fand mich gar nicht zurecht. Die Männer, die ich auf dem Kontinent kennengelernt hatte, tranken nicht soviel wie die Amerikaner. Ich glaube, die Amerikaner haben eine andere Chemie im Körper. Ich wußte nicht, daß viele Amerikaner trinken müssen, damit sie tanzen können, geistreich sein, ein Geschäft deichseln, Liebeserklärungen machen oder auch nur, damit sie über sich selbst sprechen können. Damit sie ihre angeborene Schüchternheit, ihre Hemmungen und Minderwertigkeitskomplexe überwinden können. Damit sie Unglück, Enttäuschung, Verzweiflung und andere Formen des menschlichen Elends ertragen können. Auch wußte ich nichts von dem stummen, einsamen, tapferen und verzweifelten Kampf gegen das Trinken, nichts von der mühsam erkämpften Selbstüberwindung: »Danke, nein, der Fahrer muß nüchtern bleiben.«

Wir saßen da, nicht zwei Menschen, sondern zwei Weltteile, mit einem Ozean von Mißverständnissen zwischen uns. Ich mußte erst Jahre mit John zusammen leben, ehe ich begriff, daß John Sprague am Abend, nach einer ausgiebigen Portion Alkohol, und John Sprague am Morgen, ausgeschlafen und berstend von Lebenskraft und Arbeitslust — daß diese beiden ganz verschiedene Menschen waren.

»Ich habe Ihnen gesagt, daß Sheila bei einem Autounfall ums Leben gekommen ist«, begann er spätabends, als er sich wieder Mut angetrunken hatte. »Aber ich habe Ihnen nicht erzählt, wie es passiert war. Da ist allerlei, was ich nicht verstehe. Deshalb wollte ich mit Ihnen sprechen. Mit den Boys kann ich darüber nicht sprechen. Sie verstehen. Obwohl es wahrscheinlich kein schmutziges Detail gibt, das sie nicht in den Zeitungen gelesen hätten. Seit langem hatte es für die New Yorker Lebewelt nicht einen so saftigen Gesprächsstoff gegeben, für die Leute in den Klubs und den Speakeasies — Sie wissen, diesen Nachtlokalen, wo man trotz des Alkoholverbots heimlich Schnaps bekommt. Das ist das Schlimmste, überall das Gerede und Getuschel. Sie sind ganz anders als die Frauen meiner Kreise, Marion. Mit denen konnte ich über Sheila nicht sprechen. Die meisten sind liederliche Weibsbilder. Sie wissen, ich verstehe nicht viel von Frauen. Wir Amerikaner sind nicht so raffiniert wie eure europäischen Männer. Es wird Ihnen vielleicht komisch vorkommen — aber ich habe nie mit einem Mädel etwas zu tun gehabt, außer mit Sheila. Das heißt, nur einen kleinen Flirt auf dem College, bevor ich Sheila kennenlernte. Und einmal im Krieg verbrachte ich eine Nacht mit einer Französin. Na, ich glaube, das zählt nicht. Aber während der ganzen Zeit unserer Ehe haben ich keine andre Frau angeschaut. Vielleicht hätte ich es tun sollen. Mein ganzes Denken war darauf gerichtet, Sheila glücklich zu machen und ihr alles zu geben, was sie sich wünschte. Sie hätten den Smaragdring sehen sollen, den ich ihr zum zehnten Hochzeitstag geschenkt habe. Well. Ich habe nie eine vollendetere Dame gesehen als Sheila. Selbstsicher, gelassen, weltgewandt, immer tadellos. Und jetzt werde ich Ihnen erzählen, wie es geschah. Sie war mit einigen unsrer Freunde in Miami — soweit ich unterrichtet war. An jenem Abend wurde ich auf Long Island von der Polizei angerufen, und es wurde mir mitgeteilt, daß Sheila einen Autounfall gehabt habe. Ich nahm ein Flugzeug; sie war noch am Leben; sie sah entsetzlich aus und erlangte das Bewußtsein nicht wieder. Folgendes war passiert: Sie war in der ›Lagune‹ gewesen. Das ist ein recht übles Lokal, eine Spelunke mit Nackttänzerinnen im Erdgeschoß und einer Spielhölle im oberen Stockwerk, ein Treffpunkt der Gangster. Sheila war mit so einem reichen Jüngelchen übelsten Rufs dort gewesen, und man sagte mir, jedermann wisse, daß es ihr Geliebter war. Jedermann, ausgenommen ich natürlich. Auf der Rückfahrt war ihr Wagen mit einem Lastauto zusammengestoßen. Der Lenker des Lastautos verlor beide Beine, und ein Kind, das er hatte mitfahren lassen, wurde getötet. Der Bursche, den ich erwähnt habe, kam davon. Was die Sache so abscheulich macht, war, daß die beiden sinnlos betrunken waren, als das Unglück geschah. Sie hatten in der ›Lagune‹ eine Unmenge Geld gewonnen. Sheilas Handtasche war aufgegangen, und die Hundertdollarscheine waren über die Straße verstreut. Es war eine Handtasche aus Goldgeflecht, ein Weihnachtsgeschenk von mir. Auch die Taschen dieses besoffenen Schurken platzten von Geld — und von der Hüftflasche mit Schnaps, natürlich. Ich bin in meiner Art stolz, Marion. Einem Sprague hat niemals jemand etwas nachsagen können. Und jetzt dieser Skandal! Im Auto lagen Flaschen, natürlich alle zerbrochen, auf der Straße war ein Teich von Alkohol, und die Hundertdollarscheine waren mit Gin und Blut getränkt. Lieber Gott, ich weiß nicht, wie ich das alles überlebt habe. Die Überschriften in den Zeitungen. Die Art, wie einen die Menschen ansehen. Und der Junge, mein Sohn. Er ist fünfzehn. Was glauben Sie, muß er sich gedacht haben, als er in den Zeitungen diese Geschichten über seine eigene Mutter las? Ich habe ihn in ein Internat nach Wyoming geschickt, so weit fort wie möglich, und doch . . .

Ich habe versucht, sie aus meinem Gedächtnis auszulöschen. Ich habe mir gesagt, daß die Frau, die ich angebetet habe, nicht die Frau gewesen ist, mit der ich verheiratet war. Bloß eine Einbildung. Wunschtraum, nichts anderes. Aber, großer Gott, man kann sechzehn Jahre seines Lebens nicht ausstreichen. Ich habe Sheila noch in Erinnerung, wie sie war, als wir uns kennenlernten; sie trug ein weißes Kleid, so etwas Flaumiges; Sie haben noch nie ein so engelhaftes Wesen gesehen. Und während der Flitterwochen und später, als der Junge zur Welt kam, war sie so süß und kindlich. Ich kann es nicht verstehen. Manchmal glaube ich, ich werde verrückt. Wann hat sie damit angefangen, zu lügen, mich zu betrügen, so ganz anders zu werden? Wieso habe ich nichts bemerkt? Und, Marion, sagen Sie mir, was ich falsch gemacht habe? Sie war schließlich meine Frau. Ich bin doch verantwortlich, wenn's schiefging, nicht? Wenn ich sie in irgendeiner Beziehung — ich weiß nicht, wann und wie — im Stich gelassen hätte, so hätte sie mich wahrscheinlich auch nicht im Stich gelassen. Und hätte dann wohl nicht als schmutzige Schlagzeile der Skandalblätter geendet —«

Er langte mit unsicherer Hand nach der Flasche und goß sich noch ein Glas reinen Whisky ein. »Ich brauche immer ein paar Drinks, bevor ich schlafen kann —«, murmelte er entschuldigend, und dann streckte er seine Hand über die Armstütze seines niederen Fauteuils, wie ein Mensch, der sich im Dunkeln vorwärtstastet, und ich reichte ihm meine Hand, um ihm einen Halt zu geben. Ich versuchte aus dem menschlichen Trümmerhaufen ein paar unbeschädigte Stücke, ein paar farbige Schnitzel und Brocken auszusortieren. In allem, was die komplizierten Beziehungen zwischen Mann und Frau betrifft, war John so rührend naiv, daß ich nicht wußte, wie ich es anfangen sollte, ihn zu trösten. Ich glaube, ich habe lauter abgedroschenes Zeug geredet, aber es schien ihm gut zu tun. Vielleicht suchte er auch nur etwas animalische Wärme bei mir, wollte eine Frauenhand halten, eine Frauenstimme hören. Armer John, dachte ich, in einer einzigen Nacht kann ich deinen zerbrochenen Stolz nicht reparieren. Dazu gehört ein ganzes Leben.

Im Frühherbst ging ich nach New York. Eichheimer & Co. hatten die Spielwarenerzeugung eingestellt, und ich war zur Armee der Arbeitslosen gestoßen. In Berlin lag etwas in der Luft. Es war wie ein allgemeines Zelte-Abbrechen. Nachdem die Besitzer einer nach dem andern gestorben waren, wurde das Haus, in dem wir wohnten, versteigert, weil die Erben weder Amortisationen noch Steuern bezahlt hatten. Ich stellte meine Einrichtung auf den Speicher, entließ mein Fräulein Hausgehilfin Bieber, gab die Jungen zu Clara, verkaufte den ›alten Keuchhusten‹ und kaufte für das Geld eine Schiffskarte nach New York und zurück. Ich hatte eine sehr magere und fadenscheinige Ausrede hierfür: eine kleine Kollektion meiner

Holzschnitzereien sollte in New York ausgestellt werden; ich könnte dadurch bekanntwerden, sagte ich mir, und daraufhin sogar eine Anstellung bekommen. Aber im Grunde meines Herzens wußte ich, daß ich in Wirklichkeit auf eine Lebensrettungsexpedition auszog. Wir Frauen sind ja professionelle Lebensretter, und ich hatte noch nie eine zerbrochene Puppe gehabt, die so anziehend war wie John Sprague, und bei der sich das Retten so gelohnt hätte.

Eine große Überraschung erwartete mich. Als John sich niederbeugte, um mich auf die Backe zu küssen, war zwar noch der Dunst des Whiskys vom Vortag um ihn, aber sonst war er wieder ein andrer Mensch. Straffer, lebendiger, selbstsicherer.

»John, Sie sehen well aus«, rief ich, stolz auf meinen ganz modernen Slang.

»Sie sehen auch nicht übel aus, Kind«, sagte er.

»Was haben Sie gemacht? Affendrüsen eingesetzt?« (Das war Anno 1930 die große Mode.)

»Ich reite jetzt öfter ein bißchen. Reiten Sie auch gern?«

»Ich habe es noch nie versucht.«

»Macht nichts. Dann spielen wir Golf.«

Golf! In Berlin gehörte der einzige Golfplatz einem Klub von Millionären, und es war ein sehr kostspieliger, snobistischer und exklusiver Sport, einer berufstätigen Frau wie mir vollkommen unzugänglich. Während John in dieser seltsamen neuen Welt zu Hause war, fühlte ich mich in ihr wie eine bleierne Ente in einem tiefen Wasser. Ich stolperte in diese neue Welt hinein, tappte darin herum, stieß mir die Zehen, rannte mit dem Kopf an; jede Minute brachte ein Durcheinander von Entdeckungen und gründlichen Mißverständnissen. Ich sagte und tat all die albernen Dinge, die man tut, wenn man sich so blitzschnell, so besessen und so leidenschaftlich in einen Mann verliebt, wie ich mich in dieses Land verliebte. Ich hatte mir nie etwas davon träumen lassen, daß es eine so schöne und erregende Stadt geben könne wie New York. Ich nahm Wien, Berlin, Paris und London und warf sie alle in den Mülleimer. Hier war die neue Schönheit, die phantastische, pulsierende Stromlinienschönheit meiner Epoche und meines Jahrgangs. Hier war das ›Heute‹. Hier war ich endlich zu Hause.

Ich ging umher wie in einem Traum, wo alles phantastisch und fremdartig aussieht, und man dennoch die ganze Zeit weiß, daß man hierhergehört. Es war mir nie bewußt geworden, wieviel Energie wir in Europa auf die zahllosen alltäglichen kleinen Reibereien verschwendeten. Reibereien zwischen Mensch und Mensch, zwischen Mensch und Gesetz, Konvention, Behörde. Zwischen Mensch und schlecht konstruierten, tückischen Objekten. Zwischen Mensch und überlebter Tradition. Hier erschien alles so frei und leicht; das Leben war eine gut geölte Maschine, ein beschwingtes Lied und ein Märchenvogel auf weitgebreiteten Flügeln. Und dann kam mir eines Tages die große Erleuchtung: dies Land war frei. Hier waren freie Menschen. Freiheit. Das war es. Ich hatte die Empfindung, als hätte ich mein ganzes Leben Ketten mit mir herumgeschleppt, und nun fielen sie endlich ab und rasselten auf den Boden der Gefängniszelle. Freiheit war es, was ich gesucht hatte, immer schon, seit den rebellischen Tagen meiner Kindheit, als ich meinen Kopf in einen Löwenrachen legen wollte. Kein Wunder, daß ich das Gefühl hatte, nach einer langen Reise voller Umwege endlich zu Hause zu sein.

»Wie gefällt Ihnen Amerika?« fragte mich jeder. »Es ist famos«, antwortete ich.

In den Jahren, die seither vergangen sind, bin ich eine recht gute Amerikanerin geworden. Um Engländer, Franzose oder Deutscher zu sein, muß man als Engländer, Franzose oder Deutscher geboren sein. Aber Amerikaner kann man werden, und das ist eins der liebenswürdigsten Geheimnise dieses Weltteils. Die Gewohnheit hat viele meiner Erinnerungen verwischt, aber ich fühle noch heute das helle Entzücken und das grenzenlose Staunen, das mich in den ersten Tagen in den USA gepackt hatte.

Der Himmel war blauer, die Luft frischer und klarer, die Wolken silbriger und alle Konturen schärfer als sonst irgendwo. In dieser Atmosphäre zu leben war wie eine ständige, kräftige Massage. Man berührte eine Türklinke und empfand in der Hand ein elektrisches Prickeln. Man drehte den Hahn im Badezimmer auf, und das Wasser schien zu moussieren.

Von dem Überfluß rings um mich wurde ich trunken. Das Essen, die Schaufenster, die Lichter, die Sehenswürdigkeiten. Wie reich sie sind, dachte ich benommen, wie reich, wie reich! Ein Wort aus der Bibel ging mir ununterbrochen im Kopf herum wie der Refrain eines Liedes. Alle Königreiche der Welt in einem Augenblick. Das war es: alle Königreiche der Welt.

Und dann die Menschen. Ich hatte geglaubt — obgleich ich es mir kaum zugestand —, daß John zu den bestaussehenden Männern gehörte, denen ich begegnet war. Hier aber sahen alle ebenso gut aus wie er. Sie sahen aus wie Männer; es lag ein bestimmter maskuliner Charme über ihnen, den unsre Männer nicht hatten. Sie waren locker in jedem Gelenk, und hinter der Leichtigkeit, mit der sie gingen, standen, sich bückten, spürte man große Reserven von Kraft und Energie. Mir juckte die Hand nach dem Schnitzmesser, ich hätte gern diese starken, liebenswerten männlichen Geschöpfe in Holz geschnitzt, meine Eindrücke festgehalten. Was die Frauen betrifft, so waren sie so schön und vollkommen, daß ich Mund und Nase aufsperrte. Als hätte ein Züchter durch endlose Versuchsreihen diese langbeinigen, ausgesucht schlanken Exemplare geschaffen, die wie Modezeichnungen aussahen. Sie hatten schmale Hände und Füße, glänzendes Haar, ebenmäßige Zähne und einen Teint, glatt wie poliertes Metall. Sex-Appeal (auch so ein modernes Schlagwort) strömte aus jeder ihrer Bewegungen, frei, unverhüllt.

Ich hatte Zeiten schwerer Niedergeschlagenheit. Ich führte meine ins Schwanken geratene Selbstsicherheit vor den Spiegel und unterzog mich einer strengen Prüfung. Da stand ich, gekleidet in die Uniform einer wohlerzogenen Europäerin: schwarzes Kleid, Schuhe mit halbhohen Absätzen, weiße Glacéhandschuhe, einen diskreten kleinen Hut aus Paris. Ich putzte mein bescheidenes Gefieder. Ein Sperling unter Paradiesvögeln, das war der richtige Ausdruck. Laß sehen, gibt es an diesen vollendeten Schönheiten denn gar nichts auszusetzen? Sind sie nicht gar zu auffallend angezogen, sind ihre Stimmen nicht zu hoch, ihr Lächeln nicht zu gekünstelt? Und wie steht es mit ihrem Schmuck? Billige Imitationen, Tinnef — sie waren mit dem Zeug überladen, es baumelte ihnen vom Hals und von den Handgelenken, bedeckte die Arme bis zum Ellbogen, ja es glitzerte sogar an den hübschen Fußknöcheln. Nur in den Hottentottenkrals in Afrika habe ich solch ein unschuldig-primitives Gepränge gesehen ... Aber sie waren schön, und ich konnte mit ihnen nicht konkurrieren, nicht? Ach was, sagte ich mir, alles ist darauf zurückzuführen, daß sie Orangensaft, Sahne und einen Haufen Vitamine hatten zu einer Zeit, als wir von Eicheln und Sägespänen lebten. Sie wurden hübsch, und du wurdest klug. Und dann ging ich in den besten Schönheitssalon der Stadt zu einer Fünfstundensitzung und ließ mich überholen.

Meine Ausstellung in einer Galerie in der Siebenundfünfzigsten Straße war ein netter kleiner Erfolg, der mir als großer Erfolg erschien, weil soviel Tamtam damit gemacht wurde. Interviews, Pressefotografen, Einladungen. Was für eine drollige Welt war das! Ich machte lauter Fehler. Alle Menschen um mich sprachen von Dingen, die ich nicht verstand, und richteten Fragen an mich, die ich nicht beantworten konnte. Jeder sprach vor allem von der Wirtschaftskrise, entschuldigend und noch immer etwas betäubt. »Sie hätten die Stadt vor der Krise sehen sollen!« »Sie hätten mich und meine Familie vor der Krise sehen sollen!« »Was wird aus diesem Land werden, wenn wir die Krise nicht bald überwinden!« Ich mußte lachen; mir kamen alle so ernst und besorgt vor wie Kinder, die Patient und Doktor spielten. Kinder — ich fühlte das Bedürfnis, es auszurufen —, ihr Kinder, was wißt denn ihr! Ihr mit eurer lächerlichen Krise! Ihr habt ja nie wirklich gelitten, ihr beklagt euch über das Elend, während ihr mitten im Überfluß sitzt, ihr habt ja überhaupt keine Perspektive, ihr steht auf dem Gipfel eines Bergriesen und klagt über die geringe Höhe.

Das nächstwichtige Thema waren die Drinks. Wo man sie herkriegte, was die Kiste Schnaps kostete, welches Speakeasy das beste war. Man setzte mir alles mögliche vor, vom französischen Champagner, trocken, Auslese 1911, bis zum ordinären Fusel, und obgleich ich höflich akzeptierte, verstand ich nicht, warum man's so wichtig nahm. Auch schien es mir eine sonderbare Freiheit zu sein, die sich in eine so ausgemacht private Angelegenheit wie das Trinken eines Glases Bier einmischte. Sodann machte mich die Beziehung zwischen den Geschlechtern nachdenklich. Ich konnte ein ganzes Wochenende in einer Gesellschaft zubringen, ohne herauszukriegen, wer zu wem gehörte, wer mit wem verheiratet war. Man tollte und scherzte, nannte sich Liebling und Herzchen, die Mädels saßen auf dem Schoß der Männer oder tanzten auf höchst erotische Weise mit ihnen; und dann sagten sie sich gute Nacht, holten sich vom andern Ende des Saales ihren gleichgültigen, legalen Partner, zogen sich in die verschiedenen Fremdenzimmer zurück und überließen mich meiner Verblüffung. Sind sie so harmlos oder so verdorben? fragte ich mich.

John Spragues Anwalt, ein weitgereister, gescheiter alter Herr namens Farrar, gab mir eine knappe Erläuterung. »Das Gesetz des Pendels«, sagte er. »Bis zum Weltkrieg waren sie Puritaner. Dann übersprangen sie die Zwischenstufen und schwangen sich zu weit nach der andern Seite.«

Meistens verbrachte ich das Wochenende auf Johns Besitz Elmridge, wo es immer von Gästen wimmelte; sie kamen mit ihren Tennisschlägern, ihren Golfschlägern, ihren Badeanzügen und ihrer lebhaften, zwitschernden Fröhlichkeit. Sie scharten sich um John, wie um ihm zu zeigen, daß sie ihn gern hatten und ihm den schimpflichen Tod seiner Frau nicht zum Vorwurf machten. Er war ein liebenswürdiger Wirt, machte bei jedem Spiel mit, lachte über jeden Witz, war so heiter wie alle andern und erinnerte nicht im geringsten an den gebrochenen Mann, den ich in London getroffen hatte. Wenn er vor dem Kamin saß, seinen alten Spaniel schlafend zu seinen Füßen, ein Glas Highball zu seiner Rechten, gab es nur flüchtige Augenblicke, in denen ich den Eindruck hatte, daß er in undurchdringliche Einsamkeit gehüllt war. Daß er schon wieder mit schwerer Zunge sprach und es nicht einmal merkte, machte den Fall nur noch erschütternder. Wenn er meinen Blick fühlte, wurde er lebendig. »Noch einen Drink, Marion? Nein? Wollen Sie Pingpong spielen? Oder ein bißchen ins Wasser gehen?«

Ich kroch durch diese Weekends wie eine Schildkröte in einem Windhundrennen. Schwere Getränke machten mich schläfrig. Mein Tennis war jammervoll und mein Pingpong nicht viel besser. Ich hatte nie Zeit gehabt, Bridge zu lernen, und Backgammon langweilte mich zu Tode. Ich konnte nur Brustschwimmen, wie ich es im alten Wien gelernt hatte, und kam mir unmodern vor wie ein vorjähriges Telefonbuch. Meine Konversation hatte kein Leben, meine Antworten waren nicht schlagfertig. Ich konnte John nicht einmal zum Lachen bringen, geschweige denn zum Vergessen. Das einzige, was ich hätte tun können, wäre gewesen, zu ihm hinzugehen, seine Stirn zu streicheln und ihn zu fragen: Sind Sie müde, mein Freund? Verstimmt? Einsam? Haben Sie das Bedürfnis, mit mir über die Frau zu sprechen, die Sie noch immer lieben? Ich habe Sie gern, mein Freund, und ich habe viel durchgemacht, ich habe für so manches Verständnis. Ein einzigesmal habe ich es versucht.

»Sie fühlen sich sehr einsam, John, nicht?« fragte ich ihn. Er blickte mich einigermaßen überrascht und beinahe belustigt an.

»Einsam? Mit sechzehn Weekendgästen? Was wollen Sie damit sagen?« antwortete er. »Machen sie Ihnen nicht genug Radau?«

Ich war Europa, und er war Amerika, und zwischen uns lag ein Ozean. John leerte sein Glas, sah nach der Flasche, goß sich noch einen Schluck puren Whisky ein und ging auf die Terrasse hinaus zu seinen Gästen, die schon nach ihm gerufen hatten. Eine Sekunde später hörte ich lautes Gelächter, und John lachte am lautesten von allen. Ich schlich mich in mein Fremdenzimmer hinauf und legte mich aufs Bett. Was mag wohl Stanley empfunden haben, als er endlich Livingstone fand und erfuhr, daß dieser gar nicht gerettet werden wollte? dachte ich bitter. Ich glaube, Sie wollen gar nicht, daß ich Ihnen das Leben rette, Mr. Sprague. Schön, Marion. Deine sechs Wochen sind fast um. Pack deine Sachen, geh nach Berlin zurück und schau dich nach Arbeit um! Du bist in Amerika gewesen. Ein famoses Land. Famose Menschen. Alles ist famos. Nur daß dich hier eben niemand braucht. Eines Abends schob sich mein alter Freund Farrar zu mir heran. »Ich tippe auf Sie«, sagte er mit einem freundlichen Lächeln unter dem weißen Schnurrbart.

»Was tun Sie, Mr. Farrar?«

»Ich setze auf Sie. Sie sind mein Außenseiter, und ich wette, daß Sie das Rennen in den letzten Geraden gewinnen.«

»Ich wußte nicht, daß ich in einem Rennen mitlaufe«, sagte ich.

»Genau das tun Sie«, sagte er. »Hören Sie, Marion, haben Sie schon einmal die Möwen betrachtet, wenn der Schiffskoch die Abfälle zur Luke hinauswirft? Nun, sehen Sie sich die Mädels an. Dasselbe Geschrei. Derselbe Heißhunger. Allerdings ist John kein Abfall. Nein, er ist der große Preis der Saison, und — merken Sie sich, was ich Ihnen sage: Sie werden ihn bekommen.«

»Ich habe nicht den Ehrgeiz der Amerikanerinnen«, sagte ich. »Und ich glaube, ich habe nicht das Zeug, im Derby mitzulaufen. Sie müssen zu viele Filme gesehen haben, in denen der alte Milchwagengaul in das Rennen eingreift und siegt.«

»Aber Sie haben John gern«, sagte Mr. Farrar.

»Ja«, antwortete ich viel zu aufrichtig, »ich habe John gern.« Mein Schiff sollte am Samstag abgehen. Am Donnerstag rief mich John an. »Wollen Sie nicht zum Abendessen herauskommen? Morgen früh, wenn ich ins Büro fahre, kann ich Sie wieder in die Stadt bringen.«

»Wer kommt noch«, fragte ich.

»Niemand. Nur wir beide. Okay? Okay. Ich hole Sie gegen fünf ab.«

Als John kam, regnete es; aber kurz nachdem wir die Queensborough-Brücke passiert hatten, hörte es auf, ein Regenbogen kam hinter den Bäumen hervor und heftete den Himmel an die spiegelnde Straße. Zum erstenmal in all diesen Wochen waren wir allein; es war eine ruhige, schöne Fahrt. Ich spielte mit mir selber ein kleines Spiel; wettete, ob ich schon die Wegzeichen kannte und mich allein zurechtfinden könnte. Na und wenn schon — was wird es mir in Berlin nützen, daß ich mich auf Long Island zurechtfinden kann?

»Warum so still, Kind?«

»Ach, Sie kennen mich ja. Raunzig vor Sentimentalität. Ich tue mir selber leid und so weiter.«

»Weshalb tun Sie sich leid?«

»Wissen Sie, ich sage jeder Tankstelle und jeder Würstchenbude am Weg adieu. Schon als Kind habe ich immer aus jedem Abschied den letzten Tropfen herausgequetscht.«

»Aber Sie kommen doch wieder«, sagte er und nahm eine scharfe Kurve, und dann waren wir auf der Autostraße. Der Regenbogen war verschwunden, und es wurde rasch Abend.

»Wenn Sie nicht wiederkommen, fahre ich hinüber und hole Sie«, sagte er nach einer langen Pause.

Wir kamen vor dem großen Haus an, das ohne Gäste sehr still und leer aussah. John drehte das Radio an, und Lindquist, der Butler, brachte Drinks herein. Das Dinner wurde auf einem kleinen Tisch vor dem Kamin im Ahornzimmer serviert. Ich dachte, Sheila muß einen ausgezeichneten Geschmack gehabt haben. Dieses Zimmer mit seiner frühamerikanischen Einrichtung und den Buckelgläsern gefiel mir von allen am meisten. Topper, der alte Spaniel, leistete uns gute Gesellschaft; nach einer Weile kam er zu mir herüber und legte den Kopf auf mein Knie. Ich fühlte mich geehrt, wie man es immer tut, wenn der Hund eines andern einem seine Sympathie zeigt.

»Er hat Sie gern«, sagte John, »der wählerische alte Bursche.«

Ich tätschelte seinen Kopf, John tätschelte ihn auch, und unsere Hände begegneten sich auf dem warmen, weichen Fell des alten Hundes. John streckte seine Hand aus, mit der Handfläche nach oben, und ich legte meine hinein. Der Rauch unsrer beiden Zigaretten ringelte sich zur Decke empor, und das Feuer hielt einen Augenblick lang den Atem an, um zu horchen, wie still es war. »Ich freue mich, daß Sie heute abend gekommen sind. Ich wollte Sie einmal ganz für mich allein haben, wenigstens einmal; der Teufel hole alle Ihre Bewunderer!«

»Ich wußte gar nicht, daß ich welche habe.«

»Freilich. Alle liegen Ihnen zu Füßen. Alle sind begeistert von Ihnen.«

»Es ist viel hübscher, mit Ihnen allein zu sein. Ich bin keine Attraktion für einen Weekendtrubel. Warum haben Sie mich nicht schon früher einmal zu einem solchen Dinner eingeladen?«

»Ich wollte Sie nicht ins Gerede bringen. Ich hätte es nicht verantworten können«, sagte er. Darauf wußte ich mir keinen Reim.

»Kommen Sie, gehen wir ein bißchen auf die Terrasse, der Mond kommt hinter den Wolken hervor«, sagte er und stand auf. Es fiel mir auf, daß er beim Essen Wein, aber nachher keinen Whisky getrunken hatte. »Es wird ein bißchen kühl sein draußen, ich werde Sie einwickeln«, sagte er.

»Haben Sie noch Ihren Pelz?« fragte ich ihn, als er mit Mänteln aus der Halle zurückkam.

»Den alten Waschbären, den ich in Moskau trug? Diese alte Reliquie? Ja, ich glaube, er ist noch irgendwo. Warum?«

»Ach, nur so. Mir hat er immer gefallen.«

»Dann werde ich Lindquist sagen, er soll gut darauf achtgeben und Mottenkugeln in die Taschen tun.«

Der Mond war aufgegangen und spielte sein Tremolo auf einer silbernen Saite, die sich über das Wasser spannte. Die Luft war frisch und feucht und roch nach umgegrabener Erde.

»Ich muß dem Gärtner sagen, er soll etwas Schneckengift streuen«, sagte John. Dann packte er mich, drehte mich zu sich herum und beugte sich zu mir nieder. Im Dunkeln tastend, küßte er zuerst mein Haar, dann meine Wangen und zuletzt meinen Mund. Es geschah so leise, daß die stille der Nacht unberührt blieb.

»Ja — aber warum denn das?« fragte ich erstaunt.

»Nur so«, sagte er. »Weil wir zur selben Generation gehören.« Das war eine jener überraschenden Antworten, bei denen ich blitzartig erkannte, daß er viel tiefer in mich hineinsah, als er mich für gewöhnlich vermuten ließ. In seiner Antwort war alles — Verständnis und Erfahrung, Kameradschaft, ein wenig Mitleid für uns beide und ein Schuß Selbstironie. Ich habe oft gefunden, daß die Amerikaner in Abkürzungswegen denken, während mein Verstand immer noch die alten langen Landstraßen entlangkroch.

»Sie sind gut aufgelegt, nicht wahr?«

»Gut aufgelegt? Nein. Ich fühle mich bloß gut. Sie ahnen vermutlich nicht, wie wohl es mir getan hat, Sie um mich zu haben.«

»Das freut mich. Es freut mich, Ihr Kamerad zu sein.«

»Sagen Sie mir«, fragte er, als wir ins Haus zurückgingen, das still und erwartungsvoll mit dem warmen, gelben Licht der hohen Fenster in der Nacht stand, »sagen Sie, gefällt es Ihnen hier?«

»O ja, es ist famos«, sagte ich.

»Glauben Sie, daß Sie gern hier leben würden?«

»Freilich. Es ist reizend«, sagte ich fröhlich.

John sah mich prüfend an und seufzte.

»Manchmal zweifle ich daran, daß Sie wirklich englisch verstehen«, sagte er. »Ich meine: Würden Sie gern hier wohnen?«

Ich hielt den Atem an. Eine Sekunde lang war ich auf einem rasenden Karussell, mein ganzes Leben drehte sich in verschwommenen Streifen an mir vorüber. Die Kinder. Michael. Martin. Meine Arbeit. Mein Beruf. Meine Erfolge. Meine ganze Vergangenheit. Meine Zukunft. Meine Unabhängigkeit. Wieder Michael. Und da stand dieses Haus mit Sheilas Schatten in der Falte jedes Vorhangs und ein Mann mit grauem Haar, für den ich viel fühlte und den ich kaum kannte . . .

»Ich weiß nicht, John«, sagte ich. »Ich werde Backgammon nie lernen.«

ACHTES KAPITEL

In der Zeit, die die Sonne brauchte, um sich dem Rand um weitere fünf Zentimeter zu nähern, durchlief Marion drei Phasen. Die erste Phase war ganz Mut, Entschlossenheit, viel Hoffnung und vernünftiges Denken. Das ist zu dumm, dachte Marion. Ich kann doch nicht einfach hier sitzen und warten und alles über mich ergehen lassen. So etwas habe ich doch nie getan, nicht? Ich bin kein passiver Typ. Ich muß eben hier heraus, Knöchelbruch hin, Knöchelbruch her. Wie glaubst du denn, sind die Verwundeten im Krieg davongekommen? Jedenfalls nicht, indem sie sich aufgaben. Erinnerst du dich an den Film, in dem du die Soldaten aus Dünkirchen zurückkommen sahst? Die hatten Schlimmeres erlebt als einen schäbigen gebrochenen Knöchel. Nur keine Angst. Es kann dir nichts geschehen. Also, Marion, los!

Der Knöchel war angeschwollen, und sie brauchte den Schuh nicht mehr enger zu schnüren, um das Gelenk zu stützen. Sie stand auf, schlüpfte mit den Armen in die Riemen des Rucksacks und schob sich längs der Wand der Gletscherspalte zu einer Stelle, die sie als Ausgangspunkt fürs Herausklettern gewählt hatte. Die Spalte hatte zu diesem Zeitpunkt schon viel von ihrem unheimlichen und beängstigenden Aussehen verloren. Marion hatte sich damit vertraut gemacht und fürchtete sich nicht mehr. So gut es ging, entlastete sie den verletzten Fuß, sammelte alle Kräfte in Händen und Armen, stemmte sich mit den Knien gegen das Eis und nahm sogar das Kinn zu Hilfe, um sich hinaufzuziehen. Wenn sie Schmerzen hatte, so empfand sie sie nicht, vielleicht wurden sie durch die Kälte betäubt. Sie hörte sich selbst angestrengt atmen, und das beruhigte sie einigermaßen. Ich bin doch eine gute alte Maschine, dachte sie anerkennend, fast so gut wie die Maschinen, die Sprague baute. Wenn nur dieser kleine Kegel aus blauem Diamant hält.

Er hielt nicht. Marion hatte etwa zwei von drei bis vier Metern erklettert, die zu überwinden waren — denn der Abstand bis zum Rand der Spalte hatte sich als etwas höher erwiesen, als sie ihn geschätzt hatte —, als der Eiskegel brach. Unwillkürlich suchte sie mit dem gebrochenen Fuß nach einem Halt, aber das Bein knickte unter ihr zusammen — so wenigstens empfand sie es —, wie ein Deckstuhl unter einem zusammenklappt, wenn man ihn nicht richtig aufstellt. Mit einer Flut saftiger Flüche glitt Marion abermals hinab und landete, nicht allzu hart, an einer Stelle, die etwas tieferlag als ihr früherer Sitzplatz. Die neue Stelle hatte den Vorteil, mehr Platz zu bieten, es war eine kleine, geradezu komfortable Eishöhle mit einem ebenen, etwa zwei Meter breiten Boden.

Da kann man nichts machen, dachte Marion, nachdem sie sich wieder gefaßt hatte. Wenn ich's noch ein paarmal versuche, brech ich mir auch noch das Genick.

Dann durchlief sie die zweite Phase, und von allen Infernos, die sie in ihrem Leben kennengelernt hatte, war dies das schlimmste. Es begann mit einem Frösteln und wurde zu einem Krampf, der ihre Schultern fliegen ließ und ihr den Atem abschnürte. Es war Panik, eindeutig, unverkennbar. »Ich will nicht sterben«, schrie sie auf, »ich will nicht sterben, bitte, bitte helft mir, helft mir! Ich will nicht sterben, kommt und helft mir, Chris, Michael, John, Martin, helft mir! Mama, bitte hilf mir, Mama —«

Sie lag da, erschöpft und heiser vom Rufen und Schreien, mit kaltem Schweiß bedeckt, der ihr wie ein Graupelschleier über den Rücken lief. »Ruhe, Ruhe«, redete sie sich zu. »Nimm Vernunft an! So geht's doch nicht, Mädel. So geht's schon gar nicht. Halbwegs anständig leben ist einfach. Aber anständig sterben — da muß man sich beweisen, darauf allein kommt's an. Ja, aber das Leben ist so schön, und ich lebe so gern. Gewiß, Marion. Woher weißt du aber, daß der Tod nicht hundertmal schöner ist? Vielleicht ist das Leben nur ein enges Gefängnis, vielleicht liegt die große Freiheit irgendwo draußen, im Nicht-Leben? Erinnerst du dich, was Max Wilde dir erzählt hat von den Eingeborenen auf irgendeiner fernen Insel, was für einen ekstatischen Jubel und Trubel sie um ihre Toten machen? Sie verbrennen die Leichen, legen die Asche in Kokosnußschalen, stecken Kerzen hinein und lassen sie aufs Meer hinausschwimmen; und sie glauben, daß diese befreiten Seelen über alle menschlichen Glücksbegriffe hinaus glücklich sind. Marion konnte die kleinen Lichter fortschwimmen sehen, weit in die Ferne, es war ein schönes Bild, es nahm ihr die zitternde Angst.

Ihre eigene Seele segelte nach neuen Horizonten, in eine Schale gebettet wie zwischen zwei gefalteten Händen, sicher und friedlich. Sie blinzelte ein paarmal, um die freundliche Vision zu verscheuchen, denn jetzt war nicht die Zeit zum Träumen. Wir wollen es einmal bis zum Ende durchdenken. Hat das Leben viel Sinn? Nicht viel, es sei denn, den Sinn, zu leben. Es gibt viele Menschen, die noch immer zu leben glauben, nachdem ihr Leben längst erloschen ist. So einer möchte ich nicht sein. Irgendwie ist dies vielleicht der richtige, mir vom Schicksal bestimmte Zeitpunkt für meinen Abgang. Meine Arbeit ist getan. Michael ist gesund, und bald wird Renate für ihn sorgen. Alle meine Männer sind mir vorausgegangen, und nun geht Christopher auch. Ich weiß nicht, ob mir das Leben in den nächsten paar Jahren viel Spaß machen wird. O doch, das wird es. Das Leben ist lustig, was immer auch geschieht. Erinnerst du dich an Olga Wasmuth?

Olga Wasmuth war eine Prostituierte in Gießheim gewesen; Marion hatte ihren Krankheitsbericht geschrieben; er hatte damals nur einen flüchtigen Eindruck bei ihr hinterlassen, und dann hatte sie Olga Wasmuth vollständig vergessen. Jetzt plötzlich, in der kalten Gletscherspalte, trat ihr das Bild dieses unglücklichen, zerbrochenen Wesens vor Augen. Sehen wir uns doch mal an, was ich da in dem violetten Samtbeutel meines Unterbewußtseins verstaut habe, dachte sie mit einem verwunderten Lächeln.

Dies waren die vorgeschriebenen Fragen, die sie an Olga Wasmuth gerichtet hatte, und dies die Antworten:

Wann haben Sie zum erstenmal Geschlechtsverkehr gehabt?

Als ich zwölf Jahre alt war.

Hatten Sie den Mann gern?

Nein, es war mein Stiefvater. Er hat mich vergewaltigt.

Haben Sie Kinder bekommen?

Ja, drei. Das erste, als ich fünfzehn war. Alle drei sind tot.

Haben Sie viele Männer gehabt, als Sie jung waren — bevor Sie Prostituierte wurden?

Ja, viele.

Haben Sie beim Verkehr Lustgefühle gehabt?

Nein, niemals.

Sind Sie schon einmal verheiratet gewesen?

Ja, zweimal. Mein erster Mann verprügelte mich, und der zweite war ein Säufer. Ich habe beide gehaßt.

Haben Sie auch mit Frauen verkehrt?

Ja, das machen wir alle in diesen Häusern.

Gewährt Ihnen das Befriedigung?

Nicht im geringsten.

Trinken Sie viel?

Wenn ich es mir leisten kann.

Werden Sie durch Alkohol angeregt?

Gar nicht. Es wird mir davon bloß übel nach einiger Zeit.

Haben Sie jemals Rauschgift genommen?

Natürlich. Kokain. Heroin. Was ich kriegen konnte.

Befriedigt es Sie, macht es Sie glücklich?

Nicht daß ich wüßte.

Marion hatte die Geschichte Punkt für Punkt niedergeschrieben. Sie erinnerte sich an das Krankenhaus, wo sie Olga besucht hatte. Olga war nicht mehr jung. Sie war an jedem Organ ihres verwüsteten Körpers krank. Es hatte Marion geschaudert, als sich dieses Bild von Schmutz, Elend, Laster und stumpfer Passivität entrollte. Sie hatte gezögert, die letzte Frage zu stellen, die auf dem Formular auszufüllen war:

Was denken Sie über das Leben im allgemeinen?

»Leben?« hatte Olga gesagt und sich dabei im Bett aufgerichtet. »Das Leben? Oh — das Leben ist wunderschön.«

Marion lachte bei der Erinnerung in sich hinein. Gewiß, Olga, du hast recht, dachte sie. Das Leben ist wunderschön — und voller Überraschungen. Es ist voll von guten, bescheidenen kleinen Dingen, die uns kein Krieg und keine Finsternis wegnehmen kann. Ein Buch, eine Geige, eine Blume, ein Glas, ein Stück Holz. Das winzige Schuhchen eines Babys. Der neue Hut. Selbst der Zigarettenstummel, den jemand, den wir lieben, im Aschenbecher zurückgelassen hat. Auch Kummer ist gut, er gehört zum Besten, was es gibt. Mein ganzes Leben hindurch muß ich jeden Tag wenigstens eine

Freude und einen Kummer haben, sonst hätte ich nicht gewußt, daß ich lebe. Bisweilen allerdings war zwischen Kummer und Freude kein rechtes Verhältnis, wenn der Kummer darin bestand, daß man den Mann verlor oder der Arzt für ein krankes Kind keine Hoffnung mehr hatte, und wenn die Freude nur darin bestand, daß man ein Bett hatte oder ein warmes Bad nehmen konnte.

Mein Bett, dachte Marion sehnsüchtig, mein braves, treues Bett, mollig und weich und jede Nacht bereit, mich schlafen und vergessen zu lassen. Ich danke dir, mein liebes Bett, du mein bester Freund, Ort des Friedens und der Lust, der Geburt und des Todes. Es stand nicht auf meinem Programm, daß wir in meiner letzten Stunde nicht beisammensein sollten, du, mein Bett, und ich. Na schön, macht nichts. Ich bin ja noch nicht tot; im Gegenteil — ich bin sehr lebendig, danke, mir geht's ausgezeichnet. Ein warmes Bad. Wer hat gesagt, daß ein warmes Bad nur eine kleine Freude ist? Wenn ich jetzt die Wahl hätte, mit Christopher in der Kälte oder allein in einem warmen Bad zu sein, einem guten, milden, würzigen warmen Bad — ich würde mich für das Bad entscheiden. Ich würde mich darin ausstrekken, meinen erfrorenen Körper auftauen und zusehen, wie sich winzige Luftbläschen auf meine Haut setzen und an die Oberfläche steigen; ich würde das heiße Wasser laufen lassen und mich sieden wie ein japanischer Fanatiker. Alles, wirklich alles würde ich jetzt für ein warmes Bad geben.

Die Gedanken an Bett und Bad hielten Marion ein paar Minuten lang warm, dann war sie wieder in der kalten Gletscherspalte. Na schön, dachte sie, nun wieder beruhigt und fast heiter. Also kein Bad. Wir haben noch Zigaretten. Wir haben noch Schokolade. Wir haben gerade das, was wir immer wollten: eine Freude und einen Kummer. Erst aß sie die Schokolade, ganz langsam und mit Verstand, um den Genuß ganz auszukosten. Dann zündete sie sich eine Zigarette an und tat ein paar kräftige Züge. Nach einer Weile versuchte sie Ringe zu rauchen. Das war eine Kunst, die sie immer schon hatte lernen wollen, aber es hatte ihr immer an Geduld gefehlt. Ich habe heute jodeln gelernt, warum sollte ich nicht auch lernen, hübsche saubere Ringe zu machen, dachte sie. Sie blies die Wangen auf und klopfte mit dem Finger den Rauch heraus. Er kam in kleinen weißen Wölkchen, aber nicht in Ringen. Marion gab sich die größte Mühe. Es ging ihr schon viel besser. Aufgeben? Noch lange nicht!

Ich war mit John Sprague verheiratet, und John war mit der elektropneumatischen Dinkley-Bohrmaschine verheiratet. Es war das typische Dreiecksverhältnis in amerikanischer Fassung. Im großen und ganzen liebte ich Dinky, wenn ich auch oft auf sie eifersüchtig war. Andrerseits hatte Dinky kaum Anlaß, auf mich eifersüchtig zu sein, denn obgleich sie jede Phase meines Lebens beeinflußte, hatte ich niemals etwas mit dem Teil meines Mannes zu tun, der ausschließlich ihr gewidmet war. Man kann sich gegen eine andere Frau zur Wehr setzen, nicht aber gegen eine dreißigjährige Dieselmaschine. Dinky saugte meinen Mann bis auf den letzten

Tropfen aus. Keine Mätresse hätte so anstrengend, so skrupellos, so anspruchsvoll und so kostspielig sein können wie Dinky. Mit irgend so einer Dinky haben wohl die meisten amerikanischen Ehefrauen zu tun, glaube ich. Ihre Männer haben immer und ewig ein Verhältnis, mit ihrer Versicherungsgesellschaft oder mit ihrem Textilwarengeschäft, ihrem Eisenwarenladen, ihrem Anwaltsbüro, ihrer Werkstatt.

Dinky ging mit uns schlafen und leistete uns beim Frühstück Gesellschaft. Sie setzte sich mit uns zum Dinner und unterbrach unsere stillsten Stunden mit Telefongesprächen, Depeschen und dringenden Kabeltelegrammen. Johns Stimmung war durchaus von Dinkys Launen abhängig. Manchmal wurde er ihretwegen geradezu trübsinnig, und meine besten Witze und Kapriolen konnten ihm kaum ein abwesendes Lächeln entlocken. Manchmal ging er mit einer Aktentasche voll Kalkulationen und Statistiken zu Bett, packte sich die Kissen hinter den Rücken und arbeitete stundenlang wie verrückt. Ich wurde mit einem geistesabwesenden Kuß und einem Klaps beiseitegelegt. Ich hörte das Rascheln der Blätter, wie er eine Seite nach der andern umwendete, und fühlte mich ausgesperrt. Sosehr ich mich auch bemühte, lernte ich weder Dinkys komplizierten Mechanismus noch die Schwierigkeiten ihres Verkaufs jemals verstehen.

»— Weißt du, Kind, der grundlegende Unterschied zwischen Kurbelstoßbohrmaschine und einer elektropneumatischen Bohrmaschine ist derselbe wie zwischen einer Axt einerseits und Meißel und Hammer andrerseits. Findest du nicht auch, daß es logischer ist, sich den Weg durch eine Gesteinsmasse mit Meißel und Hammer zu bahnen als mit einer Streitaxt —?«

»Jawohl, mein Herr«, sprach ich aus dem Abgrund meiner Verständnislosigkeit. Aber es war John auch gar nicht darum zu tun, daß ich an seinen Sorgen teilnahm. Meine Vorstellung von einer guten Ehe war ganz anders als seine. Ich hatte ehrlich die Absicht gehabt, sein Freund und Kamerad zu werden. Es ging mir wie einem Menschen, der kopfüber in vermeintlich tiefes Wasser springt und dann entdeckt, daß es nur ein seichter Tümpel ist. Ich kam mit Beulen am Kopf und einer leichten Gehirnerschütterung wieder herauf. Ich sollte eine zweite Sheila sein; das war alles, was John von mir wollte. Eine vollendete Lady, ein Wertgegenstand, mit dem man den Freunden imponieren konnte, gewissermaßen ein Einfrauenharem, willig und bereit, ihn zu unterhalten und nicht viel zu fragen.

»Wie geht es Dinky, John?«

»Oh, sie ist okay. Sobald diese Geschichte mit unserm Patent in Ordnung ist, gehen wir mit ihr in die Stadt. Jetzt sei ein braves Mädel und mach die Äuglein zu!«

»Also — gute Nacht John. Arbeite nicht zu lange!«

Aber er hörte schon nicht mehr, und nach einer Weile schlief ich ein, mit der Empfindung, von dem wichtigsten Teil seines Lebens ausgeschlossen zu sein. Dann wieder konnte er mich erdrücken, zermalmen, zu Asche verbrennen in einem Ausbruch von Leidenschaft. Anfangs machte mich das ganz glücklich, bis ich darauf kam, daß es ein schlechtes Zeichen war. Irgend etwas war mit Dinky schiefgegangen, und Johns Küsse bedeuteten Flucht und Entrinnen, den Wunsch, Dinky zu vergessen, wenn auch nur für die kurzen Augenblicke unsrer Umarmung. Eheglück hängt davon ab, ob man unaufhörlich daran arbeitet, einiges Talent und unendlich viel Takt mitbringt. Es ist eine Ganztagsarbeit, die einen voll in Anspruch nimmt, und ich war froh, schon früher Ganztagsstellungen gehabt zu haben.

Manchmal mußte ich daran denken, was Clara mir gesagt hatte. »Kinderl«, hatte sie gesagt, »wenn sich die verheirateten Frauen die Mühe machen würden, in gewissen Dingen so taktvoll zu sein und sich so gut zu verstellen wie eine Dreimarkdirne, so gäbe es sicher viel weniger zerbrochene Ehen und Scheidungsprozesse.«

Die Abhängigkeit von Dinky machte das Leben zu einer ewigen Berg-und-Tal-Bahn: hinauf und hinunter und wieder hinauf. Der sanfte Hang und der steile Hang, und in jeder Minute das gemischte Gefühl von Rausch und Gefahr, von großem Schwung und etwas Seekrankheit. Wohl fabrizierte Sprague auch andere Sachen, wie Schleifmaschinen, Niethämmer, Preßlufthämmer und andre unverständliche Geräte, alle pneumatisch betrieben. Aber die elektropneumatische Bohrmaschine war der Star des Spragueschen Unternehmens. Sie war unsre Existenz, sie war Johns Augapfel und gab rund vierhundert Menschen Arbeit und Brot. In der Zeit, als John seinem Traumbild verbissen nachjagte und seine Leute mit einer neuen Riesen-Dinky experimentieren ließ, die wie ein Tank von einem eigenen Motor angetrieben wurde, gab es viele Schwierigkeiten, und John brauchte große Quantitäten Whisky, um sein Gehirn zu ölen. Wenn es so aussah, als wäre wieder eine Verbesserung geglückt und er Dinky ein paar neue Patente zu Füßen legen konnte, kamen immer gute Wochen, und Johns Highball-Konsum reduzierte sich auf ein, zwei Glas am Abend. Er nahm sich Zeit, Golf zu spielen, mit meinen Buben herumzutollen, sich um den Garten zu kümmern und mit mir in die neuen Revuen zu gehen. Beinahe wäre er Abstinenzler geworden, beinahe hätte er sich einen Urlaub gegönnt, beinahe wäre er mit mir nach Hawaii gefahren — aber ausgerechnet dann mußte er nach Utah fahren, um Dinky an die Kupfergrubengesellschaft Bingwood zu verkaufen. Nach glücklichem Abschluß des Geschäfts kaufte er mir einen Ring mit einem großen Diamanten. Ich haßte das kalt funkelnde Ding und hätte mich am liebsten auf meine Hände gesetzt wie als Kind, wenn ich meine schmutzigen Hände verstecken wollte. Als ein Jahr später die Verhandlungen mit dem Sonoma Valley Project in die Brüche gingen, wurde Johns Haar um eine Nuance grauer, und er schaffte stillschweigend seine beiden Pferde ab.

Ich machte die persönliche Bekanntschaft Dinkys kurz nach unsrer Trauung, als mich John in die Fabrik in Albany mitnahm, um mich ihr vorzustellen. Es war ein großes, schönes, überwältigendes Geschöpf, triefend vom Öl der Kugellager. Noch nie hatte ich an irgend etwas so viele Räder gesehen. Mir wurde himmelangst. Mein Leben lang habe ich mich vor allem Mechanischen immer geradezu gefürchtet. Ich hatte weniger Angst vor einem wilden Gorilla als vor einem einfachen Telefon. Noch nie hat mir ein Gorilla etwas getan, während das Telefon bei verschiedenen Anlässen nach mir ausgeschlagen und mir mit seinem unmenschlichen gähnenden schwarzen Maul so schlimme Nachrichten und harte Worte zugeschrien hat, daß ich, wenn das Wetter umschlägt, noch heute die Narben spüre. John strahlte vor Stolz, als sei er der Vater der Fünflinge, seine Leute standen um uns herum und grinsten mich an mit der Nachsicht, die technische Zauberer für eine unwissende kleine Frau haben. Plötzlich griff John unter Dinkys Röcke, und sie setzte sich in Bewegung, wobei sie einen stählernen Schrei ausstieß, der so klang, als kratze ein ungezogener Riese mit seiner Gabel auf dem Teller.

»Wie gefällt sie dir, Kind?«

»Oh — sie ist wunderbar — und so groß, nicht?« sagte ich und erkannte auf den ersten Blick, daß wir nie Freunde werden könnten, Dinky und ich. Vorsichtig tätschelte ich ihre Schulter. Ich hätte sie gern mit Zucker gefüttert, wie ich es mit Johns Pferden zu tun pflegte... »Jetzt sei ein gutes Kind und geh wieder!« wurde mir bedeutet. »Beecher, wollen Sie nicht Mrs. Sprague mal ein bißchen herumführen und ihr die Fabrik zeigen? Ich werde mir inzwischen die Blaupausen ansehen.«

Beecher war ein Jüngling mit feuchten Händen und lebhaften Augen. Er zeigte mir die Fabrik. Draußen parkten Hunderte von Autos, Hunderte von Milchflaschen standen für die Mittagspause der Arbeiter bereit. In der Kantine standen Blumen auf den Tischen, und es roch nach aufgewärmtem Kohl. An der Ausgabe gab es Malzmilch, Eis und Fruchtsäfte. Überall waren riesige Fenster, und die Leute hatten bei der Arbeit so viel frische Luft, Licht und Bequemlichkeit wie möglich. Die Mädchen in den Packräumen trugen freundliche, nette Uniformen. Es gab ein zahnärztliches Behandlungszimmer, einen Duschraum und eine Dachterrasse für Freiluftgymnastik.

Ja, ja, Mädel, dachte ich immer wieder bei mir, das ist etwas andres als Gießheim. Das ist etwas andres als der finstere, elende Kasten von Eichheimer & Co. Das ist das Gelobte Land in Reinkultur. In den alten Zeiten von F 12 hatte wir uns manchmal gewundert, warum die Vereinigten Staaten keinen wirklich kämpfenden Sozialismus haben. Jetzt kam mir blitzartig die Erleuchtung. Bevor man das Bedürfnis hat, zu kämpfen, muß man gelitten haben; Revolutionen entstehen nicht aus Theorien, sondern nur aus Blut, Schweiß und bitteren Tränen. Diese Arbeiter hatten nicht gelitten. Es ist das erste, was einem überall in Amerika auffällt: dieses Volk weiß nichts von der wirklichen Not, die andre, reifere Völker so gut kennen.

»Wie gefällt es dir hier, Kamerad?« fragte John, ein wenig erschöpft und außer Atem, als wir uns wiedertrafen.

»Es gefällt mir. Ich finde es großartig, John.«

»Du hättest das alles vor der Krise sehen sollen, Kind —« Er seufzte. Das sagten alle hier fortwährend. Sie wußten einfach nicht, wie reich sie waren und wie arm man sein konnte. John rappelte sich auf. »Weißt du, was ich mache, wenn wir den Vertrag mit der Türkei bekommen? Ich lege ein

Schwimmbassin und einen Tennisplatz für ihren Sportklub an – sozusagen als Hochzeitsgeschenk von dir für die Leute. Würde dir das Spaß machen?«

»Ja, John, danke. Ich könnte mir kaum etwas Netteres vorstellen.«

Ein Schatten trat aus dem Dunkel, treu, unvergeßlich, und ging an meiner Seite: »An uns ist es, die neue Wirtschaftsordnung zu schaffen – Herren und Sklaven – Kapitalisten und Arbeiter – Unterdrücker und Unterdrückte –« Walter Brandt sprach, lautlos, wie ein Geist der Vergangenheit spricht. Ich nahm Johns Arm und drückte ihn leise. Nun war ich die Frau eines Kapitalisten. Aber ich konnte mir John beim besten Willen nicht als Unterdrücker vorstellen.

Wie ein entferntes Wetterleuchten war Dinkys Name schon in Moskau über den Horizont gehuscht. Damals hatte John vierundzwanzig dieser Maschinen an die Sowjetunion verkauft und gehofft, ihr noch mehr für den Fünfjahresplan verkaufen zu können. Er fuhr noch ein zweitesmal nach Moskau, wollte mich aber nicht mitnehmen. Wo immer ein Land erwachte, sich streckte und gähnte und anfing, sich zu modernisieren, sich zu industrialisieren und neue Siedlungen zu bauen, war John als einer der ersten auf dem Plan.

»Wie wäre es mit einem Sprung nach Ankara, Kind? Wie wäre es mit einem Sprung nach Helsinki? Wie wäre es mit einem Sprung nach Nanking?«

Ich packte meine Sachen und machte den Sprung, glücklich wie eine Lerche. Ich nahm meine Reiseschreibmaschine mit, und John war immer von neuem begeistert darüber, daß ich ihm als Sekretärin dienen konnte.

»Nehmen Sie ein Stenogramm auf, Miß Crump«, pflegte er zu sagen. »Was macht der Schnupfen, Miß Crump? Wie sollen wir Mister Sung anreden? Eure Exzellenz? Sehr geehrter Sohn des Himmels? Oder einfach Mister Sung?«

Miß Crump war auch so ein kleiner Schönheitsfehler in meinem Leben, ein bißchen unerfreulich, wie die meisten Privatsekretärinnen im Leben der meisten Frauen. Sie war ältlich und sah aus, als wäre sie nie jung gewesen. Sie war despotisch, selbstherrlich und eine Besserwisserin. Sie hatte einen chronischen Schnupfen und machte immer den Eindruck, als hätte sie gerade einen Weinkrampf gehabt. Ich suchte sie zu gewinnen, ihr zu schmeicheln, brachte ihr Aspirin, brachte ihr Süßigkeiten, bat sie um Ratschläge – aber was ich ihr auch zu Füßen legen mochte, es war alles umsonst. Sie konnte sich nicht damit aussöhnen, daß John mich geheiratet hatte, statt einer Dame, die sie für ihn ausgesucht hate: eine gewisse Miß Boyd, von den Boyds aus Philadelphia.

In gewissem Sinn waren alle Städte, in die wir kamen, mehr oder weniger wie Moskau; überall hatte man dasselbe Gefühl eines Anfangs, einer mühevollen Morgendämmerung. Die Straßen zeigten das gleiche Gemisch von schönen alten Gebäuden, von schmutzigen, krummen Gäßchen und hohen, modernen Bauten aus Stahl, Beton und Glas. Die Menschen schienen dieselben zu sein, ernst und stolz unter der Bürde einer neuen Weltanschauung, verarmt, aufgeschlossen und schwer an der eigenen Reformierung arbeitend. In den Hotels traf man immer dieselben Leute, eine bunte Schar, zähe Männer von Johns Art und Zuschnitt, wachsam, lebhaft, wenn nötig auch brutal. Sie kamen von allen Ecken und Enden der Welt, um ihre Ware zu verkaufen und um zu verdienen. Johns Techniker hatten mir gesagt, daß er selbst ein sehr tüchtiger Techniker sei. Aber im Grunde seines Herzens war er wohl Geschäftsmann. Nie war er glücklicher, lebendiger, sicherer, ruhiger und mehr er selbst, als wenn er auf einer Geschäftsreise war: All sein Wissen, all seinen Charme und Humor, all seine Stärke und Persönlichkeit investierte er in diese Konferenzen, und wenn er Erfolg hatte und einen Vertrag in der Tasche, so kam er mit dem Stolz eines Konquistadors nach Hause.

Diese Verkaufsausflüge brachten uns immer in eine höchst maskuline Atmosphäre von schweren Trinkgelagen, endlosen Pokerpartien, Ferngesprächen mit der Firma zu jeder Tag- und Nachtstunde, Schreibmaschinengeklapper in jedem Hotelzimmer. Man jonglierte mit Gerüchten und diplomatischen Künsten, mit Bestechung und Intrige. Ich habe mich oft gefragt, weshalb John mich einfach auf diese Ausflüge mitnahm; er behauptete, ich sei sein Maskottchen und bringe ihm Glück. »Ohne dich hätte ich in Moskau nie diese Dinkys verkauft«, sagte er immer wieder zu mir. »Und sieh dir diesen hübschen Vertrag an, den wir mit Kemal Pascha gedeichselt haben! Und jetzt erzähl mir nicht, daß ich dich nicht brauche!«

Aber ich glaube, er brauchte mich, um seine Selbstsicherheit zu stützen. Sein Stolz war noch in der Genesung, mußte Tag und Nacht gepflegt und gehätschelt werden, brauchte heiße Umschläge und starke Injektionen. Der Stolz des Männchens ist überall in der Welt ein zerbrechlicher Gegenstand, aber die amerikanische Spezies Stolz ist, wie ich herausgefunden habe, so zart und ist so leicht und irreparabel verletzbar wie der Zauber eines Schmetterlingsflügels.

Zweimal jährlich setzten wir uns ins Auto und fuhren durch die Vereinigten Staaten, um die Kontraktarbeit zu inspizieren, die unsere Dinkys überall im Land verrichteten. Dadurch kam es mir vor, als ob es Johns eigenes Land sei, als ob es ganz ihm gehöre. Ich hatte den Eindruck, als bereite es ihm Verlegenheit, mich auf solche Reisen mitzunehmen; wenigstens hielt er mich vor seinen ruppigen Werkmeistern und den Arbeitern verborgen und steckte mich in ein Hotel oder ließ mich im Autocamp. Aber das war eine Sache, in der ich unnachgiebig war. Ich wollte jeden Winkel meiner neuen Heimat, die ich so liebte, kennenlernen, und Dinky war so nett, uns manchmal in die entlegensten Gegenden zu führen, wo keine Stromlinienzüge und keine Flugzeuge anhielten, und wo die Wasserzisterne der Mittelpunkt der Stadt war. Ich sah die letzten Ausläufer der Zivilisation, aber auch die gewaltigen Industriezentren, die Farmen von Minnesota und die träumenden Plantagen von Louisiana, die überwältigenden Staudämme des Westens, die wortkargen Dörfer von Neuengland; ich sah Ebenen und Gebirge, Landstraßen und Brücken, Gruben und Ölfelder, Gärten und Maisfelder. Ich sah Schornsteine, Silos, Konservenfabriken, Rinderherden, Fischerboote, Orangenhaine, Universitäten, Wüsten und den trägen gelben riesigen Mississippi im Süden.

»Meine Frau hat nie etwas von Kolumbus gehört«, sagte John zu seinen Freunden. »Sie setzt Himmel und Hölle in Bewegung, um Amerika zu entdecken.«

Amerika zu entdecken war keine leichte Aufgabe, und ich tat mein Bestes, um aus mir eine gute Amerikanerin zu machen, die würdig war, Mrs. John Sprague zu sein. In Europa war das Leben eng, aber tief. Hier war es weit, aber seicht. In Europa hatte man uns gelehrt, zu sparen, zu knausern, zusammenzuscharren, uns durchzuwinden. Hier würde man uns nicht sparsam, sondern geizig genannt haben. Das Land lebte verschwenderisch und extravagant, kaufte und verbrauchte so rasch wie möglich, warf fort und kaufte Neues. Es gab mir immer einen Stich, wenn ich sah, wie man Brot oder Butter in den Müll warf oder wenn ich die Erde von Oklahoma ausgeblutet und die Wälder des Nordwestens rücksichtslos abgeholzt sah. Der Begriff des Haushaltens war noch nicht nach diesem Weltteil gedrungen. Manchmal erschreckte mich der allgemeine Zug, ständig neue, ständig wachsende Bedürfnisse zu schaffen. Man trieb die Politik, die Verbraucher begehrlich zu machen, daß sie noch dies haben wollten und noch jenes — damit der Dollar rollte. Überall sah ich Menschen, die sich die Seele aus dem Leib rackerten, um einen Dollar zu verdienen, den sie dann zum Fenster hinauswarfen. John versuchte mir ihr Wirtschaftssystem zu erklären. Manches davon verstand ich, aber es blieb mir doch fremd. Aber je mehr ich von den Vereinigten Staaten und ihren Menschen kennenlernte, desto mehr gefielen sie mir. Die erste begeisterte Leidenschaft für meine neue Heimat brannte als stetige, warme Flamme weiter, und bald war ich mit Amerika so verheiratet wie mit John Sprague.

Ich weiß noch, wie bestürzt ich war, als das Land kurz nach meiner Ankunft 1932 in eine tiefe Depression glitt. Allgemein herrschte eine hysterische Erregung, und doch überwog der gesunde Menschenverstand (diese beiden Eigenschaften, äußerste Erregbarkeit und ein hochentwickelter gesunder Menschenverstand, scheinen mir die Hauptbestandteile des amerikanischen Charakters zu sein). Ein neuer Präsident wurde gewählt. Wie froh und ergriffen war ich, als das wüste Geschrei der Wahlkampagne nicht mit einem Bürgerkrieg endete, wie ich nach meinen europäischen Erfahrungen erwartet hatte, sondern in eine Art Hochzeitstrubel. Überall blaue Adler und Plakate ›Wir tun das Unsere‹ auf jedes Auto geklebt, auf jedes Schaufenster und jeden Schuppen. Es gab auch eine Massenkundgebung der Biertrinker, und es gab keine Prohibition mehr, was — soweit ich beobachten konnte — nichts andres bedeutete, als daß die Menschen weitertranken wie zuvor, vielleicht etwas weniger. Inzwischen hatte Deutschland seinen Reichstagsbrand und seine Revolution, und ich machte meiner alten guten Nase ein Kompliment, daß sie die Katastrophe gewittert und mir geraten hatte, mich und meine Jungens rechtzeitig aus dem unglücklichen Land in Sicherheit zu bringen.

Wenn ich an Elmridge denke, meine ich immer, den angenehmen Duft verbrannten Holzes zu riechen. Der Kamin im Ahornzimmer, wo wir abends gewöhnlich saßen, rauchte nicht gerade, aber er hatte keinen guten Zug, und das Haus war immer von diesem schwachen Rauchgeruch erfüllt. Auch in unsrem Schlafzimmer stand ein Kamin, und ich liebte das Lichtspiel auf der Zimmerdecke, wenn das Licht abgedreht war und ich noch nicht schlief. Ich fühlte mich dabei so klein und behütet. Im Frühling und im Herbst heulte der Wind um die Hausecke, wo unser Schlafzimmer lag, und der Kamin machte es mir doppelt gemütlich. Ich liebte unser Schlafzimmer. Es war dumm von mir gewesen, Sheilas Schatten in den Chintzvorhängen zu sehen und mich zu fürchten. Das frühere Schlafzimmer hatte John meinen Jungens überlassen und unser Schlafzimmer am andern Ende der Hall eingerichtet, und zwar in einem einfachen, modernen Stil. Gebleichtes Walnußholz, rotes Leder, verchromte Griffe und Spiegelwände — als wolle er den Unterschied zwischen mir und der früheren Mrs. Sprague unterstreichen.

»Gefällt es dir, Towaritsch?«

»Ganz entzückend! Hoffentlich bin ich nicht zu liederlich für all die Pracht.«

»Liederlich kannst du nach Herzenslust in der kleinen Werkstatt sein, die ich dir über der Garage eingerichtet habe —«

Lieber John, fürsorglicher John, es war schön mit dir. Ich habe oft Sehnsucht nach dir, wenn ich auch froh bin, daß du gestorben bist, bevor ich mich so blödsinnig in Christopher verliebte. Aber wenn du nicht gestorben wärst, hätte ich mich nicht verliebt und wäre nicht in eine Gletscherspalte gefallen. Nein, ich wäre nie wieder in eine Klemme geraten, wenn du bei mir geblieben wärst, lieber John . . .

Ich spüre noch dieses tiefe Wohlgefühl, das ich hatte, wenn eine Gesellschaft vorüber war, die letzten Gäste fort waren, das letzte Stimmengewirr verklungen war, die Autos die Anfahrt hinunterrollten und es nun war, als atme das Haus auf, strecke sich aus und entspanne seine Züge zu seinem friedlichen Alltagsgesicht, und ich ging herum und leerte die Aschenbecher, und Lindquist räumte die Cocktailgläser vom Flügel ab, und John ging mit Topper nochmals hinaus, ans Bäumchen.

Ich liebte Elmridge und war dort sehr glücklich. Ich liebte die weite Rasenfläche, die sich vor der Terrasse hinabsenkte, und die Wolkenschatten, die über das Grün glitten. Das Morgenlied eines Vogels in den Ulmen. Regen auf meinem Dach. An einem Wintertag nach Hause kommen, mit dem Rücken am Kamin stehen, die Wärme in mich eindringen fühlen. Meine kleine Werkstatt über der Garage mit dem Geruch von Holz, Farbe und Terpentin. Meinen Gemüsegarten mit dem gemauerten Weg, mit Dill, Salbei und Rosmarin, mit Estragon und Thymian — einem Konzert würziger Gerüche. Und die schattige Veranda, auf die ich jeden Morgen meine Schnittblumen brachte, um sie in die vielen kleinen und großen Vasen zu stecken. Ja, ich glaube, nichts gab mir so sehr das Gefühl von Reichtum und Glück, wie in den Garten zu gehen und Blumen zu schneiden. Meine Hände waren feucht, kalt und zerkratzt, die Knie meiner Arbeitshosen waren naß, und mein Haar war immer in Unordnung. Ich mußte unter Sträucher kriechen und durch Hecken, um eine Blume zu erreichen, die ich gern haben wollte. Die ganze Frische des Morgens fühlte ich zwischen meinen Fingern und war bezaubert von den Düften und von der Farben- und Formenfülle, die ich auf dem Tisch vor mir sah. Ich wühlte darin und empfand ein köstliches, prickelndes Vergnügen, wenn ich die richtige Blüte gefunden hatte, die in ein Buckelglas, in eine Lalique-Vase oder in den alten Zinnkrug im Vestibül paßte. Einen groben Tonkrug, den ich aufgestöbert hatte, füllte ich mit farbenfrohen Blumen und stellte ihn auf Johns Schreibtisch. Sonnenblumen mit dunkelbraunen Teppichen in der Mitte, Malven in allen Purpurtönen, Rittersporn wie eine Fontäne von blauen Raketen, ein paar rote Geranien als Kontrast. Silbriggrüne Spitzen von Wildhafer und einen Busch bunter Anemonen.

Immer neue Zusammenstellungen zu erfinden, das war meine Art, meinem Mann zu zeigen, wie lieb ich ihn hatte. Ich möchte wohl wissen, ob er es jemals gemerkt hat. Bestimmt nicht, wenn es mit Dinky schiefgegangen wäre.

Es kommt eine Zeit, in der das eigne Leben an Bedeutung verliert und das Gewicht sich auf die Kinder verlegt. Die Farben werden matter, wie auf dem Hintergrund alter Gobelins. Es passiert so viel auf diesem Hintergrund, Menschen auf der Jagd, Menschen in galanten Szenen, Menschen bei der Ernte, beim Kampf oder einfach dastehend, negativ in Gedanken verloren. Aber dieses ganze Hintergrundleben ist nur Dekoration für die wirkliche Handlung, die von großen jungen Gestalten im Vordergrund voller Leben und Romantik gespielt wird.

Du kannst noch glücklich sein, wenn auch nicht mehr so schwingend und schwebend und so durch und durch glücklich wie in der Jugend. Du kannst noch lieben, wenn auch nicht mehr mit der alles ausschließenden, alles verzehrenden Liebe der Jugend. Du kannst noch leiden, aber nicht mehr mit der peinigenden, unerträglichen Qual wie früher. Und erst dann, wenn sogar das Leid stumpfere Kanten bekommen hat, weißt du, daß du nicht mehr jung bist. Du hältst inne und denkst nach. Hat er einen Sinn, dieser unbestimmte, flüchtige Zustand, den wir Leben nennen? Nein, nicht viel Sinn. Vielleicht den, daß Kinder da sind. Ich weiß nicht, warum das Kinderhaben eine befriedigende Antwort auf viele kosmische Fragen zu sein scheint. Möglich, daß Lieben unser tiefster Naturtrieb ist — und die eignen Kinder kann man immer lieben.

Affenkäfig — so nannte John den Teil des Hauses, in dem die drei Jungens untergebracht waren, und es machte wirklich Spaß, zu beobachten, wie sie heranwuchsen, jeder in einer eignen Gestalt und Art, scharf umrissen und unveränderlich wie ein Kristall. John verstand sich darauf, mit Jungens umzugehen, und Martin und Michael müssen wohl nach einem Vater und einem Mann im Haus gehungert haben, denn sie ergriffen von John begierig Besitz. Für mich war es nicht so leicht, das Vertrauen Johnnie Spragues zu gewinnen; aber nachdem er mich ein paar Wochen geringschätzig und mißtrauisch beobachtet hatte, schien er zu dem Schluß zu kommen, daß ich zu seiner Partei gehöre, und nahm mich als Verbündete an.

Als ich ihn kennenlernte, war Johnnie — John Sprague IV. — ein schlaksiger Junge von Achtzehn; er hatte schöne Augen von reinem Braun, die er hinter einer scheußlichen Hornbrille verbarg, und das laute, angeberische Wesen eines jungen Menschen, der noch unsicher ist. Wo immer er ging, hinterließ er in seinem Kielwasser alte Nummern der Zeitschrift *New Masses*. John sammelte sie geduldig ein und legte sie still lächelnd zu den andern Zeitschriften. Johnnie war wütend, daß es ihm nie gelingen wollte, seinen Vater richtig ärgerlich zu machen. »Wir leben in einem freien Land«, neckte ihn John. »Jedermann hat das Recht auf seine eigne Überzeugung. Es wäre vielleicht wirklich eine gute Idee, wenn du der Gewerkschaft betreten und in der Fabrik arbeiten würdest. Ich bleibe dabei, daß man kein guter Kommunist sein kann, wenn man nicht selbst schwer gearbeitet hat. Wenn du über die Vierzigstundenwoche mitreden willst, mußt du erst mal am eignen Leibe gespürt haben, wie weh einem der Rücken tut, wenn man acht Stunden an der Drehbank gestanden hat. Du weißt, dein Urgroßvater hat das gemacht.«

Johnnie schlich dann immer aus dem Zimmer, mit jenem schmollenden Ausdruck, den ich zuerst auf der Fotografie in Moskau gesehen hatte, und John lachte vor sich hin.

»Diese jungen Affen«, sagte er. »Sind sie nicht komisch? Ich glaube, man muß erst ziemlich alt werden, ehe man sich selbst findet und die Angeberei ablegt. Er ist noch eine Kaulquappe. Er hat sowohl Beine als auch einen Schwanz, sowohl Lungen als auch Kiemen und fühlt sich verdammt unbehaglich in diesem Zustand, in dem er weder Fisch noch Frosch ist. Als ich so alt war, wollte ich so reich werden wie J. P. Morgan und meine eigne Eisenbahn bauen. Und er will eben der kleine Trotzki von Amerika werden. Es ist eine Mode wie jede andre.«

Der eigentliche Streitpunkt zwischen John und Johnnie war, daß der Vater wünschte, der Junge solle nach Yale gehen, seiner alten Studentenverbindung ›Psi U‹ beitreten und später einmal die Fabrik übernehmen, während Johnnie sich in den Kopf gesetzt hatte, auf die Columbia-Universität zu gehen und Journalist zu werden. Daß er nur für die Linkspresse schreiben und die Fabrik seinen Arbeitern übergeben würde, sobald er die Macht dazu hätte, verstand sich von selbst. »Wenn du dich während deines Studiums selbsterhalten willst, hast du meine volle Zustimmung, zu studieren, wo und was du willst«, sagte ihm John recht vernünftig. »Aber solange ich dich erhalte und für deinen Unterhalt und deine Erziehung bezahle, fühle ich mich berechtigt, von dir zu verlangen, daß du es so machst, wie ich es wünsche. Was meinst du, Marion?«

»Ich weiß nicht«, sagte ich mit einem unbehaglichen Gefühl. »Ich kenne den Unterschied zwischen den verschiedenen Universitäten nicht. ›Psi U‹ klingt mir schrecklich — wie der Brandstempel auf einer Kuh. Jedenfalls habe ich nie viel davon gehalten, Jungens Vorschriften zu machen. Wenn ich sie nicht überzeugen kann, gebe ich es auf.«

»Ach du — Towaritsch«, sagte John gutmütig. »Ich armer Mann, ganz allein in einem Haus voller Roter!« Er streckte die Hand aus, mit der Handfläche nach oben — eine für ihn charakteristische Geste — und wartete lächelnd, daß ich meine Hand in seine legte. Ich liebte seine Hand. Sie war warm, trocken und groß und mir in jeder Falte, in jeder Runzel vertraut. Ich fühlte mich darin so geborgen wie nie in meinem ganzen Leben. »Du brauchst für mich nicht deinen Verkäufercharme spielen zu lassen —«, sagte ich fröhlich, und für eine Weile vergaßen wir unsere Jungens.

Als ich am nächsten Morgen meine Blumen arrangierte, kam Johnnie auf die Veranda geschlendert. Er nahm ein paar meiner Wicken in die Hand, spielte damit und legte sie wieder hin.

»Stört es dich, wenn ich dir zuschaue?« fragte er.

»Im Gegenteil«, sagte ich. »Es schmeichelt meiner Eitelkeit.« Ich nahm ein paar Hartriegelzweige und steckte sie in den Zinnkrug. Ihr Gelb stand kräftig gegen den matten, grauen Glanz des Zinns. In den Blütenblättern hatten sich einige Regentropfen gesammelt. Wenn man genau hinsah, konnte man sehen, wie sich in jedem Tropfen ein winziges Bild spiegelte: der Türrahmen und ein milchiges Stück Himmel und draußen vor dem Eingang der japanische Ahorn mit roten Blättern an zierlichen Zweigen. Die Wicken erfüllten die Luft mit ihrem fast zu süßen Duft, dazu kam der würzige, kühle Geruch der feuchten grünen Blätter und der bittere der frisch abgeschnittenen Zweige. Auch Tulpen hatte ich für Johns Schreibtisch im Ahornzimmer, seine Lieblingsblumen. Sie sahen etwas affektiert und irgendwie überladen aus.

»Also so macht man das«, sagte Johnnie. »Ich habe mir oft den Kopf darüber zerbrochen. Wohin kommt dieser Krug jetzt?«

»Auf den Tisch im Vestibül«, sagte ich, von Johnnies plötzlicher Freundlichkeit überrascht. Er trug das Gefäß hinaus, während ich die Tulpen sortierte. Ich hatte den Einfall, ihnen mit zwei Ranken gelben Jasmins etwas von ihrer Steifheit zu nehmen. Johnnie kam zurück und sah mir wieder auf die Hände.

»Sehen sie nicht aus wie Backfische?« sagte ich. »Als ob ihre Gouvernante ihnen immer einen kleinen Stoß in den Rücken gegeben und gesagt hätte: ›Haltet euch gerade, Kinder‹.«

»Du verstehst viel von Blumen, nicht?« sagte er. »Ich habe noch keinen gesehen, der so geschickt damit umgehen kann wie du.«

»Das kommt daher, daß ich einmal in einem Blumengeschäft angestellt war«, sagte ich. »Gelernt ist gelernt.«

»Martin erzählte mir, daß du meinen Vater in Moskau kennengelernt hast. Ist das wahr?« sagte Johnnie unvermittelt.

»Ja, wieso?«

»Was hast du dort gemacht?«

»Ach, ich hab's mir mal angesehen. Ich wollte wissen, wie es dort ist. Du weißt ja, ich bin eine ziemlich neugierige Person.«

»Da möchte ich auch mal hin. Moskau. Rußland«, sagte er und blies den

Zigarettenrauch durch die Nase. Er schien mehr für seine Zuschauer als zu seinem eigenen Vergnügen zu rauchen.

»Ich glaube, du würdest enttäuscht sein«, sagte ich. »Sie werden dort noch viele Jahre brauchen, um dahin zu kommen, wo Amerika heute ist. Wenn sie überhaupt je soweit kommen.«

»Ich würde nicht enttäuscht sein«, sagte Johnnie. »Ich nicht. Ich habe viele Freunde, die dort waren. Alle sagen, es ist so wunderbar, was dort geschieht, daß ihnen übel wird, wenn sie nur an Amerika denken.«

Ich antwortete nicht; Johnnie nahm meine Gartenschere und spielte damit.

»Es macht dir doch nichts, daß ich Kommunist bin«, sagte er und ließ die Schere klirrend auf den Tisch fallen.

»Ich glaube, in deinem Alter war ich selbst Kommunistin«, sagte ich. »Junge Menschen sollen radikal sein.«

»Was du gestern abend gesagt hast, war der erste anständige Gedanke, der in diesem Haus ausgesprochen worden ist«, sagte er hitzig. »Etwas über Produktion für den Gebrauch und nicht für den Profit. Das ist alles, was wir wollen — Produktion für den Gebrauch und nicht für den Profit. Aber bring das mal einem Mann wie meinem Vater bei! So etwas zu sagen, stempelt einen zum Verbrecher in diesem wunderbaren freien Land.«

»Jetzt übertreibst du, Johnnie.«

»So, ich übertreibe? Und was ist mit Sacco und Vanzetti? Was ist mit Mooney? Was ist mit all den Menschen, die gejagt und aus dem Weg geräumt werden, damit Kapitalisten und Faschisten ungestört weitermachen können? Aber der Tag wird kommen —«

Er redete Leitartikel, und ich beschäftigte mich mit meinen Blumen. Es ist wohl eine Krankheit, dachte ich, die über den Atlantik gekommen ist. Man kann bloß Kommunist oder Faschist sein, als ob es dazwischen nichts gäbe. Was für ein langweiliger, stumpfsinniger Aufenthalt wäre die Welt, wenn es bloß zweierlei Menschen gäbe, und beide militärisch organisiert. Aber sprich nur weiter, Johnnie! dachte ich: Red es dir von der Seele, wenn es dich erleichtert . . .

Als ich mit dem Tulpenkrug ins Ahornzimmer ging, folgte mir Johnnie. Ich machte auf Johns Schreibtisch immer selbst Ordnung; das war wohl ein Überbleibsel aus meiner Sekretärinnenzeit. Johnnie hörte ebenso unvermittelt zu reden auf, wie er begonnen hatte, und beobachtete meine zerkratzte Hand, wie sie mit dem Staubtuch hantierte. »Wahrscheinlich findest du es nicht loyal, daß ich gegen meinen Vater Partei nehme«, sagte er plötzlich.

»Ach — Johnnie«, sagte ich, »mir liegt das Parteinehmen überhaupt nicht. Dein Vater hat in seinem Leben viel Kummer gehabt. Ich hoffe, du machst ihm nicht auch noch Kummer. Er hängt sehr an dir.«

»In gewissem Sinne hänge ich auch sehr an meinem alten Herrn«, sagte Johnnie mit einer gravitätischen Fairneß der Jugend. »Ich sage ja nicht, daß er unrecht hat. Das System ist ungerecht, und er ist zufällig ein Teil dieses Systems. Aber du könntest ihm auch unser Einstellung verständlich machen.«

Also jetzt ist es unsere Einstellung, dachte ich amüsiert. »Ich will tun, was ich kann, Johnnie. Nur ist gerade jetzt nicht der richtige Moment, Entscheidungen zu treffen. Warte, bis dein Vater aus Washington zurückkommt! Er ist dort wegen eines Vertrages, wegen seiner Dinkleybohrer –«

Johnnie seufzte tief, woraus ich schloß, daß er mit Dinkys Launen und Kapricen vertraut war. An der Tür blieb er stehen.

»Well, jedenfalls vielen Dank, daß du mich angehört hast«, sagte er. »Hast du etwas dagegen, daß ich Marion zu dir sage?«

Er errötete, stieß die Tür mit dem Fuß auf, wie es seine Gewohnheit war, und war fort. Arme kleine Kaulquappe!

Ich denke mir, daß Johnnie nach dem unglücklichen Tod seiner Mutter recht einsam war – trotz all seiner radikalen Kameraden. Vielleicht hatte er sich selbst freiwillig abgeschlossen. Schließlich akzeptierte er Martins Freundschaft und Bewunderung so lebhaft, wie sie angeboten wurden.

Martin hatte nur einen Wunsch, nur ein Ziel: sich in einen hundertprozentigen amerikanischen Jungen zu verwandeln, so schnell, so gründlich und so vollständig wie möglich. Er wollte Deutschland über Nacht vergessen und ein Teil dieses neuen Landes werden, das ihm wie das Paradies vorkam. Diese Verwandlung lief vor meinen erstaunten Augen mit Höchstgeschwindigkeit ab, und ich beobachtete, daß sich mein Ältester wie durch ein Wunder nicht nur von Tag zu Tag, sondern von Stunde zu Stunde veränderte. Johnnie, weit entfernt, selber ein Vorbild zu sein, ließ sich herab, den Jungen zu lenken und zu unterrichten. Er konnte Martins Begeisterung nicht widerstehen, seinem Eifer, von ihm die Sprache, den Slang, die Finessen des Fußballs, des Baseballs, der Kraultechnik zu erlernen; er erlag Martins Ehrgeiz, sich alles anzueignen, was zu einem vollkommenen Amerikaner gehörte, von den Sweaters, die man zu bestimmten Jahreszeiten trug, bis zu der Frage, was besser sei, ein Banana Split – Eis mit Bananenscheiben, Nüssen mit Sirup – oder ein Hot Fudge Sundae – Eis mit heißer Schokolade übergossen. Bald war Martin jedermanns Freund. Mit seiner unbeschwerten, ruhigen, praktischen Veranlagung paßte er in die neue Welt wie die Schraube in die Mutter. Er war für mich in den ersten Jahren des Einlebens eine große Hilfe. Ich möchte wohl wissen, wie der Haushalt auf Elmridge so reibungslos hätte laufen sollen, wenn ich nicht die tägliche Beratung mit dem Jungen gehabt hätte. Er war eine unerschöpfliche Quelle nützlicher Informationen und Ratschläge. Das erste Geschenk, das er sich von seinem Stiefvater erbat, war ein Abonnement auf *Consumer's Research*, eine Zeitschrift, die einen über alle Zweige einer wissenschaftlich kontrollierten Hauswirtschaft unterrichtete. Er las sie eifrig, machte sich Auszüge, notierte sich Tatsachen und Statistiken, kramte sie dann plötzlich aus und versetzte damit unsre Gäste in Erstaunen. Bald wußte er, wie es hinter den Kulissen bei der Herstellung gewisser teurer Kosmetika zuging. Er wußte, welche Kaffeemarke die beste war und warum; welches Auto zu bevorzugen war und aus welchen Gründen; welchen Whisky wir John zum Geburtstag schenken sollten, wie man ein wirklich gutes Beefsteak machte und wieviel Zoll auf englischem Tweed lag. Sein Gehirn war eine wohlgeordnete Registratur, angefüllt mit den verschiedensten wissenswerten Dingen. Er verschlang jedes Magazin, das ihm in die Hände kam; er glaubte jedes Wort, das darin stand, und ließ sich durch einander widersprechende Veröffentlichungen nicht beirren, es gelang ihm vielmehr, sie zu einem ziemlich richtigen und klaren Weltbild zu kombinieren.

»Es ist wie bei einem Dreifarbendruck«, erklärte er mir einmal. »Wenn du der einen Seite zuhörst, so bekommst du alles in Schwarz und Weiß. Nun druckt man denselben Gegenstand in Grün und in Rot und bringt die Bilder zur Deckung. Schließlich sieht es ganz naturgetreu und gut aus, nicht? Schön, das ist die Art, wie ich die Dinge ansehe, und ich glaube, es ist auch die Art der Amerikaner. Dazu hat man ja die Pressefreiheit. Gott, Mama, wie dumm hat man uns drüben aufwachsen lassen!« Seine Sprache war voll von amerikanischen Modewörtern, die er getreulich von Jahr zu Jahr wechselte, je nachdem, was in seiner Schule gerade so im Schwung war. Ich erinnere mich, wie er eines Tages von einem ganztägigen Ausflug mit seiner Klasse nach Hause kam, die Nase rot von Sonnenbrand, die Hände zerschunden, das Hemd ganz schmutzig.

»Wie war's, Junge?« fragte ihn John. »Gee!« rief Martin aus und fügte hinzu, es sei ›swell‹ gewesen. »Ich hoffe, ihr habt euch nicht von eurem Taschengeld einen Rausch angetrunken«, sagte John. Er hatte ihm für besondere Ausgaben einen Dollar gegeben. Martin legte den Schein auf den Tisch. »Vielen Dank.« Er habe den ›buck‹ gar nicht gebraucht. »Ich habe selber etwas Geld gemacht, John.«

»Nanu?« fragte John. »Wie denn das?«

»Ich habe Schmetterlinge gefangen und sie an Pat verkauft. Für einen Nickel pro Stück. Er sammelt«, sagte Martin obenhin.

»Tüchtig, mein Junge«, sagte John ganz ernsthaft, »sieh zu, daß du bald was lernst, damit du mir beim Verkauf der Dinky helfen kannst! Ich brauche einen tüchtigen Verkäufer, und zwar bald!«

Wie die Jahre vergingen, wurde Martin immer mehr John Spragues Sohn, während Johnnie immer weniger geneigt schien, einmal die Fabrik zu übernehmen. Johnnie ging auf die Columbia-Universität, sprang nach zwei Jahren krampfhaften Studiums aus und tauchte in einer Schar roter Freunde unter. Als er mit einundzwanzig Jahren in den Besitz der mütterlichen Erbschaft gelangte, gründete er eine Zeitschrift mit dem Titel *Life and Labor*, Leben und Arbeit, die knappe sechs Monate ›lebte und arbeitete‹ und dann einging. Johnnie blieb mit leeren Taschen zurück. Ich hatte ihn wiederholt in seiner Redaktion besucht und den vertrauten Geruch eingesogen — von Druckerschwärze und kaltem Zigarettenrauch und von dem Schweiß, den die großen politischen Worte kosteten. Wir waren gute Freunde, Johnnie und ich. Ich ließ seine langweiligen, geschriebenen und gesprochenen Leitartikel geduldig über mich ergehen, und er verzieh mir, daß ich eine elende Liberale war.

»Jetzt, wo er pleite ist, wird er wieder zu den väterlichen Fleischtöpfen zurückkriechen«, sagte John zu mir, als die Zeitschrift einging. Aber Johnnie tat nichts dergleichen. Es freute mich, daß er sich nicht unterwarf, und John freute es auch.

»Vielleicht hat er nicht viel Verstand, aber er hat wenigstens Temperament«, sagte er, als eine Tageszeitung eine Artikelserie von John Sprague veröffentlichte, die sich nur mit den Verhältnissen der Arbeiter in den mexikanischen Ölfeldern beschäftigte. In jenem Sommer gingen wir selbst nach Mexico-City — ein kleiner Ausflug in Sachen Dinkys. Wir trafen dort unten Johnnie und aßen mit ihm bei Sanborn; und ich sah, daß John mit Johnnie zufrieden war. Johnnie hatte seine Hornbrille und manche seiner Manieriertheiten abgelegt. Er war sonnverbrannt und kräftig und schien von den Dingen, über die er sprach, etwas zu verstehen.

Schließlich war es Martin, der nach Yale ging und ein ›Psi U‹ wurde, wie John es einst gewesen war. Das Malheur mit Martin war bloß, daß er für die exakten Wissenschaften keine Begabung hatte, am wenigsten aber für die Dinge, für die er sich am meisten interessierte. Im ersten Jahr blieb er in Mathematik und Physik zurück, und ein freundlicher Ratgeber drängte ihn in die Volkswirtschaft und das Bankwesen. Auch auf diesen Gebieten erwies sich Martin nicht als großes Licht. Armer Durchschnittsjunge; mein guter, verläßlicher Martin! Niemals wird er eine so verzwickte und komplizierte Kreatur wie Dinky verstehen. Niemals wird er der Chef des Spragueschen Unternehmens sein, niemals fähig, für Millionen Dollars Maschinen an die Kemal Paschas und Tschiangkaischeks von morgen zu verkaufen. Er wird ein guter Ehemann und Vater sein, ein guter Staatsbürger, ein Geschäftsmann mit netten Erfolgen, Vorsitzender irgendwelcher Komitees, Sekretär seines Klubs, von jedem wohlgelitten, doch von niemandem beneidet.

Bei einem Schiffbruch ist Martin der richtige Kamerad. Würde aber mein Floß einmal auf einem einsamen Eiland ans Ufer getrieben, zöge ich Michaels Gesellschaft vor.

Martin — Gott segne ihn! — hat mir niemals eine Stunde lang Sorgen gemacht. Michael dagegen bedeutete Sorgen für mich von der ersten Stunde seiner Geburt an, und er machte mir immer und unablässig neue Sorgen. Und doch wußte ich, auch in den Jahren auf Elmridge, daß ich keinen besseren Freund in der Welt hatte als dieses Sorgenkind. Michael und ich — wir hatten in den meisten Dingen die gleichen Anschauungen. Wir lachten über dieselben Dinge, und dieselben Dinge machten uns traurig. Mit Martin konnte ich all meine Schwierigkeiten besprechen, von der bedauerlichen Gewohnheit der Köchin, in jedes Gericht saure Sahne zu tun, bis zu Johns beginnender Arterienverkalkung. Aber mit Michael konnte ich den ganzen köstlichen Spaß teilen, den wir Leben nennen.

Stundenlang saß er bei mir in der kleinen Werkstatt über der Garage, sah mir zu, wie ich meine Figürchen schnitzte, und kritisierte sie ernsthaft, wogegen alle andern auf Elmridge meine Schnitzerei bloß als Laune und Liebhaberei ansahen. Gemeinsam mit Michael unternahm ich wieder die von Europa her gewohnten langen Fußwanderungen. Wir kümmerten uns nicht darum, daß uns die Leute für verrückt hielten, daß die Autos anhielten und uns mitnehmen wollten, weil niemand verstehen konnte, daß zwei Menschen wanderten, bloß weil es ihnen Spaß machte. Wir durchstreiften die Dörfer am Meer, unterhielten uns mit den Fischern, sahen dem Austernfang zu und sammelten Muscheln, Kieselsteine und besonders die malerischen Algenformen. Wir machten Skitouren zu einer Zeit, als in New York noch kein Mensch etwas von einer so verrückten Idee gehört zu haben schien, und von jeder Expedition brachten wir einen kleinen Geheimvorrat an gemeinsamen Erinnerungen mit. Aber die ganze Zeit lebte Michael in einer Art Schwebezustand, als sei dies alles nur vorübergehend, als warte er auf irgend etwas — ich wußte nicht worauf. In der Zwischenzeit nahm er die Annehmlichkeiten, die ihm das neue Leben bot, mit einem arroganten und leicht gelangweilten Ausdruck hin. Reitstunden, die Erlaubnis, den Wagen zu fahren, das private Schwimmbassin, die Besuche der Eisdiele von Great Neck und die blinde Ergebenheit Toppers. Während Martin in seiner verbissenen Art an sich arbeiten mußte, um Amerikaner zu werden, sprach Michael bald von selbst wie ein Amerikaner und sah so aus. Sein Vater war Schauspieler, ging es mir durch den Sinn, Michael stammt von einer Chamäleonrasse ab, die leicht jede Schutzfärbung annimmt.

Michael wuchs zu einem auffallend hübschen Jungen heran, und obwohl er bisweilen schwierig war, war er doch niemals langweilig. In der Schule, wo Knaben und Mädchen zusammen unterrichtet werden, verwöhnten ihn die alten Lehrerinnen, und die kleinen Mädchen machten ihm den Hof; sie verfolgten ihn mit ihrem Gezwitscher, bemalten sich die Lippen und schrieben ihm Briefchen. Aber Michael beachtete sie kaum.

»Sie sehen so künstlich aus«, sagte er zu mir. »Massenerzeugnis. Wie die billigen Puppen von Eichheimer.«

Er steckte voll Erinnerungen, und in unsern Gesprächen kam immer wieder irgendwie ›Weißt du noch?‹ vor. »Weißt du noch, die alte Amalia? Nicht das Spielzeug, die richtige in Einsiedel? Weißt du noch, wie es in ihrem Stall roch? Wenn wir im Winter früh um fünf hingingen? Draußen war es so finster, daß sogar der Schnee schwarz aussah. Wie warm es im Stall war — weißt du noch? Ich legte immer meine Hände auf Amalias Flanke, um mich zu wärmen — als wäre sie ein Ofen. Ich glaube, ich weiß noch, wie man eine Kuh melkt, oder denkst du, man verlernt so etwas? Weißt du noch, wie die kuhwarme Milch schmeckte? Obenauf war Schaum, und wenn die Luftblasen platzten, gab es ein leises, feines Geräusch, und der Schaum verschwand. Die Milch schmeckte ein bißchen nach ganz feinem Leder, nach feuchtem Stroh und nach Amalia. Ich wette, es waren Millionen Bazillen in dieser Milch, sie war auch nicht so richtig fett, und überhaupt war Amalia nicht das, was man eine wohlgenährte Kuh nennt. Aber, Gott! Mony, wie hat mir diese Milch geschmeckt! Schau dir die berühmte Milch hier in Amerika an. Sie sieht aus und schmeckt, als wäre sie in einer Fabrik hergestellt. Für mich ist das keine Milch. Es ist etwas Künstliches.

Genau wie diese Girls. Genau wie alle. Bitte, Mony, versprich mir eins: Für meine erste Liebe schickst du mich nach Deutschland, ja? Ich möchte nicht, daß meine erste Liebe antiseptisch ist. Dieses Gefühl werde ich hier nicht los. Alles ist vollkommen, hohl und antiseptisch. Ich will nach Deutschland zurück.«

Das war sein tägliches Lied, sein täglicher Refrain. »Ich will nach Deutschland zurück. Bitte schicke mich nach Deutschland zurück!«

Als ich einmal erkältet war und fieberte, fand ich Michael weich und nachgiebig und fragte ihn: »Hast du Heimweh nach Deutschland, Milchi?« Er sah mich unter den viel zu schweren Wimpern an und sagte steif: »Über solche Dinge kann man doch nicht sprechen, nicht wahr?«

Und dann platzte die Bombe. Ich kam dahinter, daß mein kleiner Freund Michael mit Hilda, dem Stubenmädchen im Obergeschoß, konspirierte. Ihr Bruder Erich, unser deutscher Gärtner, erzählte es mir, während ich Rosen schnitt und er die Crimson Ramblers besprengte.

»Mrs. Sprague«, sagte er, scheinbar in seine Arbeit vertieft. »Sie werden vielleicht sagen, daß es mich nichts angeht, aber ich glaube, es ist nicht recht, daß Michael zu den Versamlungen des ›Bundes‹ geht. Ich glaube, Mr. Sprague wäre damit nicht einverstanden, wenn er es wüßte.

Ich blieb starr stehen, eine Rose in der Hand. »Das macht er?« sagte ich.

»Jawohl, Mrs. Sprague. Er geht mit meiner verrückten Schwester hin. Ich will ja nichts über sie sagen; Hilda ist ein braves Mädel und alles. Aber ich dachte doch, ich muß es Ihnen sagen. Es ist nicht recht von ihr, daß sie den Jungen mitschleppt. Das führt zu nichts Gutem, sagte ich. Wenn es mein Junge wäre, würde ich ihn ordentlich verhauen, damit er verstehen lernt, daß er Gott danken muß, in einem so guten Land zu leben, und daß es eine Schande ist, sich bei diesen Krautfressern herumzutreiben. Das sind Quatschköpfe, jawohl, das sind sie.«

Wegen dieser Sache hatte ich mit Michael einen sehr unangenehmen Auftritt. Er stand in theatralischer Pose vor seinem Ahnenaltar. Da war die Fotografie des Hauptmanns Tillmann aufgestellt. Sein Säbel lag da, sein Koppel, seine Auszeichnungen und ein paar dürre Efeublätter.

»Wie war denn das? Habe ich nicht was gehört davon, daß dies ein freies Land ist — oder hört eure gepriesene Freiheit auf, wenn es sich um Anschauungen handelt, die ihr nicht teilt?« sagte Michael arrogant.

»Ich hatte gehofft, du wärst den Windeln schon entwachsen«, sagte ich zornig. »Ich hatte geglaubt, wir wären Freunde. Ich hätte es nicht für möglich gehalten, daß du dich wie ein Esel benimmst und mit meinem Stubenmädchen alberne kindische Geheimnisse hast.«

»Hat denn nicht jeder Mensch Geheimnisse?« fragte er. Es traf mich wie ein Schlag; ich fragte mich, ob er wohl wisse, wie sehr er recht hatte.

»Übrigens bin ich froh, daß du davon weißt. Ich bin keiner von diesen verwaschenen Emigranten. Ich bin Deutscher und bin stolz darauf. Eines Tages werde ich nach Deutschland zurückgehen; ich will den Kontakt mit meiner Heimat nicht verlieren. Ich halte Hitler für einen großen Mann.

Er hat uns Glauben, Würde und Einigkeit wiedergegeben, etwas wofür wir leben und sterben können. Das ist es, was wir jungen Menschen brauchen und was Amerika fehlt. Glaube. Glaube, Disziplin und Opferbereitschaft. Du kannst dir deine USA an den Hut stecken und deine Ice-cream sodas und Zehncentkinos dazu.«

»Michael —«, rief ich bestürzt aus. »Liebst du Amerika nicht?«

»Weshalb sollte ich es denn lieben? Sie haben meinen Vater getötet, nicht? Als wir ausgeblutet waren, verhungert, zerlumpt, nach vier Jahren Krieg, kamen sie herüber wie zu einem Fußballmatch, stark und vollgefressen, trampelten auf uns herum und dachten, es sei ein Spaß und guter, sauberer Sport. Sie haben uns in Versailles verschachert. Sie haben uns ins Gesicht gespuckt. Sie haben Niggerregimenter in unsre Städte gelegt und unsre Kinder verhungern lassen, selbst nachdem schon Frieden war. Ich habe nicht vergessen, was Pulke und Hellmuth und Andreas mir erzählt haben. Ich habe die Schwarze Schmach nicht vergessen. Du hattest gedacht, es sei witzig, sie so zu nennen. Ich hab's nicht gedacht. Ich hab's nicht vergessen. Weshalb sollte ich die Amerikaner lieben, sag selbst!«

Es klang, als wolle er in Tränen ausbrechen. Ich glaube sogar, er fing an zu weinen. Er machte scharf kehrt und ging auf sein Zimmer. Später hörte ich ihn hämmern und klopfen, und am nächsten Morgen bemerkte ich, daß er ein Bild über sein Bett geheftet hatte. Es war aus einem Magazin ausgeschnitten und zeigte den ›Führer‹, wie er sich mit gezwungenem Lächeln aus einem Auto herausbeugte und von einem kleinen Mädchen mit blonden Zöpfen und Dirndlkleid einen Blumenstrauß entgegennahm. Unter den SS-Offizieren, die in einem Halbkreis um das Auto standen, entdeckte ich das verschwommene Porträt von Hellmuth Klappholz. Er sah in seiner Uniform schneidig und elegant aus und schaute nicht auf seinen Führer, sondern geradeaus in die Kamera.

Ich versuchte darüber zu lachen, aber es ärgerte mich. Na schön, so steht es also, dachte ich. Jetzt haben wir zwei Jungens im Haus, die Leitartikel reden. Aber das da ist ernster, als ich es mir vorgestellt hatte. Ich muß mit John darüber sprechen. Das war immer meine letzte Zuflucht, und ich fühlte mich dann viel leichter. Ich muß mit John darüber sprechen.

Wenn ich heute an die Jahre vor der dunklen Zeit zurückdenke, so ist mir am lebhaftesten die Zigarettendose auf Johns Nachttischchen in Erinnerung. Es war ein sinnreicher Apparat aus schönem rotem Maroquin. Innen war eine kleine Feder, und wenn man auf einen Knopf drückte, sprang einem eine Zigarette direkt in die Hand. Das leise Klick der Dose, das Aufglühen des elektrischen Zigarettenanzünders, das gespenstisch leuchtende Zifferblatt der Uhr neben der Dose, dann der rötliche Punkt der glimmenden Zigarette und ein leiser Duft von bitterem Rauch in der stillen Luft. Wie oft erwachte ich davon und sah, wie der glühende Punkt sich vergrößerte, wenn John an der Zigarette zog. Dann wanderte der Punkt von seinen Lippen in seine Hand, hing über dem Bettrand in dem schwarzen Miniaturabgrund zwischen unsern Betten, wurde schwächer und erlosch fast. Dann beschrieb er im Dunkeln wieder einen Bogen, ging zu Johns Mund und kam abermals in den Raum zwischen den Betten zurück. John bemühte sich rücksichtsvoll, keine Bewegung zu machen, nicht zu seufzen, nicht mit den Kissen zu rascheln, wenn er nicht schlafen konnte. Die Vorhänge waren dicht zugezogen, so daß ich die Nacht draußen nicht sehen konnte, aber ich konnte sie hören. Manchmal kam der Wind pfeifend um die Ecke, manchmal rauschte der Regen leise auf dem Rasen. Zehn Minuten nach drei. Eine Eule klagte bitterlich in den Ulmen. Ein Kater sang eine heisere Frühlingsserenade. In der Chauffeurwohnung weinte ein Kind, und dann begann ein junger Hahn unten beim Gärtnerhaus mit seinen ungeschickten Stimmübungen. John drückte seine Zigarette im Aschenbecher auf dem Nachttischchen aus; ich bemühte mich, so ruhig wie möglich zu atmen, als schliefe ich, und wartete, daß auch er wieder einschlafe.

Manchmal begann er sich zu bewegen, zu seufzen, kleine Tierlaute von sich zu geben, und dann wußte ich, daß er beim Einschlafen war; denn solange er wach war, verhielt er sich aus Rücksicht auf mich ganz still. Manchmal aber lag er eine Zeitlang reglos, und griff dann nach einer neuen Zigarette. Er tat mir leid.

»Kannst du nicht schlafen, Liebling?«

»Oh! Ich wußte nicht, daß du wach bist. Habe ich dich gestört?«

»Aber gar nicht. Kann ich auch eine Zigarette haben?«

»Weißt du, mein Vater sagte immer, daß alte Menschen weniger Schlaf brauchen. Ich hatte es nie glauben wollen.«

»Für einen alten Mann bist du zu jung, John!«

»Willst du mir was vormachen, Kind?«

»Ich möchte dich gern zum Schlafen bringen. Kann ich nicht Schäfchen zählen für dich oder irgend so etwas?«

»Wie wär's, zur Abwechslung meine Verluste zu zählen?«

»Wollen wir darüber sprechen? Manchmal kommen einem die Sachen nachts, wenn man darüber nachdenkt, so groß und schlimm vor. Wenn man dann darüber spricht, werden sie viel kleiner. Willst du dir etwas von der Seele reden?«

»Nö. Gar nichts. Zähl du deine Schäfchen, und ich zähle meine.«

Es war nicht leicht, ihn zum Sprechen zu bringen. Er war in der eisernen Tradition aufgewachsen, daß Sorgen und Schwierigkeiten von dem kleinen Frauchen im Hause ferngehalten werden müssen. Bisweilen preßte ich ein paar dunkle ausweichende Antworten aus ihm heraus. Meist handelte es sich um Dinky, die Wirtschaftskrise, das Unternehmen und die Steuern. Gelegentlich um Johnnie. Wenn es sich um Geld handelte — was höchstwahrscheinlich dauernd der Fall war — hörte ich niemals davon.

»Wollen wir jetzt mal versuchen, ein bißchen zu schlafen? Gib mir doch eine Hand herüber, ja?«

Seine Hand kam über den Grand Canyon — wie wir den Zwischenraum zwischen den Betten nannten —, und ich legte meine Hand hinein; nach einer Weile schliefen wir ein. Manchmal dagegen breitete ich meine Sorgen vor John in der nächtlichen Stille aus, und meine Sorgen hießen gewöhnlich Michael.

»Jetzt hat Michael es sich in den Kopf gesetzt, nach Heidelberg zu gehen und Medizin zu studieren, John«, sagte ich. »Ich komme um vor Sorge. Als ob es in Amerika nicht genug gute Universitäten gäbe!«

»Na, wenn er entschlossen ist zu gehen, so laß ihn gehen, Kind! Ich habe ja Johnnie auch gehen lassen.«

»Der Gedanke ist mir unerträglich«, sagte ich ganz unglücklich. »Ich will ihnen meinen Jungen nicht ausliefern, ich will nicht, daß er zu einem stupiden Roboter ohne selbständiges Denken gemacht wird.«

»Hast du nicht gesagt, wenn du die Kinder nicht überzeugen könntest, würdest du es aufgeben? Du kannst ihn nicht überzeugen, solange er nicht drüben gewesen ist. Der Junge ist gescheit — er wird den ganzen Schwindel bald durchschauen. Er weiß selber nicht, wie sehr er schon Amerikaner geworden ist. Erzähl mir nicht, daß sie drüben einen Nazi aus ihm machen können, der stramm beim Parademarsch mitmacht!«

»Ich bin keine Generalversammlung«, sagte ich. »Für mich brauchst du die Dinge nicht rosiger zu färben, als sie sind.«

»Es ist mein voller Ernst, Kind. Das einzige Mittel, ihn zu kurieren, ist: du schickst ihn hinüber. Ich wette, was du willst, vor Schluß des zweiten Semesters ist er wieder da. Wie wär's, wenn wir jetzt ein bißchen schliefen? Willst du mir deine Hand lassen?«

Die schlimmsten Nächte, an die ich mich erinnere, kamen während des Streiks in Spragues Fabrik. In Gießheim hatte ich die Streiks vom Arbeiterstandpunkt aus gesehen. Jetzt wohnte ich im andern Lager — im falschen Lager. Ich glaube, ich habe John in diesen Nächten nicht viel nützen können. Ich plädierte und stritt und benahm mich wie ein störrischer Maulesel. So wenigstens nannte mich John. »Zum Teufel, Marion!« brauste er auf. »Kannst du das nicht in demselben Licht sehen wie ich?«

»Es tut mir leid, John, Darling. Ich kann mir nicht helfen. Ich werde immer zu dem Schwächeren halten. Schau — könntest du nicht deinen Gewinn kürzen und deinen Leuten geben, was sie verlangen?«

»Gewinn! Daß ich nicht lache! Soll ich dir sagen, welches Defizit die Fabrik in den letzten zwei Jahren gehabt hat? Wenn es so weitergeht, müssen wir den Betrieb schließen, und was wird dann mit den ›Schwächeren‹ geschehen? Sie werden überhaupt keine Arbeit haben.«

Es fanden Versammlungen und Konferenzen statt, John fuhr nach Washington und nach Albany und wieder nach Washington zurück. Zwei Wochen lang kam er nicht nach Hause. Dann kam er den Arbeitern auf halbem Wege entgegen. Der Streik war beendet; aber es war ein harter Schlag für Johns Stolz, daß er hatte nachgeben müssen. Ein Jahr verging, und es kam wieder eine Nacht — es schneite, und wir hatten im Kamin Feuer gemacht, und es war noch etwas Glut in der Asche, als ich um halb drei aufwachte. Ein matter roter Schimmer spielte an der Zimmerdecke, und hier und dort saß ein kleines Glanzlicht auf dem glatten roten Leder unserer eleganten Schlafzimmermöbel.

»Marion — Kind? Bist du wach?«

»Ja, John. Was gibt's? Du bist so unruhig.«

»Ich möchte dir etwas sagen. Ich weiß bloß nicht, wie ich anfangen soll. Allright, also, ich gebe die Fabrik auf.«

»Du gibst die Fabrik auf? Aber John —!«

»Ja. Morgen unterschreibe ich. Es wird keine Firma Sprague mehr geben. Ich werde bloß ein kleiner Ableger von Ingersoll sein. Man nennt das eine Fusion. Was sagst du dazu?«

»Ich weiß nicht — es kommt so plötzlich.«

»Plötzlich, mein Gott!« sagte er, und dieser Ausruf gab mir eine blasse Vorstellung davon, welch qualvolle Kämpfe er all die Wochen und Monate durchgemacht haben mußte, bis es soweit war.

»Ja, John, wenn es deine Lage erleichtert —«

»Es erleichtert meine Lage sehr. Bedeutend. Ich werde nur noch eine sehr leichte Arbeit haben. Man ist ausgesprochen nett zu mir; man will mich zum Vizepräsidenten von irgend etwas machen. Das heißt, zu einem ihrer Vizepräsidenten. Jawohl, von jetzt an bin ich Herr Vizepräsident Versager. Wie hieß doch die lustige Revue, die wir vor ein paar Jahren gesehen haben?«

»›Of Thee I Sing‹?«

»Wie? Ja, so war es. ›Of Thee I Sing‹. Erinnerst du dich an den komischen Kerl? Mister Versager. Das ist die richtige Rolle für mich. Ich werde einen großen Lacherfolg haben.«

Dann fing er selber an zu lachen, und ich hatte Angst, daß er überschnappte. Aber er bekam sich in die Gewalt, streckte seine Hand aus, ich ergriff sie und hielt sie fest umklammert, und nach einer Weile taten wir beide so, als schliefen wir. Und dann kam wieder eine Nacht im Frühling, und irgendwo im Gebüsch sang unermüdlich ein verrückter Vogel; die Fenster waren offen, die Vorhänge blähten sich, und auf der Terrasse lief der nachtblühende Jasmin Amok mit seinem wilden, unbändigen Duft.

»Marion, ich muß dich etwas fragen.«

»Du kriegst Kopfschmerzen? Vom Jasmin und dem Vogel?«

»Hör mal, Kind — wäre es dir sehr unangenehm, wenn wir Elmridge aufgeben müßten?«

»Elmridge aufgeben?«

»Ja. Elmridge aufgeben. Ein kleineres Haus mieten oder eine Wohnung oder was du willst — und vielleicht könnten wir mit zwei Dienstmädchen auskommen?«

»Ich halte das für ausgezeichnet«, sagte ich so standhaft, wie es mir möglich war. »Das ist famos, John. Jetzt, wo alle Jungens bald fort sind, ist das Haus ohnedies zu groß für uns. Davor hatte ich mich schon gefürchtet. Es würde so einsam sein, nicht wahr? Reich sein heißt doch bloß, eine Menge überflüssiges Gepäck mit sich herumschleppen.«

»Du bist ein guter Kamerad, Kind. Ich hatte Angst gehabt, es würde eine große Szene geben. Es tut mir leid, daß ich dich so im Stich lassen muß. Einen schönen Ehemann hast du dir ausgesucht, Marion, Mädel! Ein Versager — ja, das bin ich. Ein Versager, ganz klar ... Willst du mir deine Hand lassen?«

Seltsam, ich kann mir nie recht vorstellen, daß John tot ist und mich als Witwe zurückgelassen hat. Wenn ich an ihn denke, ist er sehr lebendig und ganz nahe bei mir, und ich ertappe mich oft bei dem Gedanken: Das muß ich John erzählen, er wird darüber lachen. Oder: Ich muß John fragen, ob ich dies oder jenes tun soll oder nicht. Und als ich mich in Christopher verliebte, war mein erster Gedanke: Das ist ein Mann, der John gefallen wird.

NEUNTES KAPITEL

Der Bergführer schob die beiden ihm anvertrauten Touristen in das Gastzimmer der Arlihütte. Er sah aus wie ein mit gegerbtem Leder überzogenes Stück Holz und hatte einen kleinen Kropf, der ihm eigentlich das Klettern hätte erschweren müssen, ihn tatsächlich aber nicht im geringsten zu stören schien.

»'ß Gott«, sagte er und stellte die beiden Rucksäcke ab, die er getragen hatte. Einer gehörte dem kleinen Touristen, der unterwegs zusammengeklappt war und sich nun erschöpft auf die Eckbank fallen ließ. Der Bergführer hängte das Seil an einen Nagel und lehnte die drei Eispickel neben Christophers Eispickel, der in der Ecke stand.

»Zwei Personen für heute nacht«, sagte er zum Hüttenwart. »Ich gehe auf die Alm weiter. Die Herren fahren morgen früh mit der Drahtseilbahn nach Arlingen hinunter.« Es lag so viel Verachtung in seiner Stimme, daß Christopher den Brief, den er las, hinlegte und den beiden erschöpften Bergsteigern teilnehmend zunickte. Der eine war untersetzt und breitschultrig; der jüngere und kleinere, der seinen Rucksack nicht mehr hatte schleppen können, war grün im Gesicht.

»Es ist eine ziemlich schwere Kletterei, wenn man nicht trainiert ist«, sagte Christopher, um den beiden zu helfen, ihre Selbstachtung wiederzugewinnen. Er sprach sein langsames, tastendes Schwyzerdütsch, eine Sprache, die für Deutsche ohnehin schon ein bißchen drollig klingt, aber noch viel drolliger wirkte, wenn Christopher sich damit abmühte.

»Schwer? Nicht im geringsten!« prahlte der Dicke. »Nicht zu vergleichen mit der Zugspitze. Er ist sogar noch leichter als der Großglockner. Wären wir, wie ich es gewollt hatte, frühmorgens losgezogen, so wäre es eine Kleinigkeit gewesen. Nachmittags natürlich wird das Eis weich, und man hat die Sonne im Gesicht. Haben Sie schon mal die Zugspitze gemacht?«

Christopher wendete sich, ohne zu antworten, wieder seinem Brief zu. In jeder Schutzhütte trifft man einen Aufschneider dieser Sorte.

Der jüngere Tourist mit dem grünen Gesicht sagte mit zitternder Stimme: »Es war bloß der Kamin. Als der Felsen abbröckelte und ich abrutschte, hinunter, hinunter, Allmächtiger, hinunter, hinunter —«

»Ich hatte ihn am Seil. Er ist ja kaum einen halben Meter gerutscht«, sagte der Führer zum Wart; nie sprach er zu den Touristen direkt, sie hingen ihm zum Hals heraus. »Hat sich die Hände etwas zerschunden und ein Loch in die Hose gerissen.«

»Es hätte mein Tod sein können. Ich hätte mir den Schädel zerschmettern können. Wie der Felsen abbröckelte und ich fiel, hinunter, hinunter — das war ein Gefühl, das ich nie vergessen werde, niemals.«

»Schon gut, Georg, schon gut«, sagte der Breitschultrige. »Der Führer hätte Mauerhaken benutzen müssen, das ist meine Meinung. Als ich den Großglockner machte –«

»Wenn er so ein Held ist, warum ist er nicht im Krieg?« fragte der Führer den Wart; es war nur eine rhetorische Fage. Die beiden Touristen sprachen ein hartes Norddeutsch.

»Ich habe Durst«, sagte der Jüngere weinerlich. »Ich habe furchtbaren Durst. Kann ich ein Bier bekommen?«

»Es wäre gut, wenn Sie noch ein wenig warten würden«, sagte Christopher, ohne von dem Brief aufzublicken. »Sie wollen doch nicht einen Hitzschlag oder eine Lungenentzündung kriegen.«

»Zwei Bier«, sagte der Breitschultrige. »Und eins für den Führer. Macht drei.«

»Für mich Milch«, sagte der Führer, indem er sich endgültig von seinen Schutzbefohlenen trennte und sich auf der Bank neben Christopher niederließ.

»Wann sind sie denn angekommen?« fragte er.

»Fünf Minuten vor vier.«

»Gute Zeit.«

»Ach ja«, sagte Christopher. »Ich liebe die Aussicht um diese Tageszeit.«
Vor dem Fenster war das ungeheure Panorama der Walliser Alpen ausgebreitet, mit den Fiescherhörnern im Norden und der Spitze des Aletschhorns, das seinen Hals reckte, um über zahllose Gipfel hinwegzuschauen, über eine jungfräuliche Welt von Eis und Schnee, die körperlos mit dem Abendhimmel verschwamm.

»Der alte Hammelin sagt, daß Sie uns verlassen wollen«, sagte der Führer.

»Ja. Es wird Zeit für mich, nach Hause zu fahren.«
Der Führer spuckte in die Ecke. Dann ergriff er den Milchbecher, den ihm der Wart hingestellt hatte. Bei jedem Schluck bewegte sich der Kropf auf und nieder. Er wischte sich den Schnauzbart, setzte den Becher hin und sagte: »Es wird uns allen leid tun, daß Sie fortgehen. Aber, wie Sie sagen, es ist Zeit für einen Mann, sich an sein Land zu halten.« Mit erhobener Stimme setzte er hinzu: »Es laufen genug großmäulige, feige Lumpen herum, die lieber dorthin gehen sollten, wo sie hingehören.«
Da die Drahtseilbahn schon die letzte Ladung Salontouristen nach Arlingen hinunterbefördert hatte und die wenigen, die über Nacht blieben, um am frühen Morgen den Gipfel zu besteigen, sich schon zurückgezogen hatten, war niemand mehr in der Wirtsstube außer Christopher und dem Bergführer in der einen Ecke und den beiden deutschen Touristen in der andern; zwischen diesen beiden Ecken lag der ganze Zweite Weltkrieg.

»Komm, wir wollen mal zum Fernrohr hinausgehen!« sagte der Breitschultrige zu dem Grünen. »Ich erkläre dir mal das Panorama.«
Der Wart schickte ihnen einen Blick nach. »Naziagenten?«

»Was sonst?« sagte der Führer. »Dieses Ungeziefer ist überall. Ich hätte ihn ein paar hundert Meter hinunterfallen lassen sollen, den kleinen Stink-käs.«

Christopher nahm seine Pfeife hervor und stopfte sie. »Wollen Sie nicht mal meinen probieren?« sagte er und schob dem Führer, der gleichfalls seine Pfeife hervorgeholt hatte, seinen Tabaksbeutel hin.

»Ich bin so frei«, sagte der Führer und stopfte sich die Porzellanpfeife, die mit einer holden Szene bemalt war: ein junger Förster, der ein Mäd-chen küßte, während ein Hirsch erstaunt zusah.

»Gehen Sie morgen auf den Gipfel?« fragte der Führer zwischen zwei Zügen.

»Ja. Ich will mir noch mal einen guten Tag machen, ehe ich die Schweiz verlasse.«

»Gute Idee. Man weiß nicht, ob man wieder zurückkommt«, sagte der Führer. »Geht die Dame mit Ihnen?«

»Wer?«

»Die kleine Dame vom Müllerhaus. Die Amerikanerin.«

»Nein.«

»Ist auch besser. Sie ist nicht mehr jung genug für die Tour.«

»Sie ist viel zäher, als man denkt«, sagte Christopher.

»Scheint so. Ich war bloß eine Viertelstunde nach ihr weggegangen und habe die beiden Mehlsäcke so rasch wie möglich über das Kees gebracht, weil mir der alte Hammelin gesagt hatte, ich solle mich mal um die Dame kümmern. Aber ich habe sie nicht eingeholt. — Wie sie wohl ganz allein den Kamin gemacht haben mag?«

»Wer?«

»Sie, die amerikanische Dame, die im Müllerhaus wohnt.«

»Sie meinen, daß sie zur Hütte heraufwollte?«

»Ja, sie ist gegen zwei Uhr weggegangen. Ich sah sie den Gletscher tra-versieren, als ich vom Kees hinunterschaute — aber ich konnte sie nicht einholen.«

»Sie ist nicht angekommen.«

»Nicht angekommen?«

»Nein! Sie ist nicht angekommen!« sagte Christopher, und seine Mund-winkel zogen sich zusammen.

Der Bergführer warf einen raschen Blick durch das Fenster. Die Täler und Schluchten füllten sich schon mit blauem Höhenrauch. Im Osten hatte sich eine Wolkenbank aufgetürmt, so massig, daß sie wie eine zweite Bergkette aussah. Aber alle Gipfel standen klar darüber schwebend im gel-ben Sonnenschein.

»Wenn wir uns beeilen, können wir es vor Sonnenuntergang schaffen«, sagte der Führer. »Nehmen Sie Seil und Steigeisen! Der Wart kann nach Arlingen telefonieren, falls wir sie nicht vor Einbruch der Dunkelheit fin-den. Es ist eine gottverfluchte Schweinerei, den ganzen Gletscher abzu-suchen. Es müßte gesetzlich verboten werden, daß Weiber allein in den Bergen herumlaufen. Keine Saison, in der hier nicht eine verschwindet.«

Er griff nach Pickel, Seil und Rucksack und polterte zur Tür hinaus.

Christopher hörte ihn nach dem Wart rufen. Er blieb einen Augenblick starr und verwirrt stehen und kaute an seiner Pfeife. Dann raffte er seine Sachen zusammen und folgte wortlos dem Führer.

Die beiden Touristen guckten durch das Fernrohr, wobei sie daran herumschraubten, während der Ältere dem Jüngeren einen umständlichen Vortrag hielt. Sie sahen aus wie Leute, die Marion kannte, aber sie konnte sich nicht besinnen. Sie dachte angestrengt nach. Der Junge mit dem grünen Gesicht war Graf Andreas Elmholtz. Ich denke, er hat Selbstmord begangen, dachte Marion. Wieso ist er denn jetzt in der Schweiz? Sie sah den Führer und Christopher an der Plattform der Seilbahn und am Maschinenhaus vorbeigehen. Etwa zweihundert Meter weit war der Boden eben, dann begann der Abstieg. Ich wußte es ja, daß sie mich holen werden, dachte Marion, als sie die beiden hinter den Felsen verschwinden sah. Sie fühlte sich unbegreiflich leicht und wohl. Den Kropf muß er bei der Hinrichtung bekommen haben, dachte sie. Komisch — als ich ihn in Staufen traf, erkannte ich ihn nicht. Ich wußte ja, Max Wilde wird mich nicht zu Gefrierfleisch werden lassen, dachte sie beseligt. Es war ein wunderbarer Trost, daß Max Wilde jetzt Bergführer in den Walliser Alpen war und sie retten wollte.

Sie erwachte mit einem Ruck, als ihr Kopf nach vorn fiel. Sie konnte kaum mehr als ein paar Minuten geschlafen haben. Der Streifen Sonnenschein da oben war kaum schmaler geworden. Marion versuchte zu scheiden, was Traum und Wirklichkeit war. Alles war so vollkommen logisch und klar gewesen und erst zum Schluß etwas nebelhaft geworden. Sie war noch ganz im Bann der frohen, zuversichtlichen Traumstimmung. Nun sind sie unterwegs, dachte sie. Weshalb hätte ich es sonst geträumt?

Ihr Knöchel begann zu toben und zu schmerzen. Sie hatte jedes Zeitgefühl verloren. Vielleicht bin ich überhaupt erst fünf Minuten hier unten, ist ja furchtbar komisch. Was sind fünf Minuten? Gibt es überhaupt so etwas? Vielleicht gibt es gar keine Zeit, gar keinen Raum. Vielleicht haben wir das nur als Krücken für unsern armen Verstand erfunden. Vielleicht gibt es gar kein Leben, gar keinen Tod. Zünden wir uns noch eine Zigarette an und bemühen wir uns, wach zu bleiben.

Ich werde niemals den Moment vergessen, als ich zum erstenmal die unwiderrufliche Gewißheit erlangte, daß Michael Manfred Halbans Sohn war. Es war damals, als mein Zug in den Heidelberger Bahnhof einfuhr, an Michael vorbeiglitt und mit einem sanften Ruck stehenblieb. Michael stand auf dem Bahnsteig und suchte die Wagenreihe mit einem gespannten Lächeln auf dem sonnverbrannten Gesicht ab. Ich hatte ihn seit mehr als einem Jahr nicht gesehen, und ich hatte die Empfindung, als hätte ich ihn noch nie so deutlich und klar gesehen wie in diesem kurzen Augenblick. Er war ohne Hut, und sein Haar war sehr blond, fast weiß. Er war ein bißchen gewachsen, sah mager aus und viel älter als neunzehn. Er beschattete die Augen mit der Hand, obwohl es in der Bahnhofshalle alles eher als hell war. Er sah ganz anders aus als Halban in meiner Erinnerung, aber in dem angestrengten Ausdruck seines Gesichts, in seiner leicht gebückten Haltung, in seinem zögernden Gang, seiner Art, ruckweise den Kopf zu drehen, war etwas, was mir ein für allemal die Antwort auf die Frage gab, die ich in all den Jahren nicht zu entscheiden gewagt hatte.

»Hallo, Milchi —«, sagte ich und zupfte ihn am Ärmel. Er fuhr herum, faßte meine beiden Hände und schüttelte sie unbeholfen. Ich hielt einen Schirm in der einen und meine Handtasche in der andern Hand. »Hallo — da bist du ja«, sagte er. »Hallo, Mony. Schön, daß du endlich da bist. Hallo. Du hast also dein Versprechen gehalten und bist gekommen. Wie geht's dir?«

Wir waren beide ein bißchen außer Atem vor Freude, aber wir bemühten uns, nicht allzu gerührt zu erscheinen.

»Wie geht's dir, Milchi?« sagte ich. »Kommst mir ein bißchen abgemagert vor.«

»Hast du schon eine Mutter gesehen, der ihr Baby dick genug wäre?« sagte er, drückte meinen Arm und führte mich den Bahnsteig entlang zum Ausgang. Zwei Träger folgten uns mit meinem Gepäck.

»Wollen wir deutsch sprechen oder englisch?« fragte ich ihn. Ich wollte keinen Fauxpas begehen und hatte das Gefühl, jedermann könnte ein Gestapospitzel sein.

»Bleib lieber bei Englisch!« sagte Michael. »Steck dir dein amerikanisches Fähnchen an! Nur einem Ausländer verzeiht man es, daß er so aussieht wie du.«

»Dabei habe ich mich schon bei der Abfahrt von Paris abgeschminkt und mir den roten Nagellack abgerieben«, sagte ich. »Muß ich etwa noch Flanellschlüpfer anziehen?«

»Solch ein Nerzmantel und derart hohe Absätze fallen hier natürlich auf«, sagte er ein bißchen maliziös. »Überhaupt siehst du als meine Mutter viel zu jung und schick aus. Anneliese wird damit gar nicht zufrieden sein.«

»Wer ist denn Anneliese?«

»Die Tochter meiner Wirtin. Du wirst sie gleich kennenlernen.«

Aha! dachte ich. Noch lebt also die Alt-Heidelberger Tradition, wenn sich auch sonst alles geändert hat.

»Ist sie hübsch?«

»Sehr hübsch. Sehr, sehr hübsch! Du wirst ja sehen. Komm, nehmen wir ein Taxi!« sagte Michael und schob mich in einen Wagen. Ich sah, wie er unter einigen Münzen, die er auf der flachen Hand hielt, herumsuchte, sie nahe an die Augen führte und mit einem angestrengten Ausdruck prüfte, der mir an ihm neu war. »Laß mich das machen!« sagte ich, aber da hatte er schon gefunden, was er brauchte, bezahlte die Träger, sagte dem Fahrer, er solle uns zum ›Neckarhof‹ fahren, und wir ratterten davon.

»Wie geht's Topper?« fragte er.

»Danke, gut. Ein bißchen alt geworden und gebrechlich.«

»Und der alte Herr?«

»Ausgezeichnet. Etwas nervös, aber sonst ausgezeichnet. Ich hoffte, er würde nach Europa mitkommen, zur Erholung, aber du weißt ja, wie es ist. In der letzten Minute kam etwas dazwischen. Er läßt dich sehr grüßen.«

»Ich kann mir John gar nicht nervös vorstellen. Er kam mir immer vor wie ein Felsen.«

»Es ist eben die amerikanische Krankheit. Ihr Tempo ist zu schnell. Er macht sich wohl auch Sorgen wegen Johnnie.«

»Ist Johnnie noch in Spanien?«

»Ja, ich glaube, er war einige Zeit ernstlich krank.«

»Wenn ich gemein wäre, würde ich sagen, es geschieht ihm recht. Unser kleiner Babbitt ist hoffentlich okay.«

»Ja, Martin geht es gut. Ich habe so eine Ahnung, daß er heiraten wird, sobald er mit dem College durch ist.«

»Wird ihm gut tun. Ich habe ein paar nette Briefe von ihm bekommen, aber ich bin ein faules Schwein und habe nicht geantwortet.«

Michael hatte den Sommer in Heidelberg verbracht und die Zeit dazu benutzt, Latein und Griechisch nachzuholen. Er war jünger als die meisten deutschen Studenten, und was er in der Schule von Great Neck gelernt hatte, hatte sich als total unzulängliche Grundlage für Heidelberg erwiesen.

»Wie kommst du denn jetzt auf der Universität mit?« fragte ich. Er zuckte die Schultern, skeptisch wie Manfred Halban.

»Allmählich werde ich wohl nachkommen«, sagte er gleichgültig. Er rieb sich mit den Fäusten die Augen wie ein schläfriges Kind. »Nur plage ich mich sehr mit Max und Moritz ab.«

»Wer ist denn das?«

»Ach, Max ist eine Schachtel mit Katzenknochen, die ich zusammensetzen soll — Millionen kleiner Knochen. Und Moritz ist ein Hund in einem Glas Formaldehyd. Ich habe an ihm fast drei Monate gearbeitet, und er ist dadurch weder wohlriechender noch schöner geworden.«

Er beschattete seine Augen mit der Hand und schaute auf die Straße hinaus. »Wir sind gleich da«, sagte er.

»Was hast du denn mit den Augen?« fragte ich. »Sie sind so rot.«

»Das ist nur von der Arbeit am Mikroskop. Und ich kann ohne dunkle Augengläser den blendenden Schnee nicht vertragen«, sagte er. »So früh hat man hier seit achtzehn Jahren keinen Schnee gehabt. Seit vierzehn Tagen laufen wir Ski, und es ist erst der dritte Dezember.«

Es lag etwas Schnee, nicht viel. Er war in kleinen Häufchen am Rinnstein zusammengefegt und blendete nicht im geringsten, sondern war schmutzig und grau, als hätte er in die Waschanstalt gehört. Das Taxi hielt, der Fahrer öffnete den Schlag und half uns mit dem Gepäck. »Was macht es?« fragte Michael. »Eins zwanzig«, sagte ich mit einem Blick auf den Zähler. Wieder stocherte Michael im Kleingeld, ein paar Münzen fielen auf den Boden, und der Fahrer suchte sie zusammen. Michael stand mit dem Rest des Geldes auf der Handfläche dabei — ärgerlich oder ungeduldig, ich konnte es nicht unterscheiden. Um weiteren Aufenthalt zu vermeiden, bezahlte ich den Fahrer selber, und der Hausknecht trug mein Gepäck ins Hotel.

Der ›Neckarhof‹ war das beste Hotel der Stadt; ich war schon früher einmal dagewesen — mit Howard Watson zum Essen und Tanzen und auch mit Hauptmann Tillmann, als er als Rekonvaleszent in Bergheim war. Heidelberg war immer ein Lieblingsziel für Ausflüge von Bergheim gewesen, und in jenen trüben Zeiten war mir der ›Neckarhof‹ als der Gipfel des Luxus erschienen. Während ich mich eintrug, sah ich mich um, konnte mich aber nicht erinnern, jemals in diesem Raum gewesen zu sein. Es war ein gemütlicher Raum, wenn auch etwas vollgestellt und mitgenommen. Seitdem ich die deutsche Grenze überschritten hatte, konnte ich das eigenartige Gefühl nicht loswerden, daß ich unfähig war, die mir von früher wohlbekannten Orte und Dinge wiederzuerkennen. Ein paar Stunden vorher hätte ich bei der Durchfahrt beinahe den Bergheimer Bahnhof nicht erkannt, in dem ich so viele anstrengende Nächte zugebracht hatte. »Das ist Bergheim«, hatte die alte Dame in meinem Abteil gesagt, als der Zug eben wieder aus dem Bahnhof fuhr; ich hatte aus dem Fenster gesehen und überhaupt nichts empfunden. Seit ich den Mississippi kenne, erscheint mir der Rhein als unbedeutendes Rinnsal. Die Berge waren nur Hügel und die Städte lagen so eng beieinander. Die Straßen waren schmal und krumm, und die Menschen sahen ärmlich aus. Bloß die Männer in Uniform waren tipptopp, besonders die schwarze Elitegarde. Sie kamen mir theatralisch finster vor, geradeso als ständen sie für einen dramatischen Auftritt im Finale des zweiten Akts bereit. Bereit, Bomben in ein Verschwörernest zu schleudern, ein Hinrichtungskommando zu formieren und eine Exekution zu vollziehen, vorschriftsmäßig und ohne irgendein menschliches Rühren. Aber vielleicht hatte ich ein Vorurteil und hatte zu viele Sensationsartikel gelesen, und wahrscheinlich waren diese SS-Leute nicht anders als andre Jungens, die in ihrer freien Zeit Schmetterlinge sammelten, Fußball spielten und sich mit den Mädels unterhielten.

Mein Zimmer war hübsch und wohltuend altmodisch, abgesehen von der abscheulichen Tapete, die ein Muster aus blutigen Tomaten hatte. Auch war ich nicht von dem Hitler-Bild begeistert, das über dem winzigen Schreibtisch hing. Früher war es Bismarck oder der Kaiser in der gleichen Glorifizierung gewesen. Ich hatte sie ebensowenig gemocht. Die Fenster gingen auf den Vorgarten hinaus, wo kleine Schneeinseln lagen. Da stand ein Schutzhäuschen für die Vögel; unter dem kleinen Dach war der Schnee geschmolzen, und auf dem feuchten, dunklen Boden lagen Brotkrumen. Es war irgendwie beruhigend, daß man in Deutschland noch die Vögel fütterte. Na schön, da wären wir also, dachte ich. Hoffentlich geht alles gut.

»Die Menschen sind hier freundlich, nicht?« sagte Michael.

»Ja, das habe ich schon im Zug bemerkt. Sie reißen sich die Beine aus, einem zu gefallen. Sie bemühen sich verzweifelt, einen davon zu überzeugen, wie herrlich alles bei ihnen ist und wie wenig Wert sie darauf legen, Judenkinder zu zerstückeln.«

»Du mußt auch nicht allen Unsinn glauben, den du hörst. Das ist größtenteils Antinazipropaganda.«

»Dir gefällt es hier noch immer?«

»Warum sollte es mir nicht gefallen? Ich liebe Heidelberg; es ist eine wunderschöne Stadt. Im nächsten Semester belege ich Groonemans Vorlesungen über Histologie; er ist einer der bedeutendsten Lehrer der Welt.«

»Schau, Milchi«, sagte ich, »ich bin aus Angst hergekommen. Deine Briefe klangen so merkwürdig. Wir waren besorgt, John und ich. Wir dachten, es könnte etwas los sein, was du nicht schreiben kannst, wegen der Zensur und so. Ist es so etwas? Schwierigkeiten? Gefahr?«

Michael warf unwillkürlich einen Blick auf die Tür. »Gefahr? Unsinn«, sagte er. »Wenn meine Briefe merkwürdig klangen, dann vielleicht deshalb, weil ich ein schlechter Briefschreiber bin. Gewöhnlich schlafe ich dabei ein.«

»Es hat mich besorgt gemacht«, wiederholte ich. Das war recht gelinde gesagt, wenn ich an die wochen- und monatelange Ungewißheit dachte und an diese unbestimmte Angst, die mir seine Briefe gemacht hatten. Michael rieb sich die Augen mit den Fäusten.

»Du siehst müde aus«, sagte ich.

»Ich bin müde«, antwortete er. »Das Physikum ist kein Spaß, und hier wird gearbeitet, nicht gespielt.«

»Komm, laß dich mal anschauen! Bekommst du genug zu essen? Und was ist mit deinen Augen los?«

»Nichts. Eine kleine Reizung vielleicht. Das kriegen die meisten von uns in der Bakteriologie. Guck mal ein paar Stunden durch das Mikroskop in das scharfe Licht! Im nächsten Semester arbeite ich nicht mit Sachen, die einen so blenden, und da wird es besser werden.« Er blinzelte mich an und bedeckte seine Augenlider mit den Fingern.

»Das gefällt mir nicht«, sagte ich. »Hast du einen Arzt gefragt?«

»Natürlich, ich habe Doktor Michael Tillmann gefragt. Fabelhafter Arzt, kann ich dir sagen. Er hat mir eine Borlösung verschrieben.«

»Ich möchte ernsthaft, daß wir zu einem Arzt gehen. Es gefällt mir gar nicht, daß du aussiehst wie Nibbel mit den roten Glasaugen.«

»Okay, okay. Ich werde zu einem richtigen Arzt gehen. Du brauchst nicht mitzukommen und mir das Händchen zu halten. Ich bin wirklich schon groß genug.«

Ich weiß nicht genau, was ich erwartete, als ich die deutsche Grenze überschritt. Es war ähnlich wie damals, als ich zum erstenmal den Äquator passierte. Ich wußte wohl, daß dort keine rote Linie war wie in meinem Schulatlas, und doch war ich ein bißchen enttäuscht, daß so gar nichts die endlose, graugrüne Wasserfläche abteilte. Auch die Abschließung des totalitären Deutschland war nicht an irgendeiner deutlichen Linie erkennbar, jedenfalls nicht auf den ersten Blick und auf der Oberfläche. Die Menschen waren lebhaft und heiter, und wenn ich gedacht hatte, sie liefen wie lebendige Leichname herum, wie die Zombi auf Haiti, so hatte ich mich gründlich geirrt. Allerdings sah man auf den Straßen erstaunlich viele Soldaten und Uniformen, aber das war ja im übrigen Europa kaum anders. Sogar auf traditionell antimilitaristischen Inseln wie der Schweiz und den Niederlanden wimmelte es von Militär. Das Trapp-trapp marschierender Kohorten jeden Morgen um fünf war eine Plage, und die mit Soldaten vollgepfropften Lastautos, die in langen Kolonnen durch die Straßen der verträumten kleinen Universitätsstadt ratterten, gaben mir das beklemmende Gefühl, wieder im Krieg zu sein. Dazu trugen auch die Fahnen bei, die von jedem Haus flatterten, ohne ersichtlichen Grund, vielleicht nur als Aushängeschild, denk mal, hier wohnen linientreue Nazis! Das war das erste, was mir auffiel: daß sich jedermann sichtlich beeilte, mir zu versichern, wie herrlch alles sei, als ob er hoffe, daß seine Begeisterung beobachtet und von einer unsichtbaren, aber allgegenwärtigen Instanz belohnt würde.

Das drückte sich in den Worten aus, die unausgesprochen blieben. In den Sätzen, die in der Mitte abbrachen und nicht beendet wurden. In dem verstohlenen Blick nach der Tür, dieser charakteristischen neuen ›deutschen Bewegung‹ — dem spähenden Blick des Gefangenen, ob er nicht von der Wache durch das Guckloch der Zelle beobachtet werde. In den verschiedenen Arten, wie der unvermeidliche Parteigruß geleistet wurde. Grüßte einer nachlässig, so wußte man, daß er mächtig war und nichts zu fürchten hatte. Andre taten es scheu und verlegen, fast als wollten sie sich entschuldigen, als seien sie noch nicht daran gewöhnt. Andre wiederum grüßten laut und auftrumpfend, da sie ein schlechtes Gewissen hatten ∩der bemerkt und befördert zu werden hofften. Manche behandelten den Gruß wie einen schlechten Scherz, den man mitmachen mußte, um am Leben zu bleiben, und manche — besonders die ganz jungen — machten es nicht anders als die Kinder in Amerika, die einem »Hiya!« zuriefen. Sie kannten gar keinen andern Gruß, und er hatte jede besondere Bedeutung für sie verloren.

Nach einigen Tagen der Akklimatisierung lernte ich Michaels Freunde kennen, die sich die ›Donnerschar‹ nannten. Die meisten von ihnen waren wie Michael bei Frau Streit einquartiert. Es waren ein paar junge Leute mit gutem Benehmen, nicht sehr gescheit und von einer protzigen Gefühllosigkeit — als seien ihre Nerven abgetötet worden. Da ich an das ewige politische Geschwätz in unserm New Yorker Haus, in Frauenklubs, Schulen, Zeitungen und Zeitschriften gewöhnt war, überraschte es mich zuerst, daß diese jungen Leute über alles mögliche sprachen, nur nicht über Politik. Aber sie waren sichtlich so zufrieden mit sich selbst und in so vollkommener Übereinstimmung mit ihrer Umwelt, daß jeder Versuch einer Kritik im Keim erstickte. Michael war unverkennbar ein Fremder unter ihnen, trotz seines blonden Haars und seiner Mimikry. Er war zu beweglich, zu skeptisch, auch da, wo er bewunderte. Aber er war auch in Great Neck ein Fremder gewesen und wird wohl überall ein Fremder bleiben. Die deutschen jungen Leute behandelten ihn etwas zu höflich, als müßten sie immer vor ihm auf der Hut sein. Unter sich, im Allerheiligsten ihrer Kameradschaft, waren sie miteinander grob — das ist die deutsche Art, Zuneigung zu zeigen. Aber zu Michael sagten sie nie ›Schwein‹, ›Esel‹ oder ›Vieh‹, und damit blieb er irgendwie ausgeschlossen.

Anneliese gehörte zur ›Donnerschar‹. Ihre Haut hatte den blanken Schimmer, der einen bei Siebzehnjährigen so entzückt, und ihr rundes Köpfchen war schwer von naturblondem Haar. Das war schon ein Vorzug in einem Land, wo manche Frauen mit schlecht gebleichtem Haar herumliefen und alles mögliche taten, um dem arischen Frauenideal recht nahezukommen. Arme deutsche Frauen — jahrhundertelang hatten sie an einer der Hauptdurchzugsstraßen Europas gelebt und sich mit jeder Rasse, die des Weges kam, gekreuzt, mit Römern, Slawen, Kelten, Italienern, Franzosen, Spaniern, Juden. Alle hatten ihre Spuren hinterlassen, und nun war es für die Frauen ein schwieriges Problem, plötzlich eine reine, edle, blonde Rasse zu repräsentieren, wie es der Führer wollte. Da sie aber Frauen waren, gewohnt, sich immer nach den Wünschen ihrer Gebieter zu ändern, wollten sie gern kraftstrotzend und arisch aussehen. Ich glaube, die Friseure haben dabei gut verdient.

Anneliese hatte den Sommer beim Arbeitsdienst verbracht; ihr Gesicht war noch ein bißchen sonnverbrannt, und ihre Arme waren kräftig und sommersprossig. Sie und Michael benahmen sich wie zwei Füllen auf einer grünen Weide. Sie hänselten und neckten sich, rangen miteinander und pufften einander. Manchmal blieben sie ein paar Minuten still und sahen sich weltverloren an oder saßen Hand in Hand stumm da. Oder sie kamen atemlos herein, verschlangen Riesenportionen Kuchen, alberten herum, hatten Geheimnisse, die ich nicht wissen durfte, und waren plötzlich mit lautem Gewieher wieder weg, zwei langbeinige, tolpatschige junge Tiere.

Unter Annelieses streng forschendem Blick fühlte ich mich unbehaglich; ich war zu jung, um Michaels Mutter, zu alt, um seine Kameradin zu sein — und doch war ich beides. Bald aber siegte Annelieses Neugier, sie besuchte mich ganz unerwartet, stellte mir hundert alberne Fragen und spielte mit meinen Kleidern, Schuhen und Lippenstiften.

»Amerika muß ein komisches Land sein. Zur Hochzeit trägt man ein Cellophankleid, so daß man Korsett und Schlüpfer darunter sehen kann. Das ist doch schamlos.«

»Unsinn, Anneliese. Solche Märchen müssen Sie doch nicht glauben.«

»Es ist doch wahr. Ich habe in einer Zeitschrift ein Foto gesehen. Die Braut trug einen Brautschleier und ein Cellophankleid. Man konnte wirklich alles sehen!«

»Das ist nur irgendeine dumme Propaganda, Anneliese, Sie können es mir glauben.«

»Das sagt ihr immer, wenn euch etwas nicht paßt. Propaganda! Unsre neuen Straßen sind auch Propaganda, nicht wahr? Und unsre Schulen, Sportplätze und alles. Ich glaube, ihr Amerikaner seid bloß neidisch. Ich weiß sehr wohl, daß auch ihr große Schwierigkeiten habt. Ich habe ein Bild gesehen mit Tausenden von Menschen, die nach Lebensmitteln Schlange standen.«

Ich mußte lachen, aber das schien sie auch nicht zu überzeugen.

Manchmal hielt sie sich eins meiner Kleider vor und drehte sich vor dem Spiegel hin und her, und einmal ertappte ich sie dabei, wie sie mit meinem Lippenstift und meinem Rouge experimentierte und ihr hübsches junges Gesicht verschmierte.

»Glauben Sie, daß ich Michael mehr gefallen würde mit all dem Klebezeug im Gesicht?« fragte sie mich ernsthaft. Sie hatte eine strenge, intensive und forschende Art, einem in die Augen zu sehen — so wie kleine Kinder.

»Nein, das glaube ich nicht, Anneliese. Kommen Sie, nehmen Sie etwas Cold Cream und wischen Sie es weg!«

»Aber er hat mir erzählt, daß sich in New York alle Mädels bemalen und viel hübscher sind als wir«, sagte sie.

»Ach, er hat Sie doch bloß geneckt! Sie gefallen ihm so, wie Sie sind.«

»Bei unserm letzten Slalom war ich bloß dreiundzwanzig Sekunden hinter ihm«, schloß sie. »Michael sagt, die Amerikanerinnen können nicht Ski laufen.«

Barbara mochte ich eigentlich mehr. Sie war immer getreulich an Annelieses Seite, ein dickes, häßliches, dunkelhaariges Mädchen, neben dem Annelieses Vorzüge nur um so stärker hervortraten. Annelieses frühreifes Geschwätz fiel mir auf die Nerven. Sie war ein kleiner Papagei, gefüttert mit Schlagwörtern und Propaganda. Außerdem passen Dreiundvierzig und Siebzehn nicht gut zueinander. Ich rauchte in Annelieses Gegenwart nicht und hatte mir ein Paar häßliche Schuhe mit niedrigen Absätzen gekauft. Merkwürdig, zu welchen Selbstentäußerungen eine Mutter bereit ist, um sich bei der Flamme ihres Sohnes beliebt zu machen.

Michael kam ins Zimmer geschlendert und ließ sich auf die Chaiselongue fallen.

»Wenn John hier wäre, würde er mir zur Aufpulverung einen Schnaps anbieten«, sagte er mißgelaunt.

»Bist du müde?«

»Nein, bloß flau. Wie die New Yorker Börse: lustlos. Moritz hat mich reingelegt. Ich fürchte, ich falle in Bakteriologie durch.«

Ich ging zu ihm und befühlte seine Schläfen — wie einst in alten Zeiten. Sein Haar fühlte sich genauso an wie Manfred Halbans Haar, seidig wie Kinderhaar. Seine Stirn war trocken und heiß.

»Bist du nicht ein bißchen heiß?« fragte ich ihn.

»Nein, deine Hände sind kalt«, sagte er. Er nahm meine Hand und legte sie auf seine Augen. »So, das tut wohl«, sagte er. Dann ging er ans Fenster und sah auf den Rasen hinunter. Der Schnee war fast ganz weg, und das Gras hatte eine unappetitliche Farbe — wie aufgewärmter Spinat. Die Spatzen zankten sich erbittert um die Brotkrumen unter dem tröpfelnden Schutzdach. Ich fand, daß ich eigentlich bald zu John zurückfahren müßte, aber ich konnte doch den Fall Michael nicht einfach unerledigt lassen.

In der Familie Streit gab es große Aufregung, als ich sie zu Annelieses siebzehntem Geburtstag in den ›Neckarhof‹ einlud, denn es war ein elegantes, teures Lokal mit internationaler Atmosphäre, es wurde von Fremden, von englischen und amerikanischen Studenten und Touristen besucht. Annelieses Mutter jammerte gleich über ihr altes schwarzes Seidenkleid und ihre abgebrochenen Fingernägel. Frau Streit hatte die gespitzten Lippen, das Stirnrunzeln und das eingefrorene Lächeln, wie es der Umgang mit Pensionären mit sich bringt. Sie hatte graues Haar, einen grauen Teint und feine, zarte Hände mit abgebrochenen Nägeln. Wenn ich ihre Hände ansah, wußte ich ihre ganze Geschichte: die vornehme Herkunft und der allmähliche, würdige Abstieg; daß sie sich kein Dienstmädchen leisten konnte und das Haus selber reinmachte, wobei sie zu der harten Arbeit ihre alten Glacéhandschuhe trug; daß sie ihren Pensionären das beste Essen gab, das sie beschaffen konnte, und selber das Übriggebliebene aß, das Aufgewärmte und Haschierte. Die Sorge war ihr zur Gewohnheit geworden, und sie verstand es, selbst aus schäumender Freude noch ein paar Wermutstropfen zu pressen. Sie gehörte zu der ratlosen, verwirrten und unterwürfigen deutschen Mittelklasse, und sie hatte, wie alle Menschen dieser Schicht, dauernd Angst und ein schlechtes Gewissen. Damit sie sich nicht geniert fühlen sollte, zog ich ein in Heidelberg gekauftes, viel zu solides schwarzes Kleid an. Ich fühlte mich darin unbehaglich wie in einem billigen Maskenkostüm, und wiederum mußte ich feststellen, wie rasch und vollständig ich mich doch schon amerikanisiert hatte.

Anneliese war in fiebernder Vorfreude und sah an jenem Abend entzückend aus, von sich selbst berauscht wie alle jungen Mädchen, wenn sie plötzlich entdecken, wie hübsch sie sind. Ich hatte sie in das beste Modehaus der Stadt mitgenommen und ihr zum Geburtstag ein Abendkleid geschenkt. Es war aus blauer, steifer Seide mit einem eingewebten schlichten Muster von roten Rosen und hatte einen kleinen echten Spitzenkragen. Anneliese sah darin aus wie eine junge Bäuerin aus einem deutschen Volkslied oder — so kam es mir vor — wie ein erstaunter junger Schwan, der zum erstenmal über den Teich schwimmt. Ihr Haar war in der Mitte geteilt und im Nacken aufgesteckt. Von Zeit zu Zeit schob sie mit einer unbewußten und recht altmodischen Handbewegung eine Haarnadel zurecht. Der Oberkellner hatte für uns einen langen Tisch reserviert, der mit Blumen geschmückt war, und wir schritten, ein wenig zu feierlich, in den Saal, wie durch das Mittelschiff einer Kirche.

Frau Streit hatte einen ihrer Pensionäre mitgebracht, einen ältlichen, glatzköpfigen Professor, der sich betont schüchtern gab und unbehaglich zwischen uns schwarzseidenen Monumenten saß. Auch ein paar Mitglieder der ›Donnerschar‹ waren gekommen, in steifen dunklen Anzügen. Aber der Glanz unsrer Tafel war Annelieses Bruder Hans, ein hübscher Junge in der netten Uniform eines Offiziersaspiranten. Michael machte in seinem Smoking und mit seiner neuen dunklen Brille, die ihm der Arzt verordnet hatte, wie immer einen fremdartigen Eindruck — er sah aus wie ein verkleideter Filmschauspieler. Um das Eis zu brechen, ließ ich zuerst Sherry bringen und dann Champagner. Anneliese, die noch nie Champagner getrunken hatte, zog die Nase kraus und sagte, er schmecke wie Mückenstiche, aber ehe sie noch ihr Glas zum zweitenmal gefüllt hatte, begann sie zu kichern und aufzutauen. Der kahle Professor flüsterte mir Hitler-Witze ins Ohr. Sie waren alt und seit Jahren in New York bekannt, aber ich lachte dankbar, weil es den Erzähler sicherlich eine gute Portion Courage kostete, diese Anekdoten in einem öffentlichen Lokal zu erzählen.

Hans Streit erhob sich, schlug die Absätze zusammen und forderte in wohlgesitteter Reihenfolge erst seine Mutter zum Tanz auf, dann mich — die Wirtin des Abends —, dann seine Schwester und zuletzt die dicke Barbara. Ich erinnere mich, wie wir an Michael und Anneliese vorübertanzten; sie neckten einander wie gewöhnlich, Anneliese versuchte Michael die Brille wegzunehmen, und er schlug ihr auf die sommersprossige Kleinmädchenhand. Ihre Hände waren viel jünger als alles andre an ihr — ich habe noch nie eine Handfläche mit so wenig Linien gesehen, es war, als hätte sie bis jetzt überhaupt noch nicht gelebt.

»Macht Spaß«, rief Michael uns zu, Hans faßte mich etwas fester, und wir segelten davon. Als wir wieder bei Michael vorbeikamen, hatte er die Brille abgenommen, und es gab mir einen kleinen Stich, als ich sah, wie rot seine Augen waren. Sein Ausdruck war angestrengt und ohne jedes Lächeln. Er machte nicht den Eindruck eines jungen Menschen, der ein hübsches Mädel über den Tanzboden führte, sondern eher den eines Kapitäns, der ein Schlachtschiff durch eine gefährliche Zone steuert. Wenn ich an diesen Abend denke, fallen mir lauter lächerliche Nebensächlichkeiten ein, zum Beispiel das Muster des Tanzparketts und die Unzahl von Pfeffer- und Salzstreuern, die die Gestalt von holländischen Buben und Mädels hatten, aus deren Mützen das Salz oder der Pfeffer herauskam. Frau Streit trat sich den Saum ihres Kleides ab und machte viel Aufhebens davon. Der Hornbläser der Musikkapelle war größenwahnsinnig und wollte aussehen wie Hitler. Der Kapellmeister, der zugleich die Geige spielte, trug eine mottenzerfressene Perücke und zog von Zeit zu Zeit seinen Hängebauch scharf ein. Die Musiker waren in eine Phantasieuniform gekleidet.

Rechts von der Estrade, auf der die Musik spielte, hing an der Wand ein Pappschild, auf dem in ziemlich kleiner Druckschrift stand: JAZZ VERBOTEN! Der ›Neckarhof‹ in Heidelberg gehörte, wie der ›Elefant‹ in Weimar, zu den Hotels, in denen Hitler bei einem Besuch der Stadt zu übernachten pflegte und die sich hierdurch verpflichtet fühlten, die Zimmer, die er einmal bewohnt hatte, nie mehr einem andern Gast zu geben und überall in ihren Räumen kleine Schilder anzubringen, die die Auffassungen des Führers dokumentierten, wie ›Damen ist das Rauchen untersagt‹ oder ›Jazz verboten‹.

Ich hatte das Jazzverbot wohl gelesen, doch war es mir nicht recht ins Bewußtsein gedrungen. Übrigens wäre es schwer gewesen, zu der robusten, hausbackenen Musik der Kapelle einen Jazz zu tanzen. Ein paar Gäste versuchten es trotzdem mit einigen schüchternen Foxtrottschritten.

»Guck mal, was die tanzen!« sagte Anneliese zu Michael. »Kannst du das auch?«

»Natürlich. Du kannst es auch. Erinnerst du dich nicht — ich hab' dir ja diese Schritte gezeigt?« sagte Michael.

»Ja, ich erinnere mich!« rief Barbara lebhaft dazwischen. »Ich schon! Als wir in der Skihütte waren, nach den Rennen, weißt du's nicht mehr, Anneli? Tanz es doch mal mit mir, Michael!«

»Ja, tu das!« sagte Anneliese. »Ich will sehen, wie du es machst. Mach doch, sei kein Frosch!«

Der Professor drohte mit dem Finger, als Michael aufstand, um das dicke Mädchen auf das Tanzparkett zu führen. »Jazz verboten«, flüsterte mir der Professor ins Ohr. »Alles verboten. Spaß verboten. Denken verboten. Reden verboten. Sterben und Verfaulen erlaubt.« Offenbar hatte er zuviel Champagner getrunken und den Stacheldraht seiner Hemmungen durchgeschnitten.

Michael zog seine Brille wieder hervor; er legte den Arm um das dicke Mädchen, und dann wurden sie von dem schwankenden Gedränge auf der Tanzfläche verschlungen. Ich lächelte ihnen nach.

»Das sollte Barbara nicht tun«, sagte Frau Streit. »Michael darf es sich erlauben — er ist Amerikaner —, aber wenn jemand Barbara hier Jazz tanzen sieht — da kann es Unannehmlichkeiten geben — und er ist unser Pensionär — es färbt auf uns ab —«

»Ach Mutter, mach doch nicht soviel Aufhebens davon!« sagte Hans, und ich merkte, daß er verlegen war. »Was wird Mrs. Sprague von uns denken? Mutter macht sich immer Sorgen um nichts«, setzte er hinzu, sich an mich wendend. — »Wenn ich nicht so ungeschickt wäre, würde ich es selber versuchen. Es sieht aus, als mache es ihnen großen Spaß.«

Er bewegte unter dem Tisch die Füße und summte die Melodie mit. Ich werde nie vergessen, was man spielte. Es waren die ›Rosen aus dem Süden‹ von Johann Strauß. Ich verstand nicht, wie man dazu Jazz tanzen konnte. Hans erhob sich und führte Anneliese aufs Parkett, und ich sah, wie sie auf Michael und Barbara lossteuerten und sie spaßhalber anrempelten. Dann tanzten sie neben ihnen her und schauten ihnen auf die Füße.

»Kennen Sie die Geschichte, wie ein Mann in einem Ruderboot hinausfuhr?« sagte der Professor und steuerte mit vollen Segeln in einen andern alten Hitler-Witz, und ich wandte ihm meine Aufmerksamkeit zu. Als ich wieder auf den Tanzboden hinübersah, bemerkte ich, wie Michael etwas mit dem Schild ›Jazz verboten‹ machte, ohne seinen Tanz zu unterbrechen.

»Er hat das Schild umgedreht«, flüsterte der Professor. »Recht hat er. Wir sind hier zu unserm Vergnügen und nicht, damit man uns noch mehr Disziplin einbleut.«

Im nächsten Moment bekam der Mann an der Trommel einen Wink vom Kapellmeister, legte die Schlegel aus der Hand, langte hinüber und drehte das Schild wieder um. Jazz verboten! Die ›Rosen aus dem Süden‹ gingen weiter. Der Oberkellner servierte uns den schwarzen Kaffee und bürstete die Brotkrumen vom Tischtuch. Als er an den Tisch trat, beugte er sich an mein Ohr und flüsterte in einem kehligen Englisch: »Würde die gnädige Frau nicht die Güte haben, dem jungen Herrn zu sagen, er möchte mit dem Schild keine Späße machen«, sagte er. »Die Direktion muß von ihren Gästen verlangen, daß die Vorschriften beachtet werden. Es tut mir leid, gnädige Frau —« In seinem Atem war eine Ladung Blumenkohl, und ich lehnte mich zurück. Er ließ dem Tischtuch noch eine endgültige Reinigung angedeihen, wobei er meinem Blick auswich. Ich hatte stark den Eindruck, daß ihm sowohl das Schild als auch die unangenehme Aufgabe verhaßt waren, Gäste zurechtzuweisen, die gut zahlten und reichliches Trinkgeld gaben.

Die Tänzer auf dem Parkett applaudierten, obwohl das Musikstück noch nicht zu Ende war, sondern sich eben erst dem Schluß näherte. Als ich aufblickte, sah ich, wie Michael das Jazzverbot zum zweitenmal umdrehte. Ein kleiner Kreis von Tänzern hatte sich um ihn gesammelt, einige klatschten Beifall. Hans stand in seiner netten, flotten Uniform mit Anneliese dabei, und beide sahen Michael zu, mit einem vergnügten Grinsen auf den jungen Gesichtern. Michael rieb sich die Hände, als hätte er eine gehörige Arbeit getan, und einer der ausländischen Studenten klopfte ihm auf die Schulter. Dann sah ich, wie Hans und Michael ihre Tänzerinnen tauschten. Hans packte Barbara und walzte mit ihr davon, und Anneliese versuchte — nicht sehr erfolgreich — mit Michael zu tanzen. Der Kapellmeister lächelte wohlwollend über die hüpfenden Köpfe hinweg und ging ohne Pause von seinem Walzer in einen Bastard von Foxtrott und Marsch über, dem bald alle Tänzer ihre Schritte angepaßt hatten.

»Das ist ein Spaß, das ist ein Spaß!« rief Anneliese aus, als sie an unsern Tisch zurückkehrte, atemlos und übermütig, als hätte sie mit Michael ein wildes und lasterhaftes Abenteuer erlebt.

Der Oberkellner entkorkte wieder einmal eine Flasche und füllte die Gläser aufs neue. Ich sah nach dem Schild — es war wieder auf die richtige Seite gedreht. Jazz verboten! Die Musiker machten eine Pause und verließen den Saal, und die Estrade sah verlassen und vergessen aus.

»Ich möchte einen Toast ausbringen«, rief Hans und wischte sein von der Freude gerötetes Gesicht ab. »Hört, hört!« kam es von der ›Donnerschar‹ weiter unten an der Tafel. »Auf die Damen! Auf unsre Mütter, unsre Schwestern, unsre Freundinnen und auf alle Frauen, die wir lieben —«

In diesem Augenblick kam vom Nachbartisch ein Herr zu uns herüber. Es war ein Mann in den Vierzigern, in einem zweireihigen blauen Anzug. Seine Hose war eng und ziemlich kurz. Ich dachte zuerst, es sei einer von Michaels Lehrern. Er hatte ein Gesicht wie ein Hecht.

»Heil Hitler!« sagte dieser Herr. »Heil Hitler!« murmelte die ›Donnerschar‹. »Guten Abend!« erwiderte ich. Ich vermutete, es sei ein Bekannter der Streits und er wolle Anneliese zum Tanz auffordern. Aber er wandte sich an Hans und sagte ruhig, aber schneidend: »Würden Sie bitte einen Augenblick herauskommen?«

Hans setzte sein Glas hart hin und sagte: »Stehe zu Diensten ... Entschuldige mich, Mutter. Entschuldigen Sie mich, Mrs. Sprague.«

Er machte eine militärische Wendung und folgte dem andern.

Ich hörte, wie der Oberkellner in diskreter Anteilnahme mit der Zunge schnalzte, denn was wir mit angesehen hatten, war die unter Studenten übliche Einleitung einer Forderung. Aber man forderte junge Offiziersaspiranten nicht, und ein betroffenes Schweigen breitete sich über unserm Tisch aus.

»Vielleicht ist er etwas angeheitert —«, wagte sich schließlich der Professor hervor.

»Soll ich gehen und nachschauen, was los ist?« fragte Michael Frau Streit. Sie sah verfallen aus, ganz plötzlich eine erbarmungswürdige Ruine in schwarzer Seide. »Ich hab's gewußt, es wird etwas passieren. Ich hab's gewußt, ich hab's gewußt.«

»Nichts ist passiert. Und es wird nichts passieren«, sagte Anneliese. »Sei nicht so ein Hasenfuß, Mutter!«

Dann sprach keiner mehr ein Wort. Wir warteten. Der Sekt in den Gläsern wurde schal. Die Kapelle kam zurück und begann wieder zu spielen. »Willst du tanzen?« fragte Michael. Anneliese schüttelte den Kopf und biß sich auf die Lippen.

»Du, Barbara?«

»Danke, nein«, sagte Barbara. Michael schob seine Brille auf die Stirn und rieb sich die Augen. »Trauer muß Elektra tragen«, sagte er, aber die andern wußten nicht, wovon er sprach. Dann sah ich Hans wieder den Saal betreten. Er bewegte sich steif und mit bewußter Selbstbeherrschung, als wäre er betrunken. Als er sich dem Tisch näherte, merkte ich, daß er im Gesicht ganz weiß aussah. Sogar seine Ohren sahen aus wie Wachs, und Schweiß rann ihm über Stirn und Schläfen.

»Hans —!« flüsterte seine Mutter. Zweimal schickte er sich an, zu sprechen, gab es aber jedesmal wieder auf, als wäre ihm die Zunge vertrocknet. Er ergriff eins der Gläser und stürzte den Sekt hinunter. »Ich muß sofort in die Kaserne«, sagte er endlich. »Es ist etwas passiert. Ich kann hier nicht darüber sprechen.«

Ich sah, wie der Herr mit dem Hechtgesicht an seinen Tisch zurückkam und sich mit einem dünnen Lächeln niedersetzte. Meine Gesellschaft brach in beherrschter Panik auf. Die ›Donnerschar‹ stampfte davon. Der Professor stützte Frau Streit wie eine Leidtragende, die an einem offenen Grab zusammenzubrechen droht.

»Na, na, Hans, was soll das alles?« sagte Michael und klopfte Hans auf die Schulter. Hans stieß seine Hand fort, als wäre sie schmutzig. »Laß mich in Ruh«, zischte er ihn an, »es ist alles deinetwegen!« Anneliese ließ Michaels Arm los und nahm den Arm ihres Bruders. »Hans«, wimmerte sie, »Hansel, mein Hansel, was ist los? Sag's deiner Schwester!« Dann waren alle fort und hatten Michael allein stehenlassen. »Mutter —«, sagte er.

»All right, Milchi«, sagte ich, »es wird schon alles wieder in Ordnung kommen, sie sind alle so überängstlich.«

Der Oberkellner verstellte uns den Weg, als wir den andern zur Garderobe folgen wollten. »Die Rechnung, gnädige Frau«, sagte er drängend. »Die Rechnung bitte —«

»Ich werde sie unterschreiben —«, sagte ich. Aber wir waren nicht in New York. Hier konnte man nicht einfach die Rechnung unterschreiben. »Geh und erkundige dich, was geschehen ist!« sagte ich zu Michael. »Laß die Leute nicht so kopflos davonrennen!«

»Die Blumen!« rief der Oberkellner beflissen. »Wünscht die junge Dame nicht die Blumen mitzunehmen? Sie stehen auf der Rechnung — sie gehören Ihnen. Wenn Sie sie ins Wasser stellen und eine halbe Aspirintablette hineintun, halten sie sich sehr lange —«

Als ich endlich die Rechnung bezahlt hatte und ins Vestibül hinauskam, waren alle fort bis auf Barbara. Michael war eben dabei, ihr in den Sportmantel zu helfen, den sie über ihrem Abendkleid trug. Mein Junge sah aus wie vor den Kopf geschlagen. »Was ist los? Kann ich etwas tun?« fragte ich ahnungslos. Ich wußte nicht, was für Katastrophen über eine Familie in Nazideutschland hereinbrechen konnten. »Erzähl es ihr, Michael!« sagte Barbara, riß ihm den Mantel aus der Hand und stürzte zur Drehtür. »Geh nicht mit, bitte! Das macht die Sache nur schlimmer. Ich will nicht mit dir gesehen werden.« Die Tür schwang uns entgegen, kalte Luft fegte herein, und wir waren allein.

»Ich verstehe es nicht —«, sagte Michael. »Ich verstehe es nicht. Ich bin doch kein Aussätziger, nicht? Daß ich einen Foxtrott getanzt habe, macht mich doch nicht zum Aussätzigen, nicht? O Gott, Mutter, was soll ich machen?«

Wenn Michael mich Mutter nannte, wußte ich, daß es etwas Ernstes war. Er zitterte am ganzen Leib, als er mir berichtete, was vorgefallen war. Der Herr mit dem Hechtgesicht war Major Vitztum, ein Artillerieoffizier in Zivil. Er hatte Hans Streit wegen der Sache mit dem Schild ›Jazz verboten‹ bei seinen Vorgesetzten angezeigt und ihm angekündigt, er werde darauf bestehen, daß Hans Streit mit Schimpf und Schande aus der Armee ausgestoßen werde.

»Das ist blödsinnig«, sagte ich ganz verdutzt. »Major Vitztum muß betrunken sein. Oder vielleicht macht sich jemand einen Ulk mit Hans.«

Michael sah mich durch seine dunklen Augengläser an. »In diesem Land macht man keinen Ulk«, sagte er. »Hans weiß das. Er sagte, er werde sich umbringen, wenn er 'rausgeschmissen wird. Ich bin überzeugt, daß er es tun wird, wenn er nicht Offizier werden kann. Und Anneliese! Ich glaubte, sie würde mir ins Gesicht spucken. Frau Streit hat mich ersucht, ihr Haus nicht mehr zu betreten. Sie sagte, ich habe sie alle ruiniert. Und es ist wahr, Mutter. Es ist alles meine Schuld, aber mein Gott, wie konnte ich ahnen, daß ein Foxtrott als Hochverrat behandelt wird?«

»Soll ich mal hingehen und mit den Streits sprechen? Ich bin überzeugt, daß sie das Ganze übertreiben«, sagte ich. »So etwas gibt's ja gar nicht, nicht einmal hier.« Aber ich war nicht mehr so überzeugt. Da haben wir's, dachte ich. Die Drohung hinter der liebenswürdigen blonden Fassade. Den Fanatismus, den Wahnsinn, den tückischen, tödlichen Hieb.

»Um Himmels willen, tu das nicht!« sagte Michael. »Laß sie in Ruhe! Hans ist in die Kaserne gegangen. Major Vitztum hat ihm gesagt, er solle in seinem Zimmer bleiben und weitere Befehle abwarten. Frau Streit und der Professor werden versuchen, sich an eine einflußreiche Persönlichkeit zu wenden. Ich glaube, der Professor kennt die Schwester des Gauleiters —«

Mit einemmal war Michael wieder ein kleiner Junge, ein kleiner, dummer, hilfloser Junge. »Komm, wir wollen ein Wort mit diesem Major Vitztum sprechen«, sagte ich. »Er scheint ein Sadist zu sein, und wir müssen versuchen, ihn zur Vernunft zu bringen.«

Michaels Lippen waren weiß und schmal, was in seinem sonngebräunten Skiläufergesicht sonderbar aussah. »Nimm diese dumme Brille ab!« sagte ich. »Jetzt ist nicht die Zeit, Greta Garbo zu spielen.« Er nahm die Gläser ab, und ich sah, daß seine roten, angestrengten Augen voll Tränen waren.

Ich erinnerte mich plötzlich, daß er schon als kleines Kind gleich in Tränen gebadet war, wenn er weinte. Die Tränen rollten an seinen langen Wimpern hinunter, und wie er so mit gesenktem Kopf unglücklich dasaß, lösten sich die Tropfen von den Wimpern und fielen auf seine Knie. Bei dieser Erinnerung mußte ich lächeln und konnte ihm nicht ernstlich böse sein. Werden die Mütter denn nie damit fertig, ihren Kindern die Windeln zu wechseln? dachte ich.

»Darf ich Sie einen Moment stören, Herr Major?« sagte ich, als wir bei Vitztums Tisch ankamen. Ich bemühte mich, so unterwürfig zu sein, wie es ein Major der Naziarmee von jeder Frau erwarten mochte. »Ich fühle mich für die kleine Störung, die solches Ärgernis verursacht hat, verantwortlich und möchte mich entschuldigen.«

Der Major erhob sich, schlug die Absätze zusammen, verbeugte sich, murmelte seinen Namen, lächelte, durchlief das ganze Ritual der Höflichkeit, der Wohlerzogenheit, ja sogar der Ritterlichkeit, und ich dachte einen Augenblick lang: Alles ist ein dummes Mißverständnis. Es wird nichts geschehen.

»Wollen wir uns nicht ein paar Minuten drüben hinsetzen?« sagte ich und deutete auf den langen, verlassenen Geburtstagstisch, auf dem Annelieses Blumen die welkenden Köpfchen hängen ließen. Ein Sektkübel mit einer halbgeleerten Flasche stand noch da, das Eis war geschmolzen, und die frohe Stimmung war verraucht. Die Musikkapelle spielte ›An der schönen blauen Donau‹, und auf der Tanzfläche drehten sich die Paare.

»Bitte sehr. Danke bestens. Bitte«, sagte der Major, wartete, bis ich mich gesetzt hatte, verbeugte sich und ließ sich dann ebenfalls nieder. Michael blieb hinter meinem Stuhl stehen und umklammerte mit den Händen die Lehne.

»Herr Major«, sagte ich mit meinem schönsten Lächeln, »wir möchten uns entschuldigen, mein Sohn und ich. Wir sind die eigentlich Schuldigen, besser gesagt, die einzig Schuldigen. Ich habe die jungen Leute veranlaßt, ein paar Schritte zu tanzen, wie sie in unserm Land üblich sind. Wir sind, wie Sie vielleicht wissen, Amerikaner; wir haben einen andern Sinn für Humor. Mein Sohn dachte, es werde als harmloser Scherz aufgefaßt werden, wenn er die kleine Tafel umdrehte. Er bedauert es, nicht wahr, Michael?«

»Ja, ich bedaure es sehr«, sagte Michael hinter mir mit trockener, leiser Stimme. Der Major hörte mit einem höflichen und interessierten Lächeln auf dem schmalen Fischgesicht zu, und mir gingen die Worte aus; aber ich nahm einen zweiten Anlauf und legte los.

»Hans Streit, der junge Offizier, hatte damit nicht das geringste zu tun. Im Gegenteil. Er hat meinem Jungen Vorwürfe gemacht und ihm geraten, es nicht wieder zu tun. Nicht wahr, Michael?«

»Ja, das hat er getan«, sagte Michael, und ich war froh, daß er mir lügen half.

»Ich weiß nicht, was Sie, Herr Major, Hans Streit gesagt haben, aber ich weiß, daß er darüber schrecklich aufgeregt ist«, fuhr ich fort. »Sie werden verstehen, daß es für mich und meinen Sohn fürchterlich ist, daß ein unschuldiger Zuschauer wie Hans für den Fehler, den wir begangen haben, bestraft werden soll. Für einen Fehler, das möchte ich hinzufügen, der so unbedeutend, so harmlos und entschuldbar scheint, besonders dann, wenn er von Ausländern, wie wir es sind, begangen worden ist —«

Weit hab' ich's gebracht, dachte ich und hörte mich angeekelt meine Entschuldigungen plätschern. Der Major wiegte den Kopf, womit er zugleich Bedauern und Überraschung ausdrückte. Er zupfte eine Blume aus dem Blumenkorb und begann nachdenklich damit zu spielen. Es war ein Maiglöckchen, ein gebrechliches Treibhausgewächs, auf Draht gespießt: ein kleiner Gekreuzigter mit blaßgrünem Leib und hängendem Köpfchen. Der Major zog den Draht heraus und begann jede der winzigen Glöckchen damit zu durchstechen.

»Hier scheint ein gründliches Mißverständnis obzuwalten«, sagte er. »Ein gründliches und bedauerliches Mißverständnis. Was ich in meiner Eigenschaft als Vorgesetzter Streits in seiner Sache zu veranlassen richtig fand, hat nicht das allermindeste mit Ihnen und Ihrem Sohn zu tun. Sie sind Gäste in diesem Land, Sie reisen mit amerikanischen Pässen. Sie haben vollkommene Freiheit, sich nach Ihrem eigenen Geschmack und Takt zu verhalten. Wir sind ein gastfreundliches Volk — das ist in der ganzen Welt bekannt. Wenn Ihr Sohn glaubt, daß seine Handlungsweise amüsant und witzig war, in einem Land — das möchte ich betonen —, das ihm alle Vorteile seiner reichen wissenschaftlichen Quellen und seiner Bildungsanstalten gewährt, wird ihn niemand daran hindern und niemand ihm daraus einen Vorwurf machen. Wir sind uns darüber klar, daß ihr Amerikaner einen anderen Sittenkodex habt.«

»Herr Major —«, versuchte ich ihn zu unterbrechen, aber er brachte mich mit einer leichten, affektierten Handbewegung zum Schweigen, wie ein Dirigent sein Orchester.

»Gestatten Sie nur eine Sekunde«, sagte er. »Ihr Amerikaner findet eine gewisse Sensation im Tanzen von Niggertänzen zur Begleitung von Niggertrommeln. Ihr findet nichts dabei, die schamlosen Verrenkungen nachzuahmen, die im Niggerkral beliebt sind. Der Verfall einer Zivilisation kündigt sich immer in solchen Auswüchsen an. Ich erinnere Sie an den Untergang Roms. An die krankhaften Orgien, die der Französischen Revolution vorausgegangen sind. Aber das ist Sache der Amerikaner und geht sie allein an. Behalten Sie Ihren Jazz! Uns gewährt es Genugtuung, das Land Beethovens, Bachs und Richard Wagners zu sein. Wir haben die unerschöpfliche Quelle unsrer Volkslieder, unsrer Volkstänze. Wir wollen nicht, daß uns diese Quelle vergiftet wird. Das ist unser Standpunkt.«

»Herr Major«, erwiderte ich, »ist es wirklich nötig, die ganze Wucht der nationalsozialistischen Weltanschauung für einen so unbedeutenden Zwischenfall aufzubieten? Es war eine Geburtstagsfeier. Die Kinder waren vergnügt und heiter — es sind doch noch Kinder, nicht wahr? Vielleicht haben sie etwas mehr Sekt getrunken, als ihren guten Manieren zuträglich war, aber ich bleibe dabei: Hans Streit hat nichts getan, was eine Bestrafung erforderte.«

»Das zu entscheiden liegt bei seinen vorgesetzten Offizieren«, sagte der Major, und ich erkannte den alten preußischen nasalen Kommandoton, der nur mit einem sich selbst verleugnenden ›Zu Befehl‹ beantwortet werden durfte. Er fuhr fort: »Wir sprechen in diesem Augenblick nicht über Streit. Wir haben uns freundschaftlich über die Anschauungen der Amerikaner im Gegensatz zu unsern Idealen unterhalten. Sie sind Amerikaner –«, sagte er und reckte plötzlich den Kopf in die Höhe, wobei er an mir vorbei auf Michael blickte, der noch immer meine Stuhllehne umklammerte. »Oder vielleicht sind Sie's gar nicht? Heißen Sie nicht Tillmann? Ja, ganz richtig. Ein guter deutscher Name, wenn ich nicht irre. Sie sprechen auch unsere Sprache auffallend gut. Ich entsinne mich, gehört zu haben, daß Sie deutscher Abstammung sind, wenn Sie sich jetzt auch Amerikaner nennen. Sie haben dieses Land in seiner schwersten Stunde verlassen, Sie und Ihre Söhne, und nun kommen Sie mit einem Sack voll Dollars zurück, um sich dafür etwas wahre Kultur zu kaufen, sich über uns lustig zu machen und unsrer arglosen Jugend Ihre anarchistischen Ideen einzupflanzen. Aber das soll Ihnen nicht gelingen!«

Ich hatte es ja gewußt, daß sie Geheimakten über uns führten, dachte ich; ich wette, sie wissen, was ich in meinem Koffer habe, welche Zeitung ich lese, was für Abführmittel ich nehme ...

»Es soll Ihnen nicht gelingen«, sagte er, versetzte dem Maiglöckchen einen letzten Stich und warf es auf den Boden. »Denn es sind zwei verschiedene Welten, zwischen denen es keine Verständigung gibt. Ihr Amerikaner mit eurem Geld und euren dekadenten Überspanntheiten, mit eurer Schlappheit und eurer haltlosen Toleranz. Und wir, gestählt in gemeinsamem Kampf, hart und diszipliniert, eine junge starke Nation –«

»Sehr richtig, Herr Major«, sagte ich; ich spürte, wie sich in mir eine Entladung vorbereitete, und hoffte zu Gott, daß ich nicht die Sektflasche nehmen und ihren Inhalt dem Major über den Kopf gießen würde. Der Wunsch, es zu tun, war fast übermächtig.

»Sehr richtig«, sagte ich. »Hans Streit ist ein prächtiges Muster dieser neuen deutschen Jugend. Er ist gestählt und diszipliniert. Er hat auch nichts Unrechtes getan, hat keinen verbotenen Tanz getanzt, ja, er hat meinem Jungen gesagt, er würde ihn krumm schlagen, wenn er jemals wieder mit seiner Schwester Foxtrott tanzen würde.«

»Er hat dabeigestanden und gelacht! Dadurch, daß er den Unfug geduldet hat, hat er sich mitschuldig gemacht. Er hat heute abend unzweideutig bewiesen, daß er der Ehre nicht würdig ist, ein deutscher Offizier zu sein. Unsre Wehrmacht ist aus besserem Stoff gemacht. Und jetzt möchte ich Sie nicht länger in Anspruch nehmen. Wollen Sie mich entschuldigen!«

Der Major erhob sich; sein Gesicht war blaß vor Ärger, und alle Höflichkeit war daraus verschwunden. Er zog seinen Rock straff und knöpfte ihn zu. Mit einemmal begann Michael zu sprechen. Er hielt noch immer meine Stuhllehne umklammert.

»Herr Major, nur noch ein Wort«, sagte er, und seine Stimme zitterte vor Erregung. »Sie haben recht: ich bin hier geboren und bin in dieses Land zurückgekommen, weil ich es liebe. Es ist meine Heimat. Mein Vater war preußischer Offizier, ebenso mein Großvater und mein Urgroßvater. Ich weiß, aus welchem Stoff Offiziere gemacht sind. Ich bin selber aus diesem Stoff gemacht. Nichts in der Welt wünsche ich sehnlicher, als daß Deutschland stark wird und sich rehabilitiert und mit den andern großen Nationen auf gleichem Fuß steht. Deshalb bin ich zurückgekommen. Deshalb habe ich dem Dritten Reich und seinem Führer Treue gelobt. Aber, Herr Major —«, sagte er, und ich fühlte, wie seine Fäuste auf meiner Stuhllehne zitterten, »wenn ein paar Tanzschritte so gefährlich sind, daß man Menschen für das bloße Zusehen bestrafen muß — dann, Herr Major, ist dieses Land nicht stark. In Amerika — in der Schule — beurteilten wir einen Jungen danach, was er beim Boxen einstecken konnte. Wenn er nicht ›nehmen‹ konnte, war er für uns ein Weichling oder ein Feigling oder ein Muttersöhnchen. Ihr könnt nicht viel einstecken, scheint es. Ihr könnt keinen Spaß als Spaß nehmen, weil ihr euch davor fürchtet. Ihr vertragt kein Lachen, Sie und Ihr Reich, ihr vertragt keine Kritik und keinen Widerspruch. Ihr fürchtet euch vor euren Untertanen, und ihr haltet eure Untertanen in Furcht vor dem Staat. Ihr könnt dem Volk Furcht einbleuen, aber nicht Stärke und Mut und schon gar nicht Liebe und Treue. Ich hatte nicht gewußt, daß ich Amerika liebe, ich habe es nicht gewußt bis zu dem Augenblick, als Sie so abfällig über dieses Land gesprochen haben. Nun, jetzt weiß ich es; ich liebe Amerika, dafür haben Sie gesorgt, Herr Major. Ich werde nach Amerika zurückgehen und allen erzählen, daß mein bester Freund sich erschießen mußte, daß er aus der Armee ausgestoßen wurde, weil er mir zugesehen hat, wie ich einen schäbigen Foxtrott getanzt habe und weil das mächtige Deutsche Reich darunter zusammengebrochen wäre. Ich werde in den Zeitungen darüber schreiben. Ich werde einen Höllenlärm schlagen. Ich versichere Ihnen, es wird drüben einen wunderbaren Eindruck machen, wir werden uns entsetzlich schlapp und dekadent vorkommen, Herr Major — und nun, wenn Sie mich einsperren wollen — bitte sehr.«

Na, jetzt sind wir ja soweit, dachte ich. Jetzt wird er verhaftet. Was soll ich dann tun? John anrufen. Mit Washington Verbindung suchen. Mit der amerikanischen Botschaft in Berlin telefonieren. Möglich, daß sie mich auch verhaften, weil ich die Mutter dieses unverschämten Burschen bin — übrigens, hatte er nicht dagestanden wie Manfred Halban in seinem Schillerdrama? Was wohl aus Fritz Halban geworden sein mag. Er ist einfach verschwunden. Liquidiert, oder wie man es hier nennt? Ich fuhr schwindelnd auf einem rasenden Karussell. Dann aber merkte ich zu meiner Verwunderung, daß der Major seine Sicherheit verlor. Er antwortete auf Michaels erstaunliche Tirade nicht, sondern wandte sich an mich und wurde wieder höflich.

»Ich schätze es, daß Sie und Ihr Sohn um Ihren jungen Freund so besorgt sind«, sagte er. »Sie sind gute Verteidiger, das muß ich bezeugen. Bedauerlicherweise ist aber der Fall nicht mehr in meiner Hand. Ich habe telefonisch Meldung erstattet, und das Verfahren geht seinen Gang. Immerhin könnte ich ja den Vorgesetzten Streits nahelegen, angesichts seiner

Jugend und Unerfahrenheit Milde walten zu lassen. Ich wünsche Ihnen eine gute Nacht. Heil Hitler!«

Er schlug die Hacken zusammen und ging mit einer komischen Steifheit im Rücken an seinen Tisch zurück, als erwarte er, Michael würde ihm einen Fußtritt in den Hintern geben.

»Pfui!« sagte Michael, immer noch zitternd. »Hast du gesehen, wie er sich duckte, als ich ihm die Faust zeigte? Was meinst du, was wird er jetzt tun?«

»Keine Sorge! Der ganze Stunk wird sich verziehen«, sagte ich. »Major Vitztum ist bloß ein alberner Wichtigtuer. Nehmen wir ein Taxi und schauen wir, was Frau Streit macht!«

Aber der Stunk verzog sich nicht. Wie Major Vitztum es gesagt hatte, das Verfahren ging seinen Gang. Frau Streit schickte Michaels Sachen nach dem ›Neckarhof‹ und weigerte sich, ihn zu empfangen. Einmal gelang es ihm, Anneliese zu sprechen, aber sie machte ihm eine so schreckliche und häßliche Szene, daß er ganz zerschlagen nach Hause kam und ich Mühe hatte, ihn wieder zu kitten. Wir saßen in meinem Zimmer, Michael und ich, und starrten auf die blutige Tomatentapete, bis wir verrückt zu werden glaubten. Die Menschen wichen uns aus, als hätten wir eine ansteckende Krankheit. Das einzige Bindeglied zwischen uns und dem andern Lager war Barbara, die zu uns kam und Bericht erstattete. Ich glaube, sie war in Michael verliebt, mit der rührenden, innigen, hoffnungslosen Hingabe häßlicher dicker Freundinnen hübscher Mädchen. Einmal schlich sich der Professor in den ›Neckarhof‹ — im Schutz der dunklen Nacht und mit dem Gehaben eines Verschwörers —, um uns zu versichern, daß er mit dem Naziregime ganz und gar nicht sympathisiere; und ob ich ihm nicht behilflich sein könne, ein Visum für Amerika und eine Anstellung zu bekommen. Es war ein ewig wiederkehrender Refrain in meinen Gesprächen mit allen: sie fanden wunderbar, was der Führer für Deutschland getan hatte, hätten indes alles hingegeben, um aus dem Land hinauszukommen. Mein alter Oberkellner hatte immer ein teilnehmendes ›Tss-tss‹ für uns, wenn er uns auf unserm einsamen Eiland servierte, zu dem unser Tisch geworden war. Das verdrossene Stubenmädchen, das unsre Zimmer aufräumte, starrte Michael manchmal nachdenklich und verloren an. Nur andeutungsweise, durch ein Hochziehen der Brauen oder ein verstohlenes Lächeln wagten sich diese Menschen mit uns zu verständigen und uns zu zeigen, daß sie mit den Regierenden nicht so ganz einverstanden waren. Ich dachte an Max Wilde. Niemals Angst haben! Hier konnte ich sehen, was die Angst aus Menschen macht. Sie nahm ihnen alle Selbstachtung und gewöhnte sie an die tiefsten Tiefen der Erniedrigung, bis sie völlig vergessen hatten, daß es überhaupt eine andre Art zu leben gab.

»Worauf warten wir eigentlich noch?« fragte ich Michael, nachdem wir eine Woche lang die Tomatentapete angestiert hatten.

»Warum nehmen wir nicht das nächste Schiff und fahren nach Hause? Die Ruhe auf der Seereise wird deinen Augen gut tun, und du kommst noch zurecht, um drüben an irgendeiner Universität das zweite Semester zu erwischen.«

»Hast du mich nicht gelehrt, die Suppe auszulöffeln, die ich mir eingebrockt habe?« sagte er. »Ich bin nicht gewohnt, Schwierigkeiten aus dem Weg zu gehen. Und das würdest du von mir auch nicht wollen. Ich muß hier durchhalten, bis wir wissen, was mit Hans geschieht. Möglich, daß ich als Zeuge vernommen werde. Vielleicht kann ich ihm noch aus der Schweinerei heraushelfen. Sie können doch nicht alle verrückt sein, nicht?«

Wir wußten genau, wer ›alle‹ waren, wie die Maschine arbeitete und wer über die Zukunft eines dummen kleinen Offiziersaspiranten zu entscheiden hatte. Wir hielten einander vor, daß dies alles blödsinnig, lächerlich und einfach unmöglich sei. Die ganze Sache erschreckte mich um so mehr, als gar nichts Düsteres und Geheimnisvolles dabei war. Hier handelte es sich nicht um Konzentrationslagergreuel, um nächtliche erstickte Schreie gemarterter Opfer in Kellergewölben, um Treibjagden auf Juden, Kommunisten und Feinde des Reichs. Es war die einfache, routinemäßige, feige Vernichtung eines braven, sauberen Nazijungen, und das Schlimmste dabei war, daß er es selbst als etwas ihm Gebührendes hinnahm. Soweit wir unterrichtet waren, befand sich Hans noch in Haft und wartete auf sein Urteil. Barbara berichtete uns, daß er unerschütterlich entschlossen sei, sich eine Kugel durch den Kopf zu schießen, wenn er aus der Armee entfernt werden sollte. Allmählich wurde ich dieser fortwährenden Selbstmorddrohungen überdrüssig. Ich fand es von dem jungen Krieger nicht besonders männlich, Mutter und Schwester zu Tode zu ängstigen. Es machte mich auch wütend, daß er dem System so blind ergeben war und sich ein Leben ohne völlige Unterwerfung nicht vorstellen konnte. »Schließlich gibt es Millionen von Männern, die das Leben ertragen, ohne Offizier zu sein. Sogar in Deutschland«, sagte ich zu Barbara. Ihr breites, flaches Gesicht war gerötet, weil sie geweint hatte.

»Es ist eine Ehrensache. Ich glaube nicht, daß Sie das begreifen können, Mrs. Sprague«, sagte sie spitz. Michael ging aus dem Zimmer und schlug die Tür hinter sich zu. Er besuchte die Vorlesungen nicht mehr und sah elend aus. »Man behandelt mich wie einen Mörder«, murmelte er. »Bald glaube ich selber, daß ich einer bin.«

An dem Tag, da Anneliese heimlich, ohne die Zustimmung ihrer Mutter, in einem Anfall von Verzweiflung zu uns kam, um sich in Michaels Armen auszuweinen und mich zu fragen, ob ich ihnen nicht irgendwie helfen könnte, entschloß ich mich, nach Berlin zu fahren und mit Hellmuth zu sprechen. Man erwartete das Urteil für den nächsten Tag, und alle waren vor Angst ganz von Sinnen.

»Sie müssen aber versuchen, heute nacht zu schlafen«, sagte ich zu Anneliese, als sie fortging. Es klang, als säße Hans Streit schon in der Todeszelle. Ich gab mir einen Ruck. Ich werde schon genauso verrückt wie die andern, dachte ich. Es war schwer, unter dem dauernden Druck von Drohung, Gefahr und Katastrophe seine fünf Sinne beisammenzuhalten.

»Wir wollen doch mal Hellmuth anrufen. Er ist ein hohes Tier, und ich bin überzeugt, er kann diesen ganzen Blödsinn mit einem einzigen Wort erledigen«, sagte ich zu Michael. »Es widerstrebt mir sehr, ihn um eine Gefälligkeit zu bitten — deshalb habe ich es nicht schon früher getan. Aber andrerseits — ich habe ihm ja auch Gefälligkeiten erwiesen, und dich hat er sehr gern —«

»Du kannst es ja versuchen«, sagte Michael trocken. »Aber ich glaube nicht, daß Onkel Hellmuth sich von persönlichen Empfindungen beeinflussen lassen wird.«

»Um Himmels willen! Sprich doch nicht wie der *Völkische Beobachter!*« rief ich aus. »Gib mir die Telefonnummer und tu dir Tropfen in die Augen. Sie sehen fürchterlich aus.«

Auf Fernanmeldungen muß man in Deutschland lange warten, und als ich endlich mit Hellmuth Klappholz' Büro im Reichswehrministerium verbunden wurde, war er bei einer Sitzung und durfte nicht gestört werden. Ich hinterließ Name und Nummer und ließ ihn bitten, mich in einer dringenden Angelegenheit, die seinen Neffen Michael Tillmann betreffe, anzurufen. Die Vermittlung war zwar höflich, schien aber über dieses höchst private Ersuchen erstaunt zu sein. Dann saß ich und wartete auf Hellmuths Anruf; aber er kam nicht. Zum Glück fand Michael die Privatnummer Hellmuths in seinem Adreßbüchlein, und nach einer Stunde Warten begann ich wieder von vorn. Es war sieben Uhr vorbei, als ich endlich verbunden wurde. Ein Dienstmädchen, das den harten Berliner Dialekt sprach, teilte mir mit, daß Oberst Klappholz ausgegangen sei und erst spätnachts zurückerwartet werde. Ich war jetzt ganz besessen von der Vorstellung, daß es unsre einzige Chance sei, die idiotische Geschichte in Hellmuths Hände zu legen. Ich telefonierte ins Hotelbüro hinunter und bestellte einen Platz im Frühflugzeug nach Berlin. Michael wanderte in meinem Zimmer auf und ab, den Kopf gesenkt, als stemme er sich gegen einen Sturm.

»Willst du in den Speisesaal gehen?« fragte ich ihn. Er schüttelte den Kopf, und so ließ ich Kaffee und kalten Aufschnitt aufs Zimmer bringen. Das Klirren von Silberlöffeln und Porzellan vor unsrer Tür unterbrach unsre gedrückte Stimmung, und der Zimmerkellner rollte das Tischchen herein. An jedem Leidensweg stehen solche tröstenden kleinen Dinge und machen einem das Leben, wenn man vor Niedergeschlagenheit fröstelt, wieder hell und warm und gemütlich. Eine Tasse Kaffee nach einem Leichenbegängnis. Eine Zigarette für den Mörder in der Todeszelle. Ein Schluck Whisky in Lebensgefahr. Eine Wärmeflasche für den Trauernden. Ein bißchen Schlaf für den Verzweifelten, ein Buch für den Kranken, eine Hand für den Sterbenden . . .

Berlin war grau, wie immer im Winter. Also das ist der Ort, wo ich einst so glücklich und erfolgreich gewesen bin, dachte ich, als mich das Taxi vom Flughafen nach der Innenstadt brachte. Von einigen neuen Bauten abgesehen, hatte es sich nicht sehr verändert. Die Bettler war man losgeworden, aber die Menschen auf der Straße sahen alle miteinander etwas heruntergekommen und schäbig aus. Aber als ich den harten, schnellen, humorvollen Zungenschlag wiederhörte und die freundlichen, wenn auch verschlossenen

Gesichter wiedersah, wußte ich, daß diese Stadt noch immer ihre treffsicheren Witze über die Regierung machte, und hoffte, daß sich irgendwo in den Fabriken und Werkstätten, in den Elends- und Proletarierviertetln die nächste Revolution vorbereitete.

Ich hatte Hellmuth meine Ankunft telegrafisch angekündigt und rief ihn vom Hotel aus an. Wiederum konnte ich ihn nicht persönlich sprechen, aber eine militärische Stimme teilte mir mit, daß Oberst Klappholz mich Punkt ein Uhr dreißig in dem und dem Restaurant erwarten werde. In alten Zeiten war ich oft in diesem Lokal gewesen, nach dem Theater oder bevor ich zum Tanzen ging. Ich mußte lächeln, als ich den himbeerfarbenen Teppich und die Säulen aus imitiertem Marmor wiedersah und die gräßliche Flora, die genau gegenüber der Herrentoilette Blumen aus einem Füllhorn streute.

»Ich suche Oberst Klappholz«, sagte ich zum Oberkellner, und an dem unterwürfigen Kratzfuß erkannte ich, daß Hellmuth tatsächlich ein großes Tier geworden war.

»Herr Oberst erwartet die Dame; ich habe Auftag, die Dame an seinen Tisch zu führen – wollen Sie bitte mitkommen«, sagte er und ging auf dem Himbeerteppich voraus. »Herrn Obersts Tisch ist im blauen Zimmer, dort ist es viel ruhiger.« Als wir das blaue Zimmer betraten, sah ich, wie Hellmuth sich von einem kleinen runden Tisch in der Ecke erhob und mir sichtlich erfreut entgegenkam. Ich würde ihn kaum erkannt haben, wenn ich ihm unvorbereitet begegnet wäre. Er war stark geworden, und in seinem Gesicht war etwas Unjunges. Er erinnerte mich an jemanden – an wen denn nur? Der Kapellmeister im ›Neckarhof‹ in seiner Phantasieuniform, dachte ich. Hellmuth hatte auch so einen Hängebauch, allerdings gebändigt durch den Waffenrock und den engen Gürtel. Auch Hellmuth besann sich von Zeit zu Zeit auf seinen Bauch und zog ihn mit einem fast hörbaren Ruck ein.

»Tante Maria! Jünger und eleganter denn je«, sagte er liebenswürdig. »Was für eine angenehme Überraschung! Zuerst einen Sherry? Ach, ich vergaß, ihr Amerikaner zieht Cocktails vor. Ich persönlich finde es ein bißchen barbarisch. Sie stumpfen den Gaumen ab, findest du nicht auch? Ich gebe zu, daß ich so etwas wie ein Feinschmecker geworden bin, seitdem wir uns das letztemal gesehen haben. Willst du mir die Bestellung des Essens überlassen? Ich weiß, was hier besonders empfehlenswert ist. Was meinst du zu Entenbraten? Mit Sauerkraut, sie machen es hier ganz ausgezeichnet – mit einem Schuß Sekt, weißt du –«

Es befriedigte ihn sichtlich, daß er sich vor mir aufspielen konnte. Er wollte mir zu Gemüte führen, was für ein wichtiger Mann er war und doch so umgänglich, schlicht, amüsant und menschlich. Ich bemühte mich aufs beste, in diesem freundschaftlichen Plauderduett die zweite Stimme zu singen, und zerbrach mir dabei den Kopf, wie ich von der gebratenen Ente in passender Weise auf Hans Streits verzweifelte Lage kommen könnte. Ich bemühte mich, zwischen diesem blühenden, gesetzten, saturierten und gemütlichen Herrn und dem schmalen, harten und verbitterten Jungen, den ich gekannt hatte, eine Ähnlichkeit zu finden.

»Danke, Martin geht es sehr gut«, sagte ich, und: »Die Geschäfte gehen ziemlich flau in Amerika«, und — viel zu eifrig —: »Ja, ich glaube, es ist großartig, was in Deutschland geschieht.«

Er erzählte mir, er sei noch nicht verheiratet, habe aber eine bildschöne Freundin, eine Schauspielerin vom Staatstheater. Er sprach über Bayreuth, und während er sich in träumerische Erinnerungen an die Wagner-Musik verlor, rutschte sein Bäuchlein wieder hinunter. Dabei fiel mir das schauerliche Bild der Walküre ein, die ohnmächtig in Wotans Armen lag, das Bild über Hellmuths Bett, das ich immer umgedreht hatte. Und das brachte mich wieder auf Michael, der das gleiche Sakrileg begangen hatte, indem er etwas umdrehte, was nicht umgedreht werden sollte. Gewiß wußte Hellmuth, daß ich nicht nach Berlin gekommen war, um mich mit ihm über Wagner zu unterhalten. Ich fragte mich, ob er mich bloß zu seinem Vergnügen im eigenen Saft schmoren ließ, oder ob er vielleicht mein Problem nicht an einem öffentlichen Ort besprechen wollte. Wir waren bis zum Mokka und zur Zigarette gekommen, und noch hatte ich kein Wort gesprochen. Als Hellmuth einen Blick auf seine Armbanduhr warf und ankündigte, daß er um drei Uhr beim Feldmarschall sein müsse, schoß ich los.

»Ich habe dir depeschiert, daß ich in einer Sache, die Michael betrifft, deinen Rat brauche«, sagte ich.

»Selbstverständlich, selbstverständlich«, sagte Hellmuth. »Du kannst unbedingt auf mich rechnen, wenn es sich um Michael handelt.« Er gab den Kellnern einen kaum merklichen Wink, und sie verschwanden wie der Geist in der Flasche aus Tausendundeiner Nacht.

»Michael ist in der Patsche«, sagte ich, »und du bist der einzige Mensch, der ihm heraushelfen kann.«

»Hoffentlich ist es nichts Ernstes?«

»Nein. Keineswegs. Es ist etwas so Unernstes, Kindisches und Unbedeutendes, daß du darüber lachen wirst«, sagte ich. »Es ist zu beängstigender Größe aufgeblasen worden, aber es ist wirklich ein Nichts. Ein Nadelstich — und es wird zerplatzen wie eine Seifenblase.«

»Na schön — hoffen wir, daß es wirklich so ist«, sagte Hellmuth. »Willst du einen Cognac zur Zigarette? Oder einen Kümmel?«

Es war nicht schwer, Hellmuth meine kleine Geschichte zu erzählen. Ich brachte sie so vor, wie man etwas Unterhaltendes erzählt. Eine dumme kleine Anekdote. »Die Kinder hatten Sekt getrunken, und er war ihnen zu Kopf gestiegen«, sagte ich. »Der Kapellmeister trug eine Perücke, und man konnte sehen, daß er fürchtete, sie könnte ihm herunterrutschen«, sagte ich. »Du weißt, Michael liebt es, kleine Späße zu machen«, sagte ich. »Er glaubte, es sei ein harmloser Ulk — er dachte nicht an irgendwelche Folgen . . .«

Als ich alles berichtet hatte, sagte Hellmuth zuerst nichts. Ich leerte das Gläschen mit dem Kümmel — er verbrannte mir die Kehle, aber ich hatte Hellmuth zuliebe Kümmel genommen. So albern ist man, wenn man etwas von jemandem will. Ich trank etwas Wasser nach und nahm eine Zigarette in den Mund. Hellmuth gab mir Feuer, ganz Wohlerzogenheit und beflissene Höflichkeit.

»Sieh mal, Tante Maria«, sagte er, nachdem er sich die Sache überlegt hatte. »Du hast gesagt, Michael sei in der Klemme. Wenn ich dich aber recht verstanden habe, ist ihm nichts geschehen. Niemand hat ihm etwas getan. Er kann tun, was er will, und gehen, wohin es ihm beliebt. Wo ist die Klemme?«

»Aber Hellmuth, du kennst doch Michael. Für ihn ist es viel schlimmer, daß sein Freund für ihn leiden muß, als wenn man ihn selbst eingesperrt hätte und geprügelt oder irgend so etwas. Du mußt begreifen, wie hart es für die beiden Jungens ist.«

»Ja, ich glaube selber, daß es für ihn schlimmer ist. Aber vielleicht wirkt dieses Erlebnis günstig auf seinen Charakter. Ich erinnere mich, daß Michael etwas Unbeständiges, etwas Flackerndes in seinem Wesen hatte. Ich glaube, es wird für ihn eine gute Kur sein. Jawohl. Davon bin ich überzeugt«, sagte Hellmuth. Er blickte den Rauchringen nach, die er kunstvoll in die Luft blies, und sein Ausdruck verriet eine gewisse Schadenfreude. »Du weißt doch, wie es mit Friedrich dem Großen war«, sagte er. »Sein Vater zwang ihn, zuzusehen, wie sein Freund Katte hingerichtet wurde, um ihn zu bestrafen und einen Mann aus ihm zu machen. Grausam? Vielleicht. Aber wirksam – das mußt du zugeben.«

»Aber Hellmuth – Michael soll ja kein preußischer König werden«, erwiderte ich verblüfft durch die sonderbare Logik seiner Schlußfolgerung. »Er braucht doch eine so drastische Erziehung nicht. Außerdem ist er nicht Friedrich der Große, das heißt, er ist der Aufopferung seines Freundes nicht wert. Denk doch mal einen Augenblick gar nicht an Michael! Denk doch jetzt nur mal an diesen Hans Streit! Er ist vollkommen unschuldig. Er ist ein so prächtiger junger Soldat, wie du ihn dir nur wünschen kannst. Und seine Mutter, seine Schwester – es ist unfaßbar, daß sie durch eine solche Hölle gehen müssen, weil dieser alberne Michael so eine Dummheit gemacht hat.«

»Wie kannst du behaupten, daß dieser – wie heißt er? – Hans Streit unschuldig ist? Wie kannst du so etwas sagen, Tante Maria? Du kannst überzeugt sein, daß seine Schuld untersucht und eindeutig bewiesen wird, bevor er aus der Armee entfernt wird. Ich stimme mit seinen Vorgesetzten restlos überein. Er mag ein netter Junge sein, aber sein Benehmen hat bewiesen, daß er nicht würdig ist, die Uniform eines Offiziers zu tragen.«

»Wegen dieser lächerlichen Geschichte mit dem Pappschild? Nimm mir's nicht übel, Hellmuth, aber das grenzt an Wahnsinn. Es erinnert mich an jene geisteskranken Mädchen, die eine Bürste mit sich herumtragen und glauben, es sei ihr Baby. Das ist ungesund – das ist ja schon Fetischismus.«

»Ich habe kürzlich einen hochinteressanten Aufsatz über die Symbole in der Welt der Schizophrenen gelesen«, sagte Hellmuth mit einem dünnen Lächeln. »Wenn ihr gesamter geistiger Apparat zum Teufel geht, erkennen sie noch immer ihre Symbole. Warum? Weil das Symbol einem tiefen, unzerstörbaren Trieb der menschlichen Seele entspricht. Zugegeben, dieses Pappschild ist bloß ein Symbol. Das Wort ›Verboten‹ ist auch nur ein Symbol. Auch das Kreuz. Auch das Hakenkreuz. Auch die Krone, die einen

Menschen zum König macht, und die Fahne, die ein Regiment in die Schlacht und zum Sieg führt. Du kannst nicht sagen, das Kreuz ist nur ein Stück Holz, die Fahne ist nur ein Stück buntes Tuch. Es gibt Ideen, die so gewaltig und so heilig sind, daß wir sie nur in einem Symbol verdichtet zur Anschauung bringen können. Das erklärt die explosive Kraft, die das Volk hinter den Symbolen fühlt. Das ist es, was dem Hakenkreuz genügend Stärke verleiht, die Welt zu erobern. Verstehst du, was ich meine?« Ich dachte: Sie sind gedopt, alle miteinander. Ihre Ekstasen haben nichts Menschliches, sie paaren sich mit den Buhlteufeln der Hölle, wie die Hexen des Mittelalters.

»Ja. In gewissem Sinne —«, sagte ich unsicher. Hellmuth machte eine Handbewegung, ein Kellner erschien aus dem Nichts und füllte die Gläser. Hellmuth leerte sein Glas mit geschlossenen Augen, nicht als trinke er Kümmel, sondern wie ein Mensch, der im Orgasmus versinkt.

»Das Zeichen ›Verboten‹ ist ein Symbol für Gesetz und Ordnung«, fuhr Hellmuth fort. »Es zu respektieren, ist ein Symbol des Gehorsams, Gehorsam ist die erste Pflicht jedes Soldaten. Wie will sich ein Offizier Gehorsam erzwingen, wenn er selbst nicht gehorchen gelernt hat? Erinnerst du dich an Kleists ›Prinz Friedrich von Homburg‹? Er gewinnt eine Schlacht, indem er die Befehle mißachtet, und wird dafür zum Tode verurteilt. Was vor hundert Jahren Wahrheit war, ist es heute genauso. Du sagst, dieser Streit hat zuviel getrunken und wußte nicht, was er tat? Das ist ein Beweis dafür, daß er einen schlechten Soldaten abgeben würde. Ein Soldat muß sich in der Hand haben — nüchtern oder betrunken, heil oder verwundet, in der Schlacht, in Gefahr, im Tode. Natürlich ist es immer noch nicht so schlimm, als wenn er im Dienst versagt hätte, in der Kaserne, im Manöver, auf dem Schlachtfeld. Ich glaube, ihr seid in Amerika ein bißchen schlapp geworden, Tante Maria, sonst würdest du das genauso gut wissen wie ich. Onkel Kurt war Offizier und ein guter Offizier, und du selbst warst eine vollkommene Soldatenfrau.«

Komisch — ich mußte einen Moment nachdenken, bevor mir einfiel, daß er mit Onkel Kurt Hauptmann Tillmann meinte, meinen Mann. Ja, ich war vielleicht eine ganz gute Imitation einer preußischen Soldatenfrau gewesen, aber seither war ich weitergegangen, und sie waren rückwärts gekrebst. Ich fühlte mich unfähig, Hellmuths Nazidialektik zu parieren — seine Beispiele aus der preußischen Geschichte und Literatur nahmen mir den Wind aus den Segeln. Er sah auf die Armbanduhr.

»Schön, Hellmuth«, sagte ich rasch, »ich verstehe alle deine Argumente. Aber um meinetwillen und um Michaels willen — würdest du nicht deinen Einfluß geltend machen und dafür sorgen, daß in diesem einen Fall eine Ausnahme gemacht wird?«

»Es gibt keine Ausnahmen«, sagte er. »Für Ausnahmen und verwöhnte Individuen ist in einem starker Staat kein Platz. Wenn dieser junge Mensch auch nicht das Zeug zum Offizier hat, müßte er wenigstens genug Rückgrat haben, seine Bestrafung hinzunehmen, ohne mit der Wimper zu zucken.«

»Das tut er ja. Er nimmt seine Bestrafung hin. Aber ich tue es nicht. Und Michael tut es nicht!«

»Daß Michael es nicht tut, enttäuscht mich. Ich habe darauf gerechnet, daß er das Wesen unserer Weltanschauung nach Amerika mitnimmt. Amerika ist ein ungeheures Betätigungsfeld für einen Deutsch-Amerikaner seiner Erziehung. Aber ich sehe jetzt, daß er noch sehr viel lernen muß. Das ist seine erste Lektion, und wenn es weh tut — um so besser. Der Gedanke, sich hinter deiner Schürze zu verstecken und dich herzuschicken, damit du um Gnade bettelst, gefällt mir gar nicht.«

Also das ist es, was du aus Michael machen willst, dachte ich, eiskalt vor Wut. Einen Naziagenten!

»Hör zu, Hellmuth, weil wir gerade vom Verstecken hinter einer Weiberschürze sprechen —«, sagte ich. »Du bist vielleicht ein wirklich großer Mann, ein Mann, den man fürchtet und den man bewundert. Aber für mich wirst du immer der Junge sein, den ich vor der Polizei verstecken mußte, als er sich selbst in die Patsche gebracht hatte. Erinnerst du dich noch an die große blaue Schürze, die ich in Einsiedel trug? Und was für wunde Füße du hattest? Und was für Angst du hattest? Es widerstrebt mir, dich daran zu erinnern, daß ich dir geholfen habe, als du in der Klemme warst — aber du zwingst mich dazu. Ich liebe es nicht, alte Schulden einzukassieren, und für mich selber würde ich es auch nicht tun — auch für Michael nicht. Aber es geschieht für Hans Streit, und ich sage dir: Du mußt etwas für ihn tun, ob du nun für Ausnahmen bist oder nicht. Ich habe in deinem Fall auch eine Ausnahme gemacht, obwohl es mir genauso gegen den Strich ging und genauso gegen meine Überzeugung war, wie es dir in diesem Fall gegen deine Überzeugung gehen mag.«

Ich weiß nicht, was Hellmuth dabei dachte, denn sein Gesicht verlor jeden Ausdruck, außer vielleicht einer Art schläfrigen und träumerischen Staunens, als wolle er sagen: Was für ein verrückter Vogel bist du, Tante Maria, daß du so unverschämt in die Höhle des Löwen hineinflatterst?

»Wir wollen nicht sentimental werden«, sagte er, und damit ließ er den Gegenstand in der Luft hängen. Er sprang auf ein Kunstthema über. »Die neue deutsche Kunst, geradezu klassisch in ihrer Schönheit —«, sagte er. Da sei eine Ausstellung, ich dürfe sie unter keinen Umständen versäumen. Er brachte mich zu einem Taxi und blieb lächelnd und salutierend auf der Bordschwelle stehen, ein Prachtmonument mit beginnendem Doppelkinn und einem von der Uniform gebändigten Hängebauch.

Hellmuths Intervention kam ein bißchen zu spät; Hans Streits Nerven, bis zum Zerreißen mißhandelt, versagten, und er schoß sich eine Kugel in die Brust. Er machte es schlecht, wie Menschen, die nicht wirklich sterben wollen. Das Geschoß wurde aus seiner linken Lunge entfernt, und die Ärzte gaben ihm fünfzig Prozent Aussicht, am Leben zu bleiben. Immerhin schien dieses Harakiri, zusammen mit Hellmuths Machtwort, die Götter besänftigt zu haben. Sie dekretierten, daß Hans, wenn er am Leben bliebe, in allen Ehren wieder in die Armee aufgenommen werden sollte. Anneliese kam zu uns, um es Michael zu erzählen, und Frau Streit schrieb mir einen dank- und achtungerfüllten Brief. Offenbar fiel ein schwacher Abglanz von

Hellmuths Glorie auf uns, und man hörte auf, uns als Paria zu behandeln. Wir hatten nun nichts mehr zu tun, als ein paar Wochen zu warten, ob Hans leben oder sterben würde. Es beschämte mich fast, daß wir unter dem Schutz unsrer amerikanischen Pässe ungeschoren und mit heiler Haut durch die ganze Affäre gekommen waren. Ich rief John an, führte ein gedrängtes Dreiminutengespräch mit ihm, wünschte ihm frohe Weihnachten und sagte ihm, daß wir noch eine Zeitlang dableiben müßten, daß ich aber hoffte, Michael nach New York mitzubringen. Ich hatte grenzenloses Heimweh nach New York, nach John, ja sogar nach dummen Kleinigkeiten wie dem Abwaschtisch in der Küche, meinem Eisschrank und nach dem Columbus Circle, wo die Menschen von ihren Seifenkisten herunter so viele Reden halten konnten, wie sie wollten.

Es besteht kein Zweifel darüber, daß die angstvollen Wochen des Wartens — erst auf das Verdikt über Hans Streit und dann auf die Entscheidung über Leben und Tod — die Krise in Michaels Krankheit beschleunigt haben. Sein Augenleiden, das sich anfangs langsam entwickelt hatte, verschlimmerte sich rapid. Wenn er nicht im Krankenhaus war, um Hans Streit zu besuchen, lag er die ganze Zeit auf dem Bett, unrasiert und ungekämmt, bei dicht zugezogenen Vorhängen, mit dem Gesicht gegen die Wand. Er stapelte die Zeitschriften und Bücher auf, die ich brachte, aber er las sie nicht. »Zu langweilig«, sagte er. »Übrigens macht mich das Lesen müde.« Aber er schlief nicht; tagsüber döste er, und nachts hörte man ihn alle paar Stunden aufstehen und den Wasserhahn im Badezimmer aufdrehen. »Was ist mit dir los, Milchi?« fragte ich ihn, und er antwortete: »Ich nehme eine warme Dusche. Es ist so kalt.« Seine Stirn und seine Hände waren heiß und trocken, und als ich ihn schließlich überredete, sich zu messen, hatte er etwas Temperatur, siebenunddreißig sechs. Es war kein Fieber, aber es war auch nicht normal. Es war die Temperatur, die Manfred Halban fast immer hatte. Da haben wir's, dachte ich. Das Wölkchen, ein Nebelschleier an Michaels Horizont, war schwarz geworden und bedeckte das ganze Firmament, aber noch war es gestaltlos — gestaltlos, wie Wolken sind. Am Morgen war Michaels Temperatur wieder zurückgegangen; er aß sein Frühstück, stand sogar auf und ging spazieren. Er traf sich mit Anneliese, machte Hans einen Zehnminutenbesuch und kam ganz aufgekratzt zurück. Es ist nichts, ich bin bloß überreizt, sagte ich mir. Am Abend stieg das Thermometer wieder auf siebenunddreißig acht, ich lag die ganze Nacht wach und horchte. Nein, er hustete nicht. Es ist die Aufregung, dachte ich. Es ist die ganze drückende Atmosphäre und das Warten und die nutzlose Reue und die Sorge um den jungen Streit. Mich selbst fröstelte die ganze Zeit, und aus uneingestandener Feigheit schob ich es von einem Tag zum andern auf, mit Michael zum Arzt zu gehen. Es muß wohl Pimpernells Brief gewesen sein, der mich an Frau Dr. Süßkind in Bergheim erinnerte. Der Mann am Hotelempfang überreichte ihn mir mit einer respektvollen Verbeugung, denn auf dem dicken Kuvert prangte das Wappen der Bergheim-Zuche.

»Liebe Marion«, schrieb die Großherzogin, *»ich weiß nicht, ob Sie sich meiner noch erinnern. Ich habe von Clara Balbi gehört, daß Sie in Heidelberg sind, und würde Sie gern wiedersehen. Leider bin ich zur Zeit an den Rollstuhl gefesselt. Vielleicht haben Sie in den Zeitungen von dem Flugzeugunglück gelesen, bei dem ich verletzt wurde und mein älterer Sohn ums Leben kam. Es ist ein harter Schlag für uns alte Leute, aber ich frage nicht mehr nach dem Warum und glaube, daß es Gottes Wille war.*

Ich schreibe wegen meines jüngeren Sohns, der ein sehr guter Ingenieur ist und sich in Amerika nach einer Stellung umsieht. Er hat an der Technischen Hochschule in Kalifornien seinen Doktor gemacht und dann praktisch in der Fordfabrik in Detroit gearbeitet. Würden Sie bei Ihrem Gatten ein gutes Wort für ihn einlegen? Er ist ja, wie ich gehört habe, ein sehr einflußreicher Mann. Darf mein Sohn ihm seine Zeugnisse einsenden und auf Beachtung hoffen? Wenn Sie zu dem Zeitpunkt, da Frau Dr. Süßkind mir erlauben wird, Besuche zu empfangen, noch in der Nähe sind, werden Sie hoffentlich kommen und über die alten Zeiten plaudern mit Ihrer Freundin

Eleonore Bergheim-Zuche (Pimpernell).

PS. Dem Großherzog geht's gut, und er sendet Ihnen seine besten Empfehlungen.«

Ein schwacher, trauriger Duft von Heimweh stieg aus dem knisternden Briefpapier mit seinem überflüssig gewordenen Wappen; der Duft einer versunkenen Welt, der Duft vergangener Jugend.

»Wollen wir nicht mal ein bißchen weg?« sagte ich zu Michael. »Machen wir doch einen Ausflug nach Bergheim — nur für einen Tag. Es wird uns gut tun, und ich möchte eine alte Freundin besuchen.«

Ich hatte ein paar Zeilen an Frau Dr. Süßkind geschrieben, da ich das Gefühl hatte, daß eine Aussprache mit dem zähen alten Schlachtroß viel zur Zerstreuung der schwarzen Nebel beitragen würde, die sich um uns zusammengebraut hatten. Wie mieteten ein Auto und fuhren eine Stunde auf der neuen Autobahn, auf die man hier so stolz war. Da waren die Vorberge mit ihren vertrauten Konturen, mit Getreidefeldern und Obstgärten, die jetzt kahl unter dem Schnee lagen — und schläfrige Dörfer, die sich um ihre alten Kirchen kuschelten. Wir fuhren über die Rheinbrücke, und der Dom spiegelte sich in den grauen winterlichen Wassern. Ein einziger vertrockneter Blumenstrauß lag zu Füßen des Brückenheiligen. Immer wieder war ich im Traum in Bergheim gewesen, so daß schließlich die Traumstadt für mich Wirklichkeit geworden war und ich nun die wirkliche Stadt nicht wiedererkannte. Ich wanderte umher und suchte die hohe Säule mit Hugo dem Gütigen und seiner Römertoga und das neue Palais und fand sie nicht. Die Straßen hatten neue Namen — nach Nazigrößen —, und wo das neue Palais gestanden hatte, erhob sich jetzt ein pseudogriechischer Betonbau, der genauso aussah wie eine Bank in Kansas City. Ich nehme an, es war der Sitz der Landesregierung. Eine gewaltige Fahne wehte an seiner

Front, und vor dem Portal standen zwei Wachtposten, zwei reglose, finster entschlossene Gestalten wie die Figuren an einem Kriegerdenkmal.

Frau Dr. Süßkind erwartete uns. Sie wenigstens hatte sich nicht sehr verändert. Sie war schon früher hart und trocken gewesen wie ein Kieselstein, und Kieselsteine verändern sich nicht. »Guten Tag, Marion«, sagte sie, als wären wir gestern auseinandergegangen.

»Also, das ist das amerikanische Produkt, das Ihnen Sorgen macht?« fragte sie, indem sie einen scharfen Blick auf Michael warf und ihm auf die Schultern klopfte. »Wo fehlt's, junger Mann? Sie sehen aus, als wären Sie ein bißchen zu rasch gewachsen. Marion, wollen Sie sich das neue Wöchnerinnenheim im Allgemeinen Krankenhaus ansehen? Es ist eine Sehenswürdigkeit der Stadt — elektrische Brutapparate, Säuglinge hinter Glas und so weiter. Und Unehelichkeit ist kein Makel mehr. Schrecklich, die Sache mit dem Sohn der Großherzogin. Aber immer noch besser, als stückweise an einer Leberschrumpfung zugrunde zu gehen. Das habe ich ihr gesagt, und sie trägt es verhältnismäßig gut.

So, jetzt trinken wir eine Tasse Kaffee — aber wirklichen Kaffee, Marion. Es ist vielleicht unpatriotisch, den Kaffee so stark zu trinken wie ich, aber es ist das einzige, womit eine alte Frau wie ich Leib und Seele zusammenhalten kann. Und dann werden wir uns dieses Exemplar der Gattung Mann mal näher ansehen.«

»Du hast mich also in eine ärztliche Untersuchung gelockt«, zischelte Michael, als wir ihr in den Salon folgten. Es war kalt hier. »Bei einem Blutdruck von mehr als zweihundert braucht man nicht viel Kohle —«, sagte die alte Dame. Es roch nach Bohnerwachs und Karbolsäure. Der Kaffee war stark, schmeckte aber auch nach Karbolsäure. Mit strenger Mißbilligung beobachtete das Bildnis des Führers mit der Hakenkreuzflagge, wie wir die kostbaren Kaffeebohnen verschwendeten.

Michael verstand sich sehr schnell mit der alten Männerfeindin. Nach fünf Minuten waren die beiden in eine medizinische Fachsimpelei vertieft und hatten mich links liegenlassen. »Grooneman ist ein bedeutender Chirurg«, hörte ich sagen. »Junger Mann, wenn Sie bei Grooneman belegen könnten, haben Sie wirklich Glück.« Dann berichtete Michael über die Versuche, die er an der Universität mit der Pfeiffer-Bakteriolyse gemacht hatte, und ich sah zum Fenster hinaus auf die alten Parkbäume. Wenn man einen jungen Baum nach zwanzig Jahren wiedersieht, schaut die Welt ganz anders aus, aber die alten Bäume verändern sich nicht.

»So, und jetzt wollen wir uns den jungen Mann mal genau betrachten«, sagte Frau Dr. Süßkind und sah mich böse an, weil ich mich mit ihnen in den Ordinationsraum hineinschmuggelte. Aber ich hatte ein beengendes Gefühl und fürchtete mich, allein zu bleiben. Ich hatte in den letzten Wochen allzuviel gewartet... Michael hatte diese Prozedur seit seiner Kindheit oft genug durchgemacht und zog sich sofort unaufgefordert aus. »Gut gebaut«, nickte mir Frau Dr. Süßkind anerkennend zu, als hätte ich einen sauberen Bericht über einen Fürsorgefall abgeliefert. »Ein bißchen Untergewicht vielleicht, aber gut.« Diese letzten Wochen, in denen Michael in einer Art Betäubung herumgegangen war, hatten seiner Haut nicht alles Gold nehmen können; es war von Sonne und Schnee eingegerbt und ziemlich haltbar. Er atmete, hielt den Atem ein, neigte den Kopf, verschränkte die Arme und machte dies und das, beinahe mechanisch und mit einem uninteressierten Lächeln, während Frau Dr. Süßkinds harte Finger, ihre große Ohrmuschel und das Stethoskop an seinem Körper auf und ab wanderten.

»Nein, es fehlt ihm gar nichts. Seine Lungen sind, soweit ich sehen kann, tadellos. Wenn Sie absolut sichergehen wollen, können Sie ja in Heidelberg eine Röntgenaufnahme machen lassen. Ich habe Patienten, die ohne jede Ursache Temperatur bekommen, nicht gern. Gewöhnlich steckt irgendein Eiterherd dahinter.«

»Es gibt schon eine Ursache«, sagte ich. »Das heißt, eine seelische Ursache. Michael hat eine böse Zeit hinter sich — sein bester Freund hat einen Selbstmordversuch gemacht.«

»Schlappschwanz!« war alles, was Frau Dr. Süßkind dazu zu sagen hatte. »Weshalb hat er es getan? Wegen eines Mädels?«

»Mädel! Keine Spur!« sagte Michael. »Er hatte sehr ernste Gründe, sehr ernste — und ich fühle mich dafür verantwortlich.«

»Zu meiner Zeit war Liebe der ernsteste Grund«, sagte Frau Dr. Süßkind zu meiner Verwunderung. »Aber die jungen Leute von heute haben andre Ansichten... Nein, an der Lunge fehlt ihm nichts. Sonst irgendwelche Störungen? Geschlechtskrankheiten? Soll ich in den südlichen Regionen nachsehen, Marion? Nie einen kleinen Tripper gehabt, junger Mann? Nein? Nun, das ist eine Seltenheit unter Studenten. Wie wär's mit einem Wassermann?«

»Für diese Art von Beschwerden fehlen die Voraussetzungen — das muß ich leider gestehen«, sagte Michael, sichtlich amüsiert darüber, daß die alte Jungfer so geradeheraus war. »Ich habe meine kostbare Unschuld bis jetzt in Heidelberg noch nicht verloren. Das einzige, was mich wirklich beunruhigt, sind meine Augen.«

»Aha!« sagte Frau Dr. Süßkind. »Schmutz hineingerieben? Eine Infektion mit Staphylococcus aureus? Wissen Sie, ich bin keine Augenspezialistin. Gehen Sie damit lieber zu Professor Lamm, wenn Sie sein Honorar bezahlen können. Er ist der beste, den man in Heidelberg hat. Professor Lamm, Neckarstraße.«

Michael zog langsam sein Hemd an; er schien nicht zufrieden zu sein.

»Auf Wiedersehen, Marion«, sagte Frau Dr. Süßkind, als wir gingen. »Kein Grund, sich über Ihren Filius Sorgen zu machen. Es war nett, Sie wiederzusehen. Nett von Ihnen, daß Sie sich an den alten Drachen erinnert haben.« Plötzlich legte sie die Arme um meine Schultern und küßte mich auf die Backe. Ihre Lippen waren trocken und hart. Sie fühlten sich an wie Zeitungspapier, das draußen im Regen gelegen hatte und dann auf dem Ofen getrocknet worden war.

»Ja, die Zeiten haben sich geändert, es ist nicht mehr so, wie es war«, sagte sie. »Warum nehmen Sie Ihren Jungen nicht wieder nach Amerika mit? Deutsche Selbstmorde sind ansteckend — wie die Masern.« Das war die einzige Andeutung, daß Frau Dr. Süßkind keine waschechte National-sozialistin war, aber ich hatte schon ein feines Gehör bekommen und war empfindlich für die mitschwingenden Obertöne.

Das war vier Tage vor Weihnachten und die erste Station auf unsrer langen Wanderung von Arzt zu Arzt. Mir gewährte die Auskunft eine ge-wisse Erleichterung, Michael aber war verstimmt und nachdenklich. »Warum reitest du immer auf meiner Lunge herum, Mony?« fragte er mich am folgenden Tag. »Das ist ein unsympathischer Komplex bei einer sonst ganz vernünftigen Mutter.«

»Du warst als Kind unterernährt«, sagte ich, »und — und — es waren einige Fälle von Tbc in der Familie.«

»Auf der Tillmannschen Seite nicht«, sagte Michael. Mein Herz setzte einen Augenblick aus. Nun muß es sein, dachte ich.

»Nein. Auf der Tillmannschen Seite nicht«, erwiderte ich. Nie wieder bin ich so nahe dran gewesen, ihm die Wahrheit zu sagen. Aber gerade jetzt konnte ich es nicht tun — er sah so krank und elend aus. Und er hat noch nie ein Mädchen gehabt, überlegte ich. Er muß erst mehr über Mann und Frau erfahren, über ihre verwickelten Beziehungen, bevor ich es ihm sagen kann.

Professor Lamm war ein pompöser Esel, der wahrhaftig an seiner eige-nen Wichtigkeit erstickte. Er hatte schwere, durchgesessene Lederfauteuils im Wartezimmer, und auch hier blickte das Bildnis des Führers auf uns herab, so streng, als wäre es ein Verbrechen an Rasse und Vaterland, krank zu sein. Der Professor fand die Augen gereizt und die Netzhaut entzündet. Auch er fragte nach Geschlechtskrankheiten und bestand auf der Wasser-mannprobe. Sie fiel negativ aus. Michael bekam Augentropfen, sollte nicht viel lesen und zweimal wöchentlich zur Behandlung kommen.

»Ich könnte gar nicht viel lesen, auch wenn ich wollte«, brummte er. »Wenn ich in ein Buch schaue, tanzen die Buchstaben durcheinander; es macht mich so müde, ich kann es gar nicht aushalten.«

Er sah fremd aus mit den großen erweiterten Pupillen, nachdem ihn der Professor mit Atropin behandelt hatte. Am Weihnachtsabend saßen wir in meinem Hotelzimmer, ich bemühte mich, heiter zu sein, und hatte als Überraschung für Michael einen kleinen Baum mit Kerzen.

»Reizend —«, sagte er mit einem schwachen Lächeln, und dann wandte er den Kopf ab. »Das Licht tut meinen verdammten Augen weh«, sagte er verlegen. »Sei nicht bös, Mony — blas sie aus!«

Zwei Tage später fand ich das Buch. Es mußte unter das Bett gefallen sein, während er schlief. Das mürrische Stubenmädchen hob es auf und schmiß es auf meinen Schreibtisch. Es war ein nüchtern aussehendes Lehr-buch in grauem Leinen. Lehrbuch der Augenheilkunde. Als ich es nahm, um es in Michaels Zimmer zu tragen, öffnete es sich an der Stelle, wo er sein Lesezeichen hineingelegt hatte. Da waren einige Abbildungen von erkrankten Augen und zwei Fotografien von entsetzlichen Gesichtern mit verdrehten und zerstörten Augen. Mechanisch blickte ich auf die Bilder, und es wurde mir fast übel dabei. Die Augen waren eiterzerfressen, und eitergefüllte Säcke hingen über eingesunkene Backen herunter. Dann begann ich den betreffenden Text zu lesen.

Mein Gott, wie glücklich unwissend war ich bis zu diesem Tag gewesen, und wieviel habe ich in den bitteren Jahren seither über Augentuberkulose gelernt! Ich hatte nicht einmal gewußt, daß es eine solche Krankheit gibt. Nun las ich darüber und ackerte mich durch all die wissenschaftlichen Ausdrücke hindurch, die ich nicht recht verstand. Was für ein Idiot war ich gewesen, nachts wachzuliegen und zu horchen, ob mein Junge hustete. Ich sah auf die Bilder und las und las wieder. Der Schweiß rann an mir herunter, und mein Rücken wurde kalt und steif, bis mir die Bluse an der Haut klebte, als wäre ich im Regen gewesen. Also daran denkt der Bub! Davor fürchtete er sich. Armer Bub, armer Milchi! Ich nahm das Buch und trug es in sein Zimmer zurück; ich habe ihm nie etwas davon gesagt. Ich ging allein zu Professor Lamm, wartete auf dem durchgesessenen Fauteuil und konnte endlich mit ihm sprechen.

»Sie machen aus der Mücke einen Elefanten. Ihr Junge hat eine simple Infektion, wie wir sie täglich fünfzigmal sehen. Wir hier machen bloß nicht soviel Geschichten damit wie Ihre Ärzte, denen es nur auf eine Riesenrechnung ankommt«, sagte er mit sehr unangenehmer Betonung.

»Ja — aber was für eine Infektion, Herr Professor?«

»Das überlassen Sie gefälligst mir! Es hat keinen Sinn, Ihnen Erklärungen zu geben, die Sie nicht verstehen würden.«

»Kann es Tbc sein?« fragte ich mit einem kühnen Anlauf.

»Könnte sein, ist aber nicht«, bellte der Professor. »Wenn Sie meine offene Meinung hören wollen: Ihr Junge ist verwöhnt und benutzt seine kleine Retinitis, um die Vorlesungen zu schwänzen. Guten Tag.«

Dr. Flint war ein trockener, pedantischer, gründlicher Geselle, der es liebte, lange Vorträge zu halten, wobei er die Hand mit der Sonde in der Luft hielt und der Patient angstvoll-gespannt dasaß und verzweifelt den glänzenden Spiegel auf des Doktors Stirn anstarrte. Auch Dr. Flint machte eine Wassermannreaktion und versicherte uns nachher in langgewundener Rede: »Was immer auch die Ursache der Retinitis sein mag — luetischen Ursprungs ist sie nicht.«

Dr. Pastor, zu dem wir dann gingen, hatte das Temperament eines Terriers, das Gesicht einer Bulldogge und die schwere, plumpe Hand des Sparringpartners eines Boxchampions.

Dr. Manz war jung, nervös und übersensitiv. Er hatte eine zarte Haut, errötete leicht, machte eine Tragödie aus jedem Fall und verliebte sich in Michael. »Meinetwegen können sie mir die Augen mit jedem chemischen Präparat der Welt ausbrennen«, fluchte Michael. »Aber ich lasse mich nicht von einem homosexuellen Spezialisten betalpschen.«

In der ersten Januarwoche fuhren wir nach Frankfurt, um Dr. Lanzhoff, der uns als Autorität empfohlen worden war, zu konsultieren. Er war ein Mann der alten Schule, mit einem viereckigen Gesicht, das aussah wie nach einer ausrangierten Hindenburg-Büste modelliert. Er hatte freundliche blaue

Augen und auffallend kleine Hände, richtige Kinderpatschhändchen. Er war energisch, kurz angebunden und hatte etwas von einem ehemaligen Offizier, und es überraschte mich einigermaßen, daß sein Sprechzimmer wie eine Bibliothek aussah. Da standen Regale bis zur Decke hinauf, und zwischen den Klassikern der Weltliteratur entdeckte ich viele Bücher, die vor ein paar Jahren verboten und verbrannt worden waren. Ich wußte, daß jedermann die verbotenen Bücher verschlang, aber nur heimlich. Dadurch, daß Dr. Lanzhoff sie so sichtbar aufstellte, wollte er ausdrücken, daß er keine Angst habe und auf die Nazis pfeife.

»Bevor ich Ihre Augen untersuche, wollen wir uns mal ein bißchen unterhalten«, sagte er zu Michael. »Mama steckt unterdessen die Nase ins Buch, ja? Was würden Sie gern lesen?«

Ich nahm Thomas Manns ›Zauberberg‹ vom Regal und setzte mich in einen Winkel des großen hohen Zimmers. Ich begann zu blättern, und durch das Rascheln hindurch hörte ich Bruchstücke des Gesprächs.

»... ja, eine Iridozyklitis kann sehr unangenehm sein, wie Sie als Mediziner wissen werden ...«

»... Schmerzen überhaupt nicht, Herr Professor, aber es macht mir jedes planmäßige Arbeiten fast unmöglich ...«

»... gelegentlich Kopfschmerzen — Trigeminus affiziert, oder nicht ...?«

»... ich kann Ihnen schon jetzt sagen, daß Sie sehr viel Geduld haben müssen, Herr Tillmann. Geduld und Ruhe und wieder Geduld ...«

»... aber das zweite Semester beginnt nächste Woche, Herr Geheimrat. Glauben Sie nicht, daß ich wenigstens die Vorlesungen besuchen könnte ...?«

Ich hatte das Kapitel gefunden, das ich gesucht hatte. »... Was nun Sie betrifft, so waren Sie wohl immer ziemlich bleichsüchtig, nicht? Aber müde wurden Sie gar nicht leicht bei körperlicher Arbeit? Doch ... Wissen Sie, daß Sie schon früher krank waren? Ich?« las ich. Ich ertappte mich dabei, daß ich die Zeilen immer wieder las, ohne ihren Sinn zu erfassen. »Wissen Sie, daß Sie schon früher krank waren? Ich?« »Wissen Sie, daß Sie schon früher krank waren? Ich? Ich? Ich?«

»Na, jetzt wollen wir uns mal Ihre häßliche Retina ansehen. Ich glaube, wir werden einen kleinen Pirquet machen — was meinen Sie dazu, Herr Kollege?« sagte der Professor und stand auf. Auch ich erhob mich, das Buch immer noch in der Hand. »Nein, es ist besser, Sie bleiben hier. Ich habe Mamas in meiner Folterkammer nicht gern«, sagte er freundlich und öffnete eine gepolsterte Tür ins Nebenzimmer. »Sie dürfen mir den Studiosus anvertrauen; ich werde ihm nicht — nicht sehr weh tun.« Die Tür schloß sich hinter ihm, und die Minuten tropften mit einem hohlen Ton von der Standuhr. Im Haus meiner ›feinen‹ Großeltern hatte auch so eine Uhr gestanden, ganz 1890, mit einem muskulösen Bronze-Chronos, der sich kokett gegen ein schwarzes Marmorrad lehnte und seine Sense schwang. Nach einer Weile räusperte sich die Uhr und gab einige gedämpfte Glockenschläge von sich. Das Telefon auf dem Schreibtisch läutete ein paarmal, dann war es wieder still. Die alte Schwester, die Michaels Karte ausgeschrieben hatte, tappte durchs Zimmer und verschwand hinter der Polstertür. Lange Zeit geschah nichts. Ich nahm wieder den ›Zauberberg‹ zur Hand und versuchte zu lesen, aber meine Gedanken glitten davon und machten sich selbständig. Dann ging die Tür auf, und der Doktor kam heraus. »Lassen Sie die Wattebäusche drauf, und ruhen Sie sich ein paar Minuten aus«, rief er Michael zu, der im Nebenzimmer geblieben war. Dann schloß er die Tür und setzte sich an seinen Schreibtisch. Er nahm die Karte zur Hand und überflog sie geistesabwesend; dann wandte er sich auf seinem Drehstuhl mir zu. »Soll ich lügen? Soll ich die Sache beschönigen? Oder wollen Sie die Wahrheit wissen?«

»Die Wahrheit. Deshalb sind wir ja hergekommen«, sagte ich und hielt den Atem an.

»Es sieht schlimm aus, Frau Tillmann«, sagte er. »Recht schlimm.«

»Wie schlimm?« hörte ich mich mit einer kleinen Stimme fragen.

»Sehr schlimm, wenn ich mich nicht täusche. Auf der Rückseite der Hornhaut sind Flecken, die mir gar nicht gefallen. Der Iris-Vorfall ist weit vorgeschritten. So etwas entwickelt sich sehr, sehr langsam. Wenn aber ein Fall soweit gediehen ist wie dieser, dann gibt es nicht mehr viel Hoffnung. Ich kann mich natürlich irren –«

»Ist es Tbc?«

»So, Sie vermuten bereits ... Nun, das weiß ich noch nicht ... Ja, wenn wir die spezifischen Symptome mit dem allgemeinen Habitus des Jungen zusammenhalten, dann ist wohl Tbc die gegebene Schlußfolgerung. Wir müssen zweiundsiebzig Stunden warten — dann werden wir mehr wissen, Frau Tillmann.«

»Und wenn es Tuberkulose ist — was wird mit ihm geschehen? Wird er — ist es gefährlich — ich meine — werde ich ihn verlieren?«

»Nein, das ist es nicht, was ich fürchte.«

»Aber er wird doch nicht blind werden, Herr Professor?«

Der Arzt nahm wieder die Karte auf und prüfte sie, als ob die Antwort auf meine Frage darauf geschrieben stände.

»Hoffentlich nicht«, sagte er. »Hoffentlich nicht, Frau Tillmann.«

Es ist sonderbar, welche Dinge man in einem solchen Moment sieht. Das Telefonkabel war verdreht und verwickelt. Der Doktor hatte verwaschene graue Flecken auf seinem weißen Kittel. Silbernitrat, dachte ich. Band acht und neun von Plato standen auf dem Kopf. Ich hielt noch immer die Finger zwischen den Blättern des ›Zauberbergs‹.

»Einen Schluck Cognac?« hörte ich den Doktor fragen.

»Danke, nein. Ich fühle mich ganz wohl.«

Das sagt man immer, wenn sich einem der Boden unter den Füßen dreht, als wollte er mit einem in die Finsternis des Weltalls davonrasen. In dieser sogenannten Selbstbeherrschung ist viel Gemachtes, aber für den Augenblick hilft es. Der Professor kam zu mir und legte die Hand auf meine Schulter. »Sie müssen ein standhafter Zinnsoldat sein«, sagte er. »Aufregung schadet Ihrem Jungen.«

»Gewiß, Herr Professor. Ich weiß.«

»Er ist nicht dumm, unser junger Studiosus. Er weiß verflucht gut, was dieser Pirquet-Test bedeutet. Die nächsten drei Tage werden kein Vergnügen sein. Für Sie nicht und für ihn auch nicht. Es wäre gut, wenn Sie ihn ablenken könnten. Sie scheinen eine vernünftige Frau zu sein.«

»Ich werde mein Bestes tun.«

»Schön. Ich gehe jetzt zu unserm Patienten hinein. Hoffen wir, daß alles gut ausgeht!«

Nach einigen Minuten kamen beide zurück. Michael trug seinen Rock über dem Arm. Als er den Hemdsärmel zuknöpfte, bemerkte ich in seiner Armbeuge zwei Leukoplastpflaster nebeneinander. Einstichstellen. Injektionen. Eine mit Tuberkulin, eine mit der Kontrollösung. Es war zum viertenmal in Michaels Leben, daß diese Probe gemacht wurde, und die drei vorhergehenden Proben waren negativ gewesen.

»Bist du fertig?« sagte ich mit einem Lächeln, das so steif war, daß es in meinen Mundwinkeln knisterte.

»Fertig, Ma'am«, sagte Michael, ebenfalls lächelnd. Er setzte seine dunkle Brille auf. »Du wirst mich führen müssen«, sagte er. »Nach Atropin komme ich mir immer vor wie eine kaputte Kamera: man kann den Verschluß nicht schließen.«

»Also, Herr Tillmann, nehmen Sie's nicht zu schwer! Und kommen Sie wieder — wollen wir sagen — Montag um dieselbe Zeit?«

Der Professor schien auf einen Knopf gedrückt zu haben, denn die alte Schwester steckte den Kopf zur Tür herein, und der Doktor sagte: »Der nächste bitte.« Er übergab der Schwester Michaels Karte und blieb hinter seinem Schreibtisch sitzen.

»Auf Wiedersehen«, sagte Michael. »Auf Wiedersehen am Montag«, sagte ich. Der Arzt deutete eine knappe, steife Verbeugung an. »Meine Hochachtung, Herr Tillmann, meine Hochachtung, gnädige Frau«, sagte er. Bediente er sich der altmodischen Grußform aus Gewohnheit, oder war dies seine Art, bei einem wirklich schlimmen Fall seine Teilnahme auszudrücken? Ich wußte es nicht.

»Was möchtest du jetzt gern tun, Milchi?« fragte ich, als wir auf der Straße standen. »Sollen wir uns bis Montag in Frankfurt herumtreiben oder nach Heidelberg zurückfahren? Wir können noch den Zug um fünf Uhr fünfzehn erreichen.«

»Ich will dir sagen, was wir machen, wenn du ein guter Kamerad bist. Wir fahren um fünf Uhr fünfzehn, ich hole meine Skier, wachse sie heute abend, und morgen in aller Frühe gehen wir in die Berge, und dann werden wir uns mal großartig amüsieren. Ich werde Anneliese bitten, dir ihre Skier zu leihen — ihr habt ja ziemlich dieselbe Größe. Abgemacht?«

»Willst du nicht lieber Anneliese mitnehmen? Ich weiß nicht, ob du dich mit mir so großartig amüsieren kannst.«

»Nein, nein. Anneliese kann lustig sein, aber ich glaube nicht, daß sie der richtige Kamerad ist für einen, der zweiundsiebzig Stunden warten muß, ob seine Tuberkulinprobe juckt oder nicht. Schließlich: Die beste Freundin des Mannes bleibt ja doch die Mutter.«

Wenn man eine Sammlung von Briefen liest, die vor fünfzig oder hundert

Jahren von Müttern an ihre Söhne geschrieben wurden, so sind sie voll von schönen, großen Worten, edlen Gefühlen, Segnungen, Ratschlägen und Gebeten. Aber meine Generation hat gelernt, den Mund zu halten, eine Zigarette zu rauchen und einen Cognac zu trinken. Vermutlich ist es bloß eine Modesache. Wie Christopher sagt: Alles kommt wieder, und unsre Enkel werden vielleicht wieder so geschwätzig sein und von unverhüllter Rührung triefen. Mir scheint, daß Menschen, die beschaulich dahinleben, den Drang haben, aus ihrem Innenleben immer etwas Bedeutsames zu machen, ein Gedicht, eine Sinfonie, eine große Oper, eine Kanzelrede. Während wir, die wir in einer mit Katastrophen so vollgepackten Zeit leben, uns in einen Lebensstil flüchten, in dem alles verkleinert wird, damit wir es ertragen können. So war es auch mit mir. Da ich wußte, daß mein Sohn in Gefahr war zu erblinden, und da ich wußte, daß auch er es wußte, nahm ich meine Zuflucht dazu, nicht davon zu sprechen.

Verzweiflung ist eine sonderbare Droge. Sie wirkt wie ein Stimulans. Wir kamen lachend vom Bahnhof an und benahmen uns während der kurzen Fahrt wie ausgelassene Straßenjungens. Wir machten Kalauer und fanden sie zum Schreien witzig. Wir erzählten uns alte Witze und hängten ihnen neue blödsinnige Pointen an. Als zu viele Leute einstiegen, die wir nicht leiden mochten, ging Michael zu einer seiner Improvisationen über: er tat so, als wären wir fahrende Zirkusleute und hätten eine gezähmte Riesenschlange in unserm Koffer. Er sprach in dem kosmopolitischen Kauderwelsch der Zirkusclowns und ernannte mich zur Schlangentänzerin Suleima. Das ganze Abteil fiel auf den Ulk herein, und nie in meinem ganzen Leben — nie zuvor und niemals später — war ich so unglücklich wie auf dieser Bahnfahrt.

Wieder im ›Neckarhof‹ angelangt, aßen wir im Speisesaal zu Abend. Die Kapelle spielte, und das Pappschild ›Jazz verboten‹ hing unbehelligt auf seinem Platz. Michael bestellte einen besonders guten Jahrgang, einen spritzigen, blumigen Mosel 1921, und wir entwarfen einen wundervollen Plan zu einer Autofahrt durch Frankreich, wobei wir die ganze Zeit genau wußten, daß wir sie nicht machen würden. Ab und zu berührte Michael seinen Ärmel, unter dem der Einstich der Injektionsspritze mit dem Pflaster verborgen war, und ich tat, als merkte ich es nicht. Dann gingen wir in ein Kino; es war kein Film, bei dem man seine Zahnschmerzen vergißt, aber etwas Besseres hatten wir nicht finden können. Als wir aus dem Kino herauskamen, war es fünf Minuten nach zehn, und ich war froh, daß wir von den zweiundsiebzig Stunden sechs totgeschlagen hatten. Wir gingen geradeswegs nach Hause, fanden die Skier gewachst und bereit, stellten den Wecker auf sechs und sagten uns gute Nacht. »Vergiß nicht, zu messen«, rief ich Michael zu, als ich ihn im Badezimmer rumoren hörte.

»Ich bin gerade dabei«, murmelte er, durch das Thermometer in seinem Mund am Sprechen behindert.

»Wieviel?« fragte ich nach fünf Minuten.

»Ich kann's nicht sehen. Lies es selbst ab!« sagte er, kam durch die Tür und hielt mir das Thermometer hin. Es zeigte 37,2.

»Fast normal«, sagte ich. »Ich muß jetzt schlafen, sonst steh ich nicht zur Zeit auf.«

»Gute Nacht, Mony.«

»Gute Nacht, Milchi.«

»Gute Nacht. Und mach dir keine Sorgen!«

»Du weißt, ich gehöre nicht zu denen, die sich Sorgen machen.«

»Schön — gute Nacht.«

Ich horchte noch eine Weile, bis es in seinem Zimmer still wurde und er zu schlafen schien. Dann drehte ich das Licht aus und bald darauf begann ich zu beten.

An den Gebeten von Menschen, die nicht an Gott glauben wollen, ist etwas Gespaltenes, und auch etwas Klägliches. Für den wahrhaft religiösen Menschen ist das Gebet Erhebung und Trost; denn er besitzt Glauben, und Gott ist sein Freund. Für den Gedankenlosen, der in die Kirche geht, weil seine Eltern es getan haben, ist es eine einfache Pflichterfüllung, eine mechanische Handlung wie Zähneputzen und ein frisches Hemd anziehen. Für jene, die ihr Om Mani Padme Hum murmeln, ihre Gebetsmühlen drehen oder die Perlen des Rosenkranzes abwetzen, bedeutet es ein Beruhigungsmittel, das inneren Frieden gibt, eine fromme Art, Schäfchen zu zählen ohne Ende. Die tanzenden Derwische jeder Religion bringt es in die heilige Verzückung, die Trance, die grenzenlose Erleichterung der Hingabe und der Durchbrechung der Wirklichkeit. Aber für den, der nicht an Gott glaubt, ist das Gebet wie ein Kampf im Finstern ohne jede Chance: es ist, als packe ihn eine Faust im Genick und zwinge ihn auf die Knie.

»Du kannst es nicht tun, Gott, du kannst es nicht geschehen lassen, nicht meinen Jungen, bitte, Gott, hör mich, Gott, wenn du existierst! Ich weiß, daß es dich nicht gibt, und wenn es dich gibt, kümmerst du dich vielleicht gar nicht darum, was geschieht. Aber es muß doch eine Ordnung geben, es muß ein Gesetz geben. Du Irgendwer irgendwo, höre mich an! Tu meinem Kind nichts, ihm nichts, es ist jung, es hat kein Unrecht getan, du kannst es nicht so hart treffen. Nimm mich an seiner Statt, verwunde mich, zerbrich mich, laß mich sterben, bestrafe mich, denn alles ist mein Fehler und meine Schuld. Gott, höre mich, Gott, ich weiß nicht, wie man betete, aber höre mich! Laß mich zu dir sprechen, wer immer du bist! Laß Michael nicht blind werden, laß ihn nicht leiden, stoße ihn nicht in die grauenvolle Finsternis! Nimm mich, mach mit mir, was du willst — aber schone mein Kind! Ich habe dich noch nie um etwas gebeten, Gott, und ich werde nie wieder etwas von dir erbitten. Wenn du mir nur dieses eine einzigemal hilfst.

Wenn du existierst, wenn du überhaupt existierst. Gott, Gesetz, Ordnung — du kannst nicht ungerecht sein. Wenn du existierst, so weißt du, wo die Schuld ist, und kannst nicht an der falschen Stelle strafen. Wenn du dich rächen willst, räche dich an mir, aber laß mein Kind in Frieden. Ich habe schlecht und locker gelebt, ich war schwach und habe gesündigt und mich vergangen — wenn ich dafür büßen muß, so laß es mich nicht an den Augen meines Kindes büßen, Gott! Hör mich, hör mir zu, schau auf mich herab! Hier bin ich, gebrochen und gedemütigt, und bettle um Gnade, wenn du es haben willst. Wenn du Gott bist, dann mußt du gerecht und gut sein und wirst mir helfen. Züchtige mich, Gott, jeden Tag, jede Stunde, auf welche Weise du willst — und ich werde nicht klagen. Ich danke dir, Gott. Jetzt habe ich mich dir überantwortet und erwarte mein Urteil. Aber rette Michael, rette Michael, rette Michael!«

Die Nacht vor meinem Fenster war durchscheinend, von kaltem, klarem Mondlicht erfüllt, das der Schnee zurückwarf. Rings um mich sang und brüllte die Luft wie ein Sturm, und die Wände des Zimmers verschwanden in einer durchsichtigen, nebligen Leere. Mein Gebet war ein Krampf, schmerzhaft wie Geburtswehen. Schließlich war ich ganz leer, eine tiefe Erschöpfung überkam mich und das Gefühl großer Erleichterung, als ob ich all meine Angst aus mir herausgewaschen hätte. Eine Zeitlang weinte ich, und dann fiel mir Putzi, mein ›gewöhnlicher‹ Großvater, ein; er hatte die ganze Zeit auf einer dicken Wolke ganz nah beim lieben Gott gesessen, in einem kindlichen Himmel. »Wenn du wirklich unglücklich bist, dann wirst du rufen: ›Hilf mir bitte, lieber Gott, hilf mir!‹ hatte er einmal zu mir gesagt. »Ja, Putzi, du hast recht«, flüsterte ich in die seltsam verschwommene Dunkelheit. Ich fühlte mich so leicht und leer, als hätte ich keinen Körper mehr, und ich dachte: So wird es dir sein, wenn du stirbst. Einen flüchtigen Augenblick lang hatte ich die letzte Glückseligkeit in Händen gehabt — dann war sie fort. Ich schluchzte ein paarmal, dann kamen die Wände des Zimmers wieder, ich kehrte in die Wirklichkeit zurück, das große deutsche Kissen unter meinem Gesicht war naß, die weißen Spitzen sahen wie Gesichter aus, und es roch nach gebügeltem, leicht versengtem Leinzeug. Ich fühlte Frieden und tiefe Zuversicht in mir. Ich hörte die Kirchturmuhr zweimal schlagen, und dann schlief ich ein.

Es hatte in der Nacht geschneit, und am frühen Morgen waren die dunklen Straßen in frisch gewaschene Windeln gehüllt, als wir das Hotel verließen. Alle Geräusche waren gedämpft, alle Bäume standen reglos unter ihrer Last, nur ab und zu bewegte sich ein Zweig, streckte sich und federte in seine Lage zurück, wenn ein massiges Stück gefrorenen Schnees herunterfiel und die Last von ihm nahm. Es war noch dunkel, und die Schneekehrer hatten ihre Arbeit noch nicht begonnen. Die Straßen waren leer, weiß-schwarz, wie ein fotografisches Negativ. Die Luft stand still; es war die eigenartige Stille eines verschneiten Wintermorgens. Als wir durch die dicke weiße Weichheit stapften, die den Rinnstein eingeebnet hatte, fielen mir die Morgenstunden in Einsiedel ein, in denen ich mir selber einen Weg zum Gabelhof schaufeln mußte, und wie warm es im Stall gewesen war, wenn ich die Milch holte.

»Es wäre schön, an einem Tag wie heute in Einsiedel zu sein«, sagte Michael. Ich mußte lächeln. Wann immer wir eine Zeitlang beisammen leben, beginnen unsere Gedanken auf demselben Gleis zu laufen.

»Ja, das wäre schön«, sagte ich. »Nur, daß sie aus Einsiedel ein Konzentrationslager gemacht haben.«

»Wer hat dir das erzählt?« fragte Milchi heftig.

»Einer, der dort gewesen ist. Ein Flüchtling. Kurz — ein alter Freund von mir. Schani Kern. Sie haben ihm das rechte Trommelfell gesprengt — eine böse Sache, denn er ist Komponist«, sagte ich, und dann schwiegen wir beide.

»Laß mich deine Skier tragen!« sagte Michael nach einer Weile, als wolle er durch persönliche Freundlichkeit das brutale Unrecht der Nazis wiedergutmachen.

Wenn man alles bedenkt, so ist es das Beste, was man über uns Menschen sagen kann, daß wir die unbegrenzte Fähigkeit besitzen, mitten im Unglück glücklich zu sein. Dieser Tag gehörte uns, und wir kosteten ihn voll aus; er war kein schwarzes Gestern und gefürchtetes Morgen. Er war unser Heute, und unser Heute war schön — wir füllten es bis zum Rand mit Freude und Spaß und Ausgelassenheit. Es begann mit der schäumenden heißen Milch, die wir in dem kleinen Kaffeehaus gegenüber dem Bahnhof tranken, und im Laufe des Tages wurde es immer schöner. Der Personenzug war vollgepackt mit einer fröhlichen, summenden, schneehungrigen Menge. Mein altes blaues Skikostüm roch nach Mottenkugeln; seit Michaels Abreise von Amerika hatte ich es nicht benutzt. Ich schob das Kinn in den Kragen hinein, empfand die Rauheit des Tuchs wie eine plumpe Liebkosung und war glücklich, wieder einmal mit meinem Jungen Ski laufen zu gehen. Jemand spielte auf einer Mundharmonika, ein Mädchen hatte eine Gitarre mit, und bald sang der ganze Wagen. Wir saßen dicht gedrängt auf Holzbänken und flossen über von guter Kameradschaft. Wir sangen das alberne, stumpfsinnige Zeug, das die Skiläufer überall in der Welt singen, und eine Zeitlang konnte man vergessen, daß man sich im Land der nationalsozialistischen Verranntheit befand.

Auf einer kleinen Station verließen wir den Zug und stiegen in einen schon bereitstehenden Autobus, der alsbald ratternd bergauf kletterte. Die Straße führte uns durch einen Wald, und zu beiden Seiten standen die Bäume, schneebeladen und ein wenig vorgeneigt in einer erwartungsvollen, aufmerksamen Haltung. Als wir die Höhe der ersten Bergkette erreicht hatten, lichtete sich die Dämmerung, und ein rosiger Schein zog die Silhouette der vor uns liegenden höheren Berggipfel nach, die dunkel und massiv wie schweres Metall im Morgenlicht lagen.

»Sieh dich doch mal rasch um, ehe wir die Kurve nehmen!« sagte Michael zu mir. »Sieht das Dorf nicht genauso aus wie die Spielzeugdörfer von Eichheimer?« Ich schaute in das Tal hinunter, wo sich die Dächer an den Berghang lehnten; jedes der niedrigen Bauernhäuser zog ein sauberes Rechteck um seinen Hof, alles war mit Neuschnee bedeckt, nur der Misthaufen bildete in jedem Hof einen kleinen dunklen Fleck, denn die Wärme des Düngers brachte den Schnee zum Schmelzen. Die Luft war so klar, daß man sehen konnte, wie einige Schornsteine ihr Morgenpfeifchen rauchten, der rosige Schein begann von den Höhen herabzukriechen und mit dem Wetterhahn auf dem schlanken Kirchturm zu flirten.

Als ich so auf das Dorf hinunterblickte, kam mir etwas in den Sinn und weckte einen schwachen Widerhall. »Wie, sagtest du, heißt das Dorf?« fragte ich Michael.

»Alpendorf«, sagte er. »Wieso?«

»Ich weiß nicht. Der Name kam mir bekannt vor«, sagte ich.

»Was ist los? Hast du ein Gespenst gesehen?« fragte Michael und kam an meine Seite. Du wirst mir etwas zu wachsam und hellhörig, mein kleiner Milchi, dachte ich. Das Herz zog sich mir zusammen, als ich die Landstraße wiedererkannte, auf der ich Walter Brandt zur Bahn begleitet hatte, an dem Tag, da er ins Feld ging.

Als wir ankamen, war die Sonne hervorgekommen, und die Luft oben war beißend scharf. Wir stampften mit den Füßen, um sie warm zu bekommen, während wir warteten, bis der Fahrer die Skier vom Wagendach heruntergeholt und verteilt hatte. Der Schnee spielte im Sonnenschein in allerlei Farben, als hätte ein unvorsichtiger Maler seine Töpfe verschüttet. Rosa und Gold und der Schimmer blasser Anemonen und im Schatten, wo sich die Bäume über den zugefrorenen Bach neigten, tiefes Blau. Aber der alte Gasthof ›Zum Paradies‹ hatte einem Hotel Platz machen müssen.

Das große Hotelgebäude war ein ziemlich anspruchsvolles Stück Architektur: vorn Anklänge an die bayrischen Königsschlösser, aber die Zimmer richtige Mauselöcher. Weiter oben stand die Jugendherberge mit der Hakenkreuzflagge, und die kriegerische, entschlossen dreinschauende Hitlerjugend marschierte ein und aus. Von meinem Fenster hatte ich die Aussicht auf den Übungshang neben dem Hotel, wo ungeschickte, kreischende Gestalten von einem strengen, schlanken jungen Skilehrer unterrichtet wurden. Weiter oben klebte ein Waldstrich auf der Schulter des Berges. Wo er zurückwich lag eine Lichtung, die von meinem Fenster aus nur wie ein weißer Fleck aussah. Darauf tanzten drei winzige schwarze Insekten: Skiläufer liefen ihre Schwünge. Dann aber schoß es mir durch den Kopf, daß dies wohl die Wiese sein müßte, auf der ich in einer unvergeßlichen Stunde eine Handvoll Gras gepflückt hatte. Kein Grund zur Sentimentalität, Mädel, sagte ich zu mir. Was hat dieses ›Lang, lang ist's her‹ mit dem Jetzt und Heute zu tun? Du bist Mrs. John Sprague, eine ganz andere Person als die, die 1914 hier gewesen ist. Aber siehst du denn nicht, wie sich die Dinge wiederholen? Wie in einem fortlaufenden Muster, wie die Tomaten auf der Hoteltapete, wie das Thema in einer Sonate. Du bist schon früher einmal hergekommen, um drei Tage glücklich zu sein und nicht an das Später zu denken. Es war ein Mann, den du liebtest, und es war Krieg, und der Mann ging fort und kam nicht wieder. Das beweist, daß man viel Bitteres überleben kann und daß die Apfelbäume immer wieder blühen. Es zeigt, was für ein zähes Gewächs du bist. Hör mal, Marion, Mädel: Nie Angst haben! Es kann dir nichts geschehen. Das ist alles. Wenn dies hier, dies mit Michael, schlecht ausgeht, so wirst du es ertragen, und es wird vorübergehen. Nein, ich würde es nicht ertragen, Michael ist mein Kind, und wenn dein Kind krank wird, so spürst du es genauso, als wäre es noch in deinem Schoß und ein Teil deiner selbst. Na schön — genug davon. Nimm jetzt deine Skier und verdirb dem Jungen den Tag nicht! Denkst du noch an den kleinen Marienkäfer? Pommerland ist abgebrannt. Ja, es ist abgebrannt; die ganze Welt ist abgebrannt seit jenem Tag im Jahre 1914. So, jetzt gehen wir und machen uns nichts daraus, wenn wir ein paarmal stürzen.

Es gibt keine so reine und ausgeprägte Freude, wie auf den Brettern zu stehen. Tanzen, fliegen und kämpfen in einem — man ist selig, trunken von Schnelligkeit, ohne Gewicht. Die Fußgelenke sitzen fest in den Schuhen, und man gleitet mit den ersten, ängstlichen Schritten über die sanft abfallende weiße Fläche. Dann kommt dieses Wiegende und die Freude an den Schwüngen, dann wieder der mühselige Grätenschritt den steilen Hang hinauf, das Kratzen des Unterholzes an meinen rauhen Hosen, Schweiß rinnt über mein Gesicht, die eisige Luft fährt mir durch Kehle und Lungen, das Blut tanzt und singt in meinen Adern. Dann der weite Blick von der Höhe, die ungeduldige Rast hier oben, die warme Sonne auf meinem Haar, der Wind, der mir beißend kalt in die Augen bläst, und schließlich der Nervenkitzel des Hinuntersausens. Ich kann es, ich kann es, ich verlege meinen Schwerpunkt und werde sicherer, die Luft saust an meinen Ohren vorbei mit dem Klang zerreißender Seide, und meine Muskeln arbeiten mit Präzision. Sie sind prachtvoll, meine Muskeln, ich wußte gar nicht, daß sie noch so prachtvoll sind. Eine Tanne springt mir in den Weg, rennt mir mit unglaublicher Geschwindigkeit entgegen und ist schon wieder weit hinter mir. Mein langer blauer Schatten läuft vor mir her über den Schnee, und dann vereinigt sich ein andrer Schatten mit ihm, und Michael schießt mit einem kleinen gellenden Schrei an mir vorüber, in einer Explosion von sonnbeschienenem Pulverschnee — wie ein Vogel an einem andern Vogel vorbeifliegt. Ich lehne mich vornüber, sicher verankert in der Bindung, und folge Michael, immer schneller, immer schneller. Wir fliegen um die Wette, wir überholen eine Gruppe von Skiläufern. Michael jagt immer weiter voran, winkt mit dem Stock und verlangsamt die Fahrt. Ich schieße noch immer abwärts — dann stößt der Boden hart gegen mich, ich fühle einen starken Ruck, ich fliege durch die Luft und lande auf meinem hinteren Ende. Meine Beine sind durcheinandergeraten, und der Schnee fällt von den verhaspelten Skiern in mein überraschtes Gesicht. Ich lecke ihn von den Lippen und wische ihn mir von den Wimpern. Sorgfältig sortiere ich meine Knochen und bringe mich wieder in die senkrechte Lage. Michael steht weiter unten, wo die schneebeladenen Fichten einen Halbmond bilden; er winkt mir und schüttelt sich vor Lachen. Ich lande mit meinem besten Kristianiaschwung vor ihm und habe dabei das würdelose Gefühl, daß ich mir ein Riesenloch in den Hosenboden gerissen habe. Ich ringe nach Atem. Wie ich die vor uns liegenden Ebenen überblicke, erkenne ich einen kleinen See, in dem ich als junges Mädchen geschwommen war. Für einen schwindelerregend vorbeihuschenden Augenblick überblenden sich Vergangenheit und Gegenwart in einem Blitzschlag vollkommenen Glücks. Die schönste Wolke, die ich je gesehen habe, zieht langsam hinter den Fichten auf, ein Windstoß fegt durch das dürre Schilf, die Bäume neigen ihre Häupter gegeneinander. Michaels Gesicht ist voll Spannung, ja geradezu gierig. Seine Augen hinter der Schneebrille kann ich nicht sehen, aber sein Mund ist offen, als wollte er die reiche, lebensvolle Welt verschlingen. Ich weiß nicht, weshalb ich mich in diesem Augenblick so stark und sicher fühlte. Aber zum erstenmal dachte ich: Fürchte dich nicht, Michael, ich lasse es nicht geschehen! Du brauchst nicht all die wundervollen Dinge so anzuschauen, als würdest du sie nie mehr wiedersehen; du brauchst sie dir nicht als Erinnerung aufzubewahren, um sie hervorzuholen, wenn du blind bist. Es wird nicht geschehen, ich werde es nicht zulassen, ich werde kämpfen und ringen und nicht erlauben, daß dir ein Leid geschieht.

Ich möchte gern wissen, ob Vögel jemals steife Muskeln und wehe Schultern bekommen von zu vielem Fliegen. An jenem Abend war ich steif und wund, als hätte ich den ganzen Tag mit den Flügeln geschlagen. Meine Schenkel und Waden zitterten vor Müdigkeit, die Haut meines Gesichts war gespannt und heiß, meine Lippen sprangen auf, meine Ohren klangen, und ich war trunken von Sonne, Schnee und frischer Luft. Ich hätte etwas darum gegeben, heiß duschen zu können, aber das Hotel hatte einen solchen Luxus nicht zu bieten, und so drängten wir uns um den gewaltigen Kachelofen in der Halle und heizten uns selbst mit gewürztem Glühwein ein. Zum Abendessen saßen wir in langer Reihe an einem rohen Eichentisch und füllten uns die Bäuche mit einer dicken Erbsensuppe — dem besten Essen nach einem Tag im Schnee. Und der Geist einer alten Frau stand plötzlich hinter meinem Stuhl und flüsterte mir zu: »Gold und Erbsensuppe, vergessen Sie nicht. Gold und Erbsensuppe.«

»Nächstesmal mache ich es besser«, murmelte ich.

»Was?« fragte Michael erstaunt.

»Nächstesmal, wenn wieder Krieg ist, habe ich mir vorher einen großen Vorrat von Erbsen angelegt«, sagte ich.

Ich sah Michael über den Tisch hinweg an. Er hatte die Schneebrille abgenommen und starrte mich verwundert an. Seine Wimpern waren viel zu lang, und sein Gesicht glänzte von Cold Cream; es war hager und fein geschnitten wie die Gesichter der Heiligen, die Meister Riemenschneider für die Dome in Würzburg und Nürnberg geschnitzt hat. Ich fühlte eine unendliche Zärtlichkeit für ihn. Ich hätte gern sein Haar gestreichelt, seine Wangen geküßt oder ihn auf den Schoß genommen wie ein Baby. Doch derartige Äußerungen der Mutterliebe kamen zwischen uns nicht in Frage. Wie ein Mann nahm er hin, was kommen sollte, aber, lieber Gott! er war doch noch ein Bub. Ich legte meine Gabel nieder und streckte meine Hand hin.

»Hallo, Milchi —«, sagte ich.

»Hallo, Ma'am«, antwortete er. »Macht's Spaß?«

»Diebisch«, sagte ich, indem ich auf seinen Ton einging.

»Mir auch«, sagte er. »Diebisch. Es war der herrlichste Tag seit langem.«

Ich danke dir, Milchi, dachte ich. Ich danke dir, mein Junge, ich danke dir. Mehr wollte ich nicht.

Wir sangen, wir knallten unsere Gläser auf den Eichentisch, wir reichten den Menschen die Hände, wir spielten dumme Spiele, wir tanzten in den schweren Stiefeln zur Musik des Radios, die abwechselnd durch die Gitarre oder die Mundharmonika verstärkt wurde. Schließlich krochen wir in unsere winzigen Zimmer hinauf, und ich holte das rote Lederfutteral mit dem Thermometer hervor.

»Wenn ich ein bißchen Temperatur habe, so hat das nichts zu sagen«, brummte Michael. »Das kommt von der Höhenlage — und von der Anstrengung. Das ist wissenschaftlich erwiesen.«

»Jawohl, Herr Professor«, sagte ich. »Jetzt steck es unter die Zunge und hör mal ein paar Minuten auf zu babbeln! Und laß die Pflaster in Ruhe!«

»Jawohl, Ma'am, Mrs. Sprague«, sagte er und zog den Ärmel seines Pyjamas über die beiden Pflaster.

Er hatte siebenunddreißig Grad. Normal. »Noch einmal eine Minute«, sagte ich. Das Thermometer blieb auf siebenunddreißig. Gott sei Dank. Ich danke dir, lieber Gott. Es war alles falscher Alarm — aber ich danke dir von ganzem Herzen. Wenn du mich beim Wort nehmen willst, und ich müßte mir morgen das Genick brechen — ich werde nicht mucksen und mich nicht beklagen, nie wieder, lieber Gott. — »Schlaf gut, Milchi.«

»Ich schlaf schon. Gute Nacht.«

Ich zog mich aus und ging zu Bett. Die Tür zwischen unsern Zimmern stand offen. Sie schloß sowieso nicht. Das Bett war hart und die Decke ein schweres, unförmiges Federbett, eine ausgezeichnete Einrichtung zur Hervorbringung von Alpdrücken und bösen Träumen. Müd. Steif. Wund. Glücklich. Ja, glücklich. Zuversicht. Worauf? Eben nur Zuversicht.

»Ist dein Bett auch so schlecht wie meins?« fragte Michael schläfrig, als er hörte, wie ich mich auf den knarrenden Federn hin und her warf.

»Ich weiß nicht, wie schlecht deins ist. Diese Deutschen sind Genies darin, sich das Leben unbequem zu machen.«

»Die Engländer auch. Sogar noch mehr, nicht?«

»Ich glaube.«

»Ja, und so soll es auch sein. Man muß zäh, abgehärtet und an Unbequemlichkeit gewöhnt sein. Ihr Amerikaner seid weichlich und verwöhnt. Immer darauf aus, den Lebensstandard noch ein bißchen höherzuschrauben. Das ist euer Goldenes Kalb.«

»Ich mag nicht, daß du immer sagst: ›Ihr Amerikaner.‹ Vergiß nicht, daß du jetzt selber Amerikaner bist.«

»Ich bin Deutscher. Ich werde immer Deutscher sein. Wenn ich einundzwanzig bin, kann ich mir meine Heimat selbst wählen. Und das werde ich auch tun.«

»Ich bin zu müde, um mir jetzt deine Weltanschauung anzuhören, Milchi. Gute Nacht.«

»Eines Tages werden Deutschland und England miteinandergehen, und dann wird Amerika aufwachen, sich die Augen reiben und sehen, daß es isoliert, kraftlos und verzärtelt ist. Es wird Verwicklungen geben, und Amerika wird schwach sein.

»Schreib das deinem Senator!«

»Wenn man einen Muskel nicht gebraucht, wird er atrophisch. Das ist es, was drüben geschieht. Sie sind atrophisch. Deshalb können sie nicht drei Häuser weit gehen, ohne kaputt zu sein. Mir kommt Amerika wie ein reicher

Mann vor, der sich beklagt, daß er beim Rennen tausend Dollar verloren hat, und sich nicht darum schert, wenn sein Nachbar verhungert.«

»Laß mich in Ruh, Milchi! Ich will schlafen.«

»Nein, Mony. Es ist meine Überzeugung. Ich weiß, was ich spreche — allen Ernstes. Es ist leicht für ein Volk oder für einen einzelnen Menschen, fair zu sein, solange alles glattgeht. Wenn es schiefgeht, muß man Courage zeigen. Die Völker, meine ich, und die einzelnen. Es ist besser, nicht verwöhnt zu sein und sich nicht wehleidig zu bejammern, wenn's schiefgeht. Hab' ich nicht recht?«

Armer Junge, armer Milchi, wie er mit seinem Schicksal kämpft! Er war ein weinerliches Baby gewesen, er hatte nahe ans Wasser gebaut, und jetzt mußte er sich hart und stark machen, um einen Schlag aushalten zu können.

»Ja, damit hast du, glaub ich, recht, Milchi.«

Es folgte ein langes Schweigen, und ich dachte, er wäre eingeschlafen. Aber dann hörte ich sein Bett scharf quietschen — offenbar hatte er sich aufgerichtet —, und im Dunkeln kam seine Stimme herüber:

»Mony? Schläfst du?«

»Nein, noch nicht ganz.«

»Ich hab's mir anders überlegt, Mony. Wegen Anneliese, mein' ich.«

»So?«

»Ja, ich werde sie — wir sind ja gewissermaßen verlobt — ich werde sie nicht heiraten. Habe ich dir nicht erzählt, daß wir sozusagen verlobt sind? Well, das ist vorbei. Es war sowieso ein bißchen kindisch. In den letzten Wochen hat sie mich sehr enttäuscht. Ich glaube, sie denkt eingleisig. Hübsch ist sie ja. Findest du sie hübsch, Mony?«

»O ja, sehr hübsch.«

»Ja, sie ist hübsch. Ich möchte natürlich gern eine hübsche Frau haben, auch — auch wenn meine Augen schlechter werden und ich sie nicht so gut sehen kann. Aber Anneliese wäre kein guter Kamerad für einen Mann mit schlechten Augen. Weißt du, ein Mensch bekommt andre Vorstellungen davon, was hübsch ist, wenn er mit den Augen nicht in Ordnung ist. Man wird so verdammt feinfühlig und empfindlich in vielen Dingen, wenn einen die Augen im Stich lassen. Zum Beispiel für eine Stimme, für die Art, wie die Leute reden oder ins Zimmer kommen. Anneliese hat keine Musik, wenn du verstehst, was ich meine. Als wir diese häßliche Szene hatten, sah ich ihr Gesicht als verschwommenen Fleck, aber sie machte ein solches Geschrei und hatte für das, was ich bei dem Vorfall empfand, nicht mehr Verständnis als ein Stück Holz. Bei Gott, so kam sie mir vor. Wie eine quietschende Tür, die einen wahnsinnig macht.«

»Deine Augen werden dich nicht im Stich lassen, Michael«, sagte ich. »Du darfst es mir glauben. Du wirst dir ein paar Wochen Ruhe gönnen, wirst ein paar Behandlungen über dich ergehen lassen, und die Augen werden so gut wie neu sein.«

Es kam keine Antwort mehr, und nach einer Weile ging Michael zu einem andern Thema über.

»Ich muß dir etwas Komisches erzählen«, sagte er. »Es handelt sich um

Hans Streit. Wir hatten neulich ein langes Gespräch, das heißt, so lang, wie man ihm zu sprechen erlaubt. Er ist noch sehr schwach, aber ich glaube, er wird bald außer Gefahr sein. Also, er fragte, ob mein Vater ihn nach New York kommen lassen und ihm vielleicht Arbeit geben würde. Er meinte John natürlich. Glaubst du, daß John es tun würde? Hans ist ein anständiger Junge, und ich habe bei ihm etwas wiedergutzumachen — mehr, als ich jemals werde leisten können ... Aber ist das nicht komisch? Er sagte, er möchte einmal sehen, wie die Welt außerhalb Deutschlands aussieht. Er hat natürlich einen bösen Schock bekommen und ist durch eine schwere Krise gegangen, und dieser Major Vitztum ist ein wahrer Höllenhund und ein Stinktier — aber hättest du jemals gedacht, Hans würde aus seinem eigenen Land weglaufen wollen? Jetzt, wo er Offizier werden kann?«

Wie grotesk verwickelt ist doch das Leben all dieser konfusen, verworrenen Jungen, dachte ich. Johnnie, der Sproß einer alten amerikanischen Familie, ist in Madrid, verbrüdert sich mit den Kommunisten und trotzt den faschistischen Fliegerangriffen. Martin, mein hundertprozentiger Deutscher, verwandelte sich so eifrig in einen echten Amerikaner. Hans, der deutsche Soldat, hat die Nase voll und will davonlaufen. Und Michael, mein tapferer blonder Halbjude, klammert sich mit Klauen und Zähnen an den Nazismus.

»Immerhin«, sagte Michael im Finstern. »Auch wenn ich Anneliese nicht heiraten will — so glaube ich doch, daß Hitler ein Genie ist.«

Der Himmel sei uns gnädig, wenn er das wirklich ist, dachte ich, sagte es aber nicht. Ich hörte das Bett im Nebenzimmer krachen, und dann, als er sich wieder hinlegte, lachte er halb vergnügt in sich hinein.

»Vielleicht können wir zusammenarbeiten, Hans und ich«, sagte er. »Ich könnte den Leierkasten drehen, und er könnte einen Affen dressieren. Oder wir könnten an der Ecke der Sixth Avenue und der Zweiundfünfzigsten Straße Gardenien verkaufen. Wir würden ein nettes Paar abgeben — er mit seiner zerschossenen Lunge und ich mit meinen blinden Augen. Der Lahme und der Blinde — so heißt es doch in der Bibel?«

»So, und nun ist es wirklich höchste Zeit, zu schlafen und keinen Unsinn mehr zu reden«, sagte ich. In der letzten Bemerkung Michaels hatte ich Manfred Halban wiedererkannt — seinen skeptischen, bitteren, selbstvernichtenden jüdischen Humor.

»Gute Nacht, Mony«, murmelte er. »Hoffentlich hält das Wetter morgen an. Es war ein herrlicher Tag heute.«

Am Morgen war seine Temperatur ein wenig gestiegen — siebenunddreißig drei, fast siebenunddreißig vier.

»Das hat gar nichts zu sagen«, sagte Michael. »Das kommt von meinem Sonnenbrand. Das Gesicht juckt mich so, daß ich mich nicht einmal rasieren kann.«

Auch ich hatte Sonnenbrand. Ich ging in mein Zimmer, schloß die Tür, indem ich den einzigen Stuhl davorstellte, und maß in aller Heimlichkeit meine eigene Temperatur. Ja, ich war auch etwas übernormal: sieben-

unddreißig zwei. Ich schob das Thermometer wieder in das rote Lederfutteral und begann zu singen. Das Wetter blieb schön, wenigstens bis zwei
Uhr nachmittags. Dann war die Sonne weg, und eine endlose Herde von
großen schmutzigen Wolken schob sich eilig über den Kamm und breitete
sich über die blaue Himmelsweide aus. Der Wind drehte sich und kam in
warmen Stößen von Süden. Dünner, wäßriger Schnee begann zu rieseln
und ging in einen Landregen über. Der Schnee unter den Skiern wurde
matschig, und auf seiner Oberfläche bildete sich eine abscheuliche Graupel-
schicht. Als wir ins Hotel zurückkamen, war das Vestibül voll von laut
jammernden Skiläufern, vom Geruch nasser Kleider und eingefetteter
Stiefel. Alle sahen ungeduldig und gelangweilt aus. Michael nahm seine
Schneebrille ab und starrte abwesend eine Gruppe an, die sich bemühte,
irgend etwas Unterhaltendes aus dem Radio herauszukriegen.

»Mir ist kalt«, sagte er. »In dem Augenblick, wo man aufhört, sich zu
bewegen, wird einem kalt.«

»Willst du Glühwein?«

»Was für eine Idee! Glühwein um zwei Uhr! Nein, danke.«

»Heiße Schokolade? Heiße Milch?«

»Danke, nein«, sagte er verdrossen. »Das einzige, was ich möchte, ist,
heraus aus meinen Kleidern und ins Bett und warm werden.«

»Weshalb tust du's nicht? Mir ist auch kalt, und ich bin auch müde.«

Die Zimmer waren kalt, aber die schweren Federbetten sahen vielver-
sprechend aus. Michael schloß die Holzläden vor seinem Fenster und
machte sich künstlich Nacht. Mein Bett war zwar hart, aber warm, und der
Regen spielte eine eintönige, einschläfernde Kadenz auf dem Fenstersims.
Ich war eingeschlummert, ohne es zu wissen, als ich Michaels Stimme
hörte.

»Mutter —«, rief er. »Mutter —«

Ich warf einen raschen Blick auf die Armbanduhr. Noch nicht vier. Es war
fast dunkel. Ich drehte das Licht an.

»Mutter —«, rief Michael. Es klang drängend und seltsam. Er nannte
mich nie Mutter, außer im Scherz oder in der Not. Ich warf mir den
Morgenrock über den Pyjama und ging in Michaels Zimmer. Auch er hatte
Licht gemacht, saß auf dem Bett und starrte mich mit seinen kranken
Augen an, als könnte er mich nicht sehen.

»Was ist denn, Michael?« fragte ich erschrocken.

»Komm her, Mutter!« sagte er. »Setz dich hierher!«

»Ja, Milchi — was ist los? Bist du krank?«

»Es hat keine zweiundsiebzig Stunden gedauert«, sagte er. »Wir brauchen
nicht so lange zu warten.«

Ich sah ihm ins Gesicht. Er nickte mit dem Kopf und lächelte. Ich glaube,
ich lächelte auch. Man sieht Menschen in den unsinnigsten Momenten
lächeln. Er schob den Ärmel seines Pyjamas zurück und hielt mir den Arm
vor die Augen. Es war ein ziemlich magerer Knabenarm mit hellem Flaum.
An der Stelle, wo er die beiden Pflaster abgenommen hatte, hingen Spuren

des Klebstoffs an den Härchen. Man sah eine kleine Rötung, nicht größer als ein Fünfpfennigstück, kaum anders als ein Insektenstich.

»Das ist alles?« fragte ich verständnislos.

»Ja, das ist alles«, antwortete er. »Das ist das Urteil: Tbc.«

»Das ist doch nicht so schlimm«, sagte ich. »Du wirst schon wieder gesund werden. Du wirst gesund werden, Milchi. Die Ärzte können heutzutage so viel. Wir werden zu einem guten Spezialisten gehen. Du wirst gesund werden, wir werden dich nicht krank werden lassen, wir werden dagegen kämpfen, du wirst gesund werden.«

»Sicher. Ich werde gesund werden«, sagte er. »Ich bin gesund. Komm, bleib bei mir! Ich werde gesund werden. Bitte dreh das Licht ab, es tut mir weh. Danke.«

Im Dunkeln faßte er meine Hand und drückte sie. Seine Hand war trocken und heiß vom Fieber, und ich hielt sie so stark und fest, wie ich konnte. Es war der alte Griff aus der Zeit, da wir den Verwundeten den Verband wechseln mußten und mit Morphium knapp waren. Nach einer Weile begann er zu zittern, und das Bett krachte unter dem krampfhaften Beben seiner Schultern. »Es ist nichts, ich habe ein wenig Schüttelfrost«, flüsterte er. Ich hielt wieder seine Hand fest und legte meine andre Hand an seinen Mund. Michael biß hinein, wie er es als Kind getan hatte, wenn er eine Injektion bekam, oder wenn er seine Brustwarzenentzündung hatte oder die Ohrenschmerzen unerträglich wurden. Seine Zähne schlossen sich über meiner Hand wie ein Schraubstock, und er zitterte in einem fort. Dann ebbte der Schüttelfrost ab, und ich fühlte, wie ihm leichter wurde. Der Regen trommelte gegen die Läden, jemand ging den Korridor hinunter, dann hörte man das Klirren von Kaffeetassen und das Zirpen einer Gitarre im Erdgeschoß.

»Verdammt, verdammt, verdammt —«, flüsterte Michael verzweifelt.

»Es ist schon vorbei. Wir werden es gemeinsam durchkämpfen. Du wirst gesund werden.«

»Komisch, das. Ich sehe jetzt die wunderbarsten Farben —«, flüsterte er. »Viel schöner als die wirklichen.«

Er faßte meine Hand fester, und wir wurden zu zwei harten, eisernen Kettengliedern. Die Zeit verging; ich hörte meine Armbanduhr in großer Hast vorwärtsticken. Ich versuchte meinen Atem auf Michaels Atem abzustimmen und mit ihm zusammen zu atmen. Ich sammelte alle meine Kräfte auf die paar Quadratzentimeter, mit denen meine Hand die Hand Michaels berührte und probierte einen Fakirtrick. Ich versuchte jeden Tropfen Stärke, Glauben und Hoffnung, der in meinem Blut kreiste, durch unsre miteinander verbundenen Hände in ihn hinüberzuleiten. Es war fast ebenso wie damals, als er als Neugeborener an meiner Brust trank. Ich weiß nicht, wie lange wir so zusammengeschweißt blieben. Aber nach einer unermeßlich langen Zeit begann er sich zu lösen, und sein Atem ging ruhig und weich; er war wohl eingeschlafen. Ich hörte, wie vor dem Haus unter Scherzen und Geschrei der abreisenden Skiläufer der Autobus abfuhr und fortrollte und das Geräusch schließlich verklang. Dann war wieder nur noch Regen da und meine tickende Uhr. Mein Arm war abgestorben, und meine Hand fühlte sich an wie totes kaltes Blei. Als ich mich ein bißchen rührte, schlossen sich Michaels Finger wieder fester.

»Geh nicht fort, Mutter!« murmelte er. »Ich brauche dich.«

In den angstvollen, dunklen Monaten, die nun folgten, war dies das einzigemal, daß er mich um Hilfe bat. Keine Klage, kein Schrei, keine Träne, nicht eine Spur von Mitleid mit sich selbst. Nur starke, harte, junge Kraft. Milchi, mein kleiner Junge, ich bin stolz auf dich.

ZEHNTES KAPITEL

In die Gletscherspalte, in der Marion kauerte — überlegend, rauchend, horchend, sinnend — fiel plötzlich ein Blitzstrahl der Erkenntnis.

»Ja, lieber Gott«, sagte sie. »Ich hatte jene Nacht vergessen, in der ich zu dir gebetet hatte. Ich wollte sie vergessen. Ich hatte auch wirklich nicht geglaubt, daß du mir eines Tages die Rechnung präsentieren würdest — genau und pünktlich wie der Mann vom Finanzamt. Aber das Recht ist auf deiner Seite, und ich erhebe keinen Einwand. Wenn Michael nicht erblinden würde, wollte ich dir mein Leben geben, und ich habe versprochen, nicht zu mucksen, wenn du es dir nimmst. Gut, ich halte mein Wort. Ich muckse nicht. Ich bin bereit, lieber Gott. Ich finde es nur ein bißchen drollig, daß du so genau bist. Ich hatte dich mir nie als einen versierten Buchhalter vorgestellt, wie mein Vater einer war. Aber wenn das der Preis für Michaels Augenlicht ist, dann muß ich schon sagen, ich habe ein gutes Geschäft gemacht. Eigentlich bist du großmütig, lieber Gott, wenn du auch genau bist. Du hättest mich ja auch durch Krebs oder sonst auf eine furchtbare Weise umkommen lassen können. Man sagt, Erfrieren sei der schönste Tod. Er sei noch schöner als Einschlafen und Träumen. Man hört Musik und hat ein himmlisches Wohlgefühl, sagt man. Innigen Dank, lieber Gott, daß du es mir so leicht machst.

Das ist also die letzte Suppe, die ich mir eingebrockt habe und jetzt auslöffeln muß. Es kommt mir verflucht komisch vor. Ich kann mir nicht helfen, lieber Gott, ich glaube, es ist das gottverflucht komischste Ding, das mir je vorgekommen ist. Ich will nur hoffen, daß du auch das übrige sterbliche Gewimmel so gerecht behandelst wie mich und nicht vergißt, die großen Sünder ebenso zahlen zu lassen wie mich kleinen Sünder. Ich fühle, daß ich auf der großen Waage sitze. Du siehst nach, wie der Zeiger steht. Wie schneide ich ab, lieber Gott?

Und hör mal, lieber Gott, gib gut acht auf Michael, wenn ich nicht mehr da bin, ja? Ich habe nie gern etwas unerledigt liegenlassen. Ich habe es nie leiden mögen, ein Spielzeug aus der Hand zu legen, ehe es fertiggeschnitzt war. Heute habe ich mir nicht die Zeit genommen, Nero fertigzuschnitzen — und auch Michael ist kaum mehr als ein Entwurf. Ich kann mir den Menschen, der aus diesem Entwurf entstehen wird, recht gut vorstellen, ich glaube, er wird ein tüchtiger Mensch sein — vielleicht sogar ein glücklicher Mensch. Ich glaube, die gemischten Elemente in seinem Blut werden ihn duldsam und verständnisvoll machen. Ich glaube, Krankheit und Kampf werden ihn von seinen vielen Schlacken reinigen. Ich glaube, in ihm sind Europa und Amerika so glücklich dosiert, daß es eine gute Synthese gibt. Du weißt, was für ein neugieriges Geschöpf ich zeitlebens gewesen bin. Ich würde so gern zusehen, wie Michael sich weiterentwickelt, ich würde gern bei seiner Hochzeit sein und meine Enkelkinder auf dem Arm tragen. Und wie jedes weibliche Wesen seit Adam und Eva habe ich die Hoffnung, daß sie besser sein werden als wir und daß sie nicht all die Kämpfe durchkämpfen müssen, die wir durchkämpfen mußten. Lieber Gott, ich habe das Meinige getan, tu du das Deine. Okay, ich bin bereit. Amen.«

»Das ist also Wien«, sagte Michael und sah durch seine dunklen Augengläser umher. Sich irgend etwas anzusehen, war für ihn zu einer solchen Anstrengung geworden, daß über seinem Gesicht dauernd ein maskenartiges, verkrampftes Lächeln lag. Noch konnte er sehen, aber schon formte der um Entschuldigung bittende Ausdruck des Blinden neue Linien um seinen Mund. Ich hatte ihm einen Stock mit Elfenbeingriff gekauft, und er bemühte sich, ihn mit einer gewissen Großartigkeit zu benutzen, was mich erschütterte, als wenn er kein Hehl daraus gemacht hätte, daß er sich seinen Weg suchen müsse in einer Welt, die für ihn von Tag zu Tag verschwommener wurde.

»Ja, das ist Wien —«, antwortete ich etwas kleinlaut, denn mit dem, was wir da sahen, war nicht viel Staat zu machen.

»Nach dem, was du mir erzählt hast, hatte ich etwas ganz andres erwartet«, sagte Michael.

»Ich auch«, mußte ich zugeben. »Aber der Februar ist überall ein unvorteilhafter Monat.«

»Du hattest gesagt, Wien röche nach Veilchen. Mir scheint, es riecht nach Abwaschwasser«, sagte Michael und sog die Luft ein. Seine Nase war verflucht empfindlich geworden, seitdem ihn seine Augen im Stich ließen. Aber er hatte recht: den vielen Kellerwirtschaften, in denen die kleinen Leute zu Mittag aßen, entströmte ein Brodem von gebratenen Zwiebeln und ranzigem Fett. Auf den Straßen zog eine Prozession tropfender schwarzer Regenschirme entlang, der Regen wusch die schmutzigen Pflastersteine, und sanft gurgelnde Bäche eilten den verstopften Kanalgittern zu, wo sie sich zu schwarzen Schmutztümpeln sammelten. Die Schutzleute trugen glänzende Mäntel aus Wachstuch, die Krägen hatten sie hochgeklappt. Alles sah übellaunig und heruntergekommen aus: die Häuser, die Menschen, ihre Kleider, ihre Schuhe, ihr Gang, ihre Gesichter, ihr ganzer Ausdruck. Wir waren aus der Sprechstunde von Dr. Konrad gekommen und standen nun an der Ecke einer toten, trostlosen kleinen Straße und versuchten ein Taxi zu erwischen. Aber die wenigen, die vorbeirumpelten, waren besetzt. Seit dem Augenblick unsrer Ankunft kämpfte ich gegen die sonderbare und unangenehme Empfindung, daß mir zwar jeder Stein, jedes Geräusch, jeder Geruch dieser Stadt vertraut war wie meine eigene Haut und daß ich dennoch hier eine Fremde war und die Stadt eigentlich gar nicht kannte. Vielleicht hätte ich mich zu einer gedämpften sentimentalen Freude aufschwingen können, wenn ich zum Vergnügen nach Wien gekommen wäre. Aber so wurde alles durch mein einziges Ziel, meinen einzigen Gedanken ausgelöscht: Michael. Michaels Augen, Michaels Zukunft, Michaels ganzes Leben.

»Sehen Sie mal, Frau Tillmann«, hatte Professor Lanzhoff in Frankfurt zu mir gesagt, »ich könnte mich ja aus dem Fall herausziehen, unsern Studiosus in eine Lungenheilanstalt im Odenwald stecken und alles Weitere abwarten. Oder ich könnte Ihnen sagen: Fahren Sie mit ihm nach Arosa! Oder packen Sie ihn ein, und fahren Sie mit ihm nach Amerika zurück, und sehen Sie, was die Herren von der Mayo-Klinik in Rochester mit ihm machen können! Wenn Sie aber meine offene Meinung hören wollen, empfehle ich Ihnen, erst einmal nach Wien zu fahren und mit Kohn über die Sache zu sprechen. Er hat sein ganzes Leben nichts andres getan, als sich mit tuberkulösen Augen zu befassen, und ist wie der Teufel hinter hoffnungslosen Fällen her, und der verflixte kleine Jude hat schon eine ganze Menge Wunder vollbracht. Kohn in Wien, Arthur Kohn. Das heißt, seitdem er von der Universität gejagt worden ist und Deutschland verlassen hat, nennt er sich Dr. Konrad. Seine Adresse weiß ich natürlich nicht, aber ich habe seine Berichte in medizinischen Zeitschriften verfolgt. Mit seinem Spezialprotein scheint er erstaunliche Erfolge zu erzielen. Warten Sie mal – da hab' ich's: Tubocolin 287 nennt er's – es liegt auf der Linie des alten Koch, aber es ist mehr – wie soll ich sagen – mehr dynamisch. Wissen Sie, es ist sozusagen noch im Versuchsverfahren. In gewissen Fällen wirkt es nicht nur nicht, sondern verschlimmert noch den Zustand des Patienten. Wenn es aber wirkt, dann ist es ganz ausgezeichnet, und es steht schon dafür, das Risiko einzugehen. Was ich Ihnen da sage, ist Hochverrat, Frau Tillmann. Aber ich habe den Eindruck, daß Hitler, Göring und Goebbels, wenn sie ernstlich um ihre Augen besorgt wären, nach Wien fahren und Dr. Konrad aufsuchen würden. Dann können Sie auch hingehen. Und schreiben Sie mir ab und zu ein Postkarte, wie's unserm Studiosus geht! Bon voyage, Frau Tillmann, und meine ergebenste Hochachtung.«

Dann gab es einen aufgeregten Telegrammwechsel mit John in New York; er war einverstanden, daß wir Konrad konsultierten und noch eine Zeitlang in Europa blieben. Er überwies mir telegrafisch das Geld, das ich zu dieser Expedition voraussichtlich brauchen würde. Ich habe mich nie besonders für Geld interessiert – außer wenn ich keins hatte –, aber jetzt war ich zum erstenmal dankbar dafür, daß ich Geld hatte, jetzt, wo es galt, das Augenlicht meines Jungen zu erkaufen. Zwischendurch rief ich Clara in Wien an. Sie machte Dr. Konrads Adresse ausfindig, und an einem unfreundlichen Abend im späten Februar kamen wir in der Stadt an, die ich seit fünfundzwanzig Jahren nicht mehr gesehen hatte. Ich hatte vergessen, wie windig es hier immer ist, wie schäbig die Taxis aussehen und wie sich alle Hände fordernd nach Trinkgeld ausstrecken. Wir fuhren zu einem eleganten Hotel am Ring, wo ich vor ein paar tausend Jahren einen Abend in Gesellschaft eines dummen Revolvers verbracht hatte, der im entscheidenden Augenblick nicht losgegangen war.

»In diesem Hotel hatte ich mal Selbstmord begehen wollen, als ich noch ein Backfisch war«, sagte ich zu Michael, der ziellos in seinem Zimmer umherwanderte, wobei er verstohlen die Kanten der Möbelstücke und der kleineren Gegenstände auf dem Schreibtisch betastete, um sich mit ihnen bekannt zu machen. »Nun, und hast du's getan?« fragte er mich mit seinem trockenen Witz.

»Nein. Und es hätte auch keinen Sinn gehabt. Es hat nie einen Sinn, wenn man sich unterkriegen läßt«, sagte ich.

»Brauchst mir keine aufpulvernden Reden zu halten, Mony«, antwortete er, hellhörig, wie er neuerdings geworden war. »Ich bin kein Deserteur und laß mich nicht unterkriegen. Okay?«

»Okay«, sagte ich. »Die Hauptsache ist, daß man sein Gleichgewicht nicht verliert.«

»Ich verliere meins nicht, wenn du deins nicht verlierst«, sagte er. Das war ein Vertrag. Wir haben ihn immer getreulich eingehalten, nicht wahr, Milchi?

Dr. Konrad mißfiel uns beiden gleich auf den ersten Blick, und ich merkte, daß Michael jedesmal, wenn ihm der Doktor zu nahe kam, zurückzuckte und sich verkrampfte. »Wenn er sich den Namen hat ändern lassen, hätte er sich gleich auch die Nase richten lassen sollen«, sagte er grimmig. Dr. Konrad war schmächtig, leicht gebückt, unbestimmten Alters; er sah aus wie eine Mischung sämtlicher Judenkarikaturen der Naziplakate und Flugschriften. Seine Finger waren braun von Nikotin — eine unangenehme, unsaubere Eigenschaft bei einem Arzt; er war hochgradig kurzsichtig, und beim Sprechen kam er einem so nahe, daß einem der aus verschiedenen Gerüchen gemischte Atem mitten ins Gesicht traf. Er roch nach Tabak, altem Schweiß, dem Essen von gestern und medizinischer Seife, was er durch ein paar Tropfen minderwertiges Eau de Cologne im Taschentuch zu mildern suchte. »Er riecht wie die Person in diesen amerikanischen Inseraten, der es selbst der beste Freund nicht sagen will«, beklagte sich Michael. »Ich habe nichts dagegen, daß er mir in den Augen herumstochert, aber muß ich denn jedesmal einen Gasangriff durchmachen, wenn er mich behandelt? Vielleicht ist es eine Form der jüdischen Selbstverteidigung.«

»Wenn er der einzige ist, der deine Augen gesund machen kann, wirst du wohl einige von deinen Nazilehren vergessen müssen«, sagte ich ärgerlich, so ärgerlich, wie ich überhaupt mit meinem unglücklichen Kind reden konnte. Aber es wurde mir selbst schwer, mit Dr. Konrad Kontakt zu finden. Er hatte die sonderbare Angewohnheit, durch die Zähne zu zischen, und er hatte einen Sprachfehler, der aus dem ›R‹ fast ein ›W‹ machte. Übrigens war er sehr wenig mitteilsam.

»Aha!« sagte er etwa. »Oho! Mhmm! Ja. Nein. Ah so. Nun? Gut.« Und das war — ohne ein einziges verständliches Wort — seine ganze Diagnose. Wenn er überhaupt sprach, ließ er in enervierender Weise die Sätze unbeendet. Es erinnerte mich an die Reklameschrift am Himmel, bei der sich der erste Buchstabe schon in nichts auflöst, bevor noch die letzten erscheinen. »Wer hat Ihnen gesagt, daß der Junge ... So ... Ich habe schlimmere Fälle von ... Oho! Glauben Sie mir, daß ich ... Geben Sie ihn in meine Hand ohne ... Gut, ich verlange Vertrauen und unbedingten Gehorsam. Un-beding-ten! Ja? Mhmm! Wie lange? Keine Fragen ... keine Antworten dar-

auf... O nein! Sechs Monate, zwei Jahre, fünf... eine Sauarbeit... aber
... Was? Ah so! Nun? Gut.«

Immerhin begann ich mich nach ein paar Besuchen an ihn zu gewöhnen
und Vertrauen zu ihm zu fassen. Als er einmal die Brille mit den dicken
Gläsern in die Stirn schob, sah ich einen Moment seine Augen. Sie waren
dunkel und groß, es waren klare, schöne Augen, müde, gütig und unendlich traurig unter den schweren, gerunzelten Affenlidern. Und ich glaube,
diese Augen waren es, die mich Vertrauen zu ihm fassen ließen. Die Selbstsicherheit des Arztes, Wunder wirken zu können, wirkte auf Michael
irgendwie ansteckend, und allmählich ließ seine Abneigung nach. Es war
eine große Erleichterung für mich, als er sich damit einverstanden erklärte,
daß der Arzt eine Weile mit ihm herumexperimentierte. Michael wurde ins
Bett geschickt, nach einer bestimmten Vorschrift ernährt, von Zeit zu Zeit
wie ein Schoßhündchen spazierengeführt und wieder ins Bett gesteckt. Dr.
Konrad wollte, daß er für die ersten zwei Behandlungswochen in Wien
bliebe. Dann sollte er in sein Sanatorium in den Bergen, in der Nähe des
Semmering, gehen. Die zwei Wochen waren angefüllt mit Untersuchungen,
Proben, Injektionen, Reaktionen und Augenbehandlungen. Es war ein strenger Stundenplan, und er nahm Michael voll in Anspruch, ganz so, wie
Kranke überhaupt von Behandlungsvorschriften in Anspruch genommen
werden und schließlich in ihnen einen interessanten Ersatz für das wirkliche Leben finden, auf das sie verzichten müssen. Nach drei Tagen sah
Michael den Besuchen bei Dr. Konrad sogar mit einer gewissen Ungeduld
entgegen. Konrad besaß einen eigenartigen Humor, für den Michael, selbst
fünfzig Prozent Jude und überdies Mediziner, viel Sinn hatte. Konrad sah
niemals den Menschen, und er sprach niemals über den Menschen. Was er
sah, waren immer nur pathologische Fälle. Er nannte die schönste, gefeiert-
ste Schauspielerin Wiens »einen leichten Fall von Hutchinson-Zähnen«. Professor Lanzhoff war für ihn »eine ziemlich vorgeschrittene Brightsche
Krankheit«, Florian Rieger, der uns gewöhnlich in seinem Wagen mitnahm,
nur »ein schöner hyperthyreoider Gastro-Intestinal-Typus«. Michael amüsierte sich über diese verzwickten Klassifikationen, und alles war in Ordnung.

Florian Rieger, den Clara ›mein Mann‹ nannte, obwohl sie nicht verheiratet waren, war ein schlanker, eleganter Herr mit ruhigem Auftreten und
erinnerte mich einigermaßen an meinen romantischen Onkel Theodor — den
mit dem gefangenen Adler. Sein Haar war noch nicht richtig grau, aber
schon etwas staubfarben. Alles an ihm war etwas zu schmal: sein Gesicht,
seine Schultern, seine Füße und in mancher Hinsicht auch sein Denken. In
seiner Schwärmerei für alles Österreichische wirkte er nachgerade etwas
peinlich, wie ein Mann, der dauernd über die intimen Reize seiner Frau
spricht. Es machte mich kribblig, wenn er seinen Wagen anhielt und vor
einem Stildetail in Verzückung geriet, vor der geschwungenen Form eines
Daches, der Gliederung eines Kranzgesimses, dem Adel eines Barockbrun-
nens oder der Schönheit der beiden Trajanssäulen an der Karlskirche — der
Kirche, deren Glockenspiel die Stunden meiner Kindheit gemessen hatte.

»Ist das nicht herrlich, Marion?« rief er dann immer aus, seine Stimme geriet in ein gefühlvolles Schwingen, und die Augen gingen ihm vor Entzücken über. »Schauen Sie sich das an! Nur einen Augenblick. Bitte tun Sie mir den Gefallen, und schauen Sie sich das an! Auch wenn Ihr Geschmack durch den Anblick dieser abscheulichen amerikanischen Wolkenkratzer irregeleitet sein sollte, müssen Sie doch zugeben: das ist herrlich!«

»Es ist schön, Flori«, sagte ich, »aber Sie haben die Silhouette von Manhattan bei Sonnenuntergang noch nicht gesehen. Außerdem möchte ich darauf aufmerksam machen, daß wir jetzt schon zehn Minuten Verspätung haben.«

Dann seufzte Flori und schaltete widerwillig den Anlasser ein.

»Schnell, schnell! Immer in Eile. Keine Zeit zum Essen, keine Zeit, das Leben zu genießen. Eine echte Amerikanerin!« murrte er. Ich sah auf die Uhr und war froh, daß er wieder das Lenkrad ergriff. Aber dann ließ er die Hände wieder sinken, warf noch einen gierigen Blick auf die Säulen, ließ sie auf der Zunge zergehen, verschlang sie und schmatzte mit den Augen.

»Viel zu schön, um Herrn Hitler darauf Bomben werfen zu lassen«, brummte er, und erst dann fuhren wir zu Dr. Konrad weiter.

Florian Rieger konnte Clara aus einem echt österreichischen, echt katholischen Grund nicht heiraten. Es hing mit dem Papst zusammen, der sich weigerte, Florians erste Ehe für ungültig zu erklären und so den Weg zu einer zweiten Ehe freizugeben. Nach und nach bekam ich heraus, daß Florians Frau geisteskrank war und in einer Anstalt vegetierte, wo er sie getreulich jeden Mittwoch besuchte, um ihr Süßigkeiten und Blumen zu bringen.

Sie aß die Süßigkeiten, und sie zerzupfte die Blumen, ohne jemals erkennen zu lassen, ob sie wußte, wer er war. Inzwischen lebten er und Clara zufrieden wie Mann und Frau; Clara hatte das Tanzen aufgegeben und widmete sich der Erziehung von Floris Tochter Renate.

»Weißt du, das wäre eine Sache, so ein frommer Katholik zu sein wie Flori«, seufzte Clara gelegentlich. »Stell dir vor, was für einen Kitzel es einem geben müßte, wenn man das Gefühl hätte, es wäre sündhaft und moralisch verworfen, ihm die Wirtschaft zu führen, mit sehr wenig Geld auszukommen, ihm die Knöpfe anzunähen und das ganze prosaische Drum und Dran. Ich sage dir was, Kinderl — wir sind viel zu weitherzig. Das nimmt unserm Leben die Würze.«

»Nun, du bist wenigstens nicht so ehrbar geworden wie ich«, tröstete ich sie. »Du solltest mich sehen, wenn ich bei irgendeiner gesellschaftlichen Gelegenheit als Mrs. John W. Sprague auftrete. Jesus, wie haben wir rebelliert und gemeutert, als wir jung waren, und wohin haben wir's gebracht! Du wirst dich mit Flori in demselben Moment trauen lassen, wo der Papst ja sagt, und ich bin die legitime Gattin eines ›trust fund‹.«

»Trust fund? Klingt nicht schön«, sagte Clara verdutzt. »Was ist denn das?«

»Weiß ich selbst nicht genau. Etwas, worauf John sehr stolz ist. Jedesmal, wenn wir uns etwas leisten können, verdanken wir es dem ›trust fund‹. Ich stelle ihn mir als so etwas wie ein kleines Götzenbild vor, das mein Mann in einem geheimen Winkel seines Büros anbetet, und das von Zeit zu Zeit mit Opfern von Geld und Gold besänftigt werden muß.«

Clara sah mich mit gleichzeitig amüsierten und beunruhigten Augen an. »Ja, Mönchlein, das ist das Ende vom Lied. Ich habe mir einen elenden Erzreaktionär angeschafft, und du hast ins Großkapital geheiratet. Da hätten wir ebensogut gleich in unsern Familien bleiben können.«

»Warum hast du das Tanzen aufgegeben?« fragte ich sie.

»Warum hast du das Geigen aufgegeben? Und warum hast du die Holzschnitzerei aufgegeben?«

»Ich muß mich darum kümmern, daß Michael gesund wird. Das ist wichtiger, nicht?«

»Sehr richtig. Und Flori auch. Und Renate auch.«

Renate war ein schlankes, biegsames kleines Geschöpf von fünfzehn Jahren. Sie hatte große blaue Augen unter dunklen, ernsten Brauen und schwarzblaues, glänzendes Haar — eine seltene Kombination, die sie sehr anziehend machte. »Renate ist wie gute Musik«, sagte Michael von ihr und: »Renate ist wie Eis, mit heißer Schokolade übergossen. Süß und erfrischend, und wenn man merkt, wie kühl es unter der Wärme ist, bleibt einem ein bißchen der Atem weg.«

Renate verbrachte viele Stunden mit Michael, und ich war sehr dankbar dafür, daß sie gerade im richtigen Moment in unser Leben getreten war, zu einer Zeit, da Michael meist im Bett liegen mußte und nicht seinen trüben Gedanken überlassen werden sollte. Renate — meist bei ihrem drolligen Spitznamen Bummerl genannt — las ihm aus Zeitschriften und Zeitungen vor, und er ließ sich von ihr sogar Briefe von John und Martin vorlesen. Manchmal brachte sie ihre Gitarre mit und sang mit der unschuldigsten Miene die unanständigsten Schnadahüpfl, die sie bei den Sennen auf der Alm aufgeschnappt hatte. Sie sang mit einer dünnen, rauhen jungen Stimme und hatte in ihrer stillen, klugen Art viel Humor. Sie lehrte Michael die Gitarre zupfen, indem sie seine Finger auf die Saiten setzte, als ob sie aus Holz wären. Er gab ihr dafür englischen Unterricht, und sie lebten in einer glücklichen kleinen Welt voll geflüsterter Geheimnisse, voll Lachen und vollkommenen Verstehens. Ich ertappte mich bei dem Gedanken, daß Renate eine gute Lehrerin sein würde, wenn Michael die Brailleschrift lernen müßte. Es war ein schmerzlicher Gedanke, und ich gab mir den strengen Befehl, keinen Pessimismus bei mir aufkommen zu lassen, denn das war für Michael nicht gut.

In der zweiten Woche unsres Wiener Aufenthalts wurde Florian Rieger sehr nervös und zapplig, und die Kotflügel seines alten kleinen Wagens bekamen immer neue Beulen. Clara äußerte sich über ihren Mann mit zärtlicher Verachtung. »Er ist so ein Narr, er zerreißt sich für eine verlorene Sache. Weißt du, weshalb ich ihn so gern habe? Er hat eine Eigenschaft, die bei den Österreichern höchst selten ist: er hat Charakter.«

»Erlaube mal, die charaktervollsten Menschen, denen ich draußen begegnet bin, waren meist Österreicher!«

»Ja«, sagte Clara, »wenn man uns in einen härteren Boden umpflanzt, entwickeln wir uns recht gut. Daheim übernehmen wir uns an unserm eignen Charme, an unsrer weltberühmten Mehlspeis und an unserm Weltschmerz. Aber Flori ist anders. Flori ist richtig. Er ist keine Kämpfernatur und kämpft trotzdem. Mehr kann man von einem Mann doch nicht verlangen, stimmt's?«

Wofür Florian Rieger in diesen letzten Februarwochen kämpfte, war die Unabhängigkeit Österreichs. Nachdem Bundeskanzler Schuschnigg von seinem verhängnisvollen Besuch in Berchtesgaden zurückgekommen war, sollte das Volk abstimmen. Die Stadt war ein Hexenkessel, aber für den unbeteiligten Besucher sah es eher so aus, als wären die Menschen damit beschäftigt, einen Jahrmarkt aufzuziehen und nicht eine Abstimmung darüber, ob Österreich ein souveränes und unabhängiges Land bleiben oder ein Anhängsel des Deutschen Reichs werden sollte. Als der Regen aufhörte, sahen die Straßen fast zu bunt aus, und die Wahlkampagne hatte den leichten Anstrich einer Altwiener Operette. Viele stolzierten in den traditionellen Kostümen der Älpler herum, trugen dicke weiße gestrickte Wadenstrümpfe und grobe Kniehosen. Es war eine ziemlich alberne Art, seine Sympathien für Hitler auszudrücken. Man sah kaum einen Rockaufschlag ohne ein Abzeichen, je nachdem das Hakenkreuz oder das rotweißrote Bändchen der Vaterländischen Front. Die Menschen hatten eine merkwürdige Art, einem erst auf den Rockaufschlag und dann erst ins Gesicht zu sehen. Zu allen Stunden marschierten Demonstrationszüge über den Ring, und eine Partei suchte darin immer die andre zu übertreffen. Da beide Parteien aus guten Österreichern bestanden, hatten sie unbegrenztes Vertrauen zu der aufpeitschenden Macht der Musik, und so schmetterten die Trompeten, quiekten die Pikkoloflöten, dröhnten die Trommeln ihr Hmtata, die Menschen marschierten und lächelten freundlich, und alles war lustig und nett. Für den harmlosen Zuschauer war es ein hübsches Schauspiel. Er bekam den Eindruck, daß sich auch die Wiener bei dieser Gratisvorstellung glänzend amüsierten.

Florian Rieger war Tag und Nacht beschäftigt, schrieb Zeitungsartikel, hielt Reden, küßte einflußreichen Damen die Hand und überzeugte Menschen, die ohnehin seiner Meinung waren. Er gehörte mit Leib und Seele zu Schuschniggs Österreich. Er hatte alle guten und schlechten Eigenschaften des waschechten Österreichers, der in den Traditionen der alteingesessenen Beamtenkaste erzogen ist. Sein Vater und sein Großvater waren hohe Beamte gewesen, ja sein Vater hatte sogar kurze Zeit die Stellung eines Verkehrsministers innegehabt. Flori selbst war irgend etwas im Justizministerium, betrachtete jedoch sein Amt als Nebenbeschäftigung und hatte sich der Schriftstellerei zugewendet. Auch das war altösterreichische Tradition. Die Regierung hatte sich daran gewöhnt, kleine Genies mit einem bescheidenen Beamtengehalt zu unterstützen, und so wurden denn die Dienststunden damit verbracht, auf amtlichen Briefbogen Manuskripte zu schreiben, Theaterstücke zu entwerfen und selbstzergliedernde Sonette zu bauen.

Florian Rieger war überzeugt, daß mindestens achtzig Prozent aller Stimmen für ein unabhängiges Österreich abgegeben würden. Clara hingegen war hinsichtlich des Ausganges der Volksabstimmung ziemlich pessimistisch. Ihr Gewährsmann war ein Hausbesorger, Prototyp und Muster des durchschnittlichen ›kleinen Mannes‹. Wenn die andern dafür stimmten, würde er für Schuschnigg und die Unabhängigkeit stimmen, sagte der Hausbesorger. Sollte die Mehrheit aber für Hitler und den Anschluß sein, so würde er für den Anschluß stimmen.

»Jesus Maria«, rief Clara ärgerlich aus, »die Mehrheit — das sind ja alles gewissermaßen Hausbesorger. Wer soll denn darüber entscheiden, wie sie sich entscheiden sollen?«

In einer Anwandlung tiefen Vertrauens hatte der Hausbesorger Clara gestanden, daß ihm das eine so egal sei wie das andere. Dabei war er nicht dumm. Obwohl er ein unabhängiges Österreich vorgezogen hätte, womöglich mit einem Kaiser, war er doch heimlich Mitglied der Nazipartei geworden — für alle Fälle. Daneben hatte er — Clara lachte wütend, als sie es mir erzählte — seine Mitgliedschaft bei der Sozialdemokratischen Partei beibehalten, die bis 1934 in Wien regiert hatte.

»Was kann man von solchen Menschen mehr erwarten?« sagte Clara mit dem beunruhigten Ausdruck, der mir neuerdings so oft bei ihr aufgefallen war und der im Widerspruch zu ihrem vergnügten Fluchen stand. »Armer Flori, ich möchte wissen, ob ihm klar ist, was für ein gefährliches Spiel er spielt.«

An einem klaren, kalten Freitag lieh ich mir Floris Wagen und fuhr mit Michael aus der Stadt hinaus, nach den Bergen im Süden, um ihn im ›Alpenhof‹ unterzubringen. Um ihn auf der Fahrt ein bißchen zu zerstreuen und und mir auf der Rückfahrt Gesellschaft zu leisten, war Renate mitgekommen. Doktor Konrad hatte in seiner fahrigen Art angeordnet, daß ich mich im ›Alpenhof‹ nicht länger als eine Stunde aufhalten dürfe. »O nein! Schlecht für sein ... langweilig? Gut für ihn zu ... Beste Medizin ... Verbessert die Fieberkurve und ... Besuchen Sie ihn jeden ... Wenn sich etwas zeigt ...«, sagte er zu mir.

Die Luft war scharf und klar, und während wir durch die verschlafenen Dörfer fuhren, vorbei an bescheidenen, kleinen alten Kirchen und an den Weinbergen der Südabhänge, dann durch den Wald und in tief eingeschnittene Bergtäler, fühlte ich zum erstenmal wieder, daß ich in meiner Heimat war. Ein leises Frühlingsahnen lag in der Luft, und einmal hielten wir an, damit Renate am Straßenrand Schneeglöckchen pflücken konnte. Es war eine tapfere kleine Vorhut, die da ihre winzigen Blattlanzen durch den Schnee steckte.

»Fühl mal, wie kühl sie sind und wie kräftig!« sagte Renate, indem sie die Pflänzchen Michael in die Hand gab und seine Finger um die weißen Blütenglöckchen herumlegte.

»Kitzle mich nicht!« sagte Michael mit seinem guten alten Lachen. »Nicht einmal mit Schneeglöckchen.« Er hielt die Blumen zwischen seinen Handflächen wie in einer Schale und führte sie an sein Gesicht.

»Schade, daß sie keinen Duft haben«, sagte Renate.

»Das glaubst du«, sagte Michael zu ihr. »Eine Welt von Duft! Sie riechen nach Grün, nach Schnee, nach Erde, nach Anfang.«

Er lehnte sich zurück und schloß die Augen hinter den dunklen Gläsern; dabei lächelte er den Blumen in seiner Hand zu. Ich bewunderte es, wie unbefangen Renate sagen konnte: »Fühl die Blumen!« und nicht: »Sieh dir die Blumen an!« Aber Renate war ja das Produkt von Generationen, die ihren Kindern Takt und Feinfühligkeit mit in die Wiege gegeben hatten.

Dr. Konrad war schon vor uns angekommen. Er verbrachte jedes Wochenende bei seinen Patienten im ›Alpenhof‹ und war nur von Dienstag bis Freitag in Wien. Er kniff Renate mit seinen nikotingelben Fingern in die Backe, was sie mit einem Märtyrerlächeln über sich ergehen ließ. »Gute Zirkulation. Gut funktionierendes Drüsensystem«, brummte er anerkennend. »Vielleicht eine ganz kleine Insuffizienz der Ovarien... aber sonst... Aha!« Es war der vollständigste Satz, den ich bisher von ihm gehört hatte, und ich schloß daraus, daß Renates feine, ungewöhnliche Schönheit auf ihn einen gewissen Eindruck gemacht hatte. Michaels Zimmer war klein, aber hübsch, hatte dunkle Eichenmöbel und moosgrüne Wände. Es sah keineswegs aus wie ein Krankenzimmer, eher wie die gemütliche Zelle eines gelehrten Mönchs. Der Schatten des tief herabhängenden Dachs dämpfte das Tageslicht zu einem dämmrigen diffusen Blau. Die Glastür zum Balkon stand offen und ließ die kalte Bergluft ins Zimmer strömen. Das Gemurmel eines nahen Bachs war wie eine Wiege von eintönig summender Musik, die einen in den Schlaf wiegte. Als ich auf den Balkon trat, konnte ich den Schnee auf dem Berggipfel sehen, aber das Zimmer selbst war gegen den blendenden Glanz geschützt, und durch die Tür war nur die mächtige graue Flanke des Berges sichtbar. Die Lampen hatten grüne Schirme, und bald erkannte ich, daß alles in diesem Haus wohldurchdacht war, das Richtige für Menschen mit empfindlichen Augen, die das Sonnenlicht fürchteten und doch zu ihrer Genesung brauchten.

Um den Kindern Gelegenheit zu geben, sich adieu zu sagen, ging ich auf den Balkon hinaus. Ich hörte Flüstern und unterdrücktes Lachen, und dann schwebte das Läuten einer kleinen wimmernden Kirchenglocke aus dem Dorf im Tal durch die klare Luft zu uns herauf. Irgendwo spielte jemand auf der Mundharmonika, und eine Sekunde lang hüllte mich das Gefühl ein, ich sei hier daheim. Dann kam die Oberschwester geräuschvoll ins Zimmer, uns hinauszujagen und ein Täfelchen über Michaels Bett zu hängen. Ich versprach, zum nächsten Wochenende wiederzukommen, dann stiegen wir in unser Auto und fuhren davon: Renate schweigsam und nachdenklich und ich voll seltsamer, grundloser, dämmriger weicher Hoffnung, daß alles am Ende doch noch gut ausgehen werde.

»Hast du es schon einmal versucht, Tante Marion?« fragte mich Renate nach langem, langem Schweigen; wir hatten schon die Schlucht hinter uns gelassen und fuhren nun durch die Ebene.

»Was versucht?«

»Die Augen geschlossen zu halten, dir vorzustellen, daß du blind bist, und im Finstern deinen Weg zu suchen.«

»Nein, Kind«, sagte ich. Es war fast dunkel, aber im Rückspiegel sah ich verschwommen, daß Renate die Augen geschlossen hatte.

»Ich versuche es. Ich halte die Augen täglich zehn Minuten geschlossen. Zuerst mußte ich sie mir mit einem Taschentuch verbinden, aber jetzt kann ich sie, ohne zu mogeln, fünf Minuten hintereinander geschlossen halten.«

»Weshalb tust du das, Renate?«

»Ach, nur so. Ich will wissen, wie es ist, wenn man ... wenn man nicht sehen kann, weißt du. Dann kann ich mir vorstellen, was Michael haben möchte oder was ihm schwerfällt. Ich meine — Tante Marion, glaubst du nicht, ich sollte Pflegerin werden und — und — Michael pflegen, wenn — wenn — er jemanden braucht?«

»Er wird nicht blind werden«, sagte ich eigensinnig.

»Du hast recht. Ich werde nicht mehr daran denken, daß er eine Pflegerin brauchen könnte. Man kann Soldaten nicht in die Schlacht schicken, wenn sie nicht von ihrem Sieg überzeugt sind. Das hier ist auch eine Schlacht, nicht wahr? Und wir müssen an den Sieg glauben. Und wenn er wieder gesund ist und nach Amerika zurückfährt, kann ich immer noch eine Nonne werden und in ein Kloster gehen. Das werde ich tun, wenn Michael nach Amerika zurückfährt ...«

Ich konnte hören, wie schrecklich leid sie sich tat für den Fall, daß Michael gesund würde; so leid kann man sich nur tun, wenn man fünfzehn Jahre ist, das wundervolle Leben einer tragischen Heldin führt und niemand die bodenlose Tiefe der Dinge, die in einem vorgehen, ermessen kann — denn äußerlich ist man ja nur ein Backfisch mit zwei Zöpfchen, an denen man kaut, wenn man in Gedanken ist ...

Am nächsten Wochenende konnte Renate nicht mitkommen, denn sie war schwer erkältet — ein Zustand, der im ›Alpenhof‹ tabu war. Dafür erbot sich Clara, mit mir hinauszufahren. Sie mochte Michael gut leiden und wollte ihn gern wiedersehen. Und sie hoffte wohl auch, es würde sie ein bißchen von dem drohenden Unheil ablenken. Es war eine fieberhafte Woche gewesen, und Clara hatte Flori fast überhaupt nicht zu Gesicht bekommen. In diesen letzten Tagen vor der Volksabstimmung brauchte Flori seinen Wagen selbst, aber er schien ganz froh zu sein, Clara aus dem Weg zu haben. Sie holte mich in einem Auto ab, das sie für den Tag gemietet hatte.

Der mächtige schwarze Portier, der immer vor dem Hotel stand, half mir in den Wagen und warf Clara ein zähneblitzendes Lächeln zu.

»Comment allez-vous, Achmed?« fragte sie ihn.

»Merci bien, Madame, ça va. Les temps sont difficiles ...«, antwortete er und schloß den Wagenschlag. Er trug weite Hosen und einen roten Fes wie der komische kleine Sultan im Bilderbuch; so stellten sich die Wiener das passende Kostüm für etwas so Exotisches wie einen Neger vor.

»Ich möchte wissen, was mit dem armen Achmed geschehen wird, wenn es schiefgeht«, sagte Clara, während sie den Wagen den Ring hinuntersteuerte, auf dem gerade einmal keine Paraden und Umzüge stattfanden. »Er ist ja ein Rassenschänder.«

»Wieso kennst du ihn?«

414

»Habe ich's dir denn nicht erzählt? Er ist doch der Vater der Schwarzen Schmach. Armer Kerl, in seiner lächerlichen Aufmachung. Er ist ja höchst dekorativ, aber nicht eine Spur arisch.«

»Wie ist er denn, um alles in der Welt, gerade hierhergekommen, vor das Hotel?«

»Als sein Regiment nach Afrika zurückging, blieb er in Deutschland und ging mit uns nach Berlin, denn er ist der geborene Familienvater und wollte mit Frau und Kind zusammenbleiben. Er bekam einen Posten in einem Nachtlokal. Als ich dann flüchtete, nahm ich ihn mit, und Flori verschaffte ihm diese Stelle. Anna blieb selbstverständlich in Berlin und heiratete einen Nazi.«

»Und die Schwarze Schmach?«

»Oh, die ist ein Reißer geworden. Sie soll ganz Paris in Raserei versetzen. Sie tanzt im ›Tabarin‹, und die Männer überhäufen sie mit synthetischen Rubinen und Perlen, du weißt, die Franzosen sind sparsam, auch wenn sie den Kopf verlieren, und künstliche Rubine sind billig. Ja, Mönchlein, unsere Schwarze Schmach hat das Zeug zu einer Grande Cocotte.«

»Hast du ihr Tanzunterricht gegeben?«

»Na, ich glaube, das, was sie jetzt tanzt, hat sie nicht gerade bei mir gelernt. Es heißt ›Ebenholz-Eva‹, sie hat dabei nichts an als ein kleines Feigenblatt. Sie hat mir ein Programm mit ihrem Foto geschickt. Ich hatte ihr die Glieder ein bißchen gelockert, das war alles. Jetzt scheint sie so locker zu sein, daß sich ganz Paris um sie dreht.«

Vergeblich suchte ich mir das scheue schwarze Ding, das ich auf dem Arm getragen hatte, als Clou von Paris vorzustellen. »Na, ob sie in New Yorks Negerviertel Harlem auch ein Clou sein würde . . .«, sagte ich von oben herab. Clara stieß ein kurzes, fauchendes Lachen aus. »Was für eine amerikanische Chauvinistin aus dir geworden ist!« sagte sie; dann mußte sie sich auf das Mietauto konzentrieren, das ein launenhaftes Temperament hatte.

»Ich wollte, wir wären schon ein paar Tage älter und wüßten, was mit uns geschieht«, sagte sie später, als wir schon die Stadt hinter uns gelassen hatten. »Dieses Warten macht einen kaputt.«

»Es sieht dir gar nicht ähnlich, daß du dir solche Sorgen machst.«

»Sich keine Sorgen zu machen ist leicht, solange man allein ist. Jetzt habe ich Flori. Und Renate. Ich habe schon einmal um des lieben Lebens willen über die Grenze flüchten müssen. Ich möchte es nicht gern noch einmal tun müssen, schon gar nicht mit Mann und Kind.«

»Weshalb hattest du denn eigentlich fliehen müssen?«

»Ach — wegen eines Nichts. Eine meiner Tänzerinnen war Kommunistin, und ich hatte 1933, während der schlimmsten Tage, versucht, sie bei mir zu verstecken.«

»Und was ist mit ihr geschehen?«

Clara zuckte mit den Schultern. Dieses Schulterzucken, dieses Seufzen, dieses beunruhigte Runzeln ihrer breiten Stirn — das war mir alles neu an ihr. An der rechten Schläfe hatte sie eine graue, fast weiße Haarsträhne.

Ich fuhr mit dem Finger darüber — eine kleine, unauffällige Liebkosung. »Weißt du, ich bin schon ganz grau«, sagte sie. »Ich habe mir das Haar blond gefärbt, aber diese eine Strähne habe ich gelassen, wie sie ist, als Eingeständnis, daß ich wirklich alt und grau bin und gefärbtes Haar habe.«

»Es steht dir sehr gut, und das weißt du.«

»Das glaubt zumindest Flori. Er würde einen guten Friseur abgeben, meinst du nicht auch? Oder einen guten Oberkellner. Alles, nur keinen guten Politiker. Na, vielleicht wird er bald einen von diesen höflichen Berufen ergreifen müssen. In einer Woche werden wir klüger sein.«

»Ach, wir haben doch nicht die geringsten Aussichten. Wir sind Österreicher, obwohl es unangebracht ist, Österreicher zu sein; liberal, obwohl es unangebracht ist, liberal zu sein; Individualisten, obwohl es unangebracht ist, Individualisten zu sein. Es ist ein Wunder, daß Leute wie wir überhaupt noch am Leben sind. Man ist schon übel dran, wenn man nicht zur richtigen Generation gehört. Da sind mir schon diese Kannibalenstämme lieber, bei denen die Eltern an ihrem vierzigsten Geburtstag aufgefressen werden. Erspart allen Beteiligten eine Menge Unannehmlichkeiten.«

Michael hatte sich gut eingelebt und war recht zufrieden. Es ist für Kranke viel leichter, mit andern Kranken zusammen zu leben, als lauter rotbäckige, verständnislose Gesundheit um sich zu haben. Kranke Augen waren im ›Alpenhof‹ das Normale, und gesunde Besucher wie wir kamen sich hier bald selbst etwas deplaciert, fremd und anormal vor. Unmerklich glitt Michael von mir weg in die Regionen des Zwielichts, wo nichts von Bedeutung war als Krankheit und Behandlung. Ich fand ihn ruhiger und weniger sprunghaft als sonst. Daß er nicht mehr so zu tun brauchte, als wäre mit ihm alles in bester Ordnung, war für ihn eine große Erleichterung. Er machte einen fast heiteren Eindruck.

Dr. Konrad war mit ihm zufrieden; er sprach von Michael wie von einem guten, wenn auch nicht besonders begabten Schüler. »Gute Möglichkeiten... Reaktionen wie vorausgesehen... ein recht zuverlässiger Patient, wenn ...« Mit seiner Erlaubnis durften wir mit dem Jungen sogar ein bißchen in der kräftigen, würzigen Gebirgsluft spazierengehen, einen schmalen Steig entlang, der den unteren Hang des Berges durchschnitt. Im Tal war der Schnee geschmolzen, aber hier oben lagen noch weite weiße Flecken, und wir leisteten uns eine bescheidene Schneeballschlacht und imitierten schüchterne Ausgelassenheit. Später tranken wir mit Michael im ›Alpenhof‹ Kaffee und lernten dabei ein paar andre Patienten kennen und sahen zu, wie die Schwester die Fünfuhrtemperatur maß, und dann hatte ich die Empfindung, daß der Junge beinahe ungeduldig darauf wartete, daß wir wieder gingen.

»Das nächstemal bringe ich Renate wieder mit«, sagte ich beim Abschied. Wie Michael jetzt — da es dämmrig wurde, ohne die schwarze Brille — in Decken gepackt auf dem Liegestuhl lag und die Augen in der heilsamen, eiskalten Luft badete, sah er aus, als fühle er sich recht wohl. Das letzte bißchen Sonne verwandelte den Berggipfel in einen Kegel aus Himbeereis, durchscheinend, fast unwirklich. Die nasse Straße, auf der wir nun hinunterfuhren, war in ein malvenfarbiges Perlmutterzwielicht getaucht. Als wir die

Talsohle erreichten, war der Abend schon in jede Falte und Runzel gekrochen und hatte sie dick mit Finsternis gepolstert. Nach Überwindung des
Höhenunterschiedes gab es einen kleinen Knack in meinen Ohren, und nun
hörte ich viel deutlicher das ständige Herabrauschen eines Bachs in die tiefe
Schlucht. Die Scheinwerfer des Autos wickelten das weiße Band der Straße
vor uns ab. Dann und wann huschte ein kleines Tier quer über den Weg, die
Bäume traten wie neugierige Fremde in den Lichtkegel, sahen uns an und
wandten sich wieder ab.

In einem kleinen Wirtshaus an der Straße machten wir Rast, um zu
Abend zu essen; denn von der scharfen Luft und dem Spaziergang hatten
wir Hunger bekommen. Die Wirtin war ein mageres Weib mit einer schrillen Stimme. Sie sah aus wie der Inbegriff entschlossener, erfahrener Wit-
wenschaft. Sie entwickelte sofort eine emsige Geschäftigkeit, denn Damen
mit Auto gehörten nicht zu ihren alltäglichen Gästen. Wir wurden durch das
Schankzimmer geführt, wo es nach abgestandenem Bier und Tabakrauch
roch und die plötzlich verstummten Biertrinker uns anglotzten. Die Wirtin
ließ es sich nicht nehmen, einen Tisch für uns in ihrer guten Stube zu dek-
ken. Das Zimmer hatte die kalte, muffige Atmosphäre eines Raumes, der nur
selten benutzt wird. Die alte Kuckucksuhr war nicht aufgezogen. Die Geranien auf dem Fensterbrett waren trocken und tot. Im Ofen brannte kein
Feuer. Eine Fotografie, offenbar bei der Hochzeit aufgenommen, ergänzte
die trübe Stimmung: sie zeigte eine Gruppe von Menschen in steifer Sonn-
tagskleidung um das Brautpaar gedrängt und mit erschreckten Augen in die
Kamera starrend. In unglaublich kurzer Zeit produzierte die Witwe ein vor-
züglich zubereitetes Abendessen, eine heiße, kräftige Bouillon, Brathendl
nach österreichischer Art und als Nachtisch Apfelstrudel und Kaffee.

In dem Augenblick, als die Wirtin mit dem Kaffee aus dem Schankzimmer
kam, wandte sich Clara jäh zur Tür und horchte. Die Männer, die noch vor
wenigen Minuten gelacht und gelärmt hatten, schwiegen plötzlich mit angehaltenem Atem, und man vernahm nichts als eine Stimme, die aus dem
Radio in der Ecke kam. Es war ein armseliger Kasten, voll Störgeräusche,
aber an Claras Gesichtsausdruck erkannte ich, daß die Worte, die diese
quakende, zitternde Stimme sprach, von allergrößter Bedeutung waren.

»Bitte lassen Sie die Tür offen —«, flüsterte sie, starr und reglos wie ein
Vorstehhund, als die Witwe aus dem Zimmer ging. »Schuschnigg spricht,
nicht wahr?« »Wenn die Damen hereinkommen und zuhören möchten —
ich hab' geglaubt, die Damen interessieren sich nicht dafür. Sind die Damen
nicht Ausländerinnen?« sagte die Witwe, und Clara erhob sich, um ihr ins
Schankzimmer zu folgen. Ich ging ihr nach, aber wo sie mit ihrem leichten
Tänzerinnenschritt geräuschlos über die losen alten Dielen gegangen war,
krachte es unter meinen Schritten, und um den Empfang nicht noch mehr
zu stören, blieb ich in einer lächerlichen, sozusagen provisorischen Pose an
der Tür stehen.

Was wir hörten, war der unerwartete Abschied des Bundeskanzlers von
seinem Land und seine Unterwerfung unter die neuen, brutalen Machthaber
jenseits der deutschen Grenze. Als die schmerzlich gebändigte Stimme mit

einem »Gott schütze Österreich!« geendet hatte, blieb im Schankzimmer für einige Sekunden ein unentschlossenes Schweigen stehen. Die Leute schienen zu erwarten, daß noch etwas komme, eine Erklärung oder ein Befehl, was jetzt zu geschehen habe. Es waren einfache Landleute mit harten, knorrigen Gesichtern. Wie viele solcher Bauernköpfe hatte ich nicht in vergangenen Zeiten geschnitzt! Die Lampe, die über dem Schanktisch hing, warf ein grelles Licht auf die Menschen, verlieh den schweren blauen Rauchschwaden so etwas wie ein schimmerndes Eigenlicht. Dann zerbrach das Schweigen, einer der Männer hieb sein Glas auf den Schanktisch und bestellte für alle Anwesenden eine Runde. Ein Murmeln stieg auf, wuchs und wuchs, und schließlich flogen ein paar Arme in die Höhe — zum Nazigruß; im Hintergrund schrie einer »Heil Hitler!« Was dann geschah, war wie ein Oratorium, wenn zuerst die Solostimmen das Thema singen, dann der Chor einfällt und es zu einem jubelnden »Halleluja!« emporträgt. Clara stand wie angewurzelt in all dem Lärm und starrte die brüllenden, heilrufenden Männer an, einen nach dem andern. Dann wandte sie sich unvermittelt um, kam zurück und schloß die Tür.

»Zahlen wir, und gehen wir fort —«, sagte sie mit einer trockenen flüsternden Stimme, die ganz fremd klang. Erst als ich sah, wie die Tränen über ihr Gesicht strömten, wurde mir jäh bewußt, daß Österreich auch mein Vaterland war und daß es soeben gestorben war. Aber alles, was ich empfand, war ein uninteressiertes Bedauern und der plötzliche intensive Wunsch, bei John zu sein — wieder in Amerika zu sein und die Leiden dieses verworrenen und angsterfüllten Kontinents zu vergessen.

Die Witwe kam herein, und als ich eilig zahlte, warf sie einen verzweifelten Blick auf den Apfelstrudel, den wir nicht aufgegessen hatten. »Hat den Damen der Strudel nicht geschmeckt?« fragte sie unglücklich. »So ein guter Apfelstrudel, es ist schade, ihn umkommen zu lassen. Möchten die Damen ihn nicht mitnehmen — bezahlt ist er ja. Nein? Na, die Damen wissen wahrscheinlich nicht, was gut ist. Gute Nacht«, schloß sie, im Innersten ihrer Köchinnenseele getroffen. Clara ging hinaus — wütend und verzweifelt. »Da hast du dein Österreich«, sagte sie, als wir in den Wagen stiegen. »Der Apfelstrudel! Sie tragen das Herz im Magen. Und das sieht auch mir ähnlich. Ich sitze da und esse Apfelstrudel, statt bei meinem Mann zu sein, wenn es um Leben und Tod geht. Vorwärts, Mönchlein, schnell!«

»Soll ich fahren oder willst du?« fragte ich und merkte zu meinem Erstaunen, daß meine Knie weich waren und meine Hände zitterten.

»Fahr du! Du bist die bessere Fahrerin. Fahr, so schnell du kannst! Nein, laß mich!« setzte sie hinzu, als sei ihr plötzlich etwas eingefallen, und schob mich vom Lenkrad weg. »Du bist das Linksfahren nicht gewöhnt.« Sie schaltete ein, und das Auto schoß mit uns davon, hinein in die Finsternis jenseits des kleinen Lichtkreises vor dem Wirtshaus.

»Hast du das gesehen?« fragte sie mich nach geraumer Zeit, als wir durch eins der kleinen Städtchen kamen, die an der Landstraße lagen.

»Ja«, sagte ich. Der Schutzmann an der Straßenkreuzung hatte eine Hakenkreuzbinde am Ärmel.

»Er muß sie die ganze Zeit in der Tasche gehabt haben, das Schwein«, brummte Clara. Wir bogen auf den Hauptplatz ein, der voll war von jauchzenden, schreienden, singenden Menschen. Eine rasende Menge drängte sich auf den Gehsteigen und auf der Fahrbahn, so daß wir nur langsam vorwärtskamen, wie durch einen klebrigen Brei. Clara hupte wütend und fluchte leise vor sich hin. Auch in allen Fenstern lagen die Menschen und stimmten in den Chor ein. Kein Haus war ohne Hakenkreuzfahne, und kein Mensch trug mehr die rotweißrote Spange. Die Gesichter, die in den Wagen hineinschauten, waren trunken vor Begeisterung, ihre Stimmen waren heiser vom Schreien, ihre Augen glänzten und waren doch starr wie in religiöser Raserei. Ein paar Jungens sprangen auf das Trittbrett unseres Wagens und wedelten uns unter wilden Heilrufen mit Hakenkreuzfähnchen ins Gesicht.

Von der Ecke hinter der Kirche kamen das Trapptrapp marschierender Stiefel und ein lauter Sprechchor. Dann sah man in den Fensterscheiben einen roten und gelben Widerschein wie von einer Feuersbrunst — ein improvisierter Fackelzug ergoß sich über den Platz und riß alles mit sich. Clara sah aus, als läge sie in einem Autorennen. Sie saß geduckt hinter dem Lenkrad, ihr Mund war eine feste gerade Linie, ihre weiße Haarsträhne war über die Stirn gefallen. Die Tränen flossen ihr über die Backen. Verzweifelt bemühte sie sich, den Wagen gegen den Strom zu steuern. Schließlich dirigierte uns ein Schutzmann in eine ruhigere Seitenstraße; auch er trug die Hakenkreuzbinde. Endlich erreichten wir, durchgeschüttelt und gerädert, die offene Landstraße am andern Ende des Städtchens. Wir hatten das Gefühl, etwas Sinnlosem, Gefahrvollem und Unberechenbarem entronnen zu sein, wie dem Ausbruch eines Vulkans, der seit Jahrhunderten geschlafen hatte. Überall in den Städtchen und Dörfern längs der Straße herrschte derselbe Trubel. Ab und zu rissen Schüsse Löcher in die Nacht, aus reinem Übermut von jungen Burschen abgefeuert, die für ihre Aufregung ein Ventil brauchten. Wir jagten mit unserm ratternden Wagen weiter und weiter — es war, als ob das Rasen Clara erleichtere. Trotzdem kamen wir nur langsam weiter. Wiederholt wurden wir von jungen Männern und Mädchen angehalten, die ihr Parteiabzeichen aus dem Nichts hervorgezaubert hatten und uns mit wichtigen, strengen Amtsmienen ausfragten. Sie prüften unser arisches Aussehen, verlangten Claras Führerschein, brüllten »Heil Hitler« und ließen uns passieren. Einmal wurden wir ohne Grund eine halbe Stunde lang auf einer kleinen Polizeistation zurückgehalten. Das ganze nachtgeborene Schauspiel hatte etwas Phantastisches, Unwirkliches und Unbegreifliches. Noch nie hatte ich eine so sinnlos begeisterte Menge gesehen, weder im Krieg noch nachher. Diese Massenpsychose machte mir Angst. »Mittelalterlich«, sagte ich mehr zu mir selber als zu Clara. »Unfaßbar. Und so maßlos idiotisch.«

»Kinderl«, sagte Clara, »du warst nicht dabei, wie der Reichstag brannte. Das ist erst der Anfang. Und Renate ist allein zu Hause. Das Kind ist allein zu Hause. Wenn ihr etwas passiert —«

Der Satz blieb unbeendet, und wir hetzten weiter, einer unbekannten, gestaltlosen Drohung entgegen. Was wir unterwegs gesehen hatten, war nur ein Vorspiel zu dem Delirium, von dem Wien ergriffen war. Immer neue Menschenmassen, immer neue Fahnen, immer neue Lieder, immer wieder marschierende Trupps und Umzüge, immer neue jähe Ausbrüche des Massenwahns. »Sie machen ein Fest daraus«, sagte Clara bitter, während wir uns durch Seitenstraßen hindurchwanden, um die Hauptverkehrswege mit ihrem entfesselten Gedränge zu vermeiden.

Es dauerte endlos, bis wir vor dem alten Gebäude ankamen, in dem Clara wohnte. Der Hausbesorger, der uns öffnete, trug an seiner alten abgetragenen Flanelljacke das Hakenkreuz. Die Hosenträger schleiften hinten nach. »Heil Hitler!« sagte er und warf den rechten Arm hoch.

»Guten Abend«, erwiderte Clara und ging an ihm vorbei. Er grinste ihr mit einem schlauen Zwinkern nach, als wolle er andeuten, daß er das alles nicht so ernst nehme. »Ist mein Mann zu Hause?« fragte ihn Clara.

»Nein, der Herr Baron ist nicht nach Hause gekommen«, antwortete der Hausbesorger. »Es ist vielleicht gut so. Es haben zwei Herren nach ihm gefragt, aber ich hab' ihnen gesagt, der Herr Baron ist nicht zu Hause.«

»Das war gut«, sagte Clara und ließ ein Trinkgeld in die erwartungsvoll ausgestreckte Hand fallen.

Die Straße hämmerte mit dem ständigen Brüllen einer Meeresbrandung gegen die dicken Mauern des Hauses. Wir liefen die alte Wendeltreppe hinauf und nun, innerhalb der Wände dieses uralten Gebäudes, das Kriege und Revolutionen, Siege und Niederlagen gesehen hatte, fühlten wir uns plötzlich viel sicherer.

Renate schlief ruhig; sie sah spitzbübisch und unschuldsvoll aus in ihrem einfachen, kleinen Nachtgewand aus weißem Batist. Sie hatte eine Orange auf Claras Kissen gelegt und einen Zettel an das Bett geheftet:

»*Papa hat angerufen und gesagt, wir sollen heute abend nicht mehr auf ihn warten und uns keine Sorgen machen. Er läßt wieder von sich hören, sobald es ihm möglich ist. Ich habe bis zehn Uhr auf Dich gewartet, aber ich bin zu müde. Einen Gutenachtkuß von Deinem*

Bummerl.
PS. Die Orange ist ein Geschenk von mir.«

Ich wäre gern bei dir geblieben in jener Nacht, liebste Clara, aber du warst streng und befahlst mir, sofort in mein Hotel zurückzugehen. Vielleicht dachtest du, Flori könnte kommen und sich in meinem Zimmer verstecken wollen – aber das geschah erst später, als man hinter ihm her war. Also drehte ich mich wieder die Wendeltreppe hinunter, klingelte den Hausbesorger heraus, ließ mir von ihm die Haustür öffnen und arbeitete mich durch das Gedränge zu meinem Mietauto zurück.

Auf dem ganzen Weg machte ich ein idiotisch grinsendes Gesicht, denn ich fürchtete mich vor der Masse, wie man sich vor sinnlos Betrunkenen oder Wahnsinnigen fürchtet. Dabei war ich wütend und sagte mir immer wieder: Du brauchst mit den Österreichern wahrhaftig kein Mitleid zu haben, denn was ihnen jetzt passiert, haben sie ja selber verschuldet und gewollt.

Es dauerte fast eine Stunde, bis ich zu meinem Hotel gelangte, denn der Ring war ein brüllender Wasserfall der Begeisterung. Viermal wurde ich von Leuten angehalten, die sich dieses Recht sichtlich nur angemaßt hatten. Als ich endlich ankam, öffnete Achmed den Schlag und half mir heraus.

Er trug noch immer die weiten Hosen und seinen Fes, und sein Gesicht war schwarz wie die Nacht. Aber er hatte sein malerisches Kostüm durch ein Hakenkreuz ergänzt.

Ich hatte nie recht verstanden, was es hieß, wenn jemand zur Untergrundbewegung stieß. Es war irgendwie eine drollige Vorstellung, etwa als ob ein Maulwurf sich daran beteiligte, Erdhäufchen aufzuwerfen und hier und da sein schlaues Näschen wie ein Periskop hervorsteckte. Es klang, als sei es etwas Lustiges. Aber als Flori Rieger zur Untergrundbewegung stieß, wurde mir klar, daß es durchaus nicht so lustig war. Es gehörte mit zu der Verwirrung und Umwälzung, von der die ganze Stadt erfaßt war. Über Nacht hatte Wien sein Gesicht verändert. Die Menschenmengen, die man auf der Straße sah, waren ganz anders als sonst; lärmender, gewaltsamer, aus rohem Stoff gemacht, nach einer gröberen Form gemodelt, es war wie ein Schichtwechsel, bei dem sich die vorige Schicht versteckt hatte. Flugzeuge donnerten, kamen drohend ganz tief herunter und streiften beinahe die alten Platanen am Ring. Überall das Hakenkreuz, an Rockaufschlägen, auf Abzeichen und Knöpfen, auf Uniformen, Fahnen, auf Amtswappen und Siegeln der auftrumpfenden, gestiefelten Usurpatoren, die auf den Straßen meiner Kindheit Tanks und Kanonen auffuhren, als hätte es hier niemals Kastanienbäume und blühenden Flieder und das weiche, träumerische Singen der Geigen gegeben.

»Wissen Sie, wer hier spricht?« fragte mich das Telefon ein wenig dramatisch zwei Tage nach dem erschütternden Schauspiel des triumphalen Einzugs des Führers in Wien.

»Ja, natürlich«, sagte ich aufgeregt, denn ich hatte Florian Riegers Stimme erkannt. Ich verstand sofort, daß ich seinen Namen nicht nennen sollte. »Wo sind Sie? Clara sorgt sich zu Tode.«

»Küß die Hand, Marion. Bitte sagen Sie ihr, sie soll sich keine Sorgen machen. Ich will sie aus naheliegenden Gründen nicht in der Wohnung anrufen.« (Die Riegersche Wohnung war schon zweimal durchsucht worden; man hatte Floris Schreibtisch durchstöbert, und es war anzunehmen, daß das Haus scharf überwacht wurde.)

»Natürlich, ich werde es ihr sofort sagen. Kann ich Ihnen sonst irgendwie behilflich sein?«

»Wenn es Ihnen nicht zu viel Mühe macht, wäre ich Ihnen dankbar, wenn Sie Clara bitten wollten, Ihnen meinen braunen Anzug und ein paar Hemden zu geben, und wenn Sie mir dann die Sachen zu der Adresse bringen würden, die Sie in Ihrer heutigen Post finden werden. Aber bitte, Clara soll nichts damit zu tun haben. Wollen Sie so gut sein? Küß die Hand, ich wußte ja, daß ich auf Sie rechnen kann. Wenn Sie diesen Gang machen, fragen Sie bitte nach einem schwarzen Pudel. Es tut mir leid, daß ich Ihnen soviel Mühe mache. Küß die Hand.«

Als ich den Hörer auflegte, fragte ich mich, ob mein Telefon wohl abgehorcht werde. In Moskau wurde es abgehorcht. Es war offenbar unmöglich, ein Volk ohne Geheimpolizei, Gefängnisse und abgehorchte Telefongespräche zu befreien und zu erlösen. Ich ging hinunter, um meine Post zu holen, bevor sie durch allzu viele Hände gegangen war. Einer der Umschläge enthielt eine Drucksache mit der Adresse einer Tierhandlung. ›Kaufen Sie Ihren Hund bei Apfel!‹ stand da in sauberen grünen Buchstaben auf gelbem Briefpapier. Ich nahm an, daß dies die erwähnte Adresse war. Ich lief damit zu Clara, um ihr die frohe Botschaft zu bringen daß Flori nicht − wie viele seiner Gesinnungsgenossen − verhaftet war. Ich war sehr froh, als ich sah, daß sie ihre Nervosität überwunden hatte und jetzt mehr ärgerlich als ängstlich schien. »Also das ist doch ein Scheißdreck!« sagte sie; es beruhigte mich sehr, ihr altes Leitmotiv zu hören, den herausfordernden Trompetenstoß, der alle Schlachten ihres Lebens begleitet hatte.

»Erzähl mir Wort für Wort, was er dir gesagt hat!« verlangte sie, und ich erzählte ihr Wort für Wort, daß Flori wünsche, sie solle sich keine Sorgen machen und ihm den braunen Anzug und ein paar Hemden schicken. »Ist das alles? Hat er sonst nichts gesagt?« fragte sie immer wieder, und ich versicherte ihr, daß das alles war. »Sieht das Flori nicht ähnlich?« sagte sie mit ärgerlichem Lachen. »Den braunen Anzug. Es ist ihm zuwider, einen Anzug zwei Tage hintereinander zu tragen. Er hat im ganzen drei, und einen davon trägt er schon zehn Jahre, aber nie zwei Tage hintereinander.«

Sie runzelte die Stirn und überlegte. Wir berieten hin und her, und dann entschloß sich Clara, ihm den Anzug nicht zu schicken. »Schau her, Mönchlein«, sagte sie, »nehmen wir an, du gehst mit dem braunen Anzug im Pappkarton oder Handkoffer los, und man hält dich an und untersucht das Paket. Oder noch schlimmer, man geht dir nach und schaut, wohin du das verdächtige Paket trägst. Das bringt sie doch direkt auf Floris Spur, verstehst du? Er soll mit dem einen Anzug auskommen. Es lohnt sich nicht, ein solches Risiko einzugehen, nicht wahr?«

»Vielleicht ist sein Anzug zerrissen oder schmutzig geworden. Wer weiß, vielleicht hat er über ein Dach klettern müssen.«

Clara seufzte tief auf. »Ja, wer weiß«, sagte sie. »Aber dann soll er sich einen fertigen Anzug kaufen. Vielleicht − kannst du ihm mit etwas Geld aushelfen, Mony? Ich vermute, das braucht er in diesem Augenblick dringender als den braunen Anzug. Er wird Apfel für den Unterschlupf ganz schön bezahlen müssen.«

»Kennst du diese Tierhandlung?«

»Ja, Apfel ist der Mann, der das frühere Stubenmädchen von Floris Mutter geheiratet hat. Er war Trainer im Tattersall, aber er stürzte vom Pferd, brach ein Bein und mußte den Beruf aufgeben. Ich möchte nur hoffen, daß man sich auf ihn verlassen kann.«

Sie schrieb einen Brief an Florian, und unten kritzelte Renate eine Reihe

Kreuzchen dazu. »Jedes Kreuzchen bedeutet einen Kuß und ein Gebet«, schrieb sie an den Rand. Clara mußte mir hoch und heilig versprechen, zu Hause zu bleiben und keine Dummheiten zu machen, und ich begab mich auf den Weg. Der Hausbesorger, der unten im Toreingang herumlungerte, grüßte mich mit dem Parteigruß und mit seinem Zwinkern, das sich gleichzeitig darüber lustig machte. Als ich aus dem Haus trat, schaute ich die Straße hinauf und hinunter, ob nicht womöglich irgendwo einer war, der nach einem Parteispitzel aussah. Ich kam mir dabei recht albern vor. Wenn mich wirklich jemand verfolgte, so war ich bestimmt nicht schlau genug, ihm zu entkommen. Ich nahm ein Taxi und fuhr zum Hotel zurück — durch die Straßen, die mir fremd geworden waren und von Stunde zu Stunde immer fremder wurden. Als ich an Achmed in seiner prächtigen Montur vorbeikam, schien es mir, als gebe er mir ein geheimes Zeichen. Es ist wie in einer dieser geheimnisvollen Buden im Vergnügungspark, dachte ich. Man weiß nie, von welcher Seite die nächste Überraschung kommt. Ich ging in die Hotelbar und trank etwas, um meine Nerven zu beruhigen, die wie Gelee waren. Dann nahm ich mir wieder ein Taxi und fuhr zu der Tierhandlung.

Apfels Tierhandlung war ein kleiner Laden. In einem Käfig im Schaufenster schliefen zwei junge Airedale-Terrier. Drinnen herrschte der scharfe Geruch gefangener Tiere und feuchter Sägespäne. Eine Schar von Kanarienvögeln schmetterte ihre schrillen Koloraturen. Ein schäbig gekleideter Mann hinkte hinter einem Vorhang hervor und fragte, was ich wünsche.

»Ich komme wegen eines schwarzen Pudels —«, sagte ich, wobei ich mir albern und verrückt vorkam. Apfel musterte mich mit einem freundlichen Blick.

»Schwarzer Pudel«, wiederholte er und räusperte sich.

»Ja, wegen eines schwarzen Pudels. Sie haben mir doch diese Reklame geschickt?« sagte ich und zeigte ihm die grüngelbe Drucksache.

»Sie sind die Dame, die im ›Hôtel Bristol‹ wohnt?« fragte er.

»Ja«, sagte ich.

»Bitte kommen Sie herein«, sagte er. Er schlug den Vorhang etwas auseinander und ging voraus. Wir kamen durch eine unordentliche Küche, dann durch einen dunklen Gang, durch eine Glastür, die mit einer karierten Stoffgardine verhängt war, und schließlich in ein Schlafzimmer, das mit Möbeln so vollgestellt war, daß ich mich seitlich zwischen dem großen Wäscheschrank und dem Bett hindurchzwängen mußte. Auch hier roch es nach Tieren. Ein kränklich aussehendes Rhesusäffchen in einem viel zu kleinen Käfig babbelte vor sich hin, bleckte die Zähne und grinste mich erschreckt oder boshaft an. Ein kleiner Radioapparat lief mit voller Lautstärke, und zwei Kanarienvögel bemühten sich, die dröhnende Stimme aus dem Lautsprecher zu überschreien.

Florian Rieger erhob sich von dem Bett, auf dem er gesessen hatte, verbeugte sich tief und sagte in seiner klassisch österreichischen Art: »Küß die Hand, Marion. Das ist ein entzückender Hut, den Sie da aufhaben.« Seine Augen waren gerötet, als hätte er nicht mehr geschlafen, seitdem wir uns zuletzt gesehen hatten. Er war unrasiert und ungekämmt.

»Wie geht's Ihnen, Flori?« fragte ich.

»Ich lebe noch — das ist immerhin etwas«, antwortete er. Ich gab ihm Claras Brief, den er begierig las. Aber er war sichtlich enttäuscht, als ich ihm die Sache mit dem braunen Anzug erklärte.

»Ich trage diese Lumpen seit Schuschniggs Rücktritt«, sagte er, sah an sich hinunter und versuchte mit zwei Fingern dort eine Bügelfalte zu ziehen, wo keine mehr war. »Ich komme mir vor wie ein Vagabund —«

Apfel stand in nachlässiger militärischer Haltung neben dem Affenkäfig. »Ich danke Ihnen, Apfel —«, sagte Flori herablassend, und der Mann hinkte hinaus. »Clara möchte wissen, ob er zuverlässig ist«, sagte ich, als sich die Glastür klirrend geschlossen hatte.

»Wer ist heutzutage zuverlässig?« sagte Flori mit dem ganzen Defaitismus seiner Gattung.

»Sind Sie schon seit Freitag hier?«

»O Gott, nein. Ich wage es nicht, länger als ein paar Stunden an ein und demselben Ort zu bleiben. Die beiden ersten Nächte habe ich mich ununterbrochen herumgetrieben, und zwar dort, wo das Gedränge am dichtesten war. Die vergangene Nacht habe ich in einem Bordell verbracht, mich betrunken gestellt. Das ist ein verhältnismäßig sicherer, aber ziemlich kostspieliger Aufenthalt.«

»Ich habe Ihnen Geld mitgebracht«, sagte ich. Florian weigerte sich, es anzunehmen, und zuckte zusammen, als ich es ihm schließlich in die Rocktasche stopfte.

»Ich komme mir vor wie ein Zuhälter, wenn ich von einer Dame Geld nehme«, sagte er.

»Ich bin keine Dame«, sagte ich. »Und jedenfalls ist dies für Sie der geeignete Moment, Ihre vollendeten Manieren einmal zu vergessen. Was für Pläne haben Sie jetzt? Was soll ich Clara sagen? Können Sie nicht weg aus Österreich?«

»Ich habe keinen Paß«, sagte er. »Und wenn ich einen hätte, so wäre das keine besondere Empfehlung. Sie können überzeugt sein, daß man mich an der Grenze festnehmen würde. Aber es würde mich sehr beruhigen, wenn Clara mit Bummerl versuchte sofort nach Prag zu fahren. Ich habe dort eine Stiefschwester, die sie bestimmt mit Freuden aufnimmt. Ich habe Angst, man könnte Clara oder das Kind als Geisel verhaften. Der bloße Gedanke macht mich wahnsinnig. Das ist ja die bewährte Methode der Nazis, einen Menschen in ihre Gewalt zu bekommen.«

»Ich werde es Clara sagen, aber ich glaube nicht, daß sie fortgeht und Sie im Stich läßt.«

»Wenn ich nur mit ihr sprechen könnte«, sagte er und fuhr sich mit den Fingern durch das rötliche Haar. »Wenn ich sie nur ein paar Minuten sehen könnte. Ich würde ihr begreiflich machen, daß es das einzig Vernünftige ist.«

Er selbst schien mir aber nicht so besonders vernünftig zu sein.

»Was ist mit Ihnen los, Flori?« drängte ich. »Sie können doch nicht in den Straßen herumlaufen und in Bordellen schlafen. Sie müssen sich einen Plan machen. Sie müssen doch Freunde haben. Was tun denn die andern? Es muß ein paar Millionen geben, die in derselben Klemme sind wie Sie. Die Gestapo kann doch nicht in jeder Minute jeden einzelnen überwachen!«

»Wenn ich nur meinen braunen Anzug kriegen könnte«, sagte er statt einer Antwort. »Zum Glück hab' ich einen Regenmantel, zweiseitig zu tragen, wissen Sie, einen englischen, innen mit Kamelhaar. Wenn ich die Innenseite nach außen kehre, schau' ich ganz anders aus. Und ich laß mir einen Schnurrbart stehen. Sie haben geglaubt, ich sei unrasiert — ja, das hab' ich Ihnen angemerkt. Nein, nein, Marion. Das ist ein kleiner Trick. Wie lange, glauben Sie, wird es dauern, bis er nach einem Schnurrbart aussieht? Ich denke, nicht länger als eine Woche. Und eine Brille werd' ich auch tragen. Man wird mich nicht so leicht erkennen, nicht so leicht.«

Es klang, als wäre er mit seinen Nerven vollkommen fertig. Das Radio sang das Horst-Wessel-Lied. Die Kanarienvögel trillerten, und das Äffchen redete auf sie ein. Alles war so unwirklich.

»Ich fürchte, wir sind in diesen Dingen Dilettanten«, sagte ich. »Was soll ich Clara sonst noch ausrichten? Und denken Sie gut nach, was man tun könnte, um Sie über die Grenze zu bringen. Ich habe gehört, daß die Grenzkontrolle verschärft wird. Sie sollten versuchen, möglichst rasch hinauszukommen.«

»Ich werde schon hinauskommen«, sagte er mit einem dünnen Lächeln. »Ich werde immer noch hinauskommen. Schließlich sind wir ja noch in Österreich. Wie Sie wissen, sind wir ein schlampiges Volk. Es wird schon eine Lücke in der Kontrolle geben, wo man durchrutschen kann. Man wird schon irgendeine Möglichkeit finden. Wenn ich nur mit Clara sprechen könnte. Sagen Sie ihr, daß ich sie lieb hab'. Und wenn ich meinen braunen Anzug kriegen könnt' . . .«

Dies war die erste von vielen geheimen Zusammenkünften mit Flori. Ich traf ihn in drittklassigen Kaffeehäusern, auf einer Parkbank, im Wienerwald während eines Wolkenbruchs, im Hintergrund eines stickigen, überfüllten Kinos, wo die Wochenschau das begeisterte österreichische Volk zeigte, wie es den Führer bewillkommnete. Ich brachte Flori seinen verdammten braunen Anzug und arrangierte ein Zusammenkommen mit Clara. Meine Nerven waren bald eine Portion Rührei. Clara traf Flori in meinem Hotelzimmer, wo ich ihn eines Abends vorgefunden hatte, wie er komplett erschöpft auf der Couch lag. Vermutlich hatte Achmed, trotz seines Hakenkreuzabzeichens, ihn durch das Souterrain hereingeschmuggelt. Selbstverständlich weigerte sich Clara, das Land zu verlassen, solange ihr Mann in Gefahr war. Als sie den Vorschlag hörte, wurde ihr Mund zu einer geraden Linie und ihre Stirn zu einer Landkarte von Runzeln, und ich wußte, daß keine Macht der Erde ihren Widerstand hätte erschüttern können. Wir schickten sie nach Hause, während Flori zwei Tage und zwei Nächte in meinem Zimmer blieb. Ich glaube, das Stubenmädchen wußte, daß ich in meinem Badezimmer einen Herrn versteckte, sobald sie zum Bettmachen hereinkam; aber da sie Lebenserfahrung und Diskretion besaß, glaubte sie, es handle sich um ein Liebesabenteuer. Wenigstens hoffte ich dies. Wegen

Floris Anwesenheit fuhr ich zu diesem Wochenende nicht zu Michael zum ›Alpenhof‹ hinauf. Ich fürchtete, Flori würde irgendeine Dummheit machen, wenn ich ihn allein ließ. Er war für diese Situation sowenig geschaffen wie möglich — dieser sentimentale, ungeschickte Kavalier der alten Schule, der sich bemühte, so tüchtig und tapfer zu handeln, wie die neuen Umstände es verlangten. Wenn ich sah, wie er sich tief vorbeugte, mir die Hand küßte und galante Scherze machte, hatte ich die Empfindung, daß jemand mein Herz packte und es zu einem dicken Tau zusammendrehte.

Mit Michael hatte ich ein vergnügtes Telefongespräch. Er berichtete, daß er okay und vollkommen obenauf sei, und am Freitag schickte ich ihm Renate als willkommene Vertreterin. Ich rief auch bei Dr. Konrad an, um zu hören, wie es mit Michael stehe. Die Schwester, die sich am Telefon meldete, sagte mir, der Doktor sei diese Woche nicht nach Wien gekommen, sondern im ›Alpenhof‹ geblieben. Und dann, in der folgenden Woche, überstürzten sich die Ereignisse derart, daß ich vollkommen durchgedreht wurde.

Zuerst berichtete Renate, daß sie auf dem ganzen Weg nach dem ›Alpenhof‹ und zurück von zwei Männern in einem Auto verfolgt worden sei. »Vielleicht hast du ihnen gefallen, und sie wollten mit dir anbandeln«, versuchte Clara zu bagatellisieren. »Nein, solche Männer waren das nicht, und sie haben mich auch nicht so angeschaut«, sagte Renate mit der reichen Erfahrung einer fünfzehnjährigen Schönheit, die in einer Stadt der Liebe aufgewachsen ist. Dann verschwand Florian Rieger auf drei Tage, und zwar so vollständig, daß wir schon beinahe sicher waren, er sei verhaftet und in die Gestapo-Zentrale gebracht worden. Und was mit den Menschen dort geschah, das wußten wir alle nur zu gut. Nichtsdestoweniger ging Clara tapfer zum Friseur und ließ sich die grauen Haarwurzeln blond färben. »Du kennst ja meine Devise«, sagte sie. »Sich dem Friseur ergeben, aber nicht dem Schicksal! Die Courage der Frauen ist ganz anders als die Courage der Männer, und für mich gehört dazu, mitten im Unglück Hautcreme zu benutzen.«

Am Mittwoch ging Clara zu Floris Frau in die Irrenanstalt und brachte ihr Blumen und Bonbons. »Ihn würde sie ja nicht vermissen, aber die Bonbons würden ihr fehlen, und das wär' schlimm für sie«, sagte Clara. Am gleichen Nachmittag nahm ich Renate ins Kino mit, um sie ein paar Stunden von den Sorgen um ihren Vater abzulenken. Als ich abends ins Hotel zurückkam, sah ich Apfel vor dem Eingang auf und ab hinken. Er führte einen schwarzen Pudel an der Leine.

»Was für ein schöner Hund —«, sagte ich, indem ich mich bückte und den Pudel streichelte. Auch Apfel beugte sich nieder und flüsterte mir zu, er habe Nachricht von Florian Rieger. Er habe Wien verlassen und sei auf dem Weg zu seiner Mutter, die in einer kleinen Stadt nahe der tschechoslowakischen Grenze lebte. »Er will versuchen, sich über die Grenze zu schmuggeln«, flüsterte Apfel. »Er wird Geld brauchen. Bitte schicken Sie es an die Adresse seiner Mutter.«

»Nun aber weg!« flüsterte ich zurück. »Sonst haben Sie noch Schwierigkeiten.« Der Pudel setzte sich auf die Hinterbeine und machte seine kleinen Kunststücke. Ich tat, als lachte ich darüber, und als Apfel forthumpelte und ich Achmeds wachsamen Augen begegnete, hatte ich das Gefühl, als hätten fünfhundert Geheimagenten unser albernes Theater beobachtet.

Am folgenden Morgen wurde Clara zur Polizei vorgeladen und dort sechs Stunden festgehalten.

»Was haben sie mit dir gemacht?« fragte ich sie, als sie am späten Nachmittag endlich in mein Hotelzimmer kam, blaß und erschöpft, wie sie es immer nach einem anstrengenden Tanzprogramm vor einem teilnahmslosen Publikum gewesen war.

»Nichts. Gib mir eine Zigarette. Man hat mich bloß ausgefragt.«

»Dritter Grad?«

»Was ist das?«

»Hat man dir weh getan? Hat man dir Daumenschrauben angesetzt?«

»Wenn, so habe ich es nicht gespürt. Nein, ich glaube nicht. Der junge Mann, dem ich vorgeführt wurde, war ganz höflich und ruhig. Er sprach in einer aufgeblasenen Art über den Tanz der Zukunft. Hat mich wohl früher einmal in München tanzen sehen. Er dachte, ich könnte ein Aktivum für die Nazibewegung werden –›Kraft durch Freude‹ und so weiter –, könnte verborgene Explosivkräfte der Begeisterung auslösen durch Wiederbelebung der alten deutschen Volkstänze, verstehst du?«

»War das Bestechung?«

»Möglich. Ich hätte ihm am liebsten ins Gesicht gejauchzt. Denn es ist ja ein klares Zeichen dafür, daß sie Flori noch nicht erwischt haben, nicht wahr?«

»Sicherlich. Sie haben ihn nicht erwischt, und sie werden ihn nicht erwischen. Was hast du ihnen gesagt?«

»Die Wahrheit. Daß ich nur Herrn Riegers Wirtschafterin bin und nicht die blasseste Ahnung habe, wo er sich derzeit aufhält. Der junge Mann sagte, ich solle mir's überlegen und am Freitag wiederkommen. Er hoffe, daß ich dann wisse, wo Rieger ist.«

»Das klingt nicht gut, Liebling«, sagte ich; es wurde mir kalt ums Herz. Clara zuckte die Schultern. »Weißt du, wie es war, als man in Wien zum erstenmal ›Tosca‹ gab? Die Leute drohten, das Theater niederzubrennen, so empört waren sie darüber, daß man die Folterszene im zweiten Akt öffentlich aufführte«, sagte sie mit dem unerwarteten Anflug eines sinnenden Lächelns auf dem mageren Gesicht.

»Öffentlich foltern sie ja nicht. – Was wirst du jetzt tun?«

»Ich weiß es wirklich nicht.«

»Hat man dir den Paß abgenommen?«

»Nein, noch nicht.«

»Dann will ich dir sagen, was du zu tun hast. Du packst deine Sachen und fliegst mit dem nächsten Flugzeug nach Prag. Schau, daß du fortkommst, solange es noch Zeit ist. Ich bleibe hier, halte Kontakt mit Flori und sehe zu, daß er möglichst bald über die Grenze kommt. Für mich als amerikanische Staatsbürgerin ist es viel leichter –«

»Erzähl mir keine Märchen, Mony! Du weißt so gut wie ich, daß man mich nicht durchlassen würde. Für die Tschechoslowakei braucht man eine Ausreiseerlaubnis, und die hab' ich nicht. Ich werde schon den Zirkus mitmachen müssen. In gewissen Sinn bin ich froh, daß ich wirklich nicht weiß, wo Flori ist. Sonst würden sie es mir Freitag herausquetschen. Man weiß nie, wie stark oder wie schwach man ist, bevor man es ausprobiert hat.«

Als sie das sagte, war ich froh, daß ich noch keine Gelegenheit gehabt hatte, ihr zu erzählen, daß Flori zu seiner Mutter gefahren war. Viel besser, sie macht sich Sorgen und bleibt im ungewissen, als daß sie es weiß. Ich wagte es nicht einmal, sie nach der Adresse seiner Mutter zu fragen, an die ich das Geld schicken sollte. Als Clara nach Hause gegangen war, um das Abendbrot für Renate zu machen, brachte ich den größten Teil der Nacht damit zu, in meinem Zimmer auf und ab zu gehen, Zigaretten zu rauchen und über einen gangbaren Weg nachzudenken, Clara vor Freitag aus Österreich herauszubringen. Wenn sie nicht schon vorher überwacht worden war, so war ihr sicherlich jetzt ein Geheimpolizist auf den Fersen. Um vier Uhr früh nahm ich ein Schlafpulver, da ich mir sagte, ich müsse am Morgen einen klaren, ausgeruhten Kopf haben. Als mich aber gegen acht Uhr das Telefon weckte, hatte ich das Gefühl, als wäre mein Schädel in lauter dicke Wolldecken eingewickelt.

»Ja —«, sagte ich verschlafen und staubte meine Pergamentlippen mit meiner Flanellzunge ab.

»Ich bin's, Milchi —«, sagte das Telefon. »Habe ich dich geweckt?«

»Macht nichts«, sagte ich. »Wie geht's dir, Milchi?«

»Ausgezeichnet. Und dir?«

»Auch sehr gut.«

»Das ist schön. Ich hatte das Bedürfnis, dir guten Morgen zu sagen.«

»Eine verrückte Idee — aber ich danke dir jedenfalls. Guten Morgen.«

»Ich habe dich am Freitag vermißt. Könntest du nicht ein Auto mieten und heute herauskommen?«

»Ich glaube nicht, Milchi. Ich habe eine Menge dringendster Sachen zu erledigen.«

»Was könnte dringender sein, als deinen kranken Sohn zu besuchen?«

»Sei mir nicht bös. Wenn wir uns das nächstemal sehen, werde ich dir alles erzählen.«

»Kannst du denn wenigstens morgen kommen?«

»Um Himmels willen, benimm dich doch nicht wie ein ungeduldiger Liebhaber! Was ist mit dir los?«

»Ach — mit mir direkt nichts. Es hat allerdings im ›Alpenhof‹ allerlei gegeben.«

»Bist du zu dem Doktor frech geworden? Oder hat er dir was getan?« fragte ich, indem ich rasch überschlug, welche Unannehmlichkeiten am wahrscheinlichsten waren.

»Nein, so was nicht. Aber ich bin nicht mehr im ›Alpenhof‹. Ich habe im ›Semmering-Hotel‹ übernachtet. Ich hatte gehofft, du würdest kommen und mich abholen.«

Ich schüttelte den Kopf, das taube Gefühl herauszubringen.

»Könntest du nicht etwas weniger geheimnisvoll sprechen, Milchi?« sagte ich sanft. »Vor dem Frühstücken bin ich zum Rätselraten nicht aufgelegt. Ich habe das Veronal von gestern noch nicht ausgeschlafen.«

»Ich versuche bloß, es dir schonend beizubringen. Gestern sind sie dagewesen und haben Dr. Konrad abgeführt. Die Schwestern sind schon Montag weggegangen, aber der Alte und der einzige Assistent, der dageblieben war, hatten sich schlecht und recht selber geholfen. Aber jetzt ist er auf immer fort.«

»Wer hat ihn weggeführt? Wohin hat man ihn geführt?« rief ich aus.

»Bist du nicht ein bißchen schwer von Begriff, Mutti?« sagte Michael nachsichtig. »Sie haben ihn abgeführt. Sie, verstehst du? Eben sie. Es hat nicht viel Sinn, in einem Sanatorium ohne Arzt zu bleiben, nicht? Übrigens sind die Leute aus dem Dorf gestern abend gekommen und haben das Laboratorium kurz und klein geschlagen. Es war eine großartige Schaustellung des Furor teutonicus. Dr. Konrads Tubocolin 287 ist den Weg aller Proteine gegangen, fürchte ich. Später hat es im Haus ein kleines Feuer gegeben. Deshalb übersiedelten wir um Mitternacht ins ›Semmering-Hotel‹. So eine komische Horde von Wanderburschen hast du noch nicht gesehen — jeder einzelne blind wie eine Fledermaus.«

»O Milchi —«, war alles, was ich auf diesen grausamen Bericht hin herausbrachte. »O Milchi —«

»Ja, Mutter. Es ist ein harter Schlag. Dieser Jud, der alte Konrad, ist ein Stinktier schlimmster Sorte. Aber irgendwie gewinnt er einen für sich. Ich glaube, er ist der einzige Mensch, der mich wieder gesund machen könnte. Na, das ist jetzt vorbei. Holst du mich mit einem Auto ab?«

»Michael«, sagte ich verzweifelt, »ich muß heute in der Stadt bleiben. Wäre es nicht möglich, dort einen Wagen zu mieten — oder mit der Bahn nach Wien zu fahren?«

»Ich werde es versuchen«, sagte er. »Aber ich habe Angst davor. Ich bin neuerdings so verdammt ungeschickt und auf andre angewiesen, daß ich fürchte, irgendwo anzurennen. Könntest du mir nicht Bummerl schicken?«

»Nein, das ist es ja. Ich kann Bummerl nicht schicken!« Ich schrie es ins Telefon, um den scharfen Schmerz zu übertäuben, den mir Michaels Eingeständnis, er könne nicht mehr allein gehen, verursacht hatte. »Hier ist auch nicht alles in Ordnung, verstehst du nicht?«

»Gut, gut, reg dich nicht künstlich auf!« sagte Michael. »Du kümmerst dich um Bummerl, ja? Gib gut auf sie acht, Mutter, hörst du? — und ich werde die Sache schon irgendwie machen.«

Er kam gegen Mittag an und behauptete, vollkommen in Ordnung zu sein, sah aber aus, als sei er aus dünnem weißem Seidenpapier. Er hatte Schüttelfrost und Temperatur 37,9. Ich steckte ihn ins Bett und bat den Hotelarzt, uns einen Augenspezialisten zu schicken. Es war klar, daß man die Injektionen nicht ohne schlimme Folgen so plötzlich abbrechen konnte. Aber — wie Michael gesagt hatte — Dr. Konrads Tubocolin existierte nicht mehr, und wir mußten sehen, so gut es ging, uns weiterzuhelfen. Ich fragte mich, welche Folgen der plötzliche Behandlungswechsel wohl haben werde. Ich hatte einen bitteren Geschmack im Mund — vom Schlafpulver und vom Ekel. Sie haben nicht nur das Laboratorium demoliert, dachte ich, sie haben auch die Augen meines Kindes zerstört.

»Macht es dir etwas aus, ein bißchen allein zu bleiben? Ich muß zu Clara«, sagte ich und blieb an seinem Bett stehen. Ich hatte einen Plan entworfen, Clara und Renate hinauszubekommen, und hätte ihn gern mit Michael durchgesprochen. Ich war verwirrt und unsicher; in diesem Augenblick hatte ich so viele Probleme zu lösen, daß mir zumute war, als müsse ich mich aus einem Sumpf herausarbeiten, sänke aber immer tiefer und tiefer ein. »Wenn es notwendig werden sollte, sie alle mit Sack und Pack aus dem Land hinauszuschaffen — kann ich dann auf dich rechnen?« fragte ich den Jungen.

»Selbstverständlich«, sagte er. »Was für eine komische Frage, Mutti.«

»Ich bin mir nicht völlig im klaren darüber, wieweit du noch Nazi bist. Oder haben deine jüngsten Erfahrungen etwas daran geändert?«

»Ich bin durchaus für den Anschluß, wenn es das ist, was du wissen willst. Die meisten Österreicher sind es auch. Was im ›Alpenhof‹ geschehen ist, war nicht sehr schön; aber du kannst überzeugt sein, daß der Führer, wenn er solche Dinge erführe, der erste wäre, der die Schuldigen bestrafen würde. Man kann einen Acker nicht bebauen, ohne zuvor den Boden zu pflügen.«

»Es ist nur schlimm, daß sie einen Mann wie Konrad mit unterpflügen, nicht wahr, Milchi?«

»Ich bin froh, daß er in Schutzhaft genommen wurde, bevor die Horde aus dem Dorf kam. Die hätten ihn umgebracht. Es war das Märchen verbreitet, daß er Arier als Versuchskaninchen verwendet hat«, sagte Michael.

Ich seufzte tief über mein unbelehrbares Kind. Erst hatte ich vor, die Sache mit ihm sofort an Ort und Stelle auszukämpfen, aber nach einem Blick auf sein verzerrtes Gesicht mit dem krampfhaften Lächeln gab ich es auf und machte mich auf den Weg zu Clara.

Es war ein schöner, sonniger Tag; die Bäume am Ring trugen Knospen, die Sperlinge zwitscherten, und die Menschen draußen sahen frisch gebügelt aus und heiterer, als ich es ertragen konnte. Als ich an Achmed vorbeikam, grüßte er mich nicht wie gewöhnlich, sondern starrte mit einem gläsernen Blick gerade vor sich hin. Der Richtung seines Blickes folgend, entdeckte ich, daß auf der andern Seite der Straße ein Auto stand, in dem zwei harmlos aussehende Männer saßen. Ich hatte vorgehabt ein Taxi zu nehmen, aber nun entschloß ich mich anders und schlenderte, mich zu einem langsamen Tempo zwingend, den Ring hinunter, bog in der Kärntnerstraße ein, blieb vor einem Schaufenster stehen und sah in der Spiegelscheibe, daß mir das Auto im Schneckentempo gefolgt war. Es lief mir kalt über den Rücken. Bis zu diesem Augenblick war ich nur meine Freunde besorgt gewesen — nun kroch die Gefahr Schritt für Schritt an mich selber heran. Freilich, daß Menschen in Keller geschleppt und bewußtlos geschlagen, gemartert, gefangengehalten, umgebracht wurden — das erschien mir nicht als eine

Realität, die mir oder meinen Freunden wirklich zustoßen könnte, sondern nur als etwas, was ich in einem billigen Kolportageroman gelesen hatte. Ich konnte es kaum abwarten, meinen Plan mit Clara zu besprechen. Aber nun überlegte ich es mir anders, ging um das Opernhaus herum und überquerte den Ring. Es war der Weg, den ich als Kind zur Schule gegangen war — aber das schien nun nicht mehr wahr zu sein. Mechanisch bog ich in eine Seitengasse ein; da war der Juwelier, bei dem ich immer einen hastigen Blick auf die Uhr im Schaufenster geworfen hatte, wenn ich mich verspätet hatte. Der Laden war noch da, aber die Uhr war fort. Dann kam die Bäckerei mit demselben Aufbau von Süßigkeiten, Kuchen und anderm Backwerk rund um eine leicht bestaubte Geburtstagstorte, die mir, als ich sechs war, immer als ein wahres Wunder erschienen war. Ich sah mich um. Der Wagen war an der Ecke stehengeblieben, und einer der Männer stieg aus. Ich ging verwirrt weiter, und als ich die nächste Querstraße erreichte, stand ich vor dem grünen Rechteck des Schillerplatzes. Mein Herz klopfte vor Angst, und ich setzte mich auf eine Bank, um ruhiger zu werden. Der Holzapfelbaum, den ich so geliebt hatte, war noch da. Er leuchtete schon rötlich, aber er blühte noch nicht richtig. Es überraschte mich, daß die Bäume und Sträucher nicht größer erschienen als in meiner Kindheit — eher kleiner und etwas kümmerlich. Schiller blickte ernst von seinem schwarzen Marmorsockel herunter, als wäre er auf mich böse. Der Mann war stehengeblieben, um sich eine Zigarette anzuzünden. Auf diesem Rasen hatte mir Clara barfuß vorgetanzt. Nun werden sie sie holen und kleinkriegen. Meine Angst, ich könnte mit jedem Schritt einen verhängnisvollen Fehler machen, wurde zur Panik. Aber es mußte etwas geschehen. Ich konnte doch nicht einfach auf einer Bank im Schillerpark sitzen und die Nerven mit mir durchgehen lassen. Sobald ich die Sache hinter mir hatte, nehme ich das nächste Schiff und fahre nach den USA zurück, sagte ich zu mir. Das war für mich ein schwacher Silberstreif am Horizont nach der Katastrophe, die mit Dr. Konrads Festnahme uns getroffen hatte. Auf diesem kranken, krampfgeschüttelten Kontinent hielt uns nichts mehr.

Ich erhob mich mühsam von meiner Bank, rief ein Taxi an und fuhr schnurgerade zu Claras Haus. Als ich den Fahrer bezahlte und mich umsah, war kein Auto und kein Mann mehr da. Ich läutete an der Riegerschen Wohnungstür, hörte es aber nicht klingeln. Gleichwohl öffnete Clara sofort und zog mich hinein. Ihre Hände zitterten. Mehr als alles andere erschreckte es mich, daß Claras feste, ruhige Hände, deren Griff ich so gut kannte, zitterten.

»Ich habe die Glocke mit Tuch umwickelt, um sie zu dämpfen«, flüsterte sie. »Er schläft. Er ist zurückgekommen.«

»Doch nicht Flori?«

Sie nickte und ging auf den Fußspitzen in den Salon, wo die Porträts derer aus dem Geschlecht der Rieger mit ihrer altmodisch-weltmännischen Würde still auf uns herunterblinzelten.

»Ja, es ist ihm irgendwie gelungen, sich unbeobachtet ins Haus zu schleichen.«

»Aber das ist ja Irrsinn —«, sagte ich. »Das ist ein Verbrechen, das ist —«

»Gib mir eine Zigarette! Ich habe keine mehr da«, sagte Clara, an den großen Flügel gelehnt. Sie sah mich mit einem seltsamen bleichen Lächeln an. »Ja, er ist zurückgekommen«, sagte sie. »Er will sich der Polizei stellen. Er ist vollkommen erschöpft, glaube ich.«

»Das wirst du doch nicht zulassen«, sagte ich.

»Natürlich nicht«, sagte Clara. »Aber Männer lassen sich so leicht unterkriegen.«

»Wo ist denn Renate?«

»Ausgegangen, zur Klavierstunde.«

»Hast du's ihr gesagt?«

»Nein, das wäre wohl zu gefährlich gewesen.«

»Ist er zurückgekommen, weil er fürchtete, sie würden dir etwas tun?« fragte ich, indem ich mich bemühte, den Sinn des seltsam verklärten Lächelns in ihrem Gesicht zu enträtseln.

»Ja, deshalb. Ist er nicht verrückt?« sagte sie. Die Luft des Zimmers vibrierte von den Untertönen von Stolz, Zärtlichkeit und unendlicher Liebe in ihren Worten. »Ist er nicht verrückt?«

»Telepathie?« fragte ich. »Hat er gespürt, daß du in Gefahr bist?« Clara zuckte mit den Schultern. »Wer weiß —«, sagte sie. »Es gibt viele merkwürdige Dinge zwischen zwei Menschen, die so eng miteinander verbunden sind und so glücklich gelebt haben wie wir —«

»Hör zu, Clara«, sagte ich entschlossen. »Ich habe einen Plan ausgearbeitet. Ich habe für morgen früh zwei Flugkarten nach Prag. Du kommst mit Renate zum Flughafen, um uns adieu zu sagen — ganz egal, ob du überwacht oder verfolgt wirst. Wir, Michael und ich, werden im letzten Moment ankommen. Du fällst mir um den Hals und küßt mich zum Abschied, und Renate hängt sich an Michael. Ihr lauft rasch mit uns durch den Eingang. Der Mann dort versucht uns aufzuhalten. Ich tue so, als verstände ich nicht Deutsch — es gibt Streit — Verwirrung — ich stelle mich ihnen in den Weg — und inzwischen steigst du mit Renate mit unsern Flugkarten ins Flugzeug. Bevor noch jemand weiß, was eigentlich geschehen ist, ist das Flugzeug fort. Seid ihr einmal weg, so kann euch niemand zurückholen. Wie gefällt dir die Idee?«

»Scheißdreck«, sagte Clara. »Und du bist ein Idiot, Mönchlein. Denn in dem Augenblick, wo das Flugzeug weg ist, wirst du verhaftet, und uns nimmt man bei der ersten Zwischenlandung hops. Ist dir das nicht klar?«

»Ja, jetzt, wo du es sagst —«, murmelte ich niedergeschlagen.

»Also — was machen wir dann?«

»Wenn ich das bloß wüßte, Marion, wenn ich das bloß wüßte!« sagte Clara, verkrampfte die Finger ineinander und ging im Zimmer auf und ab. »Kann ich dir Renate für diese Nacht schicken?« fragte sie. »Für das Kind ist es besser, wenn sie nicht weiß, daß ihr Vater hier ist. Und ich habe eine Menge zu tun. Vor allem muß ich ihm erst mal ein gutes Essen machen, eine Pilzomelette, die hat er so gern, und ich werde eine Flasche Sekt kaltstellen. Wenn wir schon zugrunde gehen, warum dann nicht wenigstens in großem Stil? Und dann haben wir noch eine ganze lange Nacht vor uns. Vielleicht fällt uns etwas ein. Und wenn nicht, so werden wir eben unsern Mann stehen! Schließlich haben wir im Krieg schlimmere Dinge durchgemacht.«

»Wir gehören wahrhaftig zu einer verfluchten Generation. Eins nach dem andern kracht auf uns herunter. Wann wird die Welt wieder normal werden?«

»Da bist du aber auf dem Holzweg, Mönchlein«, sagte Clara. »Die Welt ist normal, so wie sie jetzt ist. So ist sie eben. Es hat noch keinen Tag ohne Krieg, ohne Revolution, ohne Folterkammer gegeben, seit die Welt besteht.«

»Pessimismus steht einem Mädel wie dir ganz und gar nicht«, sagte ich. »Geh und mach jetzt das Essen und stell den Champagner kalt! Und ich gehe nach Hause und warte auf Renate. Die Plätze im Flugzeug werd' ich für alle Fälle behalten.«

»Danke —«, flüsterte Clara und brachte mich hinaus. »Und, Mony — wenn etwas schiefgehen sollte — nimmst du dich Renates an?«

»Aber natürlich.«

»So als wäre sie dein eignes Kind?«

»Ja. Als wäre sie mein eignes Kind.«

»Servus«, sagte Clara — es war der altmodische, burschikose Gruß unsrer Kindheit. Sie öffnete die Tür.

»Servus Clara«, sagte ich. Sie reichte mir die Hand. Sie war warm und zitterte nicht mehr.

Als ich aus dem Haus trat, sah ich mich rechts und links um, aber keine Verfolger waren zu erblicken, weder ein Auto noch ein allzu unauffällig aussehender Mann. Vielleicht habe ich bloß Gespenster gesehen, dachte ich. Mir scheint, nach ein paar Monaten Europa bin ich schon genauso hysterisch und ängstlich wie alle andern. Sie haben hier eine Art, auf dem Nervensystem wie auf einem Xylophon herumzuhämmern, die einen langsam fertigmacht. Als ich mit Clara gesprochen hatte, hatte alles, was ich sagte, so obenauf geklungen. Aber jetzt fühlte ich mich kleinmütig und sah keinen Ausweg. Marion, Mädel, sagte ich zu mir, während ich mich durch die Menschenmenge, die die schmalen Bürgersteige bevölkerte, hindurchwand — diesmal hast du dir eine besonders dicke Suppe eingebrockt und mehr, als du jemals auslöffeln kannst. Michaels Augen. Dr. Konrad in ein Lager geschleppt, aus dem er kaum zurückkommen wird. Flori am Ende seiner Kräfte. Clara offenbar entschlossen, mit dem Schiff unterzugehen. Wie wirst du mit alldem fertig werden, Marion, Mädel? Ich wollte, ich hätte einen, der es mir sagen könnte. Gott? Du da oben, du scheinst dich für das Durcheinander hier unten nicht zu interessieren. Vielleicht inspizierst du gerade einen andern Planeten und darfst nicht gestört werden? Putzi? Nein, Putzi würde diese Schwierigkeiten, in die Österreich sich selbst gebracht hat, nicht verstehen. Max Wilde? Ja, der alte Missetäter kannte die Gefahr und wußte, wie man ihr begegnet. Entweder man übersteht sie, oder man kommt um. Schwacher Trost . . . Es fing an zu regnen. Kalt. Müde. Durcheinander. Geängstigt. Ja, du kleiner Feigling, die Angst hat dich um den Verstand gebracht . . .

»Es wartet ein Herr auf Sie«, meldete mir der Hotelportier. Das Vestibül war ein warmer, heller, gemütlicher Zufluchtsort. Die Menschen lachten und unterhielten sich in vielen Sprachen, schlürften Cocktails, tranken schwarzen Kaffee, flirteten, und in einer der Ecken spielte die Musik, ganz Honig und Paprika.

»Ein Herr?« sagte ich. Ich fühlte, wie meine Lippen weiß wurden, und ich hatte Mühe, nicht mit den Zähnen zu klappern. Da haben wir's, dachte ich. Der Mann im Auto. Die Gestapo.

»Ja, gnädige Frau. Er war sehr hartnäckig. Er wollte durchaus in Ihr Zimmer hinaufgehen; aber es ist mir gelungen, ihn daran zu hindern.«

»Hat er seinen Namen genannt?«

»Nein, er wollte mit Ihrem Herrn Sohn sprechen. Da Sie mir aber Auftrag gegeben hatten, den jungen Herrn nicht zu stören, hielt ich es für richtig, dem Herrn zu sagen, er möge noch einmal wiederkommen. Der Herr entschloß sich jedoch, hier auf Sie zu warten. Er sagte mir, ich solle ihm Bescheid sagen, sobald Sie zurückkämen. Er sitzt in der Bar.«

Der Portier winkte nachlässig mit dem Finger, und schon war ein Boy zur Stelle.

»Wollen gnädige Frau den Herrn gleich sprechen?« fragte der Portier.

»Ja. Dann habe ich es gleich hinter mir —«, sagte ich schwach. Der Portier gab dem Boy eine kurze Instruktion, und der Junge verschwand in der Bar. Warum tragen die Hotelboys immer so enge Hosen und Jacken, sie sahen aus wie Affen, dachte ich; das kann doch nicht gut sein für ihre Selbstachtung ... Ich bin amerikanische Staatsbürgerin, sie können mich nicht ganz einfach verhaften oder mir etwas tun. Ich stehe unter dem Schutz der Vereinigten Staaten von Amerika. Ich werde es meinem großen Bruder sagen, ich werde meinen Gesandten benachrichtigen — Der Boy kam zurück mit dem Kinn auf mich zeigend. Ich hatte meine Handschuhe angezogen und mir eine Zigarette angezündet, aber das war ein etwas magerer Halt. Meine obere Partie hatte ich ja ganz gut unter Kontrolle, aber meine Knie waren eine würdelose Geleemasse. Und dann sah ich, wer der zudringliche Herr war, der dem Boy folgte. Er war größer und hatte breitere Schultern als alle anderen im Vestibül und trug noch immer den komischen alten Hut, den ich schon seit drei Jahren wegwerfen wollte. Mein Herz hämmerte rasch und laut in meinem ganzen Körper, in meiner Brust, meinen Ohren, meinem Gaumen, meinen Nieren. Das wäre der richtige Moment, in Ohnmacht zu fallen, dachte ich, und dann stand John vor mir und sagte: »Hallo, Kind.«

»Hallo, John«, sagte ich. »Hallo. Hallo, John.«

»Du bist viel kleiner, als ich dich in Erinnerung hatte«, sagte er, kam von seiner Höhe herunter, und da war die Whiskyfahne — in meinem ganzen Leben habe ich kein so herrliches Parfüm gerochen.

»Ich muß in der Wäsche eingelaufen sein«, sagte ich. Ich zog meine idiotischen Handschuhe aus und streckte ihm beide Hände hin.

»Bist du überrascht, mich zu sehen, Kind?«

»Ziemlich —«, sagte ich. »Warum hast du mir nicht gekabelt?«

»Ach — eben so. Ich wollte sehen, was für ein Gesicht du machst, wenn ich plötzlich in Wien auftauche.«

»Na — und was für eins mache ich?«

»Ein dummes. Und auch eins, das ich gern küssen möchte. Du hast wieder nasse Schuhe. Immer dasselbe.«

Ich sah schuldbewußt auf meine Füße. John hakte mich ein. Er war ein mächtiger, wärmespendender menschlicher Ofen.

»Müssen wir uns in diesem blöden Foyer herumtreiben, oder können wir hinaufgehen?«

»Mein Mann —«, sagte ich zu dem Portier. »Wir brauchen noch ein zweites Zimmer.«

»Sehr wohl, gnädige Frau. Darf ich um Ihren Paß bitten, Mister Sprague? Und wollen Sie bitte diese Anmeldung ausfüllen, Mister Sprague?«

»Man ist hier sehr streng mit dir, was?« sagte John gutgelaunt.

»Was für ein Zimmer hast du, Marion? Mit zwei Betten, mit einem Doppelbett oder —?«

»Ein sehr keusches und sehr einzelnes Bett«, sagte ich. »Und darin schläft jetzt gerade Michael. Ich denke, wir geben ihm mein Zimmer und nehmen ein andres im selben Stock. Ferner brauche ich noch ein Einzelzimmer — für eine junge Dame, die bei uns wohnen wird«, sagte ich zu dem Portier. Ich klammerte mich mit den Fingern fest an Johns Mantelärmel, um ihn nie wieder von mir fortzulassen. Wärme und Sicherheit strahlten in starken, schweren, seligen Wellen von ihm aus.

»Wir brauchen ein Zweizimmer-Appartement, mit einem Salon oder was es eben gibt, nicht wahr, mein Kind?« sagte er.

»Mach nicht soviel Geschichten, John!« sagte ich. »Ich muß rasch auf mein Zimmer. Ich fange gleich an zu heulen. Ich fühle es schon.«

»Schön, schön, geben Sie uns das Beste, das Sie auf dieser Etage haben!« sagte John zu dem Portier, der mit wichtiger Miene den Plan studierte und mit den Schlüsseln klingelte. »Und du, mein Junge, hol mir das Gepäck, es steht am Eingang. Hier — das ist für dich.«

Das Gepäck bestand aus einem braunen Karton, der mit Bindfaden verschnürt war. Er reiste mit uns im Lift hinauf, und das Hotelpersonal bemühte sich, ihn taktvoll zu behandeln.

»Ist das das Reisegepäck, das der ›Esquire‹ für den gutgekleideten Amerikaner vorschreibt?« sagte ich, und dann vergrub ich mein Gesicht in den rauhen Stoff seines Mantels und begann hier im Lift zu weinen, wie ich seit meinem dritten Geburtstag nicht geweint hatte. Es muß für den Portier, den Zimmerkellner und den Boy höchst peinlich gewesen sein; aber schließlich sind Hotelbedienstete abgebrüht, dachte ich.

»Weißt du, ich hatte keine Zeit, meine Reisetasche zu holen«, sagte John. »Der Einfall, mal rasch rasch nach Wien hinüberzuspringen, war mir ganz plötzlich gekommen. Ich bin vom Büro direkt zum Pier gefahren und habe das Schiff gerade noch erwischt. Die Zahnbürste hab' ich mir an Bord gekauft.«

Da mußte ich noch heftiger weinen, und ich weinte noch lange, nachdem wir schon in den Zimmern 421–22 untergebracht waren. John hielt mich wie ein kleines Mädchen auf dem Schoß, klopfte mir wie einem Pferd auf die Schulter und brummte von Zeit zu Zeit: »Recht so, wein dich gut aus, Kind! Das tut dir gut. Wein dir alles von der Seele! Mein Gott, hast du viel Salzwasser mit dir herumgeschleppt. Da, nimm mein Taschentuch!«

Manche Männer liebt man wegen ihres Aussehens, andre wegen ihres Verstandes oder ihres Genies, andre, weil sie gute Liebhaber sind, gute Tänzer oder gute Kameraden auf einem Ausflug, in einer Bar, im Bett. Manche liebt man mit dem Instinkt, der einem sagt, daß sie den Kindern ein guter Vater sein würden, andre wieder mit dem Verstand, weil sie gleiche Anschauungen haben. Manche liebt man mit den Nerven, weil es sensitive Menschen sind, andre mit dem Körper, weil sie denselben Rhythmus haben. Wieder andre liebt man wegen der Art, wie sie mit übergeschlagenen Beinen sitzen, wie sie ihre Zigarette rauchen, weil sie die Hände in die Tasche schieben, andre, weil sie einen brauchen, weil sie einem Widerstand leisten. Und manche liebt man einzig und allein wegen ihrer Fehler. Dich, John, habe ich am meisten geliebt, wenn ich mich krank, schwach, ängstlich, unglücklich fühlte.

Vergnügen habe ich bei vielen gefunden, aber du warst der einzige, bei dem ich so herrlich unglücklich sein konnte, bei dem ich mich gehenlassen und weinen konnte. Danke, John, daß ich mich in dein Taschentuch schneuzen durfte ...

»Jetzt erzähl mir, warum du so plötzlich gekommen bist, du mit deinem Pappkarton«, fragte ich ihn, nachdem ich ein paar Liter geweint hatte und das Regenfaß leer war.

»Es scheint dir nicht unlieb zu sein, daß ich gekommen bin.«

»Nein, John. Es könnte mich an Gott glauben lassen«, sagte ich und kämpfte mit dem Schlucken, in den mein Weinkrampf übergegangen war. Der Stuhl, auf dem John saß und mich auf dem Schoß hielt, war ein höchst unbequemer Louis-Seize und krachte bedenklich unter der doppelten Last. Immer gibt es solche Kontrapunkte, die das Pathos, in dem wir uns so gern wälzen, lächerlich machen.

»Es wäre ganz gut, wenn du an Gott glaubtest«, sagte John. »Aber es war nicht Gott, der mich geschickt hat, wenn du es so gemeint hast. Es war nur Miß Crump. Sie hat mir immer wieder gesagt, daß ich Urlaub nötig hätte. Schließlich ist es mir über geworden, und nun mache ich Ferien.«

»Ist mit deiner Gesundheit etwas nicht in Ordnung, John?« fragte ich beunruhigt.

»Keineswegs. Ich bin in bester Form. Aber Miß Crump hat mir alle möglichen Zeitungsausschnitte unter die Nase gehalten, für den Fall, daß ich etwa übersehen haben sollte, daß Hitler inzwischen Österreich in die Tasche gesteckt hat. Miß Crump war offenbar der Meinung, daß ich mich persönlich nach dir umsehen müßte. Sie glaubt nicht, daß du intelligent genug bist, dich selber aus den Gefahren herauszuhalten. Und, zum Teufel, Marion, ist dir denn gar nicht klar, daß du schon vier Monate von mir fort bist? Darf man nicht Sehnsucht nach seiner Frau bekommen?«

»Ja, ich weiß«, sagte ich niedergeschlagen. »Ich bin nicht die Frau, die Miß Crump für dich ausgesucht hätte. Aber du verstehst, John, daß ich diese Geschichte mit Michael durchfechten mußte. Ich hatte keine Wahl, siehst du das ein?«

»Wie geht's denn dem Jungen? Besser?« sagte John, und sein Gesicht war beunruhigt, wie nicht einmal zu Dinkys schlimmsten Zeiten. Ich schüttelte den Kopf. »Du wirst es ja selber sehen«, sagte ich. »Natürlich ist er nicht immer so herunter, wie du ihn heute finden wirst. Er hat manchmal kleine Depressionen, weißt du –«

»Arme Kinder, ihr zwei habt viel miteinander durchgemacht, was?« sagte John, wobei er die Knöchel seiner Faust unter mein Kinn hielt, wie es seine Gewohnheit war, wenn er seine eigene Erregung verbergen wollte.

»Mach mich nicht wieder weich, sonst fange ich wieder an zu heulen«, sagte ich unter heftigem Schlucken. John goß mir ein Glas Wasser ein, und ich mußte genau vierzehn kleine Schlucke nehmen. Dann wusch ich mir das Gesicht und ging auf Nummer 417 hinüber, um Michael mit der Neuigkeit zu überraschen.

In dieser Nacht hielten wir uns im Bett wieder bei den Händen – über den Grand Canyon hinweg –, und ich berichtete John von all den verzwickten Schwierigkeiten, in die ich verwickelt war. Als ich geendet hatte, zündete er sich eine Zigarette an, holte tief Atem und sagte: »Nun, wir werden die Sache schon geradebiegen.« Dann sah ich die glimmende Zigarette nach seinem Mund wandern und zurück, hörte das leise, scharrende Geräusch, als er sich das Kinn rieb, und wußte, daß er nachdachte. Es war für mich unendlich erleichternd, zu wissen, daß er da war, um mir einen Teil meiner Bürde abzunehmen und alles in Ordnung zu bringen.

»Hör mal zu, Kind«, sagte er schließlich. »Wir haben drei verschiedene Probleme, und es wird am besten sein, jedes von ihnen gesondert zu behandeln. Da ist vor allem dieser Dr. Konrad. Wenn du daran glaubst, und wenn Michael daran glaubt, daß er seine Augen retten kann, so müssen wir den Mann herausbekommen und nach New York schaffen. Ich werde morgen mit unserm Generalkonsul sprechen und sehen, wie es zu machen ist. Ich bin überzeugt, sie lassen ihn los, wenn er ein Visum für Amerika hat. Ich werde mein möglichstes tun, es ihm rasch zu beschaffen. Ich werde dafür sorgen, daß die Boys alle Hebel in Bewegung setzen, um ihn freizubekommen, in welcher Hölle er auch sitzen mag. Dann müssen wir deine Clara von hier wegbringen. Man hat ihr den Paß nicht abgenommen. Und man hat ihr gesagt, daß man sie – Freitag, sagtest du? – wieder vernehmen wird. Das mag eine Drohung gewesen sein. Andrerseits kann es auch ein freundschaftlicher Wink gewesen sein, rasch zu verschwinden. Ich bin geneigt, es für einen solchen Wink zu halten – weshalb hätten sie ihr sonst den Paß gelassen? Ich glaube, das Vernünftigste, was sie tun kann, ist: mit der Bahn nach Prag zu fahren und die Grenze ganz legal und offen zu überschreiten. Sollte man sie dort nicht durchlassen, so haben wir noch immer Zeit, einen andern Plan zu machen.

Nun zu ihrem Freund. Er hat keinen Paß, und wenn er einen hätte, würde man ihn jedenfalls an der Grenze schnappen. Das bedeutet, daß ich mir für ihn von einem der Boys einen Paß ausleihen und ihn illegal über die Grenze schmuggeln muß. Das macht man immer so. Gewiß ist es gesetzwidrig, aber die Gangster, die ihn verfolgen, sind auch gesetzwidrig. Ich sehe mir den Jungen morgen früh mal an und lasse mir ein Foto von ihm geben. Dann suche ich mir jemand aus, der ihm halbwegs ähnlich sieht und bereit ist, mir seinen Paß für ein paar Tage zu überlassen. Glaubst du, daß man ihn für einen Amerikaner ausgeben kann?«

»Flori? Unter keinen Umständen. Er ist so österreichisch wie der Doppeladler.«

»Hm. Das erschwert die Sache ein wenig. Könnte er sich nicht wie ein Amerikaner benehmen? Wenn es gilt, sein Leben zu retten?«

»Nein, nicht einmal wenn es gilt, sein Leben zu retten. Ich bezweifle, daß er jemals einen Amerikaner gesehen hat — außer bei den Salzburger Festspielen.«

»Na schön — ich werde ihn schon irgendwie hinüberbringen. Ich werde es mit den Boys besprechen. Die kennen die Schliche. Und jetzt mußt du ein braves Kind sein, dich nicht weiter sorgen und einschlafen. Du wirst sehen, alles geht glatt.«

»Ja, John«, sagte ich. »Ich hatte mir nicht klargemacht, wie einfach alles ist. Ich bin eben nur ein dummes Frauenzimmer.«

»Darauf kannst du dich verlassen«, sagte er; und ich wußte, daß er im Dunkeln grinste. Komisch, dachte ich, jetzt bin ich fast dreiundvierzig, und es ist das erstemal — wirklich das erstemal — in meinem Leben, daß ich mich behütet fühle. Es ist ein wunderbares Gefühl. Ich danke dir dafür, John, ich danke dir. Ich will nicht unabhängig sein. Ich will nicht kämpfen. Ich bin es überdrüssig und müde, meinen Kopf in einen Löwenrachen zu stecken.

»Aber Michaels Augen . . .«, dachte ich dann. Das ist meine Aufgabe und sie ist nicht leicht; kein Mensch kann mir dabei helfen, nicht einmal John. Als ich dies dachte, wollte ich seufzen, und als ich mich bemühte, den Seufzer zu unterdrücken, kam er als lauter, letzter Schlucker heraus.

»Glaubst du, es hilft dir, wenn ich hinüberkomme und dich in den Arm nehme?«

»Ich glaube schon«, sagte ich dankbar und machte ihm in meinem Bett Platz. Ich legte meinen Kopf bei ihm in die warme, vertraute Höhlung zwischen Schulter und Brust und schloß die Augen. Das Radio im Nebenzimmer beendete einen Vortrag und brach in das ewige Horst-Wessel-Lied aus. Das war Wien, die Stadt, aus der ich stammte. Und das war mein Mann John Sprague III. aus dem Hause der Hartforder Spragues. Man macht im Leben viele Umwege. Soldaten marschierten den Ring entlang. Trapp, trapp, trapp, trapp. Die Trommeln sind nicht im Takt, dachte ich, schon halb eingeschlafen. Es waren keine Trommeln. Es war Johns Herzschlag, ganz nahe an meinem Ohr, und er war nicht im Takt. Vielleicht weil es ein so großes Herz ist, dachte ich, und dann löste sich alles in dem weichen Samt von Schlaf und Traum auf.

Schon früher einmal hatte ich Wien in Auflehnung und in tiefem Ekel verlassen. Als sich jetzt das Flugzeug in die Luft erhob und die Stadt sich unter uns zu drehen begann — mit ihren Kirchen, Türmen und Kuppeln, mit den grünen Rechtecken ihrer Gärten, mit dem schiefergrauen Muster ihrer alten Dächer, mit der Donau, die sich wie eine gelbe Schlange um ihre Hüften wand, mit den sanft geschwungenen Hügeln, die den Schenkeln und Hüften und Brüsten einer lüsternen Frau glichen —, da hatte ich den einzigen Wunsch, die einzige Hoffnung, diesen wunderschönen Leichnam nie, nie wiederzusehen. Das Flugzeug stieg rasch, drang durch eine Masse weißer Watte, und dann schwebten wir über einer massiven Wolkenbank, ließen die bleiche Morgensonne zur Rechten und wandten uns nordwärts gegen die Grenze. Ich sah, daß Renate um die Nasenspitze grün wurde und lächelte ihr aufmunternd zu.

»Du hast doch nicht etwa Angst vor dem Fliegen, Kind?«

»Angst? Jesus Maria, nein. Das ist nur mein Trauma. Weißt du, wie die Hitlerflieger kamen und so tief heruntergingen und einen so heillosen Lärm machten, da hab' ich einen kleinen Nervenschock gekriegt, und jetzt habe ich ein Trauma«, sagte sie leichthin.

»Trauma? Wo hast du denn das aufgeschnappt?«

»Oh, Michael hat mir alles gesagt«, sagte sie lebhaft. »Weißt du, Clara hat mir von diesem ganzen langweiligen Geschlechtsquatsch erzählt, was die Eierstöcke sind und so. Aber Michael behandelt mich nicht wie ein Baby. Er hat mir alles von der Psychoanalyse und von der Analerotik gesagt und all das. Er sagt, es wäre Zeit, daß ich meinen Vaterkomplex auf ihn übertrage. Es ist so interessant wie das Auseinandernehmen eines Weckers. Wenn ich Schwester werden will, muß ich das doch alles wissen, nicht wahr? Und Michael —«

Plötzlich hielt sie den Atem an und griff nach dem goldenen Kreuzchen, das sie an einem dünnen Kettchen um den Hals trug. Das Flugzeug war ein wenig abgesackt, und Renate flog zum erstenmal. Nach einer Weile nahm sie — resigniert und wohlerzogen — in aller Stille die Tüte und fing an zu speien.

John hatte den Transport der Riegers in drei Abteilungen organisiert. Meine Rolle war die leichteste. »Du nimmst Renate und haust ab«, wurde mir gesagt.

Clara war mit Michael tags zuvor mit der Bahn abgereist, und zwar in der Rolle seiner Pflegerin. Michael hatte sich das selbst ausgedacht und John dringend darum gebeten, ihm zu erlauben, daß er Claras Flucht auf diese Weise decke. »Das ist wenigstens etwas, wozu meine kaputten Augen noch nützlich sind«, hatte er John gesagt. John hatte ihn mit hochgezogenen Brauen angelächelt. »Ich dachte, du bist ganz auf der Seite der Nazis, Junge — wie kommt es, daß du an einer Verschwörung gegen sie teilnehmen willst?«

»Hier liegt ein Fall vor, in dem das Individuum mit der Idee in Konflikt geraten ist«, parierte Michael humorvoll. »Ich glaube noch immer an ihre

Weltanschauung, aber ich kann doch nicht Freunde wie Clara und — und — Renate im Stich lassen.«

»Scheint mir auch so«, sagte John erfreut. Mein Junge, der von einer seelischen Komplikation in die andere fiel, tat mir leid. Clara zog sich Rote-Kreuz-Tracht an und steckte Nadel und Medaille an, die sie im Krieg bekommen hatte, und Michael war aufgeregt wie ein Schauspieler vor der Premiere, wie Manfred Halban, wenn er eine große Rolle hatte.

Claras Paß war ein Musterbeispiel an Korrektheit, voller Stempel und Durchreisevisa, auch hatte sie eine Ausreiseerlaubnis und als Glanzpunkt ein schönes Besuchsvisum für die Vereinigten Staaten. Es überraschte mich, bei dieser Gelegenheit zu entdecken, daß ihr wirklicher bürgerlicher Name keineswegs so klangvoll war wie Clara Balbi. Im Paß hieß sie ganz einfach und albern: Fräulein Przestapinsky. Nur das alte Österreich mit seinem Völkergemisch konnte seine Untertanen mit solchen Namen belasten. Aber dieser Name leistete wunderbare Dienste und brachte sie sicher über die Grenze nach Prag. In meiner Handtasche hatte ich Michaels Depesche mit der Nachricht, die wir vereinbart hatten: ›Unbesorgt wegen Erkältung, heute viel besser.‹

Florian Rieger in Sicherheit zu bringen, hatte John selbst übernommen. Zu diesem Zweck hatte er eine ganze Herrengesellschaft zusammengestellt. Drei von ›den Boys‹ kamen mit, um den Transport zu decken, nötigenfalls die Aufmerksamkeit der Grenzbeamten abzulenken und den Eindruck zu erwecken, daß Flori eben nur einer von mehreren geräuschvollen, sorglosen und leicht angeheiterten ausländischen Geschäftsleuten sei. All das hatte man in einer Nachtsitzung in meinem Hotelzimmer ausgeheckt, wo John das Radio laufen ließ, wo die Kellner geschäftig hin und her liefen und Getränke heranschleppten und dicke Trinkgelder bekamen, wo Bridgetische aufgestellt waren und ›die Boys‹ um vier Uhr morgens ›Sweet Adeline‹ sangen. Alles genauso laut und primitiv, wie sich die Menschen das Benehmen verrückter reicher Amerikaner vorstellten. Floris dürftiger Schnurrbart wurde wieder abrasiert und sein Haar auf der andern Seite gescheitelt. Auf die Nase bekam er eine original amerikanische Hornbrille.

Der einzige brauchbare Paß, den John auftreiben konnte, war schließlich doch ein amerikanischer gewesen; nur Amerikaner schienen genügend Courage und Humor für das Risiko zu haben, die Obrigkeit um eines ihrer Opfer zu prellen. Michael bemühte sich stundenlang, dem armen Flori einzudrillen: »I don't understand German —«, und zwar mit richtigem Brooklyner Akzent, denn Jake Conley, auf dessen Paß Flori reiste, stammte ausgerechnet aus Brooklyn.

Die fünf waren schon unterwegs, aber noch konnten sie die Grenze nicht erreicht haben. Es dauerte sehr lange, bis eine Minute vorüberkroch, und meine Gedanken waren in jeder Minute bei John und Flori. Ich konnte sie beinahe sehen, wie sie in ihrem Abteil auf Johns braunem Pappkarton Bridge spielten, Drinks bestellten und sich bemühten, so viel Lärm zu machen, daß niemand merkte, wie still Jake Conley war. Ich hätte gern gewußt, ob Flori, unser peinlich korrekter kleiner Kavalier, sich in seiner Rolle zurechtfinden würde.

»Antworten Sie nicht, wenn Sie jemand auf deutsch anspricht. Verstopfen Sie Ihre Ohren mit Ohropax, dann werden Sie es nicht hören, das ist das beste, und drehen Sie sich um Himmels willen nicht um, wenn jemand Ihren richtigen Namen ruft! Seien Sie nicht nervös! Tragen Sie keine Handschuhe! Schieben Sie den Hut etwas mehr aus der Stirn — so, so ist es gut. Schielen Sie nicht in eine deutsche Zeitung! Tun Sie, als wären Sie betrunken oder müde oder sonst was! Sie waren doch im Krieg, nicht wahr? Sie waren doch schon in allerlei verzwickten Situationen und sind wieder herausgekommen. Okay, jetzt ist wieder Krieg. Nehmen Sie sich zusammen, Junge!«

Flori schien unter der Last guter Ratschläge zusammenzusinken. Man hatte ihn in einen Anzug gesteckt, der die Marke ›Brooks Brothers‹ trug, er bekam einen Handkoffer mit den Zetteln der Schiffe, auf denen er angeblich den Atlantik überquert hatte. Dieses Gepäckstück war für die Zollrevision mit amerikanischer Herrenwäsche vollgepackt worden. Man hatte ihm eine amerikanische Armbanduhr gegeben und einen Packen amerikanischer Zeitungen, den er unter den Arm klemmen mußte. Ja man hatte sogar daran gedacht, ein paar an Jake Conley adressierte Briefe in seine Rocktasche zu stopfen, zusammen mit Jakes Brieftasche, die Fotos von Mrs. Jake Conley in Brooklyn und seinen beiden kleinen Kindern enthielt. Trotz allem waren seine Begleiter besorgt.

»Er hat nie Fußball gespielt«, sagten sie. »Er weiß nicht, was Zusammenspiel ist. Wenn er stolpert, liegen wir alle drin.« Es schoß mir durch den Kopf, daß John ihn für die Dauer der Reise wohl am liebsten narkotisiert oder ihn knockout geschlagen und bewußtlos durch die Grenzkontrolle geschleppt hätte. Wenn ich an alles dachte, was passieren konnte, wurde mir ein bißchen übel. Hätte ich ein goldenes Kreuzchen gehabt, so würde ich mich auch daran geklammert und vielleicht auch ein paar stille Gebete gesprochen haben wie Renate, wenn sie nicht gerade in die Tüte spie.

Unser Flugzeug kam um neun Uhr morgens an, und der Zug mit unsern Männern sollte um vier Uhr nachmittags da sein, kam aber erst um sechs. Von diesen Stunden sind mir nur Fetzen und Flecken im Gedächtnis haftengeblieben, etwa so, wie man sich an die Stunden nach der Operation erinnert, bevor die Narkose verflogen ist. Als wir ankamen, regnete es, aber Prag ist — wie Paris — eine Stadt, der die silbergrauen Schleier gut stehen. Michael lag mit Temperatur zu Bett und war etwas zu lustig. Clara war ausgegangen, vermutlich um sich den Hradschin anzuschauen. Sie konnte es wohl nicht aushalten, still zu sitzen. Eine Zeitlang spielte Renate die Pflegerin, aber als sie die Kirchenglocken rufen hörte, huschte sie davon — in die Teyn-Kirche, um zu beten.

Michael schlief ein, und Clara kam nicht zurück. Was tun? dachte ich und blickte auf den endlosen Ozean des Wartens hinaus. Gott, der in den letzten Tagen für mich mehrere Wunder getan hatte, war wiederum hilfreich. Auf dem Schreibtisch entdeckte ich einen Briefbeschwerer, der nicht mehr war als ein Stück knorriges, buckliges Holz. Ich nahm ihn in die Hand und drehte ihn zwischen den Fingern. Das Holz war viel schwerer, als ich erwartet hatte, und besaß eine rauhe, rindenartige Oberfläche. Ich tastete Form und Oberfläche mit den Fingerspitzen ab. Es hatte eine seltsame, launenhafte Persönlichkeit. Ich nahm mein Messer, das kleine, das ich immer in der Handtasche trug, und begann etwas zu schnitzen, das unbewußt in mir geschlummert haben mußte. Anfangs war das Holz widerspenstig, dann begann es sich dem Messer zu fügen, und allmählich formte es sich von selber zur Figur eines Gefangenen. Seine Hände waren auf dem Rücken zusammengebunden, er kniete, und sein Kopf war wie von übermächtigen Schmerzen nach hinten gebogen. Das alte Heilmittel wirkte auch diesmal. Ich vergaß die Zeit, ich vergaß Michael, John und Florian Rieger. Ich hörte nicht, da die Kirchenglocken läuteten, denn mit dem Körper meines kleinen Gefangenen hatte ich Schwierigkeiten. Als Renate zurückkam, mit glänzenden Augen, als hätte sie sie in Tränen gebadet, hatte er noch eine ganz rohe Form.

»Ist Papa angekommen?« fragte sie mich.

»Es dauert noch fast zwei Stunden, bis der Zug kommt«, sagte ich. Sie sah sich die kleine Figur an, die noch ein Embryo im Schoße des Materials war, und begann zu lachen. »Was soll denn das werden? Ein kleiner Affe?«

»Selber kleiner Affe«, sagte ich. »Geh und wasch dein Gesicht und kämm dein Haar! Du willst doch hübsch aussehen, wenn Michael aufwacht, nicht wahr?«

Als sie ihre Zöpfe aufmachte, blickte sie nicht in den Spiegel, sondern befühlte ihren Kopf mit der Hand und strich das Haar zurück, bis es dicht und glatt auf der Schädeldecke lag. Es war eine merkwürdige kleine Geste, aber ich verstand, daß sie sich nicht für Michaels Augen, sondern für die Berührung seiner Hand schönmachte. Oft und oft in den folgenden Monaten überraschte es mich immer wieder, daß sie niemals, für keinen Augenblick, vergaß, daran zu denken, wie er wohl mit seinem unzulänglichen Gesichtssinn reagieren würde. Ich selber vergaß es nur allzuoft, verletzte den Jungen durch kleine Unachtsamkeiten und ärgerte mich dann sehr über mich. Ich ging zu Renate hinüber und lehnte mich mit der Schläfe an ihr Gesicht, um ihr zu zeigen, wie lieb ich sie hatte. »Ich bin schrecklich hungrig«, sagte sie höchst ernsthaft. »Das kommt daher, daß ich meinen Magen umgestülpt und mich leergespien habe.«

Das ist eine von den Kleinigkeiten, die mir im Gedächtnis geblieben sind. Ich weiß auch noch genau, wie der Kuchen geschmeckt hat, den wir nach Claras Rückkehr aßen. Ich habe in diesem Augenblick den Geschmack auf der Zunge. Es war ein Hefekuchen, mit Pflaumenmus gefüllt und mit Mohn bestreut. An den Unsinn aber, den wir schwatzten, als wir auf den Wiener Zug warteten, erinnere ich mich nicht mehr. Wir bliesen kleine Gesprächsseifenblasen in die Luft, um die Zeit totzuschlagen. Endlich läutete das Telefon — John war da.

»Okay«, sagte er. Es klang, als wäre er atemlos, und ich hörte ihn keuchen.

»Okay? Alles?« fragte ich.

»Ja, alles okay. Wir sind schon im Haus. Ich habe nur angerufen, bevor wir hinaufkommen – sozusagen als Stoßdämpfer, weißt du.«

»Okay –«, sagte ich. Ich wandte mich zu Clara. »Sie sind da. Er sagt, sie sind okay«, sagte ich, ganz benommen vor Freude. Michael hatte den Arm um Renates magere Schultern gelegt. »Ruhig jetzt, ruhig, Bummerl!« hörte ich ihn flüstern. Clara hielt meinen unfertigen Gefangenen in der Hand. »Sei nicht böse, wenn ich in mein Zimmer gehe!« sagte sie. »Und schickst du mir Flori hinüber? Ich liebe keine Szenen in aller Öffentlichkeit.«

Sie ging steif nach der Tür, und einen Moment lang glaubte ich, sie würde ohnmächtig. Es war ein sonderbarer Gedanke, daß Clara, mein starker, unerschrockener Erzengel, ohnmächtig werden könnte. Aber sie ging in guter Haltung hinaus, eben als der Lift auf dem Korridor mit einem Klicken stehenblieb. »Lauf, Bummerl!« sagte Michael, indem er ihr einen Klaps und einen Schubs gab. In der Tür lief sie John in die Arme. Sie beugte sich nieder, ergriff seine Hand, küßte sie und war schon wieder davon. John stand da und rieb sich verdutzt die Hand.

»Hallo, Lebensretter«, sagte ich. Er schien nicht zu Späßen aufgelegt. Er sah ermüdet und überanstrengt aus. »Hallo«, sagte er geistesabwesend. Dann ging er zum Telefon und hob den Hörer ab. »Zimmerkellner –«, sagte er. »Nein, ich kann nicht tschechisch. Es wäre richtiger, Sie könnten englisch, verstehen Sie? Ich möchte eine Flasche Scotch Whisky haben, jawohl, eine ganze Flasche, etwas Mineralwasser und viel Eis.«

»War es schwer, John?« fragte ich ihn, als wir spätnachts im Bett lagen und er nach meiner Hand tastete.

»Nein, es war ein Jux«, sagte er. »Nur zweimal wurde es ungemütlich. Erst an der Grenze, bei Preßburg. Einer der Leute, die unsre Pässe kontrollierten, kannte Rieger. Er war wohl einmal Kellner in einem dieser verdammten Kaffeehäuser gewesen, in denen ihr Wiener eure besten Jahre zubringt. Rieger brach zusammen, als er den Mann in Uniform dastehen sah. ›Es ist alles aus‹, sagte er. ›Je suis fini.‹ In seiner Aufregung quatschte er französisch. Es kostete uns große Mühe, ihn aus dem Abteil nach dem Schuppen zu schleppen, wo die Pässe revidiert wurden. Für diese Revision waren unsre Aussichten schlecht, und offen gestanden, ich hatte selber nicht geglaubt, daß wir durchkommen würden. Aber dieser Kontrolleur zuckte mit keiner Wimper. Nicht das geringste Zeichen des Erkennens. Ich und Bobby dachten, Rieger sei verrückt, wir glaubten, er leide an Halluzinationen – denn der Beamte verbeugte sich lächelnd, gab ihm den Paß zurück und sagte in dem elendsten Englisch, das du je gehört hast: ›Thanks, Mister Conley.‹ Und weißt du, was dann geschah? Gerade als wir wieder in den Wagen klettern, taucht dieser Mensch auf und sagt, ohne Rieger anzusehen: ›Glückliche Reise, Herr Baron Rieger, und viel Glück!‹ Komische Menschen, deine Landsleute. Ich kann dir sagen, meine Beine waren weich wie Camembert . . .«

Ich sah Johns Zigarette nach seinem Mund wandern und hörte ihn tief Atem holen. »Und was ist sonst noch passiert?« fragte ich.

»Was sonst noch? Ach ja – etwas noch viel Schrecklicheres. Als wir die

Grenze hinter uns hatten, gingen wir im Gänsemarsch auf die Toilette — nach all der Aufregung. Und während wir draußen warten, packt dieser Geselle, der Rieger, plötzlich meine Hand und küßt sie! Genauso, wie es eben die Kleine getan hat. Es war bestimmt das verdammteste Gefühl, das ich in meinem ganzen Leben gehabt habe. Ein Mann, der mir die Hand küßt! Herrgott im Himmel, es war, als kröchen mir fünfhundert Regenwürmer den Arm hinauf —«

»Nun, du hast ihm doch das Leben gerettet, vergiß das nicht, John, Darling«, sagte ich und lachte dabei im Dunkel. »Und in Österreich werden die Söhne dazu erzogen, ihren Müttern die Hand zu küssen. Auch die Töchter — so!«

Ich spürte, wie sich Johns Hand krümmte, als ich meine Lippen darauf drückte, und ich fühlte so viel Liebe für ihn, daß ich eine Weile sogar Michael und seine Augen vergaß.

Am nächsten Morgen, als wir alle in meinem Zimmer beim Frühstück saßen, erschien ein dicker, lächelnder, strahlender kleiner Herr, der Florian Rieger zu sprechen wünschte. Erst klopfte es an der Tür, aber es war nicht, wie wir gedacht hatten, der Kellner, sondern dieser kleine Herr.

»Entschuldigen Sie, daß ich so früh störe«, sagte er. »Aber ich komme in einer ziemlich dringenden Angelegenheit. Habe ich das Vergnügen, mit Herrn Baron Florian Rieger zu sprechen?« sagte er, sich an Flori wendend.

John verstand ihn nicht, da er deutsch sprach. Clara gab Flori unter dem Tisch einen Stoß, er solle sich nicht verraten.

»Dies ist mein Zimmer — es scheint ein Mißverständnis vorzuliegen«, sagte ich rasch und stellte meine Tasse hin. »Mein Mann, Mister Sprague, und sein Freund, Mister Conley, verstehen nicht deutsch. Sie werden wohl mit mir sprechen und mir sagen müssen, was Sie wünschen.«

»Ich bringe Ihnen Nachrichten von Ihrer Frau Mutter, Herr Baron«, fuhr der nette dicke Herr fort, indem er meinen aufgeregten Protesten nicht die geringste Beachtung widmete, sondern ausschließlich zu Flori sprach. Einige Sekunden lang herrschte Schweigen. Renate ließ klirrend ihren Löffel fallen. Sie war eben dabei gewesen, für Michael ein hartes Ei zurechtzumachen.

»Ihre Mutter, Frau Baronin Aloisia Rieger, lebt in der ›Villa Tannenruh‹ in Thaya«, sagte der Herr und zog einen Umschlag aus der Brusttasche. »Ich bin beauftragt, Ihnen diesen Brief von ihr zu überbringen. Sie wollen ihn nicht lesen? Schön — es wird mir ein Vergnügen sein, Ihnen den Brief vorzulesen.«

Der kleine dicke Herr holte einen Klemmer hervor, setzte ihn auf den Nasenrücken und nahm den Brief aus dem unverschlossenen Umschlag.

»*Mein lieber Sohn*«, las er vollkommen ausdruckslos. »*Ich bin verhaftet worden und werde nicht eher freigelassen werden, bis Du nach Wien zurückkehrst. Bitte komm sofort und rette Deiner unglücklichen Mutter das Leben!*«

Er legte den Brief vor Florian auf den Tisch, zwischen die Butter und die Marmelade. »Erkennen Sie die Handschrift Ihrer Frau Mutter?« sagte er sanft. Flori las den Brief, blickte auf, las ihn wieder und faltete dann automatisch seine Serviette zusammen.

»Flori —«, sagte Clara.

Michael saß ganz steif da, Renates Kleinmädchenhand in seiner Hand. Sie kaute aufgeregt an ihren Zöpfen, schrie aber nicht und weinte nicht.

John schob seinen Stuhl zurück und stand auf.

»Was soll das alles?« sagte er.

»Ich gebe Ihnen zehn Minuten Zeit, Ihre Entscheidungen zu treffen, Herr Baron«, sagte der kleine Herr liebenswürdig. »Ich habe zwei Leute mit, die draußen warten und Sie an den Zug bringen werden, sofern Sie sich entschließen, zurückzukommen. Sie verstehen — wir wenden keine Gewalt an. Wenn Sie zurückgehen, so tun Sie das vollständig aus freien Stücken. Haben die Damen etwas dagegen, daß ich rauche?«

Er brannte sich eine Zigarre an, ging demonstrativ taktvoll ans Fenster und tat, als sähe er hinaus.

»Clara?« fragte Flori.

»Ja, mein Lieber —«, antwortete sie und sah ihm gerade ins Gesicht — mit einer fast unerträglichen Intensität.

»Du weißt, daß ich meine Mutter nicht in ihren Händen lassen kann?«

»Ja, Flori.«

»Du wirst mir verzeihen, wenn ich zurückgehe?«

Clara nickte.

»Um einen solchen Preis würdest du mich doch nicht haben wollen, nicht wahr?«

»Selbstverständlich nicht, Flori.«

»Ich wußte es«, sagte er. »Renate?«

»Ja, Papa —«

»Was würdest du an meiner Stelle tun?«

»Dasselbe, Papa.«

»Nimm dich Claras an, ja? Versprichst du's mir?«

»Ja, Papa. Und ich werde für dich beten. Du wirst bald wieder frei sein.«

»Bestimmt, mein Kind. Clara — von nun an ist sie dein Kind. Du wirst sie so erziehen, wie ich es wollte, ja?«

»Ich will mit dir zurückgehen«, sagte Clara. »Marion wird sich Renates annehmen.«

»Bitte keine Sentimentalitäten«, sagte Flori — der arme Flori, der sentimentalste Mensch, den ich je kennengelernt hatte. »Wir müssen die Sache vernünftig ansehen. Wenn du mit mir gehst, würde es für mich noch hundertmal schwerer sein. Solange du frei bist, hast du wenigstens die Möglichkeit, etwas für mich zu tun.«

»Flori hat recht«, sagte ich. »Wir werden ihn schon herausbekommen, nicht wahr, John? Du mußt bei uns bleiben. Vielleicht handelt es sich bloß um eine Formalität. Man wird ihn in Schutzhaft nehmen oder so etwas, und wir werden alle Beziehungen spielen lassen, um ihn bald herauszubekommen.«

Wir wußten alle, daß das Unsinn war, aber im Augenblick wollten wir daran glauben. Als Flori Clara in die Arme nahm, um ihr den Abschiedskuß zu geben, fürchtete ich, er würde völlig zusammenbrechen, weinen, eine fürchterliche Szene machen. Aber das geschah nicht. Sonst war er von einer verwirrenden Redseligkeit, jetzt aber war er schweigsam und knapp. Die Österreicher haben eine weiche Außenseite, aber wenn es darauf ankommt, sind sie darunter widerstandsfähig wie Weilbiech. Er küßte Clara und Renate, schüttelte John und Michael die Hand und machte vor mir eine Verbeugung.

»Ich danke Ihnen für alles, Marion«, sagte er. »Auf Wiedersehen. Küß die Hand. Danke, Mister Sprague. Es tut mir leid, daß ich Ihnen so viele Unannehmlichkeiten verursacht habe — mit einem so unerfreulichen Resultat. Grüß Gott. Au revoir.«

Er wandte sich zu dem kleinen Herrn. »Haben Sie etwas dagegen, wenn ich mir einen zweiten Anzug und ein paar Hemden mitnehme?« fragte er. »Ich nehme an, daß Sie mitkommen wollen, wenn ich in mein Zimmer gehe, um meine Wäsche zu packen, Herr — wie ist der werte Name?«

»Das tut nichts zur Sache —«, murmelte der kleine dicke Herr. Er machte eine Verbeugung. »Ich bedaure, Sie beim Frühstück gestört zu haben«, sagte er. Er schob Florian Rieger durch die Tür. »Nach Ihnen, Herr Baron —«, sagte er höflich. Draußen warteten zwei Männer. Sie trugen keine Uniform, aber Haltung und Aussehen verrieten die Gefängniswärter.

Nachdem man Flori abgeführt hatte, sah ich mich nach Michael um und merkte, daß er meinen kleinen geschnitzten Gefangenen in der Hand hielt; er hatte das schwere Stück Holz entzweigebrochen, und unter seinen dunklen Augengläsern rollten die Tränen hervor. John trat zu ihm und klopfte ihm auf die Schulter.

»Kopf hoch, mein Sohn!« sagte er. »Kopf hoch, Junge! Du hast deinen Willen gehabt, und jetzt wird es höchste Zeit, daß wir alle aus diesem gottverdammten Hexenkessel Europa herauskommen und nach Hause fahren. Oder gefällt es dir hier vielleicht noch immer?«

ELFTES KAPITEL

Es kam der große Augenblick, da Marion die Flasche Enzianschnaps in ihrem Rucksack entdeckte. Sie steckte wohl noch seit der letzten Skitour mit Christopher in der Außentasche. Ein Wunder, daß sie beim Sturz in die Gletscherspalte nicht zerbrochen war. Gegen die Bergkrankheit gibt es kein besseres Mittel als einen tüchtigen Schluck von diesem Schnaps, der aus den Wurzeln der gelben Abart dieser Alpenblume gebrannt wird. Nachdem sich Marion einige Augenblicke mit der Flasche beschäftigt hatte, war ihre ganze Resignation verraucht, und ihr alter Optimismus kehrte mit voller Kraft zurück. Neue Wärme durchströmte ihren Körper und ihre erstarrten Lippen.

Fabelhaft komfortabel hier, dachte sie. Ich bin vernünftig angezogen, das Bein tut mir nicht weh, und ich habe reichlich Bewegungsfreiheit, um mich warmzuhalten. Noch scheint die Sonne, und Christopher muß jetzt schon unterwegs sein, um mich zu suchen. Ich habe Zigaretten und Schokolade und nun sogar diese ganze, gesegnete Flasche voll Spannkraft und Selbstsicherheit. Mein Feuerzeug funktioniert — was an sich schon ein kleines Wunder ist —, und hier, in meiner Tasche, habe ich den zweiten Zauberapparat: meine Füllfeder. Zum Zeitvertreib kann ich Briefe an meine Freunde schreiben. Ich kann die halbe Flasche austrinken und die andere Hälfte aufheben, um Feuer zu machen, wenn ich will. Ich könnte den Rucksack ins Feuer werfen, wenn mir kalt wird. Stundenlang könnte ich mein Feuer unterhalten. Inzwischen wäre es nicht schlecht, sich mit den angenehmeren Seiten meines kleinen Abenteuers zu beschäftigen. Es ist erstaunlich, daß noch keine Handelskammer, kein Reisebüro auf die Idee gekommen ist, die Gletscherspalte geschäftlich auszubeuten. Man könnte ein hübsches Stück Geld dafür verlangen, Leute hier herunterzulassen und ihnen all die glitzernde Schönheit zu zeigen. Nie im Leben habe ich etwas Aufregenderes gesehen als diesen kristallenen Abgrund, in den ich zu meinem Glück gefallen bin. Das ist etwas, was man nicht in Holz schnitzen kann, Mädel, Walt Disney könnte vielleicht etwas daraus machen . . .

Durch und durch fröstelnd, machte Marion es sich bequem und setzte ihre Füllfeder in Betrieb.

»Liebe Clara«, schrieb sie, »wundere Dich nicht, wenn Du einen Brief bekommst, der auf einem zwar höchst hygienischen, aber nicht sehr poetischen Toilettenpapier geschrieben ist. Ich gehe nie ohne einen kleinen Vorrat dieses nützlichen Behelfs in die Berge, und jetzt kommt es mir recht gelegen. Ich bin in eine Gletscherspalte gerutscht und muß warten, bis mich eine Rettungsmannschaft herauszieht. Ich würde Dir gern eine Ansichtskarte von hier schicken, mit all den blauen und grünen Märchenkristallen — aber alles, was ich habe, ist dieses Toilettenpapier. Das Leben ist, wie Du weißt, eine Kette von Kompromissen, und wir haben uns schon vor langem darüber geeinigt, daß es etwas Hundertprozentiges nicht gibt. Wo ich sitze, ist es hübsch und bequem, nur etwas kühl. Ich denke an Dich und frage mich, was Du wohl in diesem Augenblick machst, meine geliebte Clara. Knetest Du gerade eine dicke Dame aus der Park Avenue zurecht? Oder liegst Du vielleicht gerade auf Deiner Couch, die so groß ist wie ein ausgewachsenes Wohnzelt und voller Kram wie ein altmodischer Salon?

Ich habe eben an die Zeit gedacht, in der wir zuletzt beisammen waren. Damals lebte John noch, war aber nach Albany gefahren, und wir zwei waren auf dem Heimweg von irgendeiner langweiligen Gesellschaft. Wir hatten beschlossen, noch ein bißchen durch den Park zu bummeln und frische Luft zu schnappen, ehe wir nach Hause gingen und uns zu Bett legten. Die Gardenien, die wir uns angesteckt hatten, waren verwelkt; sie waren noch nicht braun, hatten aber schon die Farbe von zerlassener Butter angenommen. ›Mit denen ist es auch schon vorbei wie mit uns beiden‹, sagte ich, und Du sagtest: ›Ja, aber jetzt riechen sie erst richtig gut.‹ Ich weiß nicht mehr, wie spät es war — ich glaube, es war zwischen fünf und sechs Uhr morgens, denn wir waren vorher noch auf einen Imbiß bei ›Childs‹ eingekehrt. Es war ein frostiger Morgen, die Straßen waren still und fast menschenleer, und als wir zum Park kamen, begannen die höchsten Stockwerke der Wolkenkratzer rosig und perlmuttfarben zu leuchten. Mitten auf der Straße hatte ich etwas gesehen, was mich interessierte, ich ließ Dich auf dem Bürgersteig stehen und ging hinüber, um nachzuschauen, was es war. Ich traute kaum meinen Augen — aber es war wirklich wahr: hier, mitten auf der Straße, lag ein Häufchen Pferdeäpfel, noch warm, und darüber schwebte in der eiskalten Luft ein weißes Dampfwölkchen. Ich winkte Dir, und Du kamst herbei, um zu sehen, was ich gefunden hatte. ›Hübsch, nicht wahr?‹ sagte ich. Und Du sahst es ebenso entzückt an wie ich und sagtest: ›Ein Wunder in Manhattan! Wie mag das wohl hierhergekommen sein?‹ ›Vielleicht hat es das Pferd eines Milchwagens fallen lassen‹, mutmaßte ich zögernd. Und Du sagtest: ›Es ist jedenfalls wunderbar, nicht wahr? Der Geruch — erinnert er Dich nicht an hundert schöne Dinge? Und die Farbe — wie Gold.‹

›Ja, und etwas später werden die Spatzen kommen, werden ein paar Körner herauspicken, und es wird einen Run auf Pferdeäpfel geben — sozusagen ein Spatzen-Klondike.‹

›Das macht den Morgen vollkommen‹, sagtest Du. Und ich sagte: ›Es lebt — das ist das Geheimnis.‹ Und dann gingen wir heim und machten uns Kaffee, Speck und Toast.

Siehst Du, Clara, wir hatten beide unsere Sorgen und unsere Freuden, mit Männern, mit unserm Beruf, mit unserm Leben. Aber Du, Du bist die einzige, die es versteht, mit mir das Entzücken über ein Häufchen Pferdemist zu teilen, das wir unterwegs fanden, die einzige, die alles von mir weiß, ohne daß ich ein Wort sage.

Ich wollte, Du wärst jetzt hier bei mir. Es würde Dir hier unten gefallen, und es wäre doppelt so lustig, wenn wir zusammen darüber lachen könnten. Ich brauche Dir nicht zu sagen, was ich fühle. Es wäre dumm, wenn Du *diesen Brief jemals bekommen solltest. Aber wenn Du ihn bekommst, mein zorniger Engel, so wirst Du alles wissen, was ich nicht niederschreibe, und Du wirst alles tun, was ich von Dir erwarte, ohne daß ich Dich darum bitte.«*

Marion faltete den Brief zusammen und steckte ihn in den Rucksack; die Füllfeder behielt sie in der Hand und spielte damit. Wer hat behauptet, daß wir keine Fortschritte machen? dachte sie heiter. Wenn Nofretete im alten Ägypten ihrem Gemahl, der auf einem Feldzug in seinen Kolonien war, einen Liebesbrief schicken wollte, mußte sie den Text in Ziegelsteine ritzen, und der Bote mußte ein paar Tonnen Korrespondenz durch ganz Ägypten schleppen. Na, und Moses mußte die Zehn Gebote in Steinblöcke meißeln. Luther schrieb seine Bibel mit einem riesigen Federkiel, und als ihm der Teufel erschien, warf er das Tintenfaß nach ihm. Und nun seht euch dieses vollendete kleine Wunder an — eine Füllfeder. Als ich ein Kind war, gab es keine Füllfedern, keine Schreibmaschinen, kein Grammophon, kein Kino, kein Radio, keine Flugzeuge, keine Autos, keine Dieselmotoren. Keinen Tiefdruck, keine Kunstseide, keine Luftschutzkeller, keine Verdunklung, keine Tanks und kein Giftgas. Keine Jazzkapelle und keine Atomzertrümmerung. Dies nicht und das nicht. Alles in allem waren diese letzten vierzig Jahre gedrängt voll, und es ist kein Wunder, daß die Mesnchen sich ab und zu aneinander stoßen. Vierzig Jahre. Meine Generation. Meine Epoche. Besser gesagt: meine Epochen — denn es kommt mir vor, als hätte ich neun Leben gehabt, wie die Katze im Sprichwort. Eine Menge Fortschritte, eine Menge Sorgen. Und wohin hat mich das alles gebracht? Ich sitze in einer Gletscherspalte und weiß nicht, wie, zum Teufel, ich wieder hinauskommen soll. Aber ich habe eine Füllfeder und ein automatisches Feuerzeug.

Keine üble Bilanz, was Marion, Mädel?

März 1939. Der erste Abend in Staufen, der Abend, an dem ich Christopher kennenlernte . . .

Es war ein Abend, so eng und finster, als wäre das ganze Dorf in eine Nußschale eingeschlossen. In Mexiko schnitzen sie derartige kleine naive Landschaften in Nußschalen, mit Häuschen und Bäumchen und zwei mexikanischen Flöhen, die in ihren Sonntagskleidern zur Kirche gehen. Ich kam mir selber nicht größer vor als ein Floh, als ich auf die Veranda hinausging, um zu weinen. Stundenlang hatte ich die Tränen mit mir herumgetragen, fühlte mich wie eine leckende alte Wärmflasche, und hatte Angst, ich könnte zu tröpfeln anfangen, bevor Michael eingeschlafen war.

Wir waren mittags mit dem Autobus angekommen, der uns am Bahnhof abgeholt und nach dem Hotel gebracht hatte, dem einzigen anständigen Hotel in Staufen außer dem riesigen Sanatorium für Lungenkranke am Südufer. Nachmittags waren wir nach dem Häuschen gewandert, in dem Dr. Konrad jetzt lebte. Er hatte Michaels Augen gründlich untersucht. Dann war ich mit Michael am Seeufer entlang nach dem Hotel gegangen, hatte mit ihm in dem schön getäfelten Speisesaal zu Abend gegessen, wobei ich ihm immer unauffällig Teller, Salzfaß, Gabel und Löffel in die Hand schob, wie es mir zur Gewohnheit geworden war. Die Bergluft hatte ihn gesprächig gemacht, fast geschwätzig, und er bemühte sich sofort auf komische Art, das Schwyzerdütsch der Kellnerinnen nachzumachen. Er sprach so viel und lachte so laut, daß die Leute an den anderen Tischen sich verstohlen umsahen und uns Neulinge mit der kühlen Ablehnung maßen, die die älteren Gäste immer den neuangekommenen gegenüber an den Tag legen. Ich hatte große Mühe, das Zittern in meiner Stimme zu verbergen und zu verhindern, daß die tränenreiche Wärmflasche auslief. Michael war entsetzlich hellhörig geworden, ich mußte ununterbrochen auf der Hut sein.

»Nun, was hat das alte Stinktier Konrad erzählt?«

»Oh, er schien mit dir ganz zufrieden zu sein. Du weißt ja, wie sehr er davon überzeugt ist, solche Störungen heilen zu können.«

»So?«

»Bestimmt. Er sagte mir, er habe sein Tubocolin wesentlich verbessert.«

»Er hat sich sehr verändert, nicht wahr?«

»Was willst du damit sagen — verändert?« fragte ich, denn ich war nicht sicher, ob Michael hatte sehen können, wie sie Dr. Konrads Gesicht zugerichtet hatten. Man hatte ihm die Kinnlade zerschmettert, die Oberlippe war zurückgeschoben und legte seine neuen falschen Zähne bloß, und das gab ihm einen interessierten, aber bösartigen Ausdruck. Diesen Ausdruck hatte ich schon früher einmal gesehen — bei dem Rhesusäffchen in Apfels Schlafzimmer.

»Also — vor allem riecht er anders — reinlich und beinahe angenehm. Und dann — hast du's nicht bemerkt? — er spricht jetzt gerne. Erinnerst du dich, daß er immer schweigsam war wie eine Auster? Jetzt ist er gar nicht mehr zu halten, wenn er einmal ins Erzählen kommt.«

»Ich glaube, im Konzentrationslager durften sie nicht viel sprechen. Jetzt, wo er wieder frei ist, will er sich wohl dafür entschädigen.«

»Ich hoffe, es ist nicht bloß leeres Gerede. Ich hoffe, er kann wirklich etwas mehr für mich tun, als man in Amerika für mich getan hat.«

»Deswegen sind wir ja hier, Milchi, nicht wahr? Du weißt, was er verlangt: Vertrauen und un-be-ding-ten Gehorsam.«

»Okay, Frau Lehrerin, ich vertraue und gehorche. Aber zwing mich heut abend nicht, noch ein Glas Milch zu trinken — sonst platze ich.«

Ich weiß nicht, warum ein Mann, der Milch trinkt, Frauen immer so rührend vorkommt. Es muß etwas mit dem höchst weiblichen Mechanismus in unsern Brüsten zu tun haben. Als Milchi sich eine Stunde später in seinem Bett aufrichtete, sah ich ihm zu, wie er das Glas heiße Milch austrank, zu dem ich ihn doch noch verführt hatte: er hielt es mit beiden Händen, wie er es als kleines Kind gemacht hatte, und es fiel mir sehr schwer, nicht zu zärtlich zu werden.

»Na, gute Nacht und träum was Schönes. Du weißt ja, was man in der ersten Nacht an einem neuen Ort träumt, das geht in Erfüllung«, sagte ich und stopfte ihm das Deckbett gut ein. Ich hätte es nicht sagen sollen, denn es gab der leckenden Wärmflasche den Rest. Michael faßte meine Hand und zog mich nahe zu sich heran.

»Warum quälst du dich so?« sagte er zärtlich. »Du brauchst mir doch nichts vorzumachen, Mony. Das kränkt mich doch nur. So feige bin ich doch nicht. Wenn ich blind werden soll, ist es für mich viel besser, wenn ich es weiß. Ich muß mich gut mit allem versehen, solange es noch Zeit ist. Du weißt doch, was der gute alte Shakespeare sagt: ›Dulden muß der Mensch sein Scheiden aus der Welt wie seine Ankunft: Bereit sein ist alles.‹«

Sobald Milchi eingeschlafen war, schlüpfte ich in den alten Waschbärenpelz, den ich von New York mitgebracht hatte, und ging auf die Veranda hinaus, die die ganze Front des Gasthauses einnahm. Es war so dunkel, daß ich mich zum Geländer hintasten mußte. Weder die Berge jenseits des Sees noch den See selbst konnte man sehen, höchstens als ein noch tieferes Schwarz in der tiefen Schwärze der Nacht. Kein Himmel, keine Sterne, nur die tief herabhängenden Wolken, die das Dorf in eine samtgefütterte Schachtel einschlossen. Alle Geräusche waren erstickt, und die Lichter in den Fenstern des Dorfes waren erloschen. Man hörte das Klirren einer Kette, ein Radio irgendwo hinten im Gasthaus, das schwache tastende Licht einer Fahrradlampe, das Zirpen einer Fahrradklingel und irgendwo ein Mädchenlachen. Die Wolken waren noch tiefer herabgesunken, und nun lag ganz Staufen weich darin eingehüllt.

Das Holz des Geländers fühlte sich ziemlich feucht an, und eine prickelnde Nässe besprühte mir Haar und Gesicht. Ich fühlte mich klein und überaus einsam und verloren. Ich kuschelte mich tiefer in den Pelz – das einzige, was ich von John übrigbehalten hatte –, und dann weinte ich.

Mein Lebtag habe ich Menschen beneidet, die leicht weinen können. Es ist, als schickte man sein Herz in die Wäscherei und bekäme es rein, frisch gestärkt und gebügelt wieder. Aber ich gehöre zu der unglücklichen Sorte, die nur schwer weint, die einen Kloß in der Kehle hat, kalte, steife Hände, Frostschauer den Rücken hinunter und überall kleine Dolchstiche – aber keine Tränen. Zum letztenmal hatte ich geweint, als John mich damals in Wien mit seiner Ankunft überrascht hatte. Und als ich an diesen Tag zurückdachte, mußte ich noch mehr weinen.

Ich hatte nicht geweint, als Miß Crump mich vom Büro aus anrief und mir in wildestem Schmerzausbruch mitteilte, daß John – »ich habe es Ihnen ja immer schon prophezeit« – daß John einen Schlaganfall bekommen hatte und mit der Ambulanz ins Krankenhaus gebracht worden war. Ich hatte nicht geweint, als sich ein presbyterianischer Reverend, der wie ein alter Schmierenkomödiant aussah, bei der gräßlich auf Frohsinn dekorierten Leichenfeier die Lunge aus dem Leibe redete, um uns zum Weinen zu bringen; auch nicht, als man mich aufforderte, von John den letzten Abschied zu nehmen – man hatte ihn mit Fettstift und Schminke so niedlich hergerichtet, daß er in seinem Sarg aussah wie eine ungeheuer große lächelnde Puppe, die ich noch nie in meinem Leben gesehen hatte. Ich hatte nicht geweint, als die Musik spielte und der Sarg unter seiner Blumenlast langsam in den Fußboden des Krematoriums hineinsank – mit jener übermechanisierten Vollkommenheit, die die amerikanischen Leichenbestattungen so unmenschlich macht. Nicht als Johns Testament verlesen wurde und der gesegnete ›trust fund‹ in Aktion trat, nicht als ich Johns Schreibtisch aufräumte und alle Briefe wiederfand, die ich ihm in den Jahren vor unsrer Verheiratung geschrieben hatte, zusammen mit der Rechnung für das Appartement, das er damals im ›Hôtel Savoy‹ für mich genommen hatte, sowie zwei Speisekarten, offenbar von Lokalen, in denen wir einmal miteinander gegessen hatten. Ich war eine höchst anständige und gar nicht aufgeregte Schwiegermutter in einem dunkelroten Kleid bei Martins Trauung; und als Johnnie nach China fuhr, »um zu sehen, was in Tschungking los ist«, habe ich ihm und seinen Freunden ein nettes kleines Abschiedsessen gegeben und ihm adieu gesagt, ohne meine Haltung zu verlieren . . . Jetzt aber, allein in dieser stillen, finstren, abweisenden Nacht, eingehüllt in Johns uralten Waschbärenpelz, geklammert an das feuchte Geländer dieser fremden Veranda, jetzt brachen die Deiche, und ich weinte.

Ich weinte lange und ausgiebig, und je länger ich weinte, desto mehr genoß ich es. Ich hörte mich schluchzen und stöhnen, und es erleichterte mich sehr, mich endlich einmal gehenzulassen. Ich legte meine Arme um einen der feuchten Pfosten, die das Dach der Veranda trugen, lehnte meine Stirn dagegen und weinte. Ich spürte, wie das Holz vibrierte, als wäre es lebendig und empfände Mitleid mit mir, und das ließ mich noch mehr weinen. Schließlich schluchzte ich nur noch auf eine angenehme, sanfte, leichte Art, suchte mein Taschentuch und putzte mir die Nase.

Da hörte ich in der tropfenden Stille ein schwaches, kratzendes Geräusch, ganz nahe bei mir. Jemand zündete ein Streichholz an; das winzige Lichtchen flammte auf, beschrieb einen kleinen Bogen und landete bei einer Pfeife. In dieser Sekunde sah ich, daß die Veranda durch ein Geländer abgeteilt war. Jenseits des Geländers stand ein Stuhl, und auf dem Stuhl saß ein Mann. Dann war wieder alles finster. Ich hörte, wie er an seiner Pfeife sog, eine Welle von Tabaksrauch kam herüber, und dann sah ich ein schwaches Glühen. Es hob die spärliche Kontur eines Kinns und einer Backe aus dem Dunkel und war wieder fort.

Sofort hörte ich zu schluchzen auf. Ich war überzeugt, daß der Mann auf dem Stuhl sich große Mühe gegeben hatte, mir seine Anwesenheit durch das taktvollste Manöver, das er ersinnen konnte, zur Kenntnis zu bringen. Es muß für einen Mann, der ruhig auf seiner Veranda sitzt, eine verdammt peinliche Situation sein, unfreiwillig Zeuge zu werden, wie eine Frau, die er nicht kennt, einen Nervenzusammenbruch bekommt. Er hätte taktlos sein und die Veranda unter maskulin polterndem Protest verlassen können. Aber mein unsichtbarer Nachbar war nett und rücksichtsvoll gewesen — mit seiner Pfeife und den Zündhölzchen, und dafür war ich ihm unendlich dankbar. Es half mir, mit dem Weinen aufzuhören. Ich konnte ihn in der rieselnden schwarzen Stille gleichmäßig atmen hören. »Entschuldigen Sie«, sagte ich und bekam meine Stimme wieder in Gewalt. »Ich bin gar nicht so hysterisch.« — Die Finsternis räusperte sich und antwortete freundlich: »Die große Höhe reizt anfangs immer etwas die Nerven. Ich zum Beispiel hatte in der ersten Woche das dringende Bedürfnis, Geschirr kaputt zu werfen.«

»Ja, davon wird es wohl kommen«, sagte ich, indem ich nach dem Rettungsring griff, den er mir so höflich zuwarf.

»Ganz bestimmt. Zählen Sie nur mal Ihren Puls! Er ist sicherlich schneller als sonst. Stellen Sie sich vor, daß man hier oben sechs Minuten braucht, um ein Vierminutenei zu kochen.«

»Normalerweise weine ich jahrelang nicht«, sagte ich mit einem leisen Dankgefühl.

»Bitte sprechen Sie nicht mehr davon, es bringt mich in Verlegenheit.«

»Es ist sehr dunkel heute nacht, nicht wahr?« sagte ich mit einem Versuch, Konversation zu machen.

»Ja, wir bekommen morgen vielleicht Regen. Oder sogar auch Schnee. Aber für Schnee ist es doch wohl zu warm.«

»Warm? Mir kommt es wie am Nordpol vor.«

»Sie werden sich sehr rasch an das Gebirgsklima gewöhnen. Nächste Woche, wenn der Mond zunimmt, werden wir schönes Wetter haben. Letzte Woche hatten wir drei wunderschöne warme Tage. Erst gestern ist das Wetter umgeschlagen.«

Ich horchte auf die ruhige Engländerstimme. »Wie kommt es, daß die Engländer immer vom Wetter sprechen? Es hat etwas Beruhigendes.«

»Ja, wir sind schrecklich konventionell, nicht wahr?«

»Oxford?« fragte ich mit einer Anspielung auf seinen Akzent.

»Nicht ganz so schlimm; Cambridge —«, sagte die Stimme im Dunkel. Nun hatte ich schon meine Selbstbeherrschung wiedergewonnen. Nachdem ich mich leergeweint hatte, fühlte ich mich müde und entspannt. Ich grub in meiner Jackentasche nach einer Zigarette.

»Haben Sie ein Streichholz?« fragte ich in die Dunkelheit hinein. Da war wieder das reibende Geräusch, die kleine Flamme, und dann kam das kleine Flämmchen zu mir, im Schutz einer hohlen Hand, die davon ganz durchscheinend wurde. Wie diese Hand das Flämmchen behütete, konnte ich beim Anzünden meiner Zigarette die Knochen und Adern sehen. Als ich die Augen hob, sah ich eine Sekunde lang sein Gesicht, matt schimmernd in der Finsternis, die uns umgab. Er trug eine Brille, deren Gläser aufleuchteten. Die Augen dahinter sahen mich mit dem angestrengten, konzentrierten Blick an, der für Kurzsichtige charakteristisch ist. »Danke«, sagte ich und blies das Streichholz aus. Dann war wieder Finsternis, und wir waren darin, ganz nah beieinander, ganz fremd, ganz isoliert von der übrigen Welt. Der Rauch seiner Pfeife und der Rauch meiner Zigarette mischten ihr Aroma, und eine kurze Weile schwiegen wir. Dann hörte ich, wie er aufstand.

»Also — gute Nacht —«, sagte er. »Hoffentlich fühlen Sie sich morgen besser.« — »Gehen Sie doch noch nicht!« sagte ich. »Ich meine — es würde mir das Gefühl geben, Sie von Ihrer Veranda vertrieben zu haben, wenn Sie jetzt gehen. Sie wollten in Frieden Ihre Pfeife rauchen, und ich habe es Ihnen mit meiner dummen Heulerei verdorben.«

»Schön — wenn Sie noch ein bißchen plaudern wollen —«, sagte er vortastend. Ich fühlte mehr, als ich sah, daß er sich an das Geländer gelehnt hatte, das zwischen uns war. Eine schwache Wärme kam von seinem Körper zu mir herüber und der Geruch nassen Wollstoffes: Schafe im Regen. Er war viel größer als ich.

»Jetzt habe ich mich an die Dunkelheit gewöhnt. Ich fange an, zu sehen —«, sagte ich. Ich angelte nach meinem Stuhl und setzte mich, worauf auch er sich höflich niederließ.

»Sind Sie schon früher einmal in diesem Teil der Schweiz gewesen?« fragte er in dem erneuten Bestreben, Konversation zu machen. »Es ist hier das ganze Jahr sehr schön. Das heißt — wenn Sie die Berge lieben.«

»Und Sie?«

»Bitte? Ja, ich liebe sie. Es sind meine besten Freunde.«

»Es muß ein angenehmes Gefühl sein, so große, starke Freunde zu haben.« — »Laufen Sie gern Ski?« — »O ja, sehr.«

»Dann wird es Ihnen hier gefallen. Wir haben gutes Skiwetter bis weit in den Mai. Auf dem Kees droben können wir fast das ganze Jahr Ski laufen.« Er zeigte in den Nebel, der wie ein dicker wattierter Vorhang um das Haus hing. »Zu dumm, daß man heute nacht die Berge nicht sehen kann. Sie sind wunderbar. Das Kees ist der niedrige Berg hinter dem See. Man muß über den Paß und dann den Gletscher überschreiten, um auf das Grauhorn zu gelangen — das ist der hohe Berg dahinter. Sieben Gletscher gibt es in dieser Gegend, aber der Grauhorngletscher ist der schönste. Er hat die Form eines Ahornblattes mit fünf Spitzen, die über die Bergflanke herunterlaufen. Sie werden ihn lieben, wenn Sie die Berge lieben.«

»Sie sprechen von ihm, als ob er ein Mensch wäre.«

»Mir kommt er wie ein Mensch vor — ein großer, harter, schöner, gefährlicher Bursche.« — »Gefährlich?«

»Gerade jetzt hat er seine gefährliche Zeit. Lawinenwetter. Vor drei Jahren wurden zwölf Menschen von einer Lawine verschüttet, und nur vier wurden gerettet.«

»Ich habe einige Jahre in den bayrischen Alpen gelebt. Ich habe keine Angst vor den Bergen«, sagte ich. »Wenn man sie gut genug kennt, sind sie nicht gefährlich.« Es kam keine Antwort, und ich wurde mir bewußt, daß ich recht großartig daherredete, wenn man bedachte, wie ich noch vor ein paar Minuten geheult und geschluchzt hatte. »Es ist mir so unangenehm, daß ich geheult habe«, sagte ich zu meiner Verteidigung. »Aber Sie können mir glauben, daß ich guten Grund hatte, zu weinen.«

Er nahm seine Pfeife und klopfte sie auf dem Geländer aus. »Ich verstehe — es tut mir leid —«, sagte er nach einer kurzen Verlegenheitspause. Armer Christopher, wir waren einander noch gar nicht vorgestellt — wie mußt du in deiner reservierten, wohlerzogenen englischen Seele gelitten haben, als ich mein Herz zu entkleiden begann. Aber ich kam ja aus Amerika, wo die Menschen über sich selbst sprechen und am intimsten Privatleben der Nebenmenschen interessiert sind, und ich mußte reden, sonst wäre ich explodiert. Und die Nacht war dunkel und verschwiegen wie der Beichtstuhl eines katholischen Priesters — so ging ich denn aus mir heraus.

»Wissen Sie, ich habe hier einen Patienten zum Arzt gebracht, und er hat mir fast gar keine Hoffnung machen können. Deshalb habe ich geweint«, sagte ich.

»Das tut mir furchtbar leid. Aber ich habe gehört, daß man neuerdings erstaunliche Sachen auf dem Gebiet der Lungenchirurgie macht —«, sagte die Stimme im Dunkeln mit dem lahmen Versuch, mich zu trösten. (Du lieber Gott, erst heult dieses Weib wie ein Baby, und dann packt sie ihre ganze Lebensgeschichte aus! Es war wirklich eine höchst peinliche Situation, und dabei waren wir einander nicht einmal vorgestellt — denken Sie nur!)

»Es hat nichts mit der Lunge zu tun. Es sind die Augen.«

»Natürlich. Wie dumm von mir! Ich sah den jungen Mann mit der dunklen Brille, der mit Ihnen im Speisesaal saß. Und ich dachte mir: Was für ein lustiger Junge . . .«

»Ja, er trägt es ziemlich gut —«, sagte ich. Mit einemmal war die schöne Anonymität, aus der ich ins Dunkel gesprochen hatte, zerstört. Es war etwas Romantisches und Geheimnisvolles gewesen mit meinem unsichtbaren Nachbarn. Eine ruhige, weiche Stimme, eine lange, knochige Hand, die in ihrer durchscheinenden Höhlung ein Flämmchen behütet hatte. Und nun blieb von allem nur ein durchschnittlicher, banaler junger Engländer übrig, wie sie zu Hunderten die Speisesäle aller Schweizer Hotels bevölkern und hochmütig die neuangekommenen Gäste mustern.

»Ich bin Mrs. Sprague«, sagte ich, zu glatter Korrektheit zurückkehrend. »Ich habe die Reise von New York hierher gemacht, um Dr. Konrad aufzusuchen. Aber es scheint, ich hätte ebensogut drüben bleiben können.«

»How do you do, Mrs. Sprague. Mein Name ist Christopher Lankersham.«

»How do you do, Mister Lankersham.«

Ich drückte meine Zigarette auf dem nassen Geländer aus, das mit einem schwachen Zischen antwortete, und behielt den Stummel zwischen den Fingern. Die Finsternis hatte sich ein wenig zu lichten begonnen; auf der fernen Landstraße wurde ein Auto hörbar, das sich mühsam im zweiten Gang die Steigung heraufarbeitete.

»Vor einem Jahr war Doktor Konrad noch ganz zuversichtlich, daß er das Übel heilen oder doch wenigstens zum Stillstand bringen könnte. Heute hat er mir so gut wie gar keine Hoffnung gegeben«, sagte ich. Ich wußte, es war kein guter Stil, seine Sorge mitzuteilen — aber es erleichterte mich riesig.

»Doktor Konrad — ist das der kleine Einsiedler, der im Haus des alten Hammelin wohnt? Man sagt, er sei ein großer Gelehrter. Die Nazis hätten ihn gefangengehalten. Er ist erst seit kurzem hier, nicht wahr?«

»Ja, wir haben fast ein Jahr gebraucht, ihn freizukriegen. Wir hatten gehofft, er würde nach den Vereinigten Staaten kommen, aber er hat nicht genug Courage dazu. Er will nicht all die erforderlichen Prüfungen machen und um eine Position kämpfen müssen. Auch fürchtet er, die Sprache nicht mehr zu lernen. Er kommt mir vor wie ein Mann mit gebrochenem Rückgrat. Er will nichts andres, als sich verstecken, in Ruhe gelassen werden und seinen Forschungen leben.«

»Kann man ja verstehen, nicht wahr?«

»Ja, sicherlich. Nur — Resignation ist eben nicht mein Leibgericht. Ich bin hierhergekommen, um für Michaels Augenlicht zu kämpfen. Ich hatte auf Doktor Konrad gerechnet und gehofft, er werde mir helfen, den Kampf zu gewinnen, aber er macht einen schlappen Eindruck, wie ein Luftballon, aus dem die Luft entwichen ist. Es ist grauenvoll, was man den Menschen in diesen Konzentrationslagern antut.«

»Wenn Sie gern kämpfen, hätten Sie nicht nach Staufen kommen sollen, Mrs. Sprague.«

»Weshalb nicht?«

»Das ist ein Ort für Drückeberger. Wußten Sie das nicht?«

»Sind Sie ein Drückeberger?« fragte ich, und im selben Augenblick tat es mir leid, indiskret gewesen zu sein.

»Nun — ja! Ja, ich fürchte, auch ich bin in einem gewissen Sinn ein Drückeberger. Ich versuche mich von der unbestimmten Krankheit zu drücken, die man ›Inselangst‹ nennt. Ich konnte es nicht mehr aushalten, in England zu leben. Ist auch kein Wunder! Beim bloßen Anblick eines Regenschirmes wurde mir schlecht.«

»My country, right or wrong —«, sagte ich und lächelte in die Richtung, aus der die Stimme kam, die plötzlich zum Leben erwacht war. Es war vierzehn Tage, nachdem Hitler in Prag einmarschiert war und Chamberlains Ohnmacht sich so verhängnisvoll offenbart hatte.

»Nicht nur ›wrong‹, sondern verbrecherisch dumm. Ich versichere Ihnen, es ist mir höchst unangenehm, das Gefühl zu haben, ich müßte mich bei jedermann entschuldigen: Verzeihen Sie, ich bin ein ganz anständiger Kerl, obwohl ich Engländer bin. Ausgesprochen ekelhaft!«

»Schau'n Sie!« sagte ich. Die Wolken hatten sich geteilt, und durch das Loch sah man ein Stück Himmel, eine tiefe, klare, kristallene Schwärze, in die eine feine Mondsichel gezeichnet war, und ein paar funkelnde Sterne, größer und heller, als ich sie je gesehen hatte. Ich beobachtete, wie sich das Loch mit dem Zurückweichen der Nebelwolken erweiterte.

»Ein alter Freund von mir, der den Himmel und die Berge kannte, sagte immer, es wird nicht regnen, wenn man ein Stück klaren Himmel sehen kann, das groß genug ist, ein paar holländische Schifferhosen daraus zu machen«, sagte ich.

»Ja, so etwas Ähnliches sagen auch die Schafhirten in Schottland«, sagte Christopher. Er hatte seine Pfeife wieder gestopft und angezündet, und nun stand er auf, lehnte sich über das Geländer und schaute zum Himmel hinauf. Jetzt konnte ich ihn ganz deutlich sehen. Er war groß und mager und hatte das Gesicht eines Gebirglers. Alles darin war groß und stark: die Nase, der Mund und die tiefen Augenhöhlen hinter der Brille. Er trug keinen Mantel, sondern unter seiner groben Tweedjacke nur einen groben Sweater mit Rollkragen, obwohl die Nacht mir sehr kalt vorkam.

»Es ist, als sähe man durch dieses Loch direkt ins Weltall, nicht wahr?« sagte ich.

»Da kommt jetzt das Grauhorn heraus«, sagte er und wies mit dem Kinn in die Ferne. Langsam wurden die Nebel dünner, leuchtend, durchscheinend, und schließlich verzogen sie sich ganz. Der Gipfel des Berges stieg aus der Nacht, weiß und körperlos und mit der wunderbaren heiteren Schönheit, die einem das Herz zusammenschnürt.

»Sehr hübsch, nicht?« sagte Christopher mit dem englischen Talent, große

Worte zu vermeiden. Ich hatte das Gefühl, der Berg habe etwas von jenen letzten Dingen, die Beethoven in den Schlußsätzen seiner Sinfonien ausdrücken wollte, ohne diesen Ausdruck in höchster Vollkommenheit zu erreichen. Aber so etwas kann man einem kühlen jungen Engländer, den man eben erst kennengelernt hat, nicht sagen.

»Ich muß ihm bald einmal einen Besuch abstatten«, sagte ich statt dessen.

»Das sollten Sie wirklich. Wenn das Wetter anhält — es würde mich freuen, Sie ein bißchen herumzuführen. Sie haben doch wohl Ihre Skier mitgebracht?«

»Nur ein altes Paar. Ich habe mich darauf verlassen, mich hier oben ausstatten zu können.«

»Wenn nicht, dann können Sie jederzeit mit der Bahn nach Arlingen fahren — dort bekommen Sie alles. Staufen ist gottlob von den tüchtigen Geschäftsleuten noch nicht entdeckt worden.«

Plötzlich merkte ich, daß mir vor Müdigkeit schwindlig wurde. Mein Herz machte Geschichten, meine Ohren summten, und mein Puls muß irrsinnig schnell gegangen sein. »Jetzt spüre ich die Höhe«, sagte ich. »Auf einmal hat sie mich knockout geschlagen. Ich glaube, es ist höchste Zeit, daß ich zu Bett gehe.«

Ich erhob mich, den Blick noch auf den Berg gerichtet. Die Wolken hatten sich zu massigen treibenden Gebilden geformt, die über die Bergkette hinstrichen und den See mit einem weichen Laken zudeckten. Die Nacht war noch kälter geworden. Es war so still und schön, daß es einem ins Herz schnitt. Erst jetzt merkte ich, daß ich die letzten fünfzehn Minuten vergessen hatte, an Michael zu denken und unglücklich zu sein. »Schönen Dank, daß Sie mir Gesellschaft geleistet haben —«, sagte ich.

»Schönen Dank, daß Sie es mir gestattet haben —«, erwiderte er. Ich streckte meine Hand über das Geländer aus, er ergriff sie. Meine Finger waren feucht, kalt und steif, die seinen waren trocken und warm. Es war eine so angenehme Hand, daß ich sie noch einen Augenblick festhielt. Wie kommt es, daß seine Hand so warm ist? dachte ich. Weil er sie in seiner Rocktasche gehalten hat, antwortete ich mir selber. Plötzlich und unerwartet überkam mich der Wunsch, meine Hand, die er bitte festhalten sollte, in seine Tasche zu kuscheln — wie es junge verliebte Leute tun, die damit eine köstliche Liebkosung erfunden zu haben glauben. Mein Wunsch war so stark, als wäre ich ein im Schneesturm verlorener Wanderer und Christophers Rocktasche ein Haus am Wege: erleuchtete Fenster, ein Dach, ein warmer, behaglicher Unterschlupf. Dann nahm ich meine einsame, kalte Hand und trug sie in mein Schlafzimmer, wo es auch kalt war.

In dieser Nacht träumte mir, ich sei ein Vierminutenei, und ich sagte: Du mußt noch viel länger kochen, ich bin noch nicht warm; und Dr. Konrad sagte: Es liegt an der Höhe; und Michael sagte: Jetzt kann ich durch ein Loch ins Weltall blicken. Und im Traum war mir bewußt, daß mir etwas Schönes widerfahren war — aber was? Darauf konnte ich mich nicht besinnen.

14. Juni 1940. Ich, Marion, sitze in einer Gletscherspalte der Walliser Alpen und lasse mein Leben an mir vorüberziehen. Ich erinnere mich an das Knakken der Türklinke in meinem Elternhaus in Wien, erinnere mich daran, wie sich das Treppengeländer im Gasthof ›Zum Paradies‹ anfühlte, erinnere mich an den Geruch unsrer Wohnung in Hahnenstadt. Ich erinnere mich an Millionen solcher unbedeutender Dinge, die schon lange zurückliegen. Aber wenn ich an dieses letzte Jahr denke, so fallen mir nur Bruchstücke eines Gesprächs ein, das Vibrieren einer Stimme, die Form und das Ziehen einer Wolke, die Verwirrung einer Welt, die noch immer verworren ist. Diese Monate zwischen der Vergewaltigung der Tschechoslowakei und dem Ausbruch des Krieges sind für mich in ein seltsames Zwielicht getaucht, in dem alles verschwimmt und nichts zu fassen ist. Ich erinnere mich, daß die Menschen in Amerika hysterisch waren und die Menschen in Europa ruhig und sachlich. Und wenn schon? sagten sie. Wir haben schon mehr Kriege durchgemacht, und wir werden auch noch einen Krieg durchmachen. Ich erinnere mich, daß wir an Bord des französischen Dampfers, auf dem wir nach Europa fuhren, riesige Kisten mitführten und daß die Mannschaft sagte, es seien Flugzeuge für Frankreich; dann entstand ein Gerücht, es seien deutsche Spione an Bord, und ein paar Wochen später las ich in den Zeitungen, daß das Schiff am Kai in Brand geraten und zerstört worden war. Ich erinnere mich, daß ich mit dem Ersten Offizier auf dem durchleuchteten Glasboden dieses Schiffes getanzt hatte und daß uns plötzlich ein Mann, dessen Name ich nicht kannte, anhielt und mit blassem Gesicht auf französisch sagte: »Die Deutschen sind in Prag einmarschiert!« Ich erinnere mich an die Witze, die alle über Hitler und die Nazis machten, und wie alle auf den Pariser Boulevards und in den Londoner Parks sagten, man müsse diesem Burschen endlich Einhalt gebieten. Noch war die Maginotlinie unüberwindlich, die französische Armee unbesiegbar. Holland konnte innerhalb weniger Stunden unter Wasser gesetzt werden, wobei eine deutsche Invasionsarmee ersaufen würde. Im Hyde-Park baute man Schützengräben und experimentierte mit lächerlich kleinen Luftschutzbunkern. Jeder Mann, jede Frau, jedes Kind wußte, daß der Krieg kommen würde, aber niemand wußte, wann und wie und welches Gesicht er diesmal haben würde. Keiner wollte den Krieg, aber niemand wußte, wie man ihn verhindern könnte. Wir rasten eben mit versagenden Bremsen eine steile Straße hinunter und starrten entsetzt auf die letzte Kurve, an der es zur Katastrophe kommen mußte.

Und während all das in der Welt vor sich ging, verliebte ich mich in einen Jungen, der fünfzehn Jahre jünger war als ich. Wenn es etwas Ergreifenderes gibt als die erste Liebe, so ist es die letzte. Wenn man sich das erstemal verliebt, ist man wehrlos — alles ist einmalig, absolut und unvergleichlich. Keine Erfahrung sagt uns warnend, daß die Liebe in jedem Fall ein zerbrechliches Ding ist. In der ersten Liebe gibt es keinen Schatten des Mißtrauens — nicht gegen uns selbst, nicht gegen den Liebhaber und vor allem nicht gegen die Liebe. Sich aber zum letztenmal zu verlieben ist eine bittere Freude. Ich wußte zu viel, ich kannte Anfang, Höhepunkt und Ende — und ich wollte das alles nicht. Leidenschaft ist eine unordentliche Angelegenheit, immer, und sie steht einem besonders schlecht, wenn man über Vierzig ist. Jeden Morgen, jeden Abend, jede Nacht sagte ich mir: Ich weiß es. Und doch flüsterte und sang das drängende Sehnen: Nur noch ein einzigesmal, zum letzten-, allerletztenmal in diese heiße, schmerzliche, selige Verwirrung hinabtauchen! Ich ging nie gern nach Hause, bevor das Feuerwerk zu Ende war und die letzte einsame Rakete in den mitternächtlich blauen Himmel hinaufgeschossen war, explodiert und gestorben in einer Kaskade leuchtender, wundervoller Talmisterne. Solange ich denken kann, war ich immer verliebt gewesen, von der Zeit an, da ich vier Jahre alt war und auf dem oh so männlichen Schoß des hübschen Gardesoldaten August saß. Und so war ich beinahe dankbar, als ich mich zum letztenmal verliebte, denn es stimmte mit meinem Lebensstil überein und gab mir das Gefühl, daß ich noch lebte, und übrigens brauchte es ja niemand zu wissen. Ich habe auf Kuba Tänzerinnen gesehen, die während der wildesten Bewegungen ein volles Glas Wasser auf ihrem Kopf balancierten, ohne einen Tropfen davon zu verschütten. Ähnlich war es mit mir, als ich meine närrische Liebe durch diese Monate trug, immer bemüht, nichts zu verschütten.

»Gestern habe ich Ihren kleinen Bruder kennengelernt«, sagte Christopher, als wir uns in der Nähe der Mühle trafen, wo ich mir eine Wohnung angesehen hatte. »Wir haben uns gegenseitig auf der Veranda unsre Grammophonplatten vorgespielt. Es war ein sehr hübsches Nachmittagskonzert.«

»Ja, Michael hat mir davon erzählt. Vielen Dank, daß Sie ihm Gesellschaft geleistet haben. Er war sehr glücklich darüber.«

»Er ist ein furchtbar netter Junge, Ihr Bruder.«

Ich errötete, ärgerte mich über mich selbst und errötete noch mehr. »Es ist nicht mein Bruder, es ist mein Sohn. Mein jüngerer Sohn«, sagte ich.

»Ach so«, sagte Christopher. »Das hätte ich nicht gedacht. Sie müssen sehr jung geheiratet haben.«

»Ich kann nicht gerade behaupten, daß ich mit dreizehn Jahren verführt wurde«, sagte ich.

Christopher war, Gott sei Dank, nicht schockiert, sondern lachte leise. Wir sahen einander an und lachten beide. Es war das erstemal, daß ich ihm im vollen Tageslicht begegnete. Plötzlich schien die Sonne schrecklich hell, und ich spürte jede Runzel meines Gesichts wie eine tiefe Schlucht. Ich kam mir vor wie irgend etwas Vermodertes unter dem Mikroskop. Wenn er bloß keine Brille trüge, dachte ich.

»Michael hat mir erzählt, daß Sie ein Haus suchen. Haben Sie etwas gefunden? Ich fürchte, die Auswahl in Staufen ist nicht groß.«

»Ich wollte gerade auf den Hügel gehen, um mir das Haus anzusehen, aus dem die beiden Italiener ausgezogen sind. In der Mühle habe ich mir den Schlüssel geholt.«

»Haben Sie etwas dagegen, wenn ich mitzottle?« sagte Christopher.

Nein, ich hatte wirklich nichts dagegen, und wir gingen miteinander den Hügel hinauf.

Wir sind immer herrlich miteinander gewandert, nicht wahr, Chris, Liebster? Auf diesem ersten Weg sprachen wir nicht viel, wir gingen nur so dahin und gingen und fühlten uns wohl. Nach einer Weile sahst du auf mich herunter, lächeltest, die Pfeife zwischen die Zähne geklemmt, und sagtest: »Haben Sie auf Weitstreckenlauf trainiert?«

»Nein, nie«, sagte ich überrascht. »Wieso?«

»Gewöhnlich sind meine Beine ein paar Meter zu lang, wenn ich mit einer Dame gehe — bei Ihnen aber nicht. Sie gehen wie ein Mann.«

»Ja, ich weiß. Das hat schon meine Mutter ganz unglücklich gemacht, als ich noch ein kleines Mädel war«, sagte ich.

»Sobald wir sicheres Wetter haben, müssen wir zur Arlihütte hinaufgehen«, sagtest du. Es war ein Versprechen, das ich mit mir nach Hause trug, das ich eingrub, als wäre es ein glänzender Goldklumpen, das ich wieder ausgrub, um es anzuschauen und zu putzen, und das ich mit ins Bett nahm, wie Michael früher sein Häschen Nibbel mit den roten Augen mit ins Bett genommen hatte.

Du sahst dir mit mir das Haus an und halfst mir bei den Mietformalitäten. Du gingst mit mir zum Dorfschreiner und erklärtest ihm, was für Möbel er mir machen sollte. Du nahmst mich auf die Berge mit, du besuchtest uns jeden Tag, du machtest uns diesen abgeschiedenen Winkel der Welt zur Heimat, und du wurdest Michaels erster wirklicher Freund.

Gerade damals brauchte Michael einen Freund. Er mußte sich damit abfinden, blind zu werden. Sich abfinden ohne Resignation — das Schwerste, was es gibt. In diesen Monaten mußte er sich von innen heraus starke Grundlagen schaffen, mußte Gebiete seiner Seele entwickeln, die bisher brachgelegen hatten, mußte den Schatten von der Substanz sondern — so hast du es genannt, Chris: den Schatten von der Substanz sondern — und lernen, glücklich und nützlich zu sein, trotz alledem!

»Wäre das nicht ein gutes Motto für das Wappen deiner Mutter: ›Trotz alledem!‹?« hörte ich Chris zu Michael sagen. »Du hast das Glück, ihr Sohn zu sein. Ob du willst oder nicht, du hast einfach etwas von ihrem Talent geerbt, sich des Lebens zu freuen. Das ist sehr ansteckend.«

Michael lag, wie jeden Abend, auf seinem Liegestuhl, und Chris leistete ihm Gesellschaft. Ich hörte nicht, was Michael antwortete, da ich gerade in die Küche hinunterging, um ihnen Kaffee zu machen und den selbstgebackenen Kuchen aufzuschneiden.

Gerade an diesem Tag hatte ich vor dem Spiegel meinen Körper geprüft, und mein Körper war bei der Prüfung durchgefallen. Es war, wenn man das Alter in Betracht zog, kein schlechter Körper. Er war kräftig und gesund — das war immerhin etwas, nicht wahr? Aber er hatte aufgehört, mir Freude und Vergnügen zu machen. Wenn man jung ist, fühlt man im Körper eine beschwingte, rein physische Freude — und die war nicht mehr da. Mein Körper gefiel mir überhaupt nicht mehr, hier eine Unebenheit, dort ein erschlaffter Muskel, Runzeln im Gesicht und nichts mehr von einer blühenden Haut. Sogar mein Nabel war nicht mehr derselbe und hatte einen schlappen, gelangweilten Ausdruck angenommen. Wenn ich mit einem Mann zusammengewesen wäre, hätte ich auf mich nicht stolz sein können.

Ich hätte mich unter einem Spitzengewand versteckt und hätte geflüstert: »Bitte, Liebster, mach das Licht aus.«

Ich weiß noch, wie eine alte Dame in Wien einmal gesagt hatte: »Siebzig Jahre sind kein Alter für eine Kathedrale, aber für eine Frau ist es ein hohes Alter.« Nun, dreiundvierzig war kein Alter für eine Frau, aber ein zu hohes Alter für eine Geliebte. Während ich den Kuchen zerschnitt, nannte ich mich selber ein abgenutztes altes Möbel und schwor mir noch einmal, ich würde mich nie, nie wieder von albernen Gemütswallungen fortreißen lassen, die nicht zur Saison paßten.

Als ich mit meinem Kuchen hinaufkam, hatten die beiden das Thema gewechselt. Christopher hatte Michael offenbar vorgelesen, wie er es täglich tat, um ihn am Weltgeschehen teilnehmen zu lassen. Er hielt den Zeigefinger zwischen den Blättern, um über eine Stelle zu diskutieren, an der er das Vorlesen unterbrochen hatte. Ich setzte das Tablett auf den Tisch in Michaels Zimmer, um unbemerkt zuhören zu können. Ich sah so gern, wie sie eifrig die Köpfe zusammensteckten. Die fernen Berge schienen mir der vollendete Hintergrund für Christophers Profil, dessen Nase und Kinn scharf vorsprangen.

». . . Man kann sich's nur so erklären, daß dieser ganze Krampf und alles Häßliche und Grausame, das mit ihm verbunden ist, nicht mehr und nicht weniger bedeutet als das Suchen nach einer neuen Religion. Denk nur, wie lange es her ist, daß eine neue Religion entstand! Darum habe ich den Verdacht, daß Nazismus und Kommunismus nur Masken religiöser Experimente sind. Es besteht kein Zweifel, daß die Ziele Hitlers, Mussolinis und Stalins auf einem viel vernünftigeren und weniger grausamen und weniger theatralischen Weg hätten erreicht werden können. Das Los der Arbeiter hätte ohne Weltrevolution verbessert werden können, Deutschland hätte seinen ›Lebensraum‹ durch friedliche Mittel erweitern können — durch die Bildung einer wohlwollenden Atmosphäre, durch Verhandlungen, ja sogar durch Kauf, wie deine Vereinigten Staaten es getan haben. Aber das hätte nicht der Anfang einer neuen Religion sein können. Religion erfordert Kreuzzüge, Inquisition, heilige Kriege. Keine einfachen Kriege um Gummi, Öl oder Gold, sondern einen heiligen Krieg, der alle übrigen Menschen zu Katholiken, Protestanten, Mohammedanern oder Nationalsozialisten machen soll. Siehst du nicht, wie vor deinen Augen eine ganze Hierarchie von Heiligen und Märtyrern geschaffen wird, mit Horst Wessel als Pontifex Maximus? Du siehst auch schon wieder Legenden entstehen. Das heilige Schwert mäht die Ungläubigen nieder, und heute in hundert Jahren wird es vielleicht Kirchen geben zur Anbetung des neuen Gottes Hitler oder Lenin. Was sie von ihren Anhängern verlangen, ist dasselbe, was alle andern Religionen verlangen: blinder Gehorsam, Armut, Selbstaufopferung. Selbständiges Denken war noch bei keiner Kirche beliebt. Und wie es sogar die katholische Kirche tut, dulden sie die Sünde des Fleisches, weil sie neue Legionen von Gläubigen hervorbringt. Hast du schon einmal die Bibel gelesen? Erinnerst du dich, wie Jehova gegen jene geeifert hat, die die jüdische Rasse durch Vermischung mit den Kindern Moabs und Baals verunreinigten? Es gibt nichts

Neues unter der Sonne, mein Junge. Erinnere mich daran, daß ich morgen die Bibel mitbringe und dir zeige, was ich meine.«

Michael antwortete nicht, aber ich sah ihm an, daß es ihm zu denken gab. Es war wohltuend zu sehen, wie diese langen Gespräche mit Chris — ganz anders als eine flache, eindimensionale Fibel für Dummköpfe — sein unreifes Weltbild änderten und ihm die verschiedenen Seiten der Dinge zeigten.

Ich nahm mein Tablett und brachte ihnen Kaffee und Kuchen auf die Veranda hinaus; später drehten wir das Radio an. Wir hörten eine Übertragung aus Paris, wo Schani Kern Beethovens Achte, Debussys ›Nuages‹ und seine eigne Konzert-Suite dirigierte. Es war seltsam, meinem alten Freund von diesem entlegenen Erdenwinkel aus zuzuhören; er kämpfte noch immer für die ›vertikale Musik‹, während ich damit zufrieden war, daß mein Kuchen gut ausgefallen war . . .

Es ist wahr, ich liebte Christopher wegen der kargen Kontur seiner Wangen, wegen seines mageren, gelenkigen Körpers, wegen seiner langfingrigen, sonngebräunten Hände. Ich liebte ihn aus all den simplen physischen Gründen, um derentwillen sich Frauen in Männer verlieben. Aber ich liebte ihn auch wegen seiner nie erlahmenden Bemühungen, Michael an allem interessiert zu halten, informiert, lebendig und zuversichtlich. Es gab sich ganz von selbst, daß er Michaels Geist in Behandlung nahm, während ich seine Finger trainierte und ihn lehrte, die Dinge zu genießen, die seine Augen nicht mehr sehen konnten. Ich brachte ihm Blumen, Früchte und die hübschesten Kieselsteine vom Seeufer. Katzen, Hunde und kleine Kinder besuchten ihn, und mitunter kam auch der alte Hammelin und ließ es sich gefallen, daß er seine zähen, haarigen, sehnigen Arme abtastete. Es gab eine Unmenge von Dingen, deren Berührung ein Vergnügen war: Gewebe, rauh und glatt, glänzend und matt, Holz, Seide, Glas und Blätter. Und jedes Blatt hatte wieder seine besondere Struktur. Das eine war flaumig, das andere glatt wie Satin, eins wieder leicht klebrig und ein andres weich und warm wie das feinste Leder. Ich schnitzte auch allerlei für ihn, erst einfache Formen, dann nach und nach kompliziertere, und ließ ihn raten, was es war. Sollte ich hier jemals herauskommen, wüßte ich, was ich täte: ich würde eine systematische Formenreihe für Blindenunterricht ausarbeiten und schnitzen . . .

Gemeinsam bastelten wir mit Plastilin und Ton — ich hatte mir das Material aus Zürich kommen lassen —, und schließlich stürzten wir uns in das Studium der Blindenschrift. Dr. Konrad beschaffte uns einige Lehrbücher für Anfänger zum Selbstunterricht — deutsch und englisch. Erst war es eine harte Arbeit, aber bald hatten wir den Kniff heraus. Der Tag, an dem Michael sein erstes Lesestück in riesigen kindlichen Lettern entzifferte — es war zufällig die Gettysburger Ansprache Lincolns —, war die Krönung unsrer Arbeit.

Unsere Nachmittagskonzerte waren zu einer stehenden Einrichtung geworden. Oft kamen die Kinder aus der Mühle und hörten zu; sie liebten Michael, weil er ihnen stundenlang seine Späße vormachte. Er lehrte sie Lieder und tauschte amerikanischen Slang gegen Schwyzerdütsch aus. Seine Gabe, alles, was er hörte, zu imitieren, blühte wie noch nie. Nach und nach hatte er ein ganzes Programm ausgearbeitet. Wie er Dr. Konrads hinge-mummelte Orakelbruchstücke nachmachte und das Radio imitierte, komplett mit Störungen und dem deutsch-französisch-italienischen Gebrabbel, das die schweizerischen Stationen aussandten — das war wirklich sehr drollig. Wenn er dann noch eine Hitlerrede täuschend wiedergab, war das für mich nicht nur amüsant, vielmehr zeigte es mir auch, daß er jetzt endlich gelernt hatte, über Hitlers Reden und Gedanken zu lachen. Und ich wußte, daß ich dies Christopher zu verdanken hatte. Als ich an diesem Abend Christopher gute Nacht sagte, ergriff ich seine Hand. Gewöhnlich hielt ich die Hände auf dem Rücken verschränkt, wenn wir unter der Haustür noch ein paar Minuten plauderten. Der elektrische Schlag, den ich in dem Augenblick empfing, als sich unsre Handflächen berührten, war noch stärker, als ich gefürchtet hatte. Mitten in jeder Handfläche sitzt etwas wie ein kleines Herz, mit seinem eige-nen Schlag und mit seiner eigenen Empfindsamkeit. Christopher hielt meine Hand fest und sah mich mit einem seltsam neugierigen Ausdruck an. Ob er etwas von dem Unsinn gemerkt hatte?

»Gute Nacht, Chris«, sagte ich, »wenn Sie sich beeilen, kommen Sie noch vor dem Regen ins Hotel.« Den ganzen Nachmittag hatten die Wolken über dem See gehangen, und es wehte ein weicher, schwerer Südwind. Ich zog meine Hand zurück. Er ließ sie nur widerstrebend fahren. Ich streckte sie wieder aus, um zu prüfen, ob nicht schon die ersten Tropfen fielen.

»Und Sie, Marion«, sagte er, »bleiben Sie nicht zu lange auf! Gestern war es fast zwei Uhr, als Sie zu Bett gingen.«

»Woher wissen Sie denn das?« fragte ich erstaunt. Ich war — wie mei-stens, wenn wir Föhn hatten — nervös gewesen, und da ich nicht schlafen konnte, hatte ich mich entschlossen, Briefe zu schreiben.

»Ich kann von meinem Zimmer aus Ihr Licht sehen«, sagte er.

»Das ist nicht wahr. Ihr Zimmer geht auf den See und nicht auf die Vor-berge.«

»Also gut. Ich konnte nicht schlafen und ging ein bißchen spazieren. Ich mußte das Licht sehen, ob ich wollte oder nicht.«

»Das macht der Föhn. Es ist beinahe ein Schirokko, nicht? Nun, heute werden Sie hoffentlich gut schlafen.«

»Gute Nacht, liebe Marion.«

»Gute Nacht, Chris.«

Nach einiger Zeit fiel der Regen in großen, schweren Tropfen, die auf den Blättern des Baumes hinter dem Haus explodierten. Der Mühlbach gebärdete sich aufgeregt, wie immer, wenn es regnete. Er machte ein Geräusch wie ein brummiger alter Oberst mit einem chronischen Bronchialkatarrh. Durch den Regen wurde die Nacht noch stiller; es ging kein Wind, kein Lüftchen regte sich — nur der Regen fiel schwer und eintönig. Ich erinnerte mich, daß ich die Blindenbücher auf der Veranda hatte liegenlassen, und ging hinaus, um sie zu holen, bevor sie ganz durchweicht wären. Ich hatte die Taschenlampe mitgenommen, denn die Nacht war ein nasses, dampfendes Dschungel von

Finsternis. Vom Schindeldach hing ein Wasservorhang herunter, der in dem scharfen schmalen Lichtstrahl glitzerte. Und da entdeckte ich eine Gestalt in einem Regenmantel, die sich an unsern Zaun lehnte und zur Veranda heraufschaute. »Christopher —«, sagte ich erschrocken. »Was ist los? Was machen Sie da im Regen?«

»Ich warte auf die Straßenbahn, sehen Sie nicht?« sagte er.

»Nein, wirklich —«

»Ich mache meinen Verdauungsspaziergang wie jeder gute Engländer.«

»Aber ernstlich —«

»Ernstlich habe ich meinen Tabaksbeutel vergessen und kann ohne meine Pfeife nicht schlafengehen. Darf ich hineinkommen und ihn holen?«

»Warten Sie —«, sagte ich in maßloser Verwirrung. »Ich werde — Michael schläft — ich hole — nur eine Sekunde — ich komme hinunter —«

Wie gewöhnlich hatte ich wieder einmal den Oberteil von einem und die Hosen von einem andern Pyjama an. Wenn man einmal etwas verkehrt angefangen hat, bringt man es nie wieder ins reine. Ich hätte bezaubernd in ein reizendes Negligé aus schwarzen Chantillyspitzen über fleischfarbigem Chiffon gekleidet sein sollen. Statt dessen stand ich da in einem zerknitterten Pyjama, oben blau mit roten Sternchen, unten blaurot gestreift. Ich sah schrecklich aus mit meinem wirren Haar, meine Füße waren nackt, ich genierte mich — aber Hausschuhe habe ich in meinem ganzen Leben noch nicht getragen, nicht einmal besessen. Wenigstens habe ich mir das Gesicht noch nicht eingekremt, dachte ich, als ich den Tabaksbeutel nahm und ihn hinuntertrug. Ja, Mädel, und nicht einmal ein bißchen Kriegsbemalung, flüsterte mir ein widerwärtiges Stimmchen zu. Na wenn schon, dachte ich. Ich will ihn doch nicht verführen, nicht wahr? Es schadet gar nichts, wenn er mal sieht, wie eine Frau mittleren Alters ausschaut, wenn sie schlafengeht. Das macht wenigstens ein für allemal dem ganzen Unfug ein Ende. Ich reichte Christopher den verwünschten Tabaksbeutel durch den Türspalt und kroch ins Bett, von mir selbst und von der Welt angeekelt. Mitten in der Nacht erwachte ich, und da fiel mir ein, daß Christopher erst vor drei Tagen einen ganzen Karton seiner Spezialtabakmischung bekommen hatte. Er mußte also einen Vorrat für wenigstens zwei Monate in seinem Zimmer haben. Weshalb ist er dann durch den Regen getrabt und hat unter meinem Fenster gestanden, um zu meinem Licht hinaufzusehen? Das war eine Frage, die wie eine Harpune in mir steckenblieb — je mehr ich an ihr zerrte, um sie herauszukriegen, desto weiter bohrte sie sich mit ihren Widerhaken in mich hinein.

Weißt du noch, wie wir das zweitemal zur Arlihütte hinaufgingen und ich im oberen Kamin versagte? Du hattest mich angeseilt, ich fühlte, daß ich nicht stark genug war, es zu schaffen, und du hattest die ganze Last allein und mußtest mich hinaufziehen? Ich war über mich selbst wütend und kam mir so alt vor wie Methusalem.

»Ich kann Goethes ›Faust‹ vollkommen verstehen«, sagte ich, als wir auf der Bank vor der Hütte saßen und uns die Sonne auf die geschlossenen Augenlider scheinen ließen.

»Wirklich?« sagtest du faul. »Ich nicht. Jedenfalls nicht den zweiten Teil.«

»Wenn der Teufel zu mir kommen und mir anbieten würde, mich wieder sechzehn Jahre alt zu machen — ich würde mit Freuden dafür in die Hölle gehen. Es gibt natürlich nichts, was ich sehnlicher wünsche, als daß mir der Teufel ein solches Angebot machte.«

Du antwortetest nicht sofort, und ich glaubte, du hättest nicht zugehört oder du wärst in der tiefen, wohltuenden Ermüdung, die einen nach einer so anstrengenden Kletterei befällt, eingeschlafen.

»Na, ich danke — wie langweilig wären Sie, Marion, wenn Sie sechzehn wären, und wie dumm! Übrigens würden Sie einen schlechten Teint haben und dicke fette Babybeine«, sagtest du schließlich.

Der Teufel kam nicht, aber als du das gesagt hattest, war mir viel besser zumute. Wir waren so gute Kameraden, Chris, nicht wahr? Es war dieses reiche, dauernde Geben und Nehmen zwischen uns. Oft dachte ich: Alles, was uns trennt, sind diese fünfzehn Jahre. Wäre ich später auf die Welt gekommen! Wäre er früher auf die Welt gekommen! Nicht die Zahl deiner Jahre ist es, die dich alt macht, nicht die Runzeln und nicht die Erfahrung. Daß man zu einer andern Generation gehört, in die man hineingeboren ist und die einem ihren Stempel unauslöschlich aufgedrückt hat — das ist es! Wenn ich mir ausmalte, wie es wäre, wenn ich Christophers Geliebte würde, kam ich mir blödsinnig vor wie ein Plüschsofa mit Schutzüberzug in einer modernen Stromlinieneinrichtung aus Glas und Chrom.

Dann wünschte sich Michael mehr und mehr ein Klavier. Er wollte ernstlich Musik studieren. »Die Leute auf der Bühne können auch nicht mehr als ich«, sagte er, als wir uns bei einer seiner Parodien vor Lachen wälzten. »Vielleicht kann ich wenigstens aus diesem Talent etwas machen, wenn ich schon nicht Arzt werden kann.«

Es war ein Glück, daß ich in diesen Monaten alles gebrauchen konnte, was ich in meinem Leben gelernt hatte: Musik, Krankenpflege, Holzschnitzen; ein wenig Geduld und etwas Optimismus; die Erfahrung, daß nichts so schlimm ist, als daß man sich nicht daran gewöhnen könnte. Wahrhaftig, wenn ich noch lange genug in dieser Gletscherspalte sitze, werde ich mich hier schließlich ganz zu Hause fühlen, und es wird mir direkt leid tun, wenn man mich herausholt. Wie Hauptmann Tillmann, der so lange im Schützengraben gewesen war, daß er nicht mehr in einem Bett schlafen konnte. Möglicherweise werden wir alle uns so daran gewöhnen, in Luftschutzkellern zu leben, daß wir, wenn die letzte Bombe gefallen und die letzte Stadt in die Luft geflogen ist, nicht mehr wieder an die Erdoberfläche und ans Tageslicht kommen wollen . . .

»Fahren wir miteinander nach Genf, und mieten wir ein Klavier für Michael«, schlug Christopher vor. Er kannte sich in Genf gut aus, da er irgend etwas beim Völkerbund gewesen war. »Ich war der Nicht-Gentleman eines Nicht-Gentlemans«, nannte er es. Ich nehme an, er war Sekretär eines Mitglieds der britischen Delegation während der unseligen Sitzungsperiode von 1936 gewesen, und ich glaube, daß viel von seiner Verbitterung und seiner Skepsis hinsichtlich der Weltlage aus jener Zeit stammte.

»Seien Sie ein Engel, Chris, und fahren Sie allein nach Genf, ja? Ich kann von Michael nicht fort«, sagte ich nervös. Seit jener Regennacht hielt ich mich von Christopher soviel wie möglich fern. Ich wollte mich nicht lächerlich machen, und doch wurde es immer schwerer, sich nicht lächerlich zu machen.

»Nein, ich will kein Engel sein. Michael ist kein kleines Kind, und Hammelins Tochter wird mit Freuden für zwei Tage die Pflege übernehmen. Es wird Ihnen guttun, einmal ein bißchen herauszukommen, Marion«, sagte er. »Außerdem ist es höchste Zeit, daß Sie in Genf zum Schneider gehen und sich einen neuen Skidreß machen lassen. Ihr alter sieht erbärmlich aus, und Gott weiß, was bis zum Winter alles passiert. Besser, man sorgt vor.«

Ja, dachte ich, und ich kann etwas für mein Haar tun, und das entschied die Frage. Etwas für ihr Haar zu tun ist das fundamentale Bedürfnis jeder verliebten Frau. Langes Haar bis zu den Knien für Charles Dupont — er nannte es mein Gewand und träumte von einem Aktbild à la Lady Godiva. Kurze Locken für Walter Brandt. Für Hauptmann Tillmann ein bescheidener Knoten und der stumpfe Ton, der von Vitaminmangel herrührte. Bubikopf, Henna, Dauerwellen, gebleichtes, platinblondes Haar, Windstoßfrisur für meine flüchtigen Liebesaffären mit Fremden während meiner Zeit als berufstätige Frau. Für John war ich zu meinem eigenen Kastanienbraun zurückgekehrt, und mein Zottelkopf war ständig gut frisiert, wie es sich für eine Mrs. John W. Sprague geziemte. Jetzt war es von der Höhensonne gebleicht, strähnig vom Waschen mit hartem Quellwasser, und das erste Grau zeigte sich. Bisher hatte ich erst fünf graue Haare gefunden, aber fünf graue Haare genügen, um einen in Panik zu versetzen, besonders wenn man in einen jungen Burschen verliebt ist.

Am letzten Augustabend kamen wir in Genf an, aßen zu Abend und machten einen friedlichen Spaziergang durch die Stadt und am Seeufer entlang. Chris hatte eine Verabredung mit Freunden, und ich ging zeitig zu Bett. Am nächsten Morgen ging ich in einen Schönheitssalon und lieferte meinen Kopf einem schlanken, femininen Hexenmeister aus, der sich für eine Ölbehandlung, eine Spülung zur Wiederherstellung der Glanzlichter und einer Frisur entschied, die das Gesicht freiließ und hoch über der Stirn stand. Er ging mit den Allüren eines großen Chirurgen ans Werk, während ihm zwei atemlose Assistenten Kämme, Scheren und Nadeln reichten.

Als ich hingegangen war, hatten wir noch Frieden gehabt. Als ich fortging, bestand kein Zweifel mehr, daß der Krieg ausgebrochen war. Zwischen diesen beiden Zeitpunkten lag Hitlers seltsam gebändigte und fast sentimentale Rede, die mir das Radio in die Ohren bohrte, während eine Locke nach der andern sauber, geölt, glänzend um meine Stirn befestigt wurde.

Ich erinnere mich, daß wir nachmittags mit dem kleinen Dampfer irgendwohin fuhren — den Namen des Ortes habe ich vergessen. Wir saßen vor einem kleinen Wirtshaus unter einem Baldachin von Platanen und sprachen von allem möglichen, nur nicht von diesem neuen Krieg. Es war ein linder, warmer Tag, in der Luft hingen die ersten blauen Dunstnebel des Herbstes, und unglaubhaft tief und schön schien der Frieden um uns, jetzt, da er uns wieder genommen werden sollte. Wir kehrten in die Stadt zurück und mieteten ein Klavier für Michael. Ich kaufte eine Anleitung für Anfänger und ein paar Clementi-Sonatinen, während Christopher sich mit Büchern belud.

»Es wird Zeit, daß ich mit dem Schlendrian Schluß mache und ernstlich an die Arbeit gehe mit meinem ›Aufstieg und Verfall des byzantinischen Reichs‹«, sagte er. »Es war ein herrlicher Tag, Marion, nicht? Trotz alledem, Sie wissen ja. Trotz alledem.«

Am deutlichsten ist mir das kleine Gespräch in Erinnerung geblieben, das wir in jener Nacht im Zug hatten. Ich stand vor meinem Schlafabteil, um noch eine Zigarette zu rauchen. Der Zug schaukelte leise, und ich schaukelte mit, während ich durch das Fenster in die Nacht hinaussah, die einer schwarzen Glasglocke glich. Ich war trotz des neuen Krieges zufrieden und ruhig. Dieser Krieg war nicht dasselbe wie der vorige. Die Menschen schienen ihn mit klaren Augen anzusehen, sehr vernünftig, sehr nüchtern und völlig ohne Illusion. An diesem neuen Krieg war nichts Begeisterndes, nichts Romantisches. Irgendwie schien man zu glauben, daß dies gar kein richtiger Krieg sein werde. Als ob irgend etwas noch im letzten Augenblick den Zeiger anhalten und dem ganzen Unsinn ein Ende machen müßte.

»Krieg wegen Danzig? Also — das ist lächerlich«, sagte ich zu Chris. »Es ist das erstemal, daß die Deutschen im Recht sind. Warum wollen die Engländer jetzt einen Krieg anfangen, wenn sie ihn wegen der Tschechoslowakei nicht angefangen hatten?«

»Das ist Spiegelfechterei«, sagte Christopher. »England muß aus Prestigegründen den Krieg erklären. Es ist eine bloße Geste. Deutschland will — ebenfalls aus Prestigegründen — Danzig zurückbekommen. Auch das ist eine Geste. Dann werden sie Frieden machen und sich gegenseitig beschwichtigen, bis sie blau im Gesicht werden.«

»In sechs Wochen sind wir in Paris, und alles ist vorüber«, hatte Walter Brandt gesagt. Wie wenig sogar die gescheitesten Männer wissen . . .

Ich fühlte mich sehr gut, wie ich da im Gang stand. Ich lobte mich selber dafür, daß ich mich endlich von dem Spuk befreit hatte, dem ich in Staufen so vollkommen verfallen gewesen war. Das enge Zusammensein mit Christopher in diesem Dörfchen hatte alles so übertrieben wichtig gemacht. Es hatte mir mächtig wohlgetan, daß ich mich einmal ausgelüftet hatte. Da wir nun wieder Krieg hatten, war es gar nicht mehr so wichtig, wer in wen verliebt und wie alt oder wie jung jemand war. Ich schaute in die vorübergleitende Nacht hinaus und spielte Tiefseeforschung. Seltsame Geschöpfe schwebten vorbei, Gesträuche wurden im Lichtschein des Zuges zu Korallen, die einsamen Lichter auf einem unsichtbaren Berghang zu Leuchtfischen. Wir sausten in ein Gewirr von gläsernem Seetang hinein, und dann schluckte uns ein Polyp in den finsteren Bauch eines Tunnels. Ich unterhielt mich sehr gut, wie ich da allein in dem Korridor stand, rauchend, spielend, nachdenkend und in Frieden. Mein ganzes Leben lang habe ich immer einen großen Bedarf an Alleinsein gehabt, um die Tanks in meinem Innern aufzufüllen; es war für mich so notwendig wie Luft, Essen und Schlaf. Und doch — als Christopher aus seinem Abteil trat und sich an das benachbarte Fenster stellte, überkam mich aufs neue die reiche, vibrierende Freude, ihm nah zu sein.

»Oh, Sie sind noch auf? Wie nett!« sagte er. Sein Haar war feucht, als hätte er es naß zurückgebürstet, und er roch nach Zahnpasta, Leder und Gesichtswasser. Er trug einen Pyjama und darüber einen dunkelgrünen Hausmantel.

»Ich konnte nicht schlafen«, sagte er. »Eine Kriegserklärung ist nicht gerade ein Schlafmittel, finde ich.«

In der Hand hielt er seine unvermeidliche Pfeife und den Tabaksbeutel. Offenbar war er auf den Gang getreten, um zu rauchen, aber jetzt steckte er beides in die Tasche und stemmte die Hände gegen den Fensterrahmen.

»Was für Gedankenverbindungen haben Sie, wenn Sie an Liebe denken?« hörte ich ihn sagen. Aus seinem Mund war dies eine höchst erstaunliche Frage. Meistens beachtete er streng das Tabu, das Leuten seiner Art verbot, über persönliche Dinge zu sprechen.

»Was meinen Sie damit?« fragte ich, einigermaßen verwundert.

»Oh, Sie wissen. Die meisten Menschen verbinden mit ihrer Vorstellung von Liebe ein bestimmtes Bild. Gewissermaßen eine fixe Idee oder so etwas. Die Psychoanalytiker haben das längst herausgekriegt. Ein Freund von mir behauptet zum Beispiel, daß Liebe für ihn den Geruch einer steifgestärkten weißen Schürze bedeutet. Höchstwahrscheinlich hatte er seine erste Liebesaffäre mit einem Stubenmädchen, und in jeder Frau, der er begegnet, sucht er das Stubenmädchen. Ich kenne einen, der hat mir erzählt, er wisse nichts Erregenderes als das Knarren des Fußbodens, wenn man sich in das Zimmer einer verheirateten Frau schleicht. Sie verstehen, Weekenderlebnisse in einer Sommerwohnung. Wahrscheinlich wird sich dieser Mann einmal in Socken in das Schlafzimmer seiner ihm gesetzlich angetrauten Frau schleichen. Nun, für mich ist es der Geruch, die Bewegung und die Atmosphäre eines Eisenbahnzuges. Und für Sie?«

»Soweit ich mich erinnern kann, träumte ich mit sechzehn Jahren von einem Mann, der mich in seine starke Arme nimmt und über die Schwelle eines alten Marmorpalastes trägt«, sagte ich.

»Das ist grauenvoll. Hoffentlich hat er es nicht getan. Und später, als Sie erwachsen waren?«

»Das weiß ich nicht. Ein alter Waschbärenpelz, vielleicht —«, sagte ich zu meinem Fenster.

»Könnte es nicht etwas anderes sein als der alte Waschbärenpelz?« fragte Chris sein Fenster.

»Ich kannte eine Frau, die das Gefühl eines groben Tweedmantels an der Wange liebte. Und das Geräusch, womit ein Mann seine Pfeife am Kamin ausklopft«, sagte ich zu meinem Fenster, wobei mir Bedenken kamen, ob ich nicht zuviel gesagt hätte. Aber Chris schien ganz vergessen zu haben, daß ich da war. Ich sah ihn nicht an, sondern hielt die Augen auf die vorbeifliegende Tiefseelandschaft gerichtet — aber ich fühlte, daß er lächelte, als er mit seinen Bekenntnissen fortfuhr.

»Ich glaube, das hängt alles mit einem Buch zusammen, das ich meiner Mutter ausgespannt habe, als ich zehn Jahre alt war. Es enthielt eine ziemlich detaillierte Darstellung einer Verführung in einem Eisenbahnzug. Es regte mich furchtbar auf. Und irgendwie regt es mich heute noch auf. Halten Sie sich an Ihren Marmorpalast, aber ich möchte mit der Frau, die ich liebe, gern in einem Eisenbahnzug sein — ich will mit ihr allein sein in einem kleinen Abteil mit dem blauen Nachtlicht, mit der Warnung vor Gefahr in drei Sprachen. Die Luft ist trocken, es riecht nach Gepäck, Leder und verschüttetem Kölnischwasser; ich schiebe den Riegel vor, und wir sind ungestört und einander überlassen. Die Bewegung, wissen Sie, die Räder unter uns, die Erschütterung — und später, wenn es dunkel ist, sehe ich ab und zu ihr Gesicht im Schein vorübergleitender Lichter. Haben Sie schon einmal die Licht- und Schattenstreifen in einem Käfig beobachtet? Also, solche Streifen gefallen mir im Gesicht der Frau, die ich liebe. Sehen Sie — aber ich spreche viel zuviel.«

»Passieren all diese hübschen Dinge dem Mädchen in dem Buch? Oder haben Sie selbst eine bestimmte Vorstellung?« fragte ich.

Wenn er indiskret sein konnte, konnte ich es auch.

»Natürlich habe ich eine bestimmte Vorstellung. Sie würden überrascht sein, wenn ich Ihnen sagte, wie bestimmt«, sagte er zu seinem Fenster.

Sofort stand meine Eifersucht in Flammen. Bis zu diesem Augenblick war es mir nicht eingefallen, daß Christopher noch ein anderes Leben haben könnte neben dem, in dem wir ein so wesentlicher Bestandteil geworden waren. Natürlich wußte ich, daß Männer nicht wie Blumenkohl lebten — aber wie jede verliebte Frau hatte ich mir idiotischerweise eingeredet, daß der Mann in meinem Fall eine Ausnahme sei. Ich hatte ihn als Einsiedler, als einsamen Flüchtling und auch ein bißchen als mein Eigentum angesehen. Ich hätte es mir ja denken können, dachte ich bitter; so etwas wie einen Mann ohne Bindung gibt es nicht. Ich beschwor aus dem schwarzen Fenster, hinter dem die Nacht stand, ein Bild dieses Mädchens herauf. Sie war blond und groß, hatte einen Teint wie Milch und Blut, war arrogant, ohne es zu wissen, und unerträglich jung.

»Ist sie Engländerin?« fragte ich, so taktlos wie noch nie. Christopher drehte mir sein erstauntes Profil zu und begann zu lachen.

»Engländerin? Du lieber Gott, nein! Sie wissen, wir haben zu viele Jahrhunderte lang auf unsrer Insel Inzucht getrieben. Zwischen dem englischen Mann und der englischen Frau gibt es keine wirkliche Spannung, glaube ich. Wir sind alle irgendwie Brüder und Schwestern. Wie könnte ich von einem andern Geschöpf erregt werden, das ebenso sandfarben, sommersprossig, knochig und steif ist wie ich selbst?«

Was für ein Idiot war ich in dieser Nacht, Chris, Liebster! Alles, was ich verstehen konnte, war, daß du in ein andres Mädel verliebt warst und daß du aus dir herausgegangen bist, weil du mir zu verstehen geben wolltest, daß ich aufhören sollte, mich lächerlich zu machen. Genauso wie in der Nacht, als du das Streichholz angezündet hattest, damit ich aufhören sollte zu weinen. In kopflosem Rückzug murmelte ich gute Nacht und verschwand in meinem Abteil. Und das war das einzigemal, daß wir über etwas so Persönliches wie Liebe gesprochen haben — bis heute morgen, als du in mein Zimmer kamst, um mir adieu zu sagen. Tau war auf deinem Haar, du kautest an einem Grashalm, und wenn ich auch daran starb, klammerte mich an meine dumme, kleinliche, lächerliche Würde, und wenn ich auch daran starb.

Bei meiner Rückkehr nach Staufen fand ich Michael mit hohem Fieber zu Bett. Es war nicht einfach Temperatur, sondern ein richtiges Fieber.

»Ich habe ein kleines Palaver mit unserem alten Stinktier Konrad gehabt«, berichtete er, viel zu munter. »Wir haben beschlossen, die Behandlung zu ändern. Dies ist die erste Reaktion.«

»Scheint ja nicht sehr erfolgreich zu sein«, sagte ich. »Und gerade wenn ich nicht hier bin, dich zu pflegen.«

»Ach, das war eigentlich ganz gut«, sagte Michael. »Du hättest doch nur Schwierigkeiten gemacht. Ich wollte nicht, daß du dich mit der Entscheidung quälst. Schließlich ist es ja meine eigene Sache.«

»Was für eine Entscheidung, Milchi, um Himmels willen?«

»Konrad hat mir gesagt, daß wir mit dem, was er konservative Behandlung nennt, nicht weiterkommen. Er hat mich gefragt, ob ich willens sei, ein Risiko auf mich zu nehmen, und ich hab's mir überlegt und ja gesagt.«

»Welches Risiko?« fragte ich schwach.

»Ach — eben das übliche Risiko. Die Krankheit, die jetzt lokalisiert ist, kann sich ausbreiten, und ich kann möglicherweise daran krepieren ... Du bist mir nicht böse, nicht wahr, Mony?« sagte er, als ich schwieg.

Ich wußte, ich war für ihn nur ein verschwommener dunkler Schatten neben seinem Bett; ich schob meine Hand in seine Hand, die heiß war und zitterte.

»Nun, Milchi —«

»Früher oder später krepiert man ja doch, nicht wahr? Warum soll man sich also deshalb so anstellen?«

»Ich stelle mich doch nicht an, nein?«

»Hör zu, Mony. Wenn es deine Augen wären und dein Leben, das auf dem Spiel steht — du würdest doch auch das Risiko auf dich nehmen, nicht wahr?«

»Ich glaube schon —«, sagte ich.

»Natürlich würdest du's! Siehst du. Wenn ich krepiere, krepier' ich. Wenn ich nicht krepiere, kann ich das Große Los gewinnen und meine Sehkraft wiedererlangen. Was ist denn schließlich weiter dabei? Jetzt, wo Krieg ist, werden Millionen und Millionen junger Menschen krepieren — und zwar unter viel weniger angenehmen Umständen!«

Die erste Woche der neuen Behandlung ging damit vorüber, daß Michael in seinem Bett döste, nicht sprechen wollte, nicht essen wollte, sehr müde war und doch zu nervös, um zu schlafen. Dr. Konrad kam täglich, manchmal sogar zweimal, um Michael die neuen Injektionen zu geben und die Reaktion zu beobachten. Während der zweiten Woche, als Michael delirierte, blieb der Doktor manchmal bis spät in die Nacht bei uns, ganz Forscherinteresse und ganz unpersönlich. Er machte Aufzeichnungen und vergleichende Tabellen; zu meinen Fieberkurven und Beobachtungen hatte er kein Vertrauen; er wollte alles mit eigenen Augen sehen und selbst seine Schlüsse ziehen. Bis zwei Uhr morgens hielt er sich bei uns auf, widerstrebend ging er dann nach dem Haus des alten Hammelin, wo er wohnte, und um halb sechs war er wieder da, um zu sehen, was in den wenigen Stunden seiner Abwesenheit geschehen war. Ich hatte den Eindruck, daß er Michael nicht als krankes menschliches Wesen ansah, sondern als Retorte, in der eine Versuchslösung brodelte und braute. Dr. Konrad hatte alles in allem drei Patienten. Zwei andere, ebenso verzweifelte Fälle waren ihm gleichfalls nach Staufen gefolgt, um sich von ihm behandeln zu lassen. Manchmal, wenn ich das gnomenhafte Männchen mit dem entstellten Gesicht und den Fanatikeraugen betrachtete, wie es neben Michaels Bett kauerte und vor sich hinmummelte, fragte ich mich, ob das Jahr im Konzentrationslager wohl seinem Verstand geschadet haben könnte. Aber wie immer auch sein geistiger Zustand sein mochte — seine wissenschaftlichen Fähigkeiten waren ungeschwächt, und ich hatte ja auch keine andre Wahl, als ihm zu vertrauen.

Michael magerte in dieser zweiten Angstwoche zum Skelett ab. Zuweilen fürchtete ich, die dünnwandige Retorte, in der Dr. Konrads großes Experiment brodelte, könnte zerspringen und platzen. Mein Kind war durchscheinend, so ausgebrannt vom Fieber, daß sein langer gotischer Körper jeden Knochen, jede Sehne sehen ließ, wie der Körper des Gekreuzigten auf einem primitiven Gemälde. Aber er bewies unerwartete Kräfte, und als er im Delirium zu toben begann, war ich nicht stark genug, ihn auf seinem Bett festzuhalten. Christopher machte sich erbötig, zu uns zu ziehen und mich von Zeit zu Zeit für ein paar Stunden abzulösen. Ich hatte es eigensinnig abgelehnt, aus Arlingen eine Schwester kommen zu lassen. Michael zu pflegen war meine Sache, das stand für mich fest; aber Christophers Angebot nahm ich mit Freuden an. Er schlief auf der Couch in Michaels Zimmer. In der dritten Woche ging das Fieber herunter. Danach war Michael ein graues Häufchen Glut und Asche. Das Klavier, das wir in Genf gemietet hatten, kam an und wurde im Erdgeschoß hingestellt — aber ich dachte, wer weiß, ob er jemals darauf spielen wird.

Da kam ein Brief von Renate, in Blindenschrift, in der großen Type ersten Grades, die wir — Michael und ich — gerade gelernt hatten.

»Lieber Michael«, schrieb sie. *»Ich lerne Blindenschrift, damit Dir niemand meine Briefe vorlesen muß. Wenn Deine Fingerspitzen empfindlich genug sind, wirst Du auf jedem Buchstaben einen kleinen Kuß von mir finden. Hoffentlich kommst Du bald nach New York. Es gefällt mir hier, aber es würde mir noch millionenmal mehr gefallen, wenn Du auch hier wärst. Alles Liebe von Deiner Freundin*

Renate Rieger.«

Dieser Brief war das richtige für meinen kranken Jungen. Er schlief mit ihm wie er seinerzeit als Kind mit dem Kaninchen Nibbel geschlafen hatte. Christopher zog wieder aus, und ich merkte es kaum. Ich setzte Dr. Konrad mit Fragen zu, und er antwortete, daß alles seinen Erwartungen gemäß verlaufe — eine recht unbestimmte Auskunft. Gegen Ende der dritten Woche fing Michael wieder an zu essen und trank erstaunliche Mengen Milch und Fruchtsaft.

Und dann, am zweiten Tag der vierten Woche — es war ein Dienstag — ereignete sich etwas.

Ich war auf der Veranda gewesen und hatte meine Geranien gegossen. Michael lag noch im Bett in seinem Zimmer, das nun seit Wochen verdunkelt war. Unsre hölzernen Fensterläden hatten einen herzförmigen Ausschnitt, und manchmal drang ein Sonnenstrahl durch das Herz und erhellte ein Miniaturuniversum aus tanzenden Stäubchen. Ich kam mit meiner langschnäbligen kleinen Gießkanne von der Veranda ins Zimmer und ließ die Tür offen, damit die herbe Herbstluft hereinströmen konnte. Michael wandte den Kopf nach mir wie immer, wenn er hörte, daß ich hereinkam. Er war übrigens nie gänzlich blind; er konnte noch immer die Schatten wahrnehmen, die sich in seiner Nebelwelt bewegten.

»Komm her, Mony!« rief er mir zu. Ich stellte meine Gießkanne hin und ging zu seinem Bett hinüber.

»Nein, bring das Ding da mit, was es auch sein mag!« sagte Michael. Gehorsam holte ich die Gießkanne und brachte sie zu ihm. Ich kam nicht auf den Gedanken, daß er sie gesehen hätte. Ich dachte, er habe den metallischen Klang gehört, den sie beim Hinstellen auf den Fußboden gegeben hatte. Ich hielt sie auf meinem Schoß, Michael streckte die Hände aus und schlug dagegen. ›Päng‹, sagte die kleine Kanne.

»Hm —«, machte Michael. Er schob die Gießkanne weg, ergriff meine Hände und zog mich an sich. »Hm —«, machte er noch einmal. »Geh zur Tür zurück und komm wieder her!« sagte er einen Moment später. Ich stand auf, verwirrt — was sollte das? Ich ging auf das helle Rechteck der Tür zu und kam wieder zurück.

»Trägst du eine weiße Schürze?« fragte Michael.

»Natürlich —«, antwortete ich. »Ich bin am ganzen Leib antiseptisch.«

Erst einen Augenblick später kam mir die ganze Wucht seiner Frage zum Bewußtsein. Meine Knie wurden weich, und ich mußte mich rasch auf sein Bett setzen. »Warte mal«, sagte er und befühlte das Gewebe meines Kleides, wie es alte Damen machen, bevor sie einen Stoff kaufen. »Warte mal, Mony. Würdest du dieses Kleid schwarz nennen?«

»Nun — beinah schwarz. Es ist marineblau, aber so dunkel, daß man es fast als schwarz bezeichnen kann —«, sagte ich. Meine Zunge war plötzlich ganz dick geworden, als wäre ich betrunken. Michael befühlte noch immer mein Kleid und starrte mich an. Er bewegte den Kopf, als wolle er mein Bild ganz erfassen. Dann verfolgte er mit dem Finger die Konturen meiner weißen Schürze gegen das schwarze Kleid. »Vollkommen klar«, sagte er. »Ich kann es sehen. Wunderbar. Hell und dunkel. Geh jetzt mal einen Schritt zurück — ich sehe es noch immer. Geh noch weiter zurück. Jetzt ist es weg. Komm wieder her. Ich muß es mir noch länger ansehen. Ich glaube, ich kann auch deine Zähne sehen — den weißen Glanz da oben — und dein Haar.« Er berührte meine Zähne und ich war froh, daß sie so groß waren. Ich verhielt mich ganz ruhig, um diese Handlung, die von so erschütternder Bedeutung war, nicht zu stören. »Also, Mony —«, sagte er schließlich, »es sieht aus, als hätten wir das Große Los nun doch noch gewonnen.«

Was gibt es sonst noch zu erzählen? Erst kam der Winter, es ereignete sich nichts, die Menschen wurden leichtfertig und machten Witze über diesen Krieg, der gar kein Krieg war. Die Tramontana blies vom Norden, Christopher zog sich in sein Schneckenhaus zurück und schloß sich mit dem ›Aufstieg und Verfall des byzantinischen Reichs‹ ein. Der Wind drehte sich, er kam jetzt von Süden, und die ersten Lawinen kamen herunter. Ein kleiner dicker General schwirrte durch Staufen, um die Soldaten zu inspizieren; jeder Mann, jede Frau, jedes Kind hatte ein Gewehr und wußte, wie man damit umging, und alle sagten, sie würden lieber auf der Schwelle ihres Hauses sterben, als die alte Schweizer Freiheit aufgeben. Zuerst kamen die Amseln, die erbittert um ihre Nester vom vergangenen Jahr kämpften, und dann wurde Finnland besiegt. In den tieferen Teilen des Landes zogen pünktlich die Schwalben ein, und Norwegen war geschlagen. Die Veilchen und die Apfelblüten kamen und gingen, und nun waren Holland und Belgien an der Reihe. Und jetzt, da an unserm Baum die ersten grünen Kirschen hingen, war Frankreich zusammengebrochen. Ich fragte mich, ob es zu der Zeit, da sich die Haselnüsse aus weichen grünen Knöpfen in harte goldene Kerne verwandeln, noch ein England geben würde ...

Heute morgen kamst du, Michael, und brachtest mir die ersten Erdbeeren; du hattest sie mit deinen eigenen Augen gefunden, die roten Erdbeeren in dem grünen Gras, das am Weg wächst. Heute morgen kamst du, Christopher, zu mir, das Haar feucht von Tau, um mir adieu zu sagen. Denkst du noch an die finstre, neblige, stickige Nacht, als ich auf der Veranda weinte? Wie lange ist es her — fast prähistorisch; denn damals war noch Frieden, aber mit diesem Krieg hat ein neues Zeitalter begonnen. Ich bin einen langen Weg gewandert, um dir zu begegnen, Chris, mein Liebster; vierundvierzig Jahre war ich unterwegs; und jetzt, wo ich dich gefunden habe, muß ich dich in einen Krieg ziehen lassen, an den du nicht glaubst. Du hast eine unklare Vorstellung davon, wogegen du kämpfen willst, nicht aber wofür, und das ist genauso schlecht, wie mit nasser Munition schießen. Und du, Martin, mein guter, aufrechter, vernünftiger Junge, ich rechne auf dich, deinen kühlen Verstand und deine gesunde Vernunft, denn du bist das Salz der Erde. Ich liebe dich genauso stark, wie ich Michael liebe, auch wenn du glaubst, ich verwöhne ihn zu sehr. Deine Aufgabe ist es, in diesen Zeiten nicht den Kopf zu verlieren, sondern weiterzuarbeiten — Wasser zu bohren, Häuser, Maschinen, Flughäfen und Dämme zu bauen, Getreide zu pflanzen und Brot zu backen — all die einfachen, notwendigen und ruhmlosen Dinge, die du und Millionen deinesgleichen tun, um die Welt im Gleichgewicht zu halten. Ich kritzle diesen Brief an dich, während ich in einer Gletscherspalte stecke; ich habe heute mein ganzes Leben an mir vorüberziehen lassen, weil ich gehofft hatte, ich würde mir klar darüber werden, wo wir stehen, wie wir dahingekommen sind und wohin der Weg geht. Aber ich bin ebenso verwirrt und durcheinander wie vorher und hab' ein kaltes Hinterteil. Ich habe keine Angst — nein, ich habe keine Angst. Nie Angst haben! Es kann dir nichts geschehen. Die Hauptsache ist: im Gleichgewicht bleiben. Ich möchte eine Löwenbändigerin sein. Gott erbarme sich meiner! Großer Gott, Marion, wir wollen uns jetzt nichts vormachen. Du weißt, ich liebe dich. Ich liebe dich auch, Chris — es tut mir leid, daß ich es dir heute morgen nicht gesagt habe. Ich liebe dich mit der zähen, bitteren, knorrigen, wissenden Liebe, die bis ans Ende dauert. Ich bin ein wenig müde, Chris. Ich möchte mich hinlegen und schlafen, einen langen Winterschlaf, und nicht aufwachen, ehe der Krieg vorbei ist und der Holzapfelbaum wieder blüht. Ist's recht, Chris, mein Allerliebster?

ZWÖLFTES KAPITEL

Die Sonne war weiter hinaufgekrochen, fast bis an den Rand der Gletscherspalte, und da unten, wo Marion kauerte, war es kälter geworden. Ihre Finger waren so steif, daß sie die Füllfeder nicht mehr halten konnten. Und doch gab ihr die Zigarette zwischen den Lippen so viel Wärme wie ein Ofen. Noch nie hatte ihr eine Zigarette so gut geschmeckt. Das Wesen alles Guten, Warmen, Starken, Würzigen und Ermutigenden lebte in diesem schwachen Glühen. Marion betrachtete das glimmende Ende, und für eine Sekunde verwandelte es sich in das glühende Ofenrohr in jenem warmen Zimmer, wo sie sich einem kranken Fremden geschenkt und Michael empfangen hatte. Noch einen Augenblick lang glühte das Ofenrohr und erwärmte sie, dann verblaßte die Glut, und es war wieder kalt. Marion warf den erloschenen Stummel in die Tiefe der Gletscherspalte und wartete lauschend auf das unhörbare Geräusch, mit dem er unten in der Finsternis ankam. Ihr Körper war gefühllos vor Kälte, aber ihre Sinne waren unglaublich empfindsam geworden. Mit einem sechsten Sinn vermochte sie zu hören, zu fühlen, zu empfinden, daß Christopher schon auf dem Gletscher war und jeden Schrund, jeden Riß nach ihr absuchte. Ich und die Welt, dachte sie nebelhaft — wir stecken beide irgendwo, von wo wir nicht herauskönnen, wenn uns nicht ein Engländer zu Hilfe kommt. Der Sonnenstreif am Rand der Eiswand war nicht breiter als ein Finger. Marion hatte noch sieben Zigaretten und eine halbe Flasche Enzianschnaps. Sie rief und jodelte dreimal, aber ihre Stimme trug nicht. Sie hockte sich auf ihr gesundes Bein und suchte im Rucksack nach der Flasche. Hoffentlich ist sie nicht eingefroren, dachte sie. Alkohol gefriert nicht so leicht, du Idiot. Ich muß John fragen, bei welcher Temperatur Alkohol gefriert. Ich meine Michael. Oder Martin. Es machte ihr Schwierigkeiten, den Verschluß abzuschrauben, weil ihre Finger so steif und taub waren, aber schließlich brachte sie es fertig und trank zwei tiefe Schlucke. Abermals wirkte das Wunder. Eine Minute später war sie wieder kräftig und fröhlich und fühlte sich wunderbar. Sie richtete sich an der Eiswand empor und beugte sich vor, um den Kopf unter dem Eisvorhang, der offenbar ihre Stimme dämpfte, wenn sie rief, hervorstecken zu können. Es war eine heikle Stellung, besonders wenn man einen gebrochenen Fußknöchel hatte. Hoppla! Die Königin der Luft! dachte Marion anerkennend. Gebt mir die Hand, Leute! So. Danke, liebe Freunde! Indem sie sich an einem starken Eiszapfen festhielt, begann sie laut zu rufen, ganz systematisch: nicht zu oft, denn sie wollte ihre Stimme schonen, und nicht zu selten, denn es sollte niemand in der Nähe der Gletscherspalte vorbeigehen können, ohne sie zu hören. Nach einiger Zeit glaubte sie, eine leise Antwort zu hören. Sie rief, hielt inne und lauschte. Sie hörte das gläserne Knistern im Eis, das ihr schon vertraut war, und rief wieder.

Sie war sehr müde und schläfrig, fühlte sich aber sehr wohl.

Um wach und frisch zu bleiben, brauchte sie noch einen Schluck. Sie holte die Flasche aus ihrer Tasche, wobei sie sich mit der andern Hand festhielt. Ihre Finger waren klamm und empfindungslos, so wie die Finger von Leprakranken sein sollen. Die Flasche entglitt ihr und fiel in zwei Sprüngen von dem Eissims, auf dem Marion balancierte, auf den nächsten hinunter, wo sie aufschlug und zerbrach. Offnen Mundes verfolgte Marion den Weg des verlorenen Schatzes. Und dann, wie so oft in ihrem Leben, schnappte etwas in ihr, und sie fing an zu lachen. Urkomisch, dachte sie. Etwas so wahnsinnig Komisches ist mir ja in meinem ganzen Leben noch nicht passiert. Sie beugte sich vor und warf einen Blick auf die zerbrochene Flasche, die schuldbewußt in ihrem kleinen Alkoholtümpel lag wie ein Baby, das sich das Höschen naßgemacht hat. Gott will, daß ich nüchtern bin, wenn Christopher kommt und mich findet, dachte Marion. Sie lachte immer weiter, und bei ihrem Lachen wurde ihr leicht und warm.

Die Sonne hatte den Rand der Gletscherspalte erreicht und war weg.

ENDE

Extra für Sie

HEYNE EXTRA

BRIGITTE VON TESSIN
Der Bastard
Band HE 01 – Dreifachband

DIETER NOLL
Die Abenteuer des Werner Holt
Band HE 02 – Zweifachband

WILLI HEINRICH
Gottes zweite Garnitur
Band HE 03 – Zweifachband

SIEGFRIED SOMMER
Und keiner weint mir nach
Band HE 04 – Einfachband

EVAN HUNTER
Schock
Band HE 05 – Zweifachband

HENRY JAEGER
Das Freudenhaus
Band HE 06 – Zweifachband

GEORGES SIMENON
Der kleine Heilige
Band HE 07 – Einfachband

ANYA SETON
Lady Katarina
Band HE 08 – Dreifachband

HUGH MacLENNAN
Die Nacht der Versöhnung
Band HE 09 – Dreifachband

CALDER WILLINGHAM
Die Versuchung der Laurie Mae
Band HE 10 – Dreifachband

SANDRA PARETTI
Rose und Schwert
Band HE 11 – Dreifachband

EVAN HUNTER
Saat der Gewalt
Band HE 12 – Dreifachband

WILLI HEINRICH
Ferien im Jenseits
Band HE 13 – Dreifachband

ROBIN MAUGHAM
Das zweite Fenster
Band HE 14 – Dreifachband

VIOLETTE LEDUC
Therese und Isabelle
Band HE 15 – Einfachband

JESSAMYN WEST
Der Tag kommt ganz von selber
Band HE 16 – Zweifachband

IRA LEVIN
Rosemaries Baby
Band HE 17 – Einfachband

HENRY SUTTON
Die Exhibitionisten
Band HE 18 – Dreifachband

KATIA SAKS
Das Dreieck
Band HE 19 – Einfachband

JAN CREMER
Ich Jan Cremer 2
Band HE 20 – Vierfachband

HERBERT KASTLE
Preis der Lust
Band HE 21 – Zweifachband

GEOFFREY NEIL
Die Gouvernante
Band HE 22 – Einfachband

GLORIA BARRETT
Hungrig
Band HE 23 – Einfachband

WILHELM HEYNE VERLAG · MÜNCHEN

HEYNE
LEBENDIGE
WELT-
GESCHICHTE

»Das lebendigste Geschichtswerk, das je geschrieben wurde.«

Otto Zierers berühmtes Werk BILD DER JAHRHUNDERTE jetzt als ungekürzte Heyne-Taschenbuch-Ausgabe in 21 Bänden.

Dieses Standardwerk moderner Geschichtsschreibung wurde mit über 6 Millionen Auflage zu einem der größten Bucherfolge unserer Zeit.

Titel und Zeittafel der 21 Bände*:

1 **Mensch sei dein Name**
Vom Schöpfungsmythos
bis Pythagoras, 500 v. Chr.

2 **Eroberer und Philosophen**
Von Marathon zur Via Appia
500—300 v. Chr.

3 **Karthago muß fallen**
Pyrrhussiege — Sklavenkriege,
300—100 v. Chr.

4 **Der Weg der Caesaren**
Im Schatten von Golgatha,
100 v. — 100 n. Chr.

5 **Paläste und Katakomben**
Von Hadrian bis Diokletian,
100—300 n. Chr.

6 **In diesem Zeichen**
Der Sieg des Kreuzes,
300—500 n. Chr.

7 **Kreuz und Halbmond**
Zwischen Mekka und Ravenna,
500—700 n. Chr.

8 **Von Gottes Gnaden**
Das Karolingische Zeitalter,
700—900 n. Chr.

9 **Kaiser und Päpste**
Das Heilige Römische Reich,
900—1100

10 **Ritter und Mönche**
Die Sehnsucht nach Süden,
1100—1200

11 **Wandler der Welt**
Glorie und Untergang der Hohen-
staufen, 1200—1300

12 **Göttliche Komödie**
Adel und Schönheit, 1300—1400

13 **Zu neuen Ufern**
Abgesang des Mittelalters, 1400—1500

14 **Der neue Mensch**
Empörer und Gestalter, 1500—1600

15 **Trommeln und Tränen**
Das Zeitalter des Dreißigjährigen
Krieges, 1600—1700

16 **Nach uns die Sintflut**
Glanz und Elend des Rokoko,
1700—1789

17 **Freiheit, Gleichheit, Brüderlichkeit**
Die große Revolution, 1789—1795

18 **Von Korsika nach St. Helena**
Napoleon und seine Zeit, 1795—1815

19 **Abschied vom Biedermeier**
Triumph der Technik, 1815—1850

20 **Glücksspiel um die Weltmacht**
Das Zeitalter des Imperialismus,
1850—1916

21 **Aufbruch zur Gegenwart**
Aufstand der Massen, 1917—1945

Fordern Sie bitte den ausführlichen Farbprospekt bei Ihrer Buchhandlung oder direkt vom Verlag an.

WILHELM HEYNE VERLAG · MÜNCHEN